C'est à toi!

EMC
3

Second Edition

Annotated Teacher's Edition

Authors

Augusta DeSimone Clark

Richard Ladd

Sarah Vaillancourt

Diana Moen

EMC/Paradigm Publishing, Saint Paul, Minnesota

ISBN-10: 0-8219-3311-6
ISBN-13: 978-0-82193-311-4

© 2007 EMC Publishing, LLC
875 Montreal Way
St. Paul, Minnesota 55102
800-328-1452
www.emcp.com
E-mail: educate@emcp.com

Printed in the United States of America
  2 3 4 5 6 7 8 9 10 XXX 12 11 10 09

Contents

Scope and Sequence Chart   2

Introduction   10

About This Annotated Teacher's Edition   12

Components   13

    Textbook   13

    Annotated Teacher's Edition   17

    Annotated Teacher's Edition on CD-ROM   17

    Interactive Textbook on CD-ROM   17

    Workbook   17

    Workbook Teacher's Edition   17

    Grammar and Vocabulary Exercises   18

    Communicative Activities   18

    Listening Activities   18

    Program Manager with Daily Lesson Plans   18

    Audio CD Program   19

    Assessment Program   19

    Overhead Transparencies   20

    Internet Activities   20

    Internet Resource Center   20

About the Authors   22

Philosophy and Learning Strategies   23

Expressions de Communication   28

Functions   29

Additional Sources for Information   31

Transcript of Textbook Listening Activities   34

SCOPE AND SEQUENCE CHART

Unité	Leçon	Fonctions	Vocabulaire	Aperçus culturels
1 *La vie scolaire et les passe-temps*	**A**	inquiring about the past describing past events sequencing events summarizing inquiring about ability expressing inability giving examples confirming a known fact	school subjects school supplies	Senegal education in Senegal education in France lecture halls school supplies
	B	giving orders explaining something giving examples offering something expressing astonishment and disbelief expressing enthusiasm expressing emotions expressing desire	amusement parks sports	*La Ronde* in Montreal cafés *le Carnaval* winter sports in Quebec skateboarding
2 *Les rapports humains*	**A**	asking for information expressing astonishment and disbelief expressing ridicule telling a story describing how things were telling how you were describing physical traits describing temperament	adjectives	passports traveler's checks hotels *le métro*
	B	writing a letter telling a story explaining something expressing emotions expressing concern expressing suspicion apologizing expressing satisfaction	office workers reflexive verbs	passports security check European Union French police Georges Simenon

3
Les arts
	A	inquiring about likes and dislikes
		expressing likes and dislikes
		listing
		stating a generalization
		stating a preference
		expressing need and necessity
		inquiring about opinions
		giving opinions
			movies
			art
			expressions dealing with:
			  Daniel Auteuil
			  Marguerite Duras
			  Céline Dion
			  Angélique Kidjo
			  Maurice Jarre
			  Camille Claudel
			  Gustave Caillebotte
				TV
				le zapping
				multimedia

	B	asking about importance and unimportance expressing importance and unimportance inquiring about agreement and disagreement giving opinions inquiring about surprise comparing inquiring about possibility and impossibility expressing possibility and impossibility expressing need and necessity telling location	movies entertainment expressions	entertainment guides movies moviegoers American films

Langue active	Stratégie communicative	Lecture
Present tense of regular verbs ending in *-er*, *-ir* and *re* Present tense of irregular verbs Interrogative pronouns Direct object pronouns: *me, te, le, la, nous, vous, les* Indirect object pronouns: *me, te, lui, nous, vous, leur*	Writing a Composition	
Passé composé with *avoir* *Passé composé* with *être* The pronoun *y* The pronoun *en* Double object pronouns		Point of View "La plage, c'est chouette" Sempé/Goscinny
Imperfect tense Present participle	Narrating	
Reflexive verbs Negation Other negative expressions		Visualization "Déjeuner du matin" "Le Cancre" Jacques Prévert
The imperfect and the *passé composé* Present tense of the irregular verb *plaire* The subjunctive of regular verbs after *il faut que*	Explaining in Detail	
C'est vs. *il/elle est* The subjunctive of irregular verbs The subjunctive after impersonal expressions		Characterization *Au revoir, les enfants* Louis Malle

Unité	Leçon	Fonctions	Vocabulaire	Aperçus culturels
4 *Le monde du travail*	A	writing a letter expressing desire stating want expressing hope stating a preference describing talents and abilities evaluating making requests expressing that you expect a positive response expressing appreciation	adjectives want ads business letters	women in the work force young adults and jobs the technical revolution
	B	interviewing giving opinions expressing disagreement explaining a problem inquiring about certainty and uncertainty expressing certainty and uncertainty expressing intentions sequencing events	unemployment	the workweek the workday holidays unemployment
5 *Comment se débrouiller en voyage*	A	expressing likes and dislikes agreeing and disagreeing expressing surprise giving opinions expressing fear inquiring about possibility and impossibility controlling the volume of a conversation expressing dissatisfaction expressing regret making requests expressing happiness telling location	hotel expressions	classifying hotels comparing hotels Saint-Martin history of Saint-Martin *activités "bleu"* *activités "vert"*
	B	writing postcards telling location telling a story remembering describing people you remember indicating knowing and not knowing identifying objects expressing complaint admitting expressing patience	airplane expressions train expressions	Gaspé Peninsula Bonaventure *le Rocher Percé* *le Parc de l'Île-Bonaventure-et- du-Rocher-Percé* American trains European trains

Langue active	Stratégie communicative	Lecture
Depuis + present tense The subjunctive after expressions of wish, will or desire	Writing a Résumé	
The relative pronouns *qui* and *que* The relative pronouns *ce qui* and *ce que* The subjunctive after expressions of doubt or uncertainty		Deciphering Want Ads
Conditional tense The subjunctive after expressions of emotion	Telling a Story through Pictures	
Verbs + *de* + nouns The relative pronoun *dont*		Satire *La cantatrice chauve* Eugène Ionesco

Unité	Leçon	Fonctions	Vocabulaire	Aperçus culturels
6 *L'avenir: la technologie et l'environnement*	A	giving information sequencing events listing explaining something giving opinions expressing probability predicting	space technology computers	*le TGV* *l'Eurostar* *l'ESA* *le Minitel* computers
	B	asking for information giving information sequencing events giving opinions expressing enthusiasm hypothesizing predicting congratulating and commiserating expressing appreciation forgetting making requests	social problems newspaper expressions	*la Fondation Brigitte Bardot* *Médecins Sans Frontières* *l'Equipe Cousteau*
7 *Les Français comme ils sont*	A	asking for information stating a generalization explaining something comparing requesting clarification inquiring about opinions expressing surprise inquiring about satisfaction and dissatisfaction proposing solutions	*la cité*	Togo *les HLM* *les allocations familiales* immigrants in France
	B	asking about preference stating preference clarifying reporting comparing expressing importance and unimportance agreeing and disagreeing describing character expressing compassion	adjectives	fast-food restaurants family budget family structure *le franglais* French department stores

8
L'histoire de France
	A	describing past events
		using links
		sequencing events
		explaining something
		having something done
		describing character
		stating a generalization
		boasting
		expressing appreciation
			expressions dealing
			  with:
			    Vercingétorix
			    Charlemagne
			    Guillaume le
			      Conquérant
			    Louis IX
				Jules César and
				    Vercingétorix
				Charlemagne and *La*
				    Chanson de Roland
				la tapisserie de Bayeux
				Louis IX and *les croisades*

	B	describing past events
		stating factual information
		sequencing events
		expressing obligation
		expressing incapability
		expressing criticism
		stating a preference
			expressions dealing
			  with:
			    Catherine de Médicis
			    Louis XVI
			    le marquis de La
			      Fayette
			    Georges Haussmann
				Catherine de Médicis
				Marie-Antoinette
				Benjamin Franklin and the
				    American Revolution
				Georges Haussmann

Langue active	Stratégie communicative	Lecture
Comparative of adjectives Superlative of adjectives Future tense	Using Computer Technology	
Future tense in sentences with *si* Future tense after *quand*		Simile and Rhyme Scheme "Comme un Arbre" Maxime Le Forestier
Conditional tense in sentences with *si* The interrogative adjective *quel* The interrogative pronoun *lequel*	Circumlocuting	
Demonstrative adjectives Demonstrative pronouns		Setting *Les petits enfants du siècle* Christiane Rochefort
Expressions with *faire* *Faire* + infinitive	Summarizing a Literary Selection	
Expressions with *avoir* Past infinitive		Research Skills *Le Bourgeois gentilhomme* Molière

TE7

Unité	Leçon	Fonctions	Vocabulaire	Aperçus culturels
9 *L'Afrique francophone*	A	describing past events asking what something is identifying objects telling location reminding expressing indifference expressing disappointment expressing enthusiasm boasting	African wildlife African housing	Niger *l'histoire du Niger* *le musée national de Niamey*
	B	writing a letter telling a story describing past events sequencing events using links giving information expressing ownership comparing	African game African landscape	Mali Mali today commerce in Mali Oumou Sangaré
10 *On s'adapte*	A	inquiring about health and welfare giving information describing character inquiring about capability asking for help expressing displeasure agreeing and disagreeing comparing accepting and refusing an invitation expressing gratitude terminating a conversation	hospital expressions injuries pharmacy expressions	Fontainebleau soccer *le SAMU* pharmacies
	B	describing past events asking for permission expressing confirmation admitting asking for a price estimating hypothesizing agreeing and disagreeing expressing emotions expressing disappointment making suggestions	shopping electronic equipment	*le Midi* Avignon *le pont d'Avignon*

Langue active	Stratégie communicative	Lecture
Expressions with *être* Pluperfect tense	Comparing and Contrasting	
Possessive adjectives Possessive pronouns		Making Cultural Inferences *Trois Prétendants, un Mari* Guillaume Oyônô-Mbia
Expressions of quantity Indefinite adjectives Indefinite pronouns	Persuading	
Past conditional tense Past conditional tense in sentences with *si*		Reading Instructions

Introduction

The second edition of the three-level *C'est à toi!* French program has been developed to meet the needs of teachers throughout the country who are looking for the latest in a communi-cation-based, functional approach to teaching French language and culture. Based on detailed surveys involving hundreds of experienced educators and information gleaned from focus groups conducted in various parts of the country, *C'est à toi!* offers an innovative, creative approach to meeting the needs of students in the twenty-first century.

When the *Goals 2000: Educate America Act* provided funding for improving education in 1994, a K-12 Student Standards Task Force was formed to establish content standards in foreign language education. The National Standards in Foreign Language Education Project brought together a wide array of educators, organizations and interested individuals to discuss and establish a new national framework of standards for foreign language education in the United States. The resulting document, titled *Standards for Foreign Language Learning: Preparing for the 21st Century*, provides a bold vision and a powerful framework for understanding language learning. These standards will help shape instruction and assessment for years to come.

The National Standards identify and describe 11 content standards that correspond to the organizing principle of five interconnected Cs: Communication, Cultures, Connections, Comparisons and Communities. The *C'est à toi!* program was specifically designed to address standards in the following areas:

Communication

Communicate in Languages Other Than English

Standard 1.1: Students engage in conversations, provide and obtain information, express feelings and emotions and exchange opinions.

Standard 1.2: Students understand and interpret written and spoken language on a variety of topics.

Standard 1.3: Students present information, concepts and ideas to an audience of listeners or readers on a variety of topics.

Cultures

Gain Knowledge and Understanding of Other Cultures

Standard 2.1: Students demonstrate an understanding of the relationship between the practices and perspectives of the culture studied.

Standard 2.2: Students demonstrate an understanding of the relationship between the products and perspectives of the culture studied.

Connections

Connect with Other Disciplines and Acquire Information

Standard 3.1: Students reinforce and further their knowledge of other disciplines through the foreign language.

Standard 3.2: Students acquire information and recognize the distinctive viewpoints that are available only through the foreign language and its cultures.

Comparisons

Develop Insight into the Nature of Language and Culture

Standard 4.1: Students demonstrate understanding of the nature of language through comparisons of the language studied and their own.

Standard 4.2: Students demonstrate understanding of the concept of culture through comparisons of the cultures studied and their own.

Communities

Participate in Multilingual Communities at Home and Around the World

Standard 5.1: Students use the language both within and beyond the school setting.

Standard 5.2: Students show evidence of becoming life-long learners by using the language for personal enjoyment and enrichment.

C'est à toi! features a fresh approach to function-based communication in all three modes: interpersonal, interpretive and presentational. Written by active and experienced high school French teachers who deal daily with students just like yours, the *C'est à toi!* program provides a realistic balance among all five skill areas that will develop proficiency in each one. Paired, small group and cooperative group activities are at the heart of today's student-centered classroom. In the *C'est à toi!* program, students assume a more active role in their learning, working with each other to accomplish linguistic tasks, with teachers serving primarily as facilitators.

The comprehensive *C'est à toi!* program, composed of the textbook and its fully integrated set of additional components, offers teachers and students the most complete materials possible to teach and learn French. The accompanying ancillaries may be used as enrichment, additional practice or reinforcement. These tailor-made materials, which fit individual students' needs and learning styles, include the annotated teacher's edition, annotated teacher's edition on CD-ROM, interactive text-book on CD-ROM, workbook, grammar and vocabulary exercises, communicative activities, assessment program (with quizzes, tests, portfolio assessment with proficiency tests, and test generator), listening activities, audio CD program, program manager with daily lesson plans, overhead transparencies, Internet activities and Internet resource center. One of the greatest challenges that teachers face today is reaching students with varying abilities, backgrounds, interests and learning styles. The extensive instructional program of *C'est à toi!* recognizes, anticipates and provides for these differences.

About This Annotated Teacher's Edition

The front section of this Annotated Teacher's Edition contains:

- a description of each section of the textbook along with a list of the other *C'est à toi!* components
- a Scope and Sequence Chart that gives a complete overview of each unit in *C'est à toi!*
- relevant information about the program's authors
- the *C'est à toi!* program's philosophy and learning strategies that are incorporated in the textbook
- a list of practical classroom expressions (**Expressions de communication**)
- a list of all the communicative functions covered in *C'est à toi!* and the units in which they are first practiced
- a list of additional sources for information
- a transcript of the textbook's listening activities

The annotated version of the expanded student textbook contains:

- correlations of ancillary materials to the textbook

A.	**Workbook Activity**	E.		**Listening Activity**
B.	**Grammar & Vocabulary Exercise**	F.		**Lesson Quiz/Unit Test**
C.	**Audio CD Activity**	G.		**Communicative Activities**
D.	**Transparency**	H.		**Advanced Placement**

- answers to both oral and written activities (except where answers are personalized)
- teaching suggestions
  A. paired practice
  B. cooperative group practice
  C. TPR
  D. comparisons (critical thinking skills)
  E. connections (cross-curricular activities)
  F. games
- FYI (cultural information that may be useful to teachers and interesting to students)
- **Un peu de plus** (ideas for modifying and expanding activities)
- teaching notes (activities to engage students' multiple intelligences, additional background information, linguistic and pronunciation notes)

Components

C'est à toi! is a comprehensive three-level French language program written to meet the needs of French students in the twenty-first century. The third-level program includes the following components:

- Textbook
- Annotated Teacher's Edition
- Annotated Teacher's Edition on CD-ROM
- Interactive Textbook on CD-ROM
- Workbook
- Workbook Teacher's Edition
- Grammar and Vocabulary Exercises
- Communicative Activities
- Listening Activities
    - Audio CD with Listening Activities
- Program Manager with Daily Lesson Plans
- Audio CD Program
    - Audio CDs
    - Audio CD Program Manual
- Assessment Program
    - Lesson Quizzes
    - Unit Tests Booklet
    - Unit Tests Booklet Teacher's Edition
    - Unit Tests Audio CD
    - Portfolio Assessment with Proficiency Tests
    - Test Generator
- Overhead Transparencies
- Internet Activities
- Internet Resource Center
    - News Ticker
    - i-Catcher
    - Hit Ticker

Textbook

The second edition of *C'est à toi!* contains 10 **unités**. Each **unité** is composed of two **leçons**, labeled **A** and **B**. At the end of the textbook you will find a grammar summary, an end vocabulary section (French/English and English/French) and a grammar index. All the **unités** have been designed in a similar manner so that students will be familiar with the format and know exactly what to expect. Each lesson gives students the communicative functions, vocabulary, structures and cultural information necessary to communicate in authentic French about a variety of everyday situations that interest teenagers. The entire textbook's active vocabulary is less than 900 words, and grammatical structures are recycled systematically to help students bridge from the known to the unknown.

Unit Opener — The unit begins with a list of communicative functions. This provides a preview of the tasks that students will be able to accomplish when they complete the unit. Functions are continually recycled from one unit to the next, with functions repeated only when a different way of expressing that specific function is introduced. A two-page photo or collage visually prepares students for one of the main cultural components of the unit.

Tes empreintes ici —This section offers introductory, personalized questions intended to motivate students and connect them with the unit's topic(s). Students are encouraged to compare and contrast their experiences with those they will read about.

Dossier ouvert — This section presents a cultural "teaser" to challenge students to interact and problem solve in an authentic cultural situation in the francophone world. Students answer a multiple-choice question about how they would react in the given situation. (Its answer and explanation are given in the **Dossier fermé** section at the end of the unit.)

Vocabulaire — Each lesson begins with colorful illustrations or photos that introduce the new vocabulary groups and expressions in the lesson in a meaningful context. Students should be told that illustrations and photos in the lesson opener are part of the basic textbook material, visually explaining words and expressions that students are expected to know.

Conversation culturelle — Next comes a dialogue, letter, postcard, journal entry or reading that follows a natural format and dramatizes a situation typical of everyday life in francophone regions. Speakers represent a cross section of age groups, although the emphasis is on activities of teenagers. The exposition is introduced with photos or colorful illustrations that reinforce the cultural content and make each situation more meaningful. The exposition contains an example of how each one of the lesson's communicative functions is expressed. (This is summarized for students in the **Révision de fonctions** section in the **Évaluation** review section at the end of every unit.) Each exposition has been carefully designed not only to present authentic speech but also to contain at least one instance in which each of the new structures in the lesson is used. All words in the exposition are active vocabulary; that is, students are expected to produce the words in **Pratique** and **Communication** activities and use them again in following units. To understand the lesson's new vocabulary words, students can look back at the introductory photos or illustrations, refer to the glossary following the exposition or infer meaning from the context. Previously learned words and structures are regularly recycled.

Activités — Following the exposition is a series of activities that checks comprehension of its content and new vocabulary that has been presented either visually or in context. The first activity is always a listening comprehension activity that is recorded in the Audio CD Program. Following the comprehension activities, students are challenged to answer personalized questions dealing with the exposition's theme in the **C'est à toi!** activity. All of these activities may be done orally, in writing or both.

Aperçus culturels — Directly after the **Activités**, a group of notes highlights certain cultural subtleties or presents more detailed information about the French-speaking world. These notes are not related to each other; they refer to various sentences in the exposition and expand the information presented there. These comments are intended to heighten students' interest in, appreciation for, and understanding of certain aspects of francophone culture and to provide insight into the daily activities of French speakers. Accompanying photos help to expand students' cultural horizons. Comprehension questions and realia-based activities help students apply what they have learned.

Journal personnel — Here students record their observations about specific aspects of francophone culture, note similarities and differences between it and their own and reflectively compare them, writing either in French or English.

Langue active — This section presents the lesson's main grammatical topics in a concise, clear manner. Examples in French are presented along with their English equivalents to help students' comprehension. Colorful charts provide reinforcement as do photo captions that illustrate how the specific structures are used in context.

Pratique — Following the presentation of each grammar topic is the **Pratique** section, composed of contextualized activities that allow students to practice both oral and written skills. Realistic situations as a basis for the activities make students' communication more relevant. You may choose whether students respond orally, in writing or both. The more mechanical activities precede those that allow students more creativity or are open-ended. The type of activities in the **Pratique** section varies—those based on visual cues and realia, dehydrated sentences, paired activities and sentence completion. The **Modèle** demonstrates a correct response to help students succeed immediately.

Communication — A series of proficiency-based activities appears at the end of each lesson following the last **Langue active** and **Pratique** section. These activities provide opportunities for students to develop oral and written proficiency using the functions that are presented in each lesson. Task-based paired and cooperative learning activities as well as activities that encourage the development of multiple intelligences foster the creative use of French to practice using the lesson's vocabulary and structures to express specific functions. For example, students may be asked to write lists, design invitations and menus, order at a restaurant, conduct surveys and interviews, label photos, do role-plays, write postcards and faxes, make posters and drawings, give directions or review films.

Stratégie communicative — In **Leçon A** of each **unité** various strategies for successful function-based oral and written communication in French are highlighted. Techniques for completing tasks associated with college placement exams are also included. For example, students learn how to write compositions and résumés, circumlocute and tell stories using visual cues.

Lecture — In **Leçon B** of each **unité** specific strategies appropriate to third-level reading selections are featured. Techniques for successfully completing tasks associated with college placement exams are also included. Each unit focuses on a different literary technique to help students experience success as they read in French. Students are carefully guided before and as they read authentic French texts (stories, poems, excerpts from plays, screenplays and novels) so that they can apply the strategies presented in each unit. Various activities follow, some calling for specific answers and others calling for critical thinking and interpretation. The Annotated Teacher's Edition gives suggestions on how to holistically grade these answers and also additional activities where students can further practice each reading or writing strategy.

Dossier fermé — Students "uncover" the answer and explanation to the cultural "teaser" presented earlier in the **Dossier ouvert** section.

Évaluation — There are six sections in the review at the end of each unit.

Évaluation culturelle — This true-false quiz checks cultural information presented in the unit's **Aperçus culturels** sections.

Évaluation orale — This cumulative oral proficiency activity usually takes the form of a paired role-play. Students are carefully guided as to what each partner should include in the conversation. The activity combines all the elements in the unit — functions, topics, vocabulary and structures — into one final, contextualized situation.

Évaluation écrite — This cumulative proficiency-based writing activity is the written equivalent of the *Évaluation orale*. Again, students are carefully guided as to what they should include in their postcards, journal entries, reports, letters and newspaper articles.

Évaluation visuelle — In this cumulative writing section, students have the chance to show what they can do by putting together everything they have learned so far. Photos or illustrations give students a visual clue as to what they should include in writing their dialogues or descriptive narratives based on the functions and vocabulary in the unit. Students' writing will tend to be more open-ended and creative than in the *Évaluation écrite* section.

Révision de fonctions — This section consists of a personalized checklist of all the functions that have been introduced in the unit. If students are unsure of how to express a certain function, they should look for an example of it in the following part that summarizes all of the unit's communicative functions. Along with each function are the phrases used in the unit to express each language task. English equivalents are also given for easy reference. The words in boldface type are the invariable elements; those not in bold may change depending on the specific information that students want to express.

Vocabulaire — The final part of the review section is a list of all the new active words and expressions (with English equivalents) that are introduced in the unit. The letter of the **leçon** in which they first appear is noted.

Grammar Summary (end of the textbook) — This useful reference section summarizes for students' convenience the structures introduced in all three levels of *C'est à toi!* Present tense forms of all irregular verbs are also included.

Vocabulary (end of the textbook) — All words and expressions introduced as active vocabulary in all three levels of *C'est à toi!* appear in this end vocabulary. The number following the meaning of each word or expression indicates the unit in which it appears for the first time. For convenient and flexible use, both French-English and English-French vocabularies are included. Passive vocabulary found in the direction lines to activities and in authentic readings is not included.

Grammar Index (end of the textbook) — A complete index of all the grammar points covered in the third level of *C'est à toi!* is provided for easy reference and location.

Annotated Teacher's Edition

This Annotated Teacher's Edition contains a front section and an annotated version of the student textbook.

Front Section:
- Scope and Sequence Chart
- description of all the program's components
- information about the authors
- program philosophy and learning strategies
- classroom expressions
- communicative functions
- additional sources for information
- transcript of the textbook's listening activities

Annotated Version of the Student Textbook:
- correlations of ancillary materials to the textbook
- answers to both oral and written activities
- FYI (cultural notes)
- **Un peu de plus** (ideas for modifying and expanding activities)
- teaching suggestions (paired practice, cooperative group practice, TPR, comparisons/critical thinking skills, connections/cross-curricular activities, games)
- teacher's notes (activities to engage students' multiple intelligences, additional background information, linguistic and pronunciation notes)

Annotated Teacher's Edition on CD-ROM

The annotated version of the student textbook is available on CD-ROM for convenient access to the book. Each page can be viewed on screen and printed out so that teachers don't have to carry the textbook home to plan their classes. Teachers can also click on each of the icons to view and print out pages of the supplementary materials that support each page of the textbook.

Interactive Textbook on CD-ROM

Students can access the complete *C'est à toi!* textbook on CD-ROM. They can read, study and complete interactive activities (both oral and written), e-mail their finished activities to the teacher (this requires Internet access) and print out activities to use in class. Students don't have to carry the textbook home to do their assignments.

Workbook

The workbook reviews and expands the material covered in the textbook with additional written exercises that reinforce students' language skills and cultural awareness. These innovative activities help students become proficient in written French as they further practice the functions, vocabulary and structures in each unit. The workbook also recombines previously learned language concepts to broaden students' understanding. Again, many of these activities are written situationally to make them more realistic and relevant to students. Realia-based activities prepare students to use French in authentic situations. Exercises in the workbook are carefully coordinated with the textbook. The Annotated Teacher's Edition contains icons that tell where each workbook activity best fits in.

Workbook Teacher's Edition

An answer key for all exercises contained in the workbook is available.

Grammar and Vocabulary Exercises

This workbook provides additional practice with basic structures and topics presented in third-year French. Each unit is correlated to the same unit in the textbook to give students more opportunities to use what they have learned. Conceptualized to make them more meaningful and relevant, these activities are preceded by a telescopic restatement of the grammar point being explained or the verb being presented along with several examples. Vocabulary that has been introduced in the textbook is also reviewed. Word games and puzzles give students the chance to identify and write the new vocabulary groupings. Both grammar and vocabulary sections offer excellent practice in preparing for quizzes and tests and provide a solid foundation for continuing in French. An answer key is at the end of the workbook.

Communicative Activities

Effective communicative activities are integral to the success of a French-language program. This manual is designed to provide additional oral and written communicative practice for students. It provides information gap activities and situation cards that promote student-to-student interaction, a communicative functions checklist that reviews the functions introduced in each lesson and postcards that develop writing skills within a cultural context.

Listening Activities

The listening activities on audio CDs that are coordinated with the textbook give students more opportunities to hear native French speakers and to react appropriately. There are three additional listening comprehension activities in each unit, one for each lesson and a cumulative dialogue. They check students' ability to understand authentic French speech in the form of narratives or conversations. Students have an answer sheet on which they respond in writing either by completing a checklist or by answering true-false, multiple-choice or matching questions. These activities help to prepare students for the listening comprehension sections of the Unit Tests in the Assessment Program. The Annotated Teacher's Edition contains icons that tell where each listening activity best fits in. An answer key is found at the end of the manual that also includes the complete text for the recorded listening activities.

- **Audio CD with Listening Activities**

  This audio CD contains the listening activities for each unit.

Program Manager with Daily Lesson Plans

The Program Manager pulls together the textbook and all the ancillary materials with daily lesson plans for organizing, preparing and teaching the C'est à toi! program. Refer to the manual for suggestions that will help you determine which content you wish to use or omit due to your particular circumstances and time limitations. Each day's lesson plan presents the core material from the textbook in the left-hand column. In the right-hand column, across from each core element, are the specific ancillary materials that are appropriate for expansion. There are separate lesson plans for both traditional 45- to 55-minute class periods as well as for classes on the block scheduling system.

Because every teacher has his or her own approach to the subject of homework, and because of the extensive variety offered by the C'est à toi! support materials, specific homework assignments are not provided in the Program Manager. However, suggestions for including activities from the accompanying ancillaries have been given to show you the possible variations the teaching program offers. You should try to include an assortment of different activities, choosing some from the textbook and others from the ancillaries.

Audio CD Program

The various components included in the Audio CD Program are:

- **Audio CDs**

  The Audio CD Program is an integral part of *C'est à toi!* Appropriate icons in the Annotated Teacher's Edition designate which material in the textbook has been recorded on CDs by native speakers of all ages from a variety of francophone countries. Recorded material in each unit includes:

  Vocabulaire (for student repetition)
  Conversation culturelle (recorded as a listening experience)
  Activité 1 (the first activity after the **Aperçus culturels** designed to check students' listening comprehension skills as they hear the new vocabulary just introduced)
  Pratique (selected activities for student response)
  Lecture (recorded as a listening experience)

- **Audio CD Program Manual**

  This manual contains the script of the recorded material (**Vocabulaire, Conversation culturelle, Activité 1, Pratique** and **Lecture** sections) for each lesson in the textbook.

Assessment Program

The *C'est à toi!* Assessment Program contains the following components:

- **Lesson Quizzes**

  There are two quizzes for each unit, one at the end of every lesson. Each quiz consists of four sections: speaking (role-playing activities or personalized questions), vocabulary, grammar (both mastery and proficiency activities) and culture. These quizzes provide students with excellent practice before they take the unit test. Appropriate icons in the Annotated Teacher's Edition designate at what point in the lesson the quiz may be given. An answer key for the Lesson Quizzes is found at the end of the manual. The key also includes the complete text for the speaking activities.

- **Unit Tests Booklet**

  The Unit Tests in the *C'est à toi!* program evaluate to what degree students are attaining the program's goals and objectives. A unique format in assessment allows teachers to design tests that evaluate what they have taught in the way they have taught it. Teachers may choose to use whatever sections reflect their students' learning styles and their teaching style: vocabulary, structure, proficiency writing, culture, listening, speaking and reading. For example, to evaluate students' speaking ability, teachers can choose a paired activity or a teacher/student interview.

- **Unit Tests Booklet Teacher's Edition**

  The Teacher's Edition of the Unit Tests Booklet contains the text of the material recorded for the listening comprehension section and answer keys to the listening comprehension section and written sections (vocabulary, structure, proficiency writing, culture, speaking and reading) of each Unit Test.

- **Unit Tests Audio CD**

  The Unit Tests Audio CD evaluates students' listening comprehension. Students hear authentic French in conversations or narratives and respond by choosing the best answer or continuation to the conversation. They may also see a visual and respond by choosing the best answer to a related question.

- **Portfolio Assessment with Proficiency Tests**

  The first section of the *C'est à toi!* Portfolio Assessment is a rationale for using portfolios in the French class and tips on how to implement this form of evaluation. Next comes a variety of forms for both students and teachers to complete, such as a learner profile, peer evaluation sheet, communicative functions checklist and suggested rubrics for evaluating oral and written production. The final section contains a proficiency-based exam evaluating all five skills for use at the end of the first semester, and another for use at the end of the year.

- **Test Generator**

  The IBM- and Macintosh-compatible test generator allows teachers to test exactly as they have taught, allowing for differences in instructional emphases, teaching approaches and students' learning styles. Teachers can select and modify sections from the existing Assessment Program, including Unit Tests, Lesson Quizzes and Proficiency Tests, in order to create and print their own customized tests. The CD also allows teachers to add their own test questions as well as edit existing questions.

Overhead Transparencies

A set of 32 full-color transparencies offers illustrations of scenes (as a stimulus for conversation), objects (with identifying overlays), realia, fine art and maps. These transparencies provide an outstanding method of teaching, visually reinforcing or reviewing the lesson's content in a creative, communicative manner. Students can apply their knowledge of vocabulary and culture using different visual stimuli. The Annotated Teacher's Edition contains icons that tell where each transparency best fits in.

Internet Activities

The *C'est à toi!* Internet Activity Web site features contemporary, interesting Internet activities. There are three activities correlated to each unit in the textbook. These Internet activities enhance students' language skills and cultural knowledge as well as develop their Internet research skills. Students are carefully guided through the various links in each activity. Teachers receive a password to allow them to access all the activities' answers. Since the Internet is a changing medium, activities are constantly being added, deleted and modified. To view these activities, visit our Web site at http://www.emcp.com/cestatoi.

Internet Resource Center

Web links to the sites highlighted in the Annotated Teacher's Edition; Internet activities and answers, all coordinated with the units of the *C'est à toi!* textbooks; and the Web-delivered programs

News Ticker, i-Catcher and Hit Ticker can be found on the Internet Resource Center, accessible from http://www.emcp.com. The content of the Internet Resource Center is continually being updated.

- **News Ticker**

  The News Ticker features four scrolling news articles every day of the school year in French. Students click on these articles to read about current events throughout the French-speaking world. The articles are chosen to appeal to teenagers, with emphasis on music, sports, movies, entertainment and pop culture. An audio feature allows students to hear these articles recorded by professional native speakers. One of the four daily articles has a correlated written activity to check students' comprehension. These daily articles are archived so that they are accessible by date or by topic. To reach the News Ticker, go to http://www.emcp.com and follow the on-screen menus and links.

- **i-Catcher**

  The i-Catcher is a series of monthly interactive Internet video clips in French that showcases young adults who talk about and demonstrate their interests and hobbies. A subtitled version of the video clip is available for students who want to check their listening comprehension skills. The site promotes real-life communication through a monthly monitored chat with the video star simply by logging on. The i-Catcher offers another opportunity for students to check their listening skills with an on-line multiple-choice comprehension quiz. Students develop their writing skills with related Internet links and Web-based activities. To reach the i-Catcher, go to http://www.emcp.com and follow the on-screen menus and links.

- **Hit Ticker**

  Music is one of the most motivating teaching and learning techniques in acquiring a new language. Engage your students by accessing EMC/Paradigm's Hit Ticker. Each month this site features a popular, contemporary song chosen from the French pop charts. Students can listen to the song as they watch the words on the screen. Or, in karaoke fashion, songs can be played without vocals and students can become the stars and sing along. All these songs are archived so that they can always be available. To reach the Hit Ticker, go to http://www.emcp.com and follow the on-screen menus and links.

About the Authors

Augusta DeSimone Clark has been an instructor for 20 years. She teaches French I through French Advanced Placement Language at Saint Mary's Hall in San Antonio, Texas. Clark received her M.A. degree in French Literature from the University of California, Davis. She was selected to be included in *Who's Who Among America's Teachers*, was the recipient of a Holt-DuPont Foundation grant to study and travel in France and received the Outstanding Teacher Award from the University of Chicago. A reader for the College Board, she has also been vice president of the Alliance Française in San Antonio. Clark has served as a mentor to local teachers working to establish French language or AP programs in their schools and has led many student groups on trips to France.

Richard Ladd is an instructor of French and Spanish at Ipswich High School in Ipswich, Massachusetts, where he is department director. He has also taught at various secondary schools and colleges in Massachusetts. Ladd earned his M.A. degree in French from l'École Française, Middlebury College, and a Doctor of Arts in Foreign Language Education from the State University of New York at Stony Brook. A past president of the Massachusetts Foreign Language Association, he has given presentations at local, state, regional and national conferences on a variety of topics, including teaching advanced placement classes, adapting lessons to the long block schedule, using children's literature in the secondary classroom and teaching multilevel classes. Ladd has written video activities booklets and assessment programs for the French classroom. Ladd coauthored *AP French: Preparing for the Language Examination*.

Sarah Vaillancourt is Senior French Editor and World Language Consultant at EMC/Paradigm Publishing. She is a graduate of Macalester College and the recipient of two NDEA Foreign Language Institute grants, studying in Paris, Tours and Grenoble. She taught French I-V at East High School in Madison, Wisconsin, for 22 years where she received the Bassett Award for Excellence in Teaching. As a program administrator for various student travel organizations, she has taken high school students on more than 20 study-travel tours to Europe, Africa and Canada. Vaillancourt authored the textbooks in the series *Perspectives françaises*, has been the editor of the textbooks and ancillary materials in the series *Le français vivant* and is the coauthor and lead editor of materials in the *C'est à toi!* series. She has spoken at many state, regional and national foreign language conventions and workshops on topics such as using paired activities for proficiency, engaging students' multiple intelligences and weaving culture through the French curriculum.

Diana Moen is Associate French Editor at EMC/Paradigm Publishing where she is involved in all aspects of the *C'est à toi!* series and ancillary materials. She received her M.Ed. degree in Second Languages and Cultures from the University of Minnesota. Moen has taught French and English for 15 years in Minnesota high schools and has led student groups to France and Switzerland. She is listed in *Who's Who in the Midwest* and *Who's Who Among America's Teachers*. Moen has been awarded scholarships to study French language and francophone culture in Avignon through the American Association of Teachers of French and in Quebec through the French-Canadian Institute for Language and Culture. She has also received a Rockefeller Fellowship. As a presenter at various regional foreign language conferences, she has shared strategies for teaching the culture of French business that she developed after having completed a seminar at the École Supérieure de Commerce de Lyon.

Philosophy and Learning Strategies

C'est à toi! is a function-based textbook series that uses a communicative approach to teach students the French language within the context of the francophone world. Students acquire proficiency in listening to, speaking, reading and writing French while developing cultural sensitivity to the every-day activities of French-speaking people throughout the world. Since the focus of the classroom is student interaction, from day one students practice communicating easily and confidently with their peers in paired or cooperative learning groups. A balance of activities, both in the textbook and in the comprehensive ancillary program, allows students with a variety of learning styles to be successful in French as they progress from carefully structured practice to more creative expression. The five "Cs" addressed in *Standards for Foreign Language Learning: Preparing for the 21st Century* are artfully interwoven throughout each section of the textbook, integrating the principles of COMMUNICA-TION, CULTURES, CONNECTIONS, COMPARISONS and COMMUNITIES to help prepare students for an active, informed role as world citizens in the new millennium.

Many activities in the student textbook, as well as additional activities suggested in the color-coded sections of the Annotated Teacher's Edition, incorporate the following learning strategies and techniques to make learning more actively student centered and relevant to those with diverse learning styles.

- **Paired Practice**

  As the teacher-centered classroom moves toward the student-centered classroom where students are directly involved in and responsible for their own learning, teachers find that paired activities (in which one student is paired with a partner):

  1. give students markedly increased practice time in using French
  2. promote cooperation with others to achieve clearly stated goals
  3. instill in students greater self-confidence in their language abilities by placing them with their peers in less-threatening situations
  4. place students in more realistic, communicative settings
  5. lead to increased student involvement and motivation
  6. provide for a variation in classroom routine
  7. allow the teacher to assume a facilitating role, circulating throughout the room to answer questions and assist those who can benefit from individual help

  In order to assure students' success in a paired activity, teachers should make certain that the activity's goal is clearly communicated to students, tell them how to proceed in order to achieve their goal (provide a model), announce how much time they have to finish their task and inform them how their learning will be evaluated at the end of the activity. Paired activities appear in the **Pratique**, **Communication** and **Évaluation** sections of the textbook as well as in the color-coded Paired Practice section of the Annotated Teacher's Edition.

- **Cooperative Group Practice**

  Cooperative learning involves students working together to access, share and process knowledge, increase academic competencies and develop interpersonal and small group social skills. Putting students in cooperative learning groups makes them individually accountable for the outcome of their learning. Each member of a cooperative group must assume some responsibility for completing his or her task in order for the group to attain the stated goal. Students practice positive interdependence as they interact face-to-face with each other. Usually cooperative learning groups consist of four students who are grouped heterogeneously. As with paired activities, the teacher's role is to clearly communicate the activity's goal, tell how to proceed, set time limits and clarify evaluation procedures. When assigning group roles, the teacher should divide up responsibilities to ensure students' interdependence and cooperation. Each group should have a leader or facilitator, recorder and reporter. The final step in a cooperative group activity is to share the group's product with the rest of the class, who, along with the teacher, should assess the quality of the group's production. Cooperative learning activities are provided in the **Communication** and **Évaluation** sections of the textbook as well as in the color-coded Cooperative Group Practice section of the Annotated Teacher's Edition.

- **TPR Activities**

   In the TPR (Total Physical Response) approach to second language acquisition, students are actively engaged in listening comprehension activities while limiting their responses to physical rather than to verbal demonstrations of comprehension. The teacher initially gives commands or verbal cues that elicit specific student behavior. Students may respond, for example, by pointing, gesturing, moving around the classroom or manipulating objects. This is an effective method of introducing new vocabulary words and expressions as well as new structures. This physical response to verbal stimuli aids students' comprehension of new elements and helps students to internalize and remember them longer. A list of practical classroom commands (**Expressions de communication**) that are useful in doing TPR activities is located on page TE**28** of the Annotated Teacher's Edition. There are TPR activities in the color-coded TPR and Games sections of the Annotated Teacher's Edition.

- **Connections Activities (Cross-curricular)**

   The French language and francophone culture are artfully interwoven into other areas of the secondary school curriculum so that students form connections to additional bodies of knowledge that may be unavailable to the monolingual English speaker. For example, students use their knowledge of French language and francophone culture as a stepping stone to a deeper understanding of geography, history, mathematics, art, music and science. Cross-curricular activities help to expand students' global thinking and understanding as enlightened world citizens. Connections activities are found in the **Pratique** and **Communication** sections of the textbook and in the color-coded Connections section of the Annotated Teacher's Edition.

- **Comparisons Activities (Critical Thinking)**

   It is essential to emphasize the development of critical thinking skills, or higher order thinking skills, if our students are to succeed in school and later in life. There are many activities in *C'est à toi!* in which students practice comparing French with English and critical thinking. The cognitive abilities and their associated critical thinking skills included in the program are: knowledge acquisition (locate, describe, identify, list, match, name); comprehension (summarize, rewrite, rearrange, paraphrase); analysis (compare and contrast, order, categorize, distinguish); evaluation (conclude, justify); synthesis (associate, combine, compile, plan, generalize); and application (compose, create, design, produce). Comparisons activities appear in both the **Pratique** and **Communication** sections of the textbook and in the color-coded Comparisons section of the Annotated Teachers' Edition.

- **Activities to Engage Students' Multiple Intelligences**

Many factors affect learning. For years teachers have recognized that students' intelligence, social environment and motivation all need to be considered. In addition, not all students learn the same way. Students' diverse learning styles need to be addressed in different ways in order to maximize individual potential.

Recent explorations in how the brain works and human intelligence have provided a wealth of valuable information that is changing the perspectives of learning and teaching. Howard Gardner's Multiple Intelligences Theory proposes a pluralized way of understanding the intellect. It states that people have varying abilities in many different areas of thought and learning, and these abilities affect people's interests and how quickly they assimilate new information and skills. Gardner says that our brain processes and uses information either separately or together in concert through eight different intelligences: verbal-linguistic, logical-mathematical, visual-spatial, bodily kinesthetic, musical-rhythmic, interpersonal, intrapersonal and naturalist. The general characteristics associated with each of these intelligences are described below along with suggested instructional strategies.

Verbal-Linguistic: These students demonstrate a strong appreciation for and fascination with words and language. People who display verbal-linguistic intelligence enjoy writing, reading, word searches, crossword puzzles and storytelling.

Teaching Strategies:
Tell a story.
Summarize a magazine or newspaper article.
Write a poem.
Discuss the meaning of a song.
Write to a keypal on the Internet.

Logical-Mathematical: These students like establishing patterns and categorizing words and symbols. Students with logical-mathematical intelligence enjoy mathematics, experiments and games that involve strategy or rational thought.

Teaching Strategies:
Calculate the temperature in degrees Celsius.
Double or triple a recipe.
Write an analysis of an event.
List the reasons why something happened.
Tabulate the total cost of a shopping trip.

Visual-Spatial: These students think in pictures and can conceptualize well. They often like complicated puzzles and may be seen drawing a picture, doodling, constructing something from the objects that surround them or daydreaming. They are able to imagine how something would look from a verbal description.

Teaching Strategies:
Write a summary comparing the artistic styles of two paintings.
Draw the ideal house.
Design a theme park.
Identify a shape based on a classmate's description.
Do a creative presentation using video and slides.

Bodily-Kinesthetic: Students who are athletic may demonstrate bodily-kinesthetic intelligence. They learn best by doing what they enjoy and want to learn through movement and touch. They express their thoughts with body movement. They are good with hands-on activities, such as sewing, woodworking, dancing, athletics and crafts.

Teaching Strategies:
Perform a dance from a francophone country.
Act out a part from a play.
Build a housing structure that is reminiscent of one that appears in the textbook.
Perform an activity as directed by a classmate or the teacher (TPR).
Create artwork that represents some aspect of the francophone world.

Musical-Rhythmic: These students can be observed singing or tapping out a tune on a desk or other nearby object. They are discriminating listeners who can hear a song once and then are able to play or sing the tune. Students who demonstrate musical intelligence catch what is said the first time, whereas others around them may need to hear the same thing repeated a number of times.

Teaching Strategies:
Write a song.
Listen to and describe a musical piece.
Perform a song.
Identify musical styles of several musicians from the francophone world.
Prepare a comparison of the music of two or more musicians.

Interpersonal: Students with interpersonal intelligence are natural leaders. They communicate well, empathize with others and often know what someone is thinking or feeling without having to hear the person speak.

Teaching Strategies:
Role-play a vendor making a sale.
Lead a discussion.
Debate an issue.
Organize and direct a poll.
Negotiate a settlement.

Intrapersonal: People with intrapersonal intelligence may appear to be shy. They are self-motivated and are very aware of their own thoughts and feelings about a given subject.

Teaching Strategies:
Write answers to questions about personal life.
Prepare a written plan for a career path.
Determine the pros and cons of an issue.
Create a list of favorite activities.
Write a poem expressing feelings.

Naturalist: Students with naturalist intelligence might have a special ability to observe, understand and apply learning to the natural environment. For example, students with naturalist intelligence may collect data about the environmental conditions for a particular place and instinctively know what crop would grow best there.

Teaching Strategies:
Draw or photograph and then present to the class an object found in nature.
Collect and categorize objects from the natural world.
Do research and present findings about a wildlife protection project.
Keep a notebook of observations of nature.
Go on a nature hike or field trip.

It is important to understand that these intelligences exist in everyone in different degrees and in different combinations. These intelligences do not relate specifically to content areas, but rather to the ability to process information. The Multiple Intelligences Theory reflects a way of thinking about people that not only allows for similarities, but also for differences. It fosters inclusion, increases opportunities for enrichment, builds self-esteem and develops respect for individuals and the gifts they bring to the classroom. In a setting that fosters the multiple intelligences, all students are allowed to learn through their strengths and to share their expertise with others.

Weaving the magic of the diversity of learning with the intent of "intelligence fair" strategies challenges all teachers to explore new possibilities to honor human potential. There are activities to engage students' multiple intelligences in the **Communication** and **Évaluation** sections of the textbook as well as in the color-coded Teaching Notes and Connections sections of the Annotated Teacher's Edition.

- **Games**

Games in French are excellent motivational tools that give students the opportunity to learn in a context that varies from the daily routine. During this "learning pause," students review and reinforce previously introduced material as they expand their language skills. French songs are presented in the color-coded Games section of the Annotated Teacher's Edition.

EXPRESSIONS DE COMMUNICATION

À demain.	*See you tomorrow.*
Allez au laboratoire.	*Go to the laboratory.*
Allez au tableau.	*Go to the board.*
Attention.	*Be careful.*
Bon appétit.	*Have a good meal.*
Bonne journée.	*Have a good day.*
Bon weekend.	*Have a good weekend.*
C'est bien.	*That's good.*
Comment dit-on...?	*How do you say . . . ?*
Comment s'appelle-t-il?	*What's his name?*
Comment s'appelle-t-elle?	*What's her name?*
Continuons.	*Let's continue.*
Écoutez.	*Listen.*
Écrivez.	*Write.*
Encore.	*Again.*
Épelez.	*Spell.*
Fermez la porte.	*Close the door.*
Fermez le livre.	*Close your books.*
Je ne comprends pas.	*I don't understand.*
Lisez.	*Read.*
Maintenant, une dictée.	*And now a dictation.*
Montrez-moi....	*Show me . . . .*
Ouvrez la porte.	*Open the door.*
Ouvrez le livre à la page....	*Open your book to page . . . .*
Prenez votre (vos) livre(s).	*Take out your book(s).*
Présentez-moi....	*Introduce me . . . .*
Présentez-nous....	*Introduce us . . . .*
Répétez.	*Repeat.*
Répondez.	*Answer.*
Tous ensemble.	*All together.*

Functions

in C'est à toi!

The number following the communicative function indicates in what unit of the third level of *C'est à toi!* a specific way to express that function is presented for the first time.

accept and refuse an invitation 10
admit 5, 10
agree and disagree 5, 10
apologize 2
ask about importance and unimportance 3
ask about preference 7
ask for a price 10
ask for help 10
ask for information 2, 6, 7
ask for permission 10
ask what something is 9

boast 8, 9

clarify 7
compare 3, 7, 9, 10
confirm a known fact 1
congratulate and commiserate 6
control the volume of a conversation 5

describe character 7, 8, 10
describe how things were 2
describe past events 1, 8, 9, 10
describe people you remember 5
describe physical traits 2
describe talents and abilities 4
describe temperament 2

estimate 10
evaluate 4
explain a problem 4
explain something 1, 2, 6, 7, 8
express agreement and disagreement 7
express appreciation 4, 6, 8
express astonishment and disbelief 1, 2
express certainty and uncertainty 4
express compassion 7
express complaints 5
express concern 2
express confirmation 10
express criticism 8
express desire 1, 4
express disagreement 4

express disappointment 9, 10
express displeasure 10
express dissatisfaction 5
express emotions 1, 2, 10
express enthusiasm 1, 6, 9
express fear 5
express gratitude 10
express happiness 5
express hope 4
express importance and unimportance 3, 7
express inability 1
express incapability 8
express indifference 9
express intentions 4
express likes and dislikes 3, 5
express need and necessity 3
express obligation 8
express ownership 9
express patience 5
express possibility and impossibility 3
express probability 6
express regret 5
express ridicule 2
express satisfaction 2
express surprise 5, 7
express suspicion 2
express that you expect a positive response 4

forget 6

give examples 1
give information 6, 9, 10
give opinions 3, 4, 5, 6
give orders 1

have something done 8
hypothesize 6, 10

identify objects 5, 9
indicate knowing and not knowing 5
inquire about ability 1
inquire about agreement and disagreement 3
inquire about capability 10

inquire about certainty and uncertainty 4
inquire about health and welfare 10
inquire about likes and dislikes 3
inquire about opinions 3, 7
inquire about possibility and impossibility 3, 5
inquire about satisfaction and dissatisfaction 7
inquire about surprise 3
inquire about the past 1
interview 4

list 3, 6

make requests 4, 5, 6
make suggestions 10

offer something 1

predict 6
propose solutions 7

remember 5

remind 9
report 7
request clarification 7

sequence events 1, 4, 6, 8, 9
state a generalization 3, 7, 8
state a preference 3, 4, 7, 8
state factual information 8
state want 4
summarize 1

tell a story 2, 5, 9
tell how you were 2
tell location 3, 5, 9
terminate a conversation 10

use links 8, 9

write a letter 2, 4, 9
write postcards 5

Additional Sources for Information

Teachers interested in obtaining realia such as brochures and posters as well as other pedagogical aids may contact the agencies listed below. For their Web sites, go to **http://www.emcp.net/french**

Tourist offices

French Government Tourist Office
444 Madison Avenue
16th Floor
New York, NY 10022
Tel: (212) 838-7800
Fax: (212) 838-7855

French Government Tourist Office
c/o Nancy Anderson
205 North Michigan Avenue, Suite 3770
Chicago, IL 60601
Tel: (312) 327-0290 or (514) 288-1904

French Government Tourist Office
9454 Wilshire Boulevard, Suite 715
Beverly Hills, CA 90212
Tel: (310) 271-6665
Fax: (310) 276-2835

Tourisme Québec
900 Boulevard René Lévesque Est
Office 400
Québec, Québec G1R 285
Tel: (418) 643-5959
Fax: (418) 646-8723

Office du Tourisme et des Congrès de la
  Communauté Urbaine de Québec
835 Avenue Wilfrid-Laurier
Québec, Québec G1R 2L3
Tel: (418) 522-3511
Fax: (418) 529-3121
E-mail: info@quebecregion.com

Belgian Tourist Office
220 East 42nd Street, Suite 3402
New York, NY 10017
Tel: (212) 758-8130
Fax: (212) 355-7675
E-mail: info@visitbelgium.com

Luxembourg National Tourist Office
17 Beekman Place
New York, NY 10022
Tel: (212) 935-8888
Fax: (212) 935-5896

Switzerland Tourism Office
Marketing Services North America
608 Fifth Avenue
New York, NY 10020
Tel: (212) 757-5944 Ext. 238
Fax: (212) 262-6116
E-mail: info.usa@switzerland.com

Monaco Government Tourist Office
565 Fifth Avenue
New York, NY 10017
Tel: 800-753-9696
Fax: (212) 286-9890

Caribbean Tourism Association
80 Broad Street, 32nd Floor
New York, NY 10004
Tel: (212) 635-9530
Fax: (212) 635-9511

Embassies

French Embassy
4101 Reservoir Road NW
Washington, D.C. 20007-2181
Tel: (202) 944-6000
Fax: (202) 944-6072 (press and information)

Canadian Embassy
501 Pennsylvania Avenue NW
Washington, D.C. 20001
Tel: (202) 682-1740
Fax: (202) 682-7701

Consulates

(Each consulate gives information only for its district.)

French Consulate General
205 North Michigan Avenue, Suite 3770
Chicago, IL 60601
Tel: (410) 286-8310

French Consulate General
540 Bush Street
San Francisco, CA 94108
Tel: (415) 397-4330
Fax: (415) 433-8357

French Consulate General
10990 Wilshire Boulevard, Suite 300
Los Angeles, CA 90024
Tel: (310) 235-3200
Fax: (310) 477-0416 (cultural service)

Canadian Consulate General
1251 Avenue of the Americas
New York, NY 10020-1175
Tel: (212) 596-1600
Fax: (212) 596-1790

Cultural services

Cultural Services of the French Embassy
Education Department
972 Fifth Avenue
New York, NY 10021
Tel: (212) 439-1400
Fax: (212) 439-1455
E-mail: mail@frenchculture.org

Audio-visual materials, such as documentary and language teaching films as well as feature-length films, radio and television programs, are available through FACSEA (Society for French-American Cultural Services and Educational Aid) at the French Cultural Services in New York. Call the French Cultural Services for catalogues of traveling exhibits your school may borrow.

Also contact French Cultural Services for information on **au pair** positions in France. These are arrangements where young women (and occasionally young men) perform various household duties and care for children in France in exchange for a monthly allowance and the experience of living with a French family.

French Cultural Services
Park Square Building
31 St. James Avenue, Suite 750
Boston, MA 02116
Tel: (617) 292-0064
Fax: (617) 292-0793

French Cultural Services
1395 Brickell Avenue, Suite 1050
Miami, FL 33131
Tel: (305) 372-1615
Fax: (305) 577-1069

Consulat Général de France à Houston
777 Post Oak Boulevard, Suite 600
Houston, TX 77056
Tel: (713) 572-2799
Fax: (713) 572-2911

Airlines

Air France
125 West 55th Street
New York, NY 10019-5384
Tel: 800-237-2747
Fax: (212) 830-4390

Air Canada
P.O. Box 14000
Station Airport
Dorval, Québec H4Y 1H4
Tel: 800-247-2262 (reservations)

French language newspaper

France Press, Inc.
Journal Français d'Amérique
P. O. Box 17047
North Hollywood, CA 91645
Tel: 800-232-1549

French language radio broadcasts

Radio Canada
1400 René Lévesque East
Montréal, Québec H2L 2M2
Tel: (514) 597-7825
Fax: (514) 597-7862
E-mail: teleform@montreal.radio.canada.ca

News, weather and sports broadcasts in French
are aired on shortwave frequencies 5960, 9755
and 11955 (kHz).

Pen pals

American Association of Teachers of French
Bureau de Correspondance Scolaire—AATF
Mail Code 4510
Southern Illinois University
Carbondale, IL 62901-4510
Tel: (618) 453-5732
Fax: (618) 453-5733
E-mail: abrate@siu.edu

Transcript of Textbook Listening Activities

Listening comprehension activities included in the *C'est à toi!* textbook are indicated by the icon These activities are recorded in the Audio CD Program. The following section contains a transcript of these recorded activities for teachers who prefer to read the activities aloud instead of using the recorded version in the Audio CD Program.

Unité 1
Leçon A

1   *Cours ou objet?*
     Écrivez "C" si vous entendez le nom d'un cours; écrivez "O" si vous entendez le nom d'un objet.
     1. J'ai déjà acheté un bloc-notes.
     2. As-tu séché le calcul?
     3. On a des dissertations en philosophie.
     4. Le russe m'inquiète.
     5. Je ne peux pas dormir en chimie.
     6. Tu as besoin d'un feutre?

Unité 1
Leçon B

1   *Quelle activité?*
     Écrivez la lettre de l'activité que vous entendez.
     1. On fait de la luge.
     2. On fait des jeux d'adresse.
     3. On fait de la planche à neige.
     4 On fait du ski de fond.
     5. On fait un tour de montagnes russes.
     6. On fait de la planche à roulettes.

Unité 2
Leçon A

1   *Quelle est sa réaction?*
     Écrivez la lettre de la phrase qui montre la réaction de Nathalie à chaque situation.
     1. Je viens de courir cinq kilomètres.
     2. Je viens d'avoir 18 en philosophie.
     3. Je viens de voir un grand chien méchant.
     4. Quelle imbécile! Je viens de perdre mon passeport.
     5. Le prof de littérature m'a donné deux dissertations à écrire.

Unité 2
Leçon B

1   *L'histoire de Suzanne*
     Écrivez "oui" si l'événement s'est passé à l'aéroport. Si non, écrivez "non."
     1. Mme Taylor a expliqué l'histoire de Suzanne une deuxième fois à la police française.
     2. On a volé Suzanne.
     3. On a emmené Suzanne et Mme Taylor au bureau du chef de l'employé d'Air France.
     4. Suzanne a payé une amende de 100 dollars.
     5. La police française a donné à Suzanne son passeport, ses cartes de crédit et ses chèques de voyage.
     6. Une employée a aidé Suzanne à faire enregistrer ses bagages.

Unité 3
Leçon A

1   *Des artistes francophones*
    Pour chaque phrase, écrivez la lettre qui identifie l'artiste.
    1. Il a préféré peindre dehors.
    2. Cette Canadienne chante souvent à la télé.
    3. C'est un acteur populaire.
    4. Cette chanteuse africaine donne des concerts partout dans le monde.
    5. Ce sculpteur a été l'élève de Rodin.
    6. Les idées de cet écrivain sont toujours controversées.

Unité 3
Leçon B

1   *Vrai ou faux?*
    Écrivez "V" si la phrase est vraie; écrivez "F" si la phrase est fausse.
    1. Pour avoir des renseignements valables sur les films à Paris, il faut acheter un guide, par exemple, *L'Officiel des Spectacles*.
    2. Quelques genres de films sont les films d'épouvante, les films d'aventure, les comédies et les drames.
    3. Dans la description d'un film on voit toujours le nom du metteur en scène.
    4. La description d'un film dans le guide indique aussi où passe le film et où on descend du métro.
    5. Pour réserver une place au théâtre, il vaut mieux aller au kisoque à journaux.
    6. Les étudiants paient le même tarif que les adultes au cinéma et au théâtre.

Unité 4
Leçon A

1   *Les qualifications*
    Faites correspondre la lettre de la description à ce que vous entendez.
    1. Jean-Guy parle deux langues.
    2. Il est très poli et dit souvent "merci beaucoup."
    3. Il vient de finir ses études à l'université.
    4. Il prend son travail au sérieux et il écrit une liste de choses qu'il doit faire.
    5. Il s'intéresse beaucoup à un certain sujet. C'est sa passion.
    6. Il travaille dur et n'est pas paresseux.

Unité 4
Leçon B

1   *La manifestation*
    Choisissez la lettre de la description qui correspond à ce que vous entendez.
    1. ce que les étudiants font pour montrer leur mécontentement
    2. quand les gens n'ont pas de travail
    3. le salaire minimum
    4. les universités françaises qui offrent un programme d'études spécialisé
    5. un salaire inférieur au minimum et un horaire de travail réduit
    6. une chaîne de télévision française

Unité 5
Leçon A

1   *On est content ou non?*
    Imaginez que vous avez déjà choisi un hôtel au bord de la mer où vous allez passer

quelques jours. Mais après votre arrivée, il y a certaines choses qui se passent. Si vous pouvez accepter ces choses, écrivez "oui"; si non, écrivez "non."

1. La chambre donne sur un gros panneau d'information.
2. L'ascenseur ne marche pas.
3. On ne peut pas mettre la clim.
4. Il n'y a pas de douche dans la salle de bains.
5. On sert de très bons repas.
6. La réception peut vous changer de chambre rapidement.

Unité 5
Leçon B

1 *En avion ou en train?*

Pour arriver à Gaspé, Micheline a voyagé en avion et en train. Écrivez "A" si l'incident s'est passé en avion; écrivez "T" si l'incident s'est passé en train.

1. Micheline a laissé son sac à dos dans le porte-bagages.
2. Elle a pris le Chaleur.
3. Elle s'est trompée de siège.
4. Un steward a aidé Micheline.
5. Elle y a passé la nuit.
6. En sortant, Michelle a fait la connaissance d'une Canadienne dont la mère est française.

Unité 6
Leçon A

1 *Espace ou télématique?*

Écrivez "E" si l'on parle de l'espace; écrivez "T" si l'on parle de la télématique.

1. On peut chercher un numéro de téléphone sur le Minitel.
2. La France dépense 685 millions d'euros par an pour la recherche dans ce domaine.
3. La fusée Ariane 5 lance des satellites commerciaux.
4. Les Français se branchent sur Internet pour envoyer ou recevoir des e-mails.
5. La France est un des membres de l'ESA.
6. On a un grand choix d'outils de recherche.

Unité 6
Leçon B

1 *Quelle organisation?*

Écrivez "B" si l'on parle de la Fondation Brigitte Bardot; "M" si l'on parle de Médecins Sans Frontières; "C" si l'on parle de l'Équipe Cousteau.

1. Cette organisation a été établie par une actrice célèbre.
2. Cette organisation cherche une stratégie écologique mondiale.
3. Cette organisation a participé à des missions humanitaires en Irak.
4. Cette organisation protège la mer et les animaux de la mer.
5. Cette organisation aide les animaux maltraités.
6. Cette organisation aide les victimes quand il y a une guerre, une famine ou de la pauvreté.

Unité 7
Leçon A

1 *Le contraire*

Écrivez la lettre de l'expression contraire à ce que vous entendez.

1. un résident
2. un chômeur

3. déprimant

4. la plupart

5. tendu

6 toucher

7. l'avenir

Unité 7
Leçon B

1   *Vrai ou faux?*
     Écrivez "V" si la phrase est vraie; écrivez "F" si la phrase est fausse.

1. Pour prendre un goûter après les cours, Philippe et ses amis sont allés à la Fnac.
2. Toutes les mères françaises prennent le temps de préparer un grand dîner.
3. En France aujourd'hui les familles dépensent plus du budget familial pour la nourriture que pour le logement.
4. En général, les Français qui se marient ont moins de 25 ans.
5. Quand les jeunes Français sortent, leur destination préférée est le cinéma.
6. Dans la plupart des familles françaises il y a au moins trois enfants.
7. Les jeunes Français aiment les vêtements qui donnent l'air plus américain.

Unité 8
Leçon A

1   *Qui est-ce?*
     Identifiez la personne célèbre qui correspond à la description. Écrivez "V" pour Vercingétorix; "C" pour Charlemagne; "G" pour Guillaume le Conquérant; "L" pour Louis IX.

1. Avec son armée il a traversé la Manche et a vaincu les Anglais.
2. Il est devenu saint.
3. Il a établi beaucoup de lois, un système d'administration et une école à Aix-la-Chapelle.
4. Il a réuni les tribus de la Gaule.
5. Il était duc de Normandie et roi d'Angleterre.
6. Son empire était le plus grand depuis le temps de César.
7. César l'a vaincu à Alésia quand il avait vingt ans.

Unité 8
Leçon B

1   *Qui est-ce?*
     Identifiez la personne célèbre qui correspond à la description. Écrivez "C" pour Catherine de Médicis; "L" pour Louis XVI; "F" pour La Fayette; "H" pour Georges Haussmann.

1. Il est devenu général de l'armée américaine au temps de la Révolution.
2. Avec sa femme il a été guillotiné pendant la Révolution française.
3. Il était responsable de la beauté de la ville de Paris.
4. Elle était reine de France, et elle a dû gouverner pour son fils.
5. Il s'est marié avec Marie-Antoinette quand il avait seize ans.
6. Elle a ordonné le massacre de la Saint-Barthélemy en 1572.
7. Il travaillait pour maintenir de bonnes relations entre les États-Unis et la France.

Unité 9
Leçon A

1   *Quel animal?*
     Écrivez la lettre de l'animal que vous entendez.

1. un éléphant

2. un singe

3. un hippopotame

4. un lion

5. un dinosaure

6. une girafe

Unité 9
Leçon B

1 *Aujourd'hui ou autrefois?*

Si l'on parle de la vie moderne au Mali, écrivez "M." Si l'on parle de la vie dans le passé, écrivez "P."

1. Il est interdit d'aller à la chasse.

2. Les parents choisissent les maris et les femmes pour leurs enfants.

3. En général, on se marie et on a des enfants à l'âge de 19 ans.

4. Les parents envoient presque tous leurs enfants à l'école coranique.

5. On chasse les antilopes et les gazelles.

6. Les jeunes gens s'intéressent à finir leurs études à l'université.

7. Les jeunes préfèrent se marier pour l'amour.

Unité 10
Leçon A

1 *Karine ou Mathieu?*

Si l'on parle de Karine, écrivez "K." Si l'on parle de Mathieu, écrivez "M."

1. Cette personne jouait au foot avec ses copains ce matin.

2. Cette personne est assise dans un fauteuil roulant.

3. Cette personne va avoir un bandage pour trois ou quatre semaines.

4. Cette personne adore l'histoire et est allée à Fontainebleau ce matin.

5. Cette personne s'est cassé la cheville.

6. Cette personne s'est foulé le poignet.

7. Cette personne doit marcher avec des béquilles.

Unité 10
Leçon B

1 *Vrai ou faux?*

Écrivez "V" si la phrase est vraie; écrivez "F" si la phrase est fausse.

1. Brian passe une semaine dans le Midi qui est au nord de la France.

2. Brian est content de son dictionnaire électronique parce qu'il était en solde et il avait un bon de réduction.

3. Brian est frustré parce qu'il n'a pas gardé son ticket de caisse.

4. Brian a bien lu le mode d'emploi et il l'a trouvé facile à comprendre.

5. Brian voudrait échanger son dictionnaire contre un autre parce qu'il voudrait l'utiliser tout de suite.

6. Son dictionnaire ne marchait pas parce que la pile était mauvaise.

7. Brian aurait évité tous ces ennuis s'il avait essayé le dictionnaire avant de quitter la Fnac.

EMC 3

C'est à toi!

Second Edition

Authors

Augusta DeSimone Clark

Richard Ladd

Sarah Vaillancourt

Diana Moen

EMC/Paradigm Publishing, Saint Paul, Minnesota

Credits

Editor
Sarah Vaillancourt

Associate Editor
Diana Moen

Illustrators
Len Ebert
Susan Jaekel
Jane McCreary
Hetty Mitchell
DJ Simison

Digital Illustrator
Marty Harris

Editorial Assistance
Berkeley Becker

Design
Leslie Anderson

Desktop Production
Jack Ross

Chief Consultants

Karla Winther Fawbush
Director of Magnet Schools
Northwest Suburban Integration School District
Maple Grove, Minnesota

Nathalie Gaillot
Language Specialist
Lyon, France

Christine Gensmer
Language Specialist
Minneapolis, Minnesota

Consultants

Lynn Heyman-Hogue
La Costa Canyon High School
Carlsbad, California

Michael Nettleton
Smoky Hill High School
Aurora, Colorado

Ann J. Sorrell
South Burlington High School
South Burlington, Vermont

Caroline Durand
Language Specialist
Perpignan, France

ISBN 0-8219-3309-4

© 2007 EMC Corporation

Published by EMC/Paradigm Publishing
875 Montreal Way
St. Paul, Minnesota 55102
800-328-1452
www. emcp.com
E-mail: educate@emcp.com

Printed in the United States of America
1 2 3 4 5 6 7 8 9 10 XXX 12 11 10 09 08 07 06

Bienvenue au troisième niveau de français!

Welcome back to *C'est à toi!* You should feel a sense of accomplishment having successfully completed the first two levels of this program. Congratulations on your decision to continue! What are you able to do by studying French? Communicating with others is probably your most important goal in learning French, but you benefit in other ways as well. You are developing cultural understandings about how people in French-speaking regions live, act and think, as well as what they value. In addition, you are learning skills that will help you act independently and successfully in new cultural situations. You are expanding your knowledge of other subject areas through your study of French, finding many connections to French history, geography, art, music, literature, science, etc. You are also learning about your own language and culture as you explore the relationship between them and French. And finally, you are using French to enrich your life and to connect to the world around you, skills that will serve you both now and in the future.

In the third level of *C'est à toi!*, you will expand the communicative tasks and skills you have already practiced. For example, you will be able to explain problems you encounter when traveling or buying something; express feelings like happiness, anger, fear and disappointment; give your opinions; discuss contemporary social and political problems in France; apply for a job; and use computer technology. Your ability to read and write French will improve as you learn how to write compositions and job résumés, give detailed explanations, tell stories using pictures, compare and contrast, decipher want ads and read instructions. You will become acquainted with French speakers, both past and present, who have become famous for their contributions to history, art, science, music, movies and the environment. You will learn more about interesting cities and regions in France. You will also heighten your awareness of other areas in the world where French is spoken: from Saint-Martin to Senegal, from Montreal to Mali.

The format of this textbook is similar to the first and second levels of *C'est à toi!* In the first **Unité** you will review specific verbs and structures from the previous textbooks in order to have a firm foundation for the new material you are about to encounter. In **Unités 2-10** you will learn new vocabulary, structures and functions as well as recycle those that you have already learned. There are several new or expanded sections in each unit of this book, designed to enrich your learning:

- **Tes empreintes** ici and **Dossier ouvert**
  These new sections begin each unit. In **Tes empreintes ici**, you will find introductory questions to connect you with the topic of the opening dialogue or reading. **Dossier ouvert** presents a cultural "teaser," challenging you to interact and problem solve in a situation that might happen if you are in a francophone environment. By the end of the unit, you will "uncover" the answer and check it in the **Dossier fermé** section.

- **Aperçus culturels**
  Two expanded sections have been designed to broaden your understanding of authentic, contemporary francophone culture. Following each reading are accompanying realia-based activities to help you apply what you have learned in real-life situations.

- **Journal personnel**
  In the past, your teacher may have suggested that you keep a cultural journal to record your observations about specific aspects of francophone culture and reflectively compare it with your own. In this book, a specific journal activity has been included in each lesson.

- **Stratégie communicative**
  This new section in **Leçon A** focuses on strategies for communicating successfully in French in both oral and written form. Techniques for preparing for college placement exams are also included.

- **Lecture**
  In **Leçon B** of each **unité** a different literary technique is presented to help you experience success as you read in French. Applying the various strategies, you will read authentic French texts (stories, poems, excerpts from plays, screenplays and novels).

Once again you will have the opportunity to interact with your classmates either in pairs or in small groups as you apply your knowledge in different situations typical of those that you might encounter as you communicate with French speakers. As you complete your journey with us in the francophone world, we wish you many interesting, enjoyable and rewarding experiences that will enrich your life for years to come.

Table of Contents

Unité 1 La vie scolaire et les passe-temps 1

Leçon A 2

Tes empreintes ici 2
Dossier ouvert 2
Vocabulaire 3
Conversation culturelle 4
Aperçus culturels 7
Journal personnel 9
Langue active   Present tense of regular verbs
      ending in **-er, -ir** and **-re** 10
     Pratique 11
     Present tense of irregular verbs 12
     Pratique 14
     Interrogative pronouns 16
     Pratique 17
     Direct object pronouns: **me, te, le,**
      la, nous, vous, les 18
     Pratique 19
     Indirect object pronouns: **me, te, lui,**
      nous, vous, leur 21
     Pratique 22
Communication 24
Stratégie communicative Writing a Composition 25

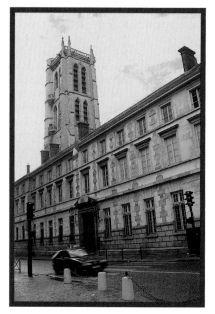

Leçon B 26

Vocabulaire 26
Conversation culturelle 27
Aperçus culturels 31
Journal personnel 34
Langue active   Passé composé with **avoir** 34
                 Pratique 35
                 Passé composé with **être** 37
                 Pratique 38
                 The pronoun **y** 39
                 Pratique 40
                 The pronoun **en** 41
                 Pratique 42
                 Double object pronouns 43
                 Pratique 44
Communication 45
Lecture   Point of View 47
Dossier fermé 49
Évaluation 50
   Évaluation culturelle 50
   Évaluation orale 51
   Évaluation écrite 51
   Évaluation visuelle 51
Révision de fonctions 52
Vocabulaire 55

Unité 2 Les rapports humains 57
Leçon A 58

Tes empreintes ici 58
Dossier ouvert 58
Vocabulaire 59
Conversation culturelle 60
Aperçus culturels 64
Journal personnel 68
Langue active Imperfect tense 68
  Pratique 69
  Present participle 71
  Pratique 72
Communication 75
Stratégie communicative Narrating 76

Leçon B 77

Vocabulaire 77
Conversation culturelle 78
Aperçus culturels 82
Journal personnel 84
Langue active Reflexive verbs 84
  Pratique 85
  Negation 87
  Pratique 88
  Other negative expressions 89
  Pratique 91
Communication 93
Lecture Visualization 94
Dossier fermé 97
Évaluation 98
  Évaluation culturelle 98
  Évaluation orale 99
  Évaluation écrite 100
  Évaluation visuelle 100
Révision de fonctions 101
Vocabulaire 103

Unité 3 Les arts 105

Leçon A 106

Tes empreintes ici 106
Dossier ouvert 106
Vocabulaire 107
Conversation culturelle 108
Aperçus culturels 113
Journal personnel 115
Langue active   The imperfect and the
       passé composé 115
       Pratique 116
       Present tense of the
       irregular verb **plaire** 118
       Pratique 119
       The subjunctive of regular
       verbs after **il faut que** 120
       Pratique 121
Communication 123
Stratégie communicative   Explaining in
       Detail 124

Leçon B 125

Conversation culturelle 125
Aperçus culturels 130
Journal personnel 132
Langue active   C'est vs. il/elle est 132
       Pratique 134
       The subjunctive of irregular
       verbs 136
       Pratique 137
       The subjunctive after
       impersonal expressions 138
       Pratique 139
Communication 141
Lecture   Characterization 142
Dossier fermé 146
Évaluation 147
   Évaluation culturelle 147
   Évaluation orale 147
   Évaluation écrite 148
   Évaluation visuelle 148
Révision de fonctions 149
Vocabulaire 151

Unité 4 Le monde du travail 153

Leçon A 154

Tes empreintes ici 154
Dossier ouvert 154
Vocabulaire 155
Conversation culturelle 156
Aperçus culturels 161
Journal personnel 164
Langue active   Depuis + present tense 164
        Pratique 165
        The subjunctive after expressions
          of wish, will or desire 166
        Pratique 167
Communication 169
Stratégie communicative   Writing a Résumé 170

Leçon B 172

Conversation culturelle 172
Aperçus culturels 176
Journal personnel 178
Langue active   The relative pronouns **qui**
        and **que** 178
        Pratique 179
        The relative pronouns **ce qui**
        and **ce que** 180
        Pratique 181
        The subjunctive after expressions
          of doubt or uncertainty 183
        Pratique 184
Communication 186
Lecture   Deciphering Want Ads 187
Dossier fermé 190
Évaluation 191
  Évaluation culturelle 191
  Évaluation orale 192
  Évaluation écrite 192
  Évaluation visuelle 193
Révision de fonctions 194
Vocabulaire 197

Unité 5 Comment se débrouiller en voyage 199

Leçon A 200

Tes empreintes ici 200
Dossier ouvert 200
Vocabulaire 201
Conversation culturelle 202
Aperçus culturels 205
Journal personnel 208
Langue active   Conditional tense 209
                 Pratique 210
                 The subjunctive after
                   expressions of emotion 212
                 Pratique 213
Communication 215
Stratégie communicative   Telling a Story
                          through Pictures 217

Leçon B 221

Vocabulaire 221
Conversation culturelle 222
Aperçus culturels 226
Journal personnel 229
Langue active   Verbs + de + nouns 229
                 Pratique 230
                 The relative pronoun dont 232
                 Pratique 233
Communication 235
Lecture   Satire 236
Dossier fermé 241
Évaluation 242
   Évaluation culturelle 242
   Évaluation orale 243
   Évaluation écrite 243
   Évaluation visuelle 244
Révision de fonctions 244
Vocabulaire 247

Unité 6 L'avenir: la technologie et l'environnement 249

Leçon A 250

Tes empreintes ici 250
Dossier ouvert 250
Vocabulaire 251
Conversation culturelle 251
Aperçus culturels 254
Journal personnel 256
Langue active   Comparative of adjectives 256
                   Pratique 257
                   Superlative of adjectives 258
                   Pratique 259
                   Future tense 261
                   Pratique 262
Communication 264
Stratégie communicative   Using Computer
                          Technology 265

Leçon B 266

Vocabulaire 266
Conversation culturelle 267
Aperçus culturels 270
Journal personnel 273
Langue active   Future tense in sentences with
                          si 273
                   Pratique 274
                   Future tense after **quand** 276
                   Pratique 277
Communication 279
Lecture   Simile and Rhyme Scheme 280
Dossier fermé 282
Évaluation 283
   Évaluation culturelle 283
   Évaluation orale 283
   Évaluation écrite 284
   Évaluation visuelle 284
Révision de fonctions 284
Vocabulaire 287

Unité 7 Les Français comme ils sont 289

Leçon A 290

Tes empreintes ici 290
Dossier ouvert 290
Vocabulaire 291
Conversation culturelle 292
Aperçus culturels 296
Journal personnel 298
Langue active   Conditional tense in sentences
                  with **si** 299
                  Pratique 299
                  The interrogative adjective
                  quel 300
                  Pratique 301
                  The interrogative pronoun
                  lequel 302
                  Pratique 303
Communication 304
Stratégie communicative Circumlocuting 305

Leçon B 306

Vocabulaire 306
Conversation culturelle 307
Aperçus culturels 314
Journal personnel 317
Langue active   Demonstrative adjectives 318
                  Pratique 318
                  Demonstrative pronouns 320
                  Pratique 321
Communication 323
Lecture   Setting 324
Dossier fermé 328
Évaluation 329
  Évaluation culturelle 329
  Évaluation orale 330
  Évaluation écrite 330
  Évaluation visuelle 331
Révision de fonctions 331
Vocabulaire 335

Unité 8 L'histoire de France 337

Leçon A 338

Tes empreintes ici 338
Dossier ouvert 338
Conversation culturelle 339
Aperçus culturels 345
Journal personnel 348
Langue active   Expressions with **faire** 348
          Pratique 349
          Faire + infinitive 350
          Pratique 351
Communication 353
Stratégie communicative   Summarizing a
               Literary Selection 354

Leçon B 355

Conversation culturelle 355
Aperçus culturels 362
Journal personnel 364
Langue active   Expressions with **avoir** 365
          Pratique 366
          Past infinitive 367
          Pratique 368
Communication 370
Lecture   Research Skills 371
Dossier fermé 377
Évaluation 378
   Évaluation culturelle 378
   Évaluation orale 378
   Évaluation écrite 379
   Évaluation visuelle 379
Révision de fonctions 380
Vocabulaire 383

Unité 9 L'Afrique francophone 385

Leçon A 386

Tes empreintes ici 386
Dossier ouvert 386
Vocabulaire 387
Conversation culturelle 388
Aperçus culturels 393
Journal personnel 394
Langue active Expressions with être 395
  Pratique 396
  Pluperfect tense 398
  Pratique 399
Communication 401
Stratégie communicative Comparing and
  Contrasting 402

Leçon B 403

Vocabulaire 403
Conversation culturelle 404
Aperçus culturels 408
Journal personnel 411
Langue active Possessive adjectives 411
  Pratique 412
  Possessive pronouns 413
  Pratique 414
Communication 416
Lecture Making Cultural Inferences 417
Dossier fermé 421
Évaluation 422
  Évaluation culturelle 422
  Évaluation orale 422
  Évaluation écrite 423
  Évaluation visuelle 423
Révision de fonctions 424
Vocabulaire 427

Unité 10 On s'adapte 429

Leçon A 430

Tes empreintes ici 430
Dossier ouvert 430
Vocabulaire 431
Conversation culturelle 431
Aperçus culturels 435
Journal personnel 437
Langue active   Expressions of quantity 437
                  Pratique 439
                  Indefinite adjectives 440
                  Pratique 441
                  Indefinite pronouns 443
                  Pratique 444
Communication 445
Stratégie communicative Persuading 446

Leçon B 447

Vocabulaire 447
Conversation culturelle 447
Aperçus culturels 451
Journal personnel 454
Langue active   Past conditional tense 454
                  Pratique 455
                  Past conditional tense in
                    sentences with si 457
                  Pratique 458
Communication 460
Lecture   Reading Instructions 461
Dossier fermé 465
Évaluation 466
  Évaluation culturelle 466
  Évaluation orale 466
  Évaluation écrite 467
  Évaluation visuelle 467
Révision de fonctions 468
Vocabulaire 471

Grammar Summary 472
Vocabulary French/English 493
Vocabulary English/French 512
Grammar Index 535
Credits 540

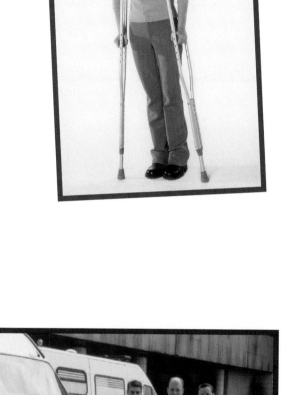

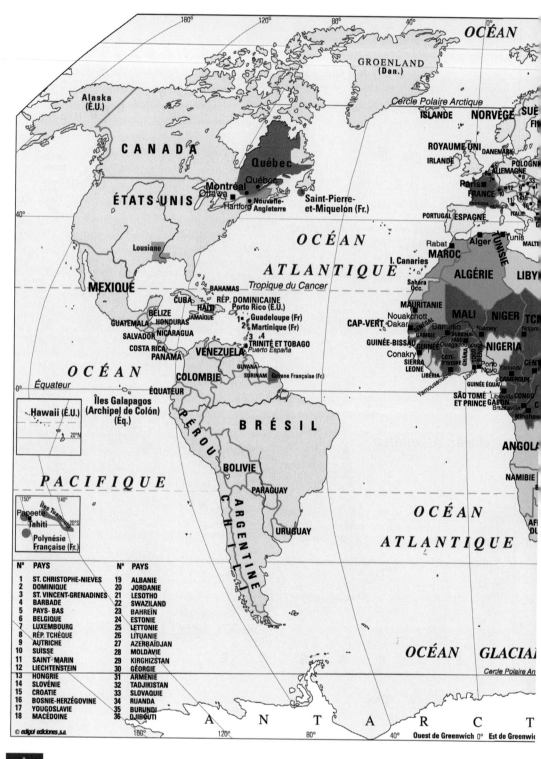

OCÉAN

GROENLAND
(Dan.)

Cercle Polaire Arctique

ISLANDE NORVÈGE SUÈ

Alaska
(É.U.)

ROYAUME UNI DANEMARK
IRLANDE POLOGN

C A N A D A

Québec
Québec

ALLEMAGNE

Montréal
Ottawa
Hartford Nouvelle-
Angleterre

Paris
FRANCE

12
9 33

ANDORRE

MONACO 11

É T A T S - U N I S

Saint-Pierre-
et-Miquelon (Fr.)

ITALIE

PORTUGAL ESPAGNE

OCÉAN

Tunis

Lousiane

ATLANTIQUE

Rabat
MAROC

Alger
TUNISIE

MALTE

I. Canaries

MEXIQUE

BAHAMAS

Tropique du Cancer

Sahára
Occ.

ALGÉRIE

LIBYE

CUBA

RÉP. DOMINICAINE
Porto Rico (E.U.)

MAURITANIE

Nouakchott

MALI

NIGER

TCH

BÉLIZE

HAÏTI

1 Guadeloupe (Fr)

CAP-VERT

Dakar

Bamako

Niamey

Ndjam

GUATEMALA

HONDURAS

JAMAÏQUE

2 Martinique (Fr)

GAMBIE

SÉNÉGAL

BURKINA
FASO

SALVADOR

NICARAGUA

3 4

GUINÉE-BISSAU

GUINÉE

Ouagadougou

NIGERIA

COSTA RICA

TRINITÉ ET TOBAGO

Conakry

CÔTE

GHANA

BÉNIN

Porto

PANAMA

VENEZUELA

Puerto España

SIERRA
LEONE

D'IVOIRE

Lomé

Novo

Yaoundé

CAMEROUN

GUYANA

LIBERIA

OCÉAN

COLOMBIE

SURINAM

Guyane Française (Fr.)

Yamoussoukro

GUINÉE ÉQUAT.

SÃO TOMÉ
ET PRINCE

Libreville CONGO
GABON

CO

ÉQUATEUR

Équateur

Brazzaville

Kinshasa

Îles Galapagos
(Archipel de Colón)
(Éq.)

B R É S I L

ANGOLA

Hawaii (É.U.)

20°N

BOLIVIE

NAMIBIE

PACIFIQUE

PARAGUAY

OCÉAN

150° 140°

Îles Thaumous

Papeete
Tahiti

20°S

URUGUAY

ATLANTIQUE

AF

Polynésie
Française (Fr.)

PÉROU

CHILI

ARGENTINE

N°	PAYS	N°	PAYS
1	ST. CHRISTOPHE-NIEVES	19	ALBANIE
2	DOMINIQUE	20	JORDANIE
3	ST. VINCENT-GRENADINES	21	LESOTHO
4	BARBADE	22	SWAZILAND
5	PAYS- BAS	23	BAHREÏN
6	BELGIQUE	24	ESTONIE
7	LUXEMBOURG	25	LETTONIE
8	RÉP. TCHÈQUE	26	LITUANIE
9	AUTRICHE	27	AZERBAÏDJAN
10	SUISSE	28	MOLDAVIE
11	SAINT-MARIN	29	KIRGHIZISTAN
12	LIECHTENSTEIN	30	GÉORGIE
13	HONGRIE	31	ARMÉNIE
14	SLOVÉNIE	32	TADJIKISTAN
15	CROATIE	33	SLOVAQUIE
16	BOSNIE-HERZÉGOVINE	34	RUANDA
17	YOUGOSLAVIE	35	BURUNDI
18	MACÉDOINE	36	DJIBOUTI

OCÉAN GLACIA

Cercle Polaire An

A N T A R C T

© edigol ediciones, s.a.

160° 120° 80° 40° Ouest de Greenwich 0° Est de Greenwic

GLACIAL ARCTIQUE

Alaska
(É.U.)

R U S S I E

NDE
LORUSSIE
UKRAINE
ANIE
ULGARIE
TURQUIE
CHYPRE
Beyrouth LIBAN
ISRAEL 20
ÉGYPTE
AD
SOUDAN
RÉP. DU
YÉMEN
RÉP.
AFRICAINE
ÉTHIOPIE
D
NGO
TANZANIE
ZAMBIE
ZIMBABWE
SWANA
QUE 21
SUD

KAZAKHSTAN
MONGOLIE
OUZBÉKISTAN 31
TURKMÉNISTAN 32
AFGHANISTAN
SYRIE
IRAQ IRAN
KUWEIT
ARABIE QATAR
ÉMIRATS
ARABES UNIS
SAOUDITE OMAN
ÉRYTHRÉE
SOMALIE
OUGANDA KENYA
34
35
COMORES SEYCHELLES
Moroni
Mayotte (Fr)
Antananarivo
MAURICE
MADAGASCAR Réunion (Fr)
Saint-Denis
MOZAMBIQUE
MALAWI

CHINE
CORÉE
DU NORD
CORÉE DU
SUD
JAPON
OCÉAN
PACIFIQUE
TAIWAN
PAKISTAN
NÉPAL BHOUTAN
INDE
BANGLADESH
BIRMANIE LAOS
Hanoï
Vientiane
THAÏLANDE VIETNAM
CAMBODGE
Phnom-Penh
PHILIPPINES
SRI LANKA
BRUNEI
MALAISIE
MALDIVES
SINGAPOUR
Victoria
OCÉAN
INDIEN
INDONÉSIE
PAPOUASIE
NOUVELLE-GUINÉE
ÎLES
SALOMON
Port-Louis
AUSTRALIE
Nouvelle-
Calédonie(Fr.)
Wallis-et-Futuna(Fr.)
Îles Wallis
Île Futuna
Île Alofi
Tropique du Capricorne
TERRES AUSTRALES ET ANTARCTIQUES
NOUVELLE
ZÉLANDE
Ligne de
changement de date
Lundi Dimanche

ANTARCTIQUE

I Q U E

Pays où la langue française est officielle ou co-officielle.	**Paris** Villes de plus de 1 000 000 d'hab.
	Rabat Villes de 100 000 à 1 000 000 d'hab.
Zone où la langue française est parlée par une partie de la population.	*Moroni* Villes de moins de 100 000 d'hab.
	—— Limite internationale
	■ • Capitale d'État
	● Autres villes

xvii

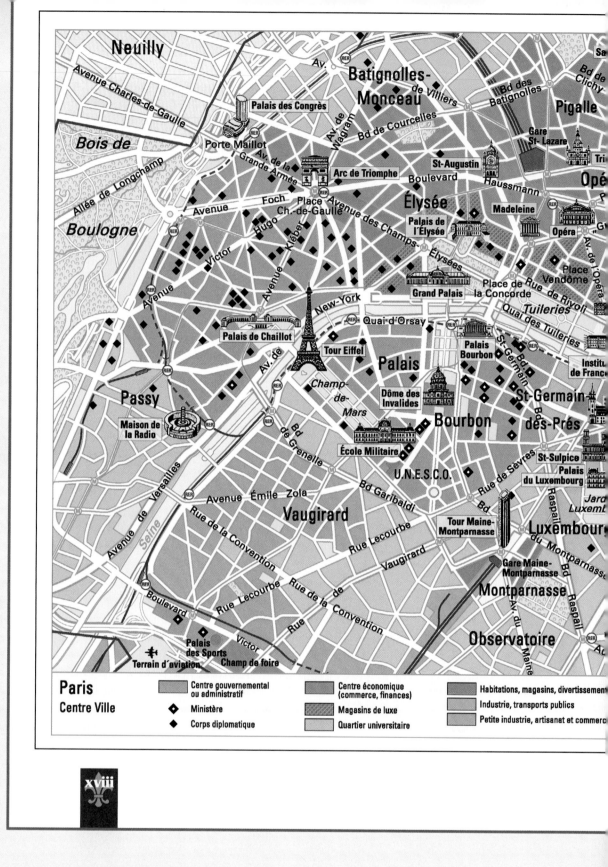

Neuilly

Avenue Charles-de-Gaulle

Bois de

Boulogne

Allée de Longchamp

Avenue de la Grande Armée

Porte Maillot

Palais des Congrès

Av. de Villiers

Batignolles-
Monceau

Bd de Courcelles

Bd des Batignolles

Bd de Clichy

Pigalle

Gare
St-Lazare

Sa

Av. de Wagram

Arc de Triomphe

St-Augustin

Boulevard

Haussmann

Tri

Opé

Avenue   Foch

Place
Ch.-de-Gaulle

Avenue des Champs-

Élysée

Madeleine

Opéra

G

Victor

Hugo

Kléber

Élysées

Palais de
l'Élysée

Place
Vendôme

Av. de l'Opéra

Avenue

New-York

Grand Palais

Place de
la Concorde

Rue de Rivoli

Tuileries

Palais de Chaillot

Quai d'Orsay

Quai des Tuileries

Tour Eiffel

Palais

Palais
Bourbon

St-Germain

Institut
de France

Av. de

Champ-
de-
Mars

Dôme des
Invalides

St-Germain-

des-Prés

Passy

Maison de
la Radio

Bourbon

Bd de Grenelle

École Militaire

St-Sulpice

Palais
du Luxembourg

Rue de Sèvres

Jard
Luxemb

Avenue de Versailles

Avenue   Émile   Zola

U.N.E.S.C.O.

Bd Garibaldi

Bd

Tour Maine-
Montparnasse

Raspail

Luxembour

Rue de la Convention

Vaugirard

Rue Lecourbe

Vaugirard

Gare Maine-
Montparnasse

du Montparnass

Bd

Montparnasse

Raspail

Boulevard

Rue Lecourbe

Rue de la Convention

Observatoire

Seine

Palais
des Sports

Victor

Av. du

Maine

Au

Terrain d'aviation

Champ de foire

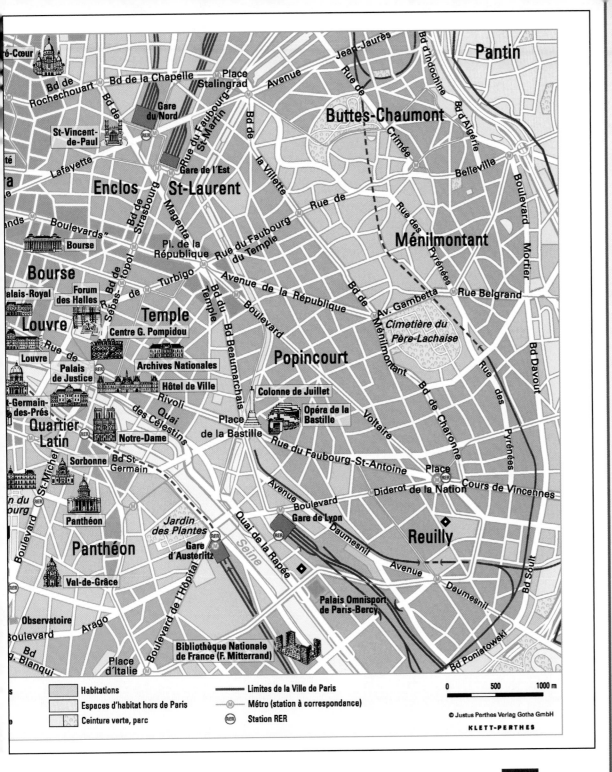

Sacré-Cœur
Bd de Rochechouart
Bd de la Chapelle
Place Stalingrad
Avenue
Jean-Jaurès
Rue de
Bd d'Indochine
Pantin
Bd de
St-Vincent-de-Paul
Gare du Nord
Bd d'Algérie
Buttes-Chaumont
Crimée
Cité
Lafayette
Rue du Faubourg St-Martin
Gare de l'Est
Bd de la Villette
Belleville
Boulevard
Mortier
Opéra
Enclos St-Laurent
Bd de Strasbourg
Magenta
Rue de
Ménilmontant
Rue des Pyrénées
"Grands Boulevards"
Bourse
Bd de Sébastopol
Pl. de la République
Rue du Faubourg du Temple
Bd de Ménilmontant
Bourse
Palais-Royal
Forum des Halles
Turbigo
Avenue de la République
Bd de
Av. Gambetta
Rue Belgrand
Louvre
Louvre
Rue de
Temple
Centre G. Pompidou
Bd du Temple
Boulevard
Cimetière du Père-Lachaise
Bd Davout
St-Germain-des-Prés
Palais de Justice
Archives Nationales
Hôtel de Ville
Bd Beaumarchais
Popincourt
Rue des Pyrénées
Quartier Latin
Notre-Dame
Rivoli
Quai des Célestins
Colonne de Juillet
Opéra de la Bastille
Voltaire
Bd de Charonne
St-Michel
Sorbonne
Bd St-Germain
Place de la Bastille
Rue du Faubourg-St-Antoine
Place Diderot
de la Nation
Cours de Vincennes
n du bourg
Panthéon
Jardin des Plantes
Avenue
Boulevard
Bd Soult
Panthéon
Gare d'Austerlitz
Quai de la Rapée
Gare de Lyon
Daumesnil
Reuilly
Avenue
Boulevard
Val-de-Grâce
Seine
Daumesnil
Observatoire
Arago
Palais Omnisport de Paris-Bercy
Boulevard
Bd g. Blanqui
Place d'Italie
Boulevard de l'Hôpital
Bibliothèque Nationale de France (F. Mitterrand)
Bd Poniatowski

	Habitations		Limites de la Ville de Paris
	Espaces d'habitat hors de Paris	Ⓜ	Métro (station à correspondance)
	Ceinture verte, parc	RER	Station RER

0   500   1000 m

© Justus Perthes Verlag Gotha GmbH

KLETT-PERTHES

Unité

1

La vie scolaire et les passe-temps

In this unit you will be able to:
- inquire about the past
- describe past events
- sequence events
- confirm a known fact
- explain something
- give examples
- summarize
- inquire about ability
- express inability
- give orders
- offer something
- express astonishment and disbelief
- express enthusiasm
- express emotions
- express desire

www.emcp.com

un

LEÇON A

Tes empreintes ici

Tu viens de rentrer au lycée après les vacances d'été. Tu penses aux copains, aux profs, aux cours, à la nourriture et au travail. Toi, es-tu prêt(e) à commencer la nouvelle année scolaire? *de /e*

- Quelle était la date du premier jour de classes à ton lycée?
- Comment est-ce que tu t'es préparé(e)?
- Qu'est-ce que tu as été obligé(e) d'acheter? Tu es allé(e) à une librairie?
- Quels cours sont difficiles? Faciles? *un cours*
- Quels profs sont sympa?
- Comment est la nourriture à la cantine?
- Est-il difficile de faire des amis dans ton lycée?
- Es-tu content(e) de rentrer au lycée? Pourquoi ou pourquoi pas?

Amélie et Brigitte trouvent que la chimie est un cours difficile.

Dossier ouvert

Imagine que tu étudies dans un lycée français et c'est le jour de ton premier examen. Tu regardes l'examen et tu vois qu'il consiste seulement en questions à longue réponse. Quelle est ta réaction?

A. Tu demandes au professeur de te donner l'examen avec des questions à choix multiples. *a /e*
B. Tu demandes au professeur si c'est un examen à livre ouvert.
C. Tu continues parce que c'est le style d'un examen français.

le grec

le russe

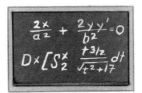

le calcul

un labo

- un bloc-notes
- un manuel
- un examen
- une rédaction
- un carnet
- un feutre
- un trombone
- une gomme
- une agrafeuse

trois
Leçon A
3

 Workbook Activity 1

 Grammar & Vocabulary Exercise 1

 Audio CD Classroom Expressions

 Transparencies 1-2

FYI

1. **Un carnet** is smaller than **un cahier**. 2. **Un bloc-notes**, sometimes referred to simply as **un bloc**, is a notepad that opens from the top rather than from the side. 3. While many French students now use disposable pens, fountain pens with replaceable cartridges, **des stylos à cartouche**, are still very popular. 4. Other school-related terms and expressions include **une chemise** (*folder*), **une agrafe** (*staple*), **une salle d'étude** (*study hall*), **une heure d'étude** (*study hall period*), **une révision** (*review*), **un amphithéâtre** (*lecture hall*), **un pupitre** (*student desk*), **un laboratoire de langues** (*language lab*) and **un(e) remplaçant(e)** (*substitute teacher*).

Game

La vieille fille
Make ten sets of identical cards with illustrations of school-related vocabulary from this lesson and any you wish to review from the first level of *C'est à toi!* Divide the class into five small groups and give each group two sets of cards. Shuffle and deal the cards until none are left. The first student tries to find a match for one of the cards in his or her hand by asking another student a question with **avoir**, for example, **As-tu un manuel de calcul?** The student questioned answers affirmatively or negatively using a complete sentence. If the response is **oui**, the student relinquishes his or her card to the student who asked for it. When a student gets a pair, he or she sets it down and takes another turn. The student with the most pairs of cards wins.

Teaching Note

3. The **Dossier ouvert** on page 2 is a cultural "teaser" intended to make students think about how they would react to a typical situation in the francophone world that differs from their own culture in some respect. Tell students to look for the answer, which is hinted at somewhere in the unit. In the **Dossier fermé** at the end of the unit, the "teaser" is reviewed and the answer is provided and explained. Some new vocabulary is introduced in these **Dossiers**; however, the words are easily recognizable cognates.

3

Workbook Activity 2

 **Grammar & Vocabulary
Exercises 2-3**

 **Audio CD
*Conversation culturelle***

FYI

1. Often seen in advertisements, **la mode de la rentrée** and **les affaires de la rentrée** mean "autumn fashions" and "back-to-school bargains." **La rentrée** also refers to the general time period of the return to classes after **les grandes vacances.** However, the French also use the expression to refer to the return to classes after other holidays, for example, **la rentrée de Noël.** 2. Like **le lycée Henri IV,** many schools in France are named for famous historical figures, such as Saint-Louis, Louis le Grand and Charlemagne. Other schools bear the names of famous authors. 3. French teenagers often use shortened forms of words when discussing school-related topics. For example, **sciences po** is the abbreviated form of **sciences politiques.** The abbreviated form of **dissertation** (**dissert**) refers to a composition rather than a research paper.

Connections

Geography

Have each of your students make a map of Senegal to familiarize themselves with the country Amadou comes from. On the map have students identify principal cities, rivers, neighboring countries, **l'océan Atlantique, la savane** in the center, **le Sahara** in the north and **la forêt tropicale** in the southwest. The next day play a game with the class to practice identifying these geographical features. At the front of the class, display a large unlabeled map of Senegal and its surroundings. Then divide the class in half. As one student from each team goes to the map at the same time, name one of these geographical features. The student who locates it first on the map earns one point for his or her team.

Conversation culturelle

Aujourd'hui c'est la rentrée.° Amadou, qui vient de déménager de Dakar, et sa nouvelle copine Gilberte sont assis dans la salle de conférences° du lycée Henri IV à Paris. Ils attendent la prof d'histoire avec beaucoup d'autres lycéens.°

Amadou:	Salut, Gilberte. Ça va?
Gilberte:	Ça va bien, mais je suis fatiguée. Et toi?
Amadou:	Oh là là! Crois-moi! Les cours vont être si difficiles pour moi. À Dakar j'ai souvent séché° le cours d'algèbre. Alors, je l'ai raté° et j'ai dû passer° un examen. Enfin, j'ai réussi.
Gilberte:	L'enseignement° qu'on offre ici est vraiment extra. Comment est-ce que tu trouves les profs et les copains?
Amadou:	Je les trouve sympa.
Gilberte:	Tu as rempli la fiche d'inscription° ce matin?
Amadou:	Oui. D'abord, j'ai eu rendez-vous avec le directeur° dans son bureau.° Après, le censeur° m'a donné mon emploi du temps. Puis, j'ai assisté à mon cours de sciences po.°
Gilberte:	Le prof de littérature nous a donné une liste de responsabilités—un exposé° oral chaque semaine, une rédaction deux fois par semaine, une dissertation° à la fin° du cours et des interros. Et bien sûr, la lecture,° c'est du boulot.

Amadou a eu rendez-vous avec le directeur.

la rentrée le premier jour de l'année scolaire; une salle de conférences *lecture hall*; un lycéen un élève au lycée; sécher ne pas aller (en cours); rater ne pas réussir; passer *to take*; l'enseignement (m.) *education*; une fiche d'inscription *registration form*; un directeur *principal*; un bureau où travaille le directeur; un censeur *dean*; po politique; un exposé *report*; une dissertation *research paper*; la fin *end*; la lecture *reading*

 quatre
Unité 1

Amadou:	Voilà un cours difficile. C'est comme ça dans mon cours de philosophie et aussi en géométrie. Qu'est-ce qui t'inquiète?
Gilberte:	C'est le calcul. Réussir, ce n'est pas facile. Je prends beaucoup de notes dans mon cahier. Après, je les mets dans mon sac à dos parce que je les perds toujours.
Amadou:	J'écris beaucoup dans le labo de chimie. Je ne peux pas dormir dans ce cours—il est trop difficile à comprendre.°
Gilberte:	Tu parles! Dis, je dois aller à la librairie après les cours. Est-ce que tu peux venir avec moi?
Amadou:	Oui, à 5h00. Je suis arrivé il y a une semaine, et alors je n'ai pas eu le temps de tout acheter.
Gilberte:	Bon ben, j'ai une autre conférence,° puis je vais aller au Centre de recherches° et ensuite° je peux aller avec toi à la librairie. De quoi as-tu besoin?
Amadou:	Qu'est-ce qui est sur ta liste? Qu'as-tu acheté?
Gilberte:	Oh, j'ai déjà acheté des trombones, un feutre, une gomme, un bloc-notes, un carnet, le manuel de calcul, une agrafeuse et une belle trousse.
Amadou:	Tout ça?
Gilberte:	Bien sûr. Dis donc, Amadou, tu choisis le russe ou le grec cette année?
Amadou:	Je suis le cours de russe.
Gilberte:	Et moi, de grec. Alors, il faut chercher ces livres aussi.
Amadou:	Bon, d'accord. Oh, attention! Voilà la prof.

Amadou et Gilberte vont aller à la librairie pour tout acheter pour la rentrée.

comprendre *to understand*; **une conférence** *lecture*; **la recherche** *research*; **ensuite** *puis*

 1 **Cours ou objet?**

Écrivez "C" si vous entendez le nom d'un cours; écrivez "O" si vous entendez le nom d'un objet.

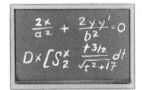

cinq

Leçon A

5

○ **Audio CD Activity 1**

Answers

1 1. O
2. C
3. C
4. C
5. C
6. O

Cooperative Group Practice

Un plan de Paris
Put students in small groups, and give each group a map of Paris and a map of the **métro**. First, have students locate **le lycée Henri IV** on the Left Bank. Next, have them make a list of activities that Gilberte and Amadou can easily do after school, getting to the appropriate location either on foot or by **métro**. If students have Gilberte and Amadou walk to a park, store or museum, ask them to write the directions Gilberte and Amadou take to get to their destination. If they have Gilberte and Amadou take the **métro**, have them write the name of the **métro** lines they take, listing all **correspondances**.

Teaching Notes

1. French secondary schools were discussed in **Unité 4** in the first level of *C'est à toi!* and again in **Unité 9** in the second level.
2. **Je suis** is the present tense form of both **être** and **suivre** and may mean "I am," "I follow" or "I take (a class)," depending on the context.

3. The **passé composé** will be reviewed in **Leçon B**.
4. The word **bureau**, meaning "desk," was introduced in **Unité 4** in the first level of *C'est à toi!*

5. Glossed vocabulary follows the exposition in the third level of *C'est à toi!* Cognates and illustrated words are not glossed.

5

Answers

2
1. rentrée
2. séchée
3. enseignement
4. censeur
5. dissertation
6. notes
7. comprendre
8. trombones
9. russe

3
1. la salle de classe
2. la librairie
3. la librairie
4. le bureau du directeur
5. la salle de classe
6. chez moi
7. chez moi
8. la librairie
9. le bureau du directeur
10. la salle de classe
11. chez moi

2 Complétez!

Choisissez l'expression convenable de la liste suivante pour compléter chaque phrase.

comprendre	russe	censeur	rentrée	séchée
enseignement	notes	trombones	dissertation	

1. Aujourd'hui Amadou et Gilberte sont au lycée Henri IV parce que c'est la....
2. Au Sénégal, Amadou n'a pas réussi tout de suite en algèbre parce qu'il l'a souvent....
3. Le lycée Henri IV est bien connu; l'... qu'on y offre est superbe.
4. Le... a donné à Amadou son emploi du temps.
5. Les lycéens qui suivent la littérature doivent écrire une... à la fin du cours.
6. Gilberte écrit beaucoup de... dans son cahier.
7. Pour Amadou, le cours de chimie est difficile à....
8. Gilberte a déjà acheté des... à la librairie.
9. Amadou a choisi de suivre le....

3 Les activités scolaires

Où êtes-vous quand vous faites les activités suivantes? Mettez un *dans le blanc approprié.*

	la salle de classe	la librairie	chez moi	le bureau du directeur
1. prendre des notes				
2. choisir de nouveaux feutres				
3. acheter des manuels				
4. recevoir un emploi du temps				
5. assister à une conférence				
6. sécher un cours				
7. finir la lecture				
8. chercher un bloc-notes				
9. remplir une fiche d'inscription				
10. passer un examen				
11. parler du calcul au téléphone				

4 C'est à toi!

Questions personnelles.

1. Est-ce que tu as séché un cours l'année dernière? Si oui, quel cours?
2. La rentrée cette année, c'était quand?
3. Tu as un bon emploi du temps? Pourquoi ou pourquoi pas?
4. Quels cours vont être difficiles pour toi cette année?
5. Quel cours t'inquiète?
6. Dans quel cours est-ce qu'il n'est pas possible de dormir?
7. Dans ton cours de littérature, est-ce que tu as une liste de responsabilités comme Gilberte?
8. Qu'est-ce que tu as besoin d'acheter à la librairie?

La rentrée en France, c'était le 2 septembre.

~Aperçus culturels~

Le Sénégal

Comme vous savez déjà, le Sénégal est une république depuis 1960 quand il a reçu son indépendance de la France. Aujourd'hui, comme beaucoup de pays africains, le Sénégal a des problèmes avec l'environnement. Le nombre d'animaux et de poissons au Sénégal diminue, et le pays, qui se développe, contribue à la déforestation et aussi à la désertification de l'Afrique. Dakar est la capitale du Sénégal. Située au bord de la mer, la ville est sur le point le plus à l'ouest de toute l'Afrique.

Amadou est de Dakar, où le moderne et le traditionnel coexistent.

Teaching Notes

1. Before beginning the **Aperçus culturels**, you may want to review reading strategies relating to cognates in the **Lecture** section of **Unités 2, 3** and **11** in the first level of *C'est à toi!*

2. Senegal was discussed on page 397 in the first level of *C'est à toi!* and on page 422 in the second level.

Answers

4 Answers will vary.

FYI

1. The **Aperçus culturels** section contains a number of words that are not active vocabulary, but they are all easily recognizable cognates. Cognates in this reading include **république, indépendance, nombre, diminue, se développe, contribue, déforestation, désertification, située, point, influence, colonisation, système, reflète, importance, pour cent, important, ouolof, langue, insistent, compétence, questions, multiples, existent, pratiquement, amphithéâtre, nécessités, papier** and **papeterie.** These passive vocabulary words will be used again only in activities that specifically check comprehension of the **Aperçus culturels.**
2. Since its independence, Senegal has been a multiparty democracy. Thanks largely to President Léopold Senghor, the country achieved economic and political stability. Abdou Diouf, Senghor's prime minister, succeeded Senghor in 1981 when he retired. There have been mounting protests over government corruption, unemployment and poverty. 3. Another ecological problem in Senegal is soil damage in certain regions due to an overcultivation of peanuts. Consequently, there has been an effort to plant other crops.

Comparisons

Le Sénégal
If students made a map of Senegal as described in the cross-curricular activity on page 4, ask them to determine why Senegal's proximity to the ocean and the presence of a savanna have contributed to the country's economic prosperity. Students should point out that the fishing industry and international trade are a direct result of the country's location on the Atlantic, and the savanna is an arable region conducive to the growing of crops.

L'enseignement au Sénégal

À Dakar il est facile de trouver l'influence de la colonisation des Français. Par exemple, le système d'enseignement reflète le système français. Même au Sénégal on donne une grande importance au bac. Seulement 46 pour cent des lycéens francophones y réussissent. À l'école les cours sont en français, mais au C.E.S. et au lycée, on étudie aussi l'anglais. Pour les élèves qui vont quitter leurs villages, il est important d'apprendre le français aussi bien que l'ouolof, la langue nationale du Sénégal.

Dans le labo, les étudiants pratiquent leur anglais. (Dakar)

L'enseignement en France

Les écoles françaises insistent sur la compétence de l'élève. On demande souvent aux élèves d'écrire des rédactions et des dissertations. Les examens avec des questions à choix multiples n'existent pratiquement pas.

Les conférences

En France on a souvent des cours dans une salle de conférences ou dans un amphithéâtre où le professeur donne une conférence à peut-être 200 élèves.

Les objets scolaires

C'est la responsabilité des lycéens d'acheter les livres et les autres nécessités pour les cours. On achète les livres et les manuels pour les cours dans une librairie, et on trouve les cahiers, les stylos et le papier dans une papeterie. On trouve souvent une librairie-papeterie où on vend toutes ces choses.

La célèbre librairie-papeterie parisienne Gibert Jeune est située sur la rive gauche.

5 ▸ Le Sénégal et l'enseignement

Répondez aux questions suivantes.

1. Qu'est-ce qui diminue au Sénégal?
2. Est-ce que le Sahara devient plus grand ou plus petit aujourd'hui?
3. Où est situé Dakar?
4. Le système d'enseignement sénégalais ressemble au système de quel autre pays?
5. Combien d'élèves francophones ne réussissent pas au bac chaque année?
6. Quelles langues apprend-on dans les écoles sénégalaises?
7. En général, est-ce que les élèves français écrivent plus ou moins que les élèves américains?
8. Combien d'élèves peuvent assister à une conférence dans un lycée français?
9. Est-ce que les lycées donnent les manuels pour les cours aux élèves en France?
10. Où achète-t-on toutes les nécessités pour l'école?

La désertification est un problème pour le Sénégal parce que le Sahara devient de plus en plus grand.

Journal personnel

In first- and second-year French, you may have kept a cultural journal in which you recorded your observations about francophone cultures, similarities and differences between francophone and American cultures, and personal reflections. In this unit you have learned that French students are evaluated on their written and oral work with little testing of specific data as found on multiple-choice or fill-in-the-blank exams. Instead, teachers in France require students to synthesize their knowledge by writing compositions, major papers and essay tests, as well as by reciting in class and giving oral reports. How do you think this type of evaluation helps a student? Compare the French method with your own experiences. How are they the same? How are they different? Which do you prefer? Now begin a cultural journal for third-year French and record your responses to these questions and comments.

Teaching Note

In the first and second levels of *C'est à toi!*, you may have asked your students to keep a cultural journal. In the third level of *C'est à toi!*, students are asked to record their cultural reflections and understandings about a key topic in each unit in a **Journal personnel**.

Additional questions for this cultural journal will be presented in comparisons activities throughout the third-level book.

Workbook Activities 4-5

Grammar & Vocabulary Exercises 4-7

TPR

Verbs Ending in -re
To practice listening for the distinction made between the third person singular and plural forms of regular -re verbs, you may choose to have students do this activity. Ask each student to make two cards, one with one person pictured and the other with two people pictured. Read pairs of sentences using pronouns and -re verbs, for example, **Il perd le carnet** and **Ils perdent le carnet.** Students should raise the card picturing one person if they hear a singular verb; they should raise the card with two people pictured if they hear a sentence with a plural verb.

Present tense of regular verbs ending in *-er*, *-ir* and *-re*

To form the present tense of a regular **-er** verb, add the endings **-e, -es, -e, -ons, -ez** and **-ent** to the stem of the verb depending on the corresponding subject pronouns.

regarder			
je	**regarde**	nous	**regardons**
tu	**regardes**	vous	**regardez**
il/elle/on	**regarde**	ils/elles	**regardent**

Que **regardez**-vous? *What are you looking at?*
Nous **regardons** le tableau. *We're looking at the board.*

To form the present tense of a regular **-ir** verb, add the endings **-is, -is, -it, -issons, -issez** and **-issent** to the stem of the verb depending on the corresponding subject pronouns.

choisir			
je	**choisis**	nous	**choisissons**
tu	**choisis**	vous	**choisissez**
il/elle/on	**choisit**	ils/elles	**choisissent**

Quel cours **choisit** Amélie? *Which class does Amélie choose?*
Elle **choisit** la géométrie. *She's choosing geometry.*

To form the present tense of a regular **-re** verb, add the endings **-s, -s, —, -ons, -ez** and **-ent** to the stem of the verb depending on the corresponding subject pronouns.

perdre			
je	**perds**	nous	**perdons**
tu	**perds**	vous	**perdez**
il/elle/on	**perd**	ils/elles	**perdent**

Qu'est-ce que tu perds souvent? *What do you lose often?*
Je **perds** souvent mes notes. *I often lose my notes.*

Je rate tous mes examens de russe.

M. Aknouch finit le journal chaque soir. (La Rochelle)

Qu'est-ce que ces Parisiens attendent?

dix
Unité 1

Teaching Notes

1. All structure in **Unité 1** is recycled from the first and second levels of *C'est à toi!*
2. Regular **-er** verbs, presented on page 27 in the first level of *C'est à toi!* and reviewed on page 5 in the second level, are recycled here.
3. Regular **-ir** verbs, introduced on page 115 in the first level of *C'est à toi!* and reviewed on page 5 in the second level, are recycled here.
4. Here are the other regular **-ir** verbs that students learned in the first and second levels of *C'est à* *toi!*: **atterrir, choisir, finir, nourrir, remplir** and **réussir.**
5. Regular **-re** verbs, introduced on page 250 in the first level of *C'est à toi!* and reviewed on page 5 in the second level, are recycled here.

Pratique

6 **Ange ou démon?**

Dites si c'est Angélique, la bonne élève, ou Sabrina, la mauvaise élève, qui fait les choses suivantes.

Modèle:

écouter le professeur en classe
Angélique écoute le professeur en classe.

manger en classe
Sabrina mange en classe.

1. parler pendant la leçon
2. penser avant de parler en classe
3. jouer avec les trombones en classe
4. finir le travail
5. vendre ses devoirs
6. sécher le cours de littérature
7. perdre le manuel de chimie
8. rater le cours de russe
9. accepter ses responsabilités

Answers

6 1. Sabrina parle pendant la leçon.
2. Angélique pense avant de parler en classe.
3. Sabrina joue avec les trombones en classe.
4. Angélique finit le travail.
5. Sabrina vend ses devoirs.
6. Sabrina sèche le cours de littérature.
7. Sabrina perd le manuel de chimie.
8. Sabrina rate le cours de russe.
9. Angélique accepte ses responsabilités.

7 **Une enquête**

 Faites une enquête où vous demandez à cinq élèves s'ils ou elles font les choses suivantes à l'école ou après l'école. Copiez la grille suivante. Demandez à chaque élève s'il ou elle fait chaque chose. Puis mettez "à" ou "après" dans l'espace blanc, selon sa réponse.

	Patrick	Éric	Katia	Sophie	Jean
préparer un exposé oral	*après*				
attendre les profs					
étudier					
aider tes amis					
échanger des notes					
finir les devoirs					
montrer des photos aux amis					
nager					
recycler les boîtes					
téléphoner					

Modèle:

Anne: **Est-ce que tu prépares un exposé oral à l'école ou après l'école?**
Patrick: **Je prépare un exposé oral après l'école.**

onze
Leçon A **11**

Teaching Notes

6. Here are the other regular **-re** verbs that students learned in the first and second levels of *C'est à toi!*: **descendre, entendre, perdre, rendre** and **vendre**.

7. To practice the third person singular and plural forms of regular **-er, -ir** and **-re** verbs, follow up Activity 7 with questions about the survey, for example, **Quand est-ce que Jean nage? Qui finit les devoirs à l'école?**

Answers

8 Possible answers:
1. Est-ce que vous portez des jeans?
   Oui, nous portons des jeans.
2. Est-ce que vous choisissez les cours?
   Oui, nous choisissons les cours.
3. Est-ce que vous achetez les manuels?
   Non, nous n'achetons pas les manuels.
4. Est-ce que vous rendez visite au directeur chaque jour?
   Non, nous ne rendons pas visite au directeur chaque jour.
5. Est-ce que vous entrez dans la salle de classe en retard?
   Non, nous n'entrons pas dans la salle de classe en retard.
6. Est-ce que vous travaillez dur?
   Oui, nous travaillons dur.
7. Est-ce que vous utilisez les ordinateurs?
   Oui, nous utilisons les ordinateurs.

Game

On y va!
To review **aller**, make an upside down "U" on card stock and divide it into 15 even squares. In each square paste a picture of a location that students know. Make sets of cards with pronoun and noun subjects. Put students in small groups and give each group a board, a set of cards and a die. The first student in each group rolls the die and advances the number of squares indicated by the roll. Then he or she takes a card from the pile and states where the person on the card is going, according to what is pictured on the square. If the student gives an incorrect sentence, he or she goes back to the beginning of the board. The first student to reach the end of the board wins.

---

8 **En partenaires**

Avec un(e) partenaire, jouez les rôles d'un(e) élève de votre lycée et d'un(e) élève d'un échange international qui veut connaître la vie dans cette école. L'élève d'un échange international pose les questions et l'autre élève y répond.

Modèles:

parler anglais dans le cours de français
A: **Est-ce que vous parlez anglais dans le cours de français?**
B: **Non, nous ne parlons pas anglais dans le cours de français.**

déjeuner à la cantine
A: **Est-ce que vous déjeunez à la cantine?**
B: **Oui, nous déjeunons à la cantine.**

1. porter des jeans
2. choisir les cours
3. acheter les manuels
4. rendre visite au directeur ou à la directrice chaque jour
5. entrer dans la salle de classe en retard
6. travailler dur
7. utiliser les ordinateurs

> Est-ce que vous entrez dans la salle de classe en retard?

> Non, nous entrons dans la salle de classe à l'heure.

Present tense of irregular verbs

Many French verbs are called irregular because their forms follow an unpredictable pattern. Here are the present tense forms of four important irregular verbs, **aller**, **être**, **avoir** and **faire**. These "building block" verbs are also used to form many expressions.

aller			
je	**vais**	nous	**allons**
tu	**vas**	vous	**allez**
il/elle/on	**va**	ils/elles	**vont**

Où **vas**-tu?   *Where are you going?*
Je **vais** au bureau de   *I'm going to the*
la directrice.   *principal's office.*

Claudette et Normand vont prendre le bus.

Teaching Notes

1. Review regular **-er**, **-ir** and **-re** verbs by making a list of locations, such as **la banque**, **le grand magasin** or **l'hôtel**, and providing a noun or pronoun subject. Then ask the class to brainstorm sentences using **-er**, **-ir** and **-re** verbs that express actions that occur there. For example, **M. Duval touche ses chèques de voyage à la banque**.
2. **Aller** and être were introduced in the first level of *C'est à toi!* and reviewed in the second level.
3. When giving a person's profession with **être**, the indefinite article is omitted in French, for example, **M. Fajour est directeur**.
4. **Avoir** was introduced on page 106 in the first level of *C'est à toi!* and reviewed on page 38 in the second level.

être			
je	**suis**	nous	**sommes**
tu	**es**	vous	**êtes**
il/elle/on	**est**	ils/elles	**sont**

Vous **êtes** russes? *Are you Russian?*
Non, nous **sommes** allemands. *No, we're German.*

avoir			
j'	**ai**	nous	**avons**
tu	**as**	vous	**avez**
il/elle/on	**a**	ils/elles	**ont**

De quoi **ont**-ils besoin? *What do they need?*
Ils **ont** soif, donc ils **ont** besoin *They're thirsty, so they*
d'eau. *need water.*

faire			
je	**fais**	nous	**faisons**
tu	**fais**	vous	**faites**
il/elle/on	**fait**	ils/elles	**font**

Que **faites**-vous? *What are you doing?*
Je ne **fais** rien. *I'm not doing anything.*

Je suis de Dakar, au Sénégal.

Est-ce que les gens qui font de la planche à voile ont chaud?

Here is the **je** form of the other irregular verbs that you have already learned. Beside it is a sentence containing one of the other forms of the verb. Do you remember what these verbs mean? To review all the present tense forms of these verbs, see the Grammar Summary at the end of this book.

s'asseoir	je **m'assieds**	Nous **nous asseyons** dans la salle de conférences.
boire	je **bois**	Que **buvez**-vous?
conduire	je **conduis**	Ils **conduisent** trop vite.
connaître	je **connais**	Elle **connaît** le nouvel élève.
courir	je **cours**	Il ne **court** plus.
croire	je **crois**	Nous ne te **croyons** pas.
devenir	je **deviens**	Elle **devient** comptable.
devoir	je **dois**	Ils **doivent** réussir.
dire	je **dis**	Que **dites**-vous?
dormir	je **dors**	Vous **dormez** en cours?
écrire	j'**écris**	Ils **écrivent** une dissertation.
falloir	il **faut**	Il ne **faut** pas sécher les cours.
lire	je **lis**	**Lisez**-vous la lecture?

Nathalie doit lire la lecture dans son manuel d'histoire.

treize
Leçon A
13

TPR

Connaître ou savoir?
Remind students that **connaître** is used to express knowing in the sense of being familiar or acquainted with people, places and things, while **savoir** is used to express knowing factual information or how to do something. To give students practice differentiating between these two verbs, play a tape or sing excerpts from famous songs that have the verb "to know" in them, for example, "Do you know the way to San José?" or "To know, know, know you is to love, love, love you." Have students hold up a card with "C" if they think the lyrics of the song would be expressed in French by **connaître** or a card with "S" if they think the lyrics would be expressed by **savoir**.

Teaching Notes

5. **Faire** was introduced on page 209 in the first level of C'est à toi! and reviewed on page 38 in the second level.

6. Reflexive verbs will be reviewed in **Unité 2**.

7. Note that î is used only in the infinitive and the third person singular of **connaître**, or when **t** follows **i**.

8. **Devenir** and **revenir** both belong to the **venir** verb family.

9. **Falloir** has only one present tense form: **il faut**.

Audio CD Activity 9

Answers

9 1. J'ai besoin d'un carnet.
2. Joanne et toi, vous avez besoin d'une gomme.
3. Tu as besoin d'un bloc-notes.
4. Nathalie et moi, nous avons besoin d'une agrafeuse.
5. La prof a besoin d'un trombone.
6. Laurent et Céline ont besoin d'un manuel de russe.

Game

Mon sac à dos
Divide the class into two teams. Students take turns naming an item they take from their **sac à dos**. For example, the first student on the first team begins by saying **Je prends un bloc-notes de mon sac à dos**. The second student adds a second item, etc. The team that finishes with the longest sentence wins.

mettre	je **mets**	Où **mettez**-vous mes manuels?
offrir	j'**offre**	Qu'est-ce que tu m'**offres**?
ouvrir	j'**ouvre**	Vous **ouvrez** à quelle heure?
partir	je **pars**	Ils **partent** tout de suite.
pouvoir	je **peux**	Nous ne **pouvons** pas comprendre.
prendre	je **prends**	Vous **prenez** l'agrafeuse?
recevoir	je **reçois**	Nous **recevons** nos emplois du temps.
revenir	je **reviens**	D'où **revenez**-vous?
savoir	je **sais**	**Savez**-vous le grec?
sortir	je **sors**	Ils ne **sortent** plus ensemble.
suivre	je **suis**	Quel cours **suis**-tu?
venir	je **viens**	Il **vient** de Chine.
vivre	je **vis**	Nous **vivons** à Montréal.
voir	je **vois**	Vous **voyez** mon carnet?
vouloir	je **veux**	Elle ne **veut** pas passer cet examen.

Est-ce que tu sais jouer de la guitare électrique?

Pratique

9 De quoi a-t-on besoin?

Dites qui a besoin de chaque objet illustré.

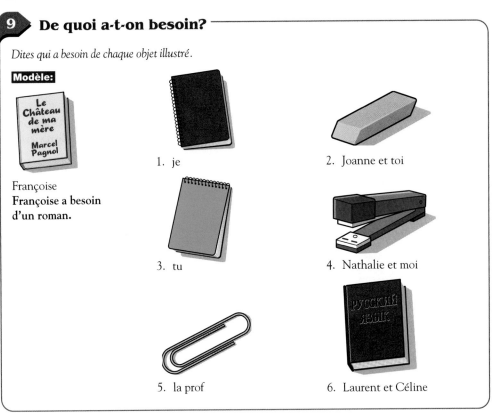

Modèle:

Françoise
Françoise a besoin d'un roman.

1. je

2. Joanne et toi

3. tu

4. Nathalie et moi

5. la prof

6. Laurent et Céline

14 quatorze
Unité 1

Teaching Notes

1. **Pouvoir** is usually followed by an infinitive.
2. **Prendre** can also mean "to have something to eat or drink."
3. **Recevoir** can also mean "to receive (guests)."
4. To express that an event has just taken place, use **venir de** followed by an infinitive, for example, **Je viens de préparer mon exposé oral**.
5. **Venir de** is also used to express "coming from" a location, for example, **Élisabeth vient d'Italie**. To say that someone is from a country with a masculine name, you use **du**. To express that someone comes from a country with a feminine name, you use **de** or **d'**. To say that someone is from a large island with a feminine name, you use **de la**.
6. **Vouloir** can be followed by either a noun or an infinitive.

14

10 ▸ Où va-t-on pour les cours?

Dites que vous et vos copains suivez les cours indiqués. Puis dites où vous allez pour ces cours avec l'expression convenable de la liste suivante.

au labo	dans la salle de classe	dans la salle de conférences

Modèle:

Gérard/la chimie
Gérard suit un cours de chimie. Il va au labo.

1. Jean-Luc et Louis/le calcul
2. tu/la biologie
3. Assane et Nora/l'algèbre
4. Martine et toi/la physique
5. je/les sciences po
6. Olivier/la philosophie
7. Marielle et moi/la géométrie
8. Benjamin et Patricia/la littérature

11 ▸ Qu'est-ce qu'on fait?

Utilisez l'illustration pour dire ce que fait chaque élève avant la classe.

Thierry · tu · Julie · Babette et moi · Nadia

Modèle:
Raphaël

Gisèle · Robert · Jean-Marc et Lucien

Modèle:

Raphaël dort.

Answers

10 Possible answers:
  1. Jean-Luc et Louis suivent un cours de calcul. Ils vont dans la salle de classe.
  2. Tu suis un cours de biologie. Tu vas au labo.
  3. Assane et Nora suivent un cours d'algèbre. Ils vont dans la salle de classe.
  4. Martine et toi, vous suivez un cours de physique. Vous allez au labo.
  5. Je suis un cours de sciences po. Je vais dans la salle de conférences.
  6. Olivier suit un cours de philosophie. Il va dans la salle de conférences.
  7. Marielle et moi, nous suivons un cours de géométrie. Nous allons dans la salle de classe.
  8. Benjamin et Patricia suivent un cours de littérature. Ils vont dans la salle de conférences.

11 Possible answers:
  Nadia lit un livre.
  Jean-Marc et Lucien parlent.
  Babette et moi, nous faisons les devoirs.
  Gisèle écrit.
  Robert boit.
  Julie va au tableau.
  Thierry ouvre la fenêtre.
  Tu sors.

Paired Practice

Forming Sentences
Put students in pairs. Have each partner write ten original sentences using irregular verbs from the list on pages 13-14. Then let each student read his or her sentences aloud. Partners repeat each sentence, changing singular verbs to plural ones and vice versa.

Answers

12 suis, habitent, travaille, fait, vais, prenons, est, donne, lit, sort, préparons, étudions, écrivons, veulent, est, vit, sait, va, mets, pars, vois, buvons, Envoyez

Game

Le cuirassé

To further review irregular verbs, have pairs of students play a modified version of "Battleship." Across the top of a sheet of paper, students list six pronoun subjects (**je, tu, il, nous, vous, elles**). In a column on the left, they list ten infinitives. (Both partners list the same infinitives.) Next, students create and fill in their own grid, choosing 15 combinations from the various possibilities. For example, if the student chooses the square where **il** and **revenir** meet, he or she writes **Il revient** there. Students then take turns calling out subject/verb combinations to see if they can sink their opponent's ships by guessing which subject/verb combinations he or she chose. If the opponent's ship is not hit, the opponent says **non**. If the opponent's ship is hit, the opponent says **oui** and the caller wins another turn. If the caller conjugates the verb incorrectly, the opponent challenges the target by conjugating the verb correctly, thus voiding the hit. Each student marks on his or her paper the number of hits received. At the end of the allotted time, the student who has sunk the most verb ships wins.

12 ▸ **La lettre d'Amadou**

Amadou a écrit une lettre à ses parents à Dakar. Avant de l'envoyer, il veut vérifier les verbes. Aidez-le et écrivez le présent des verbes indiqués.

Après les cours, Amadou voit ses amis au café. (Paris)

> Mes chers parents,
>
> Je (être) à Paris chez les Morot depuis huit jours. Ils (habiter) dans un appartement assez loin de mon lycée. Mme Morot (travailler) comme médecin, et son mari (faire) le ménage pour le moment.
>
> Je (aller) au lycée tous les jours. Mes amis et moi, nous (prendre) le métro au lycée.
>
> Mon professeur de sciences po n'(être) pas un très bon prof. Par exemple, quand il (donner) une conférence, il (lire) ses notes d'un livre, puis il (sortir) sans nous dire le travail pour demain.
>
> Pour mon cours de français nous (préparer) un exposé oral deux fois par semaine. Nous (étudier) beaucoup et nous (écrire) une rédaction chaque jour. Tous les élèves (vouloir) suivre ce cours parce que la prof (être) dynamique. Mlle Nguyen (vivre) à Paris depuis quelques semaines. Là, on (savoir) qu'on (aller) apprendre quelque chose!
>
> À la fin de la journée, je (mettre) tout dans mon sac à dos, et je (partir) pour le café où je (voir) mes amis. Nous (boire) un café, un jus de fruit ou un coca.
>
> (Envoyer)-moi une lettre bientôt!
>
> > Ton fils,
> > Amadou

Interrogative pronouns

To ask for information, use interrogative pronouns. The pronoun you use depends on whether you are referring to a person or a thing and on whether the pronoun is the subject, direct object or object of a preposition.

	Subject	Direct Object	Object of Preposition
People	qui / qui est-ce qui	qui / qui est-ce que	qui
Things	qu'est-ce qui	que / qu'est-ce que	quoi

Use **qui**, **qui est-ce qui** or **qu'est-ce qui** as the subject of the verb.

> **Qui** te donne ton emploi du temps?   *Who gives you your schedule?*
> **Qu'est-ce qui** t'inquiète?   *What worries you?*

Teaching Notes

1. Interrogative pronouns, introduced on page 366 in the second level of *C'est à toi!*, are recycled here.

2. **Qui** as a subject pronoun is always followed by a singular verb.

Use **qui**, **qui est-ce que**, **que** or **qu'est-ce que** as the direct object of the verb.

Qui est-ce que Gilberte et
Amadou attendent?

*For whom are Gilberte and
Amadou waiting?*

Qu'est-ce que tu as acheté?

What did you buy?

Que remplit-on?

What are they filling out?

Use **qui** or **quoi** as the object of a preposition.

Pour **qui** est-ce que les cours vont
être difficiles?

*For whom are classes going
to be hard?*

De **quoi** as-tu besoin?

What do you need?

Que choisit Françoise à la librairie?

Pratique

13 **L'enquête de Sandrine**

*Sandrine est reporter pour le journal du lycée. Elle a fait une enquête sur ce que ses copains pensent de
leur école, mais elle a perdu la première partie des questions de l'enquête de Khadim. Elle a toujours ses
réponses à droite. Aidez Sandrine à compléter chaque question avec l'expression interrogative convenable.*

Questions	Réponses
1. ... suis-tu cette année?	français, grec, maths
2. ... tu aimes écrire?	des rédactions
3. ... tu n'aimes pas?	les dissertations
4. ... est-ce que tu réussis?	à des examens
5. ... t'inquiète?	le bac
6. ... est ton professeur favori?	Mlle Jourlait
7. ... tu n'aimes pas beaucoup?	le prof de maths
8. ... parles-tu avec tes amis?	du directeur
9. ... as-tu souvent besoin?	d'un ordinateur
10. ... viens-tu d'acheter à la librairie?	des carnets

Modèle:

Qu'est-ce que tu
aimes à l'école?
les cours

Qui est-ce que
tu attends?

J'attends le censeur.
J'ai besoin de mon
emploi du temps.

Teaching Notes

1. When **qui** and **que** are used as the direct object of a verb, the subject and verb are inverted.
2. If a noun subject is used with the object **que**, this noun subject follows the verb, for example, **Que lit Sabrina?**

3. For the two examples of an object of a preposition, you could also ask **Pour qui les cours vont-ils être difficiles?** and **De quoi est-ce que tu as besoin?**

4. You may want to point out to students that in French, interrogative pronouns always come directly after a preposition.

Answers

14 Possible answers:
1. Qu'est-ce que Salima porte sur la photo?
2. Avec qui Salima habite-t-elle?
3. Qui est allé la chercher à l'aéroport?
4. Qu'est-ce que Thomas lui a offert?
5. Qui conduit Salima à l'école tous les jours?
6. Qu'est-ce que Salima a préparé pour la famille Johnson?
7. Qu'est-ce qui est super en Tunisie?
8. De quoi avait-elle besoin pour le couscous?
9. Avec qui a-t-elle assisté à un concert le weekend dernier?

Game

Pronoun Relay Race
To practice using direct object pronouns in the **passé composé**, you might have students play this game. Divide the class into two teams. Prepare two sets of construction paper cards of subject pronouns, direct object pronouns, **avoir** forms, past participles, **e** and **s**. (It is a good idea to use a different color for each category.) Place one set of each category on the floor in front of each team. Make a list of about 20 sentences that each contain a preceding direct object in the **passé composé**. Have one student from each team go to the front of the room. Read the English version of a sentence from your list, for example, *The composition? I wrote it.* Instruct students to construct **Je l'ai écrite** by placing the correct cards on the ledge of the board. Then have two other students come to the board and set up the second sentence that you say, and so on. The team with the most correct sentences wins the game.

 18

---

14 ▸ **L'article de Sandrine**

Sandrine vient d'écrire un article pour le journal sur Salima, une élève qui vient de Tunisie. Sandrine n'est pas certaine si tous les détails sont corrects. Quelles questions doit-elle poser pour vérifier les expressions en italique?

1. Sur la photo Salima porte *un tee-shirt de Westbury High School*.
2. Salima habite *avec les Johnson*.
3. *Toute la famille* est allée la chercher à l'aéroport.
4. Thomas lui a offert *des fleurs*.
5. *Mme Johnson* conduit Salima à l'école tous les jours.
6. Salima a préparé *le couscous* pour la famille Johnson.
7. En Tunisie *le couscous* est super!
8. Elle avait besoin *de poulet et de légumes* pour le couscous.
9. Le weekend dernier elle a assisté à un concert *avec Brandon et Sherry*.

Qu'est-ce qui est super?

Direct object pronouns: *me, te, le, la, nous, vous, les*

Direct object pronouns answer the question "who" or "what" and replace direct objects. **Le**, **la** and **les** may refer to either people or things; **me**, **te**, **nous** and **vous** refer only to people.

	Masculine	**Feminine**	**Before a Vowel Sound**
Singular	me te le	me te la	m' t' l'
Plural	nous vous les	nous vous les	nous vous les

These pronouns come right before the verb of which they are the object. The sentence may be affirmative, interrogative, negative or have an infinitive.

Marie-Claire, tu **m'**entends?	*Marie-Claire, do you hear me?*
Non, je ne **t'**entends pas, papa.	*No, I don't hear you, Dad.*
Votre dissertation? Où **la** mettez-vous?	*Your research paper? Where are you putting it?*
Je vais **la** mettre dans mon cahier, Monsieur.	*I'm going to put it in my notebook, Sir.*
Le censeur **nous** attend dans son bureau?	*Is the dean waiting for us in his office?*
Non, il **vous** attend dans le couloir.	*No, he's waiting for you in the hall.*

 18

dix-huit
Unité 1

Teaching Notes

1. Direct object pronouns, introduced on pages 204, 213 and 227 in the second level of C'est à toi!, are recycled here. Before reviewing direct object pronouns with your students, you might ask them to find all the examples of direct object pronouns in the **Conversation culturelle**.

2. You might want to review with students a list of other verbs that take direct objects, for example, **acheter, admirer, adorer, aider, aimer, apprendre, boire,** **chercher, choisir, comprendre, connaître, croire, demander, écouter, emmener, intéresser, inviter, lire, mettre, prendre, recevoir, regarder, remercier, remplir, suivre, trouver, utiliser, vendre** and **voir.**

Tes cours? Tu **les** as ratés?
Non, mais le bac, je **l'**ai raté.

Your classes? Did you fail them?
No, but the bac, I failed it.

Note in the example above that the past participle of **rater** agrees in number and in gender with the preceding direct object pronoun.

Ses fleurs? Mlle Fillion les a déjà arrosées.

Pratique

15 Trousse ou sac à dos?

Est-ce qu'Amadou met les objets dans sa trousse ou dans son sac à dos?

Modèles:

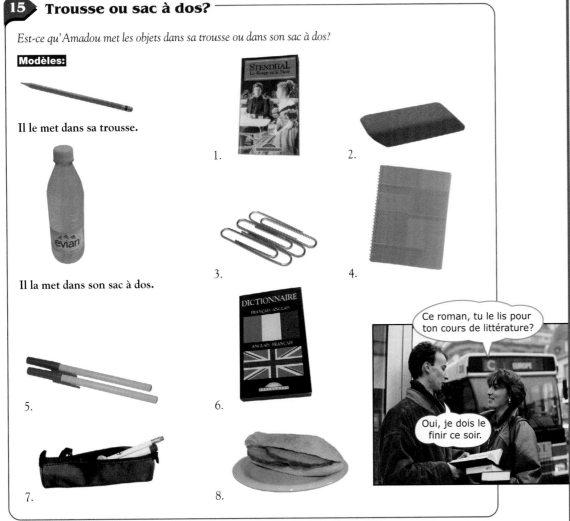

Il le met dans sa trousse.

Il la met dans son sac à dos.

1.

2.

3.

4.

5.

6.

7.

8.

Ce roman, tu le lis pour ton cours de littérature?

Oui, je dois le finir ce soir.

dix-neuf
Leçon A
19

Answers

15
1. Il le met dans son sac à dos.
2. Il la met dans sa trousse.
3. Il les met dans sa trousse.
4. Il le met dans son sac à dos.
5. Il les met dans sa trousse.
6. Il le met dans son sac à dos.
7. Il la met dans son sac à dos.
8. Il le met dans son sac à dos.

Paired Practice

Recognizing Direct Object Pronouns
Put students in pairs. Give each pair a French newspaper or magazine. Have students look for five examples of direct object pronouns in the articles. Tell students to write down the sentences that they find and to put the noun that the direct object refers back to in parentheses at the end of each sentence.

Cooperative Group Practice

Tu l'achètes?
To practice using direct object pronouns, you might have your class do this activity. Put students in small groups of four or five. Designate a leader for each group, and give him or her a set of illustrations of objects that students might buy for **la rentrée**, for example, **le carnet**, **les trombones** and **la jupe**. Have the leader pass an illustration to the first student, who names the object and then says whether or not he or she is buying it for **la rentrée**, for example, **L'agrafeuse, je ne l'achète pas pour la rentrée.** Then the first student gives the illustration to the second student. As this is happening, the leader passes the second illustration to the first student. (Each student is talking and receiving a new item at the same time.)

Teaching Notes

1. You may want to explain that direct object pronouns may precede **voici** and **voilà**, for example, **Me voici.** (*Here I am.*)

2. You may want to have students do Activity 15 again, this time using the near future.

19

16 1. Il ne l'attend pas.
2. Il m'attend.
3. Il les attend.
4. Il ne l'attend pas.
5. Il ne vous attend pas.
6. Il l'attend.
7. Il ne les attend pas.
8. Il nous attend.

17 Est-ce que nous écoutons le prof?
Oui, vous l'écoutez, mais vous ne le comprenez pas. Est-ce que le prof t'écoute?
Oui, il m'écoute, mais il ne me comprend pas. Est-ce que tu écoutes Claire?
Oui, je l'écoute, mais je ne la comprends pas. Est-ce que Claire vous écoute?
Oui, elle nous écoute, mais elle ne nous comprend pas. Est-ce que vous m'écoutez?
Oui, nous t'écoutons, mais nous ne te comprenons pas. Est-ce que j'écoute Patrick et Khaled?
Oui, tu les écoutes, mais tu ne les comprends pas. Est-ce que Patrick et Khaled écoute Salim?
Oui, ils l'écoutent, mais ils ne le comprennent pas.

Matching Cards
For additional practice with direct object pronouns, make a note card for each student in your class. On half of the cards write questions that take direct object pronouns, and on the other half write an answer for each question, for example, **Tu m'aides au labo**? **Oui, je t'aide au labo**. Shuffle the cards and distribute one card to each student. Tell students to memorize their question or answer. Then, have them circulate around the room, asking their question or stating their answer when asked by other students.

16 **Guy les attend ou pas?**

Guy va à la maison tout de suite après les cours, et il veut prendre l'autobus avec ses amis. Lisez la liste suivante qui dit où vont les autres élèves après les cours. Puis dites si Guy attend ou n'attend pas ces personnes.

Sandrine	à la maison
Paul	chez lui
Delphine	au Centre de recherches
Julien	au fast-food
moi	chez moi
Marc	au stade
Éric	en ville
Mélanie	chez elle
Gisèle	à la librairie
toi	au travail
Élise	à la maison

Modèles:

Sandrine
Il l'attend.

tu
Il ne t'attend pas.

1. Gisèle
2. je
3. Sandrine et Mélanie
4. Éric
5. Delphine et toi
6. Paul
7. Julien et Marc
8. Élise et moi

17 **Parlons ensemble!**

 Avec un(e) partenaire, demandez si les personnes indiquées écoutent les personnes qui les suivent. Dites qu'elles les écoutent, mais qu'elles ne les comprennent pas. Alternez les questions et les réponses avec votre partenaire. Suivez le modèle et l'ordre indiqué par le cercle.

Modèle:

A: **Est-ce que Salim écoute Martine?**
B: **Oui, il l'écoute, mais il ne la comprend pas.**
   Est-ce que Martine nous écoute?
A: **Oui, elle vous écoute, mais elle ne vous comprend pas. Est-ce que nous...?**

Complétez les petits dialogues avec **me**, **te**, **le**, **la**, **nous**, **vous** *ou* **les**.

Modèle:

— Tu entends la voix du censeur?
— Oui, je l'entends.

1. — Est-ce que le censeur vous a vus?
   — Eh ben, non! Il ne... a pas vus.
2. — Dis, Aurélie, c'est nous, Leïla et Julien.
   — Comment? Je ne... connais pas.
3. — Marie, où as-tu acheté ce manuel de français?
   — Je... ai acheté à la librairie, bien sûr.
4. — Tu vas montrer cette dissertation à la prof?
   — Oui, et je vais... montrer à Mme Auteuil aussi.
5. — Tu n'as pas de problèmes avec cette rédaction?
   — Non, et je vais... terminer avant toi!
6. — Vas-tu faire la lecture pour demain maintenant?
   — Non, je vais... faire ce soir.
7. — J'ai mis tous mes devoirs dans mon sac à dos.
   — Pardon? Où... as-tu mis?
8. — Vas-tu montrer ton problème au prof?
   — Non, je dois partir tout de suite. Je ne peux pas... attendre.
9. — Jean-Marie, est-ce que tu me cherches?
   — Oui, je... cherche depuis deux heures. Où étais-tu?
10. — Pourquoi est-ce que tu parles à Francine?
    — Parce qu'elle... comprend bien.

Tu comprends l'article?

Oui, je le comprends.

Indirect object pronouns: *me, te, lui, nous, vous, leur*

Indirect object pronouns answer the question "to whom" and replace indirect objects. Note that the preposition **à** is considered part of the indirect object pronouns.

	Masculine or Feminine	Before a Vowel Sound
Singular	me	m'
	te	t'
	lui	lui
Plural	nous	nous
	vous	vous
	leur	leur

These pronouns come right before the verb of which they are the object. The sentence may be affirmative, interrogative, negative or have an infinitive.

Qui **t'**a donné la rédaction?
Le prof de littérature. Il va **me** donner une interro aussi.

Who gave you the composition?
The literature teacher. He is going to give me a quiz, too.

vingt et un
Leçon A

21

WB Workbook Activities 13-14

GV Grammar & Vocabulary Exercises 15-16

Answers

18 1. nous
2. vous
3. l'
4. la
5. la
6. la
7. les
8. l'
9. te
10. me

Comparisons

Indirect Object Pronouns in English
Students may sometimes have difficulty recognizing indirect object pronouns in English because often they are positioned to look like direct object pronouns, for example, *I bought you the ticket.* Ask students if this can be restated another way. (They should say, *I bought the ticket for you.*) Tell students that this test of replacing a pronoun with a prepositional phrase sometimes helps to identify indirect object pronouns in English.

Teaching Notes

1. Indirect object pronouns were introduced on pages 257 and 268 in the second level of *C'est à toi!* Ask students to locate the two examples of indirect object pronouns in the **Conversation culturelle**. Both examples use the same verb in the **passé composé**.

2. Other verbs that take indirect objects include: **demander, dire, écrire, lire, montrer, parler, présenter, raconter, rendre visite (à), ressembler** and **vendre**.

3. These verbs take both a direct and an indirect object: **demander, dire, donner, écrire, lire** and **montrer**.

Answers

19 1. Elle lui vend un carnet.
2. Elle nous vend des bloc-notes.
3. Elle te vend une gomme.
4. Elle vous vend des crayons.
5. Elle lui vend une agrafeuse.
6. Elle leur vend des manuels de grec.
7. Elle me vend un roman.
8. Elle lui vend des trombones.

TPR

Direct or Indirect?
Prepare a list of ten sentences that use direct and indirect object pronouns, for example, **Michel va m'inviter à sa boum** and **Nadine m'a donné son feutre**. Read the sentences you have prepared. Have students raise a "D" card if they hear a sentence using a direct object pronoun; have them raise an "I" card if they hear a sentence using an indirect object pronoun.

Vous donne-t-elle son numéro de téléphone?	*Does she give you her telephone number?*
Oui, elle **nous** donne son nouveau numéro de téléphone.	*Yes, she gives us her new telephone number.*
Tu offres un cadeau à Annick ou à ses parents?	*Do you give a gift to Annick or to her parents?*
Je **leur** offre un cadeau, mais je ne **lui** offre rien.	*I give them a gift, but I don't give her anything.*

Pratique

19 À la librairie

Mme Vernaud travaille à la librairie. Dites ce qu'elle vend aux personnes indiquées.

Modèle:

Jeanne
Elle lui vend des feutres.

20 — Les cartes postales d'Abdel-Cader

Avant de partir en vacances, Abdel-Cader a fait une liste des personnes à qui il doit envoyer une carte postale. Ce matin il a mis un "X" devant les noms des personnes à qui il écrit aujourd'hui. Avec un(e) partenaire, demandez s'il écrit aux personnes indiquées. Alternez les questions et les réponses avec votre partenaire.

X Thomas
   Geneviève et Mireille
X Mohamed et Abdou
X mes parents
X Saleh
   M. Laye
   mes cousins
X ma sœur
   Moustapha
   les Diouf

Modèle:

A: **Est-ce qu'Abdel-Cader écrit à Thomas aujourd'hui ?**

B: **Oui, il lui écrit aujourd'hui. Est-ce qu'il écrit à Geneviève et Mireille aujourd'hui?**

A: **Non, il ne leur écrit pas aujourd'hui. Est-ce qu'il écrit à...?**

21 — En partenaires

Avec un(e) partenaire, posez des questions sur ce que les professeurs à votre école font pour vous. Puis répondez aux questions. Suivez le modèle.

Modèle:

ton professeur de littérature/lire des livres en classe

A: **Est-ce que ton professeur de littérature vous lit des livres en classe?**

B: **Non, il ne nous lit pas de livres en classe.**
Et toi, est-ce que ton professeur de littérature vous lit des livres en classe?

A: **Oui, il nous lit des livres en classe.**

1. ton professeur d'histoire/montrer des films
2. ton professeur d'anglais/raconter des histoires
3. ton professeur de géométrie/demander de penser
4. ton professeur de maths/donner beaucoup de devoirs
5. ton professeur de sciences/dire de sécher son cours
6. ton professeur de biologie/téléphoner à la maison

À ses élèves? Mme Minière leur montre les réponses correctes.

Answers

20 Est-ce qu'il écrit à Mohamed et Abdou aujourd'hui?
Oui, il leur écrit aujourd'hui. Est-ce qu'il écrit à ses parents aujourd'hui?
Oui, il leur écrit aujourd'hui. Est-ce qu'il écrit à Saleh aujourd'hui?
Oui, il lui écrit aujourd'hui. Est-ce qu'il écrit à M. Laye aujourd'hui?
Non, il ne lui écrit pas aujourd'hui. Est-ce qu'il écrit à ses cousins aujourd'hui?
Non, il ne leur écrit pas aujourd'hui. Est-ce qu'il écrit à sa sœur aujourd'hui?
Oui, il lui écrit aujourd'hui. Est-ce qu'il écrit à Moustapha aujourd'hui?
Non, il ne lui écrit pas aujourd'hui. Est-ce qu'il écrit aux Diouf aujourd'hui?
Non, il ne leur écrit pas aujourd'hui.

21
1. Est-ce que ton professeur d'histoire vous montre des films?
2. Est-ce que ton professeur d'anglais vous raconte des histoires?
3. Est-ce que ton professeur de géométrie vous demande de penser?
4. Est-ce que ton professeur de maths vous donne beaucoup de devoirs?
5. Est-ce que ton professeur de sciences vous dit de sécher son cours?
6. Est-ce que ton professeur de biologie vous téléphone à la maison?

Students' responses to these questions will vary.

Listening Activity 1

 Communicative Activities

 Leçon A **Quiz**

Communication

22 **Une enquête**

Qu'est-ce que vous faites pour vous préparer pour la rentrée? Copiez la grille suivante. Puis complétez-la selon les réponses de votre partenaire. Demandez-lui s'il ou elle fait les actions indiquées. Mettez un ✓ dans l'espace blanc convenable. Puis changez de rôles.

Actions	Oui	Non
aller au centre commercial	✓	
écrire ton emploi du temps dans un carnet		
s'inquiéter		
chercher les amis de l'année dernière		
recevoir ton emploi du temps		
parler avec le censeur		
acheter des stylos et des cahiers		
choisir les cours		
remplir la fiche d'inscription		
acheter de nouveaux vêtements		
décider de réussir		
avoir rendez-vous avec le directeur		
trouver ton sac à dos		
aller à la librairie		
faire une liste de choses à faire		

Modèle:

aller au centre commercial
A: **Est-ce que tu vas au centre commercial?**
B: **Oui, je vais au centre commercial.**

Ces lycéens ne s'inquiètent pas avant la rentrée.

23 **Un sommaire**

*Mettez les réponses de votre partenaire de l'enquête dans l'Activité 22 en ordre chronologique. Puis utilisez ces réponses pour écrire un paragraphe où vous décrivez ce que votre partenaire fait pour se préparer pour la rentrée. Pour vous aider à faire les transitions entre les phrases, utilisez les expressions comme **d'abord**, **ensuite**, etc.*

 vingt-quatre
24 Unité 1

Teaching Note

There are two communications sections in each unit. The **Stratégie communicative** section in **Leçon A** is designed to teach various strategies for communication that reinforce the listed communicative functions in each unit. In addition, the **Stratégie** **communicative** is designed to develop skills that will help students prepare to take the Advanced Placement Exam in French Language. In this section students practice such skills as writing a composition, explaining in detail, narrating a picture sequence and circumlocuting in order to develop the ability to express themselves with reasonable fluency and accuracy in both written and spoken French. The **Stratégie communicative** section in this lesson develops writing proficiency. The **Lecture** section

Writing a Composition

A well-organized composition contains an introduction, a body and a conclusion. The introduction and the conclusion normally consist of one paragraph each. The number of paragraphs in the body depends on how much you develop your topic and on how many different subtopics you have.

An effective introduction attracts and holds your readers' attention. The introduction usually begins with a *thesis statement*, a tightly focused sentence that gives the main idea of your composition. Be sure to indicate to your audience what they are going to read about in the body of your composition. You might provide an overview of the main points; relate a memorable, relevant anecdote; ask a question or use a quotation.

Each paragraph in the body supports or gives examples of the main idea of the composition, as expressed in the thesis statement. Each paragraph should have a *topic sentence* to identify the topic and tell what your paragraph will say about it. The topic sentence is often the first sentence in the paragraph. The rest of the paragraph contains supporting details that prove, clarify or expand your main idea. Supporting details can be concrete examples, incidents, facts, statistics or reasons. An effective writer also incorporates *transitions* to make each paragraph flow smoothly into the next one.

Finally, your conclusion pulls together all your previous paragraphs and alerts the readers that you are ending your composition. A conclusion, like an introduction, can be written in many different ways. For example, if you are trying to prove a position, you might summarize the main points that you developed in the body of your composition.

 24 **Une composition**

Écrivez une composition en français sur "Pourquoi étudier le français." Ce livre et l'Internet vous offrent beaucoup d'idées sur l'importance du français. Vous pouvez en trouver d'autres de votre vie ou de vos amis, parents et professeurs.

Si tu voyages dans un pays francophone, tu peux parler français. (Burkina Faso)

vingt-cinq
Leçon A **25**

 Workbook Activity 15

 Advanced Placement

FYI

Some transition phrases used to indicate time include **d'abord** (*first*), **puis** (*then*), **ensuite** (*next*) and **enfin** (*finally*). If you are writing about a cause-and-effect relationship, you might choose phrases such as **en conséquence** (*consequently*), **parce que** (*because*) or **pour cette raison** (*for that reason*). To compare, you might use **comme** (*like*) or **de la même manière** (*in the same way*). Or if you need to contrast, the expressions **mais** (*but*), **cependant** (*however*) and **au contraire** (*on the contrary*) are effective. Other useful transition phrases include **après** (*afterward*), **contrairement à** (*unlike*), **d'un part** (*on one hand*), **d'autre part** (*on the other hand*), **en attendant** (*meanwhile*), **le dernier point** (*the last point*), **par opposition à** (*in contrast to*), **principalement** (*primarily*) and **semblablement** (*similarly*).

Un peu de plus

The Writing Process
Have students use the writing process for writing their composition in Activity 24. Have them begin with an outline. Then have students compose a first draft, making sure that paragraphs connect ideas smoothly. Remind students that effectively placed transitions will help the reader follow the ideas expressed.

Peer Reviewing
Have students work with a peer reviewer when they have finished their first draft. The peer reviewer should focus on the ideas expressed. Is the composition interesting? Is it easy to follow? How can it be improved? Comments like "I don't think this sentence belongs here" and "I would like to see an example" will help the writer revise. Finally, students need to edit their composition for errors in grammar, usage, mechanics and spelling.

Teaching Note

in **Leçon B** ressembles the **Lecture** section in the first and second levels of *C'est à toi!*, where specific reading strategies were introduced.

FYI

1. A merry-go-round is also called **un manège de chevaux de bois**. 2. A synonym for **le ski de fond** is **le ski de randonnée**. 3. Other related terms and expressions include **une boule de cristal** (*crystal ball*), **un télésiège** (*chairlift*), **un moniteur/une monitrice** (*ski instructor*), **une chaussure de ski** (*ski boot*), **des vêtements de ski** (*skiwear*), **une station de ski** (*ski resort*), **un saut à skis** (*ski jump*), **faire une promenade en traîneau** (*to go for a sleigh ride*), **faire de la motoneige** (*to go snowmobiling*), **faire du ski de piste** (*to go downhill skiing*), **faire du patin à roulettes** (*to go roller skating*) and **une patinoire** (*skating rink*).

Comparisons

Faire de vs. jouer à
Ask students if they can come up with a rule for when to use **faire de** and when to use **jouer à** with a sport. Students should tell you that **faire de** is usually used with sports that can be practiced individually, whereas **jouer à** is usually used with sports that require two or more players.

LEÇON B

Vocabulaire

un parc d'attractions

les sports d'hiver

vingt-six
Unité 1

Teaching Note

Communicative functions that are recycled in this lesson are "describing past events," "sequencing events," "explaining something," "inviting," "accepting an invitation" and "expressing intentions."

Véro fait de la planche à roulettes.

Conversation culturelle

Lucien, Francine, Robert et Annette ont passé le weekend après la rentrée à La Ronde, le grand parc d'attractions à Montréal. Maintenant ils sont au café pour déjeuner et pour parler de leurs aventures.

André et Annette sont montés dans les autos tamponneuses et ils ont heurté tout le monde.

Lucien: **Oh là là! Que je suis fana de ce parc! J'ai presque tout fait ce matin. Annette, où as-tu commencé?**

Annette: **D'abord, André et moi, nous sommes entrés dans la galerie des miroirs déformants pour nous regarder. Après, nous sommes montés dans les autos tamponneuses et nous avons heurté° tout le monde. Nous avons rigolé comme des fous!° Je n'en reviens pas.° Qu'as-tu fait, Francine? Dis-le-moi!**

heurter *to run into*; **rigoler comme des fous** *to laugh one's head off*; **Je n'en reviens pas.** *Vous ne pouvez pas imaginer.*

vingt-sept
Leçon B
27

FYI

La Ronde is located on the northeast end of the île Sainte-Hélène. Also on the island are the Hélène-de-Champlain Park, the Lévis Tower (a water reservoir), the Biosphere (a geodesic dome that housed the U.S. pavilion at Expo 67) and Alexander Calder's sculpture "Man." The island is also home to the Théâtre de la Poudrerie, the David M. Stewart Museum in the Old Fort and the Hélène-de-Champlain and Festin du Gouverneur restaurants. To get to La Ronde by métro, get off at the Île Sainte-Hélène station. Visitors to La Ronde can easily get to the nearby man-made île Notre-Dame, an island built for Expo 67, for dances, car races, swimming and gambling.

TPR

Sports Vocabulary
You may choose to introduce the new sports vocabulary with books closed. As you perform an action, for example, sitting in two chairs that are facing each other as if you are tobogganing, say what sport you are practicing (**Je fais de la luge**). Perform a similar action for each of the three sports and any sports you wish to review. Then call on individual students to go to the front of the room to act out each sport as you say your sentences without actions.

Teaching Notes

1. Montreal was introduced in **Unité 7** in the first level of *C'est à toi!* and was presented again in **Unité 8** in the second level.

2. **Une folle**, the feminine form of **un fou**, is irregular.

1. **Le Carnaval de Québec** is an annual event that started in 1894 when city officials conceived of a celebration "to enliven the monotony of our dull season." During the "Mardi Gras of the North," the population of Quebec nearly doubles. One popular event is ice canoe racing, which attracts both professional and amateur participants. For those who prefer less challenging activities, there is tobogganing down a 1,400-foot runway ending near **le château Frontenac** or ice skating to recorded music. **Le Bonhomme Carnaval** is a seven-foot snowman dressed in a red cap and flowing sash. On the first day of the celebration, he parades through the city until he reaches his palace, which officially starts the festivities. 2. **Le snowboarding** is the French equivalent of the Canadian expression **la planche à neige**. 3. **Un ticket** is usually a small ticket obtained from a machine or torn off from a roll for the movies, the subway, the bus or parking. **Un billet** is any other kind of ticket that someone might buy for the theater, a concert, a plane trip or a train trip.

Robert a fait de la planche à neige.

Peux-tu faire du ski de fond?

Francine:	Je vous y ai vus avant de flâner dans l'arcade. J'y ai parlé avec une voyante qui m'a dit que je vais avoir de la chance° en amour.
Annette:	Hein?° Tu l'as crue?
Francine:	Pourquoi pas? Tu as jamais° eu une consultation?°
Annette:	Non, mais je veux bien en avoir une. Je voudrais y aller avec toi une fois.° Je peux?
Francine:	Bien sûr.
Robert:	Dis, Francine, tu as essayé° des jeux d'adresse?
Francine:	Naturellement. J'en ai beaucoup essayé, mais je n'ai rien gagné.°
Robert:	Dites, vous avez jamais assisté au Carnaval de Québec? C'est ma fête favorite. J'y ai assisté cette année. On a pu aussi profiter de la saison pour faire des sports d'hiver, par exemple, faire de la planche à neige, faire du ski de fond et faire de la luge sur de belles pistes. Enfin, on a pu faire un peu de tout.
Annette:	Tu as fait de la planche à neige? Quelle chance! J'en fais souvent en hiver parce qu'en été je fais de la planche à roulettes et j'aime continuer à m'entraîner.°
Francine:	Tiens! On a fini de déjeuner? On y va ensemble? Il faut se dépêcher de faire un tour de manège, de montagnes russes et de grande roue.
Robert:	Ben, j'en ai un peu peur mais je vais essayer. Lucien, tu as acheté assez de tickets° au guichet?
Lucien:	Oui, j'y en ai beaucoup acheté. Je te les donne, si tu veux.
Annette:	Alors, on y va?
Francine:	D'accord.

avoir de la chance *to be lucky*; **Hein?** *Comment?*; **jamais** *ever*; **une consultation** *séance*; **une fois** *once*; **essayer** *to try*; **gagner** *ne pas perdre*; **s'entraîner** *to work out*; **un ticket** *un billet*

Teaching Notes

1. Up until now students have seen **jamais** used only as part of the negative expression **ne... jamais**.

2. You may want to point out that **essayer** is an orthographically changing verb ending in **-aie, -aies, -aie** and **-aient** for the **je, tu, il/elle/on** and **ils/elles** forms.

3. **Le Carnaval de Québec** was introduced on page 17 in the second level of *C'est à toi!*

1 ▸ Quelle activité?

 Écrivez la lettre de l'activité que vous entendez.

A.

B.

C.

D.

E.

F.

2 ▸ Mettez-les en ordre!

Mettez les aventures dans le dialogue en ordre chronologique. Écrivez "1" pour la première phrase, "2" pour la deuxième phrase, etc.

1. Francine a eu une consultation.
2. Les copains sont allés au parc d'attractions.
3. Robert a parlé de sa fête favorite.
4. On a fini de manger.
5. Annette et André ont rigolé comme des fous.
6. Lucien, Francine, Robert et Annette sont arrivés à Montréal.
7. On est parti pour faire un tour de manège.
8. Les amis ont commencé à déjeuner au café.

Tout le monde a fait un tour de manège.

vingt-neuf
Leçon B
29

 29

Answers

3 1. C'est une luge.
2. C'est un manège.
3. Ce sont des jeux d'adresse.
4. Ce sont des montagnes russes.
5. C'est la galerie des miroirs déformants.
6. Ce sont des autos tamponneuses.
7. C'est une grande roue.

4 Answers will vary.

3 ▸ Identifiez!

Qu'est-ce que c'est?

Modèle:

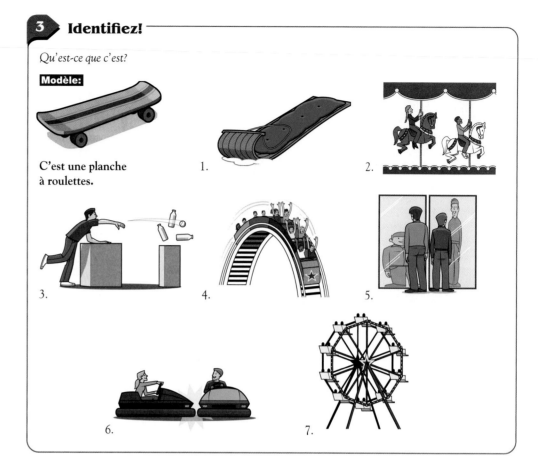

C'est une planche à roulettes.

1.

2.

3.

4.

5.

6.

7.

4 ▸ C'est à toi!

Questions personnelles.

1. Est-ce que tu es déjà allé(e) à Montréal?
2. Est-ce que tu habites près d'un parc d'attractions? Si oui, quel est son nom?
3. Est-ce que tu préfères faire un tour de manège, de montagnes russes ou de grande roue?
4. Est-ce que tu as essayé des jeux d'adresse? Si oui, est-ce que tu as gagné?
5. Est-ce que tu crois aux voyants? Tu as jamais eu une consultation?
6. Tu t'entraînes chaque semaine? Chaque jour?
7. Tu fais de la planche à roulettes? Si oui, où?
8. Quel sport d'hiver fais-tu?

Tu aimes les sports d'hiver?

~Aperçus culturels~

La Ronde

La Ronde est le plus grand parc d'attractions du Québec. Elle est située sur l'île Sainte-Hélène sur le fleuve Saint-Laurent qui traverse Montréal. Ouverte entre mai et octobre, La Ronde offre plus de 40 attractions. À La Ronde il y a "Le Monstre," la plus grande des montagnes russes du Canada et la plus rapide à 90 kilomètres à l'heure. D'autres attractions sont "Le Cobra," "Le Boomerang" et "Le Bateau Pirate." On y trouve aussi des jeux d'adresse et un spectacle de ski nautique. Un mini-parc offre dix attractions uniquement pour les petits enfants,

Veux-tu faire un tour de montagnes russes à La Ronde? (Montréal)

et le soir on peut voir le grand spectacle de feu d'artifice. Votre ticket offre accès à toutes les attractions du parc. On vend aussi des billets de saison valides pendant tous les jours de l'été.

Quand il fait beau, les Montréalais aiment être servis à la terrasse d'un café.

Au café

Le café français ou canadien est le centre de la vie des jeunes gens. On s'y rejoint souvent pour acheter une boisson, s'asseoir et y passer du temps. Au printemps et en été, on préfère s'asseoir à une table dehors.

Le Carnaval de Québec

Le Carnaval est une fête d'hiver à Québec en février. Les fanas des sports d'hiver peuvent y faire de la planche à neige ou du ski de fond. Le Carnaval offre des compétitions comme le mini-golf et le volleyball sur neige et la course de motocyclettes sur le fleuve Saint-Laurent. Les gens qui n'aiment pas les sports d'hiver peuvent admirer les jolies sculptures d'hiver à la Place Desjardins et sur les plaines d'Abraham ou voir les spectacles et les jeux devant le Parlement de Québec sur la Place Loto-Québec. Le soir on peut assister aux défilés ou aller danser. Le Bonhomme, symbole du Carnaval, vous invite à participer au Carnaval. Il vous assure des "Wow!" et des "Ho!"

trente et un
Leçon B

31

Teaching Note

Cognates in this reading include **située, attractions, spectacle, mini-parc, uniquement, accès, valides, compétitions, mini-golf, motocyclettes, symbole, participer, assure, idéal, pratiquer, région, centre-ville, site, historique, victoire, rare** and **transport.**

  Workbook Activity 18

 Transparency 9

FYI

The Battle of the Plains of Abraham, fought on September 13, 1759, was the turning point of the French and Indian War. The French, under the Marquis de Montcalm, were defeated by a British force led by Major General James Wolfe. Both leaders perished in the battle. A year later Montreal and the whole of New France had fallen, and England possessed practical control of all of the North American continent. In the Treaty of Paris, signed on February 10, 1763, France formally ceded its territory on mainland North America east of the Mississippi River, including Canada, to Great Britain.

Connections

The French and Indian War
You might choose to ask a history teacher to explain the French and Indian War and events leading up to the decisive battle on the Plains of Abraham, which changed North American history. Students could also make maps showing what parts of North America belonged to France and Great Britain before and after the Treaty of Paris in 1763.

31

Les Québécois font de la luge sur une longue piste qui se termine près du château Frontenac.

Les sports d'hiver

Le Québec est idéal pour pratiquer des sports d'hiver parce qu'il y neige souvent entre novembre et avril. Avec ses pistes de ski, la région est superbe pour skier. On fait du ski de fond même dans le centre-ville sur les plaines d'Abraham, site historique d'une victoire anglaise au dix-huitième siècle qui a décidé de l'histoire du Canada.

La planche à roulettes

Au Canada comme en France, il n'est pas rare de voir des jeunes gens qui font de la planche à roulettes pour aller ici et là. C'est un sport, oui, mais c'est aussi un transport.

5 **Au Canada**

Répondez aux questions suivantes.

1. Est-ce que La Ronde est située dans la ville de Montréal ou dans la ville de Québec?
2. À quelle saison est-ce que La Ronde est ouverte?
3. Quelle est une des grandes attractions à La Ronde?
4. Qu'est-ce que La Ronde offre aux petits enfants?
5. Pourquoi va-t-on à un café?
6. Quand est-ce la fête du Carnaval à Québec?
7. Quelles attractions a le Carnaval pour les personnes qui n'aiment pas les sports d'hiver?
8. Qui nous invite au Carnaval?
9. Peut-on skier dans la ville de Québec?
10. Où à Québec est le site d'une victoire qui a décidé de l'histoire du Canada?

En 1759, sur les plaines d'Abraham, le général Wolfe a gagné la bataille qui a donné le Québec aux Anglais. (Quebec City)

Allons au Carnaval!

Regardez l'horaire des activités pour le Carnaval de Québec. Puis répondez aux questions.

Carnaval de Québec: Événements

SAMEDI 1er FÉVRIER

10h00	Ouverture officielle de la Place	Place Desjardins
10h00	Match de volleyball sur neige	Stade McDonald's
13h30	Championnat provincial de course de traîneaux à chiens	Place Desjardins
18h00	Grand prix auto	Pointes-aux-Lièvres
20h00	Bal au palais	Place Loto-Québec
24h00	La nuit des longs couteaux (sculpture)	Place Desjardins

DIMANCHE 2 FÉVRIER

10h00	Vote du public (sculpture)	Place Desjardins
10h00	Journée familiale de ski de fond	Place Desjardins
10h00	Match de soccer sur neige	Stade McDonald's
10h00	Course de motos sur rivière	Rivière Saint-Charles

SAMEDI 8 FÉVRIER

10h00	Petit déjeuner western de Calgary	Place Loto-Québec
15h00	Bain de neige	Place Loto-Québec
19h00	Défilé de Charlesbourg	Charlesbourg
20h00	Bal au palais	Place Loto-Québec
24h00	La nuit des longs couteaux (sculpture)	Place Desjardins

DIMANCHE 9 FÉVRIER

10h00	Vote du public (sculpture)	Place Desjardins
13h30	Course en canot (finales)	Port de Québec
15h00	Parade des drapeaux	Place Loto-Québec

SAMEDI 15 FÉVRIER

10h00	Compétition de planche à neige	Place Desjardins
11h00 / 14h00	Fantaisies sur glace	Galeries de la Capitale
12h00 / 14h00	Spectacle de Ronald McDonald	Stade McDonald's
19h00	Défilé de la Haute-Ville	Haute-Ville

DIMANCHE 16 FÉVRIER

10h30	Brunch de Bonhomme	Radisson des Gouverneurs
11h00	Spectacle de Ronald McDonald	Stade McDonald's
13h00	Les Carnavaleries	Stade McDonald's
14h00	Spectacle de clôture et départ de Bonhomme	Place Loto-Québec

Pour plus de détails, procurez-vous le programme officiel disponible un peu partout dans la grande région de Québec.

Le Château de Bonhomme promet encore cette année des "Wow!" et des "Ho!"

1. Quels jours de la semaine sont les activités du Carnaval?
2. Où est-ce qu'on peut assister à la première activité officielle du Carnaval?
3. Quelle compagnie internationale participe aux activités du Carnaval?
4. Où danse-t-on au Carnaval?
5. Où et à quelle heure est le match de soccer sur neige?
6. Où et à quelle heure peut-on assister à la course de motos sur rivière?
7. Quels repas font partie du Carnaval?
8. Où sont les deux défilés?
9. Quelle est la dernière activité du Carnaval?

Au Carnaval, le Bonhomme Carnaval aide M. Boulet à prendre un bain de neige à la Place Loto-Québec.

33

Un peu de plus

Une histoire au passé composé

You may choose to do this activity to provide students with additional practice using the **passé composé** with **avoir**. Write the following paragraph on an overhead transparency, and have students supply the **passé composé** of the regular and irregular verbs indicated.

Le matin de la rentrée, Chloé (mettre) son nouvel ensemble. Elle (prendre) une tartine et un jus d'orange. Puis, elle (chercher) son cahier et ses manuels. Elle (attendre) Joëlle devant l'appartement. Mais Joëlle (être) en retard. Elles (devoir) courir ensemble au lycée. Le censeur leur (dire), "Allez vite." En cours Chloé (ne pas pouvoir) prendre des notes parce qu'elle (laisser) son stylo chez elle. La rentrée (commencer mal)! (Answers: a mis, a pris, a cherché, a attendu, a été, ont dû, a dit, n'a pas pu, a laissé, a mal commencé)

Journal personnel

In this unit you learned about life in Senegal and Canada. What impact do you think climate has on teenagers' activities and pastimes in both countries? For instance, what activities might you expect to see young Canadians participating in that you wouldn't see in Senegal, and vice versa? How does the climate of the region where you live control the types of activities that you enjoy? Write your responses to these questions in your cultural journal.

Langue active

Passé composé with *avoir*

The **passé composé** is used to tell what happened in the past. For most verbs the **passé composé** consists of the appropriate present tense form of **avoir** and the past participle of the main verb.

> Lucien **a acheté** assez de tickets.   *Lucien bought enough tickets.*

To form the past participle of **-er** verbs, add an **é** to the stem of the infinitive. For most **-ir** verbs, add an **i**, and for most **-re** verbs, add a **u**.

Here are the verbs you've already studied that have irregular past participles in the **passé composé** formed with **avoir**. Note the position of negative expressions in the **passé composé** and how to form questions using inversion. Remember that the past participle agrees in number and in gender with a preceding direct object pronoun.

M. et Mme Charbonneau ont fait du ski de fond à Mont Tremblant dans les Laurentides. (Québec)

Verb	Past Participle	*Passé Composé*
avoir	eu	Tu **as** jamais **eu** une consultation?
boire	bu	Ils **ont bu** de la limonade au café.
conduire	conduit	Patrick **a conduit** comme un fou.
connaître	connu	Les **avez**-vous déjà **connus**?
courir	couru	Pour s'entraîner, il **a couru**.
croire	cru	La voyante? Tu l'**as crue**?
devoir	dû	Nous **avons dû** partir.
dire	dit	Qu'est-ce qu'ils **ont dit**?
écrire	écrit	Christelle ne m'**a** rien **écrit**.
être	été	Elle **a été** obligée de venir.
faire	fait	Qu'**as-tu fait**, Francine?
falloir	fallu	Il n'**a** pas **fallu** se dépêcher.
lire	lu	Tout le monde **a lu** mes notes.
mettre	mis	Je les **ai mises** sur mon bureau.
offrir	offert	Le prof les **a offertes** à Magali.
ouvrir	ouvert	Jérôme **a ouvert** son carnet.
pouvoir	pu	On **a pu** profiter de la neige.
prendre	pris	Nous **avons pris** la première piste.
recevoir	reçu	Élise **a reçu** son bac en 2005.
savoir	su	L'**as-tu su**?
suivre	suivi	Guy **a suivi** un cours de russe.
vivre	vécu	Ses parents **ont vécu** à Toronto.
voir	vu	Je vous y **ai vus** hier.
vouloir	voulu	Les amis **ont voulu** partir.

34

trente-quatre
Unité 1

Teaching Notes

1. The **passé composé** with the helping verb **avoir**, introduced on page 431 in the first level of *C'est à toi!* and reviewed on page 64 in the second level, is recycled here.

2. To form a negative sentence in the **passé composé**, **ne (n')** is placed before the form of **avoir**, and **pas** is placed after it, for example, **Nous n'avons pas gagné le match**.

3. To ask a question using inversion in the **passé composé**, put the subject pronoun after the form of **avoir**. For a negative question using inversion, put **ne (n')** in front of the form of **avoir** and **pas** after the pronoun, for example, **N'as-tu pas fait de planche à roulettes**?

7 À La Ronde

Dites ce que tout le monde a fait pendant le weekend dernier à La Ronde à Montréal. Pour chaque phrase utilisez le verbe convenable de la liste suivante.

gagner	passer	attendre	rigoler	heurter
finir		perdre	flâner	essayer

Modèle:

Robert et ses amis **ont passé** le weekend à La Ronde.

1. Françoise et Claire... les garçons devant la galerie des miroirs déformants.

2. On... dans le parc.

3. Ils... de déjeuner à une heure et demie.

4. Renée et toi, vous... des jeux d'adresse.

5. Renée... l'animal de son choix.

6. Tu... tout ton argent.

7. Laure et moi, nous... tout le monde.

8. J'... comme un fou.

7 1. ont attendu
2. a flâné
3. ont fini
4. avez essayé
5. a gagné
6. as perdu
7. avons heurté
8. ai rigolé

Cooperative Group Practice

Interview
To practice regular verbs that take **avoir** in the **passé composé**, write four infinitives or infinitive expressions on the board, such as **acheter**, **gagner**, **rendre visite à** and **choisir**. Have students count off 1, 2, 3, 4, 1, 2, 3, 4, etc. and form groups. The first four students form the first group, the second four students form the second group, and so on. The first student in each group asks a question using the first verb, for example, **Qu'est-ce que vous avez acheté pour la rentrée?** The other students in the group answer the question, for example, **J'ai acheté trois nouveaux feutres pour la rentrée.** Then the second student interviews the other three students, asking a question that uses the second verb. When each student has asked his or her interview question, ask the groups to report to the class on the findings of the interviews. Each student says what question he or she asked and reports on the answers of the other members of the group, for example, **J'ai demandé "Qu'est-ce que vous avez acheté pour la rentrée?" Marie a acheté trois nouveaux feutres. Paul a acheté....**

Teaching Note

4. The direct object pronouns **me**, **te**, **nous**, **vous**, **le**, **la**, **l'** and **les** precede the form of **avoir** in the **passé composé**. The past participle agrees in gender and in number with the preceding direct object pronoun, for example, **La planche à neige, tu l'as essayée?** Past participles that end in **-s** do not change in the masculine plural, for example, **Où as-tu mis les tickets? Je les ai mis dans mon portefeuille.** If the past participle ends in **-s** or **-t**, this consonant is pronounced in the feminine form, for example, **La bouteille? Je l'ai ouverte.**

Audio CD Activity 9

8 1. avez ouvert
2. ai offert
3. avons été
4. a fait
5. a vécu
6. a dit
7. a... cru
8. a suivi, a... su
9. ont voulu
10. as... dû

9 1. Est-ce que tu as pris l'autobus pour aller au parc d'attractions?
2. Est-ce que tu as eu une consultation avec une voyante?
3. Est-ce que tu as fait un tour de montagnes russes?
4. Est-ce que tu as conduit les autos tamponneuses?
5. Est-ce que tu as bu beaucoup de boissons froides?
6. Est-ce que tu as vu un beau feu d'artifice?
7. Est-ce que tu as écrit des cartes postales?
8. Est-ce que tu as fait de la planche à roulettes?
9. Est-ce que tu as pu faire un peu de tout?
Students' responses to these questions will vary.

Cooperative Group Practice

Le Carnaval
Put students in small groups of four or five to practice the formation of the **passé composé** with **avoir**. Each student in the group selects a different day from the **Événements** calendar on page 33 and prepares a report on the Carnival festivities that occurred on that day. Then the group works together to order their reports, to delete repetitious comments and to make sure that their team members' reports lead into each other well. Tell the groups to illustrate or act out several of the events. Finally, you might have each group videotape its coverage of **le Carnaval**. Play back the report of each group for the entire class to see.

36

---

8 ▸ **Au parc d'attractions**

Pour savoir ce qui a eu lieu au parc d'attractions, complétez les phrases avec les formes convenables des verbes indiqués au passé composé.

1. Au parc d'attractions, Sandrine et toi, vous... vos portefeuilles pour nous acheter des cocas et des hot-dogs. (ouvrir)
2. Après le déjeuner, j'... des tickets à tout le monde pour faire un tour de grande roue. (offrir)
3. Oh là là! Après ça, nous... malades. (être)
4. Cécile... la connaissance d'un garçon timide, Patrick, devant l'arcade. (faire)
5. L'année dernière Patrick... à Rome. (vivre)
6. Dans l'arcade le voyant lui... qu'il aurait de la chance en amour. (dire)
7. Mais Patrick ne l'... pas.... (croire)
8. Il... Cécile pendant une heure sans lui parler parce qu'il n'... pas... quoi dire. (suivre, savoir)
9. Mes amis... partir à vingt-deux heures. (vouloir)
10. Quand...-tu... partir? (devoir)

9 ▸ **Trouvez une personne qui....**

 Interviewez des élèves de votre classe pour déterminer s'ils ou elles ont jamais fait les choses indiquées pendant les vacances d'été. Sur une feuille de papier copiez les expressions indiquées. Formez des questions avec ces expressions pour poser aux élèves. Quand vous trouvez une personne qui répond par "oui," dites à cette personne de signer votre feuille de papier à côté de l'activité convenable. Trouvez une personne différente pour chaque activité.

Modèle:

visiter un parc d'attractions
Robert: **Est-ce que tu as visité un parc d'attractions pendant les vacances?**
Michèle: **Oui, j'ai visité un parc d'attractions pendant les vacances.**

1. prendre l'autobus pour aller au parc d'attractions
2. avoir une consultation avec une voyante
3. faire un tour de montagnes russes
4. conduire les autos tamponneuses
5. boire beaucoup de boissons froides
6. voir un beau feu d'artifice
7. écrire des cartes postales
8. faire de la planche à roulettes
9. pouvoir faire un peu de tout

Est-ce que tu as pu faire un peu de tout pendant les vacances?

Oui, j'ai fait de la planche à roulettes avec de nouveaux copains.

36 trente-six
Unité 1

Teaching Notes

1. When **que** is used as a direct object, the past participle must agree in gender and in number with the word that **que** refers to, for example, **Les sculptures qu'on a vues étaient superbes.**

2. Most short, common adverbs, such as **beaucoup, bien, déjà, enfin, mal, même, peut-être, souvent, toujours, trop, un peu** and **vite**, come before the past participle, for example, **Nadia a vite compris la lecture.** Adverbial expressions of time, such as **ce**

matin, hier soir and **le lendemain**, come either at the beginning or end of a sentence in the **passé composé**.

10 ▸ En partenaires

Avec un(e) partenaire, posez des questions sur ce que vous avez fait l'hiver dernier. Puis répondez aux questions. Suivez le modèle.

Modèle:

assister au Carnaval de Québec

A: **Est-ce que tu as assisté au Carnaval de Québec?**

B: **Non, je n'ai pas assisté au Carnaval de Québec. Et toi, est-ce que tu as assisté au Carnaval de Québec?**

A: **Oui, j'ai assisté au Carnaval de Québec.**

1. skier
2. mettre un nouvel anorak
3. faire de la planche à neige
4. jouer au volley sur neige
5. courir tous les jours
6. recevoir de bons cadeaux de Noël
7. lire des romans intéressants
8. profiter de la neige
9. voyager dans un pays chaud

Passé composé with être

Certain verbs form their **passé composé** with the helping verb **être**. Most verbs that use **être** in the **passé composé** *express motion or movement* of the subject from one place to another. Note that the ending of the past participle of the verb agrees in gender and in number with the subject.

Nous **sommes montés** dans les autos tamponneuses.

We got in the bumper cars.

M. et Mme Olivier sont partis du café montréalais à 14h00.

Here are the verbs you've already learned that use the helping verb **être**, along with their past participles. In addition to the agreement of the past participles, note the position of negative expressions and how to form questions using inversion.

Verb	Past Participle	Passé Composé
aller	**allé**	Gilberte **est**-elle **allée** à la librairie?
arriver	**arrivé**	Amadou y **est arrivé** il y a une heure.
descendre	**descendu**	Les filles ne **sont** pas **descendues** pour prendre le petit déjeuner.
devenir	**devenu**	M. Poux **est**-il **devenu** censeur?
entrer	**entré**	Nous **sommes entrés** dans la galerie des miroirs déformants.
monter	**monté**	Les copains **sont montés** dans le métro.
mourir	**mort**	Jeanne d'Arc **est morte** en 1431.
naître	**né**	Vous **êtes née** à Québec, Mme Vaillancourt?
partir	**parti**	Nous **somme parties** pour l'Europe.
rentrer	**rentré**	René, tu **es rentré** à quelle heure?
rester	**resté**	Maman **est restée** au lit.
revenir	**revenu**	Je n'en **suis** jamais **revenu**.
sortir	**sorti**	Avec qui **es**-tu **sortie**, Mireille?
venir	**venu**	Ils ne **sont** plus **venus** en retard.

trente-sept
Leçon B

37

 Workbook Activities 21-22

 Grammar & Vocabulary Exercises 22-23

 Audio CD Activity 10

Answers

10 1. Est-ce que tu as skié?
2. Est-ce que tu as mis un nouvel anorak?
3. Est-ce que tu as fait de la planche à neige?
4. Est-ce que tu as joué au volley sur neige?
5. Est-ce que tu as couru tous les jours?
6. Est-ce que tu as reçu de bons cadeaux de Noël?
7. Est-ce que tu as lu des romans intéressants?
8. Est-ce que tu as profité de la neige?
9. Est-ce que tu as voyagé dans un pays chaud?

Students' responses to these questions will vary.

Teaching Notes

1. The **passé composé** with the helping verb **être** was introduced on page 387 in the first level of *C'est à toi!* and reviewed on pages 114-15 in the second level.

2. In this lesson we list only those 14 **être** verbs that have been previously introduced. **Retourner** (*to return*) and **tomber** (*to fall*) also take **être** as a helping verb in the **passé composé**.

3. In current French you may find agreement between the past participle and the implied gender and number of the subject pronoun **on**, for example, **On est descendus des autos tamponneuses**.

11 1. Luc est devenu malade.
2. Tu es descendu(e) en ville.
3. Chantal et Hélène sont revenues trop tard hier soir.
4. Frédéric et moi, nous sommes allés au cinéma.
5. Vincent est arrivé en retard.
6. Gisèle et toi, vous êtes descendu(e)s en ville.
7. Christian est resté au lit.
8. Karine est sortie avec sa correspondante.
9. Je suis allé(e) au cinéma.
10. Guillaume et Marcel sont rentrés de l'école avec trop de devoirs.

12 1. Quel jour es-tu arrivé(e) à Québec?
2. Où es-tu resté(e)?
3. Avec qui es-tu sorti(e)?
4. À quelle heure es-tu parti(e) le soir?
5. Dans quel restaurant es-tu entré(e)?
6. Pourquoi es-tu devenu(e) fatigué(e)?
7. Quand es-tu revenu(e) aux États-Unis?
Students' responses to these questions will vary.

Paired Practice

On est resté?
Put students in pairs, and give each pair a stack of note cards. On each card write a sentence in the **passé composé** using a different pronoun or noun subject. Half the cards should describe activities that take place in the home and half activities that take place away from home. The first student takes a card and reads the sentence. He or she says whether or not the person or persons in the sentence stayed at home.

38

Pratique

11 ▶ On fait des excuses.

Pauvre Sébastien! Il n'a trouvé personne pour l'accompagner au parc d'attractions aujourd'hui. Selon la liste suivante, faites les excuses de tout le monde.

Chantal	revenir trop tard hier soir
Christian	rester au lit
Gisèle	descendre en ville
Guillaume	rentrer de l'école avec trop de devoirs
moi	aller au cinéma
Jeanne	partir à la montagne
Luc	devenir malade
Vincent	arriver en retard
toi	descendre en ville
Karine	sortir avec sa correspondante
Frédéric	aller au cinéma
Marcel	rentrer de l'école avec trop de devoirs
Hélène	revenir trop tard hier soir

Gisèle est-elle descendue en ville?

Modèle:

Jeanne
Jeanne est partie à la montagne.

1. Luc
2. tu
3. Chantal et Hélène
4. Frédéric et moi
5. Vincent
6. Gisèle et toi
7. Christian
8. Karine
9. je
10. Guillaume et Marcel

12 ▶ En partenaires

 Avec un(e) partenaire, jouez les rôles d'un(e) élève de votre lycée et d'un(e) autre élève qui vient de rentrer d'un voyage au Canada. L'élève qui a voyagé répond logiquement aux questions que l'autre élève lui pose.

Modèle:

pourquoi/aller au Canada
A: **Pourquoi es-tu allé(e) au Canada?**
B: **Je suis allé(e) au Canada pour voir le Carnaval de Québec.**

1. quel jour/arriver à Québec
2. où/rester
3. avec qui/sortir
4. à quelle heure/partir le soir
5. dans quel restaurant/entrer
6. pourquoi/devenir fatigué(e)
7. quand/revenir aux États-Unis

Danièle est entrée dans le restaurant Aux Anciens Canadiens.

13 ▸ Une journée à La Ronde

Francine et sa classe de physique ont fait une excursion à La Ronde. Complétez sa description de la journée au passé composé avec les formes convenables des verbes indiqués.

Hier mes camarades de classe et moi, nous (aller) à La Ronde. M. Tremblay, notre prof de physique, (dire) que nous allions faire des devoirs scientifiques au parc, mais nous, on voulait s'amuser. Mon amie Aurélie n'(venir) pas parce qu'elle (rester) au lycée pour passer un examen d'anglais.

M. Tremblay (acheter) les tickets au guichet, et nous (entrer) dans le parc. J'(courir) et tous les autres élèves m'(suivre). Claudette et moi, nous (monter) dans les autos tamponneuses. Comme d'habitude Julien (arriver) en retard, mais, lui aussi, il (venir) aux autos pour nous rejoindre. Nous (heurter) tout le monde.

Puis Yasmine et moi, nous (aller) faire un tour de grande roue. Pauvre Yasmine! Chaque fois que nous (descendre), elle (devenir) malade!

Ensuite tout le monde (entrer) dans la galerie des miroirs déformants. Nous (rigoler) comme des fous. Enfin nous (sortir) de la galerie des miroirs déformants, et nous (aller) faire un autre tour de grande roue. Mais pas Yasmine!

Après deux heures au parc, tout le monde (avoir) très faim. Alors nous (manger) au café. Mais Yasmine (boire) seulement une limonade. Nous autres, nous (prendre) des sandwichs.

Après le déjeuner, nous (faire) la queue pour faire un tour de montagnes russes. Formidable! Cette fois, c'était Jérémy qui (devenir) malade, et nous (devoir) l'aider quand il (descendre).

Nous (partir) à une heure et demie, et nous (rentrer) au lycée pour le cours de physique. Comme vous pouvez imaginer, on n'(faire) pas de devoirs scientifiques au parc!

Francine et ses camarades de classe ont-ils fait un tour de montagnes russes à La Ronde? (Montréal)

The pronoun y

The pronoun **y** (*there*) replaces a preposition plus the name of a previously mentioned place. It can also mean "(about) it" and replaces **à** plus the name of a thing. Note its position right before the verb of which it is the object in sentences that are affirmative, interrogative, negative or have an infinitive.

Karine était en Suisse? **Y** est-elle restée chez sa correspondante?	*Karine was in Switzerland? Did she stay there at her host sister's house?*
Bien sûr, elle **y** est restée chez Nathalie.	*Of course, she stayed there at Nathalie's house.*
Tu as assisté au Carnaval de Québec?	*Did you attend the Quebec Winter Carnival?*
Non, je n'**y** ai pas assisté cette année, mais je vais **y** assister l'année prochaine.	*No, I didn't attend it this year, but I'm going to attend it next year.*

trente-neuf
Leçon B   **39**

Answers

13 sommes allés, a dit, n'est pas venue, est restée, a acheté, sommes entrés, ai couru, ont suivie, sommes montées, est arrivé, est venu, avons heurté, sommes allées, sommes descendues, est devenue, est entré, avons rigolé, sommes sortis, sommes allés, a eu, avons mangé, a bu, avons pris, avons fait, est devenu, avons dû, est descendu, somme partis, sommes rentrés, n'a pas fait

Paired Practice

Es-tu jamais allé(e) à Los Angeles? Put students in pairs to practice **y** with the **passé composé**. Tell students to make a list of five cities in the United States that they want to find out if their partner has gone to. At the top of the list they make a **oui** and a **non** column. Then the first student asks the second student if he or she has ever gone to the first city on the list, for example, **Es-tu jamais allé(e) à Los Angeles**? The partner answers **Oui, j'y suis allé(e)** or **Non, je n'y suis jamais allé(e)**. After the first student asks all five of his or her questions, the roles are reversed and the respondent now becomes the interviewer. You may choose to display a map of the United States and have students place a pin on the cities they have been to.

Teaching Notes

1. The pronoun **y**, introduced on page 389 in the second level of *C'est à toi!*, is recycled here.

2. **Y** replaces prepositional phrases beginning with **à**, **chez**, **dans**, **derrière**, **devant**, **en** and **sur**. When the noun following **à** is a person, the indirect object pronouns **lui** and **leur** are used.

3. Students may be interested to learn idiomatic expressions that use the pronoun **y**, such as **Ça y est** (*That's it*) and **J'y suis** (*I get it*).

In an affirmative command, **y** follows the verb. But in a negative command, it precedes the verb.

Tu vas au marché? Alors, achètes-**y** des tomates! Mais n'**y** achète pas d'oignons!

Are you going to the market? Then buy some tomatoes there! But don't buy any onions there!

 Pratique

À la librairie? Les lycéens y ont acheté des blocs-notes.

14 ▸ **On y va?**

Tout le monde va faire quelque chose de différent. Si on peut faire l'activité indiquée à l'endroit entre parenthèses, dites qu'on y va. Si non, dites qu'on n'y va pas.

Modèles:

Jacqueline va skier. (à la montagne)
Elle y va.

Raoul va acheter des manuels pour les cours. (à la boucherie)
Il n'y va pas.

1. Jérôme va faire de la planche à neige. (à la plage)
2. Nous allons assister au Carnaval. (à Montréal)
3. Tu vas faire du ski de fond. (à la salle de conférences)
4. Claire et Juliette vont acheter des billets. (au guichet)
5. Guy et Sylvie vont faire un tour de montagnes russes. (à La Ronde)
6. Véronique va faire un tour de grande roue. (au parc d'attractions)
7. Vous allez faire de la planche à roulettes. (au Carnaval)
8. Je vais prendre un coca. (au café)

Au Carnaval de Québec? Tout le monde y va en février.

 40

quarante
Unité 1

Teaching Note

You may want to have students do Activity 14 again, this time in the **passé composé.**

15 En partenaires

Avec un(e) partenaire, jouez les rôles d'un(e) élève de votre lycée et d'un(e) élève qui vient de France et qui va assister aux cours dans votre lycée cette année. Pour mieux connaître l'autre élève, posez des questions sur ce que vous faites pendant l'année scolaire. Puis répondez aux questions. Suivez le modèle.

Modèle:

aller en cours le samedi
A: **Est-ce que tu vas en cours le samedi?**
B: **Oui, j'y vais. Et toi, est-ce que tu vas en cours le samedi?**
A: **Non, je n'y vais pas.**

1. acheter des manuels pour les cours à la librairie
2. conduire pour aller au lycée
3. déjeuner souvent au fast-food
4. étudier à la bibliothèque
5. passer des heures au café

The pronoun *en*

The pronoun **en** (*some, any, of it/them, about it/them, from it/them*) refers to and replaces a previously mentioned expression containing **de**. Note its position right before the verb of which it is the object in sentences that are affirmative, interrogative, negative or have an infinitive.

Qui a essayé des jeux d'adresse?	*Who has tried (some) games of skill?*
Marc **en** a beaucoup essayé.	*Marc has tried a lot (of them).*
Vous faites des sports d'hiver?	*Do you play winter sports?*
Non, je n'**en** fais pas, mais je voudrais en faire. En faites-vous?	*No, I don't (play any), but I'd like to (play some). Do you (play any)?*
Non, j'**en** ai peur.	*No, I'm afraid to (play any).*
Tu as jamais eu une consultation?	*Have you ever had a séance?*
Oui, j'**en** ai eu une.	*Yes, I've had one (of them).*

In an affirmative command, **en** follows the verb. But in a negative command, it precedes the verb.

Manges-**en**, mais n'**en** mange pas trop!   *Eat some (of them), but don't eat too many (of them)!*

> Tu as envie de faire un tour de grande roue?
>
> Non, j'en ai peur.

quarante et un
Leçon B
41

Teaching Notes

1. The pronoun **en**, introduced on page 430 in the second level of *C'est à toi!*, is recycled here.

2. You may want to review the four uses of **en** with your students. **En** replaces a form of **de** plus a noun. **En** replaces **de** plus an infinitive. **En** replaces **de** plus a noun after **assez, beaucoup, combien, (un) peu** or **trop**. **En** replaces a noun after a number.

3. Students may be interested to learn idiomatic expressions that use the pronoun **en**, such as **J'en ai marre** and **J'en ai ras le bol** (*I'm fed up*).

 Workbook Activity 24

 Grammar & Vocabulary Exercises 26–27

 Audio CD Activity 15

Answers

15 1. Est-ce que tu achètes des manuels pour les cours à la librairie?
2. Est-ce que tu conduis pour aller au lycée?
3. Est-ce que tu déjeunes souvent au fast-food?
4. Est-ce que tu étudies à la bibliothèque?
5. Est-ce que tu passes des heures au café?
Students' responses to these questions will vary.

Game

Le frigo
Put your students in pairs to practice replacing **de** plus a noun. Give each student a diagram of an empty open refrigerator. Tell them to draw eight items to fill it up. The questioner asks his or her partner if there is a certain item in the refrigerator, for example, **Il y a de la moutarde dans ton frigo?** If the partner has that item, he or she responds affirmatively (**Oui, il y en a dans mon frigo**) and the questioner gets another turn. If the partner does not have that item, he or she responds negatively (**Non, il n'y en a pas dans mon frigo**) and then becomes the questioner. Respondents cross off items in their refrigerators as they are guessed by their partners. The student who first guesses all the contents of his or her partner's refrigerator is the winner.

16
1. Non, il n'en choisit pas.
2. Non, nous n'en buvons pas.
3. Oui, il en essaie.
4. Oui, ils en prennent.
5. Oui, elle en a une.
6. Oui, j'en bois un.
7. Non, ils n'en font pas.
8. Oui, tout le monde en profite.

Pratique

16 **Faisons une excursion!**

Imaginez que vous faites une excursion au parc d'attractions avec vos amis. Répondez aux questions basées sur l'illustration. Utilisez **en** *dans vos réponses.*

Modèles:

Est-ce que Cécile prend des photos?
Oui, elle en prend.

Est-ce que Denis et Julie mangent des sandwichs?
Non, ils n'en mangent pas.

1. Est-ce que Robert choisit des cadeaux?
2. Est-ce que René et toi, vous buvez de l'eau minérale?
3. Est-ce que Michel essaie des jeux d'adresse?
4. Est-ce que Julie et Denis prennent de la pizza?
5. Est-ce qu'Amélie a une consultation?
6. Est-ce que tu bois un coca?
7. Est-ce qu'André et Philippe font de la planche à roulettes?
8. Est-ce que tout le monde profite de la journée?

17 ▸ Qu'est-ce qu'on a acheté?

Les ados ont acheté certaines choses au parc d'attractions. Avec un(e) partenaire, demandez si les personnes suivantes ont acheté ce qui est indiqué. Alternez les questions et les réponses avec votre partenaire. Suivez les modèles.

	tee-shirts	casquettes	limonades	hot-dogs
Diane	3			
Bruno		2	1	
Serge	1			
Amélie			1	
Fred			1	2

Modèles:

Fred/limonades
A: **Est-ce que Fred a acheté des limonades?**
B: **Oui, il en a acheté une.**

Diane/casquettes
B: **Est-ce que Diane a acheté des casquettes?**
A: **Non, elle n'en a pas acheté.**

1. Amélie/casquettes
2. Bruno et Amélie/hot-dogs
3. Serge/tee-shirts
4. Fred et Serge/casquettes
5. Amélie/limonades
6. Bruno/tee-shirts
7. Fred/hot-dogs
8. Diane/tee-shirts

Double object pronouns

When there are two pronouns in one sentence, their order before the verb in a declarative sentence is:

| subject | + | me
te
nous
vous | + | le
la
les | + | lui
leur | + | y | + | en | + | verb |

These pronouns come right before the verb of which they are the object in sentences that are affirmative, negative, interrogative or have an infinitive. They also precede the verb in a negative command.

Quand nous as-tu vus au parc d'attractions?
Je **vous y** ai vus hier.
Où sont les tickets?
Il va **me les** donner demain.

Comment Paul a-t-il trouvé ce nouveau film?
Ne **lui en** parle pas!

When did you see us at the amusement park?
I saw you there yesterday.
Where are the tickets?
He's going to give them to me tomorrow.

What did Paul think about this new movie?
Don't talk to him about it!

Tu vas acheter des pêches au marché?

Oui, je vais y en acheter.

quarante-trois
Leçon B
43

WB Workbook Activity 25

GY Grammar & Vocabulary Exercises 28-29

Audio CD Activity 17

Answers

17 1. Est-ce qu'Amélie a acheté des casquettes?
Non, elle n'en a pas acheté.
2. Est-ce que Bruno et Amélie ont acheté des hot-dogs?
Non, ils n'en ont pas acheté.
3. Est-ce que Serge a acheté des tee-shirts?
Oui, il en a acheté un.
4. Est-ce que Fred et Serge ont acheté des casquettes?
Non, ils n'en ont pas acheté.
5. Est-ce qu'Amélie a acheté des limonades?
Oui, elle en a acheté une.
6. Est-ce que Bruno a acheté des tee-shirts?
Non, il n'en a pas acheté.
7. Est-ce que Fred a acheté des hot-dogs?
Oui, il en a acheté deux.
8. Est-ce que Diane a acheté des tee-shirts?
Oui, elle en a acheté trois.

TPR

Double Object Pronouns
To give students practice with double object pronouns, have them make a card for each pronoun in the chart and spread all the cards out on their desk. Prepare a list of questions requiring a response with double object pronouns, for example, **Est-ce que le censeur donne l'emploi du temps au lycéen**? Students hold up two pronoun cards in the correct order of the response, for example, **le lui**.

Teaching Note

Double object pronouns, introduced on page 284 in the second level of C'est à toi!, are recycled here.

In an affirmative command, their order is:

verb	+	le la les	+	lui leur	+	moi toi nous vous	+	y	+	en

Tu veux aller à La Ronde? — Do you want to go to La Ronde?
Oui, emmène-**m'y**! — Yes, take me (along) there!
Je lis des histoires aux enfants? — Shall I read some stories to the children?
Bien sûr. Lis-**leur-en**! — Of course. Read them some!

Pratique

18 Parlons ensemble!

 Avec un(e) partenaire, demandez si les personnes indiquées ont acheté quelque chose pour les personnes qui suivent. Dites que oui. Alternez les questions et les réponses avec votre partenaire. Suivez le modèle et l'ordre indiqué par le cercle.

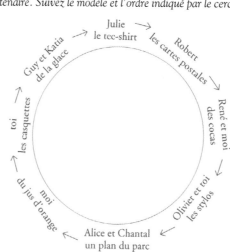

Modèle:
A: **Est-ce que Julie achète le tee-shirt pour Robert?**
B: **Oui, elle le lui achète. Est-ce que Robert achète les cartes postales pour René et moi?**
A: **Oui, il vous les achète. Est-ce que René et moi, nous...?**

19 ▶ En partenaires

 Avec un(e) partenaire, posez et répondez aux questions au passé composé. Suivez le modèle.

Modèle:

rendre visite à des amis à Montréal
A: **Est-ce que tu as rendu visite à des amis à Montréal?**
B: **Oui, je leur y ai rendu visite. Et toi, est-ce que tu as rendu visite à des amis à Montréal?**
A: **Non, je ne leur y ai pas rendu visite.**

1. conduire les autos tamponneuses au parc d'attractions
2. emmener ton ami(e) au centre commercial
3. acheter des cadeaux d'anniversaire pour tes amis
4. montrer ton emploi du temps à tes parents
5. parler au censeur de tes problèmes

Et mon ticket?

Je vous le donne.

Communication

20 ▶ Un entretien

 Avec un(e) partenaire, jouez les rôles d'un reporter d'un journal québécois et d'un(e) élève qui sont à La Ronde. Le reporter va écrire un article qui décrit les expériences d'un(e) élève typique qui y passe la journée. Pendant votre conversation le reporter demande à l'élève:

1. s'il ou elle s'y est bien amusé(e)
2. comment il ou elle a trouvé les attractions
3. quelle attraction il ou elle a préférée et pourquoi
4. quand il ou elle a rigolé le plus
5. s'il ou elle a gagné quelque chose
6. s'il ou elle a goûté les spécialités du parc
7. s'il ou elle a acheté des souvenirs

À la fin de votre conversation, le reporter demande à l'élève s'il ou elle a des tickets qui restent, et l'élève lui en offre.

Quelle attraction as-tu préférée?

Les autos tamponneuses parce que j'ai bien rigolé.

quarante-cinq
Leçon B
45

Audio CD Activity 19

Answers

19 1. Est-ce que tu as conduit les autos tamponneuses au parc d'attractions?
2. Est-ce que tu as emmené ton ami(e) au centre commercial?
3. Est-ce que tu as acheté des cadeaux d'anniversaire pour tes amis?
4. Est-ce que tu as montré ton emploi du temps à tes parents?
5. Est-ce que tu as parlé au censeur de tes problèmes?
Students' responses to these questions will vary.

Listening Activity 2

Communicative Activities

Leçon B **Quiz**

Un peu de plus

"Free Conversation"
As a pre-reading activity, before beginning the **Lecture** on page 47, you might choose to have students engage in "free conversation" about their summer activities. Put students in small groups. Explain to them that the purpose of the activity is to have them guide their own speaking practice on the topic. To get students started, you might ask them to prepare a different question for each member of their group, for example, **Pendant les vacances, as-tu travaillé? As-tu fait du sport? Es-tu allé(e) à un parc d'attractions?** Tell students that each answer will generate additional questions and comments that they should pursue. Be sure to establish a time limit, such as ten minutes, and tell students that during this time you expect to hear only French spoken in the classroom. While students are conversing, it is important that you remain silent unless asked a direct question. Circulate, taking notes on patterns of errors, and discuss them after the discussion groups have finished.

21 À mon avis...

*Imaginez que vous avez passé la journée à un parc d'attractions. Avant de sortir, on vous demande de compléter une évaluation du parc. À côté de chaque attraction, écrivez un chiffre (number) entre "1" et "10" qui donne votre opinion sur chacune (each one). ("10" est le maximum.) Puis écrivez une phrase qui explique votre évaluation. Par exemple, **des jeux d'adresse—10—J'y ai gagné un grand gorille**.*

Attractions	Évaluation	Commentaire
la galerie des miroirs déformants		
les autos tamponneuses		
l'arcade		
le/la voyant(e)		
les jeux d'adresse		
le manège		
des montagnes russes		
la grande roue		
les cafés		
les boutiques		
le cinéma		

Y a-t-il des jeux d'adresse que tu aimes?

22 Faites un dépliant!

Vous travaillez pour un parc d'attractions américain où vous êtes responsable de la publicité. Vous devez dessiner un dépliant pour encourager les touristes francophones à le visiter. Dans votre dépliant nommez toutes les attractions du parc en français. Puis dessinez un plan qui montre où on peut trouver chaque attraction, les cafés et les toilettes. Mentionnez aussi quand le parc est ouvert et combien coûte un billet d'entrée.

46

quarante-six
Unité 1

Teaching Note

The **Lecture** that begins on page 47 is designed to develop skills that will help students prepare to take the Advanced Placement Exam in French Literature. In this section students read a variety of prose, poetry and drama from different periods; answer content questions; and demonstrate their critical understanding of literary techniques, such as character development, setting, point of view, satire, figures of speech and inference. This unit's **Lecture** focuses on point of view.

Point of View

Nicolas is a young boy whose misadventures are chronicled in a popular series of books by Sempé/Goscinny. You are going to read about Nicolas' vacation with his parents at the seaside. It is told through his point of view. Point of view is the vantage point from which a story is told. As you read, think about how different the story would be if it were told through someone else's point of view, for example, that of Nicolas' father or another adult.

23 Pour commencer...

Avant de lire la lecture, répondez aux questions suivantes.

1. Avec qui est-ce que tu vas à la plage? Qu'est-ce que tu y fais?
2. Qu'est-ce que tu faisais à la plage quand tu étais petit(e)?

La plage, c'est chouette

À la plage, on rigole bien. Je me suis fait des tas de copains, il y a Blaise, et puis Fructueux, et Mamert; qu'il est bête celui-là! Et Irénée et Fabrice et Côme et puis Yves, qui n'est pas en vacances parce qu'il est du pays et on joue ensemble, on se dispute, on ne se parle plus et c'est drôlement chouette.

"Va jouer gentiment avec tes petits camarades, m'a dit papa ce matin, moi je vais me reposer et prendre un bain de soleil." Et puis, il a commencé à se mettre de l'huile partout et il rigolait en disant: "Ah! quand je pense aux copains qui sont restés au bureau!"

Nous, on a commencé à jouer avec le ballon d'Irénée. "Allez jouer plus loin", a dit papa, qui avait fini de se huiler, et bing! le ballon est tombé sur la tête de papa. Ça, ça ne lui a pas plu à papa. Il s'est fâché tout plein et il a donné un gros coup de pied dans le ballon, qui est allé tomber dans l'eau, très loin. Un shoot terrible....

—Écoutez, les enfants, je veux me reposer tranquille. Alors, au lieu de jouer au ballon, pourquoi ne jouez-vous pas à autre chose?

—Ben, à quoi par exemple, hein, dites? a demandé Mamert. Qu'il est bête celui-là!

—Je ne sais pas, moi, a répondu papa, faites des trous, c'est amusant de faire des trous dans le sable. Nous, on a trouvé que c'était une idée terrible et on a pris nos pelles....

On a commencé à faire un trou. Un drôle de trou, gros et profond comme tout. Quand papa est revenu avec sa bouteille d'huile, je l'ai appelé et je lui ai dit:

—T'as vu notre trou, papa?

—Il est très joli, mon chéri, a dit papa.... Et puis, est venu un monsieur avec une casquette blanche et il nous a demandé qui nous avait permis de faire ce trou dans sa plage. "C'est lui, m'sieur!" ont dit tous mes copains en montrant papa. Moi j'étais très fier, parce que je croyais que le monsieur à la casquette allait féliciter papa. Mais le monsieur n'avait pas l'air content.

quarante-sept
47
Leçon B

 Audio CD *Lecture*

 Advanced Placement

FYI

1. Sempé and Goscinny cowrote the *Petit Nicolas* series. Jean-Jacques Sempé (1932-), born in Bordeaux, was an average student known for causing problems at school. At 19 he began drawing cartoons, and over a long, successful career has contributed to many magazines, including *Paris-Match*, *Punch* and *l'Express*. In 1954, inspired by his son Nicolas, he launched the *Petit Nicolas* series with his friend René Goscinny. René Goscinny (1926-77), born in Paris, spent his childhood in Buenos Aires where he passed his **bac** with high marks at a French school. Goscinny tried many careers before becoming a successful illustrator and journalist. Besides collaborating on the *Petit Nicolas* books, Goscinny is famous for creating the celebrated *Astérix* series. 2. You might provide interested students with additional stories recounting the misadventures of Nicolas from *Les vacances du petit Nicolas* or one of the other books in the series.

Paired Practice

A New Nicolas Story
You might want to have students brainstorm with a partner about other situations where Nicolas might have misadventures, such as at school, at a zoo or on a farm. Then have each pair write a new Nicolas story, imitating the authors' style and sense of humor. They could also illustrate the story.

Teaching Note

To help students analyze what makes this story amusing, make a list of its funny moments. Then make categories for each example. For example, Nicolas' father's getting hit on the head with a soccer ball is an example of physical comedy. You might compare it to slapstick comedy in films. Another example of humor occurs when Nicolas' father is digging a new hole after being told to fill it up. The incident is humorous because there is a misunderstanding on the part of **le monsieur à la casquette blanche**, who is angry at not having his directive followed, not knowing yet that the father is looking for his son's pail. The conclusion where Nicolas' father repeats in a different tone **quand je pense aux copains qui sont restés au bureau** is an example of irony. Irony is a difference between appearance and reality.

Point of View

You might ask students to brainstorm about what types of features they would expect to find in a story told from a child's point of view. They should list features such as heavy use of dialogue and reporting, run-on sentences and the use of idiomatic language. Instruct students to make a list of examples of each feature as they read.

Un peu de plus

Les citations

To assess students' comprehension of the story, prepare a list of quotes, ask who said them and invite students to explain the importance of each one, for example:

A. "Un trou... c'est amusant à creuser, mais c'est embêtant à reboucher." (Côme) Les copains de Nicolas décident de se baigner et de ne pas aider le père de Nicolas à reboucher le trou.

B. "On n'a pas idée de s'exposer comme ça au soleil...." (le docteur) Le père de Nicolas a des brûlures, et il doit rester couché pendant deux jours.

C. "Qu'il est bête celui-là!" (Nicolas) Nicolas parle de Mamert, un de ses nouveaux copains, quand son père dit aux garçons de creuser un trou dans le sable.

D. "Je crois me souvenir que je vous avais interdit de faire des trous." (le monsieur à la casquette blanche) Le père de Nicolas vient de reboucher le trou, mais il le creuse encore parce que Nicolas a perdu son seau.

E. "... je vais me reposer et prendre un bain de soleil." (papa) Le père de Nicolas est content de passer ses vacances à la plage. Bientôt il demande aux enfants de jouer à autre chose quand le ballon tombe sur sa tête.

—Vous n'êtes pas un peu fou, non, de donner des idées comme ça aux gosses? a demandé le monsieur. Papa... a dit: "Et alors?" Et alors, le monsieur à la casquette s'est mis à crier que c'était incroyable ce que les gens étaient inconscients, qu'on pouvait se casser une jambe en tombant dans le trou, et qu'à marée haute, les gens qui ne savaient pas nager perdraient pied et se noieraient dans le trou, et que le sable pouvait s'écrouler et qu'un de nous risquait de rester dans le trou, et qu'il pouvait se passer des tas de choses terribles dans le trou et qu'il fallait absolument reboucher le trou.

—Bon, a dit papa, rebouchez le trou, les enfants. Mais les copains ne voulaient pas reboucher le trou.

—Un trou, a dit Côme, c'est amusant à creuser, mais c'est embêtant à reboucher.

—Allez, on va se baigner! a dit Fabrice. Et ils sont tous partis en courant. Moi je suis resté, parce que j'ai vu que papa avait l'air d'avoir des ennuis.

—Les enfants! Les enfants! il a crié papa, mais le monsieur à la casquette a dit:

—Laissez les enfants tranquilles et rebouchez-moi ce trou en vitesse! Et il est parti.

Papa a poussé un gros soupir et il m'a aidé à reboucher le trou. Comme on n'avait qu'une seule petite pelle, ça a pris du temps et on avait à peine fini que maman a dit qu'il était l'heure de rentrer à l'hôtel pour déjeuner, et qu'il fallait se dépêcher, parce que, quand on est en retard, on ne vous sert pas, à l'hôtel. "Ramasse tes affaires, ta pelle, ton seau et viens", m'a dit maman. Moi j'ai pris mes affaires, mais je n'ai pas trouvé mon seau. "Ça ne fait rien, rentrons", a dit papa. Mais moi, je me suis mis à pleurer plus fort.

Un chouette seau, jaune et rouge, et qui faisait des pâtés terribles. "Ne nous énervons pas, a dit papa, où l'as-tu mis, ce seau?" J'ai dit qu'il était peut-être au fond du trou, celui qu'on venait de boucher. Papa m'a regardé comme s'il voulait me donner une fessée, alors je me suis mis à pleurer plus fort et papa a dit que bon, qu'il allait le chercher le seau, mais que je ne lui casse plus les oreilles. Mon papa, c'est le plus gentil de tous les papas! Comme nous n'avions toujours que la petite pelle pour les deux, je n'ai pas pu aider papa et je le regardais faire quand on a entendu une grosse voix derrière nous: "Est-ce que vous vous fichez de moi?" Papa a poussé un cri, nous nous sommes retournés et nous avons vu le monsieur à la casquette blanche. "Je crois me souvenir que je vous avais interdit de faire des trous", a dit le monsieur. Papa lui a expliqué qu'il cherchait mon seau. Alors, le monsieur lui a dit que d'accord, mais à condition qu'il rebouche le trou après. Et il est resté là pour surveiller papa.

"Écoute, a dit maman à papa, je rentre à l'hôtel avec Nicolas. Tu nous rejoindras dès que tu auras retrouvé le seau." Et nous sommes partis. Papa est arrivé très tard à l'hôtel, il était fatigué, il n'avait pas faim et il est allé se coucher. Le seau, il ne l'avait pas trouvé, mais ce n'est pas grave, parce que je me suis aperçu que je l'avais laissé dans ma chambre. L'après-midi, il a fallu appeler un docteur, à cause des brûlures de papa. Le docteur a dit à papa qu'il devait rester couché pendant deux jours.

—On n'a pas idée de s'exposer comme ça au soleil, a dit le docteur, sans se mettre de l'huile sur le corps.

—Ah! a dit papa, quand je pense aux copains qui sont restés au bureau!

Mais il ne rigolait plus du tout en disant ça.

Teaching Note

To explore the characters' points of view in the **Lecture**, ask students to make lists of adjectives to describe how the children view **le monsieur à la casquette blanche,** how the latter views Nicolas and the other children, and how Nicolas' father and **le monsieur à la casquette blanche** view each other.

24 **"La plage, c'est chouette"**

Répondez aux questions suivantes.

1. Selon Nicolas, pourquoi est-ce que la plage est chouette?
2. Qu'est-ce que le père de Nicolas veut faire à la plage?
3. Pourquoi le père de Nicolas n'est-il pas content?
4. Qu'est-ce que le père de Nicolas dit aux garçons de faire au lieu de jouer au ballon?
5. Le monsieur à la casquette blanche dit que le trou est une mauvaise idée. Pourquoi?
6. Pourquoi les copains de Nicolas ne rebouchent-ils pas le trou?
7. Le trou est-il facile ou difficile à reboucher? Pourquoi?
8. Pourquoi Nicolas commence-t-il à pleurer?
9. Que fait le père de Nicolas pour trouver le seau de son fils?
10. Comment est le père de Nicolas quand il rentre à l'hôtel? Que fait-il?
11. Selon le docteur, qu'est-ce que le père de Nicolas doit faire?
12. Pourquoi le père de Nicolas ne rigole-t-il pas cette fois quand il dit "... quand je pense aux copains qui sont restés au bureau"?

 25 **L'histoire du point de vue du père**

Imaginez que le père de Nicolas rentre au bureau et parle avec ses collègues de ses vacances au bord de la mer. Racontez l'histoire que vous venez de lire du point de vue (point of view) du père de Nicolas. Commencez avec le jeu de ballon. Puis continuez avec l'arrivée du monsieur à la casquette, la recherche (search) du seau et la visite du docteur à l'hôtel.

26 **À vous de jouer!**

 Avec trois autres élèves, faites un sketch (skit) où vous jouez les rôles de Nicolas, de son père, de sa mère et du docteur à l'hôtel. Nicolas raconte au docteur ses aventures à la plage, la mère lui pose des questions sur la santé de son mari, le père se plaint (complains) et le docteur répond à chaque membre de la famille.

Dossier fermé

Imagine que tu étudies dans un lycée français, et c'est le jour de ton premier examen. Tu regardes l'examen et tu vois qu'il consiste seulement en questions à longue réponse. Quelle est ta réaction?

C. Tu continues parce que c'est le style d'un examen français.

Peut-être que tu es surpris(e) parce qu'il n'y a pas de questions à choix multiples, de questions "vrai-faux" ou de questions où tu remplis l'espace blanc d'une phrase. Ces sortes d'examens sont pratiquement inexistantes en France. Tu as vu dans cette unité que les professeurs et les examens français demandent à l'élève un bon travail où il ou elle doit beaucoup penser. La sorte de question que tu trouves dans un examen français fait justement ça.

quarante-neuf
Leçon B **49**

24 Possible answers:
1. La plage est chouette parce qu'on y rigole bien avec des tas de copains.
2. Le père de Nicolas veut se reposer et prendre un bain de soleil à la plage.
3. Le père de Nicolas n'est pas content parce que le ballon est tombé sur sa tête.
4. Le père de Nicolas dit aux garçons de faire des trous dans le sable au lieu de jouer au ballon.
5. Le monsieur à la casquette blanche dit qu'on pouvait se casser une jambe en tombant dans le trou et qu'on pouvait perdre pied et se noyer dans le trou.
6. Les copains de Nicolas ne rebouchent pas le trou parce que c'est embêtant à reboucher un trou, et qu'ils préfèrent se baigner.
7. Le trou est difficile à reboucher parce qu'il est gros et profond, et qu'il y a seulement une petite pelle.
8. Nicolas commence à pleurer parce qu'il pense qu'il a perdu son chouette seau jaune et rouge.
9. Pour trouver le seau de son fils, le père de Nicolas creuse au fond du trou qu'ils viennent de boucher.
10. Quand il rentre à l'hôtel, le père de Nicolas est fatigué et il n'a pas faim; donc, il se couche.
11. Selon le docteur, le père de Nicolas doit rester couché pendant deux jours.
12. Le père de Nicolas ne rigole pas cette fois quand il dit "... quand je pense aux copains qui sont restés au bureau" parce qu'il ne peut pas se reposer et il a des brûlures.

1. Words used in the story that are not in the end vocabulary of *C'est à toi!* are used to ask questions in Activity 24.

2. Students may work in pairs or small groups as they answer the questions in Activity 24.

 49

Évaluation culturelle

1. fausse
2. vraie
3. fausse
4. vraie
5. vraie
6. fausse
7. vraie
8. vraie
9. fausse
10. vraie

Évaluation

✓ Évaluation culturelle

*Pour voir si vous avez bien compris la culture francophone, décidez si chaque phrase est **vraie** ou **fausse**.*

1. Dakar est une ville située sur la côte est de l'Afrique.
2. Le système d'enseignement sénégalais a comme modèle les écoles françaises.
3. Les professeurs français forcent les élèves à travailler, à penser et à apprendre avec des examens à choix multiples.
4. En France il n'est pas rare d'avoir un cours de 200 élèves dans une salle de conférences.
5. Il faut que les élèves français achètent leurs manuels pour les cours.
6. La Ronde est un parc d'attractions à Québec qui reste ouvert pendant l'hiver pour profiter du Carnaval.
7. "Le Monstre" est une attraction spectaculaire à La Ronde.
8. Au Carnaval il y a des compétitions comme la course de motocyclettes sur le Saint-Laurent.
9. Un autre sport d'hiver qu'on pratique au Carnaval est la planche à roulettes sur le Saint-Laurent.
10. Si l'on achète une boisson à un café français, on peut s'asseoir et y passer des heures.

Les Sénégalais habitent dans une république à l'ouest de l'Afrique.

Jérémy a acheté le manuel pour son cours de sciences po à une librairie.

✓ Évaluation orale

Imaginez qu'Ibrahim, un nouvel élève sénégalais, assiste aux cours dans votre lycée cette année. Avec un(e) partenaire, jouez les rôles d'Ibrahim et d'un(e) élève américain(e) du lycée. Pendant votre conversation l'élève américain(e) demande à Ibrahim:

1. comment il trouve votre lycée, votre ville et les États-Unis en général
2. de lui dire les sports qu'il pratique et s'il s'entraîne souvent
3. de décrire son emploi du temps
4. de lui dire les cours et les profs qu'il aime et n'aime pas et pourquoi
5. de comparer les devoirs et les examens américains aux devoirs et aux examens sénégalais
6. de lui décrire l'enseignement dans son pays et de le comparer à l'enseignement aux États-Unis

✓ Évaluation écrite

Maintenant jouez le rôle d'Ibrahim, l'élève sénégalais. Écrivez un article que vous allez faxer au journal de votre lycée au Sénégal. Dans cet article parlez de vos impressions du lycée américain; faites votre nouvel emploi du temps; dites si vous aimez vos cours et vos professeurs; et comparez la difficulté des cours, des devoirs et des examens américains et sénégalais. Enfin parlez de vos passe-temps favoris aux États-Unis.

✓ Évaluation visuelle

Imaginez que vous êtes Francine, une élève canadienne qui vient de déménager à Paris. Écrivez une lettre à Xavier, votre copain québécois, où vous décrivez comment vous avez passé l'été à Paris, la rentrée au lycée Henri IV, ce que vous avez acheté à la librairie et ce que vous allez faire pendant les vacances d'hiver. Utilisez les suggestions dans l'illustration et les nouvelles expressions que vous avez apprises dans l'Unité 1. (Avant de commencer, regardez les sections Révision de fonctions aux pages 52-54 et Vocabulaire à la page 55.)

cinquante et un
51
Leçon B

 Listening Activity 3

Answers

Évaluation visuelle
Possible letter:

le 24 septembre

Cher Xavier,

Je t'écris de Paris où nous avons déménagé cet été. J'y ai passé des vacances formidables. J'ai souvent fait de la planche à roulettes dans le parc du quartier. Et toi, en fais-tu? Moi, j'aime bien m'entraîner. Le weekend dernier je suis allé à un parc d'attractions pas loin de chez moi. D'abord j'ai essayé des jeux d'adresse. J'ai réussi à gagner un ours. Ensuite j'ai eu une consultation avec une voyante qui m'a dit que je vais avoir de la chance en amour. La crois-tu? Puis je suis montée dans une auto tamponneuse et j'ai heurté tout le monde. J'ai bien rigolé. Enfin j'ai fait un tour de montagnes russes et de grande roue. J'ai passé une journée super comme tu peux imaginer.

Lundi c'était la rentrée. Je vais au lycée Henri IV, une école célèbre. On m'a dit que l'enseignement qu'on y offre est vraiment extra. D'abord j'ai dû remplir la fiche d'inscription. Ensuite j'ai fait la connaissance du censeur qui m'a donné mon emploi du temps. La prof de littérature nous a déjà donné une rédaction à écrire. Ce cours va être difficile avec une dissertation à la fin. Après les cours je suis allée à la librairie où j'ai trouvé mon manuel de calcul, un bloc-notes, un carnet, des trombones, une gomme et des crayons. Et toi, qu'est-ce que tu as acheté pour la rentrée? Qu'est-ce qui t'inquiète au lycée cette année? Ma famille et moi, nous allons passer les vacances d'hiver à la montagne. Je voudrais faire de la planche à neige et du ski de fond. Et toi, qu'est-ce que tu vas faire? Écris-moi vite!

Grosses bises,
Francine

51

Révision de fonctions

Can you do all of the following tasks in French?
- I can ask questions about what happened in the past.
- I can talk about what happened in the past.
- I can talk about things sequentially.
- I can confirm specific information.
- I can explain why.
- I can give examples.
- I can summarize what has been said.
- I can ask if someone is able to do something.
- I can say that someone is not able to do something.
- I can tell someone to do something.
- I can offer something to someone.
- I can express astonishment.
- I can express enthusiasm.
- I can express emotions.
- I can express what I want.

To inquire about the past, use:

Tu as rempli la fiche d'inscription ce matin?

Did you fill out the registration form this morning?

Qu'as-tu acheté?

What did you buy?

To describe past events, use:

J'ai souvent **séché** le cours d'algèbre.

I often skipped algebra class.

J'ai dû passer un examen.

I had to take a test.

To sequence events, use:

Après, le censeur m'a donné mon emploi du temps.

After that, the dean gave me my schedule.

Je suis arrivé **il y a une semaine**.

I arrived a week ago.

Ensuite je peux aller avec toi à la librairie.

Next I can go with you to the bookstore.

To confirm a known fact, use:

C'est ça.

That's right.

Bien sûr.

Of course.

cinquante-deux
Unité 1

To explain something, use:

Ils se sont assis au café **pour** déjeuner et **pour** parler.

They sat down at the café (in order) to have lunch and (in order) to talk.

Khadim et ses amis aiment se rejoindre à la bibliothèque pour parler et pour travailler.

To give examples, use:

Voilà un cours difficile.
C'est le calcul.
On a pu aussi profiter de la saison pour faire des sports d'hiver, **par exemple,** faire de la planche à neige.

There's a difficult course.
It's calculus.
One could also take advantage of the season to do winter sports, for example, snowboarding.

Il faut apprendre les capitales, par exemple, Beijing est la capitale de la Chine.

To summarize, use:

Alors, je l'ai raté.
Enfin, j'ai réussi.
Tout ça?
Donc, il faut chercher ces livres aussi.

So then, I failed it.
Finally, I passed.
All that?
So, I have to get these books too.

To inquire about ability, use:

Est-ce que tu peux venir avec moi?

Can you come with me?

Teaching Note

-érer or **-éter**, such as **sécher**, **espérer**, **préférer** and **s'inquiéter**, also change the **é** to an **è** when the following vowel is not pronounced.

To express inability, use:

Je l'ai raté.   *I failed it.*
Réussir, ce n'est pas facile.   *Passing isn't easy.*
Je ne peux pas dormir dans ce cours.   *I can't sleep in this class.*
Il est difficile à comprendre.   *It's hard to understand.*
Je n'ai pas eu le temps de tout acheter.   *I didn't have time to buy everything.*

Les Gambart n'ont pas eu le temps de faire la vaisselle.

To give orders, use:

Dis-le-moi!   *Tell (it to) me!*

To offer something, use:

Je te les donne, si tu veux.   *I'll give them to you, if you want.*

To express astonishment, use:

Je n'en reviens pas.   *I can't get over it.*
Hein?   *Huh?*

To express enthusiasm, use:

Que je suis fana de ce parc!   *I'm really a fan of this park!*
C'est ma fête **favorite.**   *It's my favorite festival.*

To express emotions, use:

Nous avons rigolé comme des fous.   *We laughed our heads off.*

To express desire, use:

Je voudrais y aller avec toi une fois.   *I'd like to go (there) with you once. May I?*
Je peux?

Teaching Note

Here are the regular -er verbs that students learned in the first and second levels of *C'est à toi!*: **accélérer, accepter, admirer, adorer, aider, aimer, allumer, s'amuser, (s')arrêter, arriver, arroser, assister, baisser, se brosser, brûler, chercher, collectionner, composter, consommer, continuer, contrôler, se coucher, coûter, danser, décider, déclarer, décoller, se déguiser, déjeuner, délivrer, demander, démarrer, déménager, dépasser, se dépêcher, se déshabiller, désirer, donner, doubler, échanger, écouter, entrer, étudier, faxer, fermer, fêter, flâner, garder, gâter, goûter, s'habiller, habiter, imaginer, indiquer, intéresser, inviter, jouer, laisser, se laver, louer, se maquiller, marcher, monter, montrer, parier, parler, passer, se**

Vocabulaire

une **agrafeuse** stapler A
l' **algèbre (f.)** algebra A
une **arcade** arcade B
auto: une auto tamponneuse bumper car B
avoir de la chance to be lucky B

un **bloc-notes** notepad A
un **bureau** office A

le **calcul** calculus A
un **carnet** notebook A
un **censeur** assistant principal, dean A
comprendre to understand A
une **conférence** lecture A
une **consultation** séance, session B

un **directeur, une directrice** principal A
une **dissertation** research paper A

l' **enseignement (m.)** education A
ensuite next A
s' **entraîner** to train, to work out B
essayer to try B
un **examen** test, exam A
un **exposé** report A

faire de la luge to go tobogganing B
faire de la planche à neige to go snowboarding B
faire de la planche à roulettes to go skateboarding B
faire du ski de fond to go cross-country skiing B
faire un tour de grande roue to go on the Ferris wheel B
faire un tour de manège to go on the merry-go-round B
faire un tour de montagnes russes to go on the roller coaster B
un **feutre** felt-tip pen A
une **fiche d'inscription** registration form A
la **fin** end A
une **fois** once B
un **fou, une folle** crazy person B

gagner to win B
la **galerie des miroirs déformants** fun house B
la **géométrie** geometry A
une **gomme** eraser A
le **grec** Greek A

Hein? Huh? What? B
heurter to hit, to run into B

jamais ever B
des **jeux d'adresse (m.)** games of skill B

un **labo (laboratoire)** laboratory A
la **lecture** reading A
une **liste** list A
la **littérature** literature A
une **luge** toboggan B
un **lycéen, une lycéenne** high school student A

un **manège** merry-go-round B
un **manuel** textbook A
un **miroir** mirror B
des **montagnes russes (f.)** roller coaster B

la **neige** snow B
une **note** note A

oral(e) oral A

un **parc d'attractions** amusement park B
passer to take (a test) A
un **passe-temps** pastime A
une **piste** trail, run, track B
une **planche à neige** snowboard B
une **planche à roulettes** skateboard B
po: les sciences po (f.) political science A

rater to fail A
la **recherche** research A
une **rédaction** composition A
la **rentrée** first day of school A
une **responsabilité** responsibility A
revenir: Je n'en reviens pas. I can't get over it. B
rigoler to laugh B
rigoler comme des fous to laugh like crazy B
une **roue** wheel B
une grande roue Ferris wheel B
le **russe** Russian A

une **salle de conférences** lecture hall A
les **sciences po (f.)** political science A
sécher to skip (a class) A
le **ski de fond** cross-country skiing B

un **ticket** ticket B
un **trombone** paper clip A

un(e) **voyant(e)** fortuneteller, clairvoyant B

Teaching Note

peigner, penser, se perfectionner, piqueniquer, porter, (se) préparer, présenter, préserver, profiter, quitter, raconter, se raser, recommander, recycler, regarder, régler, regretter, remercier, rentrer, repasser, réserver, ressembler, rester, se réveiller, rêver, rouler, sembler, signer, skier, sympathiser, téléphoner, terminer, tomber, toucher, tourner, travailler, traverser, trouver, utiliser, vérifier and visiter.

Unité 2

Les rapports humains

In this unit you will be able to:
- ask for information
- express astonishment and disbelief
- express suspicion
- express emotions
- express concern
- express ridicule
- apologize
- express satisfaction
- write a letter
- tell a story
- describe how things were
- explain something
- describe physical traits
- describe temperament
- tell how you were

www.emcp.com

cinquante-sept

Tes empreintes ici

As-tu jamais perdu quelque chose de spécial? Bien sûr, tu étais triste ou au moins tu n'étais pas content(e).

Est-ce que quelqu'un a jamais été méchant ou pas du tout gentil dans un magasin, à la banque, où tu travailles ou pendant un voyage? Qu'as-tu fait?

As-tu jamais voyagé où on ne parle pas anglais? Il est toujours plus facile de voyager avec un(e) ami(e) qui peut t'aider à résoudre un problème. Si tu avais la chance de voyager avec un(e) ami(e) favori(te), qui est-ce que tu choisirais? Pourquoi?

J'ai la chance de voyager avec mes amis favoris.

Dossier ouvert

Imagine que tu voyages en Europe avec tes copains français Bénédicte et Sébastien. En Italie Sébastien perd son passeport, mais il ne s'en inquiète pas. Pour rentrer en France, il n'a même pas de problèmes quand il passe au contrôle des passeports. Comment est-ce que c'est possible?

A. Sébastien a un autre passeport dans sa valise.
B. Il est sympa et semble innocent. On lui permet de passer.
C. Il n'a pas besoin de passeport pour aller d'Italie en France.

Teaching Note

Communicative functions that are recycled in this lesson are "expressing concern," "giving orders," "describing past events," "sequencing events" and "expressing reassurance."

FYI

1. **Un reçu** is another word for a receipt.
2. **Un poste de police**, another word for a police station, is smaller than **un commissariat**. In the countryside and in small towns, a police station is called **une gendarmerie**. 3. Other related terms include **un ambassadeur/une ambassadrice** (*ambassador*), **un sourire** (*smile*), **la dépression** (*depression*), **la colère** (*anger*), **l'épuisement** (*exhaustion*) and **la crainte, la peur** (*fear*).

un récépissé

une ambassade

un commissariat

Monique est souriante.

Elle est fâchée.

Elle est déprimée.

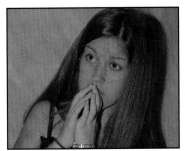
Elle est effrayée.

Elle est épuisée.

cinquante-neuf
Leçon A
59

Teaching Note

Avoir peur (de), a synonym for **effrayé(e)**, and **fatigué(e)**, a synonym for **épuisé(e)**, were introduced in **Unité 10** in the first level of C'est à toi!

Workbook Activity 2

 Grammar & Vocabulary Exercises 1-3

Audio CD
Conversation culturelle

FYI

1. "Pickpocketing" is called **le vol à la tire**. 2. **Qu'est-ce qui est arrivé** is another way to ask **Qu'est-ce qui s'est passé**?

Comparisons

Journal personnel
Before beginning the **Conversation culturelle**, you might ask students how they would help a friend if he or she were robbed here in the United States. How would they comfort their friend and help him or her regain the lost property? Ask students to explain how this situation would be complicated if the friend were robbed while traveling in France, what steps they would take to report the crime and how they might try to get the stolen property back.

Conversation culturelle

Suzanne entre dans sa chambre d'hôtel à Paris. Sa copine Ellen est en train de changer ses vêtements pour sortir parce que c'est son dernier jour à Paris. Demain on rentre aux États-Unis après dix jours passés en France. Suzanne n'est pas souriante. Elle a l'air° épuisé et déprimé.

Ellen: Mais, dis donc, Suzanne, qu'est-ce que tu as?
Suzanne: Quelle histoire! On m'a volée° dans le métro.
Ellen: Zut! Qu'est-ce qui s'est passé?°
Suzanne: Je vais tout te raconter. Angie, Jim et moi, nous rentrions en métro. Il y avait beaucoup de monde. Tout à coup° un mec m'a demandé l'heure. Son copain était à côté de lui. Je lui ai dit qu'il était 16h00. Je ne sais pas s'il m'a comprise ou pas mais il continuait à répéter la question. Pendant que° le premier mec me demandait l'heure, son copain fouillait° dans mon sac à dos. Il a tout pris.
Ellen: C'est pas vrai! Mais c'est incroyable!°
Suzanne: Attends. Alors, en° sortant du métro, nous avons décidé d'acheter une crêpe. Mais quand j'ai essayé de trouver mon portefeuille dans mon sac à dos, j'ai vu qu'il n'y avait rien, zéro. On a tout pris—mon argent français et américain, mon passeport, mes cartes de crédit, mes chèques de voyage. Alors, en étant effrayée et fâchée, je suis rentrée tout de suite à l'hôtel. J'ai tout raconté à la réceptionniste qui a téléphoné à l'ambassade. On lui a dit qu'il était inutile° de venir à 17h00 samedi après-midi, mais qu'il fallait aller au commissariat faire une déclaration de vol.° Heureusement, Mme Taylor était dans sa chambre, et nous sommes allées ensemble au commissariat.

avoir l'air *to look;* **voler** *prendre quelque chose d'une autre personne;* **se passer** *to happen;* **tout à coup** *suddenly;* **pendant que** *while;* **fouiller** *chercher;* **incroyable** *pas possible à croire;* **en** *while;* **inutile** *useless;* **un vol** *l'action de voler quelque chose*

60   soixante
Unité 2

Teaching Notes

1. In the expression **avoir l'air**, the adjective that follows is masculine to agree with **l'air**.
2. **Volée** agrees with the person who is the direct object, *i.e.,* Suzanne.

3. From now on, past participles, such as **passés**, may be used as adjectives. They will not be listed separately in the end vocabulary.

4. **Les crêperies** were introduced on page 71 in the first level of *C'est à toi!* A recipe for **crêpes** is found on page 343 in the second-level Annotated Teacher's Edition of *C'est à toi!*

60

J'étais contente d'avoir la prof avec moi. Nous y sommes entrées, et Mme Taylor est allée au comptoir pour tout expliquer à l'agent de police. Après quelques minutes un autre agent de police est arrivé. Il nous a invitées à venir nous asseoir dans son petit bureau. Il posait° beaucoup de questions—mon nom, mon adresse, mon anniversaire. L'agent de police m'a aussi demandé comment étaient les deux mecs, leur taille, leur âge et s'ils parlaient avec un accent. Cet agent de police était exigeant,° tu vois. Alors, j'ai répondu qu'ils étaient un peu moches, de taille plutôt° petite que grande, qu'ils avaient les cheveux noirs et les yeux marron, qu'ils n'avaient pas de barbe et qu'ils ne portaient pas de lunettes. Oh, et ils étaient bien habillés.° Le mec qui m'a parlé avait au moins 15 ans. Son français était facile à comprendre. Enfin, l'agent nous a dit qu'on chercherait mes documents et qu'il fallait montrer le récépissé à l'immigration aux États-Unis. L'agent de police était accueillant° et rassurant,° et je me sentais° un peu mieux. Mme Taylor et moi, nous avons remercié l'agent et avons quitté le commissariat. Et me voilà! Quelle imbécile!° Je ne faisais pas attention° dans le métro.

Au commissariat, Mme Taylor a expliqué le vol à l'agent de police.

Ellen: Pauvre Suzanne! Je t'offre quelque chose à boire. Tu veux?

Suzanne: Oui, s'il te plaît. Tu sais, je vais devoir tout expliquer deux ou trois fois à l'aéroport. C'est si fatigant.°

Ellen: Ne t'inquiète pas! Tu vas avoir Mme Taylor pour t'aider.

Le deuxième agent de police était exigeant.

poser demander; exigeant(e) *demanding*; plutôt *rather*; habillé(e) *dressed*; accueillant(e) aimable; rassurant(e) *reassuring*; se sentir *to feel*; un(e) imbécile *idiot*; faire attention *to pay attention*; fatigant(e) *tiring*

soixante et un
Leçon A
61

FYI

1. Another word for a police officer is **un gardien de la paix**. 2. **Les papiers** is another term for **les documents**.

Un peu de plus

L'ambassade américaine

So that students can simulate responding to the imaginary situation of having their passport stolen while traveling in France, prepare a message on your answering machine, pretending to be the American Embassy in Paris. Before you do this, tell students their passport has been stolen and they are to call the embassy at the number you give them. Have students identify themselves, explain their problem and ask for a return phone call at their hotel. You may want to grade student messages based on enunciation, politeness and appropriate completion of the three oral tasks.

Teaching Note

You may want to point out that the adjective **habillé(e)** comes from the past participle of the reflexive verb **s'habiller**, which was introduced on page 156 in the second level of *C'est à toi!*

Audio CD Activity 1

 Quelle est sa réaction?

Écrivez la lettre de la phrase qui montre la réaction de Nathalie à chaque situation.

   A. Elle est déprimée.
   B. Elle est souriante.
   C. Elle est épuisée.
   D. Elle est effrayée.
   E. Elle est fâchée.

2 **Complétez!**

Choisissez l'expression qui complète chaque phrase d'après le dialogue.

1. Quand Suzanne rentre à l'hôtel, elle a l'air....
   A. souriant   B. rassurant   C. déprimé
2. Dans le métro un mec lui a demandé....
   A. son nom   B. l'heure   C. son adresse
3. Suzanne avait... dans son sac à dos.
   A. ses vêtements   B. son récépissé   C. son portefeuille
4. Il était inutile d'aller....
   A. au commissariat   B. à l'hôtel   C. à l'ambassade
5. L'agent a invité Mme Taylor et Suzanne à venir s'asseoir....
   A. dehors   B. dans son bureau   C. à côté du comptoir
6. L'agent a posé beaucoup de questions; il était....
   A. épuisé   B. accueillant   C. exigeant
7. Les mecs avaient....
   A. des lunettes   B. les yeux marron   C. un accent
8. Il fallait montrer... à l'immigration.
   A. des documents   B. le récépissé   C. la déclaration de vol
9. Suzanne... dans le métro.
   A. faisait de la musculation   B. faisait la queue   C. ne faisait pas attention

Dans le métro, un mec a volé le portefeuille de Suzanne.

3 ▶ En ce cas...

Choisissez la phrase à droite qui suit logiquement chaque phrase à gauche.

1. On répond aux questions et on écoute le prof.
2. On est de Marseille. On ne parle pas comme quelqu'un qui est de Paris.
3. On dit "Bienvenue!"
4. On dit quelque chose deux fois.
5. On a peur des lions.
6. On a un passeport, un récépissé et un permis de conduire.
7. On fait ses devoirs depuis cinq heures.
8. On fait une déclaration de vol.

   A. On répète.
   B. On est épuisé.
   C. On a ses documents.
   D. On a un accent.
   E. On est au commissariat.
   F. On est effrayé.
   G. On est accueillant.
   H. On fait attention.

Jean-Paul est épuisé parce qu'il vient de s'entraîner.

4 ▶ C'est à toi!

Questions personnelles.

1. Ton professeur de français, il a l'air comment aujourd'hui?
2. Est-ce que tu fais bien attention aux gens dans la rue? Peux-tu les décrire?
3. Est-ce qu'on t'a jamais volé(e)? Si oui, où? Quoi?
4. Est-ce que tu as jamais perdu quelque chose qu'il fallait avoir? Si oui, qu'est-ce que tu as fait?
5. Si tu as jamais voyagé, quels sont les documents que tu avais sur toi?
6. Si tu avais un problème pendant un voyage, à qui est-ce que tu demanderais de l'aide? Pourquoi?
7. Est-ce que tu as jamais voyagé en France? Si oui, où?
8. Si tu as déjà voyagé dans un autre pays, comment étaient les gens? Ils étaient accueillants?

Les ados français sont accueillants.

 Audio CD Activity 4

Answers

3 1. H
  2. D
  3. G
  4. A
  5. F
  6. C
  7. B
  8. E

4 Answers will vary.

Paired Practice

Crossword Puzzles

After they have completed Activities 2 and 3, have students work in pairs. Instruct each pair to create an original crossword puzzle in French and a separate answer key. You may want to specify a minimum number of horizontal and vertical expressions or give extra credit to the pair whose puzzle contains the most expressions. Ask students to focus on new vocabulary that describes the events in the **Conversation culturelle** and to write their clues in sentence form, for example, **Suzanne va au... faire une déclaration de vol**. Check each pair's puzzle for accuracy and have students correct any errors. Then have pairs exchange puzzles and solve them.

Teaching Note

For information on applying for a U.S. passport, access the U.S. Department of State Web site on the Internet. Using your favorite search engine, key "U.S. Department of State–Home Page."

FYI

1. Located next to the Crillon Hotel and the French Navy headquarters, the American Embassy stands on the site where a wealthy agriculturalist built a luxurious home in the 18th century. In 1816 the building became provisions headquarters for the Duke of Wellington. When the building became the property of the U.S. government in 1928, the original house was torn down and replaced with a structure similar to the current building. The cornerstone ceremony took place on May 2, 1932. No French officials attended the ceremony, as French President Loumer had just died. Constructed of stone and brick, the embassy contains about 190 rooms. The interior is inspired by American Colonial architecture. 2. The American Consulate in Paris is located at 2, rue St.-Florentin. 3. The American Express office in Paris is located at 11, rue Scribe. 4. **Les chèques de voyage** are often called **les traveller's** in conversational French. 5. Exchange rates are most favorable for credit card withdrawals, followed by traveler's checks and then cash. A Web address for international exchange rates can be found by keying "exchange rates," using your favorite seach engine.

~Aperçus culturels~

Votre passeport

Quand vous voyagez, votre passeport est très important parce qu'il aide à vous identifier quand vous passez à la douane, quand vous arrivez à l'hôtel et quand vous touchez vos chèques de voyage. Ne le perdez pas! Mettez votre passeport et vos autres papiers importants (chèques de voyage, argent, cartes de crédit) où ils ne sont pas visibles. Vous devez contacter l'ambassade ou le consulat américain tout de suite si vous perdez ou si on vous vole un passeport américain. L'ambassade américaine à Paris est à 2, avenue Gabriel, près de la place de la Concorde. Vous devez aussi faire une déclaration de vol à la police.

La banque va rembourser M. Olson parce qu'on a volé ses chèques de voyage.

Vos chèques de voyage

C'est une bonne idée aussi d'avoir des chèques de voyage. Si vous les perdez ou si on vous les vole, vous pouvez chercher un remboursement au bureau de la compagnie ou à la banque.

HÔTEL REGINA
★★★★

2, PLACE DES PYRAMIDES - 75001 PARIS
TÉL. : 01 42 60 31 10 - FAX : 01 40 15 95 16

Votre hôtel

Il est toujours important de savoir le nom et l'adresse de votre hôtel. Beaucoup d'hôtels offrent une petite carte avec le nom, l'adresse et le numéro de téléphone de l'hôtel. Vous pouvez montrer cette carte à un chauffeur de taxi pour rentrer à votre hôtel.

Le métro

Il y a 14 lignes de métro qui traversent la ville de Paris et offrent aux voyageurs un système de transport très rapide et bon marché. Avec 380 stations de métro à l'intérieur de Paris, on n'est jamais loin d'une "bouche de métro." Vous prenez le train qui va en direction de la station à la fin de la ligne. Vous pouvez changer de train et

Bir Hakeim, une bouche de métro qui est près de la tour Eiffel, est l'une des 380 stations de métro à l'intérieur de Paris.

soixante-quatre
Unité 2

Teaching Notes

1. Cognates in this reading include **important, identifier, papiers, visibles, contacter, consulat, remboursement, compagnie, lignes, système, transport, intérieur, direction, certainement, valide, accès, commun, certaines, zones** and **simple.**

2. The **métro** was presented on pages 428-29 in the first level of *C'est à toi!* and on page 59 in the second level.

3. You may want to reuse Transparency 64 (**Le plan de métro**) from the Level One transparencies.

changer de ligne pour sortir à la station près de votre destination. À beaucoup de stations de métro, il y a deux ou trois lignes qui se rejoignent. En ce cas, cherchez le panneau "Correspondance" qui indique les autres lignes qui sortent de la station.

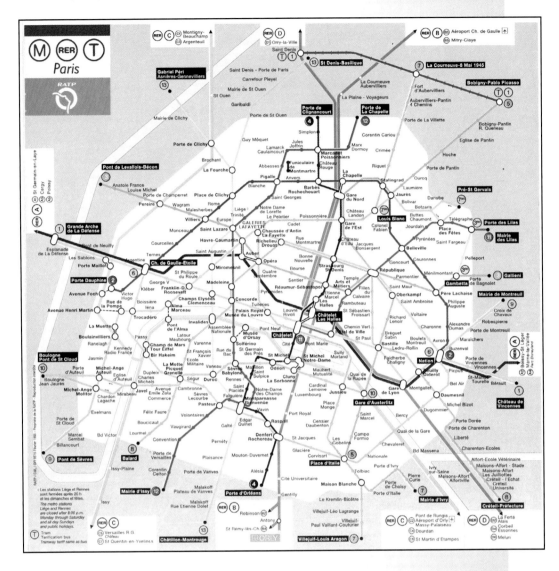

Analyzing Subway Maps

Divide your class into small groups. Give each group a Paris **métro** map and a map of a subway in another city, such as New York, Boston, Washington, D.C., London, Madrid or Moscow. Have students begin by comparing the Paris map with the map from the other city. Are the subway lines on the maps organized by color, name or number? How many lines serve each city? What's the average number of stations on a line? After making these preliminary comparisons, have each group research in the library the average distance between subway stops, the price of a ticket and the hours the subway is open in Paris and the other city. Then have students make a chart comparing the features of both subway systems. Finally, tell students to assess which of the two cities has the better subway system.

Teaching Notes

1. To find a map of the Paris **métro** online, key "RATP Paris," using your favorite search engine.

2. To provide practice using a **métro** map, you may want to have students research five museums in Paris they would like to visit and explain what lines they would take to get there. A list of Paris museums is available on the Internet when you key "Pages de Paris," using your favorite search engine.

5 Possible answers:

1. Votre passeport est très important quand vous passez à la douane, quand vous arrivez à l'hôtel et quand vous touchez vos chèques de voyage.
2. On doit mettre le passeport où il n'est pas visible.
3. Si on perd le passeport, on doit contacter l'ambassade ou le consulat américain.
4. Si on lui vole ses chèques de voyage, on peut chercher un remboursement au bureau de la compagnie ou à la banque.
5. Les clients peuvent demander une carte avec le nom, l'adresse et le numéro de téléphone de l'hôtel.
6. Il y en a 380.
7. Pour changer de ligne dans le métro, il faut suivre le panneau "Correspondance."
8. La carte "Paris Visite" reste valide pour un, deux, trois ou cinq jours.
9. Les Parisiens qui voyagent souvent en métro achètent généralement la "Carte Orange."
10. Il y en a dix.

Si vous allez passer quelques jours à Paris, vous voudrez certainement acheter un ticket spécial pour le métro. La carte "Paris Visite" est valide pour un, deux, trois ou cinq jours. Elle vous donne accès à tous les transports en commun: métro, R.E.R., train, bus. Vous pouvez acheter la "Carte Orange" pour une semaine ou pour un mois de voyages en métro. Ces tickets sont aussi valides pour l'autobus et le R.E.R. dans certaines zones. Bien sûr, vous pouvez toujours acheter un ticket simple ou un carnet (dix tickets).

Les cartes "Paris Visite" et "Carte Orange" sont aussi valides pour le bus.

 5 **En voyage**

Répondez aux questions suivantes.

1. Pourquoi est-ce que votre passeport est très important quand vous voyagez?
2. Où doit-on mettre le passeport?
3. Qu'est-ce qu'on doit faire si on perd le passeport?
4. Qu'est-ce qu'on peut faire si on lui vole ses chèques de voyage?
5. Qu'est-ce que les clients peuvent demander à la réception de leur hôtel pour savoir tous les détails importants?
6. Combien de stations de métro y a-t-il à Paris?
7. Quel panneau faut-il suivre pour changer de ligne dans le métro?
8. Pour combien de jours est-ce que la carte "Paris Visite" reste valide?
9. Les Parisiens qui voyagent souvent en métro, quelle carte est-ce qu'ils achètent généralement?
10. Combien de tickets y a-t-il dans un carnet?

Teaching Note

Tourists in Paris should determine approximately how many times a day they are going to use the **métro** before deciding on the "Paris Visite" card or the "Carte Orange." Sometimes buying a **carnet** or two is less expensive.

6 ▸ Déclaration de vol

Comme vous savez déjà, Suzanne a dû aller au commissariat faire une déclaration de vol après qu'on l'a volée dans le métro. Regardez la déclaration que l'agent de police a remplie. Puis répondez aux questions.

MINISTÈRE DE L'INTÉRIEUR ET DE LA SÉCURITÉ PUBLIQUE

DIRECTION GÉNÉRALE DE LA POLICE NATIONALE
RÉPUBLIQUE FRANÇAISE
Liberté Égalité Fraternité

Commissariat de Voie Publique

9, Rue Fabert
75007 PARIS
Tél.: 01 44 18 69 07
Fax: 01 44 18 33 87

CODE INSEE DU SERVICE	Dept	Commune	N° du Service
	75		

1 RÉCÉPISSÉ DE DÉCLARATION DE

- [X] VOL À LA TIRE
- [ ] VOL À L'ÉTALAGE OU DANS UN TIROIR-CAISSE
- [ ] VOL DANS UN APPAREIL AUTOMATIQUE
- [ ] AUTRE VOL SIMPLE
- [ ] FILOUTERIE

2 L'an deux mil __sept__
le _Vingt-quatre mars_ à _Dix-sept_ heures _quinze_
Nous _CRAVEAU Éric, Gardien de la Paix_
__ Officier _X_ Agent de police Judiciaire, en fonction à _Paris 7e_
dressons procès-verbal de la plainte ci-dessous

3 PLAINTE (L'ÉTAT-CIVIL DU PLAIGNANT DOIT ÊTRE RÉLEVÉ SUR UNE PIÈCE D'IDENTITÉ OFFICIELLE)

SERVICE DE RÉCEPTION DE LA PLAINTE _7e Arrdt_ DATE ET HEURE _17 heures 15_
PRÉNOM, NOM, GRADE DU RÉDACTEUR _CRAVEAU Éric, Gardien de la Paix_
(EVENTUELLEMENT NOM DE JEUNE FILLE SUIVI DU NOM D'ÉPOUSE ET PRÉNOMS)
Je soussigné(e) _WEILER Suzanne_
né(e) le _14/11/90_ à _HOUSTON (Texas)_
nationalité _Américaine_ profession _Étudiante_
demeurant _P.O. Box 1235 BROOKSHIRE, TEXAS 77423 USA_

DÉPOSE PLAINTE CONTRE INCONNU POUR LES FAITS RELATES (REMPLIR LA RUBRIQUE VICTIME SI LE PLAIGNANT AGIT POUR LE COMPTE D'AUTRUI)

VICTIME	NOM ET PRÉNOMS (AU MASCULIN ET AU PLURIEL) WEILER Suzanne
DATE ET LIEU DE NAISSANCE	14/11/90 HOUSTON TEXAS NATIONALITÉ Américaine
ADRESSE	P.O. Box 1235 BROOKSHIRE TEXAS 77423 USA
CODE POSTAL ET COMMUNE	TÉLÉPHONE
DATE EXACTE OU PRÉSUMÉE	JOUR, MOIS, AN, HEURE DU MOMENT 24/03/07 vers 16 heures
NATURE DU JOUR	L M W J V [X] D In [ ] VEILLE DE FÊTE LÉGALE OU CONGÉS SCOLAIRES [ ] PÉRIODE DE FÊTE LÉGALE OU CONGÉS SCOLAIRES [ ] JOUR DE FÊTE OU DE MANIFESTATION LOCALE
LIEU INFRACTION	75 PARIS 7e Métro La Tour Maubourg NATURE DU LIEU Métro (EX. AUTOBUS, BUREAU DE POSTE, MARCHÉ...)
OBJETS VOLÉS	DIFFÉRENCIER LES OBJETS PAR VICTIME, NATURE, MARQUE, NUMÉROS, CARACTÉRISTIQUES, ÉTAT-CIVIL COMPLET DE TOUTES LES VICTIMES Un passeport de nationalité américaine au nom de WEILER Suzanne N° 131082315, une somme de 18 dollars américains, 180 dollars en chèques de voyage, et 30 euros, une MasterCard Gold et un permis de conduire de Texas avec photographie.
MODE OPÉRATOIRE PRÉCISIONS COMPLÉMENTAIRES	Deux individus de type méditerranéen d'environ une quinzaine d'années. L'un demande l'heure pendant que l'autre fouille dans le sac à dos.

---

1. Quelle est l'adresse du commissariat où Suzanne est allée?
2. Quelle est la date du vol?
3. À quelle heure est-ce qu'on l'a volée, et à quelle heure a-t-elle fait sa déclaration au commissariat?
4. Comment s'appelle l'agent de police qui a rempli la déclaration?
5. Quel est le nom de famille de Suzanne?
6. Où et quand est-elle née?
7. Quelle est son adresse aux États-Unis?
8. À quelle station de métro est-ce qu'on l'a volée?
9. Quels sont les six choses spécifiques qu'on a volées à Suzanne?
10. Selon la description physique que Suzanne a donnée, comment l'agent a-t-il décrit les deux hommes?

soixante-sept
Leçon A
67

Answers

6
1. Suzanne est allée au commissariat à 9, rue Fabert à Paris.
2. La date du vol est le 25 mars, 2007.
3. On l'a volée à 16h00, et elle a fait sa déclaration au commissariat à 17h15.
4. Éric Craveau a rempli la déclaration.
5. Le nom de famille de Suzanne est Weiler.
6. Elle est née le 14 novembre, 1990, à Houston.
7. Son adresse aux États-Unis est P. O. Box 1235, Brookshire, Texas 77423.
8. On l'a volée à La Tour Maubourg.
9. On lui a volé son passeport, 18 dollars américains, 180 dollars en chèques de voyage, 30 euros, une MasterCard Gold et son permis de conduire.
10. L'agent a écrit que les deux hommes étaient de type méditerranéen.

TPR

Filling Out Forms
Before students begin Activity 6, prepare a blank **déclaration de vol** on an overhead transparency to give students practice filling out the form. First, project the form on the screen and fill in the data yourself to illustrate the procedure. As you fill out each line of the form, describe what you are doing, for example, **Je mets la date** and **J'écris mon nom**. Students should note that the year, day and month are spelled out and that the last name precedes the first and is written in capital letters. Next, erase your answers. Then call on a different student to complete each line of the form on the overhead transparency, for example, **Paul, mets la date** and **Cécile, écris ton nom**!

67

Comparisons

Meanings in the Imperfect
You may want to ask your students how to say "I wrote," "I was writing," "I used to write" and "I did write." Tell them that you are looking for one French sentence that would work for all the English sentences. Students should say that the French expression is **J'écrivais.** This activity helps students remember the four ways that the imperfect can be expressed in English.

Journal personnel

Much of our modern society is based on numbers and papers—we carry driver's licenses, passports, credit cards, traveler's checks, social security numbers and personal identification numbers. But what happens if you lose one of them? The French also carry a **carte d'identité,** a sort of national identity card that contains the same information found on a passport. Have you read any stories or seen any movies in which this card plays a crucial part? Do you think U.S. citizens should be required to carry such a card? What are the advantages and disadvantages of having one? Write your responses to these questions in your cultural journal.

Imperfect tense

The **imparfait** (*imperfect*) is another tense used to talk about the past. You use the imperfect to describe how people or things were and to describe repeated or habitual actions in the past.

Ce mec **parlait** avec un accent.	*This guy spoke with an accent.*

To form the imperfect, add the endings **-ais, -ais, -ait, -ions, -iez** and **-aient** to the stem of the present tense **nous** form. The verb **être** has an irregular stem: **ét-.**

Ils ne **portaient** pas de lunettes, et ils **étaient** bien habillés.	*They didn't wear glasses, and they were well dressed.*

The imperfect is used to describe:

* people or things as they were or used to be

Cet agent de police **était** exigeant.	*This police officer was demanding.*
Je **me sentais** un peu mieux.	*I felt a little better.*

* conditions as they were or used to be

Il **fallait** montrer le récépissé à l'immigration.	*It was necessary to show the receipt at immigration.*
Il n'y **avait** rien.	*There was nothing there.*

* actions that took place repeatedly or regularly in the past

Son copain **fouillait** dans mon sac à dos.	*His friend was going through my backpack.*
Il **continuait** à répéter la question.	*He continued to repeat the question.*

Tous les matins Xavier achetait deux baguettes à la boulangerie. (Bayonne)

soixante-huit
Unité 2

Teaching Notes

1. The **Langue active** section in **Unité 2** contains both new and recycled grammatical concepts.
2. The imperfect tense, introduced on page 333 in the second level of **C'est à toi!,** is recycled here.

3. The differences between the imperfect and the **passé composé** will be reviewed in **Unité 3.**
4. **Être,** the only verb with an irregular stem in the imperfect, has regular endings.

5. Verbs that end in **-cer** have a cedilla under the final **c** when it precedes an **a,** for example, **elle recommençait.**
6. Verbs that end in **-ger** have an **e** after the **g** before the endings in all forms except **nous** and **vous,** for example, **on voyageait.**

Pratique

7 > Dans le métro

Était-on une victime facile? Dites ce que tout le monde faisait dans le métro quand des hommes suspects y sont arrivés. Pour chaque phrase utilisez le verbe convenable de la liste suivante.

fouiller	rigoler	regarder	boire	lire
	se maquiller	dormir	manger	ouvrir

Modèle:

Malick et Pierre regardaient
un plan de métro.

soixante-neuf
Leçon A

69

Teaching Notes

7. Other verbs with spelling changes in the present tense form the imperfect regularly, for example, **je préférais, j'achetais** and **j'envoyais**.
8. Verbs ending in **-ier**, such as **étudier**, have a double **i** for the imperfect ending of the **nous** and

vous forms, for example, **vous étudiiez**.
9. **Falloir, neiger** and **pleuvoir** have only one form in the imperfect: **il fallait, il neigeait** and **il pleuvait**.
10. Age, time and feelings, when described in the past, are usually

expressed in the imperfect.
11. Mental activity in the past, expressed by verbs like **adorer, aimer, avoir, connaître, croire, espérer, être, penser, pouvoir, savoir** and **vouloir**, also takes the imperfect.

 Audio CD Activity 7

Answers

7 Hélène mangeait un sandwich.
Tu dormais.
Paul fouillait dans son sac à dos.
Mme Claret ouvrait son sac à main.
M. Yuen lisait un journal.
Anne et Denise se maquillaient.
Cédric et moi, nous rigolions.
Nicolas buvait du jus d'orange.

Cooperative Group Practice

Identifying Dialogue Characters
So that students can identify main characters in the **Conversation culturelle** by describing them in the **imparfait**, put them in small groups of five or six. Prepare one card for each member of the group, listing the name of a character in the dialogue. Give a set of cards to each group and tell each student to pick one. Each student prepares two sentences describing his or her character or stating what the character was doing, for example, **Cette personne demandait le nom, l'adresse et l'anniversaire de Suzanne. Cette personne était accueillante.** Then the first student says his or her sentences, and the other group members try to guess the identity of the character, for example, **C'est le deuxième agent de police.** Group members take turns until everyone has had a chance to say their sentences and all the characters have been identified. (Characters to include on the cards are **Suzanne, Ellen, le premier mec, le deuxième mec, Mme Taylor** and **le deuxième agent de police**).

8 1. Pourquoi est-ce que Sophie et Martine cherchaient un restaurant?
Elles avaient faim.

2. Pourquoi est-ce que Julianne et toi, vous buviez du café?
Nous avions soif.

3. Pourquoi est-ce que tu prenais l'addition?
Je finissais de manger.

4. Pourquoi est-ce que les filles entraient dans la pâtisserie?
Elles désiraient des tartes aux cerises.

5. Pourquoi est-ce que Laurent achetait des timbres?
Il envoyait des cartes postales.

6. Pourquoi est-ce que la vieille dame regardait la circulation?
Elle traversait la rue.

7. Pourquoi est-ce que les trois mecs faisaient la queue devant le guichet?
Ils allaient voir une comédie au cinéma.

8. Pourquoi est-ce que Mme Javel téléphonait à son mari?
Elle était en retard.

9 Possible answer:
D'abord, il y avait un ado de 16 ans. Il était petit, et il portait un anorak rouge, un jean et des bottes. Il avait les cheveux courts et noirs. Le deuxième ado était très grand et très mince. Il avait les cheveux longs et roux et une barbe. Il portait un pantalon vert, un tee-shirt blanc et des baskets. Il y avait aussi un garçon de 15 ans. Il était de taille moyenne. Il avait les cheveux courts et noirs, et il portait une chemise bleue, un pantalon noir et des chaussures noires. Enfin, il y avait un homme moche de taille moyenne. Il n'avait pas de cheveux. Il avait 60 ans et portait un blouson gris, une chemise bleue, un jean et des tennis.

70

---

8 En partenaires

 Avec un(e) partenaire, jouez les rôles d'un agent de police et d'un témoin (witness) d'un crime. L'agent de police pose des questions au témoin, et le témoin choisit une réponse logique de la liste suivante. Suivez le modèle.

vouloir acheter une agrafeuse	avoir faim
envoyer des cartes postales	traverser la rue
aller voir une comédie au cinéma	être en retard
désirer des tartes aux cerises	avoir soif
finir de manger	

Modèle:

Raoul/attendre devant la librairie
L'agent de police: **Pourquoi est-ce que Raoul attendait devant la librairie?**
Le témoin: **Il voulait acheter une agrafeuse.**

1. Sophie et Martine/chercher un restaurant
2. Julianne et toi/boire du café
3. tu/prendre l'addition
4. les filles/entrer dans la pâtisserie
5. Laurent/acheter des timbres
6. la vieille dame/regarder la circulation
7. les trois mecs/faire la queue devant le guichet
8. Mme Javel/téléphoner à son mari

9 Séance d'identification

Il y avait quatre personnes qui vous ont volé(e) hier soir. D'après vos souvenirs (recollections), décrivez chaque personne à la police.

Modèle:

D'abord, il y avait un ado de 16 ans.
Il était petit, et il portait un anorak....

Present participle

The present participle is a verb form that ends in **-ant**. This ending corresponds to the suffix *-ing* in English. To form the present participle, add **-ant** to the stem of the present tense **nous** form of the verb.

Verb	Present Participle
entrer	entrant
aller	allant
offrir	offrant
sortir	sortant
répondre	répondant
dire	disant

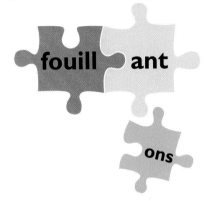

Three infinitives have irregular present participles: **avoir → ayant, être → étant, savoir → sachant**.

The preposition **en** usually precedes the present participle. **En** means "while," "upon," "in" or "on" if the two actions in the sentence take place at the same time.

En sortant du métro, nous avons décidé d'acheter une crêpe.

Upon getting off the subway, we decided to buy a crêpe.

En rentrant à l'hôtel, Suzanne avait l'air épuisé.

On returning to the hotel, Suzanne looked exhausted.

Les femmes se parlent en mangeant des moules.

WB Workbook Activity 6

GV Grammar & Vocabulary Exercises 9-12

TPR

Matching Pictures

To give students practice identifying present participles, display six numbered pictures in front of the class that lend themselves to the use of the present participle. Have students make six cards, numbered one to six. Out of order, say a sentence to describe each picture, for example, **M. Blondel parle au marchand de fruits en achetant des bananes.** Students raise the card with the correct number to identify which picture is being described.

Teaching Notes

1. Verbs ending in **-cer** take a **ç** before the **-ant** ending, for example, **en commençant**.

2. Verbs ending in **-ger** take an **e** after the **g** before the **-ant** ending, for example, **en mangeant**.

3. Note that **ayant** is pronounced [ɛjɑ̃].

4. Reflexive pronouns, when used with a present participle, refer to the verb's subject, for example, **Quel dentifrice utilises-tu en te brossant les dents?**

Answers

10 1. posant
2. sachant
3. travaillant
4. étant
5. donnant
6. ayant
7. profitant
8. flânant, courant

En means "by" if a cause-and-effect relationship is expressed.

En essayant des jeux d'adresse, j'ai gagné 20 euros.

By trying some games of skill, I won 20 euros.

En faisant de l'exercice, Claire est devenue plus forte et plus mince.

Pratique

10 **Choisissez!**

Votre grand-père fait toujours des remarques très sages (wise). Complétez chaque phrase en utilisant le verbe convenable de la liste suivante.

profiter	courir	flâner	avoir	savoir
être	donner	travailler	poser	

1. En... des questions, on comprend.
2. En... lire, on connaît beaucoup de choses.
3. En... dur, on réussit.
4. En... égoïste, on n'a pas beaucoup d'amis.
5. En... un coup de main à quelqu'un qui n'a rien, on reçoit beaucoup.
6. En... envie d'être riche, on devient pauvre.
7. En... de la vie au maximum, on n'est jamais déprimé.
8. En..., on voit tout; en..., on ne voit rien.

En parlant, on n'apprend rien; en écoutant, on apprend beaucoup.

soixante-douze
Unité 2

72

Julianne a perdu beaucoup de choses hier. Dites ce qu'elle a perdu pendant qu'elle faisait ce qui est illustré. Suivez le modèle.

Modèle:

**En quittant la maison,
Julianne a perdu ses gants.**

1.

2.

3.

4.

5.

6.

7.

soixante-treize
Leçon A

Answers

11 Possible answers:
1. En parlant à une copine, Julianne a perdu de l'argent.
2. En fouillant dans son sac à dos, Julianne a perdu son feutre.
3. En montant dans l'autobus, Julianne a perdu sa trousse.
4. En se lavant les mains, Julianne a perdu sa bague.
5. En jouant au tennis, Julianne a perdu son verre de contact.
6. En faisant du vélo, Julianne a perdu sa casquette.
7. En rentrant à la maison, Julianne a perdu son chat.

Paired Practice

Cause and Effect
Put students in pairs. For each pair prepare a set of eight note cards with two sentences on each suggesting cause and effect, for example, **Fabrice recyclait les bouteilles. Il aidait l'environnement.** Students take turns orally combining the two sentences using a present participle, for example, **En recyclant les bouteilles, Fabrice aidait l'environnement.**

Answers

12 1. Est-ce que tu finis tes devoirs en regardant la télé?
2. Est-ce que tu te regardes dans la glace en te brossant les cheveux?
3. Est-ce que tu dis à tes parents où tu vas en sortant?
4. Est-ce que tu fais attention en conduisant?
5. Est-ce que tu fais de l'aérobic en écoutant de la musique?
6. Est-ce que tu téléphones à des amis en faisant du baby-sitting?
7. Est-ce que tu prends des photos en fêtant l'anniversaire d'un(e) ami(e)?
8. Est-ce que tu t'amuses en visitant un parc d'attractions?

Students' responses to these questions will vary.

12 ▸ En partenaires

Avec un(e) partenaire, posez des questions sur ce que vous faites pendant que vous faites d'autres choses. Puis répondez aux questions. Suivez le modèle.

Modèle:

manger/parler au téléphone

A: **Est-ce que tu manges en parlant au téléphone?**

B: **Non, je ne mange pas en parlant au téléphone. Et toi, est-ce que tu manges en parlant au téléphone?**

A: **Oui, je mange en parlant au téléphone.**

1. finir tes devoirs/regarder la télé
2. se regarder dans la glace/se brosser les cheveux
3. dire à tes parents où tu vas/sortir
4. faire attention/conduire
5. faire de l'aérobic/écouter de la musique
6. téléphoner à des amis/faire du baby-sitting
7. prendre des photos/fêter l'anniversaire d'un(e) ami(e)
8. s'amuser/visiter un parc d'attractions

Est-ce que tu fais attention en conduisant?

Est-ce que ces Parisiens font attention à leurs affaires *(belongings)* en prenant le métro?

soixante-quatorze
Unité 2

Communication

13 À vous de jouer!

 Avec un(e) partenaire, jouez les rôles de deux personnes au commissariat. L'Élève A joue le rôle d'un témoin d'un vol. L'Élève B joue le rôle d'un agent de police. Pendant votre conversation, l'agent de police demande au témoin de décrire le suspect. L'agent de police veut savoir des détails sur:

1. sa taille
2. son âge
3. la couleur de ses cheveux
4. la couleur de ses yeux
5. sa voix
6. s'il parlait avec un accent
7. s'il avait une barbe
8. s'il portait des lunettes
9. comment il était habillé
10. quel air il avait
11. si quelqu'un était avec lui

À la fin de votre conversation, l'agent de police remercie le témoin de son aide.

14 Au voleur!

Imaginez que vous êtes un écrivain célèbre et que vous êtes prêt(e) à commencer votre prochain roman policier. Le sujet de cette intrigue policière est le vol d'un objet d'art. Vous vous préparez à écrire en pensant aux circonstances du vol. Faites une liste des détails du crime en utilisant les questions suivantes comme guide.

1. Quel objet d'art est-ce qu'on a volé?
2. Comment s'appelle la personne qui l'a pris?
3. Cette personne, était-elle petite ou grande? Jeune ou âgée? Grosse ou mince?
4. Avait-elle les cheveux blonds, bruns, noirs ou roux?
5. Que portait-elle?
6. Comment a-t-elle volé l'objet d'art?
7. Avait-elle quelque chose à la main?
8. D'où ou de qui est-ce qu'elle l'a pris?
9. Quand l'a-t-elle pris?
10. Est-ce que quelqu'un l'a vue?

15 Mon roman policier

*Maintenant utilisez votre liste des détails du crime dans l'Activité 14 pour écrire le premier paragraphe de votre roman policier. Pour vous aider à faire les transitions entre les phrases, utilisez les expressions comme **d'abord**, **puis**, **ensuite**, **alors**, **de plus**, **enfin**, etc.*

soixante-quinze
Leçon A
75

Paired Practice

Police Artist

After they have completed Activity 14, you may want to put students in pairs to play the roles of a police artist and a witness to a crime. (Witnesses saw the criminal they described in Activity 14.) The police artist asks detailed questions about the robber's description (size, shape, age, hair and eye color, clothing), and the witness describes the criminal with as much detail as possible. After the artist has completed the criminal's portrait, students switch roles.

Workbook Activity 7

Advanced Placement

Un peu de plus

Personal Narrative

Rather than do Activity 16, students could write a personal narrative that comes directly from their own experience. Have students chart or map a visit they made to a person or a place that interested them. As part of the pre-writing process, have students state what they wanted to discover, and list the events that occurred during their visit.

Peer Reviewing

Model the peer reviewer's role in Teaching Note #2 by making comments for the class about one of the student's stories and provide a peer reviewer's evaluation form to guide peer reviewers with their comments. Then, students make revisions based on the peer reviewer's comments and their own ideas for improvement. At this point ask students to check that they have incorporated all the elements of the Narrative Plan on this page. Next, students edit their fictional narratives, correcting them for errors in grammar, usage, mechanics and spelling. Finally, they prepare their final draft and hand it in to you for a grade. You may want to assess students on how well they completed the writing process rather than on the finished product.

Cooperative Group Practice

La littérature française

Put your students in five small groups. Pass out to each group a different French short story or novella with which you are familiar. Ask each group to determine the main character, setting and complication for their story. Then have the groups report to the class on their findings. You may want to write the three elements for each group's story on a chart on the board to help students compare the different authors' narrative plans. (You might consider using titles from EMC's *Easy Reader* series.) This activity will help students write a more effective story opener for Activity 16.

76

Narrating

When Suzanne relates her misadventure in **le métro**, she is narrating. Narrating is simply telling a story. It can take the form of fiction, like a short story or novel, or nonfiction, like a biography or memoir. Both types of narrative writing have similar features. We learn whom the story is about and where it takes place, a complication or problem is introduced and events are described that lead to its eventual resolution.

Here are some tips on writing a fictional narrative, using Suzanne's story as a model.

Narrative Plan

Introduce a main charagter	Suzanne, American student
Describe the setting	**l'hôtel**, **le métro** and **le commissariat** in Paris
Introduce a complication	Suzanne's money, passport, credit cards and traveler's checks are stolen. How will she be able to reenter the U.S. without a passport?
List events in chronological order that advance the plot	Event 1 - encounter with two boys in **le métro** Event 2 - discovery of theft while trying to buy **une crêpe** Event 3 - help sought from receptionist and **l'ambassade** Event 4 - help sought from Mme Taylor and **les agents de police**
Suggest the resolution	**le récépissé** will allow Suzanne to reenter the U.S.

Note that in Suzanne's story, dialogue brings her character to life and advances the plot. Dialogue is written from a first-person point of view that allows you to hear the thoughts of the character. Good dialogue reflects the character's age, personality and educational background.

After placing quotation marks around a line of dialogue, write a tag line, or the words that identify the speaker, such as "a dit l'agent de police." If you use a pronoun subject like **il** or **elle**, invert this pronoun subject and the verb and separate them with **-t-**, for example, " 'Pauvre Suzanne,' a-t-elle dit."

 16 **Une narration**

C'est à vous d'écrire une narration! Racontez l'action d'un film ou d'une émission que vous avez vue ou d'un livre que vous avez lu. (Si vous préférez, vous pouvez créer une histoire.) Suivez le plan narratif à cette page.

76

soixante-seize
Unité 2

Teaching Notes

1. The **Stratégie communicative** is designed to develop skills that will help students prepare to take the Advanced Placement Exam in French Language. This Unit's **Stratégie communicative** focuses on written narration, which builds on the lesson functions of "describ-ing past events" and "sequencing events." Oral narration (telling a story based on a picture sequence) will be covered in **Unité 5**.
2. Have students use the writing process when they write a fic-tional narrative of their own in Activity 16. Students begin by writing an outline of their story. After completing their first draft, students work with a peer reviewer who makes non-threatening, constructive comments like "As a reader, I would like to know what the character looks like."

ÇON **B**

Vocabulaire

Workbook Activity 8

udio CD Office Workers, Reflexive Verbs

FYI

Other related terms include **un(e) gérant(e)** (*manager*), **un(e) assistant(e)** (*assistant*) and **un P.D.G.** (*CEO*).

un chef

une employée

un employé

Elle se tait.

Suzanne s'approche du car.

Elle se fâche.

Elle se repose.

soixante-dix-sept
Leçon B

77

Teaching Notes

1. **Chef**, meaning "cook," was introduced on page 360 in the second level of C'est à toi!
2. The adjective **fâché(e)** was introduced in **Leçon A** of this unit.

3. The present tense forms of the irregular verb **se taire** are: **je me tais, tu te tais, il/elle/on se tait, nous nous taisons, vous vous taisez** and **ils/elles se taisent**.

4. Communicative functions that are recycled in this lesson are "describing past events," "sequencing events," "describing physical traits," "giving examples" and "expressing need and necessity."

FYI

Un car, a tourist bus, is the abbreviated form of **un autocar**. It is usually more comfortable and more spacious than a city bus. A school bus is called **un car scolaire**.

Conversation culturelle

Une fois rentrée aux États-Unis, Suzanne écrit une lettre à ses grands-parents au Canada pour leur raconter le drame à l'aéroport.

le 30 mars

Mes chers grands-parents,

Je ne vous ai raconté au téléphone que° le début° de mes problèmes en rentrant aux États-Unis. Voilà la fin de l'histoire. Le jour après le vol dans le métro, mes copains et moi, nous sommes descendus à la réception, et le car° est arrivé à l'heure. En allant à l'aéroport, nous nous sommes bien amusés à nous rappeler° tous les endroits° que nous avons aimés. Aucun° de nous ne voulait rentrer aux États-Unis.

À l'aéroport tout le monde a fait la queue au comptoir d'Air France. D'abord il fallait montrer nos passeports et nos billets. Quand l'employé s'est approché de moi, j'ai commencé à m'inquiéter. Mme Taylor restait à côté de moi. Quand j'ai dit à l'employé que je n'avais plus mon passeport, il nous a emmenées, Mme Taylor et moi, au bureau de son chef. Elle avait l'air occupé. Je ne sais pas pourquoi, mais je me méfiais° d'elle. Mme Taylor lui a raconté l'histoire, puis le chef a

ne (n')... que seulement; **le début** pas la fin; **un car** un bus pour les touristes; **se rappeler** *to remember*; **un endroit** *place*; **aucun(e)... ne (n')** *not one*; **se méfier de** *to distrust*

Suzanne? À l'aéroport il lui a fallu montrer son passeport à l'employé, mais elle ne l'avait plus.

78

soixante-dix-huit
Unité 2

Teaching Notes

1. The plural of **grand-parent** is **grands-parents**.

2. **Rappeler**, meaning "to remind," will be introduced in **Unité 9**.

3. **Emmenées** agrees with the direct object **nous**, which refers to Suzanne and Mme Taylor.

téléphoné à l'ambassade. On m'a posé beaucoup de questions, par exemple, le nom de jeune fille° de ma mère. Personne ne° pouvait m'aider à répondre à des questions comme ça... même pas Mme Taylor. Heureusement, on était satisfait de mes réponses. Ensuite le chef a regardé le récépissé. Puisque° je ne suis pas allée à l'immigration aux États-Unis. Mme Taylor s'est fâchée et a expliqué que je n'avais ni argent français ni° argent américain. Moi, je me suis tue. Ce problème de l'immigration, je n'y ai rien compris.

Finalement, une employée nous a aidées à faire enregistrer nos bagages. Puis c'était le moment de passer à la police française. Mme Taylor a dû expliquer l'histoire une deuxième fois. Bien sûr, rien n'était surprenant° pour l'agent de police. Après, nous avons trouvé les autres. On s'est reposé un peu, puis on est allé à la porte d'embarquement. Et voilà un autre contrôle de sécurité! Pauvre Mme Taylor! Ni° elle ni moi n'étions calmes. J'ai dit que je regrettais tous ces problèmes. Enfin nous sommes montées dans l'avion et il a décollé.

Quand nous sommes arrivées à l'immigration aux États-Unis, nous avons raconté l'histoire et avons montré le récépissé une quatrième fois. L'agent a expliqué que je pouvais payer l'amende par courrier. Je n'avais aucune° idée que mon passeport était si important.

Alors, la fin de l'histoire? Tout est bien qui finit bien. Ellen et moi, nous nous sommes si bien entendues° que nous allons être camarades de chambre à l'université l'année prochaine. Et la police de Paris m'a envoyé mon passeport, mes cartes de crédit et mes chèques de voyage. Quelle chance! Je ne m'attendais° pas à une fin si heureuse. À bientôt!

Grosses bises,
Suzanne

Finalement, Suzanne a fait enregistrer ses bagages.

le nom de jeune fille le nom d'une femme avant son mariage; **personne ne (n')** *no one;* **puisque** *since;* **ne (n')... ni... ni...** *neither . . . nor;* **surprenant(e)** quelque chose qui est une surprise; **ni... ni... ne (n')...** *neither . . . nor;* **ne (n')... aucun(e)** *no;* **s'entendre** *to get along;* **s'attendre à** *to expect*

soixante-dix-neuf
Leçon B 79

Faites le match
For additional practice reviewing the content of the letter, divide the class into two teams. Prepare ten questions about the letter on construction paper and ten answers on a set of note cards. For example, one match might be: **À qui est-ce que Suzanne écrit? Elle écrit à ses grands-parents.** Tape the questions in random order on the board. Call the first player from each team to the front of the room. Take an answer card and read it to the two players. The player who first removes the matching question from the board wins a point for his or her team. Then the first two players take their seats, and the next two players take their turn. The game continues until there is only one match left to be made. The team with the most points wins.

4. **Aidées** agrees with the direct object **nous**, which refers to Suzanne and Mme Taylor.

5. You may want to point out that the adjective **surprenant(e)** is related to the noun **surprise**, introduced on page 121 in the second level of *C'est à toi!*

6. **Tout est bien qui finit bien** is the French version of the proverb "All's well that ends well."

Answers

1
1. oui
2. non
3. oui
4. non
5. non
6. oui

2
1. faux
2. faux
3. vrai
4. faux
5. vrai
6. faux
7. vrai
8. faux
9. vrai

1 L'histoire de Suzanne

 Écrivez "oui" si l'événement s'est passé à l'aéroport. Si non, écrivez "non."

2 Le voyage de Suzanne

Répondez par "vrai" ou "faux" d'après la lettre de Suzanne.

1. Les élèves ont pris un taxi pour aller de l'hôtel à l'aéroport.
2. Tous les élèves voulaient rentrer aux États-Unis.
3. À l'ambassade on était satisfait des réponses de Suzanne.
4. Suzanne doit payer une amende parce qu'elle est allée à l'ambassade.
5. Suzanne n'avait ni argent américain ni argent français pour payer l'amende.
6. Mme Taylor s'est tue parce qu'elle n'y a rien compris.
7. Mme Taylor a expliqué l'histoire quatre fois.
8. Suzanne ne pouvait pas payer l'amende par courrier.
9. La police de Paris a tout envoyé à Suzanne sauf ses dollars et ses euros.

Les élèves ont pris un car pour aller de l'hôtel à l'aéroport.

En arrivant au bureau du chef, Mme Taylor a expliqué l'histoire.

3 > Au contraire!

Choisissez l'expression à droite qui est le contraire de l'expression à gauche.

1. le début
2. tout le monde
3. un(e) employé(e)
4. être calme
5. parler beaucoup
6. répondre
7. rien ne (n')
8. une question
9. quitter
10. pas content(e) avec

A. demander
B. s'approcher (de)
C. se fâcher
D. personne ne (n')
E. une réponse
F. se taire
G. la fin
H. satisfait(e) de
I. un chef
J. quelque chose

Les élèves se taisent en étudiant à la bibliothèque.

4 > C'est à toi!

Questions personnelles.

1. Est-ce que tu as jamais eu un problème à l'aéroport? Si oui, quel problème? À qui as-tu demandé de l'aide? Comment te sentais-tu?
2. Est-ce que tu as jamais payé une amende? Si oui, pourquoi?
3. Quel endroit aux États-Unis aimes-tu le mieux?
4. Est-ce que tu écris souvent des lettres? Si oui, à qui écris-tu?
5. Est-ce que tu t'entends bien avec ton frère ou ta sœur? Pourquoi ou pourquoi pas?
6. Est-ce que tu te fâches souvent? Si oui, quand?
7. Est-ce que tu te méfies de quelqu'un? Si oui, de qui? Pourquoi?
8. Qu'est-ce qui est très important dans ta vie?

Adja s'entend bien avec sa sœur.

Quel es ton endroit préféré?

Audio CD Activity 4

Answers

3 1. G
2. D
3. I
4. C
5. F
6. A
7. J
8. E
9. B
10. H

4 Answers will vary.

Workbook Activity 10

 Transparency 11

FYI

1. The 12 original members of the European Union (formerly called the European Economic Community) and the dates they joined are France (1952), Germany (1952), Italy (1952), Belgium (1952), the Netherlands (1952), Luxembourg (1952), Denmark (1973), Ireland (1973), the United Kingdom (1973), Greece (1981), Spain (1986) and Portugal (1986). In 1995 Austria, Finland and Sweden also became members. The ten new countries that joined in 2004 are Estonia, Poland, the Czech Republic, Hungary, Cyprus, Slovenia, Latvia, Malta, Slovakia and Lithuania. 2. The main institutions of the European Union are the European Parliament, the European Commission, the European Court of Justice, the Council of Ministers and the Court of Auditors.

82

~Aperçus culturels~

Le passeport

Quand vous partez en voyage international, ne mettez pas votre passeport dans votre valise! Vous allez en avoir besoin pendant le voyage. Il vous faut montrer le passeport au comptoir quand vous présentez votre billet. À la douane aussi vous devez le montrer au douanier ou à la douanière.

La Police de l'Air et des Frontières vérifient que les voyageurs n'ont pas d'armes. (Paris)

Au contrôle de sécurité

Chaque aéroport a un contrôle de sécurité qui vérifie que l'on n'a ni armes ni autre contrebande. Les contrôleurs regardent dans les valises, les sacs à dos et les sacs à main à l'aide des rayons X. Les rayons X ne sont pas dangereux pour les films ou les disquettes. Les passagers passent par une porte spéciale qui détermine si on a des objets en métal, par exemple, un revolver ou un couteau.

L'Union européenne

Dans les aéroports européens il y a deux portes d'entrée: une porte pour les habitants des pays de l'Union européenne et une autre porte pour les voyageurs qui ne viennent pas d'un pays membre. Presque tous les pays de l'Europe participent à l'Union européenne. Les habitants des pays membres n'ont pas besoin de passeport pour aller d'un pays à l'autre. Entre les pays membres il y a aussi moins de taxes sur les importations et les exportations. L'Union européenne a commencé un système d'argent commun avec "l'euro."

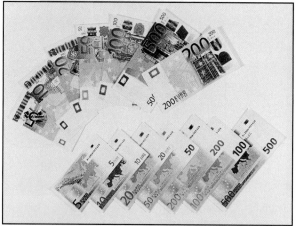

82

quatre-vingt-deux
Unité 2

Teaching Note

Cognates in this reading include **international, présentez, armes, contrebande, rayons X, dangereux, films, détermine, objets, métal, revolver, habitants, Union, participent, taxes, importations, exportations, système, commun, ordre, public, assuré, municipale,** **fonctions, différentes, s'occupe, criminalité, sécurité, locale, véhicules, identités, administratives, généralement, Compagnie, Républicaine, chargée, présents, démonstrations, inspecteur, intrigues, crimes, existent, non** and **langues.**

La police

L'ordre public est assuré par la police nationale et la police municipale, qui ont des fonctions différentes. La police nationale s'occupe de la criminalité, de la circulation sur les grandes routes, de la sécurité dans les villes et de l'entrée en France. La police municipale contrôle la circulation locale des véhicules, vérifie les identités et remplit d'autres fonctions administratives et locales. Généralement il y a un commissariat de police municipale dans les villes. Enfin, la C.R.S. (Compagnie Républicaine de Sécurité) est chargée de la sécurité du pays et de l'ordre public. Ses agents sont souvent présents à des démonstrations publiques.

La police municipale arrête une voiture en infraction.

L'inspecteur Maigret

Le policier le plus célèbre du monde n'est pas un vrai policier du tout! C'est l'inspecteur Maigret dans les romans policiers de l'écrivain belge Georges Simenon (1903-89). Simenon a écrit plus de 200 intrigues policières où Maigret essaie de résoudre des crimes à Paris. Les livres de Simenon existent non seulement en français mais en plus de 30 autres langues.

Simenon écrit dans sa maison
à Lausanne, en Suisse.

5 ▶ En voyage et la police

Répondez aux questions suivantes.

1. Où faut-il montrer son passeport quand on part en voyage international?
2. Qu'est-ce qu'on vérifie au contrôle de sécurité?
3. Comment est-ce que les contrôleurs de sécurité regardent dans les valises, les sacs à dos et les sacs à main?
4. Qui participe à l'Union européenne?
5. Qui n'a pas besoin de passeport?
6. Comment s'appelle la monnaie qu'on emploie dans les pays membres de l'Union européenne?
7. Est-ce qu'on trouve la police municipale ou nationale à l'aéroport?
8. Comment s'appelle la station de police?
9. M. Maigret, est-ce un écrivain belge?
10. En combien de langues peut-on lire les romans policiers de Simenon?

M. Schneider, membre de la police nationale, travaille pour un commissariat franco-allemand à Strasbourg.

TELEFILM 20.50
LES VACANCES DE MAIGRET

Mansuy (Ronny Coutteure) et Maigret (Bruno Cremer)

quatre-vingt-trois
Leçon B
 83

83

Workbook Activities 11-12

Grammar & Vocabulary Exercises 16-21

Comparisons

Reflexive Pronouns
Write a sentence with a reflexive verb and a sentence with a related non-reflexive verb on the board, for example, **Mireille se regarde** and **Mireille regarde la télé**. Ask students to explain what the direct object is in each sentence. They should say that in the first sentence the reflexive pronoun **se** is the direct object and refers to Mireille, but in the second sentence **la télé** is the direct object. This activity will help students remember the function of reflexive pronouns and when to use them.

Journal personnel

Traveler's checks, credit cards, security checks, X rays, passport control, customs, immigration, embassies and police of every kind! Travelers need a variety of ways to protect themselves. Why? Are travelers more prey to crime than others? Would you stand the same chance of being robbed in your hometown as in a very large American city? As in a very large French-speaking city? What protective measures can travelers take to avoid robbery and other crimes? Should you take the same steps when you are at home? Write your responses to these questions in your cultural journal.

Langue active

Reflexive verbs

Reflexive verbs describe actions that the subject performs on or for itself. Reflexive pronouns (**me**, **te**, **se**, **nous**, **vous**) are used with reflexive verbs and represent the same person or thing as the subject.

Est-ce que tu te méfies des agents de police?

Vous **vous reposez** avant votre vol?	*Are you resting before your flight?*
Oui, nous **nous asseyons** près de la porte d'embarquement.	*Yes, we're sitting down near the departure gate.*
Tu **t'inquiètes**?	*Are you worried?*
Non, je **me sens** beaucoup mieux maintenant.	*No, I'm feeling much better now.*

In an affirmative, negative or interrogative sentence, the reflexive pronoun comes directly before the verb. In an affirmative command, the reflexive pronoun follows the verb. But in a negative command, it precedes the verb.

Te méfies-tu de cette fille?	*Do you distrust this girl?*
Oui, un peu. Nous ne **nous entendons** pas très bien.	*Yes, a little. We aren't getting along very well.*
Geneviève, **tais-toi**!	*Geneviève, be quiet!*

The **passé composé** of reflexive verbs is formed with **être**. The past participle usually agrees in gender and in number with the subject.

En allant à l'aéroport, les copains **se sont** bien **amusés**.	*While going to the airport, the friends really had a good time.*
Nous **nous sommes tues** parce que nous n'avons pas compris.	*We were quiet because we didn't understand.*

However, if a direct object follows the verb, there is no agreement between the past participle and the subject.

Suzanne s'est **rappelé** tous les endroits qu'elle a aimés.	*Suzanne remembered all the places that she liked.*

In an affirmative, negative or interrogative sentence in the **passé composé**, the reflexive pronoun comes directly before the form of **être**.

Pourquoi **t'**es-tu fâchée, Marie?	*Why did you get angry, Marie?*
Parce que je ne **me** suis pas réveillée à l'heure.	*Because I didn't wake up on time.*

Des ados se sont reposés à la terrasse d'un café.

Teaching Notes

1. Reflexive verbs, introduced in **Unité 4** in the second level of *C'est à toi!*, are recycled here.
2. Here are the other reflexive verbs that students have learned up to this lesson: **s'appeler, s'arrêter, se brosser, se coucher, se déguiser, se dépêcher, se déshabiller, s'entraîner, s'habiller, se laver, se lever, se maquiller, se peigner, se perfectionner, se préparer, se raser, se regarder, se rejoindre** and **se réveiller**.

3. In the sentence **Suzanne s'est rappelé tous les endroits qu'elle a aimés**, the reflexive pronoun is an indirect object, so the past participle does not agree.

Pratique

6 ▶ **Que fait-on pour se préparer?**

Dites ce que vous et vos amis faites pour vous préparer pour aller en boîte ce soir.

Modèle:

Jean-Marc/se peigner
Jean-Marc se peigne.

1. je/se dépêcher
2. David et Abdou/se raser
3. Denise et moi, nous/se regarder dans la glace
4. Daniel et toi, vous/se brosser les dents et les cheveux
5. Sylvie et Christiane/se rappeler la dernière fois
6. tu/se reposer un peu
7. Sabine/s'attendre à un soir extra

Pour se préparer, Denise se regarde dans la glace.

7 ▶ **Une enquête**

Faites une enquête où vous posez des questions à trois élèves sur leurs émotions. Copiez la grille suivante. Posez les questions indiquées à chaque élève. Puis écrivez sa réponse dans l'espace blanc convenable.

	Fabienne	Charles	Ahmed
quand/s'inquiéter	*quand elle pense au bac*		
quand/se fâcher			
de qui/se méfier			
avec qui/s'entendre bien			
qu'est-ce que/se rappeler			
où/s'amuser bien			

Modèle:

Sara: **Quand est-ce que tu t'inquiètes?**
Fabienne: **Je m'inquiète quand je pense au bac.**

quatre-vingt-cinq
Leçon B

Teaching Notes

4. When reflexive verbs are used to express the action of doing something to a part of one's own body, the definite article is used instead of the possessive adjective, for example, **Annick se lave les cheveux**.

5. Some verbs may be either reflexive or non-reflexive; that is, the subject may perform an action on itself or on someone or something else, for example, **Jean amuse les enfants** but **Jean s'amuse au parc d'attractions**.

6. The reflexive verbs **s'asseoir**, **se rejoindre** and **se taire** have irregular past participles: **assis**, **rejoint** and **tu**.

8 1. Delphine ne s'est pas réveillée.
2. Chloé et Michèle ne se sont pas lavé la figure.
3. M. Roget et Philippe ne se sont pas rasés.
4. Chloé et Michèle ne se sont pas bien habillées.
5. Mme Roget s'est peignée.
6. Philippe ne s'est pas bien reposé.
7. M. Roget ne s'est pas brossé les cheveux.
8. M. et Mme Roget se sont bien habillés.

Cooperative Group Practice

Reflexive and Non-reflexive Commands

To practice forming commands with both reflexive and non-reflexive verbs, put students in small groups. Prepare a set of note cards with infinitives of both reflexive and non-reflexive verbs and subject pronouns for each group, for example, **se lever/tu**, **ouvrir le manuel de français/vous** and **se brosser les dents/nous**. The first student in each group takes a card from the stack and gives a command to a specific student or students of his or her choice, for example, **Pierre, lève-toi!** or **Anne et Guillaume, ouvrez vos manuels de français!** For commands using **nous**, the student indicates everyone in the group, for example, **Tout le monde, brossons-nous les dents!** The student or students called upon act out the command. Then the second student takes a card and gives a command to the student(s) of his or her choice, and so on.

---

8 ▸ **Sont-ils prêts à partir?**

Les Roget sont à l'aéroport, prêts à partir en vacances. Dites si les membres de la famille ont fait les choses suivantes avant d'arriver à l'aéroport.

Modèle:

Mme Roget/se maquiller
Mme Roget s'est maquillée.

1. Delphine/se réveiller
2. Chloé et Michèle/se laver la figure
3. M. Roget et Philippe/se raser
4. Chloé et Michèle/s'habiller bien
5. Mme Roget/se peigner
6. Philippe/bien se reposer
7. M. Roget/se brosser les cheveux
8. M. et Mme Roget/s'habiller bien

Teaching Notes

1. You may want to point out that, as with other verbs in the **passé composé**, most short, common adverbs used with reflexive verbs come before the past participle, for example, **Je me suis bien amusé(e)**.

2. Reflexive verbs may also express a reciprocal action, that is, something that people perform for or to each other, for example, **Hélène et Jacques se regardent en cours**. In this case use a plural verb form and the reflexive pronoun **nous**, **vous** or **se**.

9 ▸ Des conseils

On annonce le vol des Roget à la porte d'embarquement. Dites aux membres de la famille de faire ou de ne pas faire ce qui est indiqué avant de monter dans l'avion.

Modèle:

Delphine/se réveiller
Delphine, réveille-toi!

Ne vous inquiétez pas!

1. Michèle/se laver la figure
2. M. Roget/se brosser les cheveux
3. Chloé et Michèle/s'approcher du restaurant
4. Philippe/s'asseoir
5. M. et Mme Roget/se lever
6. Chloé/s'inquiéter
7. M. Roget/se dépêcher
8. les Roget/se préparer pour le vol

Negation

To make a verb negative, put **ne (n')** before the verb and **pas**, **plus**, **jamais**, **rien** or **personne** after it.

Suzanne **n'**est **pas** souriante.   *Suzanne isn't smiling.*
Elle **n'**a **plus** son passeport.   *She no longer has her passport.*

In the **passé composé**, **ne (n')** precedes the helping verb and **pas**, **plus**, **jamais** or **rien** follows it. **Personne**, however, follows the past participle.

Suzanne **n'**a parlé à **personne** dans   *Suzanne spoke to no one in the boss's office*
le bureau du chef parce qu'elle **n'**a   *because she understood nothing.*
rien compris.

The expressions **ne (n')... personne** and **ne (n')... rien** may also be used as subjects. In this case, **personne** or **rien** begins the sentence and **ne (n')** is in its usual position.

Qu'est-ce qui s'est passé au commissariat?   *What happened at the police station?*
Rien ne s'est passé. **Personne ne** pouvait   *Nothing happened. No one could help me.*
m'aider.

Personne ne comprenait la lecture
dans la classe de littérature.

quatre-vingt-sept
Leçon B
87

WB Workbook Activity 13

GV Grammar & Vocabulary
Exercises 22-25

Answers

9 1. Michèle, lave-toi la figure!
   2. M. Roget, brossez-vous les cheveux!
   3. Chloé et Michèle, ne vous approchez pas du restaurant!
   4. Philippe, ne t'assieds pas!
   5. M. et Mme Roget, levez-vous!
   6. Chloé, ne t'inquiète pas!
   7. M. Roget, dépêchez-vous!
   8. Les Roget, préparez-vous pour le vol!

Comparisons

Negative Expressions
Write the affirmative expressions **souvent**, **toujours**, **quelqu'un** and **quelque chose** on the board or on an overhead transparency. Ask students to name the negative expressions that are the opposite of the affirmative expressions. Students should name **ne (n')... jamais**, **ne (n')... plus**, **ne (n')... personne** and **ne (n')... rien**. This activity will help students remember when to use these negative expressions.

Teaching Note

In a sentence with both a conjugated verb form and an infinitive, **personne** follows the infinitive, for example, **L'ambassade ne peut aider personne le week-end. Personne** may also be used after a preposition, for example, **Tu ne crois à personne**.

Pratique

10 ▸ Je n'ai jamais fait ça!

Dites que vous n'avez jamais fait les choses suivantes quand vous étiez petit(e).

Modèle:

visiter un parc d'attractions
Je n'ai jamais visité un parc d'attractions.

1. sécher un cours
2. rater un examen
3. s'inquiéter
4. faire de la planche à neige
5. goûter la cuisine martiniquaise
6. se rappeler l'anniversaire de ma grand-mère
7. perdre mon chemin
8. déménager
9. voyager en avion
10. aller en Europe

Je n'ai jamais fait de planche à neige.

11 ▸ À la gare

Comparez les deux illustrations. Puis répondez aux questions en suivant le modèle.

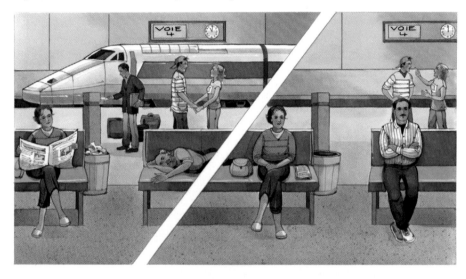

Modèle:

Il y avait un train sur la voie numéro quatre?
À onze heures il y avait un train sur la voie numéro quatre, mais à minuit il n'y avait plus de train.

1. Qui compostait son billet?
2. Il y avait quelque chose dans la poubelle?
3. Une femme lisait le journal?
4. Qui dormait?
5. Il y avait deux personnes qui s'entendaient bien?
6. Qu'est-ce qu'il y avait sur le quai?

12 ▶ En partenaires

 Avec un(e) partenaire, jouez les rôles de deux personnes au commissariat. L'Élève A joue le rôle d'un inspecteur de police, et l'Élève B joue le rôle d'un suspect d'un vol. L'inspecteur de police pose des questions au suspect, et, naturellement, le suspect répond négativement.

Modèle:

qui/entrer dans la maison des Curielli
L'inspecteur: **Qui est entré dans la maison des Curielli?**
Le suspect: **Personne n'y est entré.**

1. qu'est-ce qui/se passer hier soir
2. qu'est-ce qui/vous inquiéter hier soir
3. qui/être avec vous hier soir
4. qui/ouvrir la porte de la maison des Curielli
5. qui/allumer la lampe dans le salon
6. qu'est-ce qui/vous intéresser dans leur maison
7. qu'est-ce qui/faire un bruit dans le jardin
8. qui/pouvoir dire où vous étiez hier soir

Other negative expressions

The expression **ne (n')... que** (*only*) is often used instead of the adverb **seulement**. This expression restricts or limits choices. **Ne (n')** precedes the verb, or the helping verb in the **passé composé**, and **que** comes before the word or expression it describes.

Suzanne **ne** devait payer **que** 100 dollars.

Elle **ne** leur a raconté au téléphone **que** le début de ses problèmes.

Suzanne had to pay only 100 dollars.

On the phone she told them only the beginning of her problems.

The negative expression **ne (n')... ni... ni...** means "neither . . . nor." **Ne (n')** precedes the verb, or the helping verb in the **passé composé**, and each **ni** comes directly before the word or expression it describes.

Suzanne **ne** pouvait trouver **ni** son passeport **ni** ses chèques de voyage.

Elle **n'**avait **ni** argent français **ni** argent américain.

Suzanne could find neither her passport nor her traveler's checks.

She had neither French nor American money.

Ni la prof ni les élèves ne parlent.

quatre-vingt-neuf
Leçon B
89

 Workbook Activities 14-15

 Grammar & Vocabulary Exercises 26-29

Answers

12 Possible answers:
1. Qu'est-ce qui s'est passé hier soir? Rien ne s'est passé hier soir.
2. Qu'est-ce qui vous inquiétait hier soir? Rien ne m'inquiétait hier soir.
3. Qui était avec vous hier soir? Personne n'était avec moi hier soir.
4. Qui a ouvert la porte de la maison des Curielli? Personne ne l'a ouverte.
5. Qui a allumé la lampe dans le salon? Personne ne l'a allumée.
6. Qu'est-ce qui vous intéressait dans leur maison? Rien ne m'y intéressait.
7. Qu'est-ce qui a fait un bruit dans le jardin? Rien n'y a fait de bruit.
8. Qui peut dire où vous étiez hier soir? Personne ne peut le dire.

Teaching Notes

1. Since **ne (n')... que** is not a negative expression, the partitive and indefinite articles do not change after it, for example, **Jean Valjean n'a volé que du pain** and **Suzanne ne remplit qu'une déclaration de vol.**

2. With the negative expression **ne (n')... ni... ni...**, partitive and indefinite articles are dropped when each **ni** precedes a noun, for example, **Ce car n'a ni passagers ni chauffeur.** However, definite articles and possessive adjectives are kept, for example, **Mlle Cousseman n'aime ni le chef ni les employés.**

3. In the **passé composé** each **ni** precedes the past participle, for example, **Suzanne n'a ni vu ni arrêté le vol.**

La négation

To practice using negative expressions from this lesson in the context of Suzanne's story, write the questions that follow on an overhead transparency, indicating in parentheses which negative expression to use in formulating an answer. Students may answer the questions orally or in writing.

A. Suzanne est-elle heureuse? (ne... plus)

B. Suzanne a-t-elle un portefeuille? (ne... pas)

C. Suzanne a-t-elle son argent et ses chèques de voyage? (ne... ni... ni...)

D. Suzanne a-t-elle arrêté les deux mecs dans le métro? (ne... personne)

E. Qui a aidé Suzanne dans le métro? (personne... ne)

F. Suzanne est-elle allée à l'ambassade? (ne... jamais)

G. Qu'est-ce que l'ambassade a fait pour elle? (ne... rien)

H. Les élèves veulent-ils rentrer aux États-Unis? (aucun... ne)

I. Suzanne et Mme Taylor sont-elles calmes à l'aéroport? (ni... ni... ne...)

J. Suzanne va-t-elle payer cent dollars à l'immigration? (ne... que)

Ni... ni... ne (n') may begin a sentence. In this case, each **ni** precedes the word or expression it describes and **ne (n')** is in its usual position.

Ni Mme Taylor **ni** moi **n'**étions calmes.	*Neither Mme Taylor nor I was calm.*
Ni l'employé **ni** son chef **ne** pouvait nous aider.	*Neither the employee nor his boss could help us.*

The negative expression **ne (n')... aucun(e)** may be used as an adjective or a pronoun and means "no," "not any" or "not one." As an adjective, **aucun(e)** agrees in gender with the noun following it. **Ne (n')** precedes the verb, or the helping verb in the **passé composé**. **Aucun(e)** comes after the verb, or the past participle in the **passé composé**, and before the noun it describes.

Il **n'**y avait **aucun** employé au comptoir.	*There was no clerk at the counter.*
Je **n'**en ai vu **aucun**.	*I didn't see any.*

Il n'y avait aucune nappe violette au marché.

Aucun(e) may also begin a sentence. In this case, it precedes the word or expression it describes and **ne (n')** is in its usual position.

Aucun passager **ne** faisait la queue.	*No passenger was standing in line.*
Aucun de nous **ne** voulait rentrer.	*Not one of us wanted to return home.*

Au concert aucun spectateur ne connaissait le violoniste.

Teaching Notes

1. In the example **Ni Mme Taylor ni moi n'étions calmes**, **étions** agrees in number with the combined plural subject, **nous**. In the example **Ni l'employé ni son chef ne pouvait nous aider**, **pouvait** agrees in number with **l'employé** and **son chef**, since the subjects are both singular.

2. **Aucun(e)** has no plural form.

3. **Nul(le)** has the same meaning as **aucun(e)**.

Pratique

13 **Que Gisèle est difficile!**

Gisèle n'aime que certaines choses à manger et à boire. Dites qu'elle n'aime ni la première chose ni la deuxième chose. Puis faites une généralisation en disant ce qui ne lui plaît pas (she doesn't like). Suivez le modèle.

Modèle:

Gisèle n'aime ni les cerises ni les bananes. Aucun fruit ne lui plaît.

1.

2.

3.

4.

5.

6.

7.

8.

quatre-vingt-onze
Leçon B

91

91

Audio CD Activities 14-15

Answers

14 1. Non, il n'y avait que trois ados américains qui rentraient en métro.

2. Non, il n'y avait que deux mecs qui se sont approchés de Suzanne dans le métro.

3. Non, il n'était que seize heures.

4. Non, il n'a fouillé que dans son sac à dos.

5. Non, à l'aéroport l'employé d'Air France n'a emmené que Suzanne et Mme Taylor au bureau de son chef.

6. Non, elle n'a dû payer que cent dollars.

7. Non, elle n'a montré le récépissé qu'une fois à l'immigration aux États-Unis.

8. Non, elle ne va avoir qu'une camarade de chambre à l'université.

15 1. Est-ce que tu loues des films d'amour et des films d'aventures?

2. Est-ce que tu fais de la musculation et de l'aérobic?

3. Est-ce que tu joues au golf et au tennis?

4. Est-ce que tu fais du camping et de l'escalade?

5. Est-ce que tu joues du piano et de la guitare?

6. Est-ce que tu écoutes le rock et le jazz?

Students' responses to these questions will vary.

Cooperative Group Practice

Matching Cards
Prepare a note card for each student in your class. On half of the note cards write questions that can be answered with a negative expression. On the other half, write an answer for each question, for example, **Est-ce que les élèves se sont tus?** **Non, aucun élève ne s'est tu**. Follow the directions on page 20 for how to complete this activity.

14 **Les exagérations**

Quand votre ami Luc raconte l'histoire de Suzanne et son expérience avec les deux mecs dans le métro, il exagère toujours. Corrigez ses phrases selon les réponses indiquées.

Modèle:

Suzanne et Ellen ont passé deux semaines en France. (dix jours)
Non, elles n'ont passé que dix jours en France.

1. Il y avait quatre ados américains qui rentraient en métro. (trois ados américains)
2. Il y avait trois mecs qui se sont approchés de Suzanne dans le métro. (deux mecs)
3. Il était dix-sept heures. (seize heures)
4. Un mec a fouillé dans le sac à dos et le sac à main de Suzanne. (dans son sac à dos)
5. À l'aéroport l'employé d'Air France a emmené Suzanne, Mme Taylor et les autres élèves au bureau de son chef. (Suzanne et Mme Taylor)
6. Suzanne a dû payer deux cents dollars. (cent dollars)
7. Suzanne a montré le récépissé six fois à l'immigration aux États-Unis. (une fois)
8. Suzanne va avoir deux camarades de chambre à l'université. (une camarade de chambre)

15 **En partenaires**

 Avec un(e) partenaire, posez des questions sur vos sports et loisirs préférés. Puis répondez aux questions. Suivez le modèle.

Modèle:

regarder les films et les jeux télévisés
A: **Est-ce que tu regardes les films et les jeux télévisés?**
B: **Non, je ne regarde ni les films ni les jeux télévisés. Et toi, est-ce que tu regardes les films et les jeux télévisés?**
A: **Je ne regarde que les films.**

1. louer des films d'amour et des films d'aventures
2. faire de la musculation et de l'aérobic
3. jouer au golf et au tennis
4. faire du camping et de l'escalade
5. jouer du piano et de la guitare
6. écouter le rock et le jazz

On ne joue ni du piano ni de la guitare.

92 quatre-vingt-douze
Unité 2

16 ▶ Au contraire!

Écrivez le contraire de chaque phrase. Faites attention aux expressions en italique.

Modèle:

Jérôme a vu *quelqu'un* dans le métro.
Jérôme n'a vu personne dans le métro.

1. *Un mec un peu moche* regardait Jérôme.
2. Thomas *et* Rogatien ont suivi ce mec jusqu'au quai.
3. Jérôme a parlé à *ses deux copains*.
4. Il avait *une bonne* idée que ce mec allait le voler.
5. *Quelque chose* lui a dit de faire attention.
6. Ce mec a pris *20 euros* de son sac à dos.
7. Jérôme a cherché *un* agent de police dans le métro.
8. En sortant du métro, Jérôme savait qu'il avait son passeport *et* son portefeuille.
9. Il avait *toujours* son argent français.

Communication

17 ▶ Une enquête

 Avec un(e) partenaire, comparez vos derniers voyages. Copiez la grille suivante. Puis posez les questions indiquées à votre partenaire, et complétez la grille selon ses réponses. Enfin changez de rôles.

Destination	le Canada
Date du départ	
Moyen de transport	
Autres voyageurs	
Logement	
Activités	
Réactions	
Problèmes	
Satisfaction	

1. où/aller
2. quand/partir
3. comment/voyager
4. avec qui/voyager
5. où/rester
6. qu'est-ce que/faire
7. comment/se sentir
8. quels problèmes/avoir
9. de quoi/être satisfait(e)

Modèle:

A: **Où es-tu allé(e)?**
B: **Je suis allé(e) au Canada.**

De quoi est-ce que tu étais satisfaite?

J'étais satisfaite du camping et du parc d'attractions.

18 ▶ Un sommaire

*Utilisez les réponses de l'enquête dans l'Activité 17 pour écrire un paragraphe où vous décrivez les bonnes expériences et les mauvaises expériences de votre partenaire pendant son dernier voyage. Rappelez-vous les expressions comme **d'abord**, **ensuite**, etc., qui vous aident à faire les transitions entre les phrases.*

quatre-vingt-treize
Leçon B

93

 Audio CD Activity 16

 Listening Activity 2

 Leçon B **Quiz**

Answers

16 1. Personne ne regardait Jérôme.
2. Ni Thomas ni Rogatien n'a suivi ce mec jusqu'au quai.
3. Jérôme n'a parlé à personne.
4. Il n'avait aucune idée que ce mec allait le voler.
5. Rien ne lui a dit de faire attention.
6. Ce mec n'a rien pris de son sac à dos.
7. Jérôme n'a cherché aucun agent de police dans le métro.
8. En sortant du métro, Jérôme savait qu'il n'avait ni son passeport ni son portefeuille.
9. Il n'avait plus son argent français.

Paired Practice

Les sketches
For additional practice using negative expressions, put students in pairs. Give each student a role either as a principal or a student, a police officer or a tourist, a store security guard or a customer. The students, tourists and customers have all been robbed. They report the robbery to the principals, police officers or security guards, who ask a series of questions to try to solve the crime. Students should use at least two negative expressions in their skits. Then have each pair present its skit to the class. During the presentations, have students write one sentence using a negative expression for each skit they see. You may choose to have students vote on the most creative robbery skit and award a yellow construction paper "Oscar" to the winning pair.

Lecture

Visualization

When you read a poem or story in French, it is important to visualize the setting, characters and events. The writer counts on his or her descriptions to help you "see" what is taking place. The two poems that follow, written by the popular twentieth century French poet Jacques Prévert, are made up of a series of images that tell a story. As you read the poems, try to create mental pictures to get in touch with the setting, characters and events.

19 **Pour commencer...**

Avant de lire le premier poème de Prévert, répondez aux questions suivantes.

1. Qu'est-ce que tu prends comme petit déjeuner?
2. Le matin parles-tu beaucoup?
3. Est-ce que tu es triste quand il pleut?
4. Quand est-ce que tu as pleuré (*cried*)?

Déjeuner du matin

1 Il a mis le café
2 Dans la tasse
3 Il a mis le lait
4 Dans la tasse de café
5 Il a mis le sucre
6 Dans le café au lait
7 Avec la petite cuiller
8 Il a tourné
9 Il a bu le café au lait
10 Et il a reposé la tasse
11 Sans me parler
12 Il a allumé
13 Une cigarette
14 Il a fait des ronds
15 Avec la fumée
16 Il a mis les cendres
17 Dans le cendrier
18 Sans me parler
19 Sans me regarder
20 Il s'est levé
21 Il a mis
22 Son chapeau sur sa tête
23 Il a mis
24 Son manteau de pluie

Teaching Notes

1. The **Lecture** is designed to develop skills that will help students prepare to take the Advanced Placement Exam in French Literature. In this **Lecture** section, students practice visualizing the setting, characters and events in two poems by Jacques Prévert.

2. You might ask students if the illustration accompanying "Déjeuner du matin" describes the beginning, middle or end of the poem.

3. Cognates not found in the end vocabulary of C'est à toi! are used to ask questions about the poem "Déjeuner du matin" in Activity 20.

25 Parce qu'il pleuvait
26 Et il est parti
27 Sous la pluie
28 Sans une parole
29 Sans me regarder
30 Et moi j'ai pris
31 Ma tête dans ma main
32 Et j'ai pleuré.

 20 **"Déjeuner du matin"**

Répondez aux questions suivantes.

1. Qu'est-ce que l'homme a pris au petit déjeuner?
2. Est-ce qu'on sait si ces deux personnes étaient à la maison ou au café?
3. Qu'est-ce que l'homme a mis avant de sortir?
4. Quel temps faisait-il?
5. Combien d'actions l'homme a-t-il faites?
6. Quelles deux expressions sont répétées deux fois pour montrer que l'homme n'était pas content?
7. Selon toi, est-ce que la deuxième personne est un homme ou une femme? Explique.
8. La scène est très simple mais aussi très forte. Quels sont les détails que tu imagines ou que tu "vois"? Qui sont ces deux personnes? Pourquoi n'ont-elles pas de noms? Qu'est-ce qui s'est passé avant?

 Dessinez!

Faites un dessin original de la scène dans le poème "Déjeuner du matin." Mettez-y les deux personnes et tous les objets du poème. Indiquez aussi le temps qu'il fait et les sentiments (feelings) des deux personnes.

 Qu'est-ce qui s'est déjà passé?

Imaginez l'homme et la femme cinq minutes avant la scène dans le poème. Écrivez le dialogue entre ces deux personnes. Cette conversation devrait expliquer pourquoi la femme est triste et pourquoi l'homme part sans lui parler, sans la regarder.

Answers

20 Possible answers:
1. L'homme a pris du café au lait.
2. Non, on ne sait pas si ces deux personnes étaient à la maison ou au café.
3. Il a mis son chapeau et son manteau de pluie avant de sortir.
4. Il pleuvait.
5. L'homme a fait 13 actions.
6. Les expressions "sans me parler" et "sans me regarder" sont répétées deux fois pour montrer que l'homme n'était pas content.
7. Answers will vary.
8. Answers will vary.

Teaching Note

To holistically grade Activities 20 and 24, either you or the students can give a check (✔) to an answer that comes directly from the reading passage, a plus (+) to an answer that requires thinking that goes beyond the text's answer and a minus (−) to an answer that is not at all related to the text. You or the students can give a zero (0) for no answer at all, which may encourage some reticent students to make an effort at answering. If students understand the assessment process and know how their performance will be rated, they will perform the activities differently than if they think they are not graded.

24 1. L'élève est en cours.
2. Le professeur lui pose des questions.
3. Non, il ne sait pas les réponses à ces questions.
4. Le fou rire prend l'élève.
5. "Les chiffres" indiquent les maths; "Les dates et les noms" indiquent l'histoire.
6. Le "malheur" est le contraire du "bonheur."
7. On comprend que le cancre est heureux dans les lignes 8 et 17.
8. Non, selon Prévert, il ne faut pas être intelligent pour être heureux.

Un peu de plus

Venn Diagram
As a pre-reading activity for "Le Cancre," tell students to make a two-column list of five negative and five positive adjectives that describe the school experience for them. Put students with a partner, and have each pair make a Venn diagram illustrating the positive adjectives of one partner in the left-hand circle and the positive adjectives of the other partner in the right-hand circle. In the center where the two circles join, have students write the adjectives they share. Then students should make a similar Venn diagram for the negative adjectives. You may want to have pairs share with the class their lists of positive and negative adjectives found in the center of the two Venn diagrams.

23 > **Pour commencer...**

Avant de lire le deuxième poème de Prévert, répondez aux questions suivantes.

1. Quels sentiments est-ce que tu as quand tu vois ou penses à ton école? Fais-en une liste, et donne une situation spécifique pour chaque sentiment.
2. Est-ce que tu es souvent heureux ou heureuse quand tu es en cours? Pourquoi ou pourquoi pas?
3. Connais-tu des élèves qui ne sont pas comme les autres élèves? Ont-ils des idées différentes? Comment sont ces élèves? Sont-ils heureux?

Le Cancre

1 Il dit non avec la tête
2 Mais il dit oui avec le cœur
3 Il dit oui à ce qu'il aime
4 Il dit non au professeur
5 Il est debout
6 On le questionne
7 Et tous les problèmes sont posés
8 Soudain le fou rire le prend
9 Et il efface tout
10 Les chiffres et les mots
11 Les dates et les noms
12 Les phrases et les pièges
13 Et malgré les menaces du maître
14 Sous les huées des enfants prodiges
15 Avec des craies de toutes les couleurs
16 Sur le tableau noir du malheur
17 Il dessine le visage du bonheur.

24 > **"Le Cancre"**

Répondez aux questions suivantes.

1. Où est l'élève?
2. Qui lui pose des questions?
3. Est-ce qu'il sait les réponses à ces questions?
4. Quelle est la réaction de l'élève quand "tous les problèmes sont posés"?
5. "Les chiffres" et "Les dates et les noms" indiquent quels deux cours?
6. Quel mot est le contraire du "bonheur"?
7. Dans quelles deux lignes est-ce qu'on comprend que le cancre est heureux?
8. Selon Prévert, faut-il être intelligent pour être heureux?

Teaching Notes

1. You may want to make sure that students understand the meaning of the title of the poem. "Le Cancre" means "The Dunce."

2. Cognates not found in the end vocabulary of *C'est à toi!* are used to ask questions about the poem "Le Cancre" in Activity 24.

3. You might choose to introduce other Prévert poems, such as "Pour faire le portrait d'un oiseau" and "Page d'écriture," and have students identify their one-word themes (for example, liberty and imagination).

25 ▸ Dessinez!

Faites un dessin original de la scène dans le poème "Le Cancre." Quelles personnes est-ce que vous voyez? Quels objets est-ce qu'il y a dans la salle de classe?

26 ▸ Aimer ou détester?

Prévert explique que le cancre "dit oui à ce qu'il aime." Imaginez que vous êtes le cancre. Faites une liste des choses que vous aimez et une autre liste des choses que vous détestez.

27 ▸ Association d'idées

*Pensez aux cours que vous suivez cette année, et puis écrivez une expression qui est associée à chaque cours. Par exemple, **la chimie—le carnet**, **le français—les verbes**.*

Dossier fermé

Imagine que tu voyages en Europe avec tes copains français Bénédicte et Sébastien. En Italie Sébastien perd son passeport, mais il ne s'en inquiète pas. Pour rentrer en France, il n'a même pas de problèmes quand il passe au contrôle des passeports. Comment est-ce que c'est possible?

    C. Il n'a pas besoin de passeport pour aller d'Italie en France.

Les habitants de France sont membres de l'Union européenne et n'ont pas besoin de passeport pour aller de pays en pays en Europe.

quatre-vingt-dix-sept
97
Leçon B

FYI

Poetry by Jacques Prévert (1900-77) is as popular now as it was during his lifetime. Translated into 80 languages, Jacques Prévert's simple, poignant, often humorous verse has an unerring feel for the quality of everyday life. A member of the surrealist group until ousted by André Breton in 1928, Prévert incorporated surrealist notions in his earliest writings. His commercial success came with the realistic, poetic screenplays that he wrote for directors such as Jean Renoir and Marcel Carné. *Les Enfants du paradis* (1945) has become a film classic. Prévert's first collection of poetry, *Paroles* (1946), was followed by *Spectacle* (1951), *La Pluie et le Beau Temps* (1955) and *Fatras* (1965). Filled with word games and satire, Prévert's poetry reveals concerns about the social order, an unrelenting affirmation of love and respect for the underdog.

Comparisons

Original Poem
As a post-reading activity, have students write an original poem about what school means to them. You may choose to have them make a poem in the shape of a diamond, using a noun, two adjectives, three verbs, a complete sentence and a final noun which sums up the meaning of the poem.

FYI

1. In 1992 the 12 member states of the European Union signed the Treaty on European Union in Maastricht. Beginning in 1993, the integration process reached a new stage with the completion of the internal market for 345 million citizens. Persons, goods, services and capital are now able to move freely within the community, unobstructed by frontier controls.
2. This treaty established a European currency, rights for European citizens, new powers for the European community, increased powers for the European Parliament and the introduction of a common foreign and security policy.
3. The "euro" is the single European currency that has replaced national coins and banknotes in the member states. The euro was launched Jan. 1, 1999; euro banknotes and coins began circulation in 2002.
4. Primarily an economic power, the European community's common foreign and security policy will eventually include defense.

✓ Évaluation culturelle

*Pour voir si vous avez bien compris la culture francophone, décidez si chaque phrase est **vraie** ou **fausse**.*

1. C'est une bonne idée de mettre son passeport et ses chèques de voyage dans sa valise où personne ne peut les trouver.
2. Il faut avoir son passeport quand on touche des chèques de voyage.
3. Si vous perdez votre passeport, il faut simplement aller au commissariat de police.
4. Puisqu'il y a 14 stations de métro à l'intérieur de Paris, on n'est jamais loin d'une "bouche de métro."
5. Vous pouvez changer de ligne de métro là où le panneau indique "Correspondance."
6. À l'aéroport les rayons X ne sont pas dangereux pour le film.
7. Tous les pays d'Europe sont membres de l'Union européenne.
8. Les habitants de l'Union européenne n'ont pas besoin de passeport pour visiter les États-Unis.
9. Il y a différents groupes de police qui remplissent des fonctions différentes.
10. L'inspecteur Maigret est un policier dans les romans de Georges Simenon.

Deux agents de la police nationale interrogent un commerçant.

Je n'ai pas besoin de passeport pour visiter les pays membres de l'Union européenne.

Teaching Note

For up-to-date information on the European Union, you may want to access its Web site on the Internet by keying "EUROPA site officiel," using your favorite search engine.

✓ Évaluation orale

Avant de partir en vacances avec quelqu'un, il faut savoir si on va bien s'entendre. Pour le déterminer, travaillez avec un(e) partenaire. Faites une enquête pour voir si vous vous entendez bien. Copiez la grille suivante. Mais avant de parler à votre partenaire, mettez un ✓ dans l'espace blanc qui décrit votre personnalité. Ensuite posez les questions indiquées à votre partenaire, et mettez un ✗ dans l'espace blanc qui correspond à ses réponses. Enfin changez de rôles.

	toujours	souvent	jamais
Es-tu…?			
1. souriant(e)	✓	✗	
2. triste			
3. bavard(e)			
4. drôle			
5. honnête			
6. timide			
7. calme			
8. déprimé(e)			
9. effrayé(e)			
10. exigeant(e)			
Est-ce que tu…?			
1. te réveilles tôt			
2. aimes faire du shopping			
3. aimes visiter les musées			
4. te fâches			
5. te méfies de tout le monde			

Modèle:

A: **Es-tu content(e)?**

B: **Je suis souvent content(e).**

Combien de vos réponses ressemblent aux réponses de votre partenaire?

1. *Si vous avez 11-15 réponses identiques, vos personnalités sont presque similaires. Vous pouvez voyager ensemble sans problèmes. Bon voyage!*

2. *Si vous avez 6-10 réponses identiques, il y a des différences entre vos deux personnalités. Pouvez-vous voyager ensemble? Il faut voir.*

3. *Si vous avez 0-5 réponses identiques, vos personnalités s'opposent. Il faut beaucoup réfléchir avant de partir en vacances ensemble. Le voyage peut être un désastre!*

Aimes-tu visiter les musées? (Paris)

FYI

1. The Treaty on European Union, signed in Maastricht in 1992, bestows certain rights of European citizenship, including the right to vote and to be a candidate in municipal elections and the right to reside in any member state. The single market that it established allows all European citizens to move freely from one member state to another; customs controls on the community's internal borders have been abolished. 2. The powers of the European Parliament have been increased to make the European community more democratic, shifting more decisions and responsibility from the member states and their national parliaments to the community. Major international agreements with important implications for the budgetary situation or the legislation of the community now require the consent of parliament. 3. The community has been given further powers so that more and more matters directly affecting everyday life can be dealt with by the member states working together. These new areas include health and consumer and environmental protection. The community will also contribute to the establishment of trans-European transport, telecommunications and energy networks to bring the member states closer together. Other areas in which the community's powers have been extended include relations with developing countries, education and culture. The member states have also agreed to step up cooperation in the fields of justice and home affairs.

Dictée

To provide additional written practice, you might want to give this dictation. Read each sentence twice, once at a natural speed and once more slowly. Have students write what you say. As a group correction activity, either put the paragraph on a transparency in advance or have volunteers write the sentences on the board.

Mardi il faisait beau. À midi Alexandre et Malika se sont rejoints au café parce qu'ils avaient faim et soif. Plus tard, en allant au lycée, Alexandre fouillait dans son sac à dos. Il n'avait plus son portefeuille. Quelqu'un le lui a volé au café! Alexandre et Malika sont revenus au café, mais ils n'ont vu ni le portefeuille ni le serveur. Donc, Alexandre est allé au commissariat faire une déclaration de vol. L'agent de police était accueillant. Alexandre se sentait un peu mieux. L'agent lui posait beaucoup de questions. Alexandre lui a dit que le serveur portait des lunettes. Une semaine plus tard, la police a envoyé son portefeuille à Alexandre. Il a dit à Malika, "Je ne me suis jamais attendu à une fin si heureuse."

✔ Évaluation écrite

Quand on part en vacances, on entend souvent l'expression "Bon voyage." Mais les voyages sont-ils toujours bons? Selon les réponses que vous avez notées dans l'enquête sur les personnalités de vous et votre partenaire dans l'activité précédente, remplissez les cercles suivants.

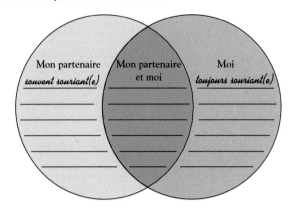

Maintenant imaginez que vous êtes parti(e) en vacances avec votre partenaire. En retournant, écrivez une lettre à vos grands-parents où vous leur décrivez tous les détails de ce voyage. Dites où vous et votre partenaire êtes allé(e)s et ce que vous avez fait. Puis dites si vous vous êtes bien entendu(e)s, et expliquez pourquoi ou pourquoi pas, selon les cercles que vous avez remplis. Enfin dites si c'était un bon voyage ou un désastre.

✔ Évaluation visuelle

Jason a voyagé à Paris avec sa classe de français. À la fin de son séjour il a eu une mauvaise expérience. Racontez ce qui s'est passé en écrivant deux paragraphes. Utilisez les illustrations et les nouvelles expressions de cette unité. (Avant de commencer, regardez les sections Révision de fonctions aux pages101-2 et Vocabulaire à la page 103.)

Révision de fonctions

Can you do all of the following tasks in French?
- I can ask for information about what's happening.
- I can express astonishment and disbelief.
- I can say whom I'm suspicious of.
- I can express emotions.
- I can express concern.
- I can make fun of myself.
- I can apologize for what I've done.
- I can say that I'm satisfied with something.
- I can write a letter.
- I can tell a story.
- I can describe how things were in the past.
- I can explain why.
- I can describe someone's physical traits.
- I can describe someone's temperament.
- I can tell how I was.

Vous êtes satisfaites de vos sélections?

To ask for information, use:

Qu'est-ce qui s'est passé? — *What happened?*

To express astonishment or disbelief, use:

Quelle histoire! — *What a story!*
C'est pas vrai! — *It's not true!*
Mais c'est incroyable! — *But that's unbelievable!*

To express suspicion, use:

Je me méfiais d'elle. — *I distrusted her.*

To express emotions, use:

Aucun de nous ne voulait rentrer. — *Not one of us wanted to return.*
Elle s'est fâchée. — *She got angry.*
Ni elle ni moi n'étions calmes. — *Neither she nor I was calm.*

Aucun de nous ne voulait expliquer au prof pourquoi nous n'avons pas fait nos devoirs de chimie.

Answers

Évaluation visuelle

Possible paragraphs:

Jason a passé son dernier jour à Paris à acheter des cadeaux pour ses amis et sa famille aux États-Unis. Il regardait un tee-shirt au grand magasin quand une femme l'a volé. En essayant de payer le tee-shirt, il a fouillé dans son sac à dos, mais il n'a pu trouver ni sa carte de crédit ni ses chèques de voyage. Jason avait l'air déprimé quand il est rentré à l'hôtel. Sa prof de français, Mme Nelson, lui a demandé "Qu'est-ce qui s'est passé?" Jason lui a tout raconté. Mme Nelson a téléphoné tout de suite à l'ambassade américaine. On lui a dit qu'il fallait aller au commissariat. Il n'y avait qu'un agent de police au commissariat. Jason a dit "Je voudrais faire une déclaration de vol." Au début Jason se méfiait de l'agent, mais il était accueillant et rassurant. Il posait beaucoup de questions à Jason—son nom, son adresse, son anniversaire. "Qu'est-ce qu'on vous a volé?" a demandé l'agent. "Mon portefeuille avec mes euros et mes dollars américains, mon passeport, ma carte de crédit et mes chèques de voyage," a dit Jason. "Pouvez-vous décrire la femme qui vous a volé?" a demandé l'agent. Jason lui a répondu "Elle était plutôt grande, elle avait les cheveux blonds et elle portait des lunettes." L'agent a donné un récépissé à Jason. En sortant du commissariat, Jason se sentait un peu mieux.

À l'aéroport, Jason et Mme Nelson se sont approchés du comptoir d'Air France. L'employé a demandé le passeport de Jason. Cette fois Jason s'est tu. Mme Nelson a expliqué à l'employé pourquoi Jason n'avait plus son passeport. L'employé les a emmenés au bureau du chef. Mme Nelson a montré le récépissé au chef qui était satisfait de l'histoire. Finalement, Jason est monté dans l'avion avec ses camarades de classe. Deux semaines plus tard, la police de Paris lui a envoyé son passeport, sa carte de crédit et ses chèques de voyage. Tout est bien qui finit bien!

To express concern, use:

J'ai commencé à m'inquiéter.   *I was beginning to worry.*

To express ridicule, use:

Quelle imbécile!   *What an idiot!*

Quels imbéciles! Ils ont volé un scooter.

To apologize, use:

J'ai dit que je regrettais tous les problèmes.   *I said that I regretted all the problems.*

To express satisfaction, use:

On était satisfait de mes réponses.   *They were satisfied with my answers.*

To write a letter, use:

Mes chers grands-parents   *My dear grandparents*

To tell a story, use:

Je vais tout te raconter.   *I'm going to tell you everything.*
Alors, la fin de l'histoire?   *So, the end of the story?*

To describe how things were, use:

Il y avait beaucoup de monde.   *There were a lot of people.*
Il était inutile de venir à 17h00 samedi   *It was useless to come at 5:00*
après-midi.   *Saturday afternoon.*
Il fallait montrer le récépissé à   *It was necessary to show the receipt to*
l'immigration aux États-Unis.   *U.S. immigration.*

To explain something, use:

Elle a expliqué que je n'avais ni argent   *She explained that I had neither French nor*
français ni argent américain.   *American money.*

To describe physical traits, use:

Elle a l'air épuisé et déprimé.   *She looks exhausted and depressed.*
Ils étaient un peu moches, de taille plutôt   *They were somewhat unattractive, short*
petite que grande.   *rather than tall.*
Ils avaient les cheveux noirs et les   *They had black hair and brown eyes.*
yeux marron.
Ils ne portaient pas de lunettes.   *They didn't wear glasses.*

To describe temperament, use:

Cet agent de police **était** exigeant.   *This police officer was demanding.*

To tell how you were, use:

En étant effrayée et fâchée, je suis rentrée   *Being frightened and angry, I returned to*
tout de suite à l'hôtel.   *the hotel right away.*
J'étais contente d'avoir la prof avec moi.   *I was happy to have the teacher with me.*
Je me sentais un peu mieux.   *I felt a little better.*

Vocabulaire

un	**accent** accent A	
	accueillant(e) hospitable, friendly A	
l'	**air (m.)** appearance A	
une	**ambassade** embassy A	
s'	**approcher (de)** to approach, to come up (to) B	
s'	**attendre à** to expect B	
	aucun(e)... ne (n') not one, no B	
	avoir l'air to look A	
	calme calm B	
un	**car** tour bus B	
un	**chef** boss B	
un	**commissariat** police station A	
le	**début** beginning B	
une	**déclaration** report A	
	déprimé(e) depressed A	
un	**document** document A	
	effrayé(e) frightened A	
un(e)	**employé(e)** employee, clerk B	
	en while, upon A	
un	**endroit** place B	
s'	**entendre** to get along B	
	épuisé(e) exhausted A	
	exigeant(e) demanding A	
	expliquer to explain A	
	fâché(e) angry A	
se	**fâcher** to get angry B	
	faire attention to pay attention A	
	fatigant(e) tiring A	
	fouiller to search, to go through A	
un	**grand-parent** grandparent B	
	habillé(e) dressed A	
	humain(e) human A	
un(e)	**imbécile** idiot A	
	important(e) important B	
	incroyable unbelievable A	
	inutile useless A	
se	**méfier de** to distrust B	

	ne (n')... aucun(e) no, not any B	
	ne (n')... ni... ni... neither . . . nor B	
	ne (n')... que only B	
	ni... ni... ne (n') neither . . . nor B	
un	**nom de jeune fille** maiden name B	
se	**passer** to happen A	
	payer to pay B	
	pendant que while A	
	personne ne (n') nobody, no one B	
	plutôt rather A	
la	**police** police B	
	poser to ask (a question) A	
	puisque since B	
une	**question** question A	
se	**rappeler** to remember B	
des	**rapports (m.)** relations, relationship A	
	rassurant(e) reassuring A	
un	**récépissé** receipt A	
	regretter to regret B	
	répéter to repeat A	
	répondre to answer A	
une	**réponse** answer B	
se	**reposer** to rest B	
	rien ne (n') nothing B	
	satisfait(e) (de) satisfied (with) B	
se	**sentir** to feel A	
	souriant(e) smiling A	
	surprenant(e) surprising B	
se	**taire** to be quiet B	
	tout à coup all of a sudden A	
un	**vol** theft A	
	voler to steal (from), to rob A	

Games

La tempête

Divide the class into two teams to give students additional practice with the imperfect tense. Tell students that there was a power outage yesterday due to a severe storm, and they are to tell whether everyone was able to do certain activities or not. Have the first student from each team go to the board. Then read the first activity from a list that you have prepared, for example, **tu/jouer du violon** or **Diane/travailler sur ordinateur**. The first student to write **Tu jouais du violon** or **Diane ne travaillait pas sur ordinateur** wins a point for his or her team. The team with the most points wins.

Sentence Match

To provide students with more practice on the present participle, divide the class into two teams. Call two students from the first team to the front of the room. On a set of note cards, write sentences that need to be completed with a present participle, for example, **J'aide mes parents....** Student A selects a card and writes in the blank the response that he or she thinks Student B will make, for example, **... en faisant la vaisselle.** Student A returns the card to you. Read the sentence without the completion for Student B, who has ten seconds to complete the sentence with a phrase using a present participle. If Student B guesses what Student A wrote, their team earns ten points. If not, Student B gets another turn. If he or she makes an accurate guess on the second try, their team earns five points. If Student B does not guess the correct answer after two attempts, the other team gets a turn. Teams alternate until all the cards are used or the allotted time is up. The team with the highest score at the end of the game wins.

Unité 3

Les arts

In this unit you will be able to:

- ask about importance and unimportance
- express importance and unimportance
- inquire about likes and dislikes
- express likes and dislikes
- list
- state a preference
- state a generalization
- inquire about opinions
- give opinions
- inquire about agreement and disagreement
- inquire about surprise
- compare
- inquire about possibility and impossibility
- express possibility and impossibility
- express need and necessity
- tell location

www.emcp.com

COMÉDIE FRANÇAISE 1680

THÉÂTRE FRANÇAIS

L'IMPROMPTU DE VERSAILLES
LES PRÉCIEUSES RIDICULES

30 JUILLET 2007   cat.3   10 €
LUNDI   20H30   CO 133

FAUT. CORBEILLE

0712CF1000001MH   IMPORTANT : Voir au Dos

LA BELLE AU BOIS DORMANT

P.I. Tchaïkovski - R. Noureev d'après M. Petipa
N. Georgiadis - J.B. Read

Orchestre de l'Opéra de Paris
Direction V. Pähn

La Belle au bois domant, grand classique du ballet, dont Rudolf
Noureev a effectué une «relecture», sera donné pour les fêtes de fin
d'année, permettant à des étoiles prestigieuses du Ballet de l'Opéra
de se produire dans les rôles principaux.

(m), 19, 20 (m et s), 21, 22, 23 (m
8, 29, 30 (m et s), 31 décembre.

de 3 à 30 € en matinée

Audrey TAUTOU
Mathieu KASSOVITZ

Amélie

metteur en scène JEAN-PIERRE JEUNET

[THIS FILM IS NOT YET RATED]

arte

FILM **20.40**

CAMILLE CLAUDEL

Drame. De Bruno Nuytten.
1988. Fra. Durée : 2h45.
Avec **Isabelle Adjani** (Camille Claudel), **Gérard Depardieu** (Auguste Rodin).
Le sujet : l'histoire pas-
sionnelle de Camille Claudel et d'Auguste Rodin.
Le début : 1885, à Paris,
Camille Claudel, la sœur
de l'écrivain Paul Claudel,
issue d'une famille bour-
geoise, se voue jour et nuit
à la sculpture...
Notre avis : sans doute
trop classique, mais le sujet est passionnant et l'in-
terprétation d'Isabelle Adjani époustouflante. B. T.

♥ **Adultes et**
adolescents. 57 454 100✳

cent cinq

Tes empreintes ici

Quand tu as du temps libre, qu'est-ce que tu aimes faire?

J'écoute mes CDs quand j'ai du temps libre.

- Tu écoutes de la musique? Tu peux acheter de la musique américaine, canadienne, française, anglaise ou africaine.
- Tu aimes aller au cinéma? Tu as un grand choix. Il y a des films d'amour, des films d'aventures, des comédies, des drames, des films d'épouvante et des documentaires. Qu'est-ce que tu préfères?
- Est-ce que tu aimes lire? Tu peux acheter des magazines, des journaux ou des romans.
- Est-ce que le théâtre t'intéresse? As-tu envie de devenir acteur ou actrice?
- Tu aimes visiter un musée? Tu peux regarder la sculpture, les tableaux ou même les photos. L'art te parle....

	AIR PLAY HIT-PARADE FRANCOPHONE STATIONS FM	
1	Amel Bent	"Ma philosophie"
2	Chimène Badi	"Je viens du sud"
3	Sinsemilia	"Tout le bonheur du monde"
4	Eric Prydz	"Call on me"
5	Collectif A.S.I.E.	"Et puis la terre"
6	Ilona Mitrecey	"Un monde parfait"
7	Willy Denzey	"Et si tu n'existais pas"
8	Lynnsha	"Homme… femmes"
9	Garou & Michel Sardou	"La rivière de notre enfance"
10	Clémence & Jean-Baptiste Maunier	"Concerto pour deux voix"
11	Tragédie	"Bye bye"
12	Nadiya	"Si loin de vous"
13	Star Academy	"Adieu monsieur le professeur"
14	Lorie	"Toi et moi"
15	Slaï	"La dernière danse (ne rentre pas chez toi ce soir)"
16	Isabelle Boulay & Johnny Hallyday	"Tout au bout de nos peines"
17	K-Maro	"Sous l'œil de l'ange"
18	Julie Zenatti	"Je voudrais que tu me consoles"
19	Kyo	"Contact"
20	Anggun	"Être une femme"

Dossier ouvert

Imagine que tu passes une semaine à Paris. Comment décider quoi faire dans cette grande ville? Par exemple, à quels concerts, films et spectacles peux-tu aller? Quelles sont les dates et les heures de ces spectacles? Où sont-ils? Est-ce que tu peux acheter quelque chose qui te dit tous ces détails? Mais oui! Tu dois acheter:

A. *Pariscope*
B. un journal quotidien
C. le *Guide Michelin Vert*

cent six

Unité 3

 Workbook Activity 1

 Audio CD *Le cinéma, L'art*

une vedette

Thierry Bardot joue le rôle
de Cyrano de Bergerac.

un scénario

un metteur
en scène

SPIELBERG

FYI

Other related terms and expressions include **interpréter** (*to perform*), **réaliser** (*to produce*), **un écran** (*screen*), **le grand écran** (*movies*), **le petit écran** (*television*), **les sous-titres** (*subtitles*), **le public** (*audience*), **un navet** (*third-rate film*), **un portrait** (*portrait*), **un auto-portrait** (*self-portrait*), **une esquisse** (*sketch*), **une toile** (*canvas*), **dessiner** (*to draw*), **à l'arrière-plan** (*in the background*), **au premier plan** (*in the foreground*), **la poterie** (*pottery*), **la céramique** (*ceramics*), **les beaux-arts** (*fine art*) and **une école des Beaux-Arts** (*art college*).

Comparisons

Journal personnel
If students are keeping a cultural journal, you might ask them to write about a famous artist they admire. Why do they admire this person? What do they know about his or her life? What impact has this person made on their life? Do they feel that he or she is a good role model? Why or why not?

un atelier

une collection

un paysage

une nature morte

un assistant

un peintre

un sculpteur

M. Roussier peint
un tableau.

L'artiste peint un portrait à Montmartre.

Teaching Notes

1. **Vedette** is always feminine, even when it refers to a male star. **Star**, also always feminine, is a synonym for **vedette**.

2. **Un metteur en scène** was introduced on page 360 in the second level of *C'est à toi!*

3. **Un(e) scénariste** will be introduced in **Leçon B**. 4. You may want to give your students the forms of the irregular verb **peindre: peins, peins, peint, peignons, peignez, peignent.**

Workbook Activity 2

 Grammar & Vocabulary Exercises 1-2

 Audio CD
Conversation culturelle

FYI

1. The **César** is a French film award similar to the Oscar. 2. *Jean de Florette* and *Manon des Sources* are films based on the novels of Marcel Pagnol (1895-1974). Both novels take place in Pagnol's native Provence. 3. *Lucie Aubrac* tells the true story of a French woman who rescued her husband, a key leader in the French Resistance, from the Nazis during World War II. 4. Marguerite Duras, née Donnadieu, was the youngest child of two teachers. As an adolescent she attended boarding school in Saigon, which provides the autobiographical background for *L'Amant*, in which a 60-year-old woman recalls her adolescent love affair with a wealthy Chinese planter. 5. Duras belongs to the group of modern "neorealist" writers. In the **nouveau roman**, or antinovel, there are few characters, the plot is simple, the time period covered is short and the description limited. The author says little to guide the reader in understanding the characters or the story. 6. Duras' 1958 novel *Moderato Cantabile* is composed of a series of conversations between two characters who speculate about the murder they have both witnessed. 7. *Hiroshima mon amour* tells the story of a French actress working in Tokyo whose affair with a Japanese architect recalls her wartime affair in France with a Nazi officer. 8. Of her novels Duras has said, "Even when my books are completely invented, even when I think they have come from elsewhere, they are always personal."

Connections

The Modern French Novel
Have students read the first few pages of *Moderato Cantabile*, looking for the sounds Duras describes that mark time in the opening episode of the novel.

108

Conversation culturelle

Est-ce que les arts vous plaisent?° À quoi pensez-vous lorsque° vous pensez à la culture des pays franco-phones? À la nourriture, aux vêtements, aux sports? Naturellement. Mais il faut que vous pensiez aussi aux films, à la musique, à la littérature, à la sculpture et aux tableaux. Faisons la connaissance de quelques artistes du monde francophone.

Daniel Auteuil

Daniel Auteuil

Une des vedettes du cinéma français la plus populaire, c'est Daniel Auteuil. À 17 ans il étudiait pour devenir acteur quand on l'a choisi pour son premier rôle. Ces premiers rôles étaient petits, mais très vite ils sont devenus plus importants. Il a reçu un César pour les films *Jean de Florette* et *Manon des Sources*. Ses autres films très connus sont *Ma saison préférée, La Reine Margot, Un cœur en hiver, Le huitième jour, Lucie Aubrac* et *Après Vous*. On passe souvent ses films à la télé.

Marguerite Duras

Marguerite Duras

Née au Vietnam en 1914 et morte à Paris en 1996, Marguerite Duras est venue en France après son bac. Elle a écrit des pièces de théâtre,° des scénarios et des romans. Elle reste populaire parce que ses idées sont toujours controversées. Deux de ses romans les plus connus sont *Moderato Cantabile* et *L'Amant*. Ce dernier, roman autobiographique, décrit l'Indochine des années 30. Ses films les plus populaires sont *Hiroshima mon amour* et *L'Amant* (du roman).

plaire faire plaisir à, aimer; **lorsque** quand; **une pièce de théâtre** *play*

Céline Dion

La plus jeune de 14 enfants, Céline Dion est née en 1968 près de Montréal. Céline a toujours voulu devenir chanteuse. Très jeune, elle travaillait et chantait° dans le restaurant de ses parents. De plus, toute sa famille passait son temps libre à faire de la musique et à chanter. C'est une musicienne diligente qui n'arrête pas de travailler. On peut acheter ses CDs en version anglaise et française. Peut-être que vous l'avez vue chanter à la télé. Ses chansons sont souvent premières au hit-parade. Céline Dion a reçu un Grammy pour la chanson principale du film *La Belle et la Bête* de Disney. Elle a aussi enregistré° la chanson "My Heart Will Go On" pour le film *Titanic*.

Céline Dion

Angélique Kidjo

Angélique Kidjo est née au Bénin en Afrique en 1960. Comme Céline Dion, elle vient d'une famille de musiciens. Elle chantait déjà à l'âge de six ans, d'abord avec sa mère et puis avec ses frères. Elle a déménagé en France pendant les années 80. Elle a eu beaucoup de succès avec son troisième album *Logozo*, qui était au hit-parade dans beaucoup de pays. Dans son quatrième album elle chante en fon, la langue° qu'on parle au Bénin. Kidjo a aussi composé la musique des bandes originales° de plusieurs° films. Elle donne des concerts un peu partout° dans le monde. Il faut qu'on assiste à un de ses concerts pour profiter de sa musique dynamique qui plaît à tous. Cette musique est si pleine d'énergie qu'on a envie de danser.

Angélique Kidjo

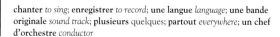

Maurice Jarre

On chante lorsqu'on pense à Maurice Jarre. C'est l'un des compositeurs français modernes qu'on écoute le plus. Aux États-Unis il a composé la musique de plusieurs films, par exemple, *Doctor Zhivago*, *Lawrence of Arabia*, *Gorillas in the Mist*, *Witness* et *Fatal Attraction*. Pour lui la bande originale est aussi importante que l'intrigue. Jarre a composé la musique des ballets et a été le chef d'orchestre° du London Philharmonic Orchestra et du Los Angeles Philharmonic Orchestra.

chanter *to sing*; enregistrer *to record*; une langue *language*; une bande originale *sound track*; plusieurs *quelques*; partout *everywhere*; un chef d'orchestre *conductor*

Maurice Jarre

cent neuf

Leçon A

109

FYI

1. In 1996 Céline Dion was named a Chevalier de l'Ordre des Arts et des Lettres. The French minister congratulated her for being the best ambassador of the French language today. 2. Her album *D'eux* is the best-selling French language album of all time. 3. *La Belle et la Bête* is based on the fairy tale by Charles Perrault (1628-1703). 4. **Une bande originale** refers to the songs on a sound track, while **une bande sonore** refers to the entire sound track, including the words. 5. Angélique Kidjo's albums, in order, are *Pretty, Parakou, Logozo, Ayé, Fifa* and *Orem*. Using rhythms from reggae, samba, funk, gospel, zouk and traditional African music, Kidjo shapes her music into her own unique sound. 6. One of Kidjo's goals as an artist is to share the culture of her native Benin, a small, developing, agricultural country in French-speaking West Africa, with her listeners. 7. Born in 1924 in Lyon, Maurice Jarre served as director of music at the Théâtre national populaire before writing scores for films. His music for *Lawrence of Arabia* (1963) and "Lara's Song" from *Doctor Zhivago* (1965) won him Oscars.

Teaching Notes

1. **Un chanteur, une chanteuse** and **une chanson** were introduced in **Unité 9** in the second level of *C'est à toi!*

2. **Chef d'orchestre** is pronounced [ʃɛfdɔRkɛstR(ə)].

3. The plural of **chef-d'œuvre** is **chefs-d'œuvre. Chef-d'œuvre** is pronounced [ʃɛdœvR(ə)].

Camille Claudel du bonnet (Auguste Rodin)

Camille Claudel

En général on n'acceptait pas les femmes dans beaucoup de professions au dix-neuvième siècle. Il était même difficile pour une femme de devenir sculpteur. Camille Claudel faisait ses études à Paris quand elle est devenue l'assistante du sculpteur Auguste Rodin. Pendant 15 ans elle a travaillé dans son atelier et l'a aidé avec ses plus grandes sculptures. Quand Claudel a quitté l'atelier de Rodin, elle a continué à faire des sculptures, mais elle n'a pas réussi à être acceptée pendant sa vie. Elle est morte en 1943.

Gustave Caillebotte

Gustave Caillebotte est devenu l'un des plus importants peintres impressionnistes. Il a préféré peindre sa maison, la vie et les rues de Paris, et la nature. Même les fleurs et les fruits de ses natures mortes plaisent aux yeux. Ses paysages donnent une jolie vue de la campagne. En ce temps, peindre dehors était une nouvelle idée. On a l'impression que la lumière danse dans tous ses tableaux. Caillebotte a aidé ses amis impressionnistes en achetant beaucoup de leurs tableaux. Il a décidé de donner toute sa collection à la France. Aujourd'hui la collection Caillebotte est une des plus importantes du musée d'Orsay. Et si vous allez à Chicago, il faut que vous passiez par le Art Institute pour voir son chef-d'œuvre,° *Rue de Paris; Temps de pluie*.

un chef-d'œuvre *masterpiece*

Rue de Paris; Temps de pluie (Gustave Caillebotte)

 110

cent dix
Unité 3

110

1 Des artistes francophones

 Pour chaque phrase, écrivez la lettre qui identifie l'artiste.

A. Daniel Auteuil
B. Marguerite Duras
C. Céline Dion
D. Angélique Kidjo
E. Maurice Jarre
F. Camille Claudel
G. Gustave Caillebotte

2 Des gens célèbres

Répondez aux questions d'après les descriptions des personnes célèbres.

1. Qui a reçu un César pour les films *Jean de Florette* et *Manon des Sources*?
2. Pourquoi est-ce que Marguerite Duras reste populaire aujourd'hui?
3. Avec qui est-ce que Céline Dion passait son temps libre à faire de la musique et à chanter?
4. En quelles langues peut-on acheter les CDs de Céline Dion?
5. Quelle chanteuse africaine a eu du succès avec *Logozo*, enregistré en fon?
6. Selon Maurice Jarre, qu'est-ce qui est aussi important que l'intrigue d'un film?
7. Quand est-ce que Camille Claudel est devenue l'assistante d'Auguste Rodin?
8. Comment est-ce que Gustave Caillebotte a aidé ses amis impressionnistes?

Daniel Auteuil joue le rôle d'Ugolin dans les films *Jean de Florette* et *Manon des Sources*.

cent onze

Leçon A

 111

Answers

1
1. G
2. C
3. A
4. D
5. F
6. B

2
1. Daniel Auteuil a reçu un César pour les films *Jean de Florette* et *Manon des Sources*.
2. Marguerite Duras reste populaire aujourd'hui parce que ses idées sont toujours controversées.
3. Céline Dion passait son temps libre à faire de la musique et à chanter avec toute sa famille.
4. On peut acheter les CDs de Céline Dion en version française et anglaise.
5. Angélique Kidjo a eu du succès avec *Logozo*, enregistré en fon.
6. Selon Maurice Jarre, la bande originale est aussi importante que l'intrigue d'un film.
7. Camille Claudel faisait ses études à Paris quand elle est devenue l'assistante d'Auguste Rodin.
8. Gustave Caillebotte a aidé ses amis impressionnistes en achetant beaucoup de leurs tableaux.

Connections

Visit to an Art Museum

You may want to plan a field trip with your students to a nearby art museum to see sculptures and paintings by French artists and to have a guided tour. In preparation introduce your students to the characteristics of some of the major art movements, such as neo-classicism, romanticism, impressionism and expressionism.

Answers

3 1. E, G, I
2. I, J, M
3. A, C, D, F, I
4. A, C, D, F, I, L
5. D, F, I
6. H, I, K
7. B, I

4 Answers will vary.

3 C'est qui?

Indiquez quelles expressions vous associez à chaque artiste. Il y a plus d'une réponse pour chaque personne.

1. Daniel Auteuil
2. Marguerite Duras
3. Céline Dion
4. Angélique Kidjo
5. Maurice Jarre
6. Camille Claudel
7. Gustave Caillebotte

A. chante en plusieurs langues
B. des tableaux
C. enregistre des albums
D. des bandes originales
E. une vedette
F. la musique
G. joue des rôles
H. un atelier
I. célèbre
J. des scénarios
K. un sculpteur
L. le Bénin
M. des idées controversées

4 C'est à toi!

Questions personnelles.

1. Est-ce que tu peux voir des films français dans ta ville?
2. Est-ce que tu as jamais vu un film français en cours? Si oui, quel(s) film(s)?
3. Quel acteur ou quelle actrice est-ce que tu aimes le mieux? Pourquoi?
4. Est-ce que tu aimes lire? Qu'est-ce que tu lis souvent?
5. Quelle musique est-ce que tu aimes? Quel chanteur ou quelle chanteuse préfères-tu?
6. Est-ce que la sculpture te plaît? Connais-tu les sculptures de Rodin? Est-ce que tu aimes la sculpture moderne?
7. Est-ce que tu as jamais visité un musée d'art?
8. Est-ce que tu aimes mieux les peintres impressionnistes ou les peintres modernes? Pourquoi?

Qu'est-ce que tu lis souvent?

La télé

Guy et Luc choisissent de regarder un match de basket à la télé.

Presque toutes les familles en France (96 pour cent) ont la télévision. En général, les Français passent au moins trois heures par jour devant la télé à regarder une grande variété d'émissions sur 29 chaînes. Presque 10 pour cent des téléspectateurs paient pour la chaîne Canal+, 7 pour cent ont la télévision par câble et 6 pour cent ont la réception par satellite. En France on reçoit aussi les émissions en français de la Belgique et de la Suisse. De plus, la programmation en d'autres langues vient d'Angleterre, d'Allemagne, d'autres pays européens et des États-Unis.

Le zapping

Une enquête récente a déterminé que les Français ne sont pas satisfaits des programmes offerts, mais ils continuent à regarder la télévision. Presque tous les Français ont une télécommande pour changer rapidement entre chaînes. Avec la télécommande, les Français font beaucoup plus de zapping qu'avant.

Que regarde-t-on?

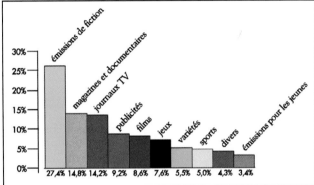

émissions de fiction	magazines et documentaires	journaux TV	publicités	films	jeux	variétés	sports	divers	émissions pour les jeunes
27,4%	14,8%	14,2%	9,2%	8,6%	7,6%	5,5%	5,0%	4,3%	3,4%

Les multimédia

Mme Champetier montre à ses enfants comment utiliser un site sur Internet.

Il est intéressant de noter que les heures que les jeunes consacrent aux émissions télévisées commencent à diminuer. C'est probablement parce qu'ils passent plus de temps à regarder des DVDs avec leurs lecteurs de DVD ou à jouer aux jeux vidéo. Les adultes, eux aussi, commencent à passer moins de temps devant la télé depuis l'arrivée des multimédia qu'ils regardent sur l'ordinateur. Il y a 48 pour cent des familles qui ont l'ordinateur à la maison. Bon ou mauvais, les Français, comme les Américains, sont des fanas de la télévision.

cent treize
Leçon A
113

WB Workbook Activity 3

FYI

1. Students may be interested to learn the French titles for some American programs shown in France: "Star Trek: La Nouvelle Génération" ("Star Trek: The Next Generation"), "Urgences" ("ER"), "La Nouvelle Star" ("American Idol") and "Les Experts" ("CSI"). 2. Another word for **une télécommande** is **un zappeur**.

Un peu de plus

La télé

You might find a similar graph showing U.S. viewing percentages for different categories of TV programs. For each category, call on students to give you the percentages in French, for example, **En France seulement cinq pour cent des téléspectateurs regardent les émissions sportives, mais aux États-Unis 20 pour cent des téléspectateurs les regardent**. Bring closure to the activity by discussing what cultural values the graphs seem to underline in both countries.

Teaching Notes

1. You may want to reuse Transparency 36 (**La télé**) from the Level Two transparencies to show French TV listings.
2. Cognates in this reading include **variété, chaînes, téléspectateurs, câble, réception, satellite, programmation, fiction,** **publicités, divers, récente, déterminé, programmes, télécommande, zapping, noter, consacrent, télévisées, diminuer, probablement, vidéo, adultes** and **multimédia**.

113

5 ▸ La télé

Répondez aux questions suivantes.

1. Combien de familles françaises ont la télévision?
2. Combien d'heures par jour les Français passent-ils devant la télévision?
3. Pour quelle chaîne française est-ce qu'on paie?
4. Est-ce qu'il y a beaucoup d'émissions qui viennent des États-Unis?
5. Quelles émissions sont les plus populaires en France?
6. Est-ce que les sports ou les documentaires sont plus populaires?
7. Combien de Français ont une télécommande?
8. Est-ce que les jeunes d'aujourd'hui passent plus de temps ou moins de temps à regarder la télé? Pourquoi?
9. Qu'est-ce qui commence à occuper le temps des adultes?
10. Combien de Français ont l'ordinateur à la maison?

6 ▸ L'Officiel des Spectacles

Voici une page d'un magazine qui offre la liste des émissions à la télé française. Lisez la page et puis répondez aux questions.

1. Combien de chaînes sont représentées dans cette liste?
2. Quelle chaîne offre l'émission américaine "Friends"?
3. Quelle émission américaine peut-on regarder deux fois le 19 septembre?
4. Quel est le nom en français du jeu télévisé américain "The Price is Right"?
5. Sur quelle chaîne peut-on regarder un film de François Truffaut? Quel film est-ce?
6. Quelles deux chaînes offrent deux films chaque jour?
7. Combien de fois par jour peut-on regarder des informations sur la chaîne TF1?
8. À quelle heure est-ce que France 3 offre un programme sur le sport?
9. Notez que la liste des programmes est faite par chaîne et pas en ordre chronologique comme dans les journaux et magazines américains. Qu'est-ce que ça vous dit des téléspectateurs français?

160 - TÉLÉVISION

VENDREDI 19 SEPTEMBRE

TF1
12h15: Le juste prix.— 13h: Journal.— 13h50: Les feux de l'amour.— 14h40: Arabesque.— 15h40 : Côte Ouest.— 16h35: TF1 jeunesse.— 17h05: 21 Jump Street.— 18h: Pour être libre.— 18h30: Mok-shû Patamû.— 19h: Tous en jeu.— 20h: Journal.-— 20h45 : Et si ça vous arrivait.— 23h05 : Sans aucun doute.— 0h55: Journal.

FRANCE 2
12h20: Pyramide.— 13h: Journal.— 13h50: Rex.— 14h40: Dans la chaleur de la nuit.— 15h40: La chance aux chansons.— 16h35 : Des chiffres et des lettres.— 17h10: Un poisson dans la cafetiè-re.— 17h40: Qui est qui.— 18h15: Friends.— 18h45: C'est l'heure.— 19h25: C'est toujours l'heure.— 20h: Journal.— 20h55: P.J.— 23h: Bouillon de cul-ture.— 24h: Journal.— 0h20: Ciné-Club «Journal d'une femme de chambre », film de Luis Bunuel avec Jeanne Moreau, Michel Piccoli, Françoise Lugagne, Georges Géret.

FRANCE 3
12h30: Journal.— 13h40: Parole d'expert.— 14h35: « Une lueur au crépuscule », téléfilm de David Jones avec Olympia Dukaris, Lindsay Wagner, Jean Stapleton.— 16h10: Côté jardins.— 16h40: Minikeums.— 17h45: Je passe à la télé.— 18h20: Questions pour un champion.— 18h55: Le 19/20.— 20h05: Fa si la chanter.— 20h35: Tout le sport.— 20h50 : Thalassa.— 22h10 : Faut pas rêver.— 23h20: Journal.— 23h35: Les dossiers de l'histoi-re : la sécurité sociale, 30 ans d'indécision.— 0h20: Libre court.

LA 5ᵉ
12h: Fête des bébés.— 12h30: À tout savoir.— 13h: Une heure pour l'emploi.— 14h : Caravanes du désert.— 14h30: Jean XXIII: le bon pape Jean.— 15h30: La jeune fille et la glace.— 16h30: La Fran-ce aux 1000 villages.— 17h: Cellulo.— 17h30: Allô la terre.— 17h45: Quest-ce qu'on mange : le cho-colat.— 18h: La course pour la lune.— 18h30: L'Île aux oiseaux.

ARTE
19h: Tracks.— 19h30: 7 1/2.— 20h: Brut.— 20h30: Journal.— 20h45 : « Les allumettes suédoises », téléfilm de Jacques Ertaud avec Naël Marandin, Anne Jacquemin, Dora Doll, Martine Guillaud, Philippe Clay, 3/4.— 22h30 : Grand format.— 23h50: « Tirez sur le pianiste », film de François Truffaut avec Charles Aznavour, Marie Dubois, Nicole Berger, Michèle Mercier.

M6
12h: Madame est servie.— 12h30: La petite mai-son dans la prairie.— 13h25 : La petite maison dans la prairie.— 15h20: Wolf.— 16h10: Hit machi-ne.— 17h30: Les piègeurs.— 18h: Highlander.— 19h: Los Angeles heat.— 20h: Mister biz.— 20h45: « Armen et Bullik », téléfilm de Alan Cooke avec Mike Connors, Roch Voisine, Marushka Det-mers.— 22h35: Two.— 23h30 : « Piège pour un flic», téléfilm de Frank Harris avec Richard Lynch, Chris De Rose, Chuck Jeffreys.

Journal personnel

In this unit you met a variety of francophone artists: actors, writers, composers, singers, sculptors and painters. Are you familiar with any other French or French-speaking artists? If so, what categories do they represent? What are their accomplishments?

Now imagine that you are writing to tell a French friend about actors, writers, composers, singers, sculptors and painters in American culture. Choose any five of these artists and tell why you picked them. What categories do they represent? Write your responses to all these questions in your cultural journal.

The imperfect and the *passé composé*

You have learned two past tenses in French, the imperfect and the **passé composé**. These two tenses are not used in the same way.

The imperfect describes how people or things were in the past, what happened regularly or a condition that existed at some time in the past.

Céline Dion **travaillait** dans le restaurant de ses parents.

La famille de Céline **passait** son temps libre à chanter.

Céline Dion used to work in her parents' restaurant.

Céline's family spent their free time singing.

Parce qu'on voulait profiter du beau temps, on faisait une promenade en bateau.

The **passé composé** indicates a single, completed action.

Dion **est née** en 1968 près de Montréal.

Elle **a enregistré** la chanson "When I Fall in Love."

Dion was born in 1968 near Montréal.

She recorded the song "When I Fall in Love."

To tell a story, use the imperfect to give background information and to describe circumstances in the past. The imperfect answers the question "How were things?" Use the **passé composé** to express what events took place only once in the past. The **passé composé** answers the question "What happened?"

Angélique Kidjo **chantait** déjà à l'âge de six ans avec sa mère et ses frères.

Elle **a déménagé** en France pendant les années 80.

Angélique Kidjo was already singing at the age of six with her mother and her brothers.

She moved to France during the 80s.

cent quinze

Leçon A   **115**

Teaching Note

The imperfect and the **passé composé** were first compared in **Unité 9** in the second level of *C'est à toi!*

 Workbook Activities 4-5

 Grammar & Vocabulary Exercises 3-6

Comparisons

Imperfect vs. *Passé Composé*
You might want to illustrate the difference between the two past tenses by telling a story. On the board write the following three imperfect sentences that describe Danielle's normal routine: **Tous les soirs Danielle conduisait au travail en voiture. Elle accélérait doucement. Elle faisait attention.** Underneath write five sentences that explain how that scenario changed one day: **Un soir Danielle a été en retard. Elle a accéléré très vite. Elle n'a pas fait attention. Elle n'a pas vu le chien dans la rue. Le chien est mort.** Ask students why the first three sentences of the story are in the imperfect and the last five are in the **passé composé**. Students should be able to explain that the first three sentences are in the imperfect because they give background information, and the next five sentences are in the **passé composé** because they represent completed actions.

Paired Practice

The Perfect Date
Put students in pairs to practice using the imperfect and the **passé composé** to tell a story. Prepare an overhead transparency with the following questions: **Où était Martine quand Julien l'a invitée à sortir vendredi soir? Que faisait Martine quand elle a accepté? Comment Martine trouvait-elle Julien quand il est arrivé à la porte? Quel temps faisait-il quand Martine et Julien sont sortis? Qu'est-ce que Julien a dit à Martine quand ils mangeaient au restaurant? Qu'est-ce qu'ils ont vu quand ils flânaient dans le parc? Quelle heure était-il quand ils sont rentrés?** Students use the questions to tell a story about Julien and Martine's date, using both the imperfect and the **passé composé** in each sentence.

Game

Qui suis-je?
To review vocabulary and the lives of the famous francophone people introduced in this lesson, you might have students play this game. Put them in small groups. Have each student draw a name from these choices: Daniel Auteuil, Marguerite Duras, Céline Dion, Angélique Kidjo, Maurice Jarre, Camille Claudel and Gustave Caillebotte. Then each student in turn goes in front of the rest of the group to answer imperfect and **passé composé** questions from members who try to discover his or her assumed identity. A questioner may ask, for example, **Étes-vous née au Vietnam?** or **Travailliez-vous dans le restaurant de vos parents?** The student in front of the group answers each question with a complete sentence, using the imperfect or the **passé composé**. After the assumed identity of the first student is guessed, the second student goes in front of the group to answer questions, and so on.

The imperfect and the **passé composé** are often used in the same sentence to describe an ongoing action that was interrupted by another action. Use the imperfect to express the background condition or ongoing action and the **passé composé** to describe the completed action.

Kidjo **a eu** beaucoup de succès avec son troisième album qui **était** au hit-parade dans beaucoup de pays.

Kidjo had a lot of success with her third album, which was on the charts in many countries.

Camille Claudel **faisait** ses études à Paris quand elle **est devenue** l'assistante de Rodin.

Camille Claudel was studying in Paris when she became Rodin's assistant.

 Pratique

Quand Chantal et Bruno faisaient une promenade, il a commencé à pleuvoir.

7 **Complétez!**

Choisissez l'imparfait ou le passé composé des verbes indiqués pour compléter chaque phrase.

1. Quand Daniel Auteuil… 17 ans, il… dans son premier film. (avoir/jouer)
2. Céline Dion, la chanteuse canadienne qui… "Because You Love Me,"… la plus jeune de 14 enfants. (enregistrer/être)
3. Il y… beaucoup de musiciens dans la famille d'Angélique Kidjo, qui… à chanter à l'âge de six ans. (avoir/commencer)
4. Pendant qu'il… aux États-Unis, Maurice Jarre… le chef d'orchestre du Los Angeles Philharmonic Orchestra. (habiter/devenir)
5. Camille Claudel… à Paris quand Auguste Rodin l'… à devenir son assistante. (étudier/inviter)
6. Gustave Caillebotte, le peintre qui… peindre dehors,… toute sa collection de tableaux à la France. (adorer/donner)
7. Marguerite Duras… au Vietnam, mais elle… en France après son bac. (naître/déménager)

Quand Céline Dion avait 26 ans, son manager, René Angélil, est devenu son mari.

8 Mon grand-père

Vous avez décidé d'écrire l'histoire de la vie de votre grand-père. Avant de commencer, vous l'avez interviewé. Selon les notes que vous avez prises, écrivez des phrases complètes pour raconter les événements les plus importants de sa vie.

1945: • *mon grand-père/naître au Canada*
1955: • *sa famille et lui/déménager aux États-Unis*
　　　　 • *il/vouloir être acteur*
　　　　 • *il/passer tout son temps libre au cinéma*
　　　　 • *ses vedettes favorites/être John Wayne et Katharine Hepburn*
1962: • *il/commencer ses études de théâtre*
1965: • *un metteur en scène très important/le choisir pour son premier rôle*
1966: • *il/faire la connaissance de ma grand-mère*
　　　　 • *ma grand-mère/avoir 18 ans*
　　　　 • *elle/être très jolie*
　　　　 • *il/l'aimer beaucoup*
　　　　 • *elle/ne pas vouloir être la femme d'un acteur*
　　　　 • *il/décider de quitter le théâtre et de trouver un autre métier*
　　　　 • *il/suivre des cours de littérature à l'université*
1973: • *il/écrire son premier roman*
　　　　 • *le roman/être très populaire*
　　　　 • *mon grand-père/devenir un écrivain célèbre*

Quand j'avais 28 ans, j'ai écrit mon premier roman.

Mon mari est devenu un écrivain célèbre.

Answers

8 Possible answer:
Mon grand-père est né au Canada en 1945. Sa famille et lui ont déménagé aux États-Unis quand il avait dix ans. Il voulait être acteur, et il passait tout son temps libre au cinéma. Ses vedettes favorites étaient John Wayne et Katharine Hepburn. En 1962 mon grand-père a commencé ses études de théâtre. Trois ans plus tard un metteur en scène très important l'a choisi pour son premier rôle. En 1966 il a fait la connaissance de ma grand-mère. Elle avait 18 ans et était très jolie. Il l'aimait beaucoup. Elle ne voulait pas être la femme d'un acteur, donc il a décidé de quitter le théâtre et de trouver un autre métier. Il a suivi des cours de littérature à l'université. En 1973 il a écrit son premier roman qui a été très populaire. Mon grand-père est devenu un écrivain célèbre.

Teaching Note

If you have the DVD series that accompanies the first and second levels of *C'est à toi!*, you might want to do this activity. Select one of the episodes. Push the "pause" button on action scenes, such as Aurélie and Leïla studying. Ask your students, **Qu'est-ce qu'Aurélie et Leïla faisaient quand j'ai arrêté le DVD**? Have students respond with a sentence using both the imperfect and the **passé composé**, for example, **Elles étudiaient quand vous avez arrêté le DVD**.

Workbook Activity 6

Grammar & Vocabulary Exercises 7-8

Answers

9 était, s'est passée, habitait, était, avait, avait, attendaient, travaillait, était, était, sont entrés, ont trouvé, était, ont emmené, a posé, n'a pas répondu, s'est fâché, l'a mis, a déclaré, voulait, était, a pensé, a pris, savait, était, a dit, était, a expliqué, voulait, a cru, ont emmené, ont délivré, ont déménagé, ont eu, est revenue, avait

Paired Practice

Les sketches

For additional practice using the imperfect and the **passé composé** together, put students in pairs. Student A says that he or she saw one of the famous French-speaking people introduced in this lesson. Student B asks a series of questions in French to find out more information: 1. Où étais-tu? 2. Que faisait (la personne célèbre)? 3. Qu'est-ce que tu as fait quand tu as vu (la personne célèbre)? Have each pair present its skit to the class. Then, orally or in writing, have the other students summarize Student A's responses, for example, **Marc était à Montréal dans un café. Céline Dion y mangeait un sandwich. Marc l'a prise en photo.**

Cooperative Group Practice

Les blasons

Put students in small groups of four or five to make a coat of arms. Have them divide it into four sections, illustrating items that they like, such as foods, sports, pastimes and courses. The first student holds up his or her coat of arms and says sentences using **plaire** in the affirmative, for example, **La glace me plaît, Le football me plaît, Les jeux vidéo me plaisent** and **Le français me plaît.**

---

9 Lucie Aubrac

Vous savez que Lucie Aubrac est un des films très connus de Daniel Auteuil. Voici l'histoire de cette femme. Complétez-la en utilisant les verbes entre parenthèses à l'imparfait ou au passé composé.

C'(être) en 1943 pendant la guerre que l'histoire de Lucie Aubrac (se passer). Elle (habiter) à Lyon avec sa famille. Lucie (être) très contente parce qu'elle (avoir) un bon mari et un fils adorable qui (avoir) deux ans. De plus, Lucie et son mari, Raymond, (attendre) leur deuxième enfant. Elle (travailler) dans un lycée où elle (être) professeur d'histoire. Son mari (être) très actif dans la Résistance.

Le 13 mai les Allemands (entrer) dans une maison à Lyon où ils (trouver) six membres de la Résistance. L'un de ces Résistants (être) Raymond Aubrac. Les agents allemands (emmener) Raymond à leur bureau où leur chef, Klaus Barbie, lui (poser) beaucoup de questions. Mais Raymond ne (répondre) pas. Barbie (se fâcher) et le (mettre) en prison. Barbie (déclarer) "Aubrac doit mourir."

Naturellement, Lucie (vouloir) aider son mari. Elle (être) intelligente et douée, et elle (penser) à une idée pour délivrer son mari des Allemands. Lucie (prendre) rendez-vous avec Barbie. Personne ne (savoir) que Raymond (être) le mari de Lucie. Elle (dire) à Barbie que Raymond (être) le père de son enfant. Elle lui (expliquer) que sa famille exigeante (vouloir) un mariage entre les deux avant l'exécution de Raymond. Barbie (croire) l'histoire de Lucie, et les Allemands (emmener) Raymond à la mairie pour le mariage. En route des Résistants (délivrer) Raymond des mains des Allemands.

Avec leur fils, Lucie et Raymond (déménager) en Angleterre où ils (avoir) leur deuxième enfant. Quand enfin Lucie (revenir) en France pour recommencer sa vie, elle (avoir) 30 ans.

Present tense of the irregular verb *plaire*

The verb **plaire** (*to please*) is irregular. Only two of its present tense forms are frequently used, **il/elle/on plaît** and **ils/elles plaisent**. To express likes or dislikes, **plaire** is often used instead of **aimer**. **Plaire** takes an indirect object, using the pronoun **à** with a person or an indirect object pronoun.

La musique dynamique d'Angélique Kidjo **plaît** à tous.	*The dynamic music of Angélique Kidjo pleases everyone.*
Est-ce que les arts vous **plaisent**?	*Do you like the arts?*
Oui, la sculpture me **plaît**.	*Yes, I like sculpture.*

The irregular past participle of **plaire** is **plu**.

Est-ce que le roman de Marguerite Duras t'a **plu**?	*Did you like Marguerite Duras' novel?*

Est-ce que la cuisine sénégalaise te plaît?

cent dix-huit
Unité 3

Teaching Notes

1. The story in Activity 9 that recounts Lucie Aubrac's life comes from her autobiography.
2. Klaus Barbie was known as the "Butcher of Lyon." In 1987 he was sentenced to life imprisonment for war crimes. He died in prison in 1991.

3. Cognates used in this story include **adorable, Résistance, Résistants, prison** and **exécution**.
4. Point out to students that they have already seen the verb **plaire** in the expression **s'il vous (te) plaît**.

Pratique

 Au musée

Dites si ce que ces personnes regardent au musée leur plaît beaucoup ou ne leur plaît pas, selon les illustrations.

Claire et Dominique

M. Roland

Madeleine

Pierre-Jean

les élèves de Mme Chapelle

Didier

M. et Mme Deslauriers

Mme Chapelle

Modèles:

Claire et Dominique
Le paysage plaît beaucoup à Claire et Dominique.

Didier
Les vases ne plaisent pas à Didier.

1. Madeleine
2. les élèves de Mme Chapelle
3. M. Roland
4. M. et Mme Deslauriers
5. Mme Chapelle
6. Pierre-Jean

cent dix-neuf
Leçon A
119

 Audio CD Activity10

Answers

10 1. La nature morte plaît beaucoup à Madeleine.
2. Les sculptures ne plaisent pas aux élèves de Mme Chapelle.
3. Le paysage ne plaît pas à M. Roland.
4. Les vases plaisent beaucoup à M. et Mme Deslauriers.
5. Les sculptures plaisent beaucoup à Mme Chapelle.
6. La nature morte ne plaît pas à Pierre-Jean.

119

Answers

11
1. Est-ce que les romans auto-biographiques te plaisent?
2. Est-ce que le cinéma français te plaît?
3. Est-ce que le théâtre te plaît?
4. Est-ce que le ballet te plaît?
5. Est-ce que les chansons de Céline Dion te plaisent?
6. Est-ce que la musique africaine te plaît?
7. Est-ce que les tableaux impres-sionnistes te plaisent?
8. Est-ce que les sculptures de Rodin te plaisent?

Students' responses to these questions will vary.

Comparisons

The Subjunctive in English
Write the sentence "It is necessary that you be on time" on the board. Ask students to identify what form of "to be" is usually used in English with the pronoun "you" ("are"). Explain that this is an example of the subjunctive in English. Ask students to think of other examples of the subjunctive in English.

120

---

11 **En partenaires**

 Avec un(e) partenaire, posez des questions sur ce qui vous plaît. Puis répondez aux questions. Suivez le modèle.

Modèle:

la littérature
A: **Est-ce que la littérature te plaît?**
B: **Oui, elle me plaît beaucoup. Et toi, est-ce que la littérature te plaît?**
A: **Non, elle ne me plaît pas du tout.**

1. les romans autobiographiques
2. le cinéma français
3. le théâtre
4. le ballet
5. les chansons de Céline Dion
6. la musique africaine
7. les tableaux impressionnistes
8. les sculptures de Rodin

The subjunctive of regular verbs after *il faut que*

Verb forms in both English and French depend on the tense (time of the action) and the mood (attitude of the speaker) they reflect. You already know two moods in French: the indicative, used to state certainty or fact; and the imperative, used to give a command. A third mood is called the subjunctive. This mood is used to express necessity, doubt, uncertainty, possibility, wish, feeling or emotion.

In French the subjunctive usually appears after **que (qu')** (*that*) in a dependent clause. What comes before **que** is one of several expressions. The first of the expressions that you will learn is the expression of necessity **il faut**. You already know that to express necessity or obligation in general, you use **il faut** plus an infinitive. However, to say who specifically needs to do something, you use **il faut que** plus a verb in the subjunctive.

Il faut **travailler**.   *It is necessary to work.*
Il faut que Malick **travaille**.   *Malick must work. (It is necessary for Malick to work.)*

120 cent vingt
Unité 3

Teaching Notes

1. The subjunctive of irregular verbs will be presented in **Leçon B**.
2. You may want to tell students that the indicative describes a definite action that took place in the past, is taking place now or will take place in the future. The subjunctive describes an action that may or may not take place.
3. The mnemonic device WEDDINGS (**w**ish, **e**motion, **d**esire, **d**emands, **i**mpersonal, **n**egation, **g**eneral, **s**uperlative) may help your students remember when to use the subjunctive.
4. Remind students that verbs ending in **-ier** have **-ii** in the **nous** and **vous** forms of the subjunctive, for example, **Il faut que nous étudiions**.
5. You might want to have students prepare a report card for themselves to assess their progress in each course at this point in the

To form the subjunctive of most verbs, drop the **-ent** of the present tense **ils/elles** form and add the ending **-e**, **-es**, **-e**, **-ions**, **-iez** or **-ent**, depending on the corresponding subject. Here are the subjunctive forms of regular **-er**, **-ir** and **-re** verbs.

	chanter	*choisir*	*vendre*
que je (j')	**chante**	**choisisse**	**vende**
que tu	**chantes**	**choisisses**	**vendes**
qu'il/elle/on	**chante**	**choisisse**	**vende**
que nous	**chantions**	**choisissions**	**vendions**
que vous	**chantiez**	**choisissiez**	**vendiez**
qu'ils/elles	**chantent**	**choisissent**	**vendent**

Note that the **nous** and **vous** subjunctive forms are exactly like those for the imperfect. The subjunctive in French can be expressed by the present, future, conditional or an infinitive in English.

Il faut que vous **regardiez** le chef-d'œuvre de Caillebotte à Chicago.

Il faut que vous **pensiez** aux films et à la musique.

Il faut qu'on **assiste** aux concerts d'Angélique Kidjo pour profiter de sa musique dynamique.

You'll have to look at Caillebotte's masterpiece in Chicago.

You should think about movies and music.

It's necessary to attend (that one attends) Angélique Kidjo's concerts to benefit from her dynamic music.

Pratique

12 Quelles corvées?

Dites ce que les membres de la famille Vannier doivent faire.

Modèle:

Il faut que maman nourrisse Médor.

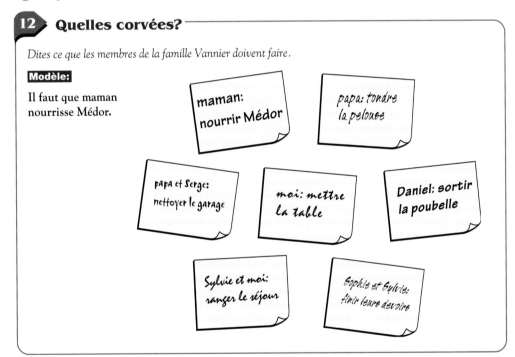

 Audio CD Activity 12

Answers

12 Il faut que papa et Serge nettoient le garage.
Il faut que Sylvie et moi, nous rangions le séjour.
Il faut que papa tonde la pelouse.
Il faut que je mette la table.
Il faut que Daniel sorte la poubelle.
Il faut que Sophie et Sylvie finissent leurs devoirs.

Cooperative Group Practice

Il faut qu'on....
Divide students into small groups. Write four topics on the board, such as **un bon conducteur**, **un bon élève**, **un bon ami** and **un bon père**. Each group writes as many sentences as possible using **Il faut qu'on...** that express what it takes to be a good driver, student, friend or father, for example, **Il faut qu'on (accélère doucement, regarde à droite et à gauche, s'arrête au feu rouge) pour être un bon conducteur.** When each group has completed its list for each topic, compile a classroom list to see how many different sentences students could come up with that use the subjunctive of regular verbs.

Teaching Note

school year. You could use the report card on page 120 in the first level of *C'est à toi!* as a model. In the left-hand column students list their courses in French. In the middle column they give themselves the grade they think they have earned in each course thus far. In the right-hand column they write a comment they think each teacher would make to suggest improvement, for example, **Il faut que tu... travailles plus, parles moins, finisses tes devoirs chaque jour.**

Answers

13 1. Alors, il faut que je m'arrête au musée Rodin.

2. Alors, il faut que Sabrina visite le musée Picasso.

3. Alors, il faut que Marie-France achète des CDs de Céline Dion.

4. Alors, il faut que Mireille écoute l'album *Logozo*.

5. Alors, il faut que tes parents entendent la bande originale de *Doctor Zhivago*.

6. Alors, il faut que tu assistes à *Manon des Sources*.

7. Alors, il faut que Jean-Jacques loue *Jean de Florette*.

8. Alors, il faut que nous lisions *L'Amant* de Marguerite Duras.

14 Possible answers:

1. Pour devenir sculpteur, est-ce qu'il faut que je travaille dur? Oui, pour devenir sculpteur, il faut que tu travailles dur.

2. Pour devenir vedette, est-ce qu'il faut que je choisisse de bons rôles? Oui, pour devenir vedette, il faut que tu choisisses de bons rôles.

3. Pour devenir metteur en scène, est-ce qu'il faut que je m'entende avec tout le monde? Oui, pour devenir metteur en scène, il faut que tu t'entendes avec tout le monde.

4. Pour devenir acteur, est-ce qu'il faut que je me perfectionne en théâtre? Oui, pour devenir acteur, il faut que tu te perfectionnes en théâtre.

5. Pour devenir chanteur, est-ce qu'il faut que je donne des concerts? Oui, pour devenir chanteur, il faut que tu donnes des concerts.

6. Pour devenir compositeur, est-ce qu'il faut que je suive beaucoup de cours de musique? Oui, pour devenir compositeur, il faut que tu suives beaucoup de cours de musique.

---

13 **Chacun son goût**

Naturellement, chaque personne a des goûts (tastes) différents. Faites une recommandation fondée sur les préférences des personnes suivantes. Suivez le modèle.

Modèle:

Nous aimons les tableaux impressionnistes de Caillebotte. (passer par le musée d'art à Chicago pour voir son chef-d'œuvre)
Alors, il faut que vous passiez par le musée d'art à Chicago pour voir son chef-d'œuvre.

1. Tu trouves *Le Penseur* formidable. (s'arrêter au musée Rodin)
2. L'art du vingtième siècle plaît à Sabrina. (visiter le musée Picasso)
3. Marie-France adore la chanson "My Heart Will Go On." (acheter des CDs de Céline Dion)
4. Les CDs d'Angélique Kidjo intéressent Mireille. (écouter l'album *Logozo*)
5. La musique de Maurice Jarre plaît à mes parents. (entendre la bande originale de *Doctor Zhivago*)
6. Les films de Daniel Auteuil me plaisent. (assister à *Manon des Sources*)
7. Jean-Jacques préfère les films de Gérard Depardieu. (louer *Jean de Florette*)
8. Vous aimez les romans autobiographiques. (lire *L'Amant* de Marguerite Duras)

Si tu es à Paris, il faut que tu visites le musée Rodin.

---

14 **En partenaires**

 Est-ce qu'une profession dans les arts vous intéresse? Avec un(e) partenaire, demandez s'il faut faire certaines choses pour y réussir. Puis répondez aux questions. Alternez les questions et les réponses avec votre partenaire. Suivez le modèle.

Modèle:

peintre/montrer ses tableaux à des expositions

A: **Pour devenir peintre, est-ce qu'il faut que je montre mes tableaux à des expositions?**

B: **Oui, pour devenir peintre, il faut que tu montres tes tableaux à des expositions.**

1. sculpteur/travailler dur
2. vedette/choisir de bons rôles
3. metteur en scène/s'entendre avec tout le monde
4. acteur ou actrice/se perfectionner en théâtre
5. chanteur ou chanteuse/donner des concerts
6. compositeur/suivre beaucoup de cours de musique
7. chef d'orchestre/étudier la musique du dix-septième siècle
8. écrivain/écrire chaque jour

Communication

15 ▸ Un entretien

Quels arts vous plaisent? Interviewez un(e) partenaire. Copiez la grille suivante. Demandez à votre partenaire si chaque art indiqué lui plaît. Mettez un ✓ dans l'espace blanc convenable. Si la réponse est "oui," demandez un exemple. Puis demandez l'impression de votre partenaire. Écrivez l'exemple et l'impression dans les espaces indiqués. Puis changez de rôles.

art	non	oui	exemple	impression
1. les films d'épouvante		✓	*Scream*	formidable
2. les comédies				
3. les émissions de télé				
4. les pièces de théâtre				
5. les tableaux				
6. les sculptures				
7. les chansons				
8. les romans auto-biographiques				

Modèle:

les films d'épouvante
A: **Est-ce que les films d'épouvante te plaisent?**
B: **Oui, ils me plaisent beaucoup.**
A: **Alors, quel est ton film d'épouvante favori?**
B: **C'est** *Scream*.
A: **Et comment tu trouves ce film?**
B: **Il est formidable.**

16 ▸ Notre hit-parade

Groupez-vous avec deux autres paires d'élèves. Avec vos grilles de l'Activité 15, discutez les résultats des entretiens sur les arts qui vous plaisent. Puis préparez une affiche qui annonce votre "hit-parade," la liste des exemples favoris de votre groupe dans chaque catégorie, et montrez-la à la classe.

17 ▸ La rentrée

Imaginez que vous avez un petit frère ou une petite sœur de six ans. Faites une liste de dix choses qu'il faut faire et qu'il ne faut pas faire quand il/elle va à l'école pour la première fois. Utilisez **il (ne) faut (pas) que tu….**

Modèle:

En allant à l'école, il ne faut pas que tu montes dans la voiture d'une personne que tu ne connais pas.

Answers (cont.)

7. Pour devenir chef d'orchestre, est-ce qu'il faut que j'étudie la musique du 17ème siècle?
   Oui, pour devenir chef d'orchestre, il faut que tu étudies la musique du 17ème siècle.
8. Pour devenir écrivain, est-ce qu'il faut que j'écrive chaque jour?
   Oui, pour devenir écrivain, il faut que tu écrives chaque jour.

Une autobiographie
After students have completed
Activity 18, you might ask them to
write a short autobiography in the
imperfect and the **passé composé**.
When completed, pair each student
with a peer editor who can suggest
where additional detail could be added
to make the autobiography more interesting. You may want to model the
types of comments peer reviewers
might make by using one student's
autobiography as an example.
Comments should be constructive and
nonthreatening, for example, "As a
reader, I would like to know what kind
of house you moved to. Can you add
some adjectives here?"

Parts of Speech
You might consider selecting an interesting news article in a French magazine. Make a copy for students and
have them highlight with a marker the
adjectives, adverbs, relative clauses and
appositives the reporter uses to create a
fully developed story.

Explaining in Detail

When telling a story in French, remember to use the **imparfait** for descriptions and the **passé composé**
to tell what happened. Can you explain the tense choices used to tell this simple story?

> *C'était* lundi après-midi. Il *faisait* du soleil, mais Gabrielle *était* déprimée. *C'était* son anniver-
> saire, et elle *voulait* le fêter avec des amis. Pierre *est arrivé* chez Gabrielle. Il *est sorti* de sa
> voiture. Il *avait* dans la main un cadeau énorme couvert de papier jaune et rose. Il *s'est*
> *approché* de la porte. Gabrielle *a répondu* à la porte.

To make the story more interesting, add detail to the descriptions by using:

- adjectives
  Il est sorti de sa *nouvelle* voiture *de sport rouge.*

- adverbs
  Pierre est arrivé *un peu en retard.*
  Il est *vite* sorti de sa voiture.

- relative clauses
  Pierre, *qui était un ami du frère de Gabrielle*, est arrivé.
  Il avait dans la main un cadeau *qu'il venait d'acheter dans la boutique préférée de Gabrielle.*

- appositives (expressions after a noun, usually set off by commas, that help explain in detail)
  Pierre, *un grand garçon marocain*, est arrivé.
  Gabrielle, *une petite fille timide*, a répondu à la porte.

By now you're curious to find out what happens next. Using detail makes the story come alive.

À vous d'écrire!

*Lisez les événements qui se passent dans les deux histoires qui suivent. Puis récrivez chaque
histoire en ajoutant des détails intéressants pour créer une histoire plus développée.*

1. Claire a entendu quelque chose. Elle s'est réveillée. Elle est allée à la fenêtre. Elle
   l'a ouverte. Elle a vu un chat dans l'arbre.
2. Bernard est entré dans le parc d'attractions. Il a eu une consultation avec une
   voyante. Il a mangé. Il a essayé des jeux d'adresse.

Teaching Notes

1. The **Stratégie communicative**
is designed to develop skills that
will help students prepare to take
the Advanced Placement Exam
in French Language. This unit's
Stratégie communicative develops
writing proficiency. Students focus
on explaining in detail when narrating in the past tense.
2. To prepare for Activity 18, you
may want to do this activity with
students. Choose a children's story
in French that is told in the imperfect and the **passé composé**. Use
correction fluid to delete each
verb, putting an infinitive in each
blank space. Then call on students
to read the story aloud, replacing
each infinitive with the appropriate imperfect or **passé composé**
verb form. You might also discuss
how the adjectives, adverbs, relative clauses and appositives make
the story more interesting.

Workbook Activities 10–11

Grammar & Vocabulary
Exercises 14–15

Audio CD
Conversation culturelle

Transparency 13

guide

Paris ● Ile-de-France

pariscope
0,40 €
seulement

du mercredi 28 juillet au mardi 3 août

Conversation culturelle

prix

M 06310 - n°1888 - F : 0,40 €
BEL : €1,25 · CH : 2.00 FS · CND : $ 2.50 · GB : 0,80 £

Quand vous êtes à Paris, il y a une grande
variété de distractions. Mais comment
choisir? Ce n'est pas difficile. D'abord,
pour tout savoir sur les spectacles, il faut
que vous alliez au kiosque à journaux°
pour acheter un guide. Le prix? Ce n'est
pas cher. Les renseignements° sont
valables° pour une semaine.

un kiosque à journaux où vous achetez des journaux,
des guides et des magazines; **des renseignements**
information; **valable** *valid*

M. Diouf travaille dans un kiosque à journaux.

cent vingt-cinq
Leçon B
125

Teaching Note

Communicative functions that
are recycled in this lesson are
"sequencing events," "stating a
warning," "asking for information"
and "pointing out something."

1. Most movie theaters in Paris offer reduced prices to students, as well as a general price reduction to all ticket holders on Monday. 2. Louis Malle (1932-95), a French filmmaker who married actress Candice Bergen in 1980, began his career as a cameraman and codirector with Jacques Cousteau, filming an undersea documentary *Le Monde du Silence* (1956). He is considered the most wide-ranging of the **auteurs** who comprised the French **nouvelle vague** in the late 1950s, using the camera innovatively, broaching controversial subjects and exerting complete creative control of all aspects of his films. In 1957 he directed his first nondocumentary feature film, *Ascenseur pour l'Échafaud*, a psychological thriller starring Jeanne Moreau. *Zazie dans le métro* (1960), a zany, dadaistic comedy, was followed by *Vie Privée*, loosely based on Brigitte Bardot's life, and *Viva Maria!* (1965), a lampoon of action pictures starring Moreau and Bardot. Malle often explored themes of social alienation and isolation, perhaps most effectively in the grim tragedy *Le Feu Follet* (1963). In *Le Souffle au Cœur* (1971) Malle tells the touchingly comic story of a young boy's coming of age in the early 1950s. After moving to the U.S. in 1975, Malle made films in English, such as *Pretty Baby* (1978), *My Dinner with André* (1981) and *Uncle Vanya on 42nd Street* (1994).

Est-il possible que vous sachiez l'indice° d'un film en avance? Mais oui! Vous n'avez qu'à regarder les signes. Attention! Il est possible qu'un film soit interdit.° Il est aussi utile° que vous ayez une idée du genre de film que vous préférez.

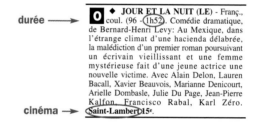

Pour tout savoir sur un film, il est indispensable que vous fassiez attention à la **description** dans le guide. Où a-t-on tourné° le film? C'est un film en noir et blanc ou en couleur? Est-il surprenant que vous reconnaissiez° le nom du metteur en scène? C'est Louis Malle. Est-ce qu'on recommande le film aux jeunes?°

duréée ⟶
cinéma ⟶

Est-il important que vous ne preniez pas le métro trop tard? Voilà la **durée** du film. Où passe-t-on le film? Pouvez-vous trouver le nom du **cinéma**? Il est en bas.°

un indice *rating;* **interdit(e)** *prohibited;* **utile** *useful;* **tourner** *to shoot (a movie);* **reconnaître** *to recognize;* **des jeunes** *des jeunes gens;* **en bas** *at the bottom*

1. Point out that this guide also indicates whether a film is shown in the **version originale** (**vo**) or in the **version anglaise** (**va**). Make students aware of the abbreviations used in the guides, for example, **Franc.** for a film in French and **coul.** for **en couleur**.

2. An excerpt from Louis Malle's screenplay for *Au revoir, les enfants* is included in the **Lecture** section of this lesson.
3. Point out that **reconnaître** belongs to the **connaître** verb family.

◆ **HIROSHIMA MON AMOUR** - Franco-japonais, noir et blanc (59 - 1h30). Comédie dramatique, de Alain Resnais: Dans Hiroshima détruite, les amours éphémères d'une Française venue tourner un film au Japon et d'un architecte nippon. Scénario et dialogues de Marguerite Duras. Un film-clé de la Nouvelle Vague. Avec Emmanuelle Riva, Eiji Okada, Bernard Fresson, Stella Dassas. **Accatone** 5ᵉ.

arrondissement

Ce cinéma parisien se trouve dans le 8ᵉ arrondissement.

Il est essentiel que vous sachiez dans quel **arrondissement°** se trouve° le cinéma. Voilà l'abréviation du cinquième arrondissement. Il est impossible que vous ne voyiez pas le nom de Marguerite Duras. C'est la **scénariste°** du film. C'est aussi elle qui a écrit le roman du **même°** nom.

drame vécu →

◆ **LUCIE AUBRAC** - Franç., coul. (96 - 1h55) **Drame vécu** de Claude Berri: Grande figure de la Résistance, l'amour pousse Lucie aux plus téméraires actions pour arracher, à Klaus Barbie et à la Gestapo, son mari, Raymond, arrêté à Caluire avec Jean Moulin. D'après "Ils partiront dans l'ivresse" de Lucie Aubrac. Avec Carole Bouquet, Daniel Auteuil, Jean-Roger Milo, Éric Boucher, Patrice Chéreau, Heino Ferch, Bernard Verley, Jean Martin, Hubert Saint-Macary, Andrzej Seweryn, Pascal Greggory, Jean-Louis Richard, Jacques Bonnaffé, Alain Sachs. **UGC Ciné Cité Les Halles** 1ᵉʳ, **Gaumont Opéra Premier** 2ᵉ, **UGC Danton** 6ᵉ, **UGC Rotonde** 6ᵉ, **Gaumont Ambassade** 8ᵉ, **UGC Triomphe** 8ᵉ, **UGC Opéra** 9ᵉ, **UGC Lyon Bastille** 12ᵉ, **Gaumont Gobelins Fauvette** 13ᵉ, **Gaumont Alésia** 14ᵉ, **Gaumont Parnasse** 14ᵉ, **Gaumont Convention** 15ᵉ, **Pathé Wepler** 18ᵉ, **Gambetta** 20ᵉ.

Les Français trouvent que le cinéma est un passe-temps extra. À combien de cinémas passe-t-on ce film? Ce film n'est pas le même genre que les autres films de Daniel Auteuil. C'est un **drame vécu,°** une histoire vraie.

bureau de location

On peut aussi voir beaucoup de spectacles formidables à Paris. Vous ne trouvez pas? Pour réserver une **place,°** il **vaut mieux°** que vous veniez au **bureau de location.°** Il est bon qu'il y en ait plusieurs.

un arrondissement *district;* **se trouver** *être situé(e);* **un(e) scénariste** *la personne qui écrit un scénario;* **même** *same;* **vécu(e)** *real-life;* **une place** *seat;* **il vaut mieux** *it is better;* **un bureau de location** *où vous achetez des billets*

cent vingt-sept

Leçon B

127

Teaching Notes

1. Students learned **un scénario** in **Leçon A**.
2. **Même**, meaning "even," was introduced in **Unité 9** in the first level of C'est à toi!

3. Remind students that **vécu** is the past participle of **vivre**. **Vivre** was introduced in **Unité 12** in the first level of C'est à toi!

127

Audio CD Activities 1-2

Answers

1 1. V
2. V
3. V
4. V
5. F
6. F

2 Possible answers:
1. Pour acheter un guide sur les spectacles à Paris il faut aller au kiosque à journaux.
2. Pour savoir l'indice d'un film avant de le voir il faut regarder les signes.
3. Le metteur en scène du film *Zazie dans le métro* est Louis Malle.
4. On passe le film *Le Jour et La Nuit* au cinéma Saint-Lambert.
5. La durée de ce film est une heure 52 minutes.
6. On a tourné le film *Hiroshima mon amour* en 1959.
7. *Lucie Aubrac* est un drame vécu.
8. On passe ce film à 14 cinémas.
9. On peut acheter des billets pour le spectacle "Holiday on Ice" au Palais des Sports, au Virgin Megastore et aux Galeries Lafayette.
10. Au Théâtre de la Huchette les étudiants paient 12 euros.

HUCHETTE, TP 23, rue de la Huchette, Pl. St-Michel (5e), M° St-Michel. (H). Loc. 01 43 26 38 99 (sf dim) de 17h à 21h.

tarif → *À 19h (sauf dim), pl. 15 €, étud. (sauf sam) 12 €:*

D'Eugène Ionesco, mise en scène de Nicolas Bataille, avec LES COMÉDIENS DU THÉÂTRE DE LA HUCHETTE:

LA CANTATRICE CHAUVE

Une autopsie de la société contemporaine par le truchement de propos ridicules par leur banalité et que tiennent deux couples au coin du feu.

D'Eugène Ionesco, mise en scène de M. Cuvelier par LES COMÉDIENS DU THÉÂTRE DE LA HUCHETTE

LA LEÇON

Un professeur timide, une élève insolente. Mais les rôles vont changer, la situation se renverser. Lui tyrannique, elle soumise, ce nouveau rapport de force aboutira au crime.

À la Comédie-Française on peut voir des pièces de théâtre classiques. (Paris)

Peut-être que les pièces de théâtre vous plaisent. En général les étudiants paient un **tarif** réduit° aux théâtres. Si vous y allez, il est nécessaire que vous regardiez l'abréviation M° dans le guide qui vous dit où descendre° du métro.

réduit(e) moins cher/chère; **descendre** ne pas monter

 1 ### Vrai ou faux?

 Écrivez "V" si la phrase est vraie; écrivez "F" si la phrase est fausse.

 2 ### Au cinéma et au théâtre

Répondez aux questions d'après les renseignements sur les distractions à Paris.

1. Où faut-il aller pour acheter un guide sur les spectacles à Paris?
2. Qu'est-ce qu'il faut faire pour savoir l'indice d'un film avant de le voir?
3. Qui est le metteur en scène du film *Zazie dans le métro*?
4. Quel est le nom du cinéma où on passe le film *Le Jour et La Nuit*?
5. Quelle est la durée de ce film?
6. Quand est-ce qu'on a tourné le film *Hiroshima mon amour*?
7. Quel est le genre du film *Lucie Aubrac*?
8. À combien de cinémas passe-t-on ce film?
9. Quels sont trois endroits où on peut acheter des billets pour le spectacle "Holiday on Ice"?
10. Combien paient les étudiants au Théâtre de la Huchette?

128 cent vingt-huit
Unité 3

128

Teaching Notes

1. You may want to reuse Transparency 64 (**Le plan de métro**) from the Level One transparencies to show students the Saint-Michel metro station.
2. An excerpt from *La cantatrice chauve* will be presented in **Unité 5** in the **Lecture** section.

3. Three loud knocks, called **les trois coups**, are heard backstage to signal that a play is about to begin.
4. **Descendre**, meaning "to go down," was introduced in **Unité 8** in the second level of *C'est à toi!*

3 ▶ Qu'est-ce que c'est?

Choisissez l'expression convenable de la liste suivante qui correspond à chaque expression indiquée dans le guide.

l'arrondissement	les cinémas	la description	les vedettes
la durée	le genre	les pièces	le prix des places
le metteur en scène	le tarif réduit	le théâtre	le métro
le film			

2.   3.   1.   **8.   10.   9.**

 CHACUN CHERCHE SON CHAT Franç.
coul. (95 · 1h35). Comédie de Cédric
4. ➤ Klapisch. À la veille de partir en vacances,
Chloé cherche quelqu'un pour garder son chat
5. { noir. Une occasion pour elle d'apprendre à
connaître les gens de son quartier proche de la
Bastille. Avec Garance Clavel, Olivier Py,
Zinedine Soualem, Renée Le Calm, Romain
6. { Duris, Estelle Larrivaz, Nicolas Koretzky
14 Juillet Parnasse 6ᵉ, **Denfert 14ᵉ**, **Grand**
7. { **Pavois 15ᵉ**, **Saint-Lambert 15ᵉ**.

COMÉDIE-FRANÇAISE ► RICHELIEU NA Pl.
du Théâtre Français (2ᵉ) Mᵒ Palais-Royal. Loc.
11. ➤ uniquement 2 semaines à l'avance jour pour
jour, par tél: 01 44 58 15 15 ou aux guichets. Pl.
de 5 € à 30 € TJ dernière minute: 10 € (- 25
ans, étud. - 27 ans) 3/4 d'h. avant le début de la
12. ➤ représentation. **Voir aussi rubrique**
"Spectacles musicaux".
À 20h30 les 19, 31 mars, 4, 9, 18, 23 avril et 2 mai.
À 14h30 les 22, 30 mars, 5, 13, 19 avril et 3 mai
(dernière):
De Marivaux, mise en scène de Jean-Pierre
Miguel, avec Catherine SAMIE, Gérard
GIROUDON, Andrzej SEWERYN, Cécile
BRUNE, Florence VIALA, Michel ROBIN,
Laurent d'OLCE, Nicolas LORMEAU, Jean-
Pascal ABRIBAT, Roch-Antoine ALBALADEJO:
LES FAUSSES CONFIDENCES
Une peinture exacte et une critique acérée de la
société monarchique et mondaine du temps de
Marivaux.
À 20h30 les 20, 24, 26, 30 mars, 1ᵉʳ, 3, 7, 10,
17, 21, 24 avril. À 14h30 dim 23 mars, les 6,
12, 20 avril: **13.**
De Molière, avec C. FERRAN, J. DAUTREMAY,
A. KESSLER, P. TORRETON, I. TYCZKA, C.
BRUNE, N. NERVAL, C. BLANC, O. DAUTREY,
E. RUF, B. RAFFAELLI:
TARTUFFE ou L'imposteur
La traversée des illusions est rude dans
"Tartuffe": elle secoue une famille aux prises
avec le plus malfaisant des hypocrites, si
malfaisant que son nom est devenu commun.

4 ▶ C'est à toi!

Questions personnelles.

1. Quel est le dernier film que tu as vu? Est-ce que tu le recommanderais?
2. As-tu jamais vu un film en version française? Si oui, quel film?
3. Où est-ce que tu peux trouver la description d'un nouveau film?
4. Quels genres de films est-ce que tu préfères?
5. Qu'est-ce qui est important quand tu choisis un film à voir? L'indice? Les vedettes? Le metteur en scène?
6. Est-ce que tu paies un tarif réduit aux cinémas ou aux théâtres?
7. As-tu jamais vu une pièce de théâtre? Si oui, quelle pièce?
8. Si tu as envie d'assister à un spectacle dans ta ville, où vas-tu pour réserver une place?

cent vingt-neuf

129

Leçon B

 Audio CD Activity 4

Answers

3 Possible answers:
1. le genre
2. le film
3. la durée
4. le metteur en scène
5. la description
6. les vedettes
7. les cinémas
8. le théâtre
9. le métro
10. l'arrondissement
11. le prix des places
12. le tarif réduit
13. les pièces

4 Answers will vary.

Cooperative Group Practice

Vocabulary Cards

To practice the vocabulary in this lesson, put students in small groups of four or five. Write the new vocabulary words and expressions on note cards, and give each group a set. (It is a good idea to write "**+ subjonctif**" on the cards listing an impersonal expression.) The first student in each group selects a card from the stack and forms a sentence using the word or expression on the card and a different word or expression from the vocabulary list, for example, (**Il est utile/un kiosque à journaux**) **Il est utile que nous achetions un guide au kiosque à journaux**. After saying the sentence, the student places the card in the discard stack. Students take turns forming sentences until all the cards in the stack have been used. (Vocabulary words on the list may be reused, but the cards in the stack are used only once.)

FYI

A certain number of French films have been remade into American films, including *Three Men and a Baby* (*Trois hommes et un couffin*), *Sommersby* (*Le retour de Martin Guerre*), *Diabolique* (*Diabolique*), *The Birdcage* (*La Cage aux Folles*), *Father's Day* (*Les Compères*) and *Un Indien dans la ville* (*Jungle to Jungle*). You might consider showing the French and American versions of one of these films and then holding a discussion on the changes that were made to the French film in order to please an American audience.

Un peu de plus

Une enquête

You may want to have students take a poll to compare Americans' movie preferences with those of the French. Tell students to poll ten people and record their favorite genre of film. (You may want half the class to poll teenagers and the other half to poll adults.) Then ask students to demonstrate their findings by making a pie graph like the one on page 131, listing the percentage of viewers for each type of film. Finally, hold a class discussion to compare the results. Does a genre of film appear in the American pie graph that did not receive mention in the French one? What is the most popular type of film in France and in the United States? What is the least popular? Do viewing preferences change by age group in the United States? Do the results of the poll underline certain cultural truths about Americans and the French?

~*Aperçus culturels*~

Les attractions à Paris

Pour tout savoir sur les spectacles à Paris, achetez *Pariscope*, *L'Officiel des Spectacles* ou *Zurban*, trois guides qui offrent des listes de toutes les attractions et les distractions dans la région parisienne. Tout est là avec l'adresse, la station de métro, le numéro de téléphone du bureau de location, les heures, les dates et les tarifs. Et pour moins d'un euro, c'est pas mal! Dans ces guides vous pouvez trouver tous les renseignements sur:

le cinéma
le théâtre (classique, moderne)
les concerts
les cabarets
les discothèques
le sport
les musées
les parcs d'attractions
les jardins
les monuments
les spectacles "Son et lumières"
les zoos
les marionnettes
les variétés
les expositions pour les jeunes
les fêtes populaires
la musique (classique, rock, jazz)
l'opéra
le ballet
la danse
les cafés et les restaurants

Selon *Pariscope*, le Louvre est ouvert tous les jours sauf le mardi.

À quelles activités culturelles les Français ont-ils participé dans la dernière année?

L'année dernière, 14 pour cent des Français ont visité un parc d'attractions comme Disneyland Resort Paris.

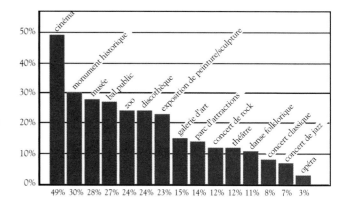

cinéma	49%
monument historique	30%
musée	28%
bal public	27%
zoo	24%
discothèque	24%
exposition de peinture/sculpture	23%
galerie d'art	15%
parc d'attractions	14%
concert de rock	12%
théâtre	12%
danse folklorique	11%
concert classique	8%
concert de jazz	7%
opéra	3%

 130

cent trente
Unité 3

Teaching Notes

1. Cognates in this reading include **attractions, région, parisienne, classique, cabarets, discothèques, marionnettes, opéra, danse, activités, culturelles, participé, historique, public, peinture, folklorique, récentes, approximativement, inventé, cinématographe, spectateurs, commencement, modeste, attribue, popularité, diversification, programmation, permet, limité, fréquente, pratiquement, occasion, groupe, proportion, diminuer, préférences, personnelles, nombre** and **violence.**

2. To access the Web address for *Zurban*, key "Zurban," using your favorite search engine.

Ariane est une "cinéphile," une personne qui adore le cinéma.

Le cinéma

Comme vous le voyez, la visite au cinéma est la première attraction sur la liste des passe-temps culturels pour les Français, surtout dans les années récentes. Il y a approximativement 100 ans les frères Louis et Auguste Lumière ont inventé le cinématographe. On a montré le premier film en public à Paris en 1895. Trente-trois spectateurs ont payé un franc pour y assister. Depuis ce commencement modeste, on voit aujourd'hui jusqu'à 195 millions de spectateurs qui vont au cinéma chaque année. On attribue la popularité récente du cinéma à la diversification de programmation, aux tarifs moins chers et aux cinémas plus accueillants. Maintenant on va au cinéma dans un complexe multisalle qui permet aux spectateurs un plus grand choix de films.

Qui assiste aux films?

La visite au cinéma est donc devenue l'activité culturelle la plus populaire, mais avec un public limité. Un Français sur deux ne fréquente pratiquement jamais le cinéma. Cinquante-sept pour cent des Français qui vont au cinéma y vont occasionnellement, et deux pour cent seulement vont au cinéma une fois par semaine. Il y a des fanas du cinéma qui assistent aux films au moins une fois par mois; ce sont souvent les jeunes. Les enfants demandent à leurs parents de les emmener au cinéma pour y voir des dessins animés ou des films avec des animaux. Les ados y vont parce que ça leur offre l'occasion de sortir avec des amis, en groupe ou en couple.

Les films américains

On voit plus de films américains que de films français dans les cinémas en France, mais la proportion commence à diminuer. Il n'y a que quarante pour cent de films français dans les salles de cinéma. Bien sûr, comme tout le monde, les Français ont leurs préférences personnelles: le plus grand nombre des Français aime assister à des comédies et des mélodrames.

Quel est le pourcentage du public français qui préfère les comédies comme *Mariage mixte*?

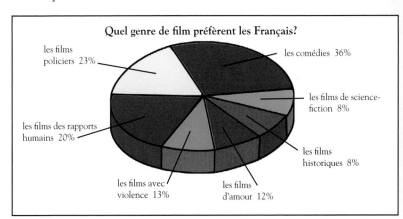

Quel genre de film préfèrent les Français?

- les films policiers 23%
- les comédies 36%
- les films de science-fiction 8%
- les films des rapports humains 20%
- les films historiques 8%
- les films avec violence 13%
- les films d'amour 12%

cent trente et un
Leçon B
131

FYI

1. Louis and Auguste Lumière grew up in Lyon where the family owned a profitable photography business. In 1880 the two brothers invented an improved dry plate. In 1894 they borrowed some ideas from Edison's kinetoscope and developed a combined camera, printing machine and projector, which they patented in 1895 as the **cinématographe**. In their motion picture camera the frames of film were pulled down at a rate of 16 per second, while a semicircular shutter cut off the light between the lens and the film. Louis made 100 short 35-mm films. By 1895 2,000 people a night were coming to view them at a café in Paris. Auguste subsequently became well known for his medical research, but Louis continued in photography, inventing the photorama for panoramic photography in 1899 and a color photography process in 1907. In 1920 he made improvements in stereoscopic photography, and in 1935 he produced a three-dimensional film. 2. The **complexes multisalles** in Paris are predominantly owned by UGC and Gaumont, with Pathé and a certain number of independent owners comprising the rest of the market. There are more than 375 movie theaters in Paris. 3. In Paris 90-minute films are normally shown approximately every two hours from 10:30 A.M. to 10:00 P.M.

Comparisons

Journal personnel
In their cultural journal, ask students to reflect on the reasons why people go to the movies. Then have them think about the pie graph about French movie preferences on this page. Which percentages do students think would be the same as in the United States? Which percentages do they think would be different and why?

Answers

5 1. *Pariscope* est un guide qui offre des listes de toutes les attractions et les distractions dans la région parisienne.
2. On peut y trouver l'adresse, la station de métro, le numéro de téléphone du bureau de location, les heures, les dates et les tarifs des spectacles à Paris.
3. Le passe-temps le plus populaire en France est le cinéma.
4. Les Français vont plus souvent aux musées qu'aux parcs d'attractions.
5. Les frères Louis et Auguste Lumière ont inventé le cinématographe.
6. Jusqu'à 195 millions de spectateurs vont au cinéma en France.
7. Le complexe multisalle permet aux spectateurs un plus grand choix de films.
8. Le cinéma est le plus populaire avec les jeunes.
9. On passe plus de films américains que de films français en France.
10. Les comédies et les mélodrames sont les genres de films les plus populaires.

5 **Les distractions des Français**

Répondez aux questions suivantes.

1. *Pariscope*, qu'est-ce que c'est?
2. Qu'est-ce qu'on peut y trouver?
3. Quel est le passe-temps le plus populaire en France?
4. Est-ce que les Français vont plus souvent aux musées ou aux parcs d'attractions?
5. Qui a inventé le cinématographe?
6. Combien de spectateurs vont au cinéma chaque année en France?
7. Que permet le complexe multisalle?
8. Avec les personnes de quel âge est-ce que le cinéma est le plus populaire?
9. Est-ce qu'on passe plus de films français ou de films américains aux cinémas en France?
10. Quels genres de films sont les plus populaires?

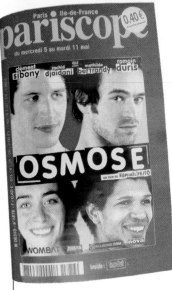

Pariscope est un guide qui offre des listes de toutes les attractions et les distractions dans la région parisienne.

Journal personnel

The French participate in free-time activities based on their personal choices, influences of family and friends, opportunity, availability and advertising. What influences determine your pastimes? Why do you become involved in certain activities and not in others? How do you choose your forms of entertainment, such as films, concerts and exhibits? Write your responses to these questions in your cultural journal.

C'est vs. il/elle est

Both **c'est** and **il/elle est** can mean "it is" as well as "he/she is." The expression that you use depends on what follows the verb **être**.

Use **c'est**:

- before a noun modified by an article, an adjective or both.

Marguerite Duras? **C'**est la scénariste du film. | *Marguerite Duras? She's the movie's scriptwriter.*
C'est un drame vécu. | *It's a real-life drama.*
Céline Dion? **C'**est une musicienne diligente. **C'**est une Canadienne. | *Céline Dion? She's a hardworking musician. She's Canadian.*

Teaching Notes

1. **C'est** vs. **il/elle est** was introduced in **Unité 6** in the first level of *C'est à toi!*
2. Modified nouns of profession and nationality use **c'est**, for example, **C'est le caissier de Monoprix** and **C'est un Français**.

3. A noun of nationality is capitalized, but an adjective of nationality is not, for example, **une Française** but **une voiture française**.
4. In conversation **c'est** is often used instead of **il/elle est** to introduce the main idea of a sentence.

5. The corresponding plural forms of **c'est** and **il/elle est** are **ce sont** and **ils/elles sont**.

- before a proper noun.

  C'est Louis Malle.   *It's Louis Malle.*

- before a stress pronoun.

  C'est elle qui a écrit le roman du   *It's she who wrote the novel*
  même nom.   *by the same name.*

- before an adjective that refers to a preceding idea.

  Mais comment choisir?   *But how to choose?*
  Ce n'est pas difficile.   *It's not difficult.*

Use **il/elle est**:

- before an adjective or before an unmodified noun that functions
  as an adjective (for example, the name of an occupation or
  a nationality).

  Il n'est pas cher.   *It's not expensive.*
  Il est metteur en scène.   *He's a director.*
  Elle est canadienne.   *She's Canadian.*

- to refer to a previously mentioned person or thing.

  Pouvez-vous trouver le nom du   *Can you find the name*
  cinéma? **Il** est en bas.   *of the movie theater?*
                                             It's at the bottom.

C'est Max Rivard. Il est peintre.

Où se trouve la poste?

Elle est là-bas, à côté du café. Tu vois?

- to introduce the main idea of a sentence. **Il est** is usually followed by an adjective and either **de**
  plus an infinitive or **que** plus the subjunctive.

  Il est nécessaire de regarder   *It's necessary to look at*
  le guide.   *the guidebook.*

  Il est utile que vous sachiez le genre *It's useful that you know the type*
  de film.   *of movie.*

Student Interests
Put students in small groups so that they can practice **c'est** vs. **il/elle est** while identifying and describing people and things that interest them. Give each student four blank note cards on which they write the name of a favorite author, celebrity, novel, and song or CD. Students in each group put the cards in a stack and shuffle them. The first student takes the top card, identifies the person or thing on the card using **c'est** in two sentences and then describes the same person or thing using **il/elle est** in one sentence. For example, a student who draws a card with Elton John's name might say **C'est Elton John. C'est un chanteur. Il est anglais.** Students take turns until all the cards in the stack have been identified and described.

Paired Practice

Answering Questions
To practice using **c'est** and **il/elle est**, put your students in pairs. Prepare a worksheet for Student A of each pair using the following questions: 1. *Lucie Aubrac*, qu'est-ce que c'est? 2. Quelle est la nationalité de Marguerite Duras? 3. C'est elle qui a écrit le scénario de *Zazie dans le métro*? 4. Comment est la musique d'Angélique Kidjo? For Student B, prepare a worksheet with these questions: 1. Qui est la vedette de *Lucie Aubrac*? 2. Céline Dion, c'est une chanteuse française? 3. C'est Rodin qui compose la musique des films? 4. Quelle est la profession d'Angélique Kidjo? Student A asks Student B four questions that Student B answers using **c'est** or **il/elle est**. Then students switch roles. (Possible answers: (A) 1. C'est un drame vécu. 2. Elle est française. 3. Non, ce n'est pas elle. 4. Elle est dynamique. (B) 1. C'est Daniel Auteuil. 2. Non, c'est une chanteuse canadienne. 3. Non, ce n'est pas lui. 4. Elle est chanteuse.)

Answers

6 Possible answers:
1. C'est Céline Dion. C'est une chanteuse populaire. Elle est canadienne.
2. C'est la tour Eiffel. C'est un monument à Paris. Elle est très grande.
3. C'est *Pariscope*. C'est un guide. Il est utile.
4. C'est Angélique Kidjo. C'est une chanteuse africaine. Elle est dynamique.
5. C'est le Bonhomme Carnaval. C'est un Québécois. Il est drôle.
6. C'est le Louvre. C'est un musée d'art. Il est célèbre.
7. C'est Daniel Auteuil. C'est une vedette. Il est très doué.
8. C'est *Le Penseur*. C'est une sculpture. Il est au musée Rodin.

Cooperative Group Practice

Identification and Description
For practice choosing between **c'est, ce sont, il/elle est** and **ils/elles sont**, put students in groups of four or five. On note cards write the names of famous people or objects that can be categorized, for example, *Logozo*, **Kidjo et Dion, Caillebotte et Monet, La Ronde,** *Rue de Paris; Temps de pluie*, **Notre-Dame et l'arc de triomphe, le ski de fond** and **une bague en or et des boucles d'oreilles en argent.** Give a similar set of cards to each group. The first student takes a card, identifies the category and describes the person or object, for example, *(Logozo)* **C'est un album d'Angéligue Kidjo. Il est intéressant.** Students take turns until all the cards in the stack have been identified and described.

Pratique

6 ▸ Identification

Identifiez la personne ou la chose. Puis donnez deux ou trois phrases d'explication (explanation) ou de description sur la personne ou la chose. Suivez le modèle.

Modèle:

C'est Brian Joubert. C'est un athlète. Il est très fort.

1.

2.

3.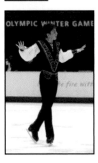

4.

5.

6.

7.

8.

7 Qui est-ce?

Choisissez une personne célèbre. Votre partenaire va vous poser des questions pour déterminer l'identité de cette personne. Vous pouvez répondre à ses questions seulement avec "oui" ou "non." Quand votre partenaire devine (guesses) l'identité de la personne, changez de rôles. Suivez le modèle.

Modèle:

A: **C'est une femme?**
B: **Non, ce n'est pas une femme.**
A: **Alors, c'est un homme. Il est acteur?**
B: **Oui, il est acteur.**
A: **C'est un acteur américain?**
B: **Oui, c'est un acteur américain.**
A: **Il est beau?**
B: **Oui, il est beau.**
A: **C'est Brad Pitt?**
B: **Oui, c'est lui!**

C'est une vedette du cinéma français?

8 Complétez!

*Choisissez **ce, c', il** ou **elle** pour compléter les petits dialogues.*

1. — Tu connais Daniel Auteuil? … est ma vedette favorite. … est lui qui est dans ce nouveau drame vécu. Pouvons-nous le voir ce soir?
   — Oui, mais pour savoir où aller, … est nécessaire d'acheter un guide.
2. — Tu as vu *Zazie dans le métro?* … est super! … est un film en noir et blanc. Le metteur en scène, … est Louis Malle.
   — Non, je ne l'ai pas encore vu. Est-… un film américain ou français?
   — … est français, bien sûr.
3. — Oh là là! … est difficile de choisir un film à voir ce soir!
   — Mais non, … est facile. Voilà le nom d'un bon film. … est en bas.
4. — Qui est Marguerite Duras? … est chanteuse?
   — Non, … est un écrivain. Elle a écrit *Hiroshima mon amour*. … est née au Vietnam.
   — Ah bon. Et … est aussi scénariste?
5. — Tiens! Tu vois? … est Angélique Kidjo. … est une musicienne extra.
   — … est elle qui a enregistré *Logozo?*
   — Oui, … est nécessaire que tu l'écoutes. … est un CD formidable.

Tu connais Angélique Kidjo?

Oui, c'est ma chanteuse favorite. C'est elle qui a enregistré *Logozo*.

Workbook Activities 15-17

 Grammar & Vocabulary Exercises 19-22

TPR

Classroom Directives

To provide listening and writing practice for the subjunctive of regular and irregular verbs, you may want to do this activity. On a slip of paper have each student write a statement using **il faut que** about an action that another student in the class must perform, for example, **Il faut que Jeanne écrive son nom au tableau** and **Il faut qu'Éric aille à la porte**. Collect all the slips and place them in a bag. Select a slip at random from the bag and read the directive, which the named student performs. When that student has completed the directive, select another slip from the bag and read the directive for the new student. The activity continues until all the directives have been performed. After doing this activity, students will be more comfortable using the subjunctive of regular and irregular verbs in classroom communication.

Game

Seven in One

Divide your class into two teams. Write seven pronouns spread out across the board in any order, for example, **vous, il, elles, tu, je, on** and **nous**. Call the first seven students from Team A to the board, asking each student to stand under a pronoun. Call out an irregular verb, such as **savoir**, at which point the seven students begin writing a subjunctive sentence beginning with **il faut que** that incorporates their pronoun, for example, (vous) **Il faut que vous sachiez dans quel arrondissement se trouve le cinéma**. For each correct sentence, Team A earns a point. If all the members of Team A write a perfect sentence, that team wins another turn. If not, call seven members from Team B to the board and call out a new verb. When the allotted time is over, the team with the highest score wins.

136

The subjunctive of irregular verbs

You learned how to form the subjunctive of regular verbs by dropping the **-ent** of the present tense **ils/elles** form and adding the endings **-e, -es, -e, -ions, -iez** and **-ent**. However, there are certain groups of verbs that have irregular forms in the subjunctive.

Verbs such as **aller, faire, pouvoir, savoir** and **vouloir** have irregular stems but regular endings in the subjunctive. Note that the **nous** and **vous** forms of **aller** and **vouloir** use the infinitive stem.

	aller	faire	pouvoir	savoir	vouloir
que je (j')	aille	fasse	puisse	sache	veuille
que tu	ailles	fasses	puisses	saches	veuilles
qu'il/elle/on	aille	fasse	puisse	sache	veuille
que nous	allions	fassions	puissions	sachions	voulions
que vous	alliez	fassiez	puissiez	sachiez	vouliez
qu'ils/elles	aillent	fassent	puissent	sachent	veuillent

Il faut que vous **alliez** au kiosque à journaux pour acheter un guide.

You must go to the newsstand to buy a guidebook.

Verbs such as **boire, croire, devoir, prendre, recevoir, venir** and **voir** have regular endings in the subjunctive but irregular stems in the **nous** and **vous** forms.

	boire	croire	devoir	prendre	recevoir
que je	boive	croie	doive	prenne	reçoive
que tu	boives	croies	doives	prennes	reçoives
qu'il/elle/on	boive	croie	doive	prenne	reçoive
que nous	buvions	croyions	devions	prenions	recevions
que vous	buviez	croyiez	deviez	preniez	receviez
qu'ils/elles	boivent	croient	doivent	prennent	reçoivent

Il est indispensable que vous compreniez le subjontif!

	venir	voir
que je	vienne	voie
que tu	viennes	voies
qu'il/elle/on	vienne	voie
que nous	venions	voyions
que vous	veniez	voyiez
qu'ils/elles	viennent	voient

The verbs **avoir** and **être** have both irregular stems and endings in the subjunctive.

	avoir	être
que je (j')	aie	sois
que tu	aies	sois
qu'il/elle/on	ait	soit
que nous	ayons	soyons
que vous	ayez	soyez
qu'ils/elles	aient	soient

136 cent trente-six
Unité 3

Teaching Notes

1. The **nous** and **vous** forms of **aller** and **vouloir** are the same in the subjunctive and the imperfect.
2. The sound of **aille, ailles** and **aillent** is the same as the sound of **-aille** in **travaille**.

3. The imperative forms of **savoir** are derived from the subjunctive stem. However, the **tu** form has no final **s** in the imperative.

4. The **nous** and **vous** forms of **boire, croire, devoir, prendre, recevoir, venir** and **voir** are the same in both the subjunctive and the imperfect.

Pratique

9 Au musée

Avec les élèves de votre cours de français, vous faites une excursion au musée d'art. Mais tout le monde ne suit pas la liste d'instructions que le prof a faite. Dites ce qu'il faut que certains élèves fassent pour les suivre. Suivez le modèle.

Instructions pour la visite au musée

1. ne pas venir en retard
2. avoir un ticket
3. prendre un plan du musée
4. être toujours avec le professeur
5. ne pas faire beaucoup de bruit
6. voir les tableaux les plus importants
7. faire toujours attention
8. aller à la cantine avec les autres
9. ne rien boire dans le musée
10. savoir l'heure du départ

Il faut que tu voies les tableaux de Van Gogh. (Paris)

Modèle:

Raoul/#7
Il faut que Raoul fasse toujours attention.

1. Céleste et moi/#4
2. Damien/#1
3. toi/#3
4. Bernard et Clément/#9
5. Ahmed et Katia/#10
6. Sabrina et toi/#8
7. Zakia/#2
8. moi/#5
9. Bénédicte et Lucien/#6

10 En partenaires

 *Pendant votre visite à Paris, votre partenaire et vous ne vous entendez pas très bien. De plus, vous voulez faire le contraire de ce que votre partenaire veut faire. Dites-lui ce qu'on doit faire en faisant des phrases avec **il faut que**. Suivez le modèle.*

Modèle:

aller au théâtre/aller en boîte
A: **Il faut qu'on aille au théâtre.**
B: **Mais non, il faut qu'on aille en boîte.**

1. avoir des chèques de voyage/avoir de l'argent français
2. croire le guide/croire le commerçant
3. prendre le métro/prendre un taxi
4. voir les monuments importants/voir les boutiques célèbres
5. faire le tour du Louvre/faire les magasins
6. boire quelque chose au café/boire quelque chose au fast-food
7. vouloir aller au ballet/vouloir aller au match de foot
8. essayer de s'entendre/essayer de s'amuser

cent trente-sept

Leçon B

137

Answers

9 1. Il faut que Céleste et moi, nous soyons toujours avec le professeur.
2. Il faut que Damien ne vienne pas en retard.
3. Il faut que tu prennes un plan du musée.
4. Il faut que Bernard et Clément ne boivent rien dans le musée.
5. Il faut qu'Ahmed et Katia sachent l'heure du départ.
6. Il faut que Sabrina et toi, vous alliez à la cantine avec les autres.
7. Il faut que Zakia ait un ticket.
8. Il faut que je ne fasse pas beaucoup de bruit.
9. Il faut que Bénédicte et Lucien voient les tableaux les plus importants.

10 1. Il faut qu'on ait des chèques de voyage. Mais non, il faut qu'on ait de l'argent français.
2. Il faut qu'on croie le guide. Mais non, il faut qu'on croie le commerçant.
3. Il faut qu'on prenne le métro. Mais non, il faut qu'on prenne un taxi.
4. Il faut qu'on voie les monuments importants. Mais non, il faut qu'on voie les boutiques célèbres.
5. Il faut qu'on fasse le tour du Louvre. Mais non, il faut qu'on fasse les magasins.
6. Il faut qu'on boive quelque chose au café. Mais non, il faut qu'on boive quelque chose au fast-food.
7. Il faut qu'on veuille aller au ballet. Mais non, il faut qu'on veuille aller au match de foot.
8. Il faut qu'on essaie de s'entendre. Mais non, il faut qu'on essaie de s'amuser.

Teaching Notes

5. The **nous** and **vous** subjunctive forms of orthographically changing verbs resemble the imperfect, for example, **que nous achetions** and **que vous pesiez**.

6. The imperatives of **avoir** and **être** are derived from the subjunctive stem. However, the **tu** form of **avoir** has no final **s** in the imperative.

137

Answers

11 1. Il faut que Fayçal et toi, vous alliez au kiosque à journaux.
2. Il faut que tu achètes un guide.
3. Il faut que le prof fasse attention à la description du film.
4. Il faut que la famille de Sandrine sache l'indice du film.
5. Il faut que Fabienne et Yvonne soient au bureau de location à 21h00.
6. Il faut qu'on paie un tarif réduit.
7. Il faut que nous ne prenions pas le métro trop tard.
8. Il faut que tout le monde descende du métro à Montparnasse.

---

11 ▶ Que faut-il faire?

On passe le nouveau film de Gérard Depardieu pendant que vous êtes en France, et tout le monde s'intéresse à le voir. Dites ce qu'il faut que tout le monde fasse.

Modèle:

je/lire tout sur le film
Il faut que je lise tout sur le film.

1. Fayçal et toi/aller au kiosque à journaux
2. tu/acheter un guide
3. le prof/faire attention à la description du film
4. la famille de Sandrine/savoir l'indice du film
5. Fabienne et Yvonne/être au bureau de location à 21h00
6. on/payer un tarif réduit
7. nous/ne pas prendre le métro trop tard
8. tout le monde/descendre du métro à Montparnasse

The subjunctive after impersonal expressions

You know that the subjunctive is used after the expression of necessity **il faut que**. There are other impersonal expressions that are followed by the subjunctive. These expressions give an opinion about someone or something specific. Here are some of these impersonal expressions.

il est nécessaire que	*it is necessary that*
il est important que	*it is important that*
il est indispensable que	*it is indispensable that*
il est essentiel que	*it is essential that*
il est possible que	*it is possible that*
il est impossible que	*it is impossible that*
il vaut mieux que	*it is better that*
il est bon que	*it is good that*
il est surprenant que	*it is surprising that*
il est utile que	*it is useful that*

Il est essentiel que vous **sachiez** où se trouve le cinéma.

It's essential that you know where the movie theater is located.

Il est nécessaire que vous **regardiez** l'abréviation.

It's necessary that you look at the abbreviation.

Il est possible qu'un film **soit** interdit.

It's possible that a movie is prohibited.

Il est bon qu'il y en **ait** plusieurs.

It's good that there are several (of them).

 cent trente-huit
Unité 3

Teaching Notes

1. Other impersonal expressions followed by the subjunctive include **il est absurde, il est bien, il est dommage, il est étonnant, il est étrange, il est juste, il est naturel, il est normal, il est peu probable, il est préférable, il est rare, il est souhaitable, il est** temps, **il importe, il se peut, il semble** and **il suffit**.

2. Impersonal expressions used in a general sense are followed by **de** and an infinitive, for example, **Il est nécessaire de réserver une place au bureau de location.**

3. These impersonal expressions are also followed by the subjunctive when the sentence is negative or interrogative, for example, **Il n'est pas surprenant que nous soyons en retard. Est-il nécessaire qu'on fasse la queue au théâtre?**

Pratique

12 > Possible ou impossible?

*À votre avis, est-ce que les choses suivantes sont possibles ou impossibles? Faites des phrases avec **il est possible que** ou **il est impossible que**.*

Modèles:

Le nouveau film de Disney est interdit.
Il est impossible que le nouveau film de Disney soit interdit.

Ta grand-mère te rend visite ce soir.
Il est possible que ma grand-mère me rende visite ce soir.

1. Ton frère sort avec Céline Dion.
2. Tes parents veulent préserver l'environnement.
3. Ta sœur reçoit du courrier de Tom Cruise.
4. Ton prof connaît Gérard Depardieu.
5. Tous les élèves dans ton cours de français réussissent.
6. Tu continues tes études à l'université.
7. Les jeunes ont des idées controversées.
8. Tes copains et toi, vous pouvez aller à Paris.
9. Tu ne te rappelles pas ton adresse.

Est-il possible que les ados aillent au musée Rodin?

13 > Faites des phrases!

Vos amis et vous allez sortir ce soir. Formez sept phrases logiques sur votre décision d'aller au cinéma. Choisissez un élément des colonnes A, B et C pour chaque phrase. Suivez le modèle.

A	B	C
vaut mieux	prendre	au guichet
utile	avoir	assez d'argent
essentiel	savoir	un guide
surprenant	se taire	aller au cinéma à pied
bon	arriver	le nom du film
indispensable	choisir	pendant le film
nécessaire	pouvoir	à l'heure
important	aller	un film en noir et blanc

Il est essentiel que Claude arrive à l'heure.

Modèle:

Il vaut mieux que nous puissions aller au cinéma à pied.

139

 Audio CD Activity 12

Answers

12 Possible answers:
1. Il est impossible que mon frère sorte avec Céline Dion.
2. Il est possible que mes parents veuillent préserver l'environnement.
3. Il est impossible que ma sœur reçoive du courrier de Tom Cruise.
4. Il est impossible que mon prof connaisse Gérard Depardieu.
5. Il est possible que tous les élèves dans mon cours de français réussissent.
6. Il est possible que je continue mes études à l'université.
7. Il est possible que les jeunes aient des idées controversées.
8. Il est possible que mes copains et moi, nous puissions aller à Paris.
9. Il est impossible que je ne me rappelle pas mon adresse.

13 Possible answers:
Il est utile que nous ayons un guide.
Il est essentiel que nous sachions le nom du film.
Il est surprenant que nous choisissions un film en noir et blanc.
Il est bon que nous prenions assez d'argent.
Il est indispensable que nous arrivions à l'heure.
Il est nécessaire que nous allions au guichet.
Il est important que nous nous taisions pendant le film.

139

Quel est ton avis?
Put students in small groups of four or five to practice stating their personal opinion on a variety of topics. Prepare a set of note cards with infinitive expressions, such as **croire mes amis**, **apprendre une deuxième langue**, **savoir l'indice d'un film**, **aller à l'université**, **boire de l'eau minérale**, **pouvoir conduire à 16 ans**, **devenir riche un jour**, **aider les sans-abri**, **s'attendre à une vie heureuse**, **écrire à mes grands-parents**, **faire de la planche à neige**, **assister à une pièce française**, **acheter une voiture de sport**, **arriver en cours à l'heure**, **voir mes cousins**, **réussir aux examens**, **recevoir des amis chez moi** and **voyager en France**. Give a similar set of cards to each group. Students take turns giving their opinions by selecting an appropriate impersonal expression to go with the infinitive expression they draw and changing the infinitive to the subjunctive, for example, **(croire mes amis) Il est important que je croie mes amis.** You may want to write the impersonal expressions introduced in this lesson on the board or an overhead transparency before students begin the activity. Be sure to tell students that they may make the impersonal expressions negative when needed in order to accurately express how they feel.

14 À l'avenir

Avec deux autres camarades de classe, parlez de vos ambitions pour l'avenir (future). Dites ce qu'il faut faire, à votre avis, pour réaliser ces ambitions. Alternez les phrases avec vos partenaires en utilisant les expressions de la liste suivante.

| il est nécessaire que | il faut que | il est indispensable que |
| il est important que | il est essentiel que | |

Modèle:

réussir à l'école

A: **Pour réussir à l'école, il faut que je fasse attention au prof.**
B: **Pour réussir à l'école, il est important que je finisse mes devoirs.**
C: **Pour réussir à l'école, il est nécessaire que je prenne de bonnes notes.**

1. avoir de bons amis
2. trouver un boulot intéressant
3. avoir assez d'argent
4. aider les gens pauvres
5. devenir célèbre
6. contrôler la pollution
7. être heureux/heureuse

Pour avoir de bons amis, il est essentiel que je sache garder des secrets.

Pour avoir assez d'argent, il est indispensable que j'aie un travail.

After students have completed Activity 14, have each trio determine the best strategy for successfully attaining each of the listed goals, including the model. Then have each trio share its top strategies for success with the rest of the class.

Communication

15 ▷ Une enquête

Interviewez cinq élèves de votre classe pour tout savoir sur le dernier film qu'ils ont vu. Sur une feuille de papier, copiez la grille suivante. Demandez à chaque élève le nom du film, son genre et ses vedettes. Puis demandez-lui s'il ou elle l'a aimé et s'il ou elle recommande le film à d'autres (par exemple, **Oui, il m'a beaucoup plu. Il faut que tu le voies!***). Écrivez ses réponses dans l'espace blanc approprié.*

	Élève	Film	Genre	Vedettes	Recommandation
1.					
2.					
3.					
4.					
5.					

Quel est le dernier film que tu as vu?

C'est *Mariage mixte*, une comédie avec Gérard Darmon.

16 ▷ Un sommaire

Maintenant écrivez un sommaire de l'enquête que vous avez faite dans l'Activité 15 sur les films que vos camarades de classe ont vus. Dites quel film chaque élève a vu, son genre, ses vedettes, s'il ou elle l'a aimé et s'il ou elle le recommande. Puis, pour chaque film, dites si vous l'avez vu aussi. Si oui, donnez votre opinion du film et dites si vous le recommandez.

17 ▷ Une affiche

Choisissez le film qui vous intéresse le plus de votre sommaire dans l'Activité 16 et dessinez une affiche qui fait de la publicité pour ce film. Sur votre affiche il faut donner les renseignements suivants:

1. le nom du film
2. les vedettes
3. le genre
4. l'indice
5. la durée
6. le nom du cinéma
7. l'adresse du cinéma
8. le tarif
9. les jours et les heures du film

Enfin écrivez une phrase persuasive qui dit pourquoi il faut que tout le monde voie ce film.

FYI

1. *Au Revoir, les enfants* (1987) is based on Malle's autobiographical experiences in a Catholic boarding school during the Resistance. "The monks," Malle has recounted, "were in the Resistance, and were sheltering some young Jewish boys. One day a cook got fired and he informed to the Gestapo, and the head monk and the boys were arrested and died in camps." In his fictional *Lacombe, Lucien* (1974) Malle also dealt with the subject of the Nazi occupation, raising the question of the collaborationist guilt of ordinary French citizens. 2. You may want to place *Au revoir, les enfants* in a historical context for your students. The Germans invaded France from Belgium in 1940, entering Paris on June 14. On June 22 France signed an armistice with the Germans, who subsequently occupied the northern two-thirds of France. Southern France, governed from Vichy by Marshal Henri Philippe Pétain, remained under French control, although Pétain cooperated with the Germans. After France fell, General Charles de Gaulle fled to London, where he encouraged all French patriots to resist the Germans and join Free France. De Gaulle formed a provisional government after the Allies landed in Normandy and liberated Paris.

Lecture

Characterization

In this unit you will read an excerpt from *Au revoir, les enfants*, a movie script written by the film's director, Louis Malle. The story revolves around two brothers, Julien and François, at a Catholic boarding school during the German occupation of France in World War II. Joseph, a boy with a physical disability who works for the demanding Mme Perrin in the school's kitchen, has found a creative but questionable way to make money. In the excerpt of the screenplay that follows, the headmaster, Père Jean, deals with Joseph and the students who have been conspiring with him. As you read, try to determine what kind of person Père Jean is. To do this, it is important to understand how a writer develops characterization.

A *flat character* exhibits a single dominant quality or character trait; a *rounded character* exhibits a complexity of traits, more like a real human being.

Authors create their characters in one of two ways. In *direct characterization*, the writer comments on a character's traits explicitly, telling the reader about the character's appearance, habits, dress, background, personality and motivations. For example, the author may write, "John is stingy." In *indirect characterization* the author reveals a character by means of what he or she says and does and by means of the reactions of other people that shed light on the character's beliefs, actions and motivations. When using indirect characterization, the writer invites the reader to draw his or her own conclusions based on the clues given.

 Pour commencer

Avant de lire les scènes suivantes, répondez aux questions.

1. Pour vivre qu'est-ce que tu es préparé(e) à faire?
2. Quelle décision difficile as-tu prise (*made*) dans ta vie? As-tu eu des regrets après?

Teaching Note

The **Lecture** is designed to develop skills that will help students prepare to take the Advanced Placement Exam in French Literature. In this section students read a variety of prose, poetry and drama from different periods; answer content questions; and demonstrate their critical understanding of literary techniques, such as character development, setting, point of view, satire, figures of speech and inference. This unit's **Lecture** focuses on flat and rounded characters and direct and indirect characterization.

Au revoir, les enfants

On entend des hurlements. La volumineuse Mme Perrin surgit de la cuisine, poursuivant Joseph qu'elle frappe avec un torchon…. la cuisinière est vraiment furieuse. Elle a un verre dans le nez, elle titube et manque de tomber. Elle aperçoit le Père Michel parmi les joueurs d'échasses.

Mme Perrin: Père Michel, Père Michel! Je l'ai attrapé en train de voler du saindoux. Il le mettait dans son sac pour aller le vendre. Je vous l'avais bien dit qu'il volait… Voleur, voleur,…!

Tout en parlant, elle continue à taper sur Joseph, acculé contre un mur. Il lève les bras pour se protéger et semble terrifié.

Joseph: C'est pas vrai, elle ment! C'est elle qui vole!

Les jeux se sont arrêtés, tout le monde regarde. Le Père Michel prend Joseph par le bras et l'entraîne vers la cuisine.

Le Père Michel: Pas devant les enfants, Madame Perrin. Rentrez dans votre cuisine et calmez-vous.

François: (*à Julien*) Je lui avais dit à ce crétin qu'il allait se faire piquer.

Ils lèvent la tête et aperçoivent le Père Jean, qui observe la scène de la fenêtre de son bureau….

Sept élèves de différentes classes sont alignés dans le bureau du Père Jean. Parmi eux, François et Julien.

Le Père Jean: Joseph volait les provisions du collège et les revendait au marché noir. Mme Perrin aurait dû nous prévenir plus tôt et je ne crois pas qu'elle soit innocente. Mais il y a plus.

Il montre sur sa table des boîtes de pâté, des bonbons, des pots de confiture.

Le Père Jean: Voilà ce qu'on a trouvé dans son placard. Ce sont des provisions personnelles. Il vous a nommés tous les sept.

Il prend une boîte de pâté.

Le Père Jean: Auquel d'entre vous appartient ce pâté?

Un élève: À moi.

Le Père Jean: Et ces confitures?

Julien: À moi.

Le Père Jean: Vous savez ce que vous êtes? Un voleur, tout autant que Joseph.

Julien: C'est pas du vol. Elles m'appartiennent, ces confitures.

Le Père Jean: Vous en privez vos camarades. (À *tous*:) Pour moi, l'éducation, la vraie, consiste à vous apprendre à faire bon usage de votre liberté. Et voilà le résultat! Vous me dégoûtez. Il n'y a rien que je trouve plus ignoble que le marché noir. L'argent, toujours l'argent.

François: On ne faisait pas d'argent. On échangeait, c'est tout.

Le Père Jean s'avance vers lui, le visage dur.

Un peu de plus

Reading Strategies
To help students with new vocabulary words in *Au revoir, les enfants*, you might want to read the beginning of the script with them and point out various strategies. First, remind students to rely on cognates. You might point out an example, such as **volumineuse**, asking students what English word it looks like. Second, remind students to guess the meaning of new words in context. What does the expression **avoir un verre dans le nez** imply about Mme Perrin's drinking habits? You might suggest that students visualize this expression to figure out its meaning. Finally, tell students to use the dictionary as a last resort for words, such as **saindoux**, that they cannot guess in context. Remind students to figure out the part of speech for each new word they need to look up. Review with them the abbreviations in the dictionary after the word and before its definition(s), for example, *nf, nm, adj, vi, vt, adv*, etc.

Teaching Note

To help students understand the difference between a flat character and a rounded character, you may want to use examples from television. Generally, half-hour sitcoms use flat characters, while one-hour dramas depict more fully rounded characters.

143

19 Possible answers:
1. Mme Perrin l'accuse d'un vol dans la cuisine.
2. Joseph lève les bras pour se protéger de Mme Perrin qui tape sur lui.
3. Non, selon Joseph, c'est elle qui vole et pas lui.
4. Ils s'arrêtent de jouer et regardent.
5. Le Père Jean observe la scène de son bureau.
6. Joseph les revendait au marché noir.
7. Le Père Jean le sait parce que Joseph a nommé les sept élèves.
8. Le Père Jean pense que Julien prive ses camarades de ses confitures.
9. Julien dit que les confitures lui appartiennent.
10. Selon le Père Jean, la vraie éducation consiste à apprendre aux élèves à faire bon usage de leur liberté.
11. Oui, il est fâché parce qu'il n'y a rien qu'il trouve plus ignoble que le marché noir.
12. Il a le visage dur.
13. Les sept élèves échangeaient leurs provisions contre des cigarettes.
14. Le Père Jean dit qu'il commet une injustice parce que les élèves, et peut-être Mme Perrin, ne sont pas innocents.
15. Les sept élèves sont privés de sortie jusqu'à Pâques.
16. Julien montre sa compassion pour Joseph quand il lui met une main sur l'épaule.
17. Les deux phrases sont "... je commets une injustice" et "... [le] Père Jean,... semble regretter la décision qu'il a prise."

Le Père Jean: Contre quoi?

François: (après une hésitation) Des cigarettes.

Le Père Jean: Quentin, si je ne savais pas tous les problèmes que cela poserait à vos parents, je vous mettrais à la porte tout de suite, vous et votre frère. Je suis obligé de renvoyer Joseph, mais je commets une injustice. Vous êtes tous privés de sortie jusqu'à Pâques. Vous pouvez retourner à l'étude.

Les élèves sortent.... Dans le couloir, ils se trouvent en face de Joseph qui attend avec le Père Michel, le dos au mur. Il pleurniche comme un gosse.

Joseph: Et où je vais aller, moi? J'ai même pas où coucher.

Les élèves sont très gênés. Julien lui met une main sur l'épaule.

Le Père Michel: Allez en classe.

Ils s'éloignent. À l'extrémité du couloir, Julien se retourne et voit le Père Jean qui apparaît à la porte de son bureau.

Le Père Jean: (à Joseph) Allez voir l'économe. Il vous paiera votre mois.

Joseph: Y a que moi qui trinque. C'est pas juste.

Le Père Michel: Allez, viens, Joseph.

Il l'entraîne, sous le regard du Père Jean, qui semble regretter la décision qu'il a prise.

19 ▶ Au revoir, les enfants

Répondez aux questions suivantes.

1. Qui accuse Joseph d'un vol dans la cuisine?
2. Pourquoi Joseph lève-t-il les bras?
3. Selon Joseph, est-ce que Mme Perrin est innocente?
4. Quelle est la réaction des élèves quand ils voient cette scène?
5. Qui observe la scène de son bureau?
6. Où est-ce que Joseph revendait les provisions du collège?
7. Comment le Père Jean sait-il que les provisions dans le placard de Joseph appartenaient aux sept élèves?
8. Pourquoi le Père Jean accuse-t-il Julien d'être un voleur comme Joseph?
9. Quelle est la défense de Julien devant cette accusation?
10. Selon le Père Jean, en quoi consiste la vraie éducation?
11. Le Père Jean, est-il fâché? Si oui, pourquoi?
12. Comment est le visage du Père Jean quand il s'avance vers François?
13. Les sept élèves échangeaient leurs provisions contre quoi?
14. Pourquoi le Père Jean dit-il qu'il commet une injustice quand il renvoie Joseph?
15. De quelle liberté les sept élèves sont-ils privés? Jusqu'à quand?
16. Que fait Julien pour montrer sa compassion pour Joseph?
17. Quelles deux phrases du scénario montrent que le Père Jean regrette sa décision de renvoyer Joseph?

Teaching Note

You may want to point out the danger of smoking to your students.

20 ▶ À vous d'écrire!

Écrivez le scénario qui a lieu (takes place) quand le Père Jean accuse Joseph du vol. Où la scène a-t-elle lieu? Le Père Jean et Joseph, sont-ils assis ou debout (standing)? Comment sont les visages des deux personnes? Que dit le Père Jean quand il accuse Joseph? Que dit Joseph pour se défendre?

21 ▶ En partenaires

 Faites un sketch qui a lieu dans un lycée moderne. Avec un(e) partenaire, jouez les rôles d'un(e) élève qui a volé quelque chose du lycée et du directeur qui lui pose des questions. Si vous jouez le rôle de l'élève, donnez une explication ou une défense de vos actions. Si vous jouez le rôle du directeur, décidez comment vous allez punir (to punish) l'élève.

22 ▶ Les qualités du Père Jean

Pour analyser le caractère du Père Jean, faites une grille comme la suivante. Pour chaque adjectif, choisissez le numéro qui exprime (expresses) le caractère du Père Jean ("5" indique qu'il montre le maximum de cette qualité). Mettez un ✓ dans l'espace blanc approprié. Puis écrivez deux phrases. Dans la première phrase, faites une généralisation fondée sur la grille que vous avez remplie. Dans la deuxième phrase, défendez votre généralisation avec un exemple du scénario.

	1	2	3	4	5
strict					✓
compatissant (*compassionate*)					
juste (*fair*)					
décisif					
matérialiste					
idéaliste					

Modèle:

Le Père Jean est très strict. Il renvoie Joseph parce qu'il a volé du collège et a vendu des provisions au marché noir.

cent quarante-cinq
Leçon B
145

Un peu de plus

Radio Play
Divide your class into groups of seven to produce a radio play from the script. Assign the roles of **Mme Perrin, Joseph, Père Michel, Père Jean, un élève, Julien** and **François**. (For a group of six, one student could play the roles of both **un élève** and **François**.) Students should be encouraged to read their parts with appropriate emotion. Students might even add sound effects as indicated by the narration. After practicing their parts several times, have students record their interpretation of the script. Finally, select the best version to play for the class as students silently read the script again.

Le scénario
You might have students write a section of a film script, imagining their best friend in the major role. Have them begin by assessing characteristics of their friend by selecting his or her dominant traits from pairs of adjectives. Students place each of the following pairs of adjectives at either end of a continuum numbered 1 through 10: **extroverti(e), introverti(e); avare, généreux/généreuse; bavard(e), tranquille; gentil(le), méchant(e); idéaliste, réaliste; matérialiste, spirituel(le); sérieux/sérieuse, gai(e).** After assigning a number to each pair of traits, students pick one or two traits that they want to depict in their film script. Instruct students to use indirect characterization to reveal their friend's nature, showing what their friend is like rather than summarizing him or her for the reader. Using *Au revoir, les enfants* as a model, students' scripts should use narrative descriptions and dialogue to draw a full portrait of their friend.

Teaching Note

You may want to show the movie *Au revoir, les enfants* to students after they have read the excerpt from the screenplay in the textbook.

145

Écrivez un paragraphe où vous décrivez le caractère du Père Jean. Est-ce que c'est un bon directeur? Quelle est sa philosophie? Comment est-ce qu'il est influencé par son rôle de prêtre (priest) quand il prend une décision? Est-il difficile pour lui de renvoyer Joseph? Pourquoi ne punit-il pas sévèrement les sept élèves et Mme Perrin? Utilisez votre grille et vos phrases de l'Activité 22 pour développer un portrait précis du Père Jean.

Dossier fermé

Imagine que tu passes une semaine à Paris. Comment décider quoi faire dans cette grande ville? Par exemple, à quels concerts, films et spectacles peux-tu aller? Quelles sont les dates et les heures de ces spectacles? Où sont-ils? Est-ce que tu peux acheter quelque chose qui te dit tous ces détails? Mais oui! Tu dois acheter:

A. *Pariscope*

Tu peux trouver des renseignements dans tous les trois: *Pariscope*, un journal quotidien et le *Guide Michelin Vert*. Certains journaux donnent les heures de films et d'expositions. Le *Guide Michelin Vert* offre des informations historiques et les heures générales des musées et des monuments. Mais il vaut mieux acheter *Pariscope* pour vous informer sur toutes les attractions et les distractions à Paris.

Selon *Pariscope*, le Jardin des plantes est ouvert tous les jours de 7h30 jusqu'à la tombée de la nuit (*nightfall*).

✓ Évaluation culturelle

*Pour voir si vous avez bien compris la culture française, décidez si chaque phrase est **vraie** ou **fausse**.*

1. Presque tout le monde en France a la télévision.
2. Il n'y a pas beaucoup de Français qui ont le câble ou le satellite.
3. Les émissions de sports sont les plus populaires à la télévision française.
4. Le Français typique est content de son choix d'émissions à la télé.
5. Les DVDs, les jeux vidéo et l'ordinateur commencent à prendre la place de la télévision.
6. Le *Guide Michelin Vert* offre les renseignements sur les films et les spectacles à Paris.
7. Les trois guides qui offrent des listes de toutes les attractions parisiennes coûtent cinq euros.
8. Les frères Lumière ont inventé la caméra vidéo.
9. Les Français vont plus souvent au cinéma qu'au théâtre.
10. Les Français aiment surtout les drames historiques.

Le cinéma est la destination préférée des Français quand ils ont du temps libre.

✓ Évaluation orale

 Qu'est-ce qu'on peut faire dans votre ville pour s'informer et pour s'amuser? Avec un(e) partenaire, parlez des attractions et des distractions dans votre ville. Regardez la liste suivante et demandez à votre partenaire de nommer une attraction dans chaque catégorie et de vous en donner son opinion.

- musées
- expositions
- librairies
- théâtres
- cinémas
- concerts
- spectacles
- fêtes
- restaurants et cafés
- boutiques, magasins et centres commerciaux
- stades et équipes (*teams*) de sport

Puis discutez avec votre partenaire lesquelles de ces attractions et ces distractions sont les plus populaires et les plus intéressantes. Est-il important que les ados fréquentent toutes ces attractions? Enfin est-il possible que votre ville ait de nouvelles attractions et distractions à l'avenir?

Answers

Évaluation culturelle
1. vraie
2. vraie
3. fausse
4. fausse
5. vraie
6. fausse
7. fausse
8. fausse
9. vraie
10. fausse

Un peu de plus

Dictée
To provide additional written practice, you might want to give this dictation. Tell students that it is in the form of a dialogue. Read each sentence twice, once at a natural speed and once more slowly. Have students write what you say. As a group correction activity, either put the dialogue on a transparency in advance or have volunteers write the sentences on the board.

—Il vaut mieux que nous descendions du métro ici.
—D'accord. Dis, est-ce que les pièces de théâtre te plaisent?
—Oui, mais ce soir il faut que je voie le film *Lucie Aubrac* pour mon cours d'histoire. Il est bon que tu viennes avec moi.
—Il est essentiel que nous sachions dans quel arrondissement se trouve le cinéma.
—Donc, il faut que nous allions au kiosque à journaux pour acheter un guide.

Évaluation visuelle

Possible conversation:

—Quand je faisais une promenade, j'ai vu un kiosque à journaux. J'y ai acheté *Pariscope*. Dis, Grégoire, les comédies te plaisent?

—Oui, beaucoup. On passe une bonne comédie en ce moment?

—Oui, *Amélie*. Il faut que nous le voyions.

—Qui est le metteur en scène?

—C'est Jean-Pierre Jeunet.

—Quelle vedette joue le rôle d'Amélie?

—Audrey Tautou joue le rôle d'Amélie.

—Quelle est la description du film?

—"Une serveuse de bistrot timide aide les gens qu'elle aime et punit les gens qu'elle déteste, tout en prenant les rênes de sa propre destiné." Tu peux aller le voir le 27?

—Ah... le film est long? Il est important que je prépare un exposé oral pour mon cours d'anglais le 28.

—Il est un peu long. Il dure environ deux heures.

—Bon d'accord, j'y vais. Où est-ce qu'il passe?

—Au Gaumont Ambassade dans le 8ème.

—Très bien. Au 27, alors.... Ciao, Anne.

✓ Évaluation écrite

Pour aider les touristes francophones qui vont visiter votre ville, préparez un guide des attractions et des distractions que vous venez de discuter avec votre partenaire. Choisissez les attractions qui intéresseraient le plus aux visiteurs. Pour chaque attraction que vous discutez dans ce guide, écrivez une phrase de description et les renseignements nécessaires, par exemple, l'adresse, le numéro de téléphone, le tarif ou les prix, les dates et les heures d'ouverture. Si vous voulez, vous pouvez mettre une photo ou une illustration de l'attraction à côté de chacune.

✓ Évaluation visuelle

 Anne et Grégoire habitent à Paris dans le huitième arrondissement. Anne téléphone à Grégoire pour l'inviter à voir un nouveau film. Grégoire lui demande le nom du film, les noms du metteur en scène et des vedettes, la description du film et sa durée. Finalement, Anne et Grégoire décident quand et où ils vont voir ce film. Avec un(e) partenaire, complétez leur dialogue en utilisant les détails suggérés dans l'illustration et les expressions appropriées de l'Unité 3. (Avant de commencer, regardez les sections Révision de fonctions aux pages 149-50 et Vocabulaire à la page 151.)

Teaching Note

After students have finished writing their dialogues, you may want to ask them to role-play their dialogues in front of the class.

Révision de fonctions

Can you do all of the following tasks in French?
- I can ask whether or not something is important.
- I can say what is important.
- I can ask what someone likes.
- I can tell what someone likes.
- I can list things.
- I can state someone's preference.
- I can make a generalization.
- I can ask someone's opinion about something.
- I can give my opinion by saying what I think.
- I can ask whether or not someone agrees with me.
- I can ask whether or not something surprises someone.
- I can say what is better.
- I can ask whether or not something is possible.
- I can say what is possible and impossible.
- I can say what someone needs to do.
- I can say what it is necessary to do.
- I can tell location.

Est-ce que les paysages de Gauguin te plaisent?

To ask about importance, use:
    Est-il important que vous ne preniez pas
    le métro trop tard?

Is it important for you not to take the subway too late?

To express importance, use:
    Il est essentiel que vous sachiez dans quel
    arrondissement se trouve le cinéma.

It's essential that you know in which district the movie theater is located.

To ask what someone likes, use:
    Est-ce que les arts **vous plaisent**?
    Est-ce que la musique d'Angélique Kidjo
    te plaît?

Do you like the arts?
Do you like Angélique Kidjo's music?

To say what someone likes, use:
    Même les fleurs et les fruits de ses natures
    mortes **plaisent** aux yeux.
    Sa musique dynamique **plaît** à tous.

Even the flowers and fruit in his still lifes are pleasing to the eyes.
Everyone likes her dynamic music.

To list, use:
    Ses autres films très connus **sont** Ma
    saison préférée, La Reine Margot, Un cœur
    en hiver, Le huitième jour et Lucie Aubrac.

His other well-known movies are Ma saison préférée, La Reine Margot, Un cœur en hiver, Le huitième jour and Lucie Aubrac.

To state a preference, use:
    Il a préféré peindre sa maison, la vie et les
    rues de Paris, et la nature.

He preferred painting his house, Parisian life and streets, and nature.

To state a generalization, use:
    En général on n'acceptait pas les femmes dans
    beaucoup de professions au dix-neuvième siècle.

In general women weren't accepted in many professions in the nineteenth century.

To inquire about opinions, use:
    À quoi pensez-vous lorsque vous pensez à
    la culture des pays francophones?

What do you think about when you think of the culture of French-speaking countries?

Paired Practice

Le musée des beaux-arts
Put students in pairs. Post reproductions of French art at the front of the room, for example, Monet's water lilies, two still lifes by Caillebotte, a landscape by Pissarro and two sculptures by Rodin. Have students pretend they are in an art museum. The students should ask each other if they like the art works exhibited. For example, Student A asks, **Est-ce que la collection de Monet te plaît?** Student B responds, **Oui, elle me plaît** or **Non, elle ne me plaît pas.** Then Student B asks Student A's opinion about the same art. When each pair has finished giving opinions about all the art, you may want to have the pair make intersecting circles in order to list the art they both admire. Then ask students to share with the class which art pleases both of them, for example, **Les natures mortes de Caillebotte nous plaisent.**

Cooperative Group Practice

Pour changer l'école
For additional practice forming sentences in the subjunctive after impersonal expressions, put students in small groups of four or five. Each group writes six changes its members would make to improve their school. Each desired change is introduced by an impersonal expression followed by the subjunctive, for example, **Il vaut mieux que nous commencions à 9h00.** When each group has completed its list, you may want to have students share one of their suggested changes with the class and make a class list. Students could then vote on their top three desired changes for the school.

Les règles

Put students in small groups of four or five. Tell each group to write rules for the French classroom, the cafeteria, the computer lab and the library. Rules may begin with either **il faut que** or **il ne faut pas que**. When each group has finished, you may want to post the combined rules for the French classroom.

La chasse au trésor

To practice the subjunctive of regular and irregular verbs after impersonal expressions, put students in small groups of four or five. Each group writes five clues that eventually lead to the location of their treasure, for example, **Il est nécessaire que vous lisiez un livre sur le bureau du prof** or **Il vaut mieux que vous alliez à gauche.** Each group hides their last four clues and gives their first clue to another group. (It is a good idea for each group to use paper of a different color for their clues so that clues from different groups won't be mixed up.) Then each group hunts for the successive clues until it locates the hidden treasure. The treasure may be a drawing of a treasure chest that groups exchange for a small prize once they have located it.

To give opinions, use:

Cette musique **est si** pleine d'énérgie **qu'**on a envie de danser.

This music is so full of energy that you want to dance.

On a l'impression que la lumière danse dans tous ses tableaux.

You have the impression that light dances in all his paintings.

Aujourd'hui la collection Caillebotte **est une des plus importantes du** musée d'Orsay.

Today the Caillebotte collection is one of the most important in the Orsay Museum.

Il est bon qu'il y en ait plusieurs.

It's good that there are several (of them).

To inquire about agreement, use:

Vous ne trouvez pas?

Don't you think so?

To inquire about surprise, use:

Est-il surprenant que vous reconnaissiez le nom du metteur en scène?

Is it surprising that you recognize the director's name?

To compare, use:

Pour réserver une place, **il vaut mieux que** vous veniez au bureau de location.

To reserve a seat, it's better that you come to the box office.

To inquire about possibility, use:

Est-il possible que vous sachiez l'indice d'un film en avance?

Is it possible for you to know a movie's rating in advance?

To express possibility, use:

Il est possible qu'un film soit interdit.

It's possible that a movie is prohibited.

To express impossibility, use:

Il est impossible que vous ne voyiez pas le nom de la scénariste du film.

It's impossible for you not to see the name of the movie's scriptwriter.

To express need and necessity, use:

Il faut que vous pensiez aussi aux films, à la musique, à la littérature, à la sculpture et aux tableaux.

You must also think about movies, music, literature, sculpture and paintings.

Il faut qu'on assiste à un de ses concerts.

You have to attend one of her concerts.

Il est indispensable que vous fassiez attention à la description dans le guide.

It's indispensable for you to pay attention to the description in the guidebook.

Il est nécessaire que vous regardiez l'abréviation dans le guide.

It's necessary that you look at the abbreviation in the guidebook.

To tell location, use:

Le nom du cinéma est **en bas.**

The movie theater's name is at the bottom.

Il est essentiel que vous sachiez dans quel arrondissement **se trouve** le cinéma.

It's essential that you know in which district the movie theater is located.

Le musée Rodin se trouve sur la rue de Varenne à Paris.

Vocabulaire

une **abréviation** abbreviation *B*
un **album** album *A*
un **arrondissement** district *B*
un(e) **assistant(e)** assistant *A*
un **atelier** studio *A*
autobiographique autobiographical *A*

un **ballet** ballet *A*
une **bande originale** sound track *A*
bas: en bas at the bottom *B*
le **Bénin** Benin *A*
un **bureau de location** box office *B*

chanter to sing *A*
un **chef d'orchestre** conductor *A*
un **chef-d'œuvre** masterpiece *A*
un **cinéma** movie theater *B*
une **collection** collection *A*
composer to compose *A*
un **compositeur, une compositrice** composer *A*
controversé(e) controversial *A*

descendre to get off *B*
une **description** description *B*
une **distraction** entertainment *B*
une **durée** length *B*

en bas at the bottom *B*
en général in general *B*
enregistrer to record *A*
essentiel, essentielle essential *B*

le **fon** Fon (African language) *A*

général(e) general *B*
un **genre** kind, type *B*
un **guide** guidebook *B*

impossible impossible *B*
une **impression** impression, feeling *A*
un **indice** rating *B*
indispensable indispensable *B*
l' **Indochine (f.)** Indochina *A*
interdit(e) prohibited *B*
une **intrigue** plot *A*

un(e) **jeune** young person *B*
jouer to act, to play (a part) *A*

un **kiosque à journaux** newsstand *B*

une **langue** language *A*
une **location: un bureau de location** box office *B*
lorsque when *A*

même same *B*

la **nature** nature *A*
une nature morte still life *A*
nécessaire necessary *B*

un **orchestre** orchestra *A*

partout everywhere *A*
un **paysage** landscape *A*
peindre to paint *A*
un **peintre** painter *A*
une **pièce (de théâtre)** play *A*
une **place** seat *B*
plaire to please *A*
plusieurs several *A*
populaire popular *A*
un **prix** price *B*

reconnaître to recognize *B*
réduit(e) reduced *B*
des **renseignements (m.)** information *B*
un **rôle** role *A*

un **scénario** script *A*
un(e) **scénariste** scriptwriter *B*
un **sculpteur** sculptor *A*
un **signe** sign *B*
un **spectacle** show *B*
le **succès** success *A*

un **tarif** rate, price *B*
tourner to shoot (a movie) *B*
se **trouver** to be (located) *B*

utile useful *B*

valable valid *B*
valoir mieux to be better *B*
une **variété** variety *B*
vaut: il vaut mieux it is better *B*
vécu(e) real-life *B*
une **vedette** (movie) star *A*
une **version** version *A*

Unité 4

Le monde du travail

In this unit you will be able to:

- write a letter
- express intentions
- express desire
- state want
- express hope
- state a preference
- give opinions
- express disagreement
- inquire about certainty and uncertainty
- express certainty and uncertainty
- describe talents and abilities
- sequence events
- evaluate
- make requests
- explain a problem
- interview
- express that you expect a positive response
- express appreciation

www.emcp.com

cent cinquante-trois

LEÇON A

Tes empreintes ici

Est-ce que tu travailles? Si oui, tu dois savoir qu'il est difficile de travailler et d'être lycéen(ne) à la fois, et d'avoir assez de temps pour étudier et pour t'amuser.

Il n'est pas toujours facile de trouver le boulot parfait. Tu peux chercher un travail dans les journaux. Tu peux demander aux fast-foods, aux supermarchés, aux grands magasins ou aux stations-service. Si tu as un(e) ami(e) qui travaille, tu peux toujours demander là où il ou elle travaille pour savoir si on a besoin de quelqu'un. Tu as déjà quelque chose à offrir comme employé(e). Par exemple:

- si tu es doué(e) en maths, travaille à la caisse.
- si tu es fort(e) en informatique, travaille sur un ordinateur.
- si tu aimes parler avec les gens, deviens vendeur ou vendeuse.
- si tu parles bien une autre langue, travaille dans un hôtel ou dans un camping où tu peux parler cette langue.
- si tu aimes les enfants, fais du baby-sitting.

Bonne chance dans le monde du travail!

> Je travaille pour une pizzeria parce que j'aime conduire.

Dossier ouvert

Imagine que tu passes l'été à Paris. À la fin de ton séjour, tu trouves qu'il y a beaucoup de restaurants et de boutiques qui sont fermés. Qu'est-ce qui se passe?

- A. On célèbre la fête de l'Assomption (le 15 août).
- B. Tout le monde va en vacances au mois d'août.
- C. C'est le résultat d'une crise économique.

cent cinquante-quatre
Unité 4

Fred est diplômé.

Jeanne est organisée.

Anne est enthousiaste.

Allô! Hello!

Michèle est bilingue.

cent cinquante-cinq
Leçon A

155

Workbook Activities 1-2

Grammar & Vocabulary Exercises 1-3

Audio CD *Conversation culturelle*

Transparency 14

FYI

1. Other related terms and expressions include **un diplôme** (*diploma*), **l'organisation (f.)** (*organization*), **l'enthousiasme (m.)** (*enthusiasm*), **avec enthousiasme** (*enthusiastically*), **s'enthousiasmer** (*to be enthusiastic*), **le bilinguisme** (*bilingualism*), **une carrière** (*career*), **une demande d'emploi** (*job application*), **pendant le travail** (*on the job*), **une description de poste** (*job description*), **la chasse à l'emploi** (*job hunting*), **la satisfaction au travail** (*job satisfaction*), **la garantie de l'unité de l'emploi** (*job security*), **poser sa candidature à** (*to apply for*), **un entretien, une entrevue** (*interview*), **avoir une entrevue avec** (*to interview*) and **les références** (*references*). 2. Job ads are found in the **Emplois** or **Carrières et emplois** section of **Les petites annonces**. 3. The leading French-language newspapers in Montreal are *Le Journal de Montréal* and *La Presse*. 4. Another term for **un CV (curriculum vitae)** is **un résumé**. 5. Synonyms for **une compagnie** include **une entreprise, une firme** and **une société**. 6. Saint-Lazare is a small town 45 minutes south-west of Montreal. 7. "Part-time" is **à mi-temps** or **à temps partiel**.

Conversation culturelle

Je m'appelle° Jean-Guy Letourneau. J'ai 25 ans, et j'habite à Saint-Lazare au Québec. Je travaille avec Assurance° Canada depuis deux ans. On m'a embauché° à plein temps° après mes études à l'université. J'ai un contrat de deux ans. Alors, maintenant je cherche un poste dans une autre compagnie. Depuis quand est-ce que je cherche un nouveau poste? Je regarde les petites annonces depuis le début du mois de juin, et j'ai enfin trouvé une annonce qui m'intéresse. J'ai les qualifications qu'on cherche: je suis bilingue, diligent et fort en informatique. Avec mon expérience je souhaite° qu'on m'offre un gros salaire. Voici l'annonce que j'ai lue, la lettre que j'ai écrite et la réponse que j'ai reçue.

je m'appelle mon nom est; **l'assurance (f.)** *insurance*; **embaucher** *to hire*; **à plein temps** huit heures par jour; **souhaiter** espérer

 cent cinquante-six
Unité 4

Teaching Note

You may want to review the singular forms of the orthographically changing verb **s'appeler** and introduce the plural forms: **je m'appelle, tu t'appelles, il/elle s'appelle, nous nous appelons, vous vous appelez, ils/elles s'appellent.**

156

M. Dombasle a cinq années d'expérience avec sa compagnie. (Paris)

ASSURANCE LACERTE

Depuis combien de temps cherchez-vous le poste parfait? Si vous le cherchez depuis des mois, venez chez nous. Nous sommes la compagnie d'assurance numéro un et nous devenons encore plus importants. Nous cherchons du personnel très fort dans le service à la clientèle.

Vous devez être bilingue et doué(e) pour la vente.° Nous préférons que vous soyez enthousiaste. De plus nous aimerions que vous soyez flexible et organisé(e). Nous désirons aussi que vous soyez fort(e) en informatique.

Nous voudrions que vous soyez diplômé(e), et nous exigeons° que vous ayez au moins deux années d'expérience.

Envoyez votre CV le plus vite possible à:

ASSURANCE LACERTE
Paul Bagnal
Chef° du Personnel
1800, rue Victoria
Montréal, Québec H3A 3J6
Faxer au 555-9235

Jean-Guy Letourneau
12, avenue Laval
Saint-Lazare, Québec J7T ZA1

Saint-Lazare, le 27 juillet 2007

Monsieur Paul Bagnal
Chef du Personnel
Assurance Lacerte
1800, rue Victoria
Montréal, Québec H3A 3J6

Monsieur,

Votre annonce dans le numéro du 27 juillet du *Courrier de Montréal* m'a beaucoup intéressé. Mon contrat avec Assurance Canada va bientôt se terminer. Je pense avoir l'expérience et les qualifications que vous cherchez. Vous trouverez ci-joint° mon CV avec photo.

En attendant une réponse favorable, je vous prie° d'agréer,° Monsieur, mes salutations° distinguées.°

Jean-Guy Letourneau

la vente *sales*; **exiger** *to require*; **un chef** *head*; **ci-joint** *enclosed*; **prier** *to beg*; **agréer** accepter; **des salutations (f.)** *greetings*; **Je vous prie d'agréer, Monsieur, mes salutations distinguées.** *Yours truly,*

Assurance Lacerte
1800, rue Victoria
Montréal, Québec H3A 3J6

Montréal, le 31 juillet 2007

Monsieur Jean-Guy Letourneau
12, avenue Laval
Saint-Lazare, Québec J7T ZA1

Monsieur,

En réponse à votre lettre du 27 juillet, nous avons le plaisir de vous annoncer que vos qualifications répondent à nos besoins.° Nous vous serions très reconnaissants° de bien vouloir vous présenter° jeudi, le 9 août, à 10h00. Remplissez, s'il vous plaît, le formulaire° de travail ci-joint avant votre arrivée.

En attendant de vous voir, je vous prie d'agréer, Monsieur, mes salutations distinguées.

Paul Bagnal
Chef du Personnel

> Pourriez-vous vous présenter mercredi, le 19 septembre, à 11h30?

un besoin *need*; **reconnaissant(e)** *grateful*; **se présenter** *venir*; **un formulaire** *une fiche*

Teaching Notes

1. Point out that the adjective **reconnaissant** comes from the present participle of **reconnaître**, which belongs to the **connaître** verb family.

2. In France it is not against the law to ask personal questions during an interview. For example, French job seekers might be asked if they are married and if they have children.

1 Les qualifications

 Faites correspondre la lettre de la description à ce que vous entendez.

A. reconnaissant
B. enthousiaste
C. bilingue
D. diligent
E. organisé
F. diplômé

2 Corrigez!

Dans chaque phrase corrigez la faute en italique d'après la description de Jean-Guy, l'annonce de la compagnie Assurance Lacerte, la lettre de Jean-Guy et la réponse qu'il a reçue.

1. Jean-Guy Letourneau cherche *une annonce* dans une autre compagnie.
2. Quelles sont les qualifications de Jean-Guy? Il est *distingué*, diligent et fort en informatique.
3. Avec *sa clientèle* Jean-Guy souhaite qu'on lui offre un gros salaire.
4. Assurance Lacerte veut avoir un(e) employé(e) doué(e) pour *la recherche*.
5. Cet(te) employé(e) doit être *exigeant(e)* et organisé(e).
6. *La salutation* dans le numéro du 27 juillet a beaucoup intéressé Jean-Guy.
7. M. Bagnal peut vérifier les qualifications de Jean-Guy en regardant *son contrat*.
8. M. Bagnal serait très *enthousiaste* si Jean-Guy voulait bien se présenter jeudi, le 9 août.

Mme Blivet peut vérifier les qualifications de M. Vollereaux en regardant son CV.

 Audio CD Activities 1-2

Answers

1
1. C
2. A
3. F
4. E
5. B
6. D

2
1. Jean-Guy Letourneau cherche un poste dans une autre compagnie.
2. Quelles sont les qualifications de Jean-Guy? Il est bilingue, diligent et fort en informatique.
3. Avec son expérience Jean-Guy souhaite qu'on lui offre un gros salaire.
4. Assurance Lacerte veut avoir un(e) employé(e) doué(e) pour la vente.
5. Cet(te) employé(e) doit être flexible et organisé(e).
6. L'annonce dans le numéro du 27 juillet a beaucoup intéressé Jean-Guy.
7. M. Bagnal peut vérifier les qualifications de Jean-Guy en regardant son CV.
8. M. Bagnal serait très reconnaissant si Jean-Guy voulait bien se présenter jeudi, le 9 août.

Audio CD Activities 3-4

Answers

3 1. non
2. non
3. oui
4. oui
5. non
6. oui
7. oui
8. non
9. non
10. oui

4 Answers will vary.

---

3 ▶ **Assurance Lacerte**

Qu'est-ce qu'on peut trouver dans l'annonce pour la compagnie Assurance Lacerte? Indiquez si on peut ou ne peut pas trouver les choses suivantes dans leur annonce en mettant un ✓ dans l'espace blanc convenable.

	Oui	Non
1. l'âge qu'il faut avoir		
2. le salaire		
3. si c'est une compagnie importante		
4. si le service à la clientèle est important		
5. un formulaire à remplir		
6. les qualifications qu'on voudrait		
7. où on envoie son CV		
8. si on doit envoyer sa photo		
9. si on travaille à plein temps		
10. combien d'années d'expérience il faut avoir		

4 ▶ **C'est à toi!**

Questions personnelles.

1. Est-ce que tu conduis? Si oui, est-ce toi qui paies l'assurance?
2. Est-ce que tu regardes les petites annonces dans le journal? Pourquoi ou pourquoi pas?
3. Est-ce que tu as jamais écrit un CV? Si oui, pourquoi?
4. Est-ce que tu travailles? Si oui, depuis combien de temps as-tu ce boulot?
5. Quel est le poste parfait pour toi?
6. En quoi est-ce que tu es doué(e)?
7. Selon toi, quelles sont les qualifications d'un(e) bon(ne) lycéen(ne)?
8. Après tes études au lycée, est-ce que tu veux travailler à plein temps ou continuer tes études à l'université?

> Je regarde les petites annonces parce qu'il faut que je trouve un job pour l'été.

La femme au travail

Plus de 12.500.000 de femmes françaises travaillent aujourd'hui. Ça fait 54.9 pour cent comparé à 39 pour cent en 1970. Comparez ça à l'attitude changeante du Français moyen: en 1978, seulement 30 pour cent des Français disaient que la femme pouvait travailler si elle le désirait; mais aujourd'hui, 59 pour cent disent la même chose. Pourquoi la Française moyenne cherche-t-elle un travail? Les enquêtes révèlent que la femme veut y trouver son indépendance, elle veut chercher son identité et elle veut aider aux finances de la maison. Il faut aussi considérer les changements des conditions de vie. Aujourd'hui 66.3 pour cent de femmes avec des enfants travaillent. C'est peut-être parce qu'il y a beaucoup de femmes qui n'ont pas de mari, mais le plus important, c'est que les couples ont besoin de deux salaires pour bien vivre. Plus de 3.757.000 des femmes au travail ont un poste à temps partiel (moins de 15 heures par semaine). C'est le développement des emplois à temps partiel qui a contribué le plus à l'institution du travail féminin. De toutes les personnes qui travaillent à temps partiel, 85 pour cent sont des femmes. Ce sont surtout les assistantes maternelles et les employées de maison.

Mlle Guiheux travaille parce qu'elle veut trouver son indépendance.

Les jeunes au travail

Seulement 13 pour cent des jeunes entre 15 et 24 ans ont un boulot à plein temps, et trois pour cent un travail à temps partiel. Les autres sont des étudiants qui consacrent leur temps à étudier, des gens qui apprennent un métier (les apprentis) et des personnes qui font un stage. Mais on ne peut pas dire que les jeunes Français n'ont pas d'argent. Au contraire, ils reçoivent jusqu'à 40 euros par mois d'argent de poche (*pocket money*). Ils se paient des distractions (cafés, cinémas), des vêtements et de la musique (stéréo, CDs). Les jeunes Français croient qu'il est important d'acheter des produits "symboles" qui indiquent qu'ils sont membres d'un certain groupe social. À quels emplois les jeunes aspirent-ils?

Aspires-tu à une carrière dans la médecine?

cent soixante et un
161
Leçon A

FYI

1. In 50 percent of couples, both the man and the woman hold regular jobs. Fifty percent of the French believe it is harder for a woman to find a job than for a man. 2. France is promoting a politics of "parity" (equal representation of men and women in employment and politics). The government is attempting to address the following concerns: that, on the average, women's salary is 84% that of men's; that less than 11% of women working in companies have a managerial position; and that France has the smallest female representation in politics of any country in Europe (11%). 3. The number of French women working is highest for the 25- to 49-year age group, the majority of whom have not yet had a child, or have children under 12 years of age. 4. Cognates in this reading include **pour cent, comparé, attitude, révèlent, indépendance, identité, finances, considérer, conditions, développement, emplois, contribué, institution, féminin, maternelles, consacrent, apprentis, contraire, disposent, produits, symboles, certain, groupe, social, aspirent, prestigieux, juge, économiste, journaliste, projet, ressources, révolution, électronique, transistor, microprocesseur, télématique, union, télécommunications, annoncent, automatisation, éliminé, industrie, production, travailleurs, manuels, techniques, téléservices, suffisante, communiquer, créativité, qualités, personnelles, déterminer** and **réussite**.

Teaching Note

The young in France are the hardest hit by the country's 10.2% unemployment rate.

You may want your class to play a version of "What's My Line?" to review professions. Put students in small groups of four or five. A volunteer in each group selects a card from a stack that you have prepared listing professions you want to review. The remaining students in the group ask questions that the volunteer answers with **oui** or **non**, for example, **Travailles-tu pour une grande compagnie?** You may want to put a time or question limit on each player's turn. When a student in the group correctly identifies the profession of the volunteer, he or she becomes the next to select a card. To make the game more fun, you may want to include unusual jobs, such as magician, acrobat, carpet cleaner, toll collector, opera singer, lifeguard and zookeeper. Even though students do not know how to express these jobs in French, they will be able to ask adequate questions to discover their identity.

Les métiers les plus prestigieux selon les jeunes sont:

- directeur (directrice) d'une compagnie
- juge/avocat(e)
- médecin
- professeur

- ingénieur
- économiste
- journaliste
- chef de projet en ressources humaines

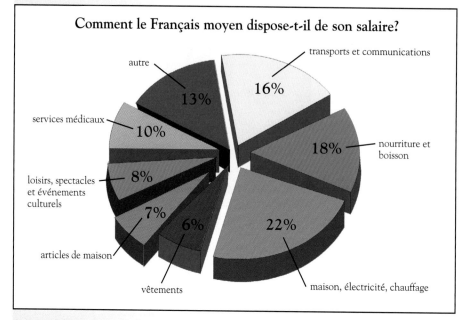

Comment le Français moyen dispose-t-il de son salaire?

transports et communications 16%

nourriture et boisson 18%

maison, électricité, chauffage 22%

vêtements 6%

articles de maison 7%

loisirs, spectacles et événements culturels 8%

services médicaux 10%

autre 13%

La révolution technique

Dans les années 50 une révolution dans le travail a commencé avec l'électronique. Le transistor, le microprocesseur et enfin la télématique (l'union du microprocesseur et des télécommunications) annoncent un nouveau genre de travail. L'automatisation a éliminé beaucoup de boulots dans l'industrie de production. Les travailleurs manuels ont maintenant des emplois dans le service: banquiers (banquières), ingénieurs, serveurs (serveuses) de restaurants, agents de voyage, agents d'assurances, professeurs, policiers (policières), médecins, infirmiers (infirmières). Mais avec tous les boulots techniques et les téléservices, la qualification technique ne va pas être suffisante pour les emplois de demain. Il faut savoir communiquer (surtout dans une autre langue), être prêt(e) à travailler avec les autres, être dynamique et avoir de la créativité. Ces qualités personnelles vont déterminer votre réussite.

Les serveurs et serveuses de café travaillent dans le secteur du service.

162
cent soixante-deux
Unité 4

Télétravail may be the new mode of work in the future. Currently 39 percent of young French workers would be willing to work at home if their jobs so permitted.

5 ▸ Au travail

Répondez aux questions suivantes.

1. Combien de femmes françaises travaillent?
2. Pourquoi la Française moyenne travaille-t-elle?
3. Les femmes qui ont des enfants, travaillent-elles?
4. Pourquoi est-ce que les femmes qui ont un mari veulent travailler?
5. Combien de femmes ont un travail à temps partiel?
6. Est-ce que la majorité des jeunes entre 15 et 24 ans ont un travail?
7. Que font les jeunes qui ne travaillent pas?
8. Qu'achètent les jeunes avec leur argent?
9. Selon les jeunes, quels sont les métiers les plus prestigieux?
10. Quelles vont être les qualifications importantes pour les emplois de demain?

Jean-Luc est apprenti dans une boulangerie.

6 ▸ Une demande d'emploi

Imaginez que vous voulez travailler à temps partiel dans un fast-food français. Remplissez la demande d'emploi suivante.

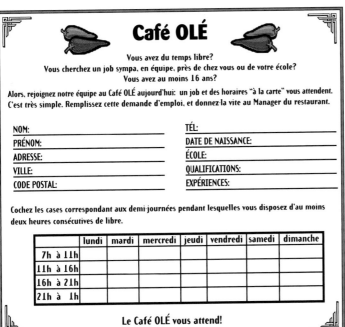

Café OLÉ

Vous avez du temps libre?
Vous cherchez un job sympa, en équipe, près de chez vous ou de votre école?
Vous avez au moins 16 ans?

Alors, rejoignez notre équipe au Café OLÉ aujourd'hui: un job et des horaires "à la carte" vous attendent. C'est très simple. Remplissez cette demande d'emploi, et donnez-la vite au Manager du restaurant.

NOM: _____
PRÉNOM: _____
ADRESSE: _____
VILLE: _____
CODE POSTAL: _____

TÉL: _____
DATE DE NAISSANCE: _____
ÉCOLE: _____
QUALIFICATIONS: _____
EXPÉRIENCES: _____

Cochez les cases correspondant aux demi-journées pendant lesquelles vous disposez d'au moins deux heures consécutives de libre.

	lundi	mardi	mercredi	jeudi	vendredi	samedi	dimanche
7h à 11h							
11h à 16h							
16h à 21h							
21h à 1h							

Le Café OLÉ vous attend!

5
1. Plus de 12.500.000 de femmes françaises travaillent.
2. La Française moyenne veut trouver son indépendance, elle veut chercher son identité et elle veut aider aux finances de la maison.
3. Oui, 66,3 pour cent des femmes avec des enfants travaillent.
4. Les femmes qui ont un mari veulent travailler parce que les couples ont besoin de deux salaires pour bien vivre.
5. Plus de 3.757.000 des femmes ont un travail à temps partiel.
6. Non, seulement 13 pour cent des jeunes entre 15 et 24 ans ont un boulot à plein temps, et trois pour cent un travail à temps partiel.
7. Les jeunes qui ne travaillent pas sont des étudiants, des apprentis et des personnes qui font un stage.
8. Ils se paient des distractions (cafés, cinéma), des vêtements et de la musique (stéréo, CDs).
9. Selon les jeunes, les métiers les plus prestigieux sont directeur (directrice) d'une compagnie, juge/avocat(e), médecin, professeur, ingénieur, économiste, journaliste et chef de projet en ressources humaines.
10. Les qualifications pour les emplois de demain sont de savoir communiquer (surtout dans une autre langue), être prêt(e) à travailler avec les autres, être dynamique et avoir de la créativité.

Comparisons

Depuis quand vs. *depuis combien de temps*
To help students determine whether to choose **depuis quand** or **depuis combien de temps** when asking a question, write a list of time expressions on the board, for example, **2002, le mois d'avril, quatre ans, l'âge de 12 ans, neuf mois, le 28 novembre, deux semaines** and **hier.** Make two columns on the board, one for **depuis quand** and the other for **depuis combien de temps.** Ask students to help you place the time expressions under the correct column and to explain why. Students should tell you that **2002, le mois d'avril, l'âge de 12 ans, le 28 novembre** and **hier** go under the **depuis quand** column because they express "since," or when the action began. Students should tell you that **quatre ans, neuf mois** and **deux semaines** go under the **depuis combien de temps** category because they express "for," or how long the action has been going on. You may want to have students form questions using the time expressions in the two columns.

Journal personnel

The electronic revolution has eliminated jobs that were once in high demand, and new jobs are being created in a variety of sectors. In this age of information, what jobs do you think will be most in demand when you are ready to look for full-time employment? In what areas do you think there will be an abundance of new jobs? What jobs will have disappeared? What classes in high school will have proved to be the most useful in preparing you for a job? After high school how do you plan to use technology to prepare yourself for the world of work?

Langue active

Depuis + present tense

Depuis quand (*since when*) plus a verb in the present tense is used to ask when an action began in the past that is still going on in the present. To answer this question, use a present tense verb form, **depuis** (*since*) and an expression of time.

Depuis quand est-ce que Jean-Guy cherche un nouveau poste?	*Since when has Jean-Guy been looking for a new job?*
Il regarde les petites annonces **depuis** le début du mois de juin.	*He's been looking in the want ads since the beginning of the month of June.*

Depuis combien de temps (*how long*) plus a verb in the present tense is used to ask how long an action has been going on. To answer this question, use a present tense verb form, **depuis** (*for*) and an expression of time.

Depuis combien de temps cherchez-vous le poste parfait?	*How long have you been looking for the perfect job?*
Je le cherche **depuis** des mois.	*I've been looking for months.*

164   cent soixante-quatre
Unité 4

Teaching Notes

1. The **Langue active** section in **Unité 4** contains both new and recycled grammatical concepts.

2. You may want to explain that the imperfect is used with **depuis** to express how long something had been going on when another event occurred, for example, **Jean-Guy travaillait avec Assurance Canada depuis deux ans quand il a lu l'annonce d'Assurance Lacerte.**

3. Before a noun or a pronoun plus a verb, use **depuis que,** for example, **Josyane n'a pas vu Claude depuis qu'elle a commencé son nouveau poste.**

Pratique

7 Identifiez!

Quelles sont les professions de ces gens? Depuis combien de temps travaillent-ils? Répondez à ces questions selon les photos. Suivez le modèle.

Modèle:

Isabelle Adjani/30 ans
Isabelle Adjani est vedette depuis trente ans.

1. Mme Junot/2 semaines

2. Claire/5 jours

3. M. Maurel/22 ans

4. M. Minetti/30 ans

5. Alain/3 ans

6. M. Renaud/6 mois

7. M. Brunel/40 ans

8. Mme Chouinard/9 mois

cent soixante-cinq
Leçon A
165

Audio CD Activity 7

Answers

7 1. Mme. Junot est pompier depuis deux semaines.
2. Claire est vendeuse depuis cinq jours.
3. M. Maurel est fermier depuis vingt-deux ans.
4. M. Minetti est peintre depuis trente ans.
5. Alain est sculpteur depuis trois ans.
6. M. Renaud est pilote depuis six mois.
7. M. Brunel est chef d'orchestre depuis quarante ans.
8. Mme Chouinard est informaticienne depuis neuf mois.

Game

Lineup and Circle
Ask students to arrange themselves in a long line according to the year they moved to their town. Students ask each other **Depuis quand est-ce que tu habites à** (name of town)? Based on the answers they receive, students position themselves in chronological order. (If students in your class come from more than one town, set up a line for each town in different areas of the classroom.) When the line is in order, students make a sign with the month and year that they moved to or were born in the town, for example, **juin, 1999,** and tape it to their shirt. Then change the line or lines into a circle and stand in the middle of the circle. Ask the first student since when another student has lived in the town, for example, **Bruno, depuis quand est-ce que Noëlle habite à Andover**? Then toss a ball to the student you have just questioned. If the student does not begin an answer by the time he or she catches the ball, the student may not complete the answer and must leave the circle. The last remaining student is the winner.

165

Answers

8 1. Depuis quand Naf Naf vous intéresse?
2. Depuis combien de temps cherchez-vous un nouveau poste?
3. Depuis quand lisez-vous les petites annonces?
4. Depuis quand travaillez-vous aux Galeries Lafayette?
5. Depuis combien de temps y vendez-vous des accessoires?
6. Depuis combien de temps êtes-vous diplômée?
7. Depuis combien de temps êtes-vous bilingue?
8. Depuis quand habitez-vous à Tours?

---

8 ▶ **Une interview**

Caroline vient de se présenter à une interview avec Mme Cliquot pour un poste à Naf Naf, une boutique de vêtements française. Pour chaque réponse que Caroline a donnée, écrivez la question correspondante que Mme Cliquot lui a posée.

Modèle:

Je vous attends depuis cinq minutes, Madame Cliquot.
Depuis combien de temps m'attendez-vous, Caroline?

1. Naf Naf m'intéresse depuis l'âge de dix ans.
2. Je cherche un nouveau poste depuis un mois.
3. Je lis les petites annonces depuis le 15 août.
4. Je travaille aux Galeries Lafayette depuis 2005.
5. J'y vends des accessoires depuis neuf mois.
6. Je suis diplômée depuis deux ans.
7. Je suis bilingue depuis sept ans.
8. J'habite à Tours depuis le début du mois de novembre.

Depuis quand Naf Naf intéresse Caroline?

The subjunctive after expressions of wish, will or desire

You remember that in French the subjunctive usually comes after **que** in a dependent clause. In the last unit you learned various impersonal expressions that are followed by the subjunctive. Verbs that express wish, will or desire also take the subjunctive. Use the subjunctive after one of these verbs when the wish or desire concerns someone other than the subject.

aimer	*to like, to love*
désirer	*to want*
exiger	*to require*
préférer	*to prefer*
souhaiter	*to wish, to hope*
vouloir	*to want*

Nous **exigeons que** vous **ayez** au moins deux années d'expérience.

Avec mon expérience je **souhaite qu'**on m'**offre** un gros salaire.

Nous **désirons** aussi **que** vous **soyez** fort en informatique.

We require that you have at least two years of experience.

With my experience I hope that they give me a high salary.

We also want you to be strong in computer science.

 cent soixante-six
Unité 4

Teaching Notes

1. Point out to students that the subjunctive is used when the subjects of the two clauses are different. When the subjects are the same, students can avoid the subjunctive by using an infinitive, for example, **Je préfère travailler à plein temps**. *(I prefer to work full-time.)*

2. You might want to write the "formula" S1 + V1 + **que** + S2 + V2 on the board to illustrate how the two clauses join together to form a subjunctive sentence.

3. Another verb of wish, will or desire that takes the subjunctive is **insister** *(to insist)*. **Espérer** *(to hope)*, however, takes the indicative, except in a negative or interrogative sentence.

Pratique

9 Les ordres du chef

Bruno et Julianne sont de nouveaux employés à Quick. Jouez le rôle de M. Abdallah, leur chef. Dites-leur ce que vous voulez qu'ils fassent ou ne fassent pas. Pour chaque phrase, utilisez une expression logique de la liste suivante. Suivez le modèle.

ne pas dormir derrière le comptoir	ne pas étudier au comptoir
sortir la poubelle	ne pas être en retard
nettoyer toutes les tables	offrir du café à la clientèle
ne pas brûler les hamburgers	ne pas voler d'argent
dire "Merci" à la clientèle	

Modèle:

Je veux que vous ne soyez pas en retard.

1.

2.

3.

Merci.

4.

5.

6.

7.

8.

cent soixante-sept
Leçon A

167

Teaching Note

4. Certain verbs of communication, such as **défendre** (*to forbid*), **demander** (*to ask*), **interdire** (*to forbid*), **ordonner** (*to order*) and **permettre** (*to allow*), may take the subjunctive when used to express an indirect request.

Answers

9
1. Je veux que vous ne dormiez pas derrière le comptoir.
2. Je veux que vous ne brûliez pas les hamburgers.
3. Je veux que vous offriez du café à la clientèle.
4. Je veux que vous disiez "Merci" à la clientèle.
5. Je veux que vous n'étudiiez pas au comptoir.
6. Je veux que vous sortiez la poubelle.
7. Je veux que vous nettoyiez toutes les tables.
8. Je veux que vous ne voliez pas d'argent.

Paired Practice

Les dialogues
To practice forming sentences using an infinitive and the subjunctive, put your students in pairs. One student plays the role of a parent and the other the role of a teenager. Give each pair a situation card that lists two infinitives, for example, **aller au match de basketball/rentrer avant 11h00, prendre la voiture/mettre ta ceinture de sécurité, inviter des copains/ranger le salon, aller au cinéma/finir tes devoirs,** and **faire de la planche à neige/faire attention.** The teenager addresses the parent with an activity that he or she would like to do, for example, **Dis, papa, je voudrais aller au match de basketball ce soir.** The parent responds with the condition that must be met, for example, **Écoute, je veux que tu ailles au match de basketball ce soir, mais j'exige que tu rentres avant 11h00.** After each pair has practiced its dialogue, have all the pairs present theirs to the class. You may want to give students the assignment of listening carefully to each skit and writing down what the parent tells the teenager to do, for example, **Le père de Guy exige qu'il rentre avant 11h00.**

Audio CD Activities 10-11

10 1. Ma mère veut que je me couche tôt ce soir.
   2. Mes parents préfèrent que je prenne le petit déjeuner avant de quitter la maison.
   3. Mon frère exige que je sache l'adresse de la compagnie.
   4. Mon père désire que j'arrive à l'heure.
   5. Mes parents exigent que je remplisse le formulaire de travail.
   6. Tout le monde désire que je sois enthousiaste.
   7. Ma sœur veut que je réponde sérieusement aux questions.
   8. Ma mère souhaite que je remercie le chef du personnel.

11 1. Comment tu trouves le cours de français?
   2. Comment tu trouves l'enseignement dans cette école?
   3. Comment tu trouves le temps qu'il fait?
   4. Comment tu trouves les émissions à la télé?
   5. Comment tu trouves tes parents?
   6. Comment tu trouves les hommes et les femmes politiques?

Students' responses to these questions will vary.

Cooperative Group Practice

Sentence Completion
Put students in small groups of four or five. Write the following phrases on the board or on an overhead transparency:
   1. La compagnie exige que ses employés....
   2. Les élèves de français veulent que le professeur....
   3. Mes amis souhaitent que je....
   4. Maman préfère que nous....
   5. Au travail j'aime que le chef....
   6. L'enfant de cinq ans désire que tu....
Each group writes as many completions as they can think of for each phrase.

---

 10 ▸ **Pour faire bonne impression...**

Imaginez que vous êtes Jean-Guy Letourneau. Demain matin vous allez vous présenter à Assurance Lacerte. Dites ce que votre famille veut que vous fassiez pour faire bonne impression.

Modèle:

ma mère/exiger/s'habiller bien
Ma mère exige que je m'habille bien.

1. ma mère/vouloir/se coucher tôt ce soir
2. mes parents/préférer/prendre le petit déjeuner avant de quitter la maison
3. mon frère/exiger/savoir l'adresse de la compagnie
4. mon père/désirer/arriver à l'heure
5. mes parents/exiger/remplir le formulaire de travail
6. tout le monde/désirer/être enthousiaste
7. ma sœur/vouloir/répondre sérieusement aux questions
8. ma mère/souhaiter/remercier le chef du personnel

 11 ▸ **En partenaires**

 *Avec un(e) partenaire, posez des questions sur comment vous trouvez les personnes et les choses indiquées. Donnez vos opinions en utilisant l'expression **J'aimerais que**. Suivez le modèle.*

Modèle:

la cantine de l'école
A: **Comment tu trouves la cantine de l'école?**
B: **J'aimerais qu'il y ait plus de choix. Et toi, comment tu trouves la cantine de l'école?**
A: **J'aimerais qu'on offre plus de salades.**

1. le cours de français
2. l'enseignement dans cette école
3. le temps qu'il fait
4. les émissions à la télé
5. tes parents
6. les hommes et les femmes politiques

Comment tu trouves tes camarades de classe?

J'aimerais qu'ils m'invitent à sortir après les cours.

 168

cent soixante-huit
Unité 4

Communication

12 ▶ Écrivez une petite annonce!

Consultez les petites annonces dans un journal français ou américain pour en trouver une qui vous intéresse. (Si vous préférez, vous pouvez inventer une petite annonce intéressante.) Puis copiez la grille suivante, et remplissez-la selon les renseignements de la petite annonce que vous avez choisie. Enfin utilisez la grille pour écrire une petite annonce en français pour ce boulot. (Vous pouvez utiliser votre nom comme chef du personnel.)

> nom de la compagnie: _____
>
> chef du personnel: _____
>
> adresse: _____
>
> numéro de téléphone: _____
>
> boulot: _____
>
> responsabilités: _____
>
> qualifications: _____
>
> expérience: _____
>
> éducation: _____
>
> salaire: _____

13 ▶ Répondez à une petite annonce!

Échangez la petite annonce que vous venez d'écrire dans l'Activité 12 contre (for) l'annonce d'un(e) partenaire. Puis répondez à cette nouvelle petite annonce en écrivant une lettre au chef du personnel de la compagnie qui offre le boulot. Dites que vous cherchez un boulot et ce que vous voulez dans ce boulot. Mentionnez vos qualifications et votre expérience. Utilisez la lettre de Jean-Guy Letourneau à la page 157 comme modèle.

J'ai les qualifications que vous cherchez. Je suis bilingue et doué pour la vente.

14 ▶ À vous de jouer!

 Avec votre partenaire de l'Activité 13, jouez les rôles du chef du personnel (la personne qui offre le boulot dans l'Activité 13) et du candidat (la personne qui veut être embauchée). Le candidat n'a jamais reçu de réponse à sa lettre. Alors, il décide de téléphoner au chef du personnel. Le candidat dit qu'il cherche un nouveau poste et explique pourquoi il téléphone. Il parle de ses qualifications, de son expérience et de son éducation. Le chef du personnel décide s'il veut inviter le candidat à se présenter ou pas.

cent soixante-neuf
Leçon A **169**

Teaching Note

You may want to post the job ads that students make for Activity 12 around the classroom for all to see.

Stratégie communicative

Writing a Résumé

When you apply for a job, your letter of application should be accompanied by a résumé, or curriculum vitæ. It should contain certain personal information, your background and your experience. In your résumé, be sure to include:

- your name, address and phone number
- your objective in seeking a job with this employer
- your educational history, with your most recent accomplishments listed first
- your work experience, also in reverse chronological order
- [optional] personal information, such as membership in relevant clubs and organizations, community service, volunteer work, hobbies, etc.
- a list of references

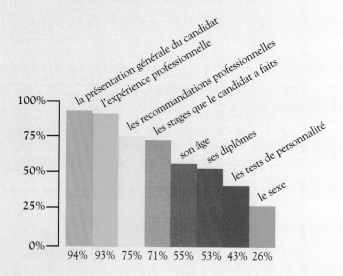

Pourquoi embauchez-vous ce candidat?

la présentation générale du candidat — 94%
l'expérience professionnelle — 93%
les recommandations professionnelles — 75%
les stages que le candidat a faits — 71%
son âge — 55%
ses diplômes — 53%
les tests de personnalité — 43%
le sexe — 26%

Teaching Note

The **Stratégie communicative** is designed to develop skills that will help students prepare to take the Advanced Placement Exam in French Language. This unit's **Stratégie communicative** develops writing proficiency. Students focus on how to write a résumé and then practice writing one for a summer job they would like in a francophone country.

Here is a sample résumé written by a French teenager interested in working with young children:

Sandrine CHAUGNOT
12, avenue Saint-Exupéry
94000 Créteil
Tél. 01.49.89.73.00

Née: le 12 mai, 1990 à Troyes

OBJECTIF: Travailler avec de jeunes enfants chez eux ou à la crèche

FORMATION: Lycée Descartes, Créteil (en première)
Collège Voltaire, Créteil
École Sainte-Anne, Créteil

EXPÉRIENCE: 2006-présent École des jeunes filles
76, rue Rochambeau
Après l'école je jouais à des jeux avec les enfants.

2005-6 McDonald's
34, place de la Gare
Serveuse

2003-6 M. et Mme François Junot
32, allée de la Toison d'Or
J'ai fait du baby-sitting pour leurs deux enfants: un petit garçon et une petite fille.

LOISIRS: Football, flûte

À CONTACTER: Mme Hélène Trélat
École des jeunes filles
76, rue Rochambeau, Créteil
Tél. 01.49.07.32.82

M. et Mme François Junot
32, allée de la Toison d'Or, Créteil
Tél. 01.49.23.90.87

15 ▶ Mon résumé

Maintenant pensez à un boulot d'été idéal dans un pays francophone. Écrivez votre résumé en notant votre objectif, votre formation et votre expérience. Suivez le modèle de Sandrine que vous venez de lire.

Functional Résumé

You may want your students to practice writing a functional résumé in addition to or in place of the chronological résumé. In a functional résumé the job seeker emphasizes his or her qualifications and abilities. To write a functional résumé, begin with your name, address, phone number and job objective. Then write four or five paragraphs, each one heading a particular area of expertise or involvement, such as Youth Director, Camp Counselor or Sales Associate. The skills paragraphs should be listed in order of importance; in other words, those skills most similar to the candidate's stated job objective should be listed first. Finally, add a concise chronological listing of employers, job titles and job descriptions with the appropriate dates.

Teaching Notes

1. In the U.S. it would be considered unwise and improper to state one's birth date. Sandrine gives her birth date to show her prospective employer that she is old enough to handle a job taking care of children.

2. This is an example of a chronological or historical résumé, which emphasizes work experience.

LEÇON B

Conversation culturelle

> Croyez-vous que le projet soit une bonne idée?

> Nous ne pensons pas que ce projet aille assez loin.

une manifestation

les manifestants

FYI

1. **Une manifestation** is frequently called **une manif**. 2. Other related terms and expressions include **une caméra de la télévision** (*TV camera*), **se plaindre** (*to complain*) and **une spécialisation** (*specialization*). 3. Lille, located close to the Belgian border, is a model of urban revitalization and renewal. It was introduced on page 122 in the second level of *C'est à toi!* 4. Demonstrations in France are considered an acceptable means of expressing discontent, usually with regards to a particular national policy. Members of different labor unions, political parties and students are frequent participants. 5. The **SMIC** (**salaire minimum interprofessionnel de croissance**), pronounced [smik], is the index-linked guaranteed minimum wage.

Marie-José Tenière, qui est reporter pour TF1, une chaîne° de télévision française, va faire un reportage spécial de Lille. Elle va commencer dans un moment. Le bruit qu'on entend vient d'une manifestation. Les rues, qu'on ne peut même pas traverser, sont pleines d'étudiants et de lycéens. Il n'est pas certain que Marie-José puisse s'approcher d'un des manifestants pour lui parler. Attendez, attendez. Ah, voilà. Elle a réussi.

Marie-José: **C'est Marie-José Tenière en direct° de Lille. Je parle avec Max Launay, lycéen, qui participe à la manifestation. Je peux vous poser quelques questions?**

Max: **Ouais, bien sûr.**

Marie-José: **Max, pourquoi est-ce que les étudiants et les lycéens manifestent° aujourd'hui?**

Max: **Je ne suis pas sûr° que la raison° soit évidente pour tout le monde.**

Marie-José: **Croyez-vous que le projet du gouvernement soit une bonne idée?**

Max: **Non, nous sommes contre° ce projet. Le gouvernement veut créer des emplois° pour les jeunes, mais nous ne pensons pas que ce projet aille assez° loin. Nous, les jeunes, nous comprenons ce qui° se passe. Le problème, c'est qu'il n'y a pas suffisamment° d'emplois pour les jeunes de 18 à 26 ans. Le gouvernement va créer 150.000 emplois. C'est bon. Mais le gouvernement ne veut payer qu'un pourcentage du SMIC.° Et ça, nous ne l'acceptons pas. Je doute que nous acceptions un salaire qui soit inférieur° au salaire minimum. Ce que° le gouvernement n'apprécie pas, c'est qu'un vrai emploi exige un vrai salaire. De plus, on va nous offrir un horaire de travail réduit.**

une chaîne *channel;* **en direct** *live;* **manifester** participer à une manifestation; **sûr(e)** certain(e); **une raison** *reason;* **contre** ne pas être pour; **un emploi** un travail, un boulot; **assez** *enough;* **ce qui** *what;* **suffisamment** assez; **le SMIC** *minimum wage;* **inférieur(e)** moins; **ce que** *what*

cent soixante-douze
Unité 4

Teaching Note

Communicative functions that are recycled in this lesson are "giving orders," "introducing yourself," "asking for information" and "thanking someone."

Marie-José: Et alors, pourquoi êtes-vous ici?

Max: Ben, je vais passer mon bac ES au printemps, et puis, ce que je compte° faire, c'est passer deux années en classes préparatoires aux grandes écoles.° Finalement, je vais essayer de trouver un emploi dans le cadre° administratif. Ce n'est pas vrai que les compagnies fassent le maximum pour embaucher les jeunes. Donc, c'est le gouvernement qui doit les aider. Le taux° de chômage monte pour les jeunes. Ce taux élevé° nous pousse° à faire des études° plus longues. Même si on se spécialise, un emploi n'est pas garanti.

Marie-José: Alors, Max, pensez-vous que le gouvernement fasse attention au message?

Max: Il n'est pas évident que le gouvernement nous écoute. Nous n'avons pas de parti politique. La manifestation, c'est un moyen° de montrer notre mécontentement.°

Marie-José: Ce qui est sûr, c'est que les emplois pour les jeunes restent un problème à résoudre. Alors, Max, merci à vous.

ESIEE est une grande école à Champs-sur-Marne pour les étudiants qui veulent devenir ingénieurs.

À l'université Mlle Beauvois s'est spécialisée dans la chimie.

compter avoir l'intention de; les grandes écoles *elite, specialized universities*; le cadre *sector*; un taux *rate*; élevé(e) *high*; pousser *forcer*; faire des études *étudier*; un moyen *way*; le mécontentement l'insatisfaction

1 La manifestation

Choisissez la lettre de la description qui correspond à ce que vous entendez.

A. ce que le gouvernement offre
B. le chômage
C. le SMIC
D. TF1
E. une manifestation
F. les grandes écoles

cent soixante-treize
Leçon B **173**

FYI

1. It is difficult to be admitted into a **classe préparatoire**, the first step in gaining admission into a **grande école**. Only students who have passed the **bac** with the added note of **Bien** or **Très bien** are usually accepted. The course of study in a **classe préparatoire** lasts two years, at the end of which students take difficult entrance exams for the **grandes écoles**. 2. The **grandes écoles** are highly selective, specialized institutions of higher learning that form society's elite in the fields of engineering, science, administration and management. Space is very limited in these schools, so the selection process is rigorous.

Connections

Les manifestations
You might videotape a demonstration on French TV, bring in articles or download information from the Internet about French demonstrations that have occurred in the past few years. For each demonstration have students identify what the protestors are demonstrating against and the demands they are making. Then ask students to identify complaints that American citizens have with the U.S. government and how they seek to make their causes known.

Teaching Notes

1. Students learned about the **bac** on page 119 in the first level of *C'est à toi!* and on page 363 in the second level. Since 1963, the number of students who have passed the **bac** has more than tripled.

2. You may want to point out to students that **élevé** comes from the verb **élever** (*to raise, to elevate*) and is not to be confused with the noun **élève**.

173

Answers

2 1. faux
2. faux
3. vrai
4. vrai
5. faux
6. vrai
7. faux
8. faux
9. faux
10. vrai

3 1. chaîne
2. manifestants
3. en direct
4. contre
5. suffisamment
6. élevé
7. minimum
8. cadre
9. garanti
10. parti

Game

Original Sentences
To practice new vocabulary presented in this lesson, you might want to play this game. Prepare a set of note cards with a new word or term on each one. Then divide the class into two teams. Call the first player from each team to the front of the room. Select the top card from the pile and read aloud the word or term that you want the players to use in a sentence. Both players write a sentence using that word or term. The student who correctly uses the new word or term in a sentence earns a point for his or her team. If both sentences are correct, both teams win a point. When the first two players take their seats, a different player from each team takes a turn. The team with the most points at the end of the allotted time wins.

2 ## L'entretien avec TF1

Répondez par "vrai" ou "faux" d'après le dialogue.

1. Marie-José Tenière fait un reportage de Paris.
2. Il n'y a pas beaucoup de monde dans les rues.
3. Max Launay participe à la manifestation.
4. Le projet du gouvernement, c'est de créer des emplois pour les jeunes.
5. Le gouvernement offre de payer le SMIC aux jeunes.
6. Max compte aller à une grande école.
7. Max croit que les compagnies font le maximum pour embaucher les jeunes.
8. Le taux de chômage ne monte pas pour les jeunes de 18 à 26 ans.
9. Si on se spécialise, on est sûr d'avoir un emploi.
10. Pour les jeunes, manifester est un moyen de montrer leur mécontentement.

Max ne croit pas que les compagnies fassent le maximum pour embaucher les jeunes.

3 ## Complétez!

Choisissez l'expression convenable de la liste suivante pour compléter chaque phrase d'après le dialogue.

garanti	minimum	parti	chaîne	manifestants
en direct	élevé	cadre	contre	suffisamment

1. TF1 est une… de télévision française.
2. Les… dans les rues font beaucoup de bruit.
3. Marie-José Tenière fait son reportage… des rues de Lille.
4. Max ne pense pas que le projet du gouvernement aille assez loin; il est… ce projet.
5. Il n'y a pas… d'emplois pour les jeunes de 18 à 26 ans.
6. Donc, le taux de chômage de ces jeunes est….
7. Le SMIC, c'est le salaire… qu'on paie.
8. Max espère trouver un emploi dans le… administratif.
9. Mais on ne sait jamais si on va trouver l'emploi qu'on veut parce que l'emploi n'est pas….
10. Les jeunes disent qu'il n'y a pas de… politique qui les écoute.

Mme Fermet et ses enfants sont des manifestants.

4 ▸ C'est à toi!

Questions personnelles.

1. Est-ce que tu regardes souvent les informations à la télé?
2. Quelle est ta chaîne de télé favorite? Quel reporter préfères-tu?
3. Est-ce que la profession de reporter t'intéresse? Pourquoi ou pourquoi pas?
4. Est-ce que tu as jamais participé à une manifestation? Si oui, contre quoi as-tu manifesté?
5. Est-ce que tu as un boulot? Si oui, reçois-tu le salaire minimum? Crois-tu qu'on te paie suffisamment?
6. Selon toi, est-ce que le gouvernement doit aider les jeunes à trouver un emploi?
7. Après tes études, est-ce que tu voudrais travailler pour une grande compagnie nationale? Pourquoi ou pourquoi pas?
8. Est-ce que tu comptes devenir membre d'un parti politique?

Audio CD Activity 4

Answers

4 Answers will vary.

Des jeunes Parisiens manifestent contre le racisme.

Tu regardes les actualités à la télé?

FYI

1. In 2000, the legal working week was changed to 35 hours for companies with more than ten employees. 2. Nine out of ten agricultural workers are children of agricultural workers. 3. Eighty-eight percent of French workers are salaried today, as opposed to only 72 percent in 1960. Five million people, or 8 percent of the population, work for the government, which places France first among western industrialized nations in the number of government employees.

~Aperçus culturels~

La semaine de travail

Depuis longtemps le gouvernement français participe à la direction des conditions de travail. À présent, la semaine officielle de travail est de 35 heures, mais ça n'existe que pour les salariés qui travaillent à plein temps. Certains emplois exigent une semaine plus longue. Les agriculteurs, par exemple, ont la semaine la plus longue à 57 heures de travail pendant que les professeurs à l'école élémentaire ont une semaine de 27 heures.

M. Boulet, un salarié, ne travaille que 35 heures par semaine.

La journée de travail

Les ouvriers du bâtiment (*construction workers*) travaillent 50 heures par semaine.

Les gens non-salariés, qui reçoivent un paiement à l'heure, ont une journée de travail plus longue que les salariés. Ils travaillent presque neuf heures par jour comparés aux salariés, qui n'ont qu'une journée longue de sept heures et demie. Ils ont même une semaine plus longue parce qu'ils travaillent six ou sept jours. L'horaire d'une journée de travail varie selon l'activité professionnelle. Dans des bureaux et des magasins, le travail commence entre huit et neuf heures et finit entre 17 et 19 heures. Il y a une courte pause à midi pour le déjeuner. On estime que l'absentéisme au travail est à 7,5 pour cent du temps de travail théorique.

cent soixante-seize
Unité 4

Teaching Note

Cognates in this reading include **longtemps, direction, conditions, présent, officielle, existe, salariés, agriculteurs, élémentaire, non-salariés, paiement, comparés, varie, activité, professionnelle, pause, estime, absentéisme, pour cent, théorique, interrompues, prolonge, action, permet, population** and **nombre**.

Les jours fériés

À certains moments de l'année, les longues semaines sont interrompues par des jours de fête, ou jours fériés. Il y a dix jours fériés nationaux en France. Si c'est le jeudi ou le mardi qui est un jour férié, on prolonge le weekend pour faire un "pont" avec un autre jour sans travail, ou jour de congé. L'action du gouvernement permet aux Français 30 jours de vacances. C'est vraiment évident au mois d'août, et surtout à Paris où tout semble fermé à la fin de l'été pendant que tout le monde part au bord de la mer ou à la montagne.

Le chômage

Le chômage continue à être un problème grave pour la France. Presque trois millions de Français, plus de 10 pour cent de la population, n'ont pas de travail. Le nombre des jeunes de moins de 25 ans qui sont au chômage monte à 23 pour cent.

En France les grands magasins sont fermés pour les jours de fête comme Noël.

5 ▸ Le travail en France

Répondez aux questions suivantes.

1. De combien d'heures est la semaine officielle de travail en France?
2. Qui a une semaine de moins de 35 heures?
3. Qui a une plus longue journée de travail, les salariés ou les non-salariés?
4. À quelle heure le travail finit-il pour les gens qui travaillent dans des bureaux et des magasins?
5. Un jour férié, qu'est-ce que c'est?
6. Combien de jours fériés nationaux y a-t-il en France?
7. Si l'on prolonge une fête avec le weekend, qu'est-ce que c'est?
8. Combien de semaines de vacances a le Français moyen par an?
9. Pourquoi la ville de Paris est-elle déserte en août?
10. Combien de Français sont au chômage? Combien de jeunes?

M. Boulogne, un non-salarié, a une plus longue journée de travail que les salariés.

Game

Identifying Objects
Divide your class into two teams. Have the first two students from Team A come to the front of the classroom. One of the players takes the top note card from a set that you have prepared that lists objects, for example, **une montre**. The student who selects the card thinks of a sentence using **que** that will help his or her teammate identify the mystery object, for example, **C'est quelque chose que je regarde pour savoir l'heure**. If the teammate identifies the object, he or she earns a point. If not, two players from the other team take a turn with the second card in the stack. The team with the highest score wins.

Comparisons

Relative Pronouns
Put students in pairs. Give each pair a magazine or newspaper in English. Tell students to copy ten sentences that they find that use a relative pronoun. Then ask students to write down if they would use **qui** or **que** if they were to express these sentences in French.

Journal personnel

To compare general working conditions in France to those in the U.S., talk to several adults who have full-time jobs. How many hours a week do they work? Are they salaried or hourly employees? How many vacation days do they have each year? How much time do they take for lunch? Do they have flextime (variable hours)? What provisions are there for childcare? Compare the answers the adults give you to what you now know about working conditions in France. What working conditions are the most critical to you: salary, vacations, health and dental insurance, provisions for childcare or flextime?

The relative pronouns *qui* and *que*

The relative pronouns **qui** and **que** connect two clauses in a complex sentence. The pronouns **qui** and **que** introduce a dependent clause that describes a preceding person or thing, called the antecedent.

Qui (*who, which, that*) is used as the subject of the dependent clause. The verb that follows **qui** agrees with the antecedent.

Marie-José Tenière, **qui** est reporter, s'approche des manifestants.	*Marie-José Tenière, who is a reporter, approaches some demonstrators.*
Le projet du gouvernement, **qui** crée des emplois pour les jeunes, ne va pas assez loin.	*The government's project, which creates jobs for young people, doesn't go far enough.*

Que (*that, whom, which*) is used as the direct object of the dependent clause.

Le manifestant **que** nous entendons est un étudiant.	*The demonstrator whom we hear is a student.*
Le salaire **qu'**on leur offre est inférieur au salaire minimum.	*The salary that they're offering them is less than the minimum salary.*

L'employée que le chef du personnel a embauchée est diligente et organisée.

Teaching Note

The relative pronouns **qui** and **que** were introduced on page 246 in the second level of C'est à toi!

When the dependent clause is in the **passé composé**, the past participle of the verb agrees in gender and in number with the antecedent of **que**.

Les emplois **qu'**ils ont trouvé**s** étaient dans le cadre administratif.

The jobs that they found were in the administrative sector.

Pratique

6 ▸ Complétez!

*Choisissez **qui** ou **que** pour compléter les phrases suivantes.*

1. J'ai lu toutes les petites annonces… j'ai trouvées dans le journal.
2. Il y avait beaucoup de postes… semblaient être intéressants.
3. Mais c'était le poste à la Fnac… m'intéressait le plus.
4. Je connais une fille… y travaille.
5. Cette fille,… s'appelle Mélanie, aime bien son boulot.
6. Selon Mélanie, le salaire… on offre est inférieur au salaire minimum.
7. Alors, j'ai téléphoné à la Fnac, et j'ai parlé à M. Dugas, le chef du personnel… embauche tous les nouveaux employés.
8. Selon M. Dugas, j'ai l'expérience et les qualifications… il cherche.
9. Il m'a demandé de me présenter aujourd'hui. Donc, je dois choisir les vêtements… je vais porter.
10. Je dois aussi penser aux questions… M. Dugas va me poser pendant mon rendez-vous.

7 ▸ Formez des phrases!

*Faites des phrases avec **qui** ou **que** pour identifier les personnes suivantes ou pour expliquer les choses suivantes. Suivez les modèles.*

Modèles:

un(e) étudiant(e)
C'est une personne qui suit des cours à l'université.

le bac
C'est l'examen qu'on passe à la fin de la terminale.

1. un salaire
2. un(e) manifestant(e)
3. un parti
4. le SMIC
5. un formulaire de travail
6. un chef du personnel
7. un CV
8. une salutation

La clientèle, ce sont les personnes qui achètent les produits ou les services d'une compagnie.

cent soixante-dix-neuf
Leçon B
179

 Audio CD Activity 7

Answers

6 1. que
2. qui
3. qui
4. qui
5. qui
6. qu'
7. qui
8. qu'
9. que
10. que

7 Possible answers:
1. C'est l'argent que le chef donne à l'employé.
2. C'est une personne qui participe à une manifestation.
3. Ce sont des personnes qui ont les mêmes idées politiques.
4. C'est le salaire minimum qui est garanti par le gouvernement.
5. C'est quelque chose qu'on remplit avant de commencer un nouvel emploi.
6. C'est la personne qui embauche les nouveaux employés.
7. C'est une lettre qu'on donne au chef du personnel avec son nom, son adresse, son numéro de téléphone, ses qualifications, son expérience et son éducation.
8. C'est la première chose que vous dites quand vous voyez quelqu'un.

Game

Past Participle Agreement
Divide your class into two teams. Prepare a list of sentences saying what you have seen, read, written, drunk, received, etc. Then tell the first player from each team to come to the board. Read the first sentence from your list for these two players, for example, **J'ai vu une manifestation**. Tell students to write a question using **que** as a direct object, asking where the demonstration is that you saw. The first player to write **Où est la manifestation que vous avez vue?**, correctly showing a past participle that agrees in gender and in number with its antecedent, wins a point for his or her team.

 179

Workbook Activities 12-13

Grammar & Vocabulary Exercises 19-22

Cooperative Group Practice

C'est ce qu'il faut

To practice using the relative pronoun **ce que**, put students in small groups of four or five. Prepare a set of note cards on which you write tasks that require an appliance, a machine or an object to do, for example, **repasser les chemises, tondre la pelouse, faire sécher le linge, se laver la figure, faire la vaisselle, se raser** and **se brosser les dents**. Give each group a similar set of cards. The first student in each group takes the top card and says what is needed to do that task, for example, **Un fer à repasser, c'est ce qu'il faut pour repasser les chemises.** Students take turns until all the note cards in the pile have been used.

The relative pronouns ce *qui* and ce *que*

You just learned that the relative pronouns **qui** and **que** always have a definite antecedent. But if the antecedent is not specific or if it is unknown, put **ce** in front of **qui** or **que** to form **ce qui** or **ce que**.

Ce qui (*what*) is used as the subject of the dependent clause.

Nous comprenons **ce qui** se passe. — *We understand what is happening.*

Ce qui est sûr, c'est que les emplois pour les jeunes sont un problème. — *What is sure is that jobs for young people are a problem.*

Quand Mme Garcin fait les courses, elle achète seulement ce qui est frais.

Ce que (*what*) is used as the direct object of the dependent clause.

Ce que le gouvernement n'apprécie pas, c'est qu'un vrai emploi exige un vrai salaire. — *What the government doesn't appreciate is that a real job requires a real salary.*

Ce que je compte faire, c'est passer deux années en classes préparatoires. — *What I intend to do is spend two years taking preparatory classes.*

Ce que Clarisse doit faire, c'est toucher ses chèques de voyage.

180

cent quatre-vingts
Unité 4

180

Pratique

8 ▶ Moi, je n'en sais rien!

*Dites que vous ne savez pas la réponse à chaque question. Utilisez **ce qui** ou **ce que**.*

Modèles:

Qu'est-ce que Max compte faire après le bac?
Je ne sais pas ce que Max compte faire après le bac.

Qu'est-ce qui se passe?
Je ne sais pas ce qui se passe.

1. Qu'est-ce qui est évident pour tout le monde?
2. Qu'est-ce que le gouvernement va créer?
3. Qu'est-ce qu'on va offrir aux jeunes?
4. Qu'est-ce que les jeunes n'acceptent pas?
5. Qu'est-ce qui pousse les lycéens à faire des études plus longues?
6. Qu'est-ce que Max va essayer de trouver?
7. Qu'est-ce qui n'est pas garanti?
8. Qu'est-ce qui reste un problème à résoudre?

Est-ce que Leïla va faire ses études à la Sorbonne l'année prochaine?

Je ne sais pas ce que Leïla va faire l'année prochaine.

9 ▶ Choisissez!

*Complétez les phrases suivantes avec **ce qui** ou **ce que**.*

1. … est évident pour tout le monde, c'est la raison de cette manifestation.
2. … le gouvernement va créer, ce sont des emplois pour les jeunes.
3. … on va offrir aux jeunes, c'est un horaire de travail réduit.
4. … les jeunes n'acceptent pas, c'est un salaire qui est inférieur au salaire minimum.
5. … pousse les lycéens à faire des études plus longues, c'est un taux de chômage élevé.
6. … Max compte faire après le bac, c'est passer deux années en classes préparatoires aux grandes écoles.
7. … Max va essayer de trouver, c'est un emploi dans le cadre administratif.
8. … n'est pas garanti, c'est l'emploi.
9. … reste un problème à résoudre, ce sont les emplois pour les jeunes.

Answers

8
1. Je ne sais pas ce qui est évident pour tout le monde.
2. Je ne sais pas ce que le gouvernement va créer.
3. Je ne sais pas ce qu'on va offrir aux jeunes.
4. Je ne sais pas ce que les jeunes n'acceptent pas.
5. Je ne sais pas ce qui pousse les lycéens à faire des études plus longues.
6. Je ne sais pas ce que Max va essayer de trouver.
7. Je ne sais pas ce qui n'est pas garanti.
8. Je ne sais pas ce qui reste un problème à résoudre.

9
1. Ce qui
2. Ce que
3. Ce qu'
4. Ce que
5. Ce qui
6. Ce que
7. Ce que
8. Ce qui
9. Ce qui

Paired Practice

Exchange Student
Put students in pairs. Give each student a worksheet with the following questions so he or she can plan what to ask André, a new French exchange student in your school, in an interview.
1. Qu'est-ce qui l'intéresse le plus comme passe-temps? 2. Qu'est-ce qu'il aime mieux comme musique? 3. Qu'est-ce qu'il y a d'intéressant à faire dans sa ville en France? 4. Qu'est-ce qui lui plaît aux États-Unis? 5. Qu'est-ce qu'il voudrait faire pendant son séjour aux États-Unis? Tell the pairs to take turns changing the questions to sentences using **ce qui**, stating what they could ask André, for example, **On pourrait lui demander ce qui l'intéresse le plus comme passe-temps.**

Answers

10 1. Qu'est-ce qui te plaît?
2. Qu'est-ce que tu achètes au centre commercial?
3. Qu'est-ce que tu aimes manger?
4. Qu'est-ce qui te fait rigoler?
5. Qu'est-ce qui t'inquiète?
6. Qu'est-ce que tu apprécies?
7. Qu'est-ce que tu comptes faire après tes études?
8. Qu'est-ce qui te pousse à réussir?

Students' responses to these questions will vary.

10 **En partenaires**

Avec un(e) partenaire, posez des questions en utilisant **qu'est-ce qui** *ou* **qu'est-ce que**. *Puis répondez aux questions en utilisant* **ce qui** *ou* **ce que**.

Modèles:

t'intéresser
A: **Qu'est-ce qui t'intéresse?**
B: **Ce qui m'intéresse, c'est le théâtre. Et toi, qu'est-ce qui t'intéresse?**
A: **Ce qui m'intéresse, c'est la musculation.**

collectionner
A: **Qu'est-ce que tu collectionnes?**
B: **Ce que je collectionne, ce sont les timbres. Et toi, qu'est-ce que tu collectionnes?**
A: **Ce que je collectionne, ce sont les CDs de Céline Dion.**

1. te plaire
2. acheter au centre commercial
3. aimer manger
4. te faire rigoler
5. t'inquiéter
6. apprécier
7. compter faire après tes études
8. te pousser à réussir

Qu'est-ce qui te plaît?

Ce qui me plaît, c'est l'art.

Qu'est-ce que tu remplis?

Ce que je remplis, c'est un formulaire de travail.

The subjunctive after expressions of doubt or uncertainty

Another use of the subjunctive is after expressions of doubt or uncertainty. For example, the verb **douter** (*to doubt*) is followed by the subjunctive in the dependent clause.

Je doute que nous **acceptions** un salaire qui soit inférieur au salaire minimum.

I doubt we'll accept a salary that is less than the minimum salary.

When the verbs **penser** and **croire** are used in the negative or in the interrogative, they express doubt and are therefore followed by the subjunctive.

Pensez-vous que le gouvernement **fasse** attention au message?
Non, **je ne crois pas que** le gouvernement nous **entende**.

Do you think that the government is paying attention to the message?
No, I don't believe that the government hears us.

Crois-tu que le gouvernement français réponde au mécontentement des étudiants? (Paris)

When expressions of certainty, such as **être sûr(e)**, **être certain(e)**, **être vrai** and **être évident**, are used negatively or interrogatively, they, too, express doubt and are followed by the subjunctive.

Il n'est pas certain que Marie-José **puisse** s'approcher d'un des manifestants.
Je ne suis pas sûr que la raison **soit** évidente.
Est-il vrai que les compagnies **fassent** le maximum?

It's not certain that Marie-José can approach one of the demonstrators.
I'm not sure that the reason is obvious.
Is it true that companies are doing the maximum?

Êtes-vous sûrs que vous puissiez m'aider avec le projet?

 Workbook Activities 14-15

 Grammar & Vocabulary Exercises 23-26

Paired Practice

La vie des Français
Put students in pairs. Prepare a worksheet with eight stereotypes about French life, for example, **Une famille française sur deux a une Peugeot, Les Français prennent du pain à chaque repas** and **Les Françaises portent souvent des foulards.** Students make affirmative or negative sentences with the verb **penser** to indicate their opinion about the accuracy of each statement. You may want to model a conversation with a student before the pairs begin, for example: **—Je pense qu'une famille française sur deux a une Peugeot. Penses-tu qu'une famille française sur deux ait une Peugeot? —Non, je ne pense pas qu'une famille française sur deux ait une Peugeot.**

Teaching Notes

1. Other expressions that take the subjunctive because they express doubt or uncertainty include **il est douteux, il se peut, il est peu probable, il semble** and **ça m'étonnerait. Il me semble,** however, expresses a positive statement of opinion, so it is followed by the indicative.

2. **Espérer** and **se souvenir,** like **penser** and **croire,** are verbs that take the subjunctive when used in the negative or in the interrogative.

3. **Il est probable, il est clair** and **il paraît** are additional expressions that take the subjunctive in the negative or in the interrogative.

Answers

11 1. Les manifestants ne croient pas que M. Bigot voie leur mécontentement.

2. Les manifestants ne croient pas que leurs salaires soient assez élevés.

3. Les manifestants ne croient pas que la compagnie leur offre assez d'assurance.

4. Les manifestants ne croient pas que leurs emplois soient garantis.

5. Les manifestants ne croient pas que M. Bigot comprenne leurs besoins.

6. Les manifestants ne croient pas que la compagnie apprécie leur travail.

7. Les manifestants ne croient pas que la compagnie fasse le maximum pour ses employés.

8. Les manifestants ne croient pas que M. Bigot essaie de résoudre tous les problèmes.

However, when **penser** and **croire**, as well as expressions of certainty, are in the affirmative or in the negative interrogative, they no longer express doubt and are followed by the indicative.

Ne crois-tu pas que le projet **est** une bonne idée?

Don't you believe that the project is a good idea?

Il est évident que le gouvernement y **fait** attention.

It's obvious that the government is paying attention (to it).

The following chart can help you determine the use of the subjunctive and the indicative.

Subjunctive	Indicative
Je doute que....	Je ne doute pas que....
Penses-tu que...?	Je pense que....
Je ne pense pas que....	Ne penses-tu pas que...?
Crois-tu que...?	Je crois que....
Je ne crois pas que....	Ne crois-tu pas que...?
Je ne suis pas sûr(e) que....	Je suis sûr(e) que....
Es-tu sûr(e) que...?	N'es-tu pas sûr(e) que...?
Je ne suis pas certain(e) que....	Je suis certain(e) que....
Es-tu certain(e) que...?	N'es-tu pas certain(e) que...?
Il n'est pas vrai que....	Il est vrai que....
Est-il vrai que...?	N'est-il pas vrai que...?
Il n'est pas évident que....	Il est évident que....
Est-il évident que...?	N'est-il pas évident que...?

 Pratique

11 **Qu'ils sont malcontents!**

Les employés d'une compagnie participent à une manifestation. Expliquez pourquoi ces employés ne sont contents ni de la compagnie ni de leur chef, M. Bigot, en disant ce qu'ils ne croient pas. Suivez le modèle.

Modèle:

M. Bigot/embaucher assez de femmes
Les manifestants ne croient pas que M. Bigot embauche assez de femmes.

1. M. Bigot/voir leur mécontentement
2. leurs salaires/être assez élevés
3. la compagnie/leur offrir assez d'assurance
4. leurs emplois/être garantis
5. M. Bigot/comprendre leurs besoins
6. la compagnie/apprécier leur travail
7. la compagnie/faire le maximum pour ses employés
8. M. Bigot/essayer de résoudre tous les problèmes

Teaching Note

Certain expressions may be followed by the indicative or the subjunctive, depending on the level of doubt or certainty that the speaker intends. For example,

Il semble que le projet va assez loin indicates much more certainty than **Il semble que le projet aille assez loin.**

12 ▸ Le subjonctif ou l'indicatif?

Complétez les phrases avec la forme convenable du verbe entre parenthèses au subjonctif ou à l'indicatif.

1. Nous doutons que tout le monde… ce qui se passe. (comprendre)
2. Crois-tu que le gouvernement… résoudre le problème du chômage? (vouloir)
3. Il est vrai qu'il n'y… pas suffisamment d'emplois. (avoir)
4. Il n'est pas évident qu'on… le maximum pour aider les jeunes. (faire)
5. Nous sommes sûrs que le gouvernement… aider les compagnies à embaucher plus de jeunes. (devoir)
6. Je ne suis pas certain que tous les jeunes… contre le projet du gouvernement. (être)
7. Les manifestants ne croient pas que ce projet… assez loin. (aller)
8. Est-il évident qu'un vrai emploi… un vrai salaire? (exiger)
9. Je ne doute pas que les manifestants… fatigués. (être)
10. Pensez-vous que les compagnies françaises… attention au message de cette manifestation? (faire)

13 ▸ En partenaires

 *Avec un(e) partenaire, donnez votre opinion sur le monde du travail aux États-Unis. Posez des questions en utilisant **Penses-tu que…**? Puis répondez aux questions en utilisant une expression de certitude (**Je pense que**, **Il est évident que**, etc.) ou une expression de doute (**Je doute que**, **Il n'est pas vrai que**, etc.).*

Modèle:

Il y a suffisamment d'emplois pour les jeunes.
A: **Penses-tu qu'il y ait suffisamment d'emplois pour les jeunes?**
B: **Non, je ne pense pas qu'il y ait suffisamment d'emplois pour les jeunes. Et toi, penses-tu qu'il y ait suffisamment d'emplois pour les jeunes?**
A: **Oui, je pense qu'il y a suffisamment d'emplois pour les jeunes.**

1. On peut trouver un boulot si on se spécialise.
2. L'expérience est plus importante que l'éducation.
3. Les compagnies font le maximum pour embaucher les jeunes.
4. Le chômage est un problème très grave.
5. Les salaires des femmes sont moins élevés que les salaires des hommes.
6. Le salaire minimum doit être plus élevé.

> Croyez-vous que le gouvernement puisse faire plus pour aider les jeunes?

> Je pense qu'il doit payer plus qu'un pourcentage du SMIC.

Answers

12
1. comprenne
2. veuille
3. a
4. fasse
5. doit
6. soient
7. aille
8. exige
9. sont
10. fassent

13
1. Penses-tu qu'on puisse trouver un boulot si on se spécialise?
2. Penses-tu que l'expérience soit plus importante que l'éducation?
3. Penses-tu que les compagnies fassent le maximum pour embaucher les jeunes?
4. Penses-tu que le chômage soit un problème très grave?
5. Penses-tu que les salaires des femmes soient moins élevés que les salaires des hommes?
6. Penses-tu que le salaire minimum doive être plus élevé?

Students' responses to these questions will vary.

TPR

Expressing Doubt and Certainty
Prepare a list of sentence beginnings, such as **Est-il certain que** and **Tu penses que**, that express doubt or certainty. Have students prepare a card with "S" for subjunctive and one with "I" for indicative. Have students hold up the "S" card if the sentence would be completed with the subjunctive or the "I" card if the sentence would be completed with the indicative.

185

Communication

14 **Dans mon école je changerais...**

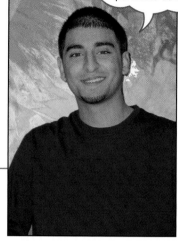

> Nous croyons que les élèves ont besoin de leurs téléphones portables au lycée.

 *Est-ce qu'il y a des choses dans votre école qui vous semblent injustes? Par exemple, y a-t-il suffisamment de places sur le parking pour les voitures des lycéens? Y a-t-il assez de choix à la cantine de l'école? Y a-t-il suffisamment d'ordinateurs pour tous les lycéens qui en ont besoin? Avec un(e) partenaire, faites une liste de six choses que vous voudriez changer dans votre école. Puis, pour chaque problème que vous avez mentionné, écrivez une phrase qui l'explique. Par exemple, **Nous ne croyons pas qu'il y ait suffisamment de places sur le parking pour les voitures des lycéens**.*

15 **Une lettre au directeur**

 Avec votre partenaire de l'Activité 14, écrivez une lettre au directeur ou à la directrice de votre école où vous décrivez chaque problème que vous avez identifié dans l'Activité 14. Demandez-lui quand vous pouvez vous présenter pour discuter ces problèmes plus en détail. Dites-lui aussi que vous comptez recevoir une réponse à votre lettre. Utilisez la lettre de Jean-Guy Letourneau à la page 157 comme guide.

16 **À vous de jouer!**

Avec le/la même partenaire, jouez les rôles d'un(e) des élèves dans l'Activité 15 et du directeur ou de la directrice de l'école. L'élève se présente pour discuter des problèmes qu'il ou elle a identifiés. Après que l'élève a expliqué chaque problème, le directeur ou la directrice décide si on peut le résoudre, et si oui, comment on peut le faire.

Deciphering Want Ads

When French speakers hunt for a job in the newspaper's **petites annonces**, they turn to the **Emplois** or **Carrières et emplois** section. To find an apartment, they look at **Maisons & appartements** or **Immobilier** (*Real Estate*). Cars are advertised in the **Automobiles** section. Understanding these ads depends on your ability to decipher the abbreviations. Can you make sense of the following employment opportunity?

> Ch. vendeur (H/F) débutant, pâtiss.
> 18-25a, tps complet lun.-ven., Se prés.
> 6 rue des Halles, 1er.

The abbreviation **pâtiss.** tells you that a pastry store placed this want ad. **Ch.** stands for **cherche**, so the pastry store is "looking for" a **vendeur**. (Sometimes **rech.** or **recherche** is used instead of **ch.**) **H/F** means that the applicant can be **un homme** or **une femme**. **Débutant** indicates that no experience is necessary. The applicant should be between the ages of 18 and 25, as indicated by **18-25a (ans)**. The abbreviation **tps** stands for **temps**; **temps complet** means that this is a full-time job, with hours on Monday through Friday (**lun.-ven.**), as opposed to **mi-temps** (*part-time*). A phone number is not given because the applicant is requested to present himself or herself in person (**se présenter**) at 6, rue des Halles in the first (1er) **arrondissement** of Paris.

Here are some other common abbreviations found in **les petites annonces**:

pr	pour
tljrs	tous les jours
€	euros
km	kilomètres
nf	neuf (nouveau)
ttes	toutes
an.	année

In the three lists that follow, you will find additional abbreviations that will help you understand want ads for jobs, apartments and cars. When looking at the number of rooms in an ad for an apartment, it is important to know that the kitchen and bathroom are usually included even if they are not mentioned separately.

Carrières et emplois

JF/JH	jeune fille ou jeune homme
réf.	références
boul.	boulangerie
rens.	renseignements

cent quatre-vingt-sept

187

Leçon B

Teaching Notes

1. In this **Lecture** section, students learn how to decode French newspaper ads about job opportunities, housing and cars.

2. Other abbreviations found in the **Carrières et emplois** section of **Les petites annonces** include **env.** (envoyez), **adr.** (adressez) and **exper.** (expérience).

Les petites annonces

To provide additional practice reading the **Emplois** or **Carrières et emplois** section of a francophone newspaper, put students in pairs and give each pair a copy of the want ads section. For each pair, prepare a list of five jobs, for example, secretary, nurse, engineer, salesperson and accountant. (Each pair receives a different list.) Tell each pair to locate the heading under which they find each job listed in the francophone want ads. Then have them find one want ad for each profession that clearly lists the qualifications and experience required. Finally, have them report to the class on their findings for both tasks.

Un peu de plus

Un emploi d'eté

You may want to have students write a want ad for a job they are seeking during summer vacation. Students could base their ad on the résumé they wrote in the **Stratégie communicative** section in **Leçon A**.

Maisons & appartements

meub.	meublé (avec table, lit, chaise, etc.)
imm.	immeuble
ch.	chauffage (le contraire de "la climatisation")
ref. nf.	refait à neuf
ét.	étage
asc.	ascenseur
cuis.	cuisine
bns.	salle de bains
chbre	chambre
m	mètres
M	mois

Automobiles

1e main	première main
à déb.	à débattre (on n'a pas décidé combien va coûter la voiture)
vds	(je) vends
ptes.	portes
cv	cylindres
mét.	métal (couleur)

17 **Pour commencer...**

Maintenant vous allez lire des petites annonces pour des emplois, des appartements et des voitures. Pour vous préparer à les lire, répondez aux questions suivantes.

1. As-tu un emploi? Si oui, comment l'as-tu trouvé? Si tu n'as pas d'emploi, qu'est-ce qui t'intéresse comme boulot?
2. Si tu louais un appartement, est-ce que tu aurais un(e) camarade de chambre? Combien de pièces voudrais-tu? Où voudrais-tu habiter?
3. As-tu une voiture? Selon toi, est-ce que la couleur et l'année d'une voiture sont importantes? Préfères-tu acheter une voiture américaine ou japonaise? Pourquoi?

Lisez les petites annonces suivantes.

Carrières et emplois

1. Ch. JF ou JH, avec réf., pr aller chercher tljrs à l'école deux enfants et s'en occuper de 16h30 à 18h30, merc. de 11h à 18h, en échange d'une chambre aménagée, tout confort, 8e. Tél. soir: 01.47.11.21.17.

2. Rech. serveur/se 18/26a à mi-tps, souriant(e). Service du midi. Tél. 01.44.68.98.87.

3. Boul. ch. vendeur/se, bonne présentation, réf. exigées, repos lun., mar., se prés. 1 rue Meynadier 75019.

4. Urgent rech. F et H de ménage. Tps complet. Rens. 01.36.68.20.59.

Teaching Notes

1. Other abbreviations found in the **Maisons & appartements** section of **Les petites annonces** include **résid. (résidence)**, **nivx (niveaux)**, **gd (grand)**, **gar. (garage)**, **travx (travaux)** and **pptaire (propriétaire)**.

2. You may want students to work in pairs and ask each other the pre-reading questions found in Activity 17.

18 ▸ Trouvez un emploi!

Aidez les gens suivants à trouver un emploi dans les petites annonces. Dites le numéro de l'annonce qui les intéresserait.

1. Francis veut travailler deux ou trois heures par jour. Il est étudiant à la Sorbonne, mais il n'a pas cours entre 11h30 et 15h30.
2. Sandrine désire travailler tous les jours, de 9h00 jusqu'à 17h30.
3. Martine aime faire du baby-sitting. Elle veut quitter la maison de ses parents, mais elle n'a pas assez d'argent pour louer un appartement.
4. Amadou est vendeur dans une boutique le lundi et le mardi. Il faut qu'il trouve un deuxième boulot.

Maisons & appartements

1. 6ᵉ, Odéon, studio meub., bel imm., 625 € + ch. Tél. 01.40.33.72.65.
2. 10ᵉ, République, 2P, ref. nf., 4ᵉ ét., asc., 595 € Tél. 01.48.33.72.18.
3. 1ᵉʳ, Les Halles, studio, cuis., bns., WC, 7ᵉ ét. sans asc., 442 € + ch. Tél. 01.43.06.97.17.
4. Chbre meub., cuis., 200m métro, 404 €/M. Tél. 01.39.88.53.74.

19 ▸ Trouvez un appartement!

Sur une feuille de papier copiez la grille suivante. Indiquez ce que chaque appartement comprend (includes).

	salon	chambre	cuisine	salle de bains	W.-C.	meubles	ascenseur
1.							
2.							
3.							
4.							

cent quatre-vingt-neuf
Leçon B **189**

Un peu de plus

Immobilier
To provide additional practice reading the real estate section of a francophone newspaper, ask students to find the ideal residence for three possible stages in their life, when they are: A. college students, B. married with two children, and C. retired. To show their comprehension of the ads they select, have students draw a floor plan of the residences.

À vendre
You might ask students to imagine that they are selling their current residence. Have them write an ad for their house, condo or apartment using the abbreviations listed on page 188.

Un échange
Students might find it interesting to look for a magazine or newspaper want ad for a house or apartment exchange during July or August, the most popular vacation months in France. Students could explain why they selected a certain house or apartment and plan specific activities during their stay, depending on the region. They could also discuss the questions they would ask the house or apartment owner and offer suggestions to the French family of things to do in their area during the summer.

Teaching Note

You may want your students to work in pairs as they find answers for Activities 18 and 19.

189

Un peu de plus

Automobiles

It may be interesting for students to discover what foreign vehicles are popular in France. Put students in pairs, and give each pair a copy of the **Automobiles** section of a French newspaper. Have each pair make a list of the foreign vehicles that are advertised. Students could count how many American, Japanese, German, Italian, etc., cars are advertised and prepare a list in order of popularity. (Make sure to point out that this is not an accurate statistical survey.) Then hold a class discussion in which you compare the students' findings in order to discover which countries appear to export the most cars to France.

Automobiles

1. Renault Safrane RXE V6 auto, 04, ttes options, cuir, clim., lecteur CD, 1e main, 5.300€ à déb. Tél. 01.45.31.60.11.

2. Vds Peugeot 406 Coupé, an. 5 ptes., 4cv, bleue mét., 91.000km, 12.900€. Tél. 01.42.41.07.62.

3. Vds Renault Espace minivan 7 places. 18.000€ à déb. Tél. 01.42.23.77.85.

4. 9.900€ NISSAN MICRA ACENTA An. 2007, 17.000km. GARAGE NISSAN BAYARD Tél. 01.53.17.12.12. Garantie 3 ans

20 **Trouvez une voiture!**

Aidez les gens suivants à trouver une voiture dans les petites annonces. Dites le numéro de l'annonce qui les intéresserait.

1. M. Puente a une femme et quatre enfants. Le weekend ils aiment faire des promenades en voiture à la campagne.
2. Evelyne aime écouter ses CDs quand elle conduit. En été elle n'aime pas avoir très chaud en voiture. Elle peut payer 5.500 euros.
3. Laurent cherche une voiture japonaise avec une garantie de plus d'un an.
4. Mlle Cazette cherche une voiture française qui coûte moins de 13.000 euros. Elle préfère les voitures bleues.

Dossier fermé

Imagine que tu passes l'été à Paris. À la fin de ton séjour, tu trouves qu'il y a beaucoup de restaurants et de boutiques qui sont fermés. Qu'est-ce qui se passe?

B. Tout le monde va en vacances au mois d'août.

La majorité des Français prennent leurs semaines de vacances en juillet et en août. Les familles passent leurs vacances ensemble à faire du camping ou elles vont à leur maison de campagne, au bord de la mer ou à la montagne. Donc, on ferme souvent les boutiques, les restaurants et les cafés à Paris pour donner le mois d'août au personnel qui y travaille. Le résultat est qu'il n'y a presque personne dans certains quartiers de la capitale.

Comme beaucoup de familles françaises, les Godin passent leurs vacances d'été dans un camping.

Teaching Note

You may want students to work in pairs and ask each other the pre-reading questions found in Activity 20.

✓ Évaluation culturelle

*Pour voir si vous avez bien compris la culture francophone, décidez si chaque phrase est **vraie** ou **fausse**.*

1. L'attitude des Français a changé et maintenant il y a plus de femmes qui travaillent.
2. La Française moyenne travaille parce qu'elle veut trouver son indépendance, et elle veut chercher son identité.
3. En général, les femmes qui ont des enfants à la maison ne prennent pas de boulot.
4. Presque tous les jeunes gens ont un travail à temps partiel.
5. Avec tous les boulots techniques et les téléservices, il n'est pas très important aujourd'hui de savoir communiquer.
6. La durée de la semaine de travail est différente selon l'emploi qu'on a.
7. Selon la tradition française, toutes les personnes qui travaillent ont une pause de deux heures pour le déjeuner.
8. Souvent on peut prolonger une fête au weekend avec un "pont."
9. Les Français ont 30 jours de vacances par an.
10. Plus de 25 pour cent des Français sont au chômage.

Plus de 10 pour cent des Français sont au chômage.

La durée de la semaine de travail de M. Vilar et M. Besson est de 35 heures parce qu'ils sont salariés.

cent quatre-vingt-onze
Leçon B

191

Answers

Évaluation culturelle

1. vraie
2. vraie
3. fausse
4. fausse
5. fausse
6. vraie
7. fausse
8. vraie
9. vraie
10. fausse

FYI

1. France has made rapid progress in the field of telecommunications. In 1983 France Télécom generalized public videotex services. Now all of France receives videotex services on over nine million Minitel terminals. French videotex software has been licensed for use in many countries, including the U.S. and Japan. In 1984 France launched its first telecommunications satellite, and has since launched direct broadcasting satellites. 2. Although industrial production has declined in recent years, industry still accounts for approximately 27 percent of gross domestic product, or GDP (**produit intérieur brut**), employing an estimated 25 percent of the labor force. French industry is highly concentrated in a few areas, principally the Paris region, the coal-producing areas of the north, the vicinity of the iron ore deposits of Lorraine and around Lyon in the Rhône valley. The government encourages, with tax and other incentives, the decentralization of industry in order to promote the development of less industrialized areas. Recent industrial development is visible in and around certain coastal areas, primarily Marseille, Dunkirk and the lower Seine valley.

191

Un peu de plus

Dictée

To provide additional written practice, you might want to give this dictation. Tell students that they should write it in the form of a letter. Read each line or sentence twice, once at a natural speed and once more slowly. Have students write what you say. As a group correction activity, either put the letter on a transparency in advance or have volunteers write the lines and sentences on the board.

Monsieur,

Votre annonce dans le numéro du 21 janvier du *Figaro* m'a beaucoup intéressé. Je pense avoir les qualifications que vous cherchez. J'ai fait deux années en classes préparatoires. Ensuite, j'ai fait mes études dans une grande école où je me suis spécialisé dans l'informatique. Ce qui m'a poussé à vous écrire, c'est que votre compagnie crée des emplois en Angleterre. Ce que je compte faire, c'est d'y travailler pendant cinq ans. Je suis bilingue; je parle anglais depuis dix ans. De plus, je suis diplômé, diligent et fort en informatique. Vous trouverez ci-joint mon CV avec photo. Est-il vrai que vous embauchiez des gens sans expérience? Je souhaite que vous me faxiez une réponse.

Je vous prie d'agréer, Monsieur, mes salutations distinguées.

Julien Bagnal

✓ Évaluation orale

Relisez (reread) l'Activité 14 à la page 169 de la Leçon A. Avec le/la même partenaire, jouez les rôles du chef du personnel qui offre le poste et le candidat qui veut être embauché. Le candidat se présente pour une interview avec le chef du personnel. Pendant l'interview le chef du personnel veut savoir:

1. ce que le candidat cherche dans un poste
2. pourquoi il veut ce poste
3. pourquoi il veut être embauché par cette compagnie
4. si le candidat a les qualifications que la compagnie exige
5. s'il a de l'expérience
6. les noms des personnes qui peuvent le recommander

Le candidat répond aux questions. Il demande les heures de travail, le salaire et quand le poste commence.

✓ Évaluation écrite

Après une interview c'est toujours une bonne idée d'écrire une lettre à la personne qui vous a interviewé(e) pour la remercier. Imaginez que vous êtes le candidat qui vient d'être interviewé dans l'activité précédente. Écrivez une lettre au chef du personnel où vous le remerciez de son temps. Dans votre lettre dites-lui aussi que cette compagnie et ce poste vous intéressent toujours. Mentionnez encore (again) vos qualifications et votre expérience. Utilisez la lettre de Jean-Guy Letourneau à la page 157 comme guide.

✓ Évaluation visuelle

Imaginez que vous êtes Noëlle Cheval, une secrétaire bilingue avec trois années d'expérience qui cherche un nouveau poste. Vous venez de lire une petite annonce qui vous intéresse. Écrivez une lettre au chef du personnel où vous parlez de votre intérêt pour ce poste. Donnez vos qualifications et dites comment il peut vous contacter et quand vous pouvez vous présenter. Utilisez l'illustration et les nouvelles expressions de cette unité. (Avant de commencer, regardez la lettre à la page 157 et les sections Révision de fonctions aux pages 194-96 et Vocabulaire à la page 197.)

Révision de fonctions

Can you do all of the following tasks in French?

- I can write a letter.
- I can say what someone is going to do.
- I can express what I desire, wish or want.
- I can express hope.
- I can state my preference.
- I can give my opinion by saying what I think.
- I can say that I disagree with something.
- I can ask about what is certain and uncertain.
- I can tell what is certain and uncertain.
- I can describe my talents and abilities at work.
- I can talk about things sequentially.
- I can evaluate my qualifications.
- I can request what I would like.
- I can explain a problem related to contemporary society.
- I can ask for an interview.
- I can say that I expect a positive response.
- I can express appreciation.

Ce que je compte faire, c'est trouver un poste dans la vente.

To write a letter, use:

> **Monsieur,**
> **Vous trouverez ci-joint mon CV**
> **avec photo.**
> **En attendant de vous voir,**
> **Je vous prie d'agréer, Monsieur (ou**
> **Madame), mes salutations distinguées.**

> *Sir,*
> *Enclosed you will find my curriculum vitæ with a picture.*
> *Waiting to see you,*
> *Yours truly,*

To express intentions, use:

> **Ce que je compte faire, c'est** passer deux années en classes préparatoires.

> *What I intend to do is spend two years taking preparatory classes.*

To express desire, use:

> **Nous désirons que** vous soyez fort en informatique.

> *We want you to be strong in computer science.*

Mais écoute, nous désirons que tu sortes avec nous ce soir.

To state want, use:

Nous voudrions que vous
soyez diplômé(e).

*We would like you to have
a diploma.*

To express hope, use:

Je souhaite qu'on m'offre un gros salaire.

I hope they give me a high salary.

To state a preference, use:

Nous préférons que vous
soyez enthousiaste.

We prefer you to be enthusiastic.

To give opinions, use:

Nous sommes contre le projet
du gouvernement.

*We are against the govern-
ment's project.*

To express disagreement, use:

Et ça, **nous ne l'acceptons pas.**

And we won't accept that.

To inquire about certainty, use:

Pensez-vous que le gouvernement fasse
attention au message?

*Do you think that the government is
paying attention to the message?*

Croyez-vous que le projet du gouvernement soit une bonne idée?

*Do you believe that the government's
project is a good idea?*

To express certainty, use:

Ce qui est sûr, c'est que les emplois pour
les jeunes restent un problème à résoudre.

*What is sure is that jobs for young
people remain a problem to be solved.*

To express uncertainty, use:

Il n'est pas certain que Marie-José puisse
s'approcher d'un des manifestants.

*It's not certain that Marie-José can
approach one of the demonstrators.*

Nous ne pensons pas que ce projet aille
assez loin.

*We don't think that this project goes
far enough.*

Je ne suis pas sûr que la raison soit
évidente pour tout le monde.

*I'm not sure that the reason is
obvious to everybody.*

Je doute que nous acceptions un salaire
qui soit inférieur au salaire minimum.

*I doubt we'll accept a salary that is
less than the minimum salary.*

Il n'est pas évident que le gouvernement
nous écoute.

*It's not evident that the government
is listening to us.*

Ce n'est pas vrai que les compagnies
fassent le maximum.

*It's not true that companies are
doing the maximum.*

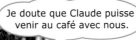

Je doute que Claude puisse venir au café avec nous.

Cooperative Group Practice

Je crois que..../Je doute que....
So that students can practice using the indicative after **croire** and the subjunctive after **douter**, put them in small groups. Prepare a set of note cards with noun or pronoun subjects and infinitive expressions, for example, **Paul/réussir à l'examen** and **il/faire beau**. Distribute a similar set of cards to each group. Tell students to alternate playing the roles of an optimist and a pessimist. The first student takes the top card and makes an optimistic sentence using the verb **croire**, for example, **Je crois que Paul réussit à l'examen.** The second student plays the role of a pessimist, changing the sentence to express doubt with the verb **douter**, for example, **Je doute que Paul réussisse à l'examen.** Students take turns playing the optimist and the pessimist until all the cards have been used. Uneven groups of three, five or seven are preferable so that students get to use both the indicative and the subjunctive as they rotate.

To describe talents and abilities, use:

Je suis bilingue, diligent et **fort en informatique**.

I'm bilingual, hardworking and strong in computer science.

Je vous presénte Hervé Duclos. Il est bilingue, diligent et fort en informatique.

To sequence events, use:

Finalement, je vais essayer de trouver un emploi dans le cadre administratif.

Eventually, I'm going to try to find a job in the administrative sector.

To evaluate, use:

Je pense avoir l'expérience et les qualifications que vous cherchez.
J'ai les qualifications qu'on cherche.

I think I have the experience and the qualifications that you're looking for. I have the qualifications that you're looking for.

To make requests, use:

Remplissez, s'il vous plaît, le formulaire de travail ci-joint.

Please fill out the enclosed work form.

To explain a problem, use:

Le problème, c'est qu'il n'y a pas suffisamment d'emplois.

The problem is that there aren't enough jobs.

To interview, use:

Je peux vous poser quelques questions?

May I ask you some questions?

To express that you expect a positive response, use:

En attendant une réponse favorable,

Waiting for a favorable answer,

To express appreciation, use:

Nous vous serions très reconnaissants de bien vouloir vous présenter vendredi.

We would be very grateful if you would be willing to come on Friday.

Vocabulaire

à plein temps full-time A

administratif, administrative administrative B

agréer to accept A

Je vous prie d'agréer, Monsieur (ou Madame), mes salutations distinguées. Yours truly, A

une **annonce** advertisement A

des petites annonces (f.) want ads A

annoncer to announce A

s' **appeler** to be named A

apprécier to appreciate B

assez enough B

l' **assurance (f.)** insurance A

un **besoin** need A

bilingue bilingual A

le **cadre** sector B

ce que what B

ce qui what B

certain(e) certain B

une **chaîne** channel B

un **chef** head A

ci-joint enclosed A

une **clientèle** customers, clientele A

une **compagnie** company A

compter to intend B

un **contrat** contract A

contre against B

créer to create B

un **CV** curriculum vitæ A

diplômé(e) possessing a diploma A

direct: en direct live B

distingué(e) distinguished A

Je vous prie d'agréer, Monsieur (ou Madame), mes salutations distinguées. Yours truly, A

douter to doubt B

école: les grandes écoles elite, specialized universities B

élevé(e) high B

embaucher to hire A

un **emploi** job B

en direct live B

enthousiaste enthusiastic A

évident(e) evident, obvious B

exiger to require A

une **expérience** experience A

faire des études to study B

flexible flexible A

un **formulaire** form A

garanti(e) guaranteed B

un **gouvernement** government B

les **grandes écoles (f.)** elite, specialized universities B

inférieur(e) less, lower B

un(e) **manifestant(e)** demonstrator B

une **manifestation** demonstration B

manifester to demonstrate B

le **maximum** maximum B

le **mécontentement** dissatisfaction B

minimum minimum B

un **moyen** way B

un **numéro** issue A

organisé(e) organized A

un **parti** (political) party B

participer à to take part in B

le **personnel** personnel, staff A

plein: à plein temps full-time A

un **poste** job, position A

un **pourcentage** percentage B

pousser to push B

préparatoire preparatory B

se **présenter** to come, to appear A

prier to beg A

Je vous prie d'agréer, Monsieur (ou Madame), mes salutations distinguées. Yours truly, A

un **projet** project B

une **qualification** qualification A

le **Québec** Quebec (Province) A

une **raison** reason B

reconnaissant(e) grateful A

un **reportage** report B

un **salaire** salary A

une **salutation** greeting A

Je vous prie d'agréer, Monsieur (ou Madame), mes salutations distinguées. Yours truly, A

un **service** service A

le **SMIC** minimum wage B

souhaiter to wish, to hope A

se **spécialiser** to specialize B

suffisamment enough B

sûr(e) sure B

un **taux** rate B

temps: à plein temps full-time A

se **terminer** to end A

la **vente** sales A

cent quatre-vingt-dix-sept

Leçon B **197**

Unité 5

Comment se débrouiller en voyage

In this unit you will be able to:
- write postcards
- tell location
- tell a story
- remember
- describe people you remember
- indicate knowing and not knowing
- identify objects
- express likes and dislikes
- agree and disagree
- give opinions
- express dissatisfaction
- express complaint
- express fear
- express regret
- admit
- express patience
- inquire about possibility and impossibility
- make requests
- express surprise
- express happiness
- control the volume of a conversation

www.emcp.com

cent quatre-vingt-dix-neuf

A

Tes empreintes ici

Avant de partir en vacances, tu choisis un endroit où tu peux faire toutes les choses que tu voudrais. Tu choisis un hôtel qui offre des chambres comme tu les voudrais. Tu espères passer ton temps en te reposant et en faisant des choses intéressantes sans avoir de problèmes.

Mais est-ce que tu as jamais fait une réservation dans un hôtel, et quand tu es arrivé(e) est-ce qu'il y avait certaines choses que tu ne pouvais pas accepter? Comment est-ce que tu te sentais? Comment est-ce que tu as résolu le problème? As-tu jamais eu d'autres problèmes à résoudre pendant un voyage? Quels problèmes? Qu'as-tu fait pour les résoudre?

As-tu parlé au réceptionniste des problèmes que tu as eus à l'hôtel?

Dossier ouvert

Tu vas passer tes vacances de printemps avec des amis à Saint-Martin dans les Antilles. Tes parents te demandent de leur envoyer des cartes postales de ton voyage. Ils t'offrent des timbres français qu'ils ont achetés pendant leur dernier voyage à Paris et qu'ils n'ont pas encore utilisés. Qu'est-ce que tu en fais?

A. Tu gardes les timbres qu'ils te donnent pour mettre sur les cartes postales que tu vas envoyer de Saint-Martin.
B. Tu dis à tes parents que les timbres français ne sont pas valables à Saint-Martin.
C. Tu laisses les timbres chez toi parce que tu n'en as pas besoin.

Teaching Note

Communicative functions that are recycled in this lesson are "giving orders," "hypothesizing," "making suggestions," "expressing emotions" and "expressing appreciation."

Vocabulaire

Audio CD Brochure

Hôtel Belle Île

◆ Situé à 400 mètres de la plage, l'Hôtel Belle Île est parfait pour un groupe d'amis ou une famille. Nous offrons 62 chambres avec grand lit, ventilateur,° climatisation, téléphone, et salle de bains avec douche et sèche-cheveux. En plus° il y a un service de chambre, un ascenseur, la télévision par satellite et un gymnase.

◆ La vue panoramique de la mer et du sable° blanc est extra!

◆ Le restaurant, Café Fleurs Exotiques, qui donne sur la grande piscine, vous propose une variété de cuisine.

◆ Profitez du bureau d'excursions pour faire toutes vos activités préférées.

◆ À l'Hôtel Belle Île, on ne s'ennuie° pas et on n'a pas d'ennuis°!

250, av. du Saint, 97150 SAINT-MARTIN
TÉL (590) 62.35.15 FAX (590) 62.25.05

Quand Joëlle fait de la plongée sous-marine, elle ne s'ennuie jamais.

un ventilateur *fan;* **en plus** *de plus;* **le sable** *sand;* **s'ennuyer** *to get bored;*
des ennuis (m.) *des problèmes*

deux cent un
Leçon A

201

FYI

Gars is pronounced [ga].

Game

Faites le match
For additional practice reviewing the content of the brochure and the **Conversation culturelle**, divide the class into two teams. Prepare ten questions about the exposition on construction paper and ten answers on a set of note cards. For example, one match might be: **Comment s'appellent les quatre garçons qui restent à l'Hôtel Belle Île**? Ils s'appellent Bruno, **Antoine, Christian et Denis**. Tape the questions in random order on the board. Call the first player from each team to the front of the room. Take an answer card and read it to the two players. The player who first removes the matching question from the board wins a point for his or her team. Then the first two players take their seats, and the next two players take their turn. The game continues until there is only one match left to be made. The team with the most points wins.

Conversation culturelle

"Je pourrais vous changer de chambre demain après 14h00."

Bruno: Eh, les gars,° la chambre ne donne pas sur la plage! Ça me surprend° qu'on ne puisse pas voir la mer de ce côté. À ta place,° Antoine, je demanderais une autre chambre. Tu devrais téléphoner à la réception.

Antoine: Chut!° Attends. C'est ce que je suis en train de faire, mais le téléphone est occupé.

Christian: Dis donc, je suis étonné° qu'ils ne mettent° pas la clim° avant l'arrivée de la clientèle. J'ai peur qu'il fasse trop chaud ce soir.

Denis: Tu parles!° J'ai déjà trop chaud. Ça m'embête° que l'ascenseur ne marche° pas. Que je suis fatigué! Je voudrais faire un somme.°

Christian: Et Bruno, toi qui n'arrêtes pas de te peigner, c'est dommage qu'il n'y ait ni sèche-cheveux ni douche dans la salle de bains. Je trouve que le gérant° pourrait faire mieux que ça.

Bruno: Pour ça, je suis bien d'accord.° Antoine, tu as la réception au téléphone?

Antoine: Chut! Oui, ça sonne!°

Denis: Au moins je suis heureux qu'on serve de très bons repas.

Antoine: Allô, Madame, ici c'est la chambre 58. Est-ce que vous pourriez nous rendre un service?° Nous aimerions changer de chambre. Nous voudrions nous installer° au rez-de-chaussée dans une chambre qui donne sur la mer. Est-ce que cela° serait possible?

Madame: Je suis désolée, Monsieur, qu'il n'y ait plus de chambres disponibles° aujourd'hui. Je pourrais vous changer de chambre demain après 14h00. Pouvez-vous vous débrouiller° ce soir?

Antoine: Euh, je crois que oui.° Merci beaucoup, Madame.

un gars un mec; **surprendre** être surpris(e); **à ta place** *if I were you;* **Chut!** *Sh!;* **étonné(e)** surpris(e); **mettre** *to turn on;* **la clim** la climatisation; **Tu parles!** *You're not kidding!;* **embêter** *to bother;* **marcher** *to work;* **faire un somme** dormir un peu; **un gérant** *manager;* **être d'accord** *to agree;* **sonner** *to ring;* **rendre un service** aider; **s'installer** déménager; **cela** ça; **disponible** libre; **se débrouiller** *to manage;* **Je crois que oui.** *I think so.*

 202

deux cent deux
Unité 5

Teaching Notes

1. Point out that **surprendre** belongs to the **prendre** verb family.

2. **La clim** is a regionalized abbreviation of **la climatisation**.

3. **Ça**, the equivalent of **cela**, is the more informal way of expressing "that" or "it."

4. The forms of the irregular verb **servir** are: **sers, sers, sert, servons, servez, servent. Se servir de** will be introduced in **Leçon B**.

1 On est content ou non?

Imaginez que vous avez déjà choisi un hôtel au bord de la mer où vous allez passer quelques jours. Mais après votre arrivée, il y a certaines choses qui se passent. Si vous pouvez accepter ces choses, écrivez "oui"; si non, écrivez "non."

2 Des vacances à Saint-Martin

Répondez aux questions suivantes d'après la brochure et le dialogue.

1. Où est-ce que l'Hôtel Belle Île est situé?
2. Quelle est la spécialité de son restaurant?
3. En quoi est-ce que la chambre 58 ne ressemble pas à la chambre dans la description?
4. Qu'est-ce qui ne marche pas dans cet hôtel?
5. Pour se sentir mieux, qu'est-ce que Denis voudrait faire?
6. Où est-ce que les garçons voudraient s'installer?
7. Pourquoi est-ce que la réceptionniste ne pourrait pas les changer de chambre aujourd'hui?
8. Est-ce qu'Antoine va pouvoir se débrouiller ce soir?

Antoine et ses amis voudraient s'installer au rez-de-chaussée dans une chambre qui donne sur la mer.

Answers

1 1. non
2. non
3. non
4. non
5. oui
6. oui

2 Possible answers:
1. L'Hôtel Belle Île est situé à Saint-Martin, à 400 mètres de la plage.
2. Son restaurant offre une variété de cuisine.
3. La chambre 58 n'a pas de télévision, ne donne pas sur la mer, et la salle de bains n'a ni douche ni sèche-cheveux.
4. L'ascenseur ne marche pas dans cet hôtel.
5. Pour se sentir mieux, Denis voudrait faire un somme.
6. Les garçons voudraient s'installer au rez-de-chaussée dans une chambre qui donne sur la mer.
7. La réceptionniste ne peut pas les changer de chambre aujourd'hui parce qu'il n'y en a plus de disponible.
8. Antoine croit que oui.

3 ▶ Complétez!

Choisissez l'expression convenable de la liste suivante pour compléter chaque espace blanc.

gymnase	activités	panoramique	sonne	rendre un service
sert	sable	ennuis	fax	

Je vous sers?

1. Si on ne téléphone pas à l'Hôtel Belle Île, on peut envoyer un….
2. Si le téléphone est occupé, il ne… pas.
3. On offre des chambres avec une vue… sur la plage de… blanc.
4. Pour la clientèle qui voudrait s'entraîner, il y a un….
5. On profite du bureau d'excursions pour faire toutes ses… préférées.
6. Le gérant est occupé avec tous les… des gens qui ne sont pas contents.
7. Heureusement pour les quatre garçons, on… de bons repas.
8. Madame va leur… demain en les changeant de chambre.

4 ▶ C'est à toi!

Tu voudrais aller en vacances à Saint-Martin?

Questions personnelles.

1. Où est-ce que tu voudrais aller en vacances? Pourquoi?
2. Est-ce que tu as jamais visité des îles dans la mer des Antilles? Si oui, quelles îles?
3. Quelles sont tes activités préférées?
4. Quels services est-ce que tu demanderais dans un hôtel?
5. Quand il fait chaud, est-ce que tu préfères la clim ou un ventilateur?
6. Si tu étais le/la gérant(e) de l'Hôtel Belle Île, qu'est-ce que tu dirais à Antoine?
7. Quand tu as des ennuis, est-ce que tu peux te débrouiller?
8. Quel(le) ami(e) te rend souvent des services? Qu'est-ce qu'il ou elle fait pour toi?

Le "bleu"

Saint-Martin offre deux sortes d'activités principales appelées "bleu" et "vert." La catégorie "bleu" est pour les fanas des sports aquatiques. Le tourisme nautique est très populaire à Saint-Martin. Cette île a des plages splendides où les touristes peuvent bien profiter de la mer. Pour passer des vacances formidables à la mer, on vous propose plusieurs types d'excursions. Vous pouvez faire de la plongée sous-marine, de la planche à voile ou du ski nautique. Vous pouvez essayer un scooter des mers. Vous pouvez aussi prendre un bateau et faire une petite excursion à la Martinique. L'eau transparente de la mer des Antilles vous offre une visibilité de 100 pieds sous l'eau.

Est-ce que ces touristes préfèrent le "bleu" ou le "vert"?

Le "vert"

La catégorie "vert" offre beaucoup d'activités pour les gens qui aiment la nature. Faites une promenade à pied pour découvrir cette belle île, prenez un vélo ou un VTT (vélo tout terrain) ou faites du cheval. Si vous préférez le calme, essayez le golf sur un champ vert. Le tennis est très populaire aussi. Et le footing vous laisse découvrir le magnifique panorama de l'île.

À Saint-Martin on peut faire du cheval sur la plage.

---

7 BONNES RAISONS DE CHOISIR
SAINT-MARTIN

LES PLAGES: à apprécier dessus dessous...

LA GASTRONOMIE: rendez-vous exceptionnel avec les tables de diverses nationalités...

PARADIS DU SHOPPING HORS TAXES: de la mode italienne à l'électronique japonaise...

LE CLIMAT: destination soleil 300 jours par an...

L'HÔTELLERIE DE QUALITÉ: des grands hôtels aux plus petits...

LA DIVERSITÉ DES ACTIVITÉS SPORTIVES: de la plongée au golf, en passant par les randonnées...

PAYS FRANCOPHONE avec dépaysement créole assuré...

deux cent sept

207

Leçon A

 Transparency 16

FYI

1. The island of Saint Martin received its name because Columbus landed there on November 11, 1493, the feast day of Saint Martin. The island was settled by the French and the Dutch in the 1640s. For years pirates used the coves and bays of Saint Martin as hiding places. The early sea salt and sugar cane industries died out by the early twentieth century. The 1950s brought an economic revival based on tourism, rum distilling and commercial fishing. 2. The population of Saint Martin is composed of the descendants of Dutch or French settlers and African slaves. Half of the population is Roman Catholic and half Protestant. Over the past 30 years there has been an influx of immigrants from some of the poorer neighboring islands. 3. **Mardi Gras** is celebrated in the streets of Marigot, the capital, and Grand Case, the second largest city. Both sides of the island celebrate Bastille Day. July 21 is Schœlcher Day, in honor of the French parliamentarian Victor Schœlcher, who fought against slavery. 4. U.S. visitors to the French side of the island who do not have a passport need only present a birth certificate or government-authorized identification with photo, unless they plan on staying longer than three weeks. 5. U.S. dollars are accepted almost everywhere on the island. 6. Saint Martin is a duty-free island. 7. Crime is on the rise on Saint Martin and tourists are advised against night driving and are cautioned to avoid deserted, isolated beaches. 8. Scuba diving is done from boats as most sites are at some distance from the shore. Snorkeling, parasailing, sailing and deep-sea fishing are also popular aquatic activities.

5 Les hôtels et Saint-Martin

Répondez aux questions suivantes.

1. Qu'est-ce que la classification d'hôtels vous indique?
2. Où est l'île Saint-Martin?
3. Qui contrôle les deux secteurs différents de l'île?
4. Qui a découvert Saint-Martin?
5. Pourquoi est-ce que Saint-Martin est l'une des îles les plus visitées des Antilles?
6. Quelles sont les deux sortes d'activités principales à Saint-Martin?
7. Quels sports aquatiques peut-on y faire?
8. Comment est l'eau à Saint-Martin?
9. Quelles activités y a-t-il pour les gens qui aiment la nature?

6 Trouvez trois hôtels!

Si vous allez en France, il vous faut un hôtel. Comment en trouver un? Sur Internet tapez (key) "hotels + France" dans votre outil de recherche (search engine) pour trouver des sites d'hôtels en France. Puis choisissez trois de ces hôtels et répondez aux questions suivantes pour chaque hôtel.

1. Comment s'appelle l'hôtel?
2. Combien d'étoiles l'hôtel a-t-il?
3. Dans quelle ville l'hôtel est-il situé? Quelle en est l'adresse?
4. Quel est son numéro de téléphone?
5. Combien de chambres y a-t-il?
6. Qu'est-ce qu'on peut trouver dans chaque chambre? La clim, la cuisine, le téléphone, la salle de bains, la télévision?
7. Quels services l'hôtel offre-t-il? Garage, parking, piscine, sauna, terrain de golf, terrain de tennis, gymnase, café, restaurant, boutique?
8. Combien coûte la chambre pour une personne? Pour deux personnes?
9. Voudriez-vous passer du temps dans cet hôtel? Pourquoi ou pourquoi pas?

Journal personnel

If you've ever stayed in a hotel, were you pleased with your accommodations or did you have a problem? When you're on vacation, how important to you are the amenities that a hotel offers? Which ones are the most essential? Which is more important to you, a hotel's price or its variety of services?

Do you think that the island of Saint-Martin is the ideal vacation spot? Does this part of the francophone world interest you? Why would you like to spend your vacation here? What would you do on a typical day? What would your parents do?

Conditional tense

The **conditionnel** (*conditional*) is a tense used to tell what people *would* do or what *would* happen.

Nous **aimerions** changer de chambre.

We would like to change rooms.

To form the conditional of regular **-er** and **-ir** verbs, add to the infinitive the endings of the imperfect tense: **-ais, -ais, -ait, -ions, -iez, -aient**. For regular **-re** verbs, drop the final **e** from the infinitive before adding the imperfect endings.

Choisirais-tu un hôtel sans restaurant? Cela me **surprendrait**.

Would you choose a hotel without a restaurant? That would surprise me.

Some irregular French verbs have an irregular stem in the conditional, but their endings are regular.

Infinitive	Irregular Stem	Conditional
aller	ir-	j'irais
s'asseoir	assiér-	je m'assiérais
avoir	aur-	j'aurais
courir	courr-	je courrais
devoir	devr-	je devrais
envoyer	enverr-	j'enverrais
être	ser-	je serais
faire	fer-	je ferais
falloir	faudr-	il faudrait
mourir	mourr-	je mourrais
pleuvoir	pleuvr-	il pleuvrait
pouvoir	pourr-	je pourrais
recevoir	recevr-	je recevrais
savoir	saur-	je saurais
valoir	vaudr-	il vaudrait
venir	viendr-	je viendrais
voir	verr-	je verrais
vouloir	voudr-	je voudrais

The conditional is often used to make suggestions or to make a request more polite.

À ta place, Antoine, je **demanderais** une autre chambre.
Tu **devrais** téléphoner à la réception. Est-ce que tu **pourrais** le faire maintenant?

If I were you, Antoine, I would ask for another room.
You should call the reception desk. Would you be able to do it now?

Est-ce que tu te débrouillerais?

Ferais-tu de la voile à Saint-Martin?

deux cent neuf
Leçon A **209**

Workbook Activities 4-5

Grammar & Vocabulary Exercises 4-8

Comparisons

Expressing "Would"
Write two English sentences on the board, one using "would" in the conditional, the other using "would" in the imperfect, for example, "I would go scuba diving if I had the time" and "When I was young, I would go scuba diving." Then ask students which French tense they would use in each sentence. Students should tell you that they would use the conditional in the first sentence and the imperfect in the second.

TPR

Conditionnel ou imparfait?
So that students can practice distinguishing between verbs in the conditional and in the imperfect, you may choose to have students do this activity. Have students make two cards, one with "C" for the conditional tense and one with "I" for the imperfect tense. Then read sentences that use either the conditional or the imperfect, for example, **Salim remplirait le formulaire de travail** and **Je voyais une pièce de théâtre**. Have students raise the "C" card if they hear a verb in the conditional; have them raise the "I" card if they hear a verb in the imperfect. Before beginning, you may want to remind students to listen for the infinitive stem in order to recognize the conditional. You may also want to review how the imperfect is formed, since both tenses share the same endings.

Game

Conditional Toss
On the board write the infinitive of a verb that is regular in the conditional, such as **aimer**. Then toss a ball to a student as you call out a subject pronoun, such as **tu**. This student says the appropriate conditional form (**tu aimerais**), then tosses the ball to another student as he or she calls out a different subject pronoun. After four or five students have played, change the verb on the board and begin in a new round.

209

Teaching Notes

1. The **Langue active** section in **Unité 5** contains both new and recycled grammatical concepts.
2. The conditional tense was introduced on page 408 in the second level of *C'est à toi!* The conditional tense in sentences with **si** will be reviewed in **Unité 7**.

3. Many verbs with spelling changes in the present tense keep them in the conditional, for example, **j'achèterais, je m'appellerais, j'emmènerais, j'enlèverais, j'essaierais, je me lèverais, je nettoierais, je paierais** and **je pèserais**.

4. The conditional stem for all verbs ends in **-r**.

Audio CD Activity 7

Answers

7 1. Les passagers s'assiéraient.
2. M. Poux irait au bureau de change.
3. Ma grand-mère prendrait l'ascenseur.
4. Khaled ferait un somme.
5. Sonya et toi, vous changeriez de chambre.
6. Véronique se peignerait.
7. Philippe et moi, nous mettrions la clim.
8. Les Durandeau partiraient.

Cooperative Group Practice

Que choisirais-tu?
So that students can practice making hypothetical choices, put them in small groups of four or five. Prepare an overhead transparency listing pairs of hypothetical situations, for example, **travailler pour une compagnie d'assurance ou dans un commissariat; habiter à la campagne ou en ville; regarder des paysages ou des natures mortes; étudier le russe ou le grec; aller au cinéma ou au théâtre; assister à un concert de rock ou à un concert de jazz.** The first student in each group asks the person of his or her choice a question in the conditional, for example, **Travaillerais-tu pour une compagnie d'assurance ou dans un commissariat?** The selected student replies with a complete sentence in the conditional, for example, **Je travaillerais pour une compagnie d'assurance.** Then the second student in the group asks another group member a question. Students continue asking and answering questions until they finish the pairs of choices on the transparency.

Pratique

7 Qu'est-ce qu'on ferait?

Dites ce que feraient ces voyageurs dans les situations illustrées. Pour chaque phrase, utilisez une expression logique de la liste suivante. Suivez le modèle.

changer de chambre	faire un somme
s'asseoir	aller au bureau de change
mettre la clim	demander une chambre avec un grand lit
partir	prendre l'ascenseur
se peigner	

Modèle:

M. et Mme Campeau
M. et Mme Campeau demanderaient une chambre avec un grand lit.

1. les passagers

2. M. Poux

3. ma grand-mère

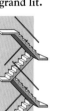
4. Khaled

5. Sonya et toi, vous

6. Véronique

7. Philippe et moi, nous

8. les Durandeau

210 deux cent dix
Unité 5

Teaching Notes

1. Be sure students pronounce correctly the sound [ɔr] in **aur-** and **saur-**, the sound [(ə)r] in **fer-** and **ser-** and the sound [ɛr] in **verr-**.

2. In the conditional **devoir** means "should" or "ought," **falloir** means "should" and **pouvoir** means "could."

3. You may want to point out that the conditional is also used to express a future action in a past context, for example, **Jean a dit qu'il ferait de la planche à voile en vacances.** (*Jean said he'd go wind-surfing on vacation.*)

210

Si vous et votre partenaire alliez en vacances à Paris, que feriez-vous? Posez et répondez aux questions. Suivez le modèle.

Modèle:

voyager avec deux valises/choisir un sac à dos
A: **Voyagerais-tu avec deux valises, ou choisirais-tu un sac à dos?**
B: **Je choisirais un sac à dos. Et toi, voyagerais-tu avec deux valises, ou choisirais-tu un sac à dos?**
A: **Je voyagerais avec deux valises.**

1. réserver une chambre d'hôtel/chercher une auberge de jeunesse
2. acheter des chèques de voyage/payer avec une carte de crédit
3. prendre le métro/louer une voiture
4. aller au Louvre/visiter le musée Picasso
5. goûter la vraie cuisine française/s'arrêter au Quick
6. manger au café/piqueniquer dans un parc
7. téléphoner à ta famille/envoyer des cartes postales
8. sortir chaque soir/rester dans ta chambre

Lucien et Sophie s'arrêteraient au Quick.

9 **À ta place...**

Votre amie Clémence vous raconte toujours ses ennuis. Dites-lui ce que vous feriez à sa place. Suivez le modèle.

Modèle:

Je m'ennuie.
À ta place, je lirais un bon roman.

1. J'ai très froid.
2. Je suis toujours fatiguée.
3. J'ai mal aux dents.
4. Je ne comprends pas les problèmes de maths.
5. J'ai perdu mes notes pour le cours de chimie.
6. Mes vêtements ne me plaisent pas.
7. Je n'ai pas d'argent.
8. Je n'ai pas de boulot.

Paulette m'embête.

À ta place, je ne lui parlerais pas.

deux cent onze
Leçon A
211

 Audio CD Activities 8-9

Answers

8 1. Réserverais-tu une chambre d'hôtel, ou chercherais-tu une auberge de jeunesse?
2. Achèterais-tu des chèques de voyage, ou paierais-tu avec une carte de crédit?
3. Prendrais-tu le métro, ou louerais-tu une voiture?
4. Irais-tu au Louvre, ou visiterais-tu le musée Picasso?
5. Goûterais-tu la vraie cuisine française, ou t'arrêterais-tu au Quick?
6. Mangerais-tu au café, ou piqueniquerais-tu dans un parc?
7. Téléphonerais-tu à ta famille, ou enverrais-tu des cartes postales?
8. Sortirais-tu chaque soir, ou resterais-tu dans ta chambre?
Students' responses to these questions will vary.

9 Answers will vary.

Paired Practice

Les sketches
So that students can practice forming conditional sentences in a skit, put them in pairs. Give each pair a problem situation, for example: **Tu es tombé(e) en panne sur la route. Tu ne peux pas payer l'addition au restaurant. Tu es au chômage. Tu viens de rater le bac.** Student A takes the card and makes a phone call to Student B, stating his or her problem. Then Student B offers advice to Student A. Finally, have each pair present its skit to the class. Encourage students to extend their dialogues as far as possible so that they sound realistic.

Paired Practice

Forming Sentences
Put students in pairs. Prepare a worksheet that describes a series of situations that students can individually respond to, for example, **Les parents de mon ami disent qu'il ne peut pas prendre la voiture ce weekend** and **Le nouvel élève ne vous invite pas à sa boum.** Students take turns forming sentences using **je** or **nous,** an expression of emotion and the subjunctive of the verb in the original sentence, for example, **Je suis triste que mon ami ne puisse pas prendre la voiture ce weekend** and **Nous regrettons que le nouvel élève ne nous invite pas à sa boum.**

The subjunctive after expressions of emotion

So far you have learned four different uses of the subjunctive. How many of them can you remember? The subjunctive is used in a dependent clause after the expression **il faut que;** after certain impersonal expressions; after expressions of wish, will or desire; and after expressions of doubt or uncertainty. In this lesson you will learn one final use of the subjunctive—after expressions of emotion (for example, happiness, sadness, surprise, fear, anger). Use the subjunctive after one of the following expressions of emotion when the emotion concerns someone other than the subject.

être content(e) que	*to be happy that*
être heureux/heureuse que	*to be happy that*
être triste que	*to be sad that*
être désolé(e) que	*to be sorry that*
être fâché(e) que	*to be angry that*
être étonné(e) que	*to be surprised that*
avoir peur que	*to be afraid that*
regretter que	*to be sorry that*
s'inquiéter que	*to worry that*
Ça me surprend que....	*It surprises me that ....*
Ça m'embête que....	*It bothers me that ....*
C'est dommage que....	*It's too bad that ....*

Ça me surprend qu'on ne **puisse** pas voir la mer.	*It surprises me that we can't see the sea.*
Je suis étonné qu'ils ne **mettent** pas la clim.	*I'm surprised that they don't turn on the air conditioning.*
Moi aussi. **J'ai peur qu'**il **fasse** trop chaud ce soir.	*Me too. I'm afraid that it's going to be too hot tonight.*
C'est dommage que l'ascenseur ne **marche** pas.	*It's too bad that the elevator doesn't work.*
Ça m'embête qu'on **ait** des ennuis dans cet hôtel.	*It bothers me that we have problems in this hotel.*

Es-tu étonné(e) que Désirée ait un costume pour le Carnaval de Saint-Martin?

Teaching Notes

1. Expressions of emotion are also followed by the subjunctive in the negative or interrogative, for example, **Ça ne m'embête pas que tu sois en retard.**

2. You may want to tell students that any verb that suggests some emotion in a particular context may take the subjunctive, for example, **Je ne comprends pas que Marc parte sans me parler.**

Pratique

10 ## Faites des phrases!

Formez une phrase logique pour chaque illustration qui décrive la réaction de la clientèle de l'hôtel. Choisissez un élément des colonnes A et B pour chaque phrase. Suivez le modèle.

A	B
Françoise a peur	la piscine est fermée
Ahmed est fâché	le téléphone est occupé
Mlle Laurent est triste	la salle de bains a un sèche-cheveux
M. Dupont regrette	il n'y a pas de clim
Les Fralin sont contents	l'ascenseur ne marche pas
Les enfants sont désolés	une chambre coûte si cher
Les étudiants sont étonnés	l'hôtel sert de très bons repas
Pierre est heureux	on ne peut pas voir la mer

Modèle:

Françoise a peur que le téléphone soit occupé.

1.

2.

3.

4.

5.

6.

7.

Answers

10 1. Ahmed est fâché que l'ascenseur ne marche pas.
2. Mlle Laurent est triste qu'on ne puisse pas voir la mer.
3. M. Dupont regrette qu'il n'y ait pas de clim.
4. Les Fralin sont contents que l'hôtel serve de très bons repas.
5. Les enfants sont désolés que la piscine soit fermée.
6. Les étudiants sont étonnés qu'une chambre coûte si cher.
7. Pierre est heureux que la salle de bains ait un sèche-cheveux.

Cooperative Group Practice

Un voyage à Saint-Martin

So that students can practice using the expression **avoir peur** followed by the subjunctive, put them in small groups of five. Tell students to pretend that they are taking a trip to Saint Martin together and that they are afraid everything is going to go wrong. On a worksheet list five infinitive expressions related to taking such a trip, and give one to each student, for example: **se lever en retard le matin du voyage, ne pas trouver de taxi pour aller à l'aéroport, perdre nos passeports, faire trop chaud** and **ne pas trouver d'hôtel.** The first student in each group forms a sentence from the first expression on the worksheet using the expression **avoir peur** followed by the subjunctive, for example, **J'ai peur que nous nous levions en retard le matin du voyage.** Then he or she asks if the person on his or her right feels the same way. The second student responds in the negative and says what he or she is afraid of instead, using the second infinitive on the list, for example, **Non, je n'ai pas peur que nous nous levions en retard le matin du voyage, mais j'ai peur que nous ne trouvions pas de taxi pour aller à l'aéroport.**

Cooperative Group Practice

Magazine Pictures
To provide additional practice using the subjunctive after expressions of emotion, put students in small groups of four or five. Each student is responsible for finding a picture from a magazine that he or she can describe using the subjunctive after an expression of emotion. The first student describes his or her picture, for example, **Mme Bouquet est heureuse que sa fille lui téléphone**. Then the second student asks a question about the first student's picture, for example, **Qu'est-ce que sa fille lui dit?** The first student responds, for example, **Sa fille lui dit qu'elle va rendre visite à sa mère le mois prochain**. Have the two students extend their discussion of the picture as far as they can. Then the remaining students in the group take turns describing their pictures and having a conversation with the person on their right.

TPR

Uses of the Subjunctive
So that students can differentiate between sentences using the subjunctive after expressions of emotion and sentences using the subjunctive after **il faut que**; impersonal expressions; expressions of wish, will or desire; or expressions of doubt or uncertainty, prepare a list of sentences using the subjunctive in all these categories. Have each student prepare two cards, one with "E" for emotion and one with "O" for other uses of the subjunctive. As you read each sentence, students hold up the "E" card if they hear a sentence using the subjunctive after an expression of emotion. If they hear a sentence using the subjunctive in one of the other categories, they hold up the "O" card.

214

11 La lettre de Lucien

L'hôtel Gobernau à Saint-Martin ne plaît pas du tout à Lucien Darbaud. Complétez la lettre qu'il écrit à l'hôtel en mettant les verbes entre parenthèses à la forme convenable.

Saint-Martin, le 17 mai 2007

Hôtel Gobernau
13, avenue Wilson
Saint-Martin

Monsieur le gérant,

Je regrette que mes amis et moi, nous (devoir) trouver un autre hôtel pour continuer nos vacances ici à Saint-Martin. Votre hôtel ne nous plaît pas du tout. Voici une liste de nos ennuis:

1. Ça nous surprend que l'ascenseur ne (marcher) jamais. Ça nous embête que nous (être) toujours obligés de prendre l'escalier pour monter au quatrième étage.

2. Nous sommes tristes que nos chambres n'(avoir) pas de vue panoramique de la mer. Nous avons réservé deux chambres avec une vue sur la plage!

3. Nous sommes fâchés que vous ne (mettre) pas la climatisation avant 14h00. Nous avons peur qu'il y (faire) toujours trop chaud.

4. Ça nous embête aussi que les portes de nos chambres ne (fermer) pas bien. Nous nous inquiétons que quelqu'un (aller) nous voler!

5. C'est dommage qu'il n'y (avoir) pas de service de chambre dans cet hôtel. Je regrette que mes amis et moi, nous (avoir) toujours besoin de sortir pour manger.

Nous avons essayé de téléphoner à la réception pour vous parler de ces problèmes. Nous sommes étonnés que personne ne nous (répondre). Nous regrettons que vous ne (vouloir) pas nous écouter.

Je vous prie d'agréer, Monsieur, nos salutations distinguées.

Lucien Darbaud

Un mauvais séjour au Bon Séjour

Imaginez que vous venez d'arriver à l'Hôtel Bon Séjour à Saint-Martin où vous allez passer dix jours. Vous remarquez certaines choses en ce qui concerne l'hôtel. Faites des phrases qui expriment votre réaction. Suivez le modèle.

Modèle:

être content(e)/Il y a une grande piscine.
Je suis content(e) qu'il y ait une grande piscine.

1. être étonné(e)/Le téléphone est toujours occupé.
2. c'est dommage/L'hôtel n'accepte pas les cartes de crédit.
3. être désolé(e)/Ma chambre est trop petite.
4. être fâché(e)/On ne voit rien de la fenêtre.

5. être content(e)/Le restaurant propose une variété de cuisine.
6. ça m'embête/Le restaurant ferme à 19h00.
7. ça me surprend/On n'offre pas de service de chambre.
8. regretter/On ne peut pas profiter du bureau d'excursions.

Ça te surprend que le petit déjeuner soit compris?

Communication

 Un dépliant

Imaginez que vous êtes le/la gérant(e) d'un nouvel hôtel. Naturellement, vous voulez encourager les touristes à y venir. Vous voulez que tout le monde connaisse les bonnes qualités de votre hôtel. Alors faites une liste de ces qualités. (Par exemple, où votre hôtel est-il situé? Offre-t-il une piscine, un restaurant, un gymnase? Les chambres donnent-elles sur l'océan? Y a-t-il un service de chambre et la télévision par satellite? Y a-t-il un bureau d'excursions?) Puis utilisez toutes ces informations pour dessiner un dépliant pour votre nouvel hôtel. Donnez-lui un nom et un certain nombre d'étoiles (★). Mentionnez aussi le prix des chambres, l'adresse, la ville, le numéro de téléphone et le numéro de fax de votre hôtel.

deux cent quinze
215
Leçon A

Listening Activity 1

Communicative Activities

Leçon A Quiz

14 **En partenaires**

Avec le/la gérant(e) d'un autre hôtel de l'Activité 13, comparez vos deux hôtels. Posez des questions à votre partenaire, et répondez à ses questions. Par exemple, vous pouvez parler du nombre de chambres, des services et des qualités de vos hôtels. Puis organisez les informations en faisant deux cercles qui se croisent. (Regardez les cercles qui suivent.) Dans le cercle à gauche, faites une liste des qualités uniques de votre hôtel; dans le cercle à droite, faites une liste des qualités uniques de l'hôtel de votre partenaire. Là où les deux cercles se croisent, faites une liste des qualités communes des deux hôtels. Enfin, avec votre partenaire, décrivez vos deux hôtels aux autres élèves en leur montrant vos deux cercles.

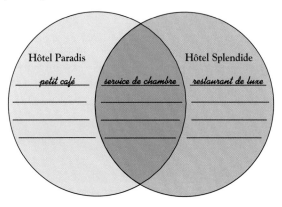

Hôtel Paradis

petit café

Hôtel Splendide

service de chambre

restaurant de luxe

Avez-vous un bureau d'excursions?

Oui, nous offrons du ski nautique et de la plongée sous-marine.

Telling a Story through Pictures

One way to develop your storytelling skills is to practice describing a sequence of pictures. How would you tell a story based on the series of illustrations that follows? As you look at them, take a few minutes to consider whom the story is about, where it takes place and what happens. Then tell the story in French to a partner. Each of you can describe two frames of the story. (Before you begin, you may want to review words and expressions relating to train travel found in the second level of C'est à toi! on pages 288-89.)

Teaching Notes

1. "Telling a Story through Pictures" is a section that has been designed to prepare students for the oral part of the Advanced Placement Exam in French Language, where they are asked to use a sequence of pictures to tell a story. In the AP exam students are often asked to describe a sequence of four to six pictures. This **Stratégie communicative** section provides two picture stories, one with four frames and one with five frames, to allow for adequate practice.

2. You may want students to practice telling the story sequences first in the present tense, then in the **passé composé**.

Un peu de plus

Raconter une histoire!

To provide students with additional storytelling practice, you may want to select magazine pictures or copies of French paintings such as those found on calendars. Put students in small groups, distribute a picture to each student and have each student tell a story to the rest of the group.

Les mésaventures de Paul

To provide additional storytelling practice, you might take slides of a story using students as actors. For example, you could tell the story of your student Paul's misadventures in the cafeteria. Paul realizes he doesn't have enough money to pay for his lunch and has to borrow money from a friend. Then he puts his tray down for a moment, and another student walks off with it. He stands in line again, and this time he drops the tray. As you show each slide, call on a different student to narrate.

Paired Practice

À vous de raconter!

You might have each student draw a picture sequence. Then put students in pairs, and have students tell their story to their partner.

Mon album de photos

You may want to ask students to bring in a photo taken during an event in their life. Put students in pairs, and have them relate the events preceding, during and following the photo.

Did you describe the characters, setting and events? Did you include all the visual clues in the pictures? Did you use your imagination to embellish the story? Did you use transition words like **d'abord**, **ensuite**, **puis**, **enfin** and **finalement** to move from one action to another? Now read the following paragraph that shows how one student described the first illustration.

> Un lycéen de 17 ans arrive à la gare. Il s'appelle Julien. Il porte un jean, un tee-shirt et un sac à dos. Julien va en vacances aujourd'hui. Sa destination est Tours. Julien compte visiter les châteaux de la Loire… Amboise, Chambord et Chenonceaux. D'abord, Julien regarde le tableau des arrivées et des départs. Son train va partir à 9h37 sur la voie numéro 1. Puis Julien regarde sa montre. Il est 9h35. Mince! Julien se dépêche parce que son train va partir dans deux minutes.

Racontez une histoire basée sur les illustrations suivantes. Décrivez les personnes, où l'action a lieu et les événements qui se passent. Utilisez les expressions de transition quand possible.

Vocabulaire

 Audio CD *Le Canada, L'avion*

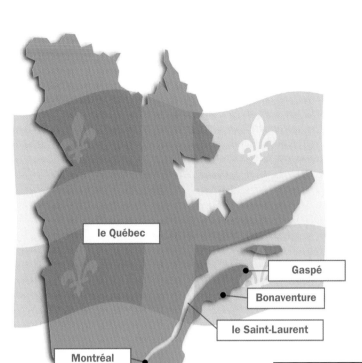

le Québec

Gaspé

Bonaventure

le Saint-Laurent

Montréal

le Rocher Percé

un porte-bagages

une hôtesse de l'air

un steward

deux cent vingt et un
Leçon B
221

FYI

1. The Montreal International Airport is located 14 miles west of downtown Montreal. 2. Other expressions used to end a postcard include **Amicalement** (*Love*), **Affectueusement** (*Affectionately*) and **Je t'embrasse** (*With love*). 3. **Porte-bagages** is invariable.

Conversation culturelle

L'été dernier Micheline a fait un voyage° au Canada. Elle a rendu visite à un cousin qui habite à Gaspé dans la province de Québec. Près de Gaspé il y a un parc sauvage,° le Parc de l'Île-Bonaventure-et-du-Rocher-Percé, dont° son cousin lui a souvent parlé. On dit que le rocher° est percé parce qu'il fait un grand arc dans la mer. Son cousin, Mathieu, y est garde forestier.° Micheline a écrit une carte postale à sa meilleure° amie pour lui parler de son arrivée au Canada.

le 25 juin

Chère Isabelle,

Je rêve de ce voyage depuis longtemps, et enfin me voilà au Canada! Tout s'est bien passé° jusqu'à mon arrivée à Montréal-Trudeau. Je faisais la queue au contrôle de sécurité quand je me suis rendu compte° que je n'avais ni mon passeport ni mon sac à dos. J'avais peur d'avoir laissé quelque chose dans l'avion. Alors, j'y suis vite retournée. Une hôtesse de l'air et un steward m'ont aidée. La façon dont° ils m'ont traitée était super. Ils ont tout de suite fouillé dans le porte-bagages, tu sais, le truc° au-dessus des sièges. Voilà! On a trouvé le sac à dos dont° j'avais besoin. Puis j'ai passé la douane. En sortant, j'ai fait la connaissance d'une Canadienne dont° la mère est française. Elle m'a accompagnée à la gare en taxi. J'attends le train pour Gaspé maintenant. À bientôt.

Bisous,°

Micheline

Micheline est ma meilleure amie.

faire un voyage *voyager;* **sauvage** *wildlife;* **dont** *about which;* **un rocher** *rock;* **un garde forestier** *park ranger;* **le/la meilleur(e)** *best;* **se passer** *aller;* **se rendre compte** *to realize;* **la façon dont** *the way in which;* **un truc** *une chose;* **dont** *of which;* **dont** *whose;* **un bisou** *une bise*

Teaching Notes

1. There are different meanings for **dont** in the exposition.
2. **Meilleur(e)**, the superlative form of the irregular adjective **bon**, modifies nouns; **mieux** modifies verbs.

3. **Se passer**, meaning "to happen," was presented in **Unité 2** in the third level of *C'est à toi!*
4. **Se rendre compte** takes **de** before a noun or pronoun and **que** before a clause. In compound tenses **rendu** does not agree with the reflexive object pronoun.

5. The past infinitive (**avoir laissé**) is presented on page 367. It is presented here as a lexical item.
6. The preposition **de** (not **dans**) is used before **façon**, *i.e.*, **de quelle façon** (*in which way*) or **de cette façon** (*in that way*).

Micheline est bien arrivée à Gaspé, mais pas sans ennuis! Voilà la carte postale qu'elle a écrite à son amie après deux jours chez son cousin.

le 27 juin

Chère Isabelle,

J'ai pris le Chaleur de Montréal à Gaspé. Pendant que je montais dans le train, j'avais mon billet à la main. Une fois dans la voiture, je ne le regardais plus. Je suis arrivée à mon siège, mais il y avait déjà quelqu'un. Alors, j'ai cherché Monsieur un tel,° le chef de train.° Il était si gentil. Il s'est occupé° de moi avec patience. Il ne s'est plaint° de rien, et il a vérifié le numéro de mon siège. Le problème, c'est que je n'ai pas bien regardé mon billet. C'est pourquoi je me suis trompée° de siège. Enfin, je me suis installée dans mon propre° siège où j'ai passé la nuit.° À midi je suis arrivée à Gaspé. Mon cousin est venu me chercher dans le camion dont il se sert° dans le parc. Aujourd'hui nous avons fait les touristes° et avons parcouru° Gaspé et tout le parc, bien sûr. Je vais toujours me souvenir° de la beauté du paysage.° Demain je vais faire la promenade en bateau dont j'ai tellement° envie. À bientôt.

Bisous,

Micheline

Micheline a pris le Chaleur
de Montréal à Gaspé.

Monsieur un tel *Mr. So-and-so*; **un chef de train** *conductor*; **s'occuper de** *to take care of*; **se plaindre** *to complain*; **se tromper de** *to be mistaken*; **propre** *own*; **une nuit** *pas le jour*; **se servir de** *utiliser*; **faire les touristes** *to act like tourists*; **parcourir** *to travel through*; **se souvenir** *se rappeler*; **un paysage** *une campagne*; **tellement** *so much*

 1 ### En avion ou en train?

 Pour arriver à Gaspé, Micheline a voyagé en avion et en train. Écrivez "A" si l'incident s'est passé en avion; écrivez "T" si l'incident s'est passé en train.

 Workbook Activities 9-10

 Grammar & Vocabulary Exercises 14-16

 Audio CD Activity 1

Answers

1
1. A
2. T
3. T
4. A
5. T
6. A

FYI

1. The Chaleur is an overnight train that runs between Montreal and Gaspé. It follows the southern coast of the Gaspé Peninsula, along Chaleur Bay, and arrives in Gaspé around noon. 2. "Mrs. So-and-so" is **Madame une telle**.

Comparisons

Journal personnel
Ask students to write about the topic of the declining popularity of train travel in the United States. To what do students attribute this decline? What are the advantages and disadvantages of traveling by train? Students might also reflect on what the decline in train travel says about American values. For example, does our support of the automobile industry mean that we value individual freedom more than preserving the environment?

Teaching Notes

1. The present tense forms of the irregular verb **se plaindre** are: **je me plains, tu te plains, il/elle/on se plaint, nous nous plaignons, vous vous plaignez, ils/elles se plaignent**. **Se plaindre** takes **que** before a clause.

2. **Se tromper** is followed by **de** or **d'** and a noun.
3. Explain that **propre**, meaning "own," precedes the noun; **propre**, meaning "clean," follows the noun.

4. **Se souvenir** belongs to the **venir** verb family.
5. **Un paysage**, meaning "landscape," was presented in **Unité 3** in the third level of *C'est à toi!*

223

Game

Loto

To practice new vocabulary in this unit, have students make a grid with 16 squares, four in each row. Show a transparency with 16 definitions in French of vocabulary words found in **Leçon A** and **Leçon B**, for example, **une chose**. (You might choose to use the definitions found in the glossed vocabulary or easily recognizable cognates.) Tell students to copy the definitions, placing them at random in their grid. Then orally give the French word for each definition, for example, **un truc**. Students mark with an "X" the corresponding definition in their grid. The student who first covers four squares horizontally, vertically or diagonally calls out "Loto" and gives the French word for each square in his or her winning sequence. You may choose to award an extra credit point if the winner can use each winning word in an original sentence.

---

2 **En ordre chronologique**

Mettez les phrases en ordre chronologique en regardant les deux cartes postales de Micheline. Écrivez "1" pour la première phrase, "2" pour la deuxième phrase, etc.

1. Une Canadienne a accompagné Micheline à la gare en taxi.
2. Micheline est arrivée à Montréal-Trudeau.
3. Micheline va faire une promenade en bateau.
4. Une hôtesse de l'air et un steward ont aidé Micheline.
5. Micheline a passé la nuit dans le train.
6. Micheline s'est rendu compte qu'elle n'avait pas son sac à dos.
7. Mathieu et Micheline ont parcouru le Parc de l'Île-Bonaventure-et-du-Rocher-Percé.
8. Le chef de train a aidé Micheline à trouver son propre siège.

---

3 **Le voyage de Micheline**

Complétez chaque phrase avec l'expression convenable, selon l'illustration.

1. Mathieu, le cousin de Micheline, est… dans un parc sauvage près de Gaspé.

2. Gaspé se trouve dans… de Québec.

3. … a aidé Micheline à trouver son sac à dos.

4. On l'a trouvé dans….

5. Dans le train,… a vérifié le numéro du siège de Micheline.

6. Micheline a passé… dans son propre siège.

7. Mathieu et Micheline… et ont parcouru tout le parc.

8. Micheline va toujours… de la beauté du paysage.

 ## C'est à toi!

Questions personnelles.

1. Est-ce que tu es jamais allé(e) dans la province de Québec? Si oui, où?
2. Qu'est-ce que tu rêves de faire depuis longtemps?
3. Est-ce que tu as jamais visité un parc national? Si oui, quelles activités est-ce qu'on y offre?
4. Est-ce que tu as jamais laissé quelque chose d'important dans un avion, un train, un magasin ou à l'école? Si oui, qu'est-ce que tu y as laissé?
5. Est-ce que tu as jamais montré ta ville à un(e) touriste? Si oui, quel est le premier endroit que tu lui as montré?
6. À qui est-ce que tu écris des lettres ou des cartes postales? Écris-tu souvent à cette personne?
7. Est-ce que tu as un(e) meilleur(e) ami(e)? Si oui, comment s'appelle-t-il ou elle?

~Aperçus culturels~

La péninsule gaspésienne

Pendant son premier voyage au Nouveau Monde pour la France, Jacques Cartier a eu la vue la plus spectaculaire du continent: la côte de la péninsule gaspésienne au Canada. Située au nord-est du Québec, cette péninsule borde l'océan Atlantique avec des côtes rocheuses ravagées par la mer, des groupes d'oiseaux de mer et des montagnes couvertes de forêts. La péninsule est aussi bordée par le golfe du Saint-Laurent au nord-est, le Saint-Laurent au nord et la baie des Chaleurs au sud. Dans la partie sud de la péninsule vivent les Acadiens, les Basques et des Indiens qui donnent à cette partie de la péninsule un riche air cosmopolite.

Bonaventure

Douze familles acadiennes ont fondé le village de Bonaventure. Ces familles ont été expulsées de l'Acadie par les Anglais en 1755. Le village est aujourd'hui une attraction touristique.

Les villages gaspésiens sont pittoresques.

Le Rocher Percé

Le village de Percé, à l'extrême est de la péninsule, était au dix-septième siècle un port d'où allaient et venaient les bateaux pour le commerce avec la France. Mais en 1690 les Anglais ont attaqué Percé et ont mis fin à sa vie commerciale. Depuis ce temps-là, Percé est devenu un centre d'attraction touristique de la péninsule, surtout pour son célèbre rocher. Le Rocher Percé se lève de façon dramatique de la mer. Au centre du rocher il y a une arche naturelle qui présente une vue spectaculaire. Long de 438 mètres et haut de 88 mètres, le rocher a été formé sous la mer pendant la préhistoire, et il contient beaucoup de fossiles de la vie nautique de la préhistoire. Il change de couleur lorsque changent la lumière et le temps. Pendant certaines heures de la journée, on peut visiter le rocher à pied pour l'examiner.

À marée haute (*high tide*), il faut que les touristes prennent un bateau pour s'approcher du Rocher Percé.

Le Parc de l'Île-Bonaventure-et-du-Rocher-Percé

Le Parc de l'Île-Bonaventure-et-du-Rocher-Percé, à 800 kilomètres au nord-est de Québec, offre aux oiseaux de mer et aux oiseaux migrateurs un habitat tranquille. Là ils sont préservés en sanctuaire parce que plusieurs sortes de ces oiseaux sont en danger d'extinction. Le parc est ouvert du mois de juin au mois d'octobre. On peut y piqueniquer, faire des promenades, visiter des sites historiques, regarder la végétation variée et faire de l'observation scientifique. C'est un paradis pour les gens qui aiment étudier les oiseaux.

Des visiteurs au Parc de l'Île-Bonaventure-et-du-Rocher-Percé regardent les Fous de Bassan (*gannets*).

Des touristes qui voyagent en train regardent le paysage canadien.

Les trains américains

Si la France a le TGV, l'Amérique du Nord a des trains qui traversent tout le continent avec des voitures "observatoires" qui permettent aux voyageurs d'admirer le paysage du Canada ou des États-Unis.

Dans le TGV Atlantique, choisirais-tu un compartiment ou non?

Les trains européens

Les trains de France diffèrent des trains de l'Amérique du Nord par quelques aspects. Vous avez déjà appris qu'il faut composter les billets en France. Mais ce n'est pas nécessaire en Amérique du Nord. Lorsque vous avez un billet, vous montez dans le train et vous attendez que le chef de train vienne vérifier votre billet. Dans beaucoup de trains européens, les voitures sont composées de plusieurs compartiments. Chaque compartiment a six sièges, trois places qui sont face à face avec trois autres dans un très petit espace. Cela permet de vous mettre en groupe d'amis ou de famille pour parler ou jouer aux cartes. Le soir vous pouvez baisser le siège pour en faire un petit lit où vous pouvez dormir. Fermez la fenêtre et la porte et vous avez une petite place pour vous coucher, une "couchette." Les compartiments n'existent pas en Amérique du Nord, où les sièges ressemblent à des places de théâtre où tout le monde regarde dans la même direction. Si vous voulez faire un somme, faites-le dans votre siège.

deux cent vingt-sept
Leçon B
227

5
1. Jacques Cartier a eu la première vue de la péninsule gaspésienne.
2. La péninsule gaspésienne est située au nord-est du Québec. Elle est bordée par le golfe du Saint-Laurent au nord-est, le Saint-Laurent au nord et la baie des Chaleurs au sud.
3. L'attraction, c'est le Rocher Percé.
4. Au centre du Rocher Percé il y a une arche naturelle.
5. Les oiseaux de mer et les oiseaux migrateurs y sont préservés.
6. On trouve les voitures de train "observatoires" en Amérique du Nord.
7. Le chef de train vient vérifier le billet de train en Amérique du Nord.
8. Six personnes s'asseyent dans le compartiment d'un train européen.
9. Dans un compartiment les personnes sont face à face pour parler ou jouer aux cartes.
10. Pour transformer un compartiment de train en couchette, on baisse le siège pour en faire un petit lit.

6
1. Il n'y a qu'un train qui fait le voyage entre Halifax et Montréal.
2. Les deux trains qui vont à Matapédia sont l'Océan et le Chaleur.
3. L'Océan part de Halifax; le Chaleur part de Gaspé.
4. On arrive à Montréal à 8h25.
5. C'est l'Océan qui part de Petit Rocher.
6. Non, il n'y a pas de train le mardi.
7. Oui, on peut dormir dans le train.
8. Il faut trois heures et vingt minutes pour aller de Québec (Lévis) à Montréal.

---

5 ▸ **La péninsule gaspésienne et les trains**

Répondez aux questions suivantes.

1. Qui a eu la première vue de la péninsule gaspésienne?
2. Où la péninsule gaspésienne est-elle située?
3. Quelle est l'attraction du Parc de l'Île-Bonaventure-et-du-Rocher-Percé?
4. Qu'est-ce qu'il y a au centre du Rocher Percé?
5. Qu'est-ce qui est préservé dans ce parc?
6. Où trouve-t-on les voitures de train "observatoires"?
7. Comment vérifie-t-on le billet de train en Amérique du Nord?
8. Combien de personnes s'asseyent dans le compartiment d'un train européen?
9. Quels sont les avantages d'un compartiment?
10. Comment est-ce qu'on transforme un compartiment de train en couchette?

Beaucoup de touristes viennent observer les oiseaux de mer et les oiseaux migrateurs au Parc de l'Île-Bonaventure-et-du-Rocher-Percé.

6 ▸ **Un horaire**

Regardez l'horaire des trains entre Halifax et Montréal. Puis répondez aux questions.

1. Combien de trains par jour font le voyage entre Halifax et Montréal?
2. Quels sont les noms des deux trains qui vont à Matapédia?
3. D'où part chaque train?
4. Si on part de Matapédia à 22h47, à quelle heure arrive-t-on à Montréal?
5. Comment s'appelle le train qui part de Petit Rocher?
6. Peut-on partir de Gaspé le mardi?
7. Si on fait le voyage entre Gaspé et Montréal, y a-t-il des facilités pour dormir dans le train?
8. Combien de temps faut-il pour aller de Québec (Lévis) à Montréal?

Classe voiture-lits

Service de repas complets, de casse-croûte et de boissons. (Service de boissons alcoolisées conforme à la réglementation provinciale)

Enregistrement des bagages.

Québec / Canada atlantique

Halifax • Moncton • Campbellton • Gaspé • Montréal

Numéro du train				18	17		14	16
Nom du train				Océan	Chaleur		Océan	Chaleur
Fréquence				Sauf mar.	Lu. je. sa.		Sauf mer.	Lu. je. di.
Genre de service								
			km					
Halifax, NS AT/HA			0	Dp 14 00		Ar	15 30	
Truro			103	15 38			14 00	
Springhill Jct. 1			200	★ 16 52			★ 12 42	
Amherst, NS			227	17 17			12 21	
Sackville, NB			243	17 35			12 03	
Moncton			304	Ar 18 22		Dp 11 10		
				Dp 18 42		Ar 10 50		
Rogersville 1			397	★ 19 43			★ 09 38	
Newcastle			433	20 15			09 09	
Bathurst			504	21 11			08 17	
Petit Rocher 1			521	★ 21 26			★ 07 53	
Jacquet River 1			549	★ 21 48			★ 07 33	
Charlo 1			574	★ 22 06			★ 07 15	
Campbellton, NB AT/HA			605	22 50			06 45	
Matapédia, QC ET/HE			624	Ar 22 45		Dp 04 32		
Gaspé, QC ET/HE			0	Dp	15 50	Ar		11 10
Barachois			40		16 34			10 27
Percé			63		17 04			09 57
Grande Rivière			80		17 23			09 38
Chandler			97		17 42			09 19
Port-Daniel			130		18 26			08 35
New Carlisle			167		19 11			07 59
Bonaventure			182		19 25			07 36
Caplan 3			200		19 41			07 20
New Richmond			214		19 56			07 03
Carleton			254		20 40			06 21
Nouvelle			289		20 58			06 03
Matapédia			325	Ar	21 55	Dp		05 05
Matapédia			624	Dp 22 47	22 47	Ar 04 30		04 30
Causapscal			681	23 31	23 31	03 47		03 47
Amqui			703	23 51	23 51	03 28		03 28
Sayabec 3			727	★ 00 09	★ 00 09	★ 03 08		★ 03 08
Mont Joli			774	00 47	00 47	02 33		02 33
Rimouski			803	01 11	01 11	01 48		01 48
Trois-Pistoles			864	01 57	01 57	01 06		01 06
Rivière-du-Loup			907	02 51	02 51	00 34		00 34
La Pocatière 1			976	03 34	03 34	23 55		23 55
Montmagny			1035	04 08	04 08	23 21		23 21
Lévis (Québec)			1093	Ar 04 55	04 55	Dp 22 30		22 30
				Dp 05 05	05 05	Ar 22 20		22 20
Charny			1105	05 25	05 25	21 53		21 53
Drummondville			1252	06 55	06 55	20 26		20 26
Saint-Hyacinthe			1298	07 26	07 26	19 47		19 47
Saint-Lambert 31			1345	07 58	07 58	19 16		19 16
Montréal, QC ET/HE 60 (Central Stn./Gare Centrale)			1352	Ar 08 25	08 25	Dp 19 00		19 00
Fréquence				Sauf mer.	Ma. ve. di.		Sauf mar.	Ma. ve. di.

Journal personnel

Have you ever experienced any problems during a trip such as those encountered by the boys in Saint-Martin or Micheline as she traveled to Gaspé? How could they have planned their trips to avoid such unpleasant situations?

Sometimes a problem while traveling might be simply a cultural misunderstanding. For example, if you were told that your hotel room in France was on the **deuxième étage**, would you find it on the second floor? Can you think of other types of cultural misunderstandings that Americans might experience while visiting a francophone country? What aspects of American culture might confuse a visiting French speaker?

Verbs + *de* + nouns

Many verbs and verbal expressions in French are followed by **de** and a noun. Here are some of them.

avoir besoin de	*to need*
avoir envie de	*to want, to feel like*
avoir peur de	*to be afraid of*
être amoureux/amoureuse de	*to be in love with*
être content(e) de	*to be happy about*
faire la connaissance de	*to meet*
se méfier de	*to distrust*
s'occuper de	*to take care of*
parler de	*to speak/talk about*
se plaindre de	*to complain about*
rêver de	*to dream about*
se servir de	*to use*
se souvenir de	*to remember*
traiter de	*to treat*
se tromper de	*to be mistaken/wrong about*

Micheline **rêve de ce voyage** depuis longtemps.
Elle **s'est plaint de son siège**.
Mais elle va **se souvenir de la beauté** du paysage.

Micheline has been dreaming about this trip for a long time.
She complained about her seat.
But she is going to remember the beauty of the scenery.

Dominique se sert d'une cuiller pour manger sa glace.

WB Workbook Activity 12

GV Grammar & Vocabulary Exercises 17-20

FYI

Other verbs and verbal expressions in French that are followed by **de** and a noun include **avoir honte, discuter, entendre parler, être fier/fière, être satisfait(e), se passer** and **se préoccuper**.

Cooperative Group Practice

Verbs + *de* + Nouns
So that students can practice identifying the 15 verbs and verbal expressions on this page, put your students into small groups of four or five. Prepare a list of sentences that express a verb or verbal expression from the list on this page without actually using it, for example, **Monique dit au chef de train qu'elle a froid et qu'elle ne peut pas voir le paysage de son siège.** Make copies of the list, and give one to a student in each group that you designate as the leader. When the leader reads a sentence, the first student to call out the expression that would make the sentence more specific, for example, **se plaindre de**, wins a point.

Teaching Notes

1. Many verbs and verbal expressions that are followed by **de** and a noun may also be followed by **de** and an infinitive or a pronoun, for example, **J'ai peur de skier** (*I'm afraid of skiing*) and **Elle se méfie de moi** (*She distrusts me*).

2. **Avoir peur** may also be followed by **que**, in which case the subjunctive is used in the dependent clause.

3. When these verbs and verbal expressions are used, **de** has many English translations, such as "of," "about," "with" and "in." Sometimes, however, **de** does not have an English translation, for example, **Le cousin de Micheline se sert de son camion dans le parc.**

229

Answers

7 Possible answers:
1. Je m'occupe de ma valise.
2. M. Delattre a envie d'un somme.
3. Joël et André sont amoureux de l'hôtesse de l'air.
4. Mme Leclerc se plaint de sa chambre.
5. Angélique a besoin d'un sèche-cheveux.
6. Chloé se méfie du chien.
7. Laurent se sert d'un couteau.
8. Mes parents se souviennent du Rocher Percé.

Cooperative Group Practice

Je me sers de....
To practice forming sentences using **se servir de** followed by a noun, put your students in small groups of four or five. Prepare sets of note cards, writing an activity on each one. Each listed activity, given in the form of an infinitive expression, requires a certain object, for example, **faire de la planche à roulettes, écrire, manger une salade, se brosser les dents, se laver les cheveux, repasser, faire la vaisselle, faire sécher le linge, faire le ménage** and **tondre la pelouse.** Give a set of cards to each group. The first student in each group takes the top card from the stack and forms a sentence saying what he or she is doing, for example, **Je fais de la planche à roulettes.** The student on his or her right asks what the first student uses to do that activity, for example, **De quoi est-ce que tu te sers pour faire de la planche à roulettes?** The first student answers the question, for example, **Je me sers d'une planche à roulettes.**

Pratique

7 ▸ Qu'est-ce qu'ils font?

Dites ce que font les gens suivants.

Modèle:

Michèle/rêver
Michèle rêve de la plage.

1. je/s'occuper

2. M. Delattre/avoir envie

3. Joël et André/
   être amoureux

4. Mme Leclerc/se plaindre

5. Angélique/avoir besoin

6. Chloé/se méfier

7. Laurent/se servir

8. mes parents/se souvenir

8 ▸ Une enquête

Imaginez que les élèves dans votre cours de français vont faire un voyage au Québec. Faites une enquête où vous parlez à trois élèves. D'abord copiez la grille suivante. Puis posez à chaque élève les questions indiquées sur ses préparatifs pour le voyage et ses émotions. Enfin notez les réponses dans la grille. Suivez le modèle.

Question	Barbara	Daniel	Babette
avoir besoin		*une nouvelle valise*	
s'occuper			
avoir peur			
être content(e)			
rêver			

Modèle:

Marie-Élise: **De quoi as-tu besoin?**
Daniel: **J'ai besoin d'une nouvelle valise.**

9 ▸ Évaluation de l'Hôtel Belle Île

C'est le jour du départ. Bruno, Antoine, Christian et Denis quittent l'Hôtel Belle Île à Saint-Martin. À la réception on leur présente un formulaire de questions sur leur séjour. Relisez leurs expériences dans cet hôtel à la page 202. Puis remplissez ce formulaire pour eux.

1. Vous a-t-on traité d'une façon accueillante? oui ☐ non ☐
2. De quoi aviez-vous besoin dans votre chambre? _____
3. Nous sommes-nous bien occupés de vos besoins? oui ☐ non ☐
4. Pendant votre séjour vous êtes-vous servi de la piscine? oui ☐ non ☐
   Du gymnase? oui ☐ non ☐
5. De quoi allez-vous vous souvenir? _____
6. De quoi allez-vous parler à vos amis? _____
7. De quoi étiez-vous content pendant votre séjour? _____
8. De quoi voulez-vous vous plaindre? _____

Modèle:

Avez-vous fait la connaissance de quelques employés qui vous ont aidé pendant votre séjour?
Oui, nous avons fait la connaissance d'une dame très sympa à la réception qui nous a aidés à changer de chambre le jour après notre arrivée.

deux cent trente et un
Leçon B

Audio CD Activity 8

Cooperative Group Practice

Sentence Completion
So that students can practice completing sentences using verbs and verbal expressions followed by **de** and a noun, put them in small groups of four or five. Write the following phrases on the board or on an overhead transparency: 1. Pour faire mes devoirs, j'ai besoin.... 2. En cours je rêve.... 3. Le professeur de français ne se souvient pas.... 4. En été les élèves sont contents.... 5. Le weekend j'ai toujours envie.... 6. À la rentrée j'ai fait la connaissance.... 7. Les mères s'occupent.... 8. À la cantine on a parlé.... 9. Je me suis trompé(e).... Each group writes as many completions as they can think of for each phrase, for example, **Pour faire mes devoirs, j'ai besoin (d'un crayon, d'un cahier, d'un bureau, d'une lampe, d'une gomme, de coca, de musique, d'aide).**

Paired Practice

Answering Questions
To provide additional practice using verbs followed by **de** and a noun, put students in pairs. Prepare a worksheet for Student A and a different worksheet for Student B. Each worksheet lists five infinitives that are followed by **de** and a noun, as well as the tense to be used (in parentheses), for example, **avoir peur du chien méchant (imparfait).** Student A asks Student B the questions on his or her list, using the correct tense of the indicated verb, for example, **Avais-tu peur du chien méchant?** Student B responds in the negative, supplying a different noun from the one in the question, for example, **Non, j'avais peur de l'examen.** Then Student B forms five questions for Student A, who changes the noun in each answer.

Workbook Activity 13

Grammar & Vocabulary Exercises 21-25

Cooperative Group Practice

Making *Dont* **Personal**

So that students can personalize sentences using **dont**, put them in small groups of four or five. Announce a topic that each group should begin with and write it on the board, for example, **une fête dont vous vous souvenez bien.** Students in each group take turns relating a holiday that they remember well and adding a specific detail, for example, **La fête dont je me souviens bien est Noël, 2007. J'ai reçu une stéréo.** After a couple of minutes, change the cue on the board. The next student in line to speak begins with the new cue. Students will get used to switching the topics and picking up where the last student stopped speaking. Other cues that you might use include **un truc dont vous n'avez pas envie, un truc dont vous avez besoin aujourd'hui, un truc dont vous vous servez dans votre chambre, une activité dont vous vous souvenez, un cours dont vous êtes content(e), une personne dont vous avez fait la connaissance cette année** and **une personne dont vous vous méfiez.**

The relative pronoun *dont*

You know how to combine two shorter sentences into a longer one by using the relative pronouns **qui** and **que**. The word **dont** is also a relative pronoun, used to connect two clauses in a complex sentence. **Dont** (*of which/whom, about which/whom*) replaces **de** plus a noun and is used with the verbs and verbal expressions that are followed by **de** and a noun that you learned earlier in this lesson.

> **dont = de** + noun

In the following examples note how **dont** always comes directly after its antecedent to join the sentences in each pair.

Il y a un parc sauvage. Son cousin lui a souvent parlé de ce parc.	*There is a wildlife park. Her cousin often talked to her about this park.*
Il y a un parc sauvage **dont** son cousin lui a souvent parlé.	*There is a wildlife park about which her cousin often talked to her.*
On a trouvé son sac à dos. Elle avait besoin de son sac à dos.	*They found her backpack. She needed her backpack.*
On a trouvé le sac à dos **dont** elle avait besoin.	*They found the backpack that she needed (of which she had need).*

> Désolée, mais la chambre dont vous vous plaignez n'a pas de douche.

The relative pronoun **dont** means "whose" in sentences where **de** indicates relationship or possession.

J'ai fait la connaissance d'une Canadienne. La mère de la Canadienne est française.	*I met a Canadian woman. The mother of the Canadian woman is French.*
J'ai fait la connaissance d'une Canadienne **dont** la mère est française.	*I met a Canadian woman whose mother is French.*

Dont means "in which" after the expression **la façon.**

La façon **dont** ils m'ont traitée était super.	*The way in which they treated me was great.*

232 deux cent trente-deux
Unité 5

Teaching Notes

1. Point out that **dont** may refer to people or things.
2. **Dont** must always be expressed in French, even if its English equivalent is omitted.

3. When **dont** means "whose," it replaces **de** and a noun.
4. If the noun that **dont** refers to, its antecedent, isn't specified or is unknown, use the relative pronoun **ce dont** (*what*), for example, **Dis-moi ce dont tu as peur.**

5. **Dont** is not used after prepositional phrases ending in **de**. With these prepositions, **de qui** or a form of **duquel** must be used.

232

Pratique

10 ▸ **On s'appelle comment?**

Dites comment s'appellent les personnes dont on parle.

Modèle:

Sa mère est triste.
La personne dont la mère est triste s'appelle Christine.

1. Son chien est très petit.
2. Sa femme a soif.
3. Son copain porte des lunettes.
4. Sa fille part en voyage.
5. Son enfant dort.
6. Son copain ne se sent pas bien.
7. Son père lit le journal.
8. Son mari lui a acheté une boisson froide.

La personne dont le mari travaille dans le train s'appelle Mme Demongeot.

deux cent trente-trois
Leçon B **233**

Answers

10 1. La personne dont le chien est très petit s'appelle Mme Lafontaine.
2. La personne dont la femme a soif s'appelle M. Hergy.
3. La personne dont le copain porte des lunettes s'appelle Éric.
4. La personne dont la fille part en voyage s'appelle Mme Charpentier.
5. La personne dont l'enfant dort s'appelle M. Maurel.
6. La personne dont le copain ne se sent pas bien s'appelle Khadim.
7. La personne dont le père lit le journal s'appelle Didier.
8. La personne dont le mari lui a acheté une boisson froide s'appelle Mme Hergy.

Audio CD Activity 11

Answers

11 1. Pendant le voyage en avion, Micheline a perdu le sac à dos dont elle avait besoin.
  2. Micheline a fait la connaissance d'une Canadienne dont la mère est française.
  3. Voilà le siège de Micheline dont elle s'est plaint.
  4. Il y a un parc sauvage près de Gaspé dont le cousin de Micheline lui a souvent parlé.
  5. Son cousin a un camion dont il se sert dans le parc.
  6. Dans le parc il y a des oiseaux de mer dont Micheline a peur.
  7. Demain Micheline va faire la promenade en bateau dont elle a tellement envie.

11 ▷ **Combinez les phrases!**

*Pour parler du voyage de Micheline à Gaspé, combinez les deux phrases pour en faire une. Utilisez le pronom **dont**.*

Modèle:

Micheline fait un voyage au Canada. Elle rêve de ce voyage depuis longtemps.
Micheline fait un voyage au Canada dont elle rêve depuis longtemps.

1. Pendant le voyage en avion, Micheline a perdu son sac à dos. Elle avait besoin de son sac à dos.
2. Micheline a fait la connaissance d'une Canadienne. La mère de la Canadienne est française.
3. Voilà le siège de Micheline. Elle s'est plaint de ce siège.
4. Il y a un parc sauvage près de Gaspé. Le cousin de Micheline lui a souvent parlé de ce parc.
5. Son cousin a un camion. Il se sert de son camion dans le parc.
6. Dans le parc il y a des oiseaux de mer. Micheline a peur des oiseaux de mer.
7. Demain Micheline va faire une promenade en bateau. Elle a tellement envie de faire cette promenade en bateau.

Le cousin de Micheline a un camion dont il se sert dans le parc.

Communication

 Listening Activity 2

 Communicative Activities

 Leçon B **Quiz**

12 ▶ Une carte postale

Imaginez que vous passez 15 jours au Canada avec vos cousins québécois. Écrivez une carte postale à votre meilleur(e) ami(e) pour lui parler de votre séjour. Dites-lui:

1. comment était le voyage au Québec
2. si vous avez eu des ennuis pendant le voyage
3. si vous vous êtes trompé(e) pendant le voyage
4. comment vous trouvez le paysage de la province de Québec
5. si vous vous débrouillez chez vos cousins
6. si vous vous plaignez de quelque chose
7. la façon dont vos cousins vous traitent
8. s'il y a des Québécois intéressants dont vous avez fait la connaissance
9. si vous vous ennuyez ou si vous vous amusez bien
10. les choses dont vous allez toujours vous souvenir

Utilisez la carte postale à la page 223 comme guide.

13 ▶ En partenaires

 Avec un(e) partenaire, parlez des derniers voyages que vous avez faits. Souvenez-vous des détails du voyage en disant à votre partenaire:

1. où vous êtes allé(e)
2. pourquoi vous y êtes allé(e)
3. qui vous a accompagné(e)
4. le moyen de transport dont vous vous êtes servi(e)
5. combien de temps vous y êtes resté(e)
6. si tout s'est bien passé ou si vous avez eu des ennuis
7. quelque chose qui vous a surpris(e)
8. quelque chose dont vous étiez content(e)
9. si vous avez fait les touristes
10. si vous voudriez y retourner

T'es-tu servi(e) d'un moyen de transport public?

Satire

Eugène Ionesco

Eugène Ionesco (1912-94) was a French dramatist, critic and political philosopher born in Romania. He left Romania and his professorship there in 1938 and went to live in France, where he had spent the first 13 years of his life. His work emerged from his embrace of existentialism, the 20th century philosophical school that focused on the essential absurdity of life. His dramas express, imaginatively and tragicomically, the existential belief. Ionesco helped to start and popularize what is known as the theater of the absurd, which presents illogical, absurd and unrealistic scenes, characters, events and juxtapositions in an attempt to convey the essential meaninglessness of human life. For Ionesco, only antireal plays can adequately convey the mechanical nature of modern civilization and the futility of most human endeavor. At the end of his career, Ionesco turned to writing essays, lectures, addresses, literary theories and memoirs. He was elected to the Académie française in 1970.

In this unit you are going to read two scenes from *La cantatrice chauve* (*The Bald Soprano*), a play by Eugène Ionesco. A twentieth century French dramatist, Ionesco presents the absurdity and meaninglessness of modern life in his plays. *La cantatrice chauve* has different levels of satire. Satire is humorous writing or speech intended to point out errors, falsehoods, foibles or failings with the intent of reforming human behavior. Ionesco holds up to ridicule the conventions of middle-class life, especially dull, trivial and nonsensical dialogues in everyday conversation. He demonstrates comically that our automatic responses and endless use of clichés prevent real, meaningful communication. In *La cantatrice chauve* what sounds like real conversation is only a series of repetitive and formal sentences used to pass the time in purposeless human interactions. The empty language of the characters reflects their colorless, unemotional, meaningless lives.

While engaging in trivial conversation at the home of the Smiths during the first scene, M. and Mme Martin make a series of surprising discoveries about their lives. In the second scene, the Smiths' maid, Mary, reveals a secret about the Martins.

 Pour commencer...

Avant de lire les deux scènes, répondez aux questions suivantes.

1. Quelles expressions est-ce que tes amis répètent souvent quand ils te parlent? Ces répétitions te semblent-elles normales ou absurdes?
2. As-tu jamais voyagé en train? Si oui, quelle a été ta destination? As-tu parlé aux autres passagers? Si oui, de quoi as-tu parlé?
3. Qu'est-ce que tu dis quand tu crois que tu reconnais quelqu'un?

La cantatrice chauve
Scène IV

(Mme et M. Martin, s'assoient l'un en face de l'autre, sans se parler. Ils se sourient, avec timidité.)

M. Martin: *(le dialogue qui suit doit être dit d'une voix traînante, monotone, un peu chantante, nullement nuancée)* Mes excuses, Madame, mais il me semble, si je ne me trompe, que je vous ai déjà rencontrée quelque part.

Mme Martin: À moi aussi, Monsieur, il me semble que je vous ai déjà rencontré quelque part.

M. Martin: Ne vous aurais-je pas déjà aperçue, Madame, à Manchester, par hasard?

Mme Martin: C'est très possible. Moi, je suis originaire de la ville de Manchester! Mais je ne me souviens pas très bien, Monsieur, je ne pourrais pas dire si je vous y ai aperçu, ou non!

M. Martin: Mon Dieu, comme c'est curieux! Moi aussi je suis originaire de la ville de Manchester, Madame!

Mme Martin: Comme c'est curieux!

M. Martin: Comme c'est curieux!... Seulement, moi, Madame, j'ai quitté la ville de Manchester, il y a cinq semaines, environ.

Mme Martin: Comme c'est curieux! Quelle bizarre coïncidence! Moi aussi, Monsieur, j'ai quitté la ville de Manchester, il y a cinq semaines, environ.

M. Martin: J'ai pris le train d'une demie après huit le matin, qui arrive à Londres à un quart avant cinq, Madame.

Mme Martin: Comme c'est curieux! comme c'est bizarre! et quelle coïncidence! J'ai pris le même train, Monsieur, moi aussi!

M. Martin: Mon Dieu, comme c'est curieux! peut-être bien alors, Madame, que je vous ai vue dans le train?

Mme Martin: C'est bien possible, ce n'est pas exclu, c'est plausible et, après tout, pourquoi pas!... Mais je n'en ai aucun souvenir, Monsieur!

M. Martin: Je voyageais en deuxième classe, Madame. Il n'y a pas de deuxième classe en Angleterre, mais je voyage quand même en deuxième classe.

Mme Martin: Comme c'est bizarre, que c'est curieux, et quelle coïncidence! Moi aussi, Monsieur, je voyageais en deuxième classe!

M. Martin: Comme c'est curieux! Nous nous sommes peut-être bien rencontrés en deuxième classe, chère Madame!

Mme Martin: La chose est bien possible et ce n'est pas du tout exclu. Mais je ne m'en souviens pas très bien, cher Monsieur!

M. Martin: Ma place était dans le wagon n° 8, sixième compartiment, Madame!

Mme Martin: Comme c'est curieux! Ma place aussi était dans le wagon n° 8 sixième compartiment, cher Monsieur!

FYI

In *La cantatrice chauve* (1950) Ionesco questions the paralysis of mind and emotions that comes from an unquestioning acceptance of bourgeois values. His other important plays include *Les Chaises* (1952), *Victimes du devoir* (1953), *Amédée ou comment s'en débarrasser* (1954), *Rhinocéros* (1959), *Tueur sans gage* (1959), *Le roi se meurt* (1962), *Le Piéton de l'air* (1963), *La Soif et la Faim* (1966) and *Jeux de massacre* (1970). *Les Chaises* is the story of two older people who prepare for the arrival of distinguished visitors. Although the guests are invisible, the stage rapidly fills with chairs to accommodate them. In the end the invisible guests are addressed by a deaf-mute narrator. *Rhinocéros*, with its political message attacking Nazi fascism, recounts Berenger's struggles as he watches the masses around him change into rhinoceroses. When he himself comes down with rhinoceritis, he fights against his desire to become one of the mob, showing himself a hero who is willing to challenge mindless conformity.

Teaching Notes

about themselves? Why or why not? Did they speak with formal or informal language? Has this type of experience happened to them frequently or infrequently?

3. You might have students read portions of the scenes aloud as a class, then discuss what they think Ionesco might be trying to demonstrate. You might mark

your copy of the scenes to coincide with the questions in Activity 15, then ask students the questions progressively as you move through the text.

Ask students to comment on the following quote by Luigi Pirandello in *Six Characters in Search of an Author*: "Life is full of infinite absurdities, which, strangely enough, do not even need to appear plausible, since they are true." Students should comment on things in their own lives that seem strangely absurd. Ask students to write a paragraph or two about the aspects of human nature and society, habits, traditions and social customs that they find absurd.

M. *Martin:*	Comme c'est curieux et quelle coïncidence bizarre! Peut-être nous sommes-nous rencontrés dans le sixième compartiment, chère Madame?
Mme *Martin:*	C'est bien possible, après tout! Mais je ne m'en souviens pas, cher Monsieur!
M. *Martin:*	À vrai dire, chère Madame, moi non plus je ne m'en souviens pas, mais il est possible que nous nous soyons aperçus là et si j'y pense bien, la chose me semble même très possible!
Mme *Martin:*	Oh! vraiment, bien sûr, vraiment, Monsieur!
M. *Martin:*	Comme c'est curieux!... J'avais la place n° 3, près de la fenêtre, chère Madame.
Mme *Martin:*	Oh, mon Dieu, comme c'est curieux et comme c'est bizarre, j'avais la place n° 6, près de la fenêtre, en face de vous, cher Monsieur!
M. *Martin:*	Oh, mon Dieu, comme c'est curieux et quelle coïncidence!... Nous étions donc vis-à-vis, chère Madame! C'est là que nous avons dû nous voir!
Mme *Martin:*	Comme c'est curieux! C'est possible mais je ne m'en souviens pas, Monsieur!
M. *Martin:*	À vrai dire, chère Madame, moi non plus je ne m'en souviens pas. Cependant, il est très possible que nous nous soyons vus à cette occasion.
Mme *Martin:*	C'est vrai, mais je ne m'en suis pas sûre du tout, Monsieur.
M. *Martin:*	Ce n'était pas vous, chère Madame, la dame qui m'avait prié de mettre sa valise dans le filet et qui ensuite m'a remercié et m'a permis de fumer?
Mme *Martin:*	Mais si, ça devait être moi, Monsieur! Comme c'est curieux, comme c'est curieux, et quelle coïncidence!
M. *Martin:*	Comme c'est curieux, comme c'est bizarre, quelle coïncidence! Eh bien alors, alors, nous nous sommes peut-être connus à ce moment-là, Madame?
Mme *Martin:*	Comme c'est curieux et quelle coïncidence! c'est bien possible, cher Monsieur! Cependant, je ne crois pas m'en souvenir.
M. *Martin:*	Moi non plus, Madame.... (*Un moment de silence. La pendule sonne 2-1.*)
M. *Martin:*	Depuis que je suis arrivé à Londres, j'habite rue Bromfield, chère Madame.
Mme *Martin:*	Comme c'est curieux, comme c'est bizarre! moi aussi, depuis mon arrivée à Londres j'habite rue Bromfield, cher Monsieur.
M. *Martin:*	Comme c'est curieux, mais alors, mais alors, nous nous sommes peut-être rencontrés rue Bromfield, chère Madame.
Mme *Martin:*	Comme c'est curieux; comme c'est bizarre! c'est bien possible, après tout! Mais je ne m'en souviens pas, cher Monsieur.
M. *Martin:*	Je demeure au n° 19, chère Madame.
Mme *Martin:*	Comme c'est curieux, moi aussi j'habite au n° 19, cher Monsieur.
M. *Martin:*	Mais alors, mais alors, mais alors, mais alors, mais alors, nous nous sommes peut-être vus dans cette maison, chère Madame?

Teaching Note

Point out that the clock strikes at completely random times in this scene and does not seem to be keeping any real time.

Mme Martin:	C'est possible, mais je ne m'en souviens pas, cher Monsieur.
M. Martin:	Mon appartement est au cinquième étage, c'est le n° 8, chère Madame.
Mme Martin:	Comme c'est curieux, mon Dieu, comme c'est bizarre! et quelle coïncidence! moi aussi j'habite au cinquième étage, dans l'appartement n° 8, cher Monsieur!
M. Martin:	(songeur) Comme c'est curieux, comme c'est curieux, comme c'est curieux et quelle coïncidence! vous savez, dans ma chambre à coucher j'ai un lit. Mon lit est couvert d'un édredon vert. Cette chambre, avec ce lit et son édredon vert, se trouve au fond du corridor entre les water et la bibliothèque, chère Madame!
Mme Martin:	Quelle coïncidence, ah mon Dieu, quelle coïncidence! Ma chambre à coucher a, elle aussi, un lit avec un édredon vert et se trouve au fond du corridor entre les water, cher Monsieur, et la bibliothèque!
M. Martin:	Comme c'est bizarre, curieux, étrange! alors, Madame, nous habitons dans la même chambre et nous dormons dans le même lit, chère Madame. C'est peut-être là que nous nous sommes rencontrés!
Mme Martin:	Comme c'est curieux et quelle coïncidence! C'est bien possible que nous nous y soyons rencontrés, et peut-être même la nuit dernière. Mais je ne m'en souviens pas, cher Monsieur!
M. Martin:	J'ai une petite fille, ma petite fille, elle habite avec moi, chère Madame. Elle a deux ans, elle est blonde, elle a un œil blanc et un œil rouge, elle est très jolie, elle s'appelle Alice, chère Madame.
Mme Martin:	Quelle bizarre coïncidence! moi aussi j'ai une petite fille, elle a deux ans, un œil blanc et un œil rouge, elle est très jolie et s'appelle aussi Alice, cher Monsieur!
M. Martin:	(même voix traînante, monotone) Comme c'est curieux et quelle coïncidence! et bizarre! c'est peut-être la même, chère Madame!
Mme Martin:	Comme c'est curieux! c'est bien possible cher Monsieur. (Un assez long moment de silence… La pendule sonne vingt-neuf fois.)
M. Martin:	(après avoir longuement réfléchi, se lève lentement et, sans se presser, se dirige vers Mme Martin qui, surprise par l'air solennel de M. Martin, s'est levée, elle aussi, tout doucement; M. Martin a la même voix rare, monotone, vaguement chantante.) Alors, chère Madame, je crois qu'il n'y a pas de doute, nous nous sommes déjà vus et vous êtes ma propre épouse… Élisabeth, je t'ai retrouvée!
Mme Martin:	(s'approche de M. Martin sans se presser. Ils s'embrassent sans expression. La pendule sonne une fois, très fort. Le coup de la pendule doit être si fort qu'il doit faire sursauter les spectateurs. Les époux Martin ne l'entendent pas.)
Mme Martin:	Donald, c'est toi, darling! (Ils s'assoient dans le même fauteuil, se tiennent embrassés et s'endorment. La pendule sonne encore plusieurs fois. Mary, sur la pointe des pieds, un doigt sur ses lèvres, entre doucement en scène et s'adresse au public.)

deux cent trente-neuf
239
Leçon B

Teaching Note

Ask students to determine what is unusual or absurd about the method M. and Mme Martin use to try to remember each other. Point out that though they use deductive reasoning, M. and Mme Martin arrive at a false conclusion because the chance coincidences that they arrive at would normally be made irrelevant by memory.

Un peu de plus

Caracterisation

Have students think back to what they learned about characterization in **Lecture** in **Unité 3**. Ask students if they think M. and Mme Martin are flat or rounded characters. You might ask them the following questions to help them make up their minds: As a reader, do you learn much about M. et Mme Martin, their emotions or the details of their lives? If you overheard their conversation, how would you describe M. and Mme Martin to your friends? Point out that Ionesco made the characters flat and uninteresting in order to critique the shallowness of the middle class. Their repeated phrases and use of formal, polite language indicate that both characters are dull and conventional in their behavior.

15 Possible answers:
1. M. et Mme Martin se sont déjà rencontrés à Manchester.
2. Ils ont quitté Manchester il y a cinq semaines, environ.
3. Ils ont voyagé à Londres en train.
4. Ils ont voyagé en deuxième classe. C'est absurde parce qu'il n'y a pas de deuxième classe en Angleterre.
5. Ils ont voyagé dans le wagon n° 8, sixième compartiment. M. Martin avait la place n° 3 près de la fenêtre, et Mme Martin avait la place n° 6 en face de lui.
6. Ils ne s'en souviennent pas.
7. M. Martin a aidé Mme Martin en mettant sa valise dans le filet. Mme Martin lui a permis de fumer.
8. Elle est étonnée parce qu'il parle de son appartement à elle—ils habitent tous les deux au n° 19, rue Bromfield, au cinquième étage. Ils ont la même chambre qui se trouve au fond du corridor entre les water et la bibliothèque. Ils ont le même lit avec un édredon vert.
9. L'ultime coïncidence dans la vie de M. et Mme Martin est qu'ils ont une jolie fille blonde qui a deux ans. Elle a un œil blanc et un œil rouge, et elle s'appelle Alice.
10. Quand la pendule sonne 29 fois, elle ne représente pas l'heure vraie.
11. Ils s'assoient dans le même fauteuil, se tiennent embrassés et s'endorment.
12. Nous savons que M. et Mme Martin ne sont pas mari et femme parce qu'ils n'ont pas la même fille. La fille de M. Martin a l'œil blanc à droite et l'œil rouge à gauche, tandis que la fille de Mme Martin a l'œil rouge à droite et l'œil blanc à gauche.

Scène V

Mary: Élisabeth et Donald sont, maintenant, trop heureux pour pouvoir m'entendre. Je puis donc vous révéler un secret. Élisabeth n'est pas Élisabeth. Donald n'est pas Donald. En voici la preuve: l'enfant dont parle Donald n'est pas la fille d'Élisabeth, ce n'est pas la même personne. La fillette de Donald a un œil blanc et un autre rouge tout comme la fillette d'Élisabeth. Mais tandis que l'enfant de Donald a l'œil blanc à droite et l'œil rouge à gauche, l'enfant d'Élisabeth, lui, a l'œil rouge à droite et le blanc à gauche! Ainsi tout le système d'argumentation de Donald s'écroule en se heurtant à ce dernier obstacle qui anéantit toute sa théorie. Malgré les coïncidences extraordinaires qui semblent être des preuves définitives, Donald et Élisabeth n'étant pas les parents du même enfant ne sont pas Donald et Élisabeth. Il a beau croire qu'il est Donald, elle a beau se croire Élisabeth. Il a beau croire qu'elle est Élisabeth. Elle a beau croire qu'il est Donald: ils se trompent amèrement. Mais qui est le véritable Donald? Quelle est la véritable Élisabeth? Qui donc a intérêt à faire durer cette confusion? Je n'en sais rien. Ne tâchons pas de le savoir. Laissons les choses comme elles sont. (*Elle fait quelques pas vers la porte, puis revient et s'adresse au public.*) Mon vrai nom est Sherlock Holmes. (*Elle sort.*)

15 ▸ *La cantatrice chauve*

Répondez aux questions suivantes.

1. Dans quelle ville est-ce que M. et Mme Martin se sont déjà rencontrés?
2. Quand est-ce qu'ils ont quitté cette ville?
3. Comment M. et Mme Martin ont-ils voyagé à Londres?
4. En quelle classe M. et Mme Martin ont-ils voyagé? Pourquoi est-ce que ce détail est absurde, selon l'information que M. Martin donne sur les trains anglais?
5. Dans quel wagon et dans quel compartiment M. et Mme Martin ont-ils voyagé? Quelles places avaient-ils?
6. Pourquoi est-ce que M. et Mme Martin ne se reconnaissent pas?
7. Comment est-ce que M. Martin a aidé Mme Martin pendant le voyage? Qu'est-ce que Mme Martin lui a permis de faire?
8. Pourquoi est-ce que Mme Martin est étonnée quand M. Martin parle de son appartement?
9. Quelle est l'ultime coïncidence dans la vie de M. et Mme Martin?
10. Quand la pendule sonne, est-ce qu'elle représente l'heure vraie?
11. Que font M. et Mme Martin quand ils concluent qu'ils sont mari et femme?
12. Comment savons-nous que M. et Mme Martin ne sont pas mari et femme?

Teaching Note

Some new words from the play and cognates not in the end vocabulary of *C'est à toi!* are used to ask questions about *La cantatrice chauve* in Activity 15.

Comment dire l'heure?

Ionesco a suivi un cours de conversation pour apprendre l'anglais, une expérience qui a inspiré la pièce La cantatrice chauve. Avec quels deux exemples est-ce qu'il satirise l'expression de l'heure en anglais? Comment diriez-vous l'heure en français?

 Comment parlent les bourgeois?

Expliquez comment Ionesco satirise le langage de la bourgeoisie. Par exemple, quelles expressions est-ce que M. et Mme Martin répètent? Est-ce qu'ils les répètent avec émotion? Est-ce qu'ils se parlent formellement? Est-il facile ou difficile de distinguer M. Martin de Mme Martin? Dans quel ton est-ce qu'ils parlent? Comment est-ce que leur manière de parler reflète leur vie bourgeoise?

18 **Qui est la vraie Mary?**

Ionesco satirise aussi le genre de pièces policières. Quel est le vrai nom de Mary? Souvent dans les pièces policières, un personnage révèle abruptement l'identité d'un autre personnage. Que Mary révèle-t-elle? Suit-elle un procédé logique en déterminant le vrai rapport entre M. et Mme Martin? À votre avis, pourquoi est-ce que ce procédé est absurde?

Dossier fermé

Tu vas passer tes vacances de printemps avec des amis à Saint-Martin dans les Antilles. Tes parents te demandent de leur envoyer des cartes postales de ton voyage. Ils t'offrent des timbres français qu'ils ont achetés pendant leur dernier voyage à Paris et qu'ils n'ont pas encore utilisés. Qu'est-ce que tu en fais?

    A. Tu gardes les timbres qu'ils te donnent pour mettre sur les cartes postales que tu vas envoyer de Saint-Martin.

Parce que Saint-Martin est gouverné par la Guadeloupe, un Département d'Outre-Mer de la France, la poste à Saint-Martin est la poste française et les timbres que tes parents t'offrent sont valables.

241

FYI

1. On November 11 residents of both parts of Saint Martin celebrate Saint Martin's or Concordia Day. Festivities include parades and ceremonies at the border. 2. The towns on the French side of the island combine West Indian and French charm with open markets that are typically Caribbean, bakeries that are typically French and seaside cafés reminiscent of **la côte d'Azur**. From Paradise Peak, the highest point on the island, you can see the green countryside, coves, turquoise shallows, offshore rocks and islets.

Évaluation

✓ Évaluation culturelle

*Pour voir si vous avez bien compris la culture francophone, décidez si chaque phrase est **vraie** ou **fausse**.*

1. La classification d'hôtels en France est indiquée par le nombre d'étoiles qu'on voit à l'extérieur.
2. Saint-Martin est un Département d'Outre-Mer de la France qui est situé dans la mer des Antilles.
3. L'île Saint-Martin est divisée en deux, et les Espagnols en contrôlent une partie.
4. Beaucoup de touristes visitent Saint-Martin parce qu'il y fait du soleil toute l'année et les températures sont agréables.
5. Les fanas des sports aquatiques à Saint-Martin peuvent s'amuser à découvrir l'île en VTT.
6. Le village de Percé et son rocher célèbre se trouvent à l'extrême ouest de la péninsule gaspésienne.
7. Le Rocher Percé est un monument acadien de la région.
8. La péninsule gaspésienne a un sanctuaire pour les oiseaux de mer.
9. Dans les trains américains, comme dans les trains européens, il faut composter le billet avant de monter dans la voiture.
10. Les trains en Amérique du Nord n'ont pas de compartiments comme les trains européens.

Les deux étoiles de l'Hôtel du Beffroi indiquent que ce n'est pas un hôtel de luxe.

Les fanas des sports aquatiques à Saint-Martin peuvent louer des scooters de mer.

✓ Évaluation orale

 Si vous pouviez passer vos vacances n'importe où (anywhere) dans le monde, quel endroit choisiriez-vous? Avec un(e) partenaire, décidez quel endroit vous visiteriez et créez un voyage dont tout le monde rêverait. Copiez la grille suivante. Puis discutez les détails de votre voyage idéal avec votre partenaire, et notez-les dans la grille.

destination	
durée	
moyen de transport	
logement et services	
nourriture	
activités	
attractions	
prix	

Où aimerais-tu voyager?

Je voudrais visiter Saint-Martin.

✓ Évaluation écrite

Imaginez que vous travaillez pour une agence de voyages. Le chef veut que vous prépariez un voyage organisé (package tour) pour votre clientèle. Choisissez le voyage dont vous avez discuté dans l'activité précédente. Maintenant créez un dépliant pour ce voyage idéal en utilisant les détails de la grille de l'activité précédente. Développez le dépliant en mentionnant aussi le paysage, les chambres d'hôtel, les repas, etc. (Il vaut mieux que vous vous serviez de beaucoup d'adjectifs.) Après que vous avez fini le dépliant, comparez-le avec le dépliant de votre partenaire de l'activité précédente, qui a préparé un dépliant pour le même voyage.

 Listening Activity 3

Un peu de plus

Dictée
To provide additional written practice, you might want to give this dictation. Read each sentence twice, once at a natural speed and once more slowly. Have students write what you say. As a group correction activity, either put the paragraph on a transparency in advance or have volunteers write the sentences on the board.

Angèle rêve des vacances depuis longtemps. Mais son voyage à Saint-Martin commence mal. D'abord, elle laisse son sac à dos dans le porte-bagages de l'avion. Mais la façon dont le steward la traite est superbe. Quand elle arrive à son hôtel, elle est triste qu'il n'y ait pas de vue panoramique de la mer. De plus, elle est fâchée que le réceptionniste ne réponde pas quand elle lui téléphone. Quand Angèle rencontre la Canadienne dont elle a fait la connaissance dans l'avion, tout va mieux. "Voudrais-tu faire les touristes ensemble?" demande Angèle. "Oui, tu pourrais m'accompagner à la plage," dit la Canadienne.

Évaluation visuelle

Possible postcard:

le 5 février

Chère Françoise,

Je rêve de ce voyage depuis longtemps, et enfin me voilà à l'île Saint-Martin! Tout s'est bien passé jusqu'à mon arrivée à l'hôtel où je me suis rendu compte que mon sac à main était toujours dans le taxi. J'ai parlé à la réceptionniste dont le fils est chauffeur de taxi. Elle lui a téléphoné, et il s'est occupé de mon sac à main. Ça m'embête que l'ascenseur dans cet hôtel ne marche pas. J'ai dû prendre l'escalier au quatrième étage avec deux grandes valises. Je suis heureuse qu'on puisse faire de la planche à voile ici. J'en fais tous les jours. Et après, je fais un somme au soleil. J'ai fait la connaissance d'un gars québécois qui m'a accompagnée quand j'ai fait le tour de l'île en bus. Nous avons parcouru Saint-Martin. Je vais toujours me souvenir de la beauté du paysage. Est-ce que tu pourrais me rendre un service et venir me chercher à Roissy le 16? J'ai tellement envie de te voir!

Bisous,
Valérie

✔ Évaluation visuelle

Imaginez que vous êtes Valérie, une fille française qui passe ses vacances à Saint-Martin. Écrivez une carte postale à votre cousine où vous lui racontez vos expériences, vos réactions aux aménagements (amenities) de l'hôtel et ce que vous avez fait à Saint-Martin. Finalement, demandez-lui si elle pourrait venir vous chercher à l'aéroport. Utilisez les suggestions dans les illustrations et les nouvelles expressions de l'Unité 5. (Avant de commencer, regardez les sections Révision de fonctions aux pages 245-46 et Vocabulaire à la page 247.)

Révision de fonctions

Can you do all of the following tasks in French?

- I can write a postcard.
- I can tell location.
- I can tell a story.
- I can remember something.
- I can describe people that I remember.
- I can say whom I don't know.
- I can identify objects.
- I can tell what someone likes.
- I can agree with someone.
- I can give my opinion by saying what I think.
- I can say that I'm dissatisfied with something.

- I can complain about something.
- I can say what I'm afraid of.
- I can say what I'm sorry about.
- I can admit to something.
- I can express patience.
- I can ask whether or not something is possible.
- I can request what I would like.
- I can say what surprises me.
- I can say what makes me happy.
- I can control the volume of a conversation by telling someone to be quiet.

To write postcards, use:

Bisous

Kisses

To tell location, use:

L'hôtel **est situé à** 400 mètres de la plage.

Mon cousin habite à Gaspé **dans la province de** Québec.

The hotel is situated 400 meters from the beach.

My cousin lives in Gaspé in the province of Quebec.

To tell a story, use:

Tout s'est bien passé jusqu'à mon arrivée à Dorval.

Everything went well until my arrival in Dorval.

To remember, use:

Je vais toujours **me souvenir** de la beauté du paysage.

I'm going to always remember the beauty of the scenery.

Les touristes vont se souvenir de leur promenade en bateau sur la Seine.

To describe people you remember, use:

J'ai fait la connaissance d'une Canadienne **dont** la mère est française.

I met a Canadian woman whose mother is French.

To indicate not knowing, use:

J'ai cherché **Monsieur un tel**, le chef de train.

I looked for Mr. So-and-so, the conductor.

To identify objects, use:

Ils ont tout de suite fouillé dans le porte-bagages, **le truc** au-dessus des sièges.

They searched right away in the overhead compartment, the thing above the seats.

To say what someone likes, use:

Nous aimerions changer de chambre.

Nous voudrions nous installer au rez-de-chaussée.

We'd like to change rooms.

We'd like to move to the ground floor.

To agree, use:

Tu parles!

Je suis d'accord.

You're not kidding!

I agree.

To give opinions, use:

Je crois que oui. — *I think so.*

Je trouve que le gérant pouvait mieux faire. — *I think that the manager could do better.*

To express dissatisfaction, use:

Ça m'embête que l'ascenseur ne marche pas. — *It bothers me that the elevator doesn't work.*

Ça m'embête que je doive faire le ménage et que je ne puisse pas sortir avec toi.

To complain, use:

Il ne **s'est plaint** de rien. — *He complained about nothing.*

To express fear, use:

J'ai peur qu'il fasse trop chaud ce soir. — *I'm afraid that it's going to be too hot tonight.*

To express regret, use:

C'est dommage qu'il n'y ait ni sèche-cheveux ni douche dans la salle de bains. — *It's too bad that there is neither a hair dryer nor a shower in the bathroom.*

Je suis désolé qu'il ne reste plus de chambres aujourd'hui. — *I'm sorry that there aren't any more rooms today.*

To admit to something, use:

Je me suis trompée de siège. — *I was mistaken about the seat.*

To express patience, use:

Il s'est occupé de moi **avec patience.** — *He took care of me patiently.*

To inquire about possibility, use:

Est-ce que cela serait possible? — *Would that be possible?*

To make requests, use:

Est-ce que vous pourriez nous rendre un service? — *Would you be able to help us?*

To express surprise, use:

Ça me surprend qu'on ne puisse pas voir la mer de ce côté. — *It surprises me that we can't see the the sea from this side.*

Je suis étonné qu'ils ne mettent pas la clim. — *I'm surprised that they don't turn on the air conditioning.*

To express happiness, use:

Je suis heureux qu'on serve de très bons repas. — *I'm happy that they serve very good meals.*

To control the volume of a conversation, use:

Chut! — *Sh!*

Vocabulaire

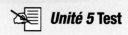

à ta place if I were you A
accompagner to accompany B
une activité activity A
la beauté beauty B
un bisou kiss B
cela that A
un chef de train conductor B
Chut! Sh! A
la clim (climatisation) air conditioning A
croire: Je crois que oui. I think so. A
d'accord: être d'accord to agree A
se débrouiller to manage A
disponible available A
dont of which/whom, about which/whom, whose B
la façon dont the way in which B
embêter to bother A
en plus in addition A
des ennuis (m.) problems A
s' ennuyer to get bored, to be bored A
étonné(e) surprised A
être d'accord to agree A
une façon way B
la façon dont the way in which B
faire les touristes to act like tourists B
faire un somme to take a nap A
faire un voyage to take a trip B
un fax fax A
un garde forestier park ranger B
un gars guy A
un(e) gérant(e) manager A
un groupe group A
un gymnase gym A
une hôtesse de l'air flight attendant B
s' installer to move A
longtemps (for) a long time B
Madame une telle Mrs. So-and-so B
marcher to work A
le meilleur, la meilleure best B
un mètre meter A
mettre to turn on A
Monsieur un tel Mr. So-and-so B

une nuit night B
s' occuper de to take care of B
panoramique panoramic A
parcourir to travel through, to cover B
parler: Tu parles! You're not kidding! A
se passer to go B
la patience patience B
un paysage scenery B
percé(e) pierced B
place: à ta place if I were you A
se plaindre to complain B
plus: en plus in addition A
un porte-bagages overhead compartment B
proposer to propose A
propre own B
une province province B
rendre un service to help A
se rendre compte to realize B
retourner to return B
un rocher rock B
le sable sand A
un satellite satellite A
sauvage wildlife B
service: rendre un service to help A
servir to serve A
se servir de to use B
situé(e) situated A
un somme nap A
faire un somme to take a nap A
sonner to ring A
se souvenir to remember B
un steward flight attendant B
surprendre to surprise A
tellement so much B
un(e) touriste tourist B
traiter to treat B
se tromper (de) to be mistaken, to be wrong B
un truc thing B
un ventilateur fan A

247

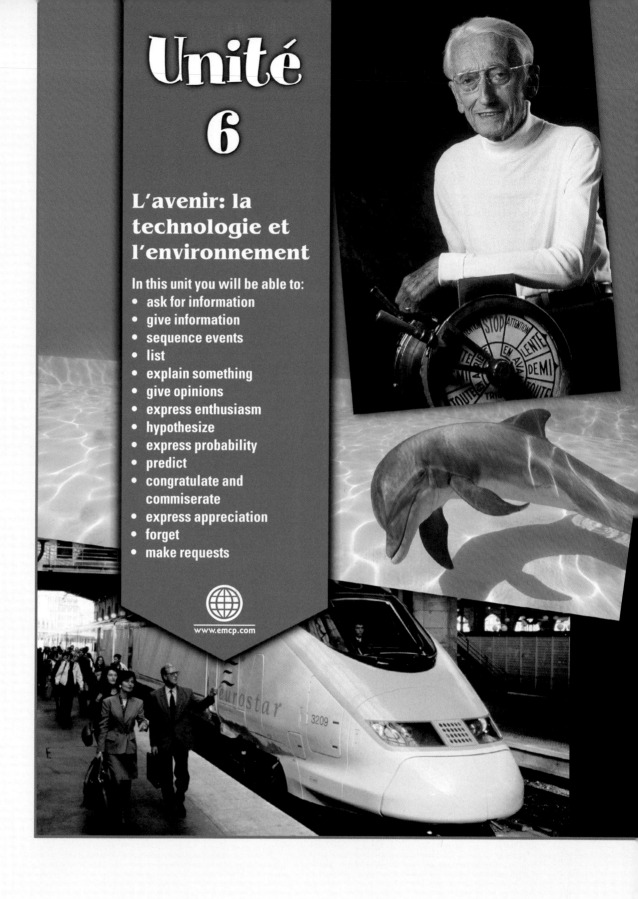

Unité 6

L'avenir: la technologie et l'environnement

In this unit you will be able to:
- ask for information
- give information
- sequence events
- list
- explain something
- give opinions
- express enthusiasm
- hypothesize
- express probability
- predict
- congratulate and commiserate
- express appreciation
- forget
- make requests

www.emcp.com

deux cent quarante-neuf

Tes empreintes ici

Dans beaucoup de lycées, les élèves sont obligés de suivre un cours d'informatique pour être diplômés. Est-ce que tu en as déjà suivi un? As-tu un ordinateur chez toi? Si oui, comment est-ce que tu t'en sers?

- Pour chercher des renseignements?
- Pour écrire des exposés?
- Pour parler avec d'autres ados?
- Pour envoyer du courrier?
- Pour jouer à des jeux?
- Pour ton boulot?

Il est certain que tu te sers de ce qu'on a appris de la science des satellites. Par exemple, tu as le choix entre beaucoup de chaînes de télévision, tu sais quel temps il va faire demain et tu peux téléphoner à un endroit très loin de chez toi. Peux-tu penser à d'autres moyens de t'en servir?

Est-ce que tu te sers d'un ordinateur pour préparer des exposés?

Dossier ouvert

Tu es dans un hôtel en France, et tu as besoin de téléphoner à quelqu'un, mais tu ne sais pas son numéro de téléphone. L'hôtel n'a pas d'annuaire (le livre avec les numéros de téléphone), et tu ne connais pas le numéro des "Renseignements." Qu'est-ce que tu fais?

A. Tu demandes à la réception de chercher le numéro de téléphone sur le Minitel.
B. Tu décides d'envoyer un fax.
C. Tu quittes l'hôtel pour chercher la résidence de la personne.

1. The French telephone directory is called **le Bottin**.

2. Communicative functions that are recycled in this lesson are "comparing things," "explaining something," "giving examples," "giving orders" and "expressing astonishment and disbelief."

une fusée

des satellites (m.)

L'ordinateur

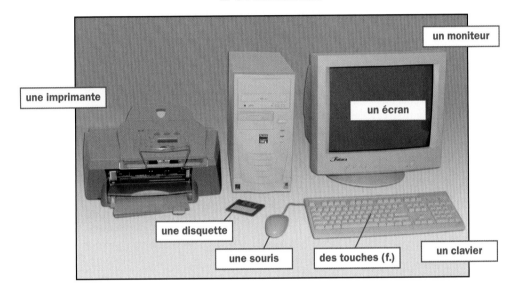

un moniteur

une imprimante

un écran

une disquette

une souris

des touches (f.)

un clavier

La France est un des pays les plus avancés au monde dans le domaine de la technologie. Vous avez déjà entendu parler du° TGV et de l'Eurotunnel, mais il y a deux autres domaines où la France a fait des progrès importants: l'espace et la télématique.°

entendre parler de *to hear about*; **la télématique** la communication par ordinateur

deux cent cinquante et un
Leçon A **251**

FYI

1. Other related terms and expressions include **les télécommunications (f.)** (*telecommunications*), **un vaisseau spatial** (*spacecraft*), **l'ère spatiale (f.)** (*the Space Age*), **le logiciel** (*software*), **un fichier** (*file*), **un modem** (*modem*), **un lecteur de disques** (*disk drive*), **la gestion de réseau** (*networking*), **un réseau** (*network*), **un dossier** (*folder*), **un disque dur** (*hard disk*), **imprimer** (*to print*) and **le traitement de texte** (*word processing*). 2. In Canada **l'inforoute** is called either **l'autoroute de l'information** or **l'autoroute électronique**. 3. The French word for "backup" is **la sauvegarde**.

Comparisons

Journal personnel
Ask students to write about the pros and cons of the U.S. space program. Are the high costs worthwhile? What do we gain from space exploration and technology? Would the money be better spent on social programs? Ask students to consider these and other relevant questions in their cultural journal.

Teaching Note

Students learned about the TGV on page 384 and the Channel Tunnel on page 200 in the first level of *C'est à toi!*

FYI

1. In 2005, the **Académie française** formally adopted **le courriel** as the preferred expression for **l'e-mail**. It was originally popularized in Quebec. However, many French people still use the non-standard, franglais terms **l'e-mail** or **le mél**. 2. Students will want to know that the adjective **branché(e)** means "with it" or "switched on." 3. You might ask students to look up other francophone sites on the Internet, such as the Minitel (key "services Minitel"); the French Embassy (key "Embassy of France in the US"); Fnac for information on French books, records and videos (key "Fnac France"); and Eurostar (key "Eurostar").

Les fusées Ariane lancent plus de satellites commerciaux que les fusées américaines. (Paris)

La France dépense° presque 685 millions d'euros par an pour la recherche spatiale. Elle lance° des satellites pour développer sa connaissance° de l'espace. La France est l'un des 17 membres de l'Agence spatiale européenne, ou l'ESA, qui a construit la fusée Ariane 5. On lance cette fusée du centre spatial de Kourou en Guyane française. Avec le projet Ariane, l'ESA a le plus grand pourcentage sur le marché de lanceurs° de satellites commerciaux.

Depuis des années, les Français ont le Minitel, un service télématique. En plus, il y a aujourd'hui des Français qui sont en ligne avec un ordinateur qui permet d'accéder° au web. Pour eux, comme pour tout le monde, c'est très facile. On n'a qu'à cliquer avec la souris pour trouver l'inforoute.° Il est aussi facile d'appuyer° sur les touches du clavier que d'utiliser la souris. Et voilà! Sur l'écran du moniteur on trouve un grand choix d'outils de recherche.° Tout ce qui° se trouve sur le web permet d'accéder à des renseignements. Ensuite, on peut en sauvegarder° sur disquette ou utiliser l'imprimante. Pour envoyer ou recevoir de l'e-mail, on se branche° aussi sur Internet. Et qui n'aime pas s'amuser avec les jeux électroniques?

Jean-Philippe envoie un e-mail à son meilleur ami.

Internet vous offre de faire des recherches dans toute la France. Par exemple, si vous voulez faire des recherches sur l'Eurotunnel, choisissez deux ou trois outils de recherche, comme http://www.yahoo.fr, http://infoseek.go.com ou http://www.nomade.fr. Ensuite, commencez avec un des outils de recherche dont vous prenez l'adresse. Vous trouverez une liste d'adresses pour l'Eurotunnel. Puis, cliquez sur chaque adresse pour trouver les renseignements que vous cherchez. Voici quelques autres adresses utiles où vous pourrez trouver tout ce qui vous intéresse sur:

la musique	http://www.francevision.com
l'actualité	http://www.lemonde.fr
les films à Paris	http://www.zurban.com
Paris	http://www.paris.org

Finalement, au vingt et unième siècle on se branchera sur le monde entier. La connaissance scientifique, parmi° d'autres, permettra une vie plus longue et plus riche, et elle sera aussi utile aux gens qu'aux sciences. On n'en reviendra pas!

dépenser payer; **lancer** to launch; **la connaissance** knowledge; **un lanceur** launcher; **accéder** to access; **l'inforoute (f.)** information superhighway; **appuyer** to press; **un outil de recherche** search engine; **ce qui** that; **sauvegarder** to save; **se brancher** to connect; **parmi** among

 1 **Espace ou télématique?**

 Écrivez "E" si l'on parle de l'espace; écrivez "T" si l'on parle de la télématique.

Teaching Notes

1. Students learned about the Minitel on page 252 in the second level of *C'est à toi!*

2. The present tense forms of the orthographically changing verb **accéder** are: **accède, accèdes, accède, accédons, accédez** and **accèdent**.

3. The present tense forms of the orthographically changing verb **appuyer** are: **appuie, appuies, appuie, appuyons, appuyez** and **appuient**. **Appuyer** follows the same pattern as **s'ennuyer**.

Vrai ou faux?

D'après ce que vous venez de lire sur la technologie, dites si chaque phrase est vraie ou fausse.

1. L'espace et la télématique sont deux domaines où la France n'a rien fait dans les dernières années.
2. La France est un membre de l'Agence spatiale européenne.
3. L'ESA a le plus grand pourcentage de satellites commerciaux.
4. Les Français ont un service télématique depuis des années.
5. On peut sauvegarder des renseignements sur disquette ou utiliser l'imprimante.
6. Un outil de recherche n'a pas d'adresse.
7. Il est facile pour les élèves américains d'accéder à des renseignements sur, par exemple, la musique française ou les films à Paris.
8. Au vingt et unième siècle la connaissance scientifique sera moins utile aux gens qu'aux sciences.

 Complétez!

Choisissez l'expression convenable de la liste suivante pour compléter chaque phrase.

souris	entendu parler	spatiale	progrès
développent	outils de recherche	appuie	dépense
fusée	lance	télématique	

1. Presque tout le monde a… du TGV et de l'Eurotunnel.
2. Dans le domaine de la…, la France a fait beaucoup de….
3. La France… presque 685 millions d'euros chaque année pour la recherche….
4. Les satellites… la connaissance de l'espace.
5. Ariane 5 est une….
6. On… les fusées de l'ESA en Guyane française.
7. Quand on travaille sur ordinateur, on clique avec la… ou on… sur les touches du clavier.
8. On a un choix d'… pour accéder à des renseignements.

 C'est à toi!

Questions personnelles.

1. Au lycée, pour quel(s) cours est-ce que tu te sers d'un ordinateur? Est-ce que tu t'en sers chaque jour?
2. Est-ce que tu joues aux jeux sur ordinateur? Si oui, quels jeux aimes-tu?
3. Est-ce que tu as un outil de recherche favori?
4. Est-ce que tu envoies des e-mails? Si oui, à qui?
5. Chez toi est-ce que tu as la télévision par satellite?
6. Selon tes parents, sur quoi est-ce que tu dépenses trop d'argent?
7. Est-ce qu'un voyage spatial t'intéresse? Si oui, où voudrais-tu voyager?
8. Comment est-ce que tu vois le vingt et unième siècle?

 Audio CD Activities 2, 4

Answers

2 1. fausse
2. vraie
3. fausse
4. vraie
5. vraie
6. fausse
7. vraie
8. fausse

3 1. entendu parler
2. télématique, progrès
3. dépense, spatiale
4. développent
5. fusée
6. lance
7. souris, appuie
8. outils de recherche

4 Answers will vary.

Paired Practice

Crossword Puzzles
After they have completed Activities 2 and 3, have students work in pairs. Instruct each pair to create an original crossword puzzle in French and a separate answer key. You may want to specify a minimum number of horizontal and vertical expressions or give extra credit to the pair whose puzzle contains the most expressions. Ask students to focus on new vocabulary from the exposition and to write their clues in sentence form, for example, **Le Minitel est un service… très populaire en France**. Check each pair's puzzle for accuracy and have students correct any errors. Then have pairs exchange puzzles and solve them.

FYI

1. The TGV is one of the world's fastest trains. A newer TGV will reach a speed of about 360 kilometers (225 miles) per hour. When the Paris-Lyon route opened, it cut travel time between the cities to two hours, half as long as before. The Lyon route has been extended to include service to Valence, en route to Marseille. Additional routes served by the TGV connect Paris to Le Mans and Tours to the southwest and Paris to Lille and Calais in the north. The TGV runs on electricity and gets its power from an overhead wire. Besides speed, electric trains have other advantages. They are quieter than other trains and do not produce smoke or exhaust. Engineers are developing faster electric trains called maglev (magnetic levitation) trains. German and Japanese models of these trains test from about 450 to 581 kilometers (236 to 361 miles) per hour. 2. You may want students to use the Internet to plan a trip on the TGV. Have them key "Société nationale chemins de fer France (SNCF)," using their favorite seach engine.

~Aperçus culturels~

Le TGV

Le TGV (train à grande vitesse) est le train de service commercial le plus rapide en France. Depuis 1981 ce train traverse chaque jour la région du sud-est de la France à une vitesse de 300 kilomètres à l'heure. La France a connu un succès technique, commercial et

économique avec le système du TGV. À présent le système du TGV est très développé et fait de la France le pays qui se sert le plus des lignes à grande vitesse dans le monde. Le TGV entre Paris et Lyon a 351 places pour les passagers. Le train quitte Paris 24 fois par jour, et il part de Lyon pour Paris 24 fois par jour aussi. Ce ne sont pas seulement les Français qui peuvent profiter du TGV. La France a signé un contrat au Texas, et il y a un grand intérêt pour le TGV en Australie, au Canada, en Chine et à Taiwan.

Dans le TGV Atlantique la deuxième classe est très confortable.

L'Eurostar

Il y a maintenant un autre TGV français qui devient très populaire. C'est l'Eurostar, le service de trains à grande vitesse entre Paris et Londres. En moins de quatre heures, vous pouvez aller entre ces deux villes en passant par l'Eurotunnel qui va sous la Manche entre la France et l'Angleterre. Pour les Anglais qui voudraient visiter Paris, il y a même des voyages organisés pour visiter le parc d'attractions Disneyland Resort Paris. Beaucoup de Français, d'Anglais et d'autres Européens en profitent parce que c'est confortable, rapide et économique. Les Français et les Anglais ont attendu un tunnel entre leurs deux pays pendant

des années. Les premiers dessins pour un tunnel sous la Manche ont été faits en 1751. Mais ce n'est qu'en 1956 qu'on a proposé une coopération franco-britannique pour étudier la possibilité de le construire. En 1974 la construction a commencé des deux côtés de la Manche, mais on a dû abandonner ce projet. On a recommencé la construction en 1985, et enfin, en novembre 1994, l'Eurotunnel s'est ouvert aux premiers trains.

L'Eurostar sort du tunnel en France.

Teaching Note

Cognates in this reading include **région, technique, économique, système, présent, développé, intérêt, confortable, tunnel, coopération, franco-britannique, construction, abandonner, agence, organiser, applications, combine, aspects, observation,** **planète, transport, gravité, entreprises, observent, déforestation, effets, conditions, atmosphériques, météorologie, télécommunications, compliqués, internationale, Brésil, équateur, population, minimale, communication, pour cent,** **différent, spécialement, micro-ordinateur** and **multimédia.**

L'ESA

L'Agence spatiale européenne, fondée en 1975 par 10 pays européens, a son siège à Paris. Cette agence cherche à organiser la coopération des pays dans la recherche et la technologie spatiale et à en trouver des applications scientifiques. L'ESA combine la recherche sous plusieurs aspects scientifiques: l'observation de notre planète, la technologie spatiale, le transport spatial, comment lancer les satellites, et les recherches sur la gravité. Mais ce ne sont pas seulement les recherches qui intéressent les pays, c'est aussi les applications de cette technologie spatiale à la vie quotidienne et aux entreprises commerciales des pays. Par exemple, les satellites de l'ESA observent la déforestation et ses effets, pendant que d'autres observent les conditions atmosphériques et le temps. L'ESA lance des satellites commerciaux, surtout pour la météorologie et les télécommunications. Comme la technologie augmente et que les satellites deviennent plus compliqués et plus grands, les fusées Ariane deviennent plus puissantes. La plus puissante, c'est l'Ariane 5 qui a lancé ses premiers satellites en 1997. Arianespace, la compagnie qui vend les lanceurs, connaît une clientèle internationale d'Europe, des États-Unis, du Japon, du Canada et du Brésil. On a choisi de lancer les satellites de Kourou en Guyane française parce que c'est près de l'équateur et de l'océan, le temps est parfait et la population est minimale.

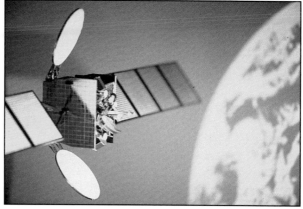

Ariane a lancé le satellite Télécom 2.

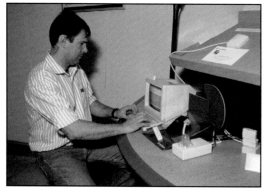

Ce Minitel est adapté aux malentendants (*hard of hearing*).

Le Minitel

Le Minitel est un système de communication télématique parmi les plus modernes du monde. En 1983 on a lancé le service Minitel, service de renseignements par ordinateur branché sur le téléphone. Il y a maintenant sept millions de Minitels dans les maisons françaises. Avec 32 pour cent des familles branchées, la France est le premier pays du monde avec plus de 25.000 services en ligne. On peut réserver des billets pour voyager ou des billets de théâtre par Minitel. On peut aussi envoyer des messages et trouver les numéros de téléphone de tous les Français qui ont le téléphone. Mais il faut payer le temps qu'on utilise, et chaque service a un prix différent.

Les ordinateurs

L'ordinateur connaît un certain succès en France, mais il est un peu moins utilisé qu'aux États-Unis. Bien sûr, il est important dans tout genre de travail, mais à la maison les gens étaient satisfaits du Minitel. Maintenant, l'Internet est aussi populaire que le Minitel. Les jeux vidéos sont importants pour les jeunes qui aiment utiliser l'ordinateur, spécialement avec le CD-ROM. Presque 50 pour cent des familles françaises ont un système de micro-ordinateur avec multimédia.

deux cent cinquante-cinq
Leçon A **255**

FYI

1. **L'Agence spatiale européenne** is known as the European Space Agency (ESA) in English. Its member nations are Greece, Luxembourg, Belgium, France, Germany, Italy, the Netherlands, the United Kingdom (associated with Australia), Denmark, Spain, Sweden, Switzerland, Ireland, Austria, Norway, Finland and Portugal. The organization's stated goal is "to provide for and to promote, for exclusively peaceful purposes, cooperation among European States in space research and technology and their space applications, with a view to their being used for scientific purposes and operational space applications systems." Aside from its scientific program, which is directed more towards basic research (studies aimed at widening our knowledge of space, Earth and its environment), ESA's work results in industrial developments and operational products like the launchers of the Ariane family and applications satellites. In 1986, ESA's Giotto space probe studied Halley's comet. To find out more about ESA, key "ESA Portal," using your favorite search engine. 2. By the late 1980s Ariane rockets were launching more commercial satellites than U.S. rockets were. Ariane 1 was successfully launched for the first time in 1979. Ariane 2, 3 and 4 all belonged to the same family of launchers. Ariane 5 is designed along completely different lines. Production and marketing for Ariane 5 is handled by Arianespace, a group of European companies.

Connections

Webbing Technology
Have students do additional research on Ariane 5 and the Minitel, perhaps using the Internet. Then have them web the uses for these technologies. Each web should have a center circle with the name of the technology in French and a supporting circle for each use of that technology that they mention. Students with more language ability can write the uses in French; those with more limited ability may write the uses in English.

Answers

5 Possible answers:
1. Le TGV fait 24 voyages entre Paris et Lyon chaque jour.
2. Le TGV va circuler au Texas un jour.
3. On peut aller entre Paris et Londres en moins de quatre heures en Eurostar.
4. L'Eurostar va sous la Manche par l'Eurotunnel entre l'Angleterre et la France.
5. Les premiers trains sont passés par l'Eurotunnel en novembre 1994.
6. Il y a 17 pays qui participent aux initiatives de l'ESA.
7. L'ESA a des satellites qui observent la déforestation et ses effets, pendant que d'autres observent les conditions atmosphériques et le temps.
8. L'ESA lance les satellites de Kourou en Guyane française.
9. Le Minitel est un service de renseignements par ordinateur branché sur le téléphone.
10. Presque 50 pour cent des familles françaises ont un système de micro-ordinateur avec multimédia.

Comparisons

Comparative Sentences
Write the following four sentences on the board: **Une fusée est plus chère qu'un ordinateur. Didier est plus grand que toi. Claire est plus déprimée que triste. L'Eurotunnel est plus moderne que je ne pensais.** Next, ask students what can follow **que** in a comparative construction. Students should tell you that **que** can be followed by a noun, a stress pronoun, an adjective or a clause. (You may want to point out that when **que** is followed by a clause, the pleonastic **ne** precedes the verb in formal French.)

---

5 **La technologie en France**

Répondez aux questions suivantes.

1. Combien de voyages fait le TGV entre Paris et Lyon chaque jour?
2. Où aux États-Unis est-ce que le TGV va circuler un jour?
3. En combien de temps peut-on aller entre Paris et Londres en Eurostar?
4. Comment est-ce que l'Eurostar passe de l'Angleterre en France?
5. Quand est-ce que les premiers trains sont passés par l'Eurotunnel?
6. Combien de pays participent aux initiatives de l'Agence spatiale européenne?
7. Comment est-ce que l'ESA utilise la technologie spatiale pour la vie quotidienne?
8. D'où est-ce que l'ESA lance les satellites?
9. Le Minitel, qu'est-ce que c'est?
10. Quel pourcentage de familles françaises ont un système de micro-ordinateur avec multimédia?

L'ESA a lancé Ariane 3 de Kourou en Guyane française.

Journal personnel

In many instances France is among the leaders of the industrialized nations in many facets of technology. Can you think of ten technological advances that have taken place in the last 50 years? What role does modern technology play in your daily life? How do the advances in technology in the fields of aerospace, computers, transportation and the environment affect the way you live? How would your life be different if these advances had not taken place?

Comparative of adjectives

Use the following constructions to compare people and things in French:

plus *(more)*	+	adjective	+	**que** *(than)*
moins *(less)*	+	adjective	+	**que** *(than)*
aussi *(as)*	+	adjective	+	**que** *(as)*

The adjective being compared agrees in gender and in number with the first noun in the comparison.

La connaissance scientifique sera **aussi utile** aux gens **qu'**aux sciences.

Accéder au web, c'est **plus facile que** jamais.

Scientific knowledge will be as useful to people as to science.

Accessing the Web is easier than ever.

256

deux cent cinquante-six
Unité 6

Teaching Notes

1. The **Langue active** section in **Unité 6** contains both new and recycled grammatical concepts.
2. The comparative of adjectives was presented on page 293 in the first level of *C'est à toi!* and reviewed on page 79 in the second level.

3. **Meilleur(e)** is the irregular comparative of the adjective **bon/bonne**.

4. Have several students stand in front of the class so comparisons can be made between your height and theirs. Seated students should use the adjective **grand(e)**, for example, **Robert est moins grand que vous.**

Pratique

6 Comparez!

Utilisez la forme convenable de l'adjectif indiqué pour comparer les deux objets.

Modèle:

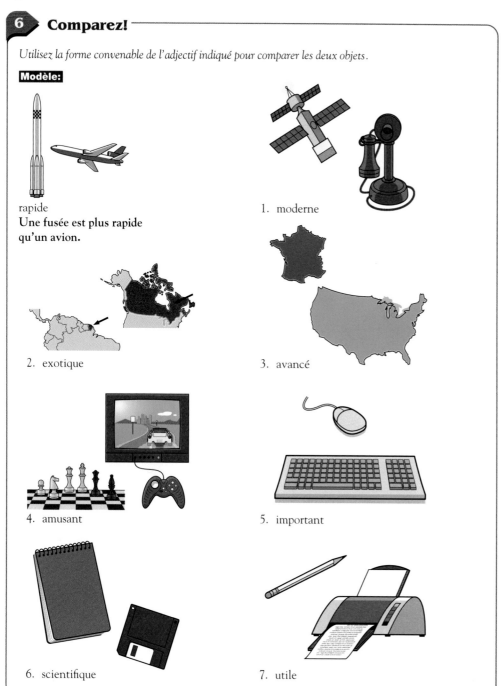

rapide
Une fusée est plus rapide qu'un avion.

1. moderne

2. exotique

3. avancé

4. amusant

5. important

6. scientifique

7. utile

deux cent cinquante-sept
Leçon A
257

Answers

6 Possible answers:
1. Un satellite est plus moderne qu'un téléphone.
2. La Guyane française est plus exotique que le Canada.
3. La France est aussi avancée que les États-Unis.
4. Les échecs sont aussi amusants que les jeux vidéo.
5. Une souris est aussi importante qu'un clavier.
6. Un bloc-notes est moins scientifique qu'une disquette.
7. Un crayon est aussi utile qu'une imprimante.

Game

Relay Race
So that students can practice making comparisons with adjectives, divide the class into two teams. On the board write a list that provides a framework for sentences that students on each team will form. Each item in the list includes a name, the masculine form of an adjective, a plus, minus, or equal sign (indicating the use of **plus, moins** or **aussi**), and another name, for example, **Jeanne/généreux +/Éric**. The first player from Team A and Team B goes to the board and writes a comparative sentence based on the first cue, for example, **Jeanne est plus généreuse qu'Éric.** The player from each team races to write the sentence faster than the player from the other team. As soon as the first player returns to his or her seat, the second player from each team goes to the board and writes the second sentence, and so forth, until the list has been completed. The team that finishes with the most correct sentences wins.

Answers

7 1. Un centre commercial est plus grand qu'une boutique.
Ah oui, une boutique est moins grande qu'un centre commercial.

2. Les films français sont plus sérieux que les films américains.
Ah oui, les films américains sont moins sérieux que les films français.

3. L'intrigue d'un film est plus intéressante que sa durée.
Ah oui, la durée d'un film est moins intéressante que son intrigue.

4. Leonardo DiCaprio est plus jeune que Jack Nicholson.
Ah oui, Jack Nicholson est moins jeune que Leonardo DiCaprio.

5. La chimie est plus scientifique que la philosophie.
Ah oui, la philosophie est moins scientifique que la chimie.

6. Venus Williams est plus sportive que Céline Dion.
Ah oui, Céline Dion est moins sportive que Venus Williams.

7. L'e-mail est plus rapide que la lettre.
Ah oui, la lettre est moins rapide que l'e-mail.

Paired Practice

Making Comparisons
Put students in pairs. Ask students to interview their partner based on a list of topics that you write on the board so that students can discover who is more athletic, talkative, older, etc. After interviewing their partner, students take turns saying sentences that compare themselves to their partner, for example, **Tu es plus sportif/sportive que moi.**

258

---

7 **En partenaires**

 *Les Français se servent souvent de la négation pour accentuer une idée ou pour être plus polis. Par exemple, on ne dirait pas qu'un homme est pauvre; on dirait qu'il n'est pas riche. C'est la même chose quand on compare deux choses. Avec un(e) partenaire, faites une comparaison entre les deux choses ou personnes indiquées. L'Élève A doit le faire en utilisant **plus**. L'Élève B doit accentuer la même idée en utilisant **moins**. Suivez le modèle.*

Modèle:

la carte de crédit/l'argent liquide (pratique)
A: **La carte de crédit est plus pratique que l'argent liquide.**
B: **Ah oui, l'argent liquide est moins pratique que la carte de crédit.**

1. un centre commercial/une boutique (grand)
2. les films français/les films américains (sérieux)
3. l'intrigue d'un film/sa durée (intéressant)
4. Leonardo DiCaprio/Jack Nicholson (jeune)
5. la chimie/la philosophie (scientifique)
6. Venus Williams/Céline Dion (sportif)
7. l'e-mail/la lettre (rapide)

Le censeur est plus patient que la directrice.

Ah oui, la directrice est moins patiente que le censeur.

Crois-tu que le dictionnaire français-anglais soit l'outil (*tool*) le plus essentiel pour un(e) élève de français?

Superlative of adjectives

Use the superlative construction to say that a person or thing has the most of a certain quality compared to all others.

le/la/les	+	plus	+	adjective

Both the definite article and the adjective agree in gender and in number with the noun they describe. Remember that if an adjective precedes a noun, its superlative form also precedes it. If an adjective follows a noun, so does its superlative form.

L'ESA a **le plus grand** pourcentage sur le marché de lanceurs de satellites commerciaux.

La France est un des pays **les plus avancés** du monde dans le domaine de la technologie.

The ESA has the largest percentage of the market in commercial satellite launchers.

France is one of the most advanced countries in the world in the area of technology.

258 deux cent cinquante-huit
Unité 6

Teaching Notes

1. The superlative of adjectives was introduced on page 453 in the first level of C'est à toi! and reviewed on page 93 in the second level.

2. You may want to review the adjectives **beau, joli, nouveau, vieux, bon, mauvais, gros, jeune, grand** and **petit**, which precede a noun in the superlative.

8 ▶ Décrivez!

Utilisez le superlatif et la forme convenable d'un adjectif de la liste suivante pour décrire les choses et les personnes. Suivez le modèle.

célèbre	avancé	rapide	populaire
puissant	petit	marrant	vieux

Modèle:

C'est l'ordinateur le plus avancé du monde.

1.

2.

4.

5.

7.

3.

6.

deux cent cinquante-neuf
Leçon A
259

 Audio CD Activity 8

Answers

8 Possible answers:
1. C'est le train le plus rapide du monde.
2. C'est la plus vieille voiture du monde.
3. C'est la fusée la plus puissante du monde.
4. C'est le plus petit téléphone du monde.
5. C'est l'émission de télévision la plus marrante du monde.
6. C'est le tableau le plus célèbre du monde.
7. C'est le sport le plus populaire du monde.

Game

Le baseball
Prepare a list of questions using the superlative construction that tests students' knowledge about French culture, for example, **Quelle est la fusée la plus connue en France**? Divide the class into two teams. Then draw two baseball diamonds on the board, one for each team. The first student on the first team answers your first question with a complete sentence, for example, **Ariane est la fusée la plus connue en France**. If the student answers the question correctly, he or she advances to first base, designated by marking a stick figure along the side of the base, and the next player on that team takes a turn. If the student incorrectly answers the sentence, he or she stays at home plate and the first player from the second team takes a turn. A run is scored after a team gets four correct answers, thus arriving at home plate. The team having the most runs wins. Here are some other questions that you might ask: **Quel ordinateur français est le moins cher**? **Quelle chanteuse canadienne est la plus populaire**? **Quel écrivain de romans policiers est le plus connu en Europe**? **Qui était le peintre impressionniste le plus généreux**? **Quel rocher canadien est le plus célèbre**? **Quelle est la plus grande ville de France**? **Quel est le plus vieux musée de Paris**? **Quel est le quartier le plus moderne de Paris**?

259

9 À ton avis, qui est l'actrice la plus douée?

À ton avis, qui est le chanteur le plus populaire?

À ton avis, quel est le plus beau tableau?

À ton avis, quelle est la profession la plus exigeante?

À ton avis, quel est le cours le plus utile?

À ton avis, qui est le professeur le plus dynamique?

À ton avis, quel est le plus grand parc d'attractions?

À ton avis, quelle est la voiture la plus chère?

Students' responses to these questions will vary.

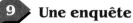

9 **Une enquête**

 Faites une enquête d'opinion avec cinq élèves de votre cours. Copiez d'abord la grille suivante. Puis demandez à chaque élève de vous donner son choix pour chaque catégorie. Enfin écrivez sa réponse dans l'espace blanc convenable.

Catégorie	Luc	Rachel	Denis	Khadim	Nadia
le film/intéressant		*Napoleon Dynamite*			
l'actrice/doué					
le chanteur/populaire					
le tableau/beau					
la profession/exigeant					
le cours/utile					
le professeur/dynamique					
le parc d'attractions/grand					
la voiture/cher					

Modèle:

Karine: **À ton avis, quel est le film le plus intéressant?**

Rachel: **À mon avis,** *Napoleon Dynamite* **est le film le plus intéressant.**

À ton avis, quel est le cours le plus utile?

À mon avis, l'informatique est le cours le plus utile.

Future tense

You have already learned to express what you are going to do in the near future by using a present tense form of **aller** before an infinitive.

Je **vais accéder** au web.   *I'm going to access the Web.*

Another way to talk about events that will happen in the future is to use the future tense, which consists of only one word.

Vous y **trouverez** les renseignements   *You will find there the information*
que vous cherchez.   *that you're looking for.*

The stem of the future tense is the same as that of the conditional tense (the infinitive for **-er** and **-ir** verbs or the infinitive minus **e** for **-re** verbs). The future endings are **-ai**, **-as**, **-a**, **-ons**, **-ez** and **-ont**.

trouver			
je	**trouverai**	nous	**trouverons**
tu	**trouveras**	vous	**trouverez**
il/elle/on	**trouvera**	ils/elles	**trouveront**

On **se branchera** sur le monde entier.   *We will connect to the whole world.*
La connaissance scientifique **permettra**   *Scientific knowledge will permit a*
une vie plus longue et plus riche.   *longer and richer life.*

Combien dépensera Julien pour un jean? (La Rochelle)

As in the conditional, some irregular French verbs have an irregular stem in the future, but their endings are regular. (For a list of these verbs and their irregular stems, see page 209.) Note that for all verbs the future stem ends in **-r**.

Vous **pourrez** trouver tout ce qui vous   *You will be able to find everything*
intéresse sur les fusées.   *that interests you about rockets.*
On n'en **reviendra** pas!   *You won't be able to get over it!*

TPR

Future Actions

To provide practice with the future tense of regular and irregular verbs, you may want to do this activity with the class. On a slip of paper, have each student write his or her name. Then put the slips of paper in a bag that you provide. Draw a slip from the bag and have the named student come to the front of the classroom. State an action that the student will perform, for example, **Tu écriras une petite annonce au tableau**. The student performs the expressed action, then takes his or her seat. Then draw another name, and have the next student come to the front of the class, beginning the process again. The activity continues until all the name slips have been drawn and each student has performed a future action. Verbs that you might introduce before students begin the activity include **dessiner**, **afficher**, **couvrir**, **jeter**, **toucher**, **sauter** and **plier**.

Comparisons

Future Endings

On the board conjugate a regular or irregular verb in the future. Circle the endings for all the singular forms and the third person plural form. Ask students what present tense irregular verb has these forms. Students should say that these future endings resemble **avoir**. This activity will help students remember the future endings.

Teaching Notes

1. **Aller** + infinitive is used to express events that will occur in the immediate future, while **le futur** is used for events that will take place in the more distant future. The speaker using **le futur** is more determined that the event will occur or that the event will be resolved.

2. Many verbs with spelling changes in the present keep them in the future: **j'achèterai, j'emmènerai, j'enlèverai, je m'ennuierai, j'essaierai, je me lèverai, je nettoierai, je paierai** and **je pèserai.** However, for **espérer, préférer** and **répéter,** the

é in the last syllable of the stem does not change in the future: **j'espérerai, je préférerai, je répéterai.** For **s'appeler** the final consonant is doubled (**ll**) in all forms, for example, **vous vous appellerez.**

Un peu de plus

À l'avenir

You might ask students to write a paragraph about what their lives will be like in ten years. Students could state what city they'll live in; whether they'll live in a house or an apartment, have a roommate or a spouse, children or a pet; what profession they'll be in; where they'll spend their vacation; and what pastimes they'll be engaged in.

Pratique

10 ▶ Choisissez!

Complétez chaque phrase au futur en utilisant la forme convenable d'un des verbes de la liste suivante.

chercher	réussir	se brancher	prendre
sauvegarder	attendre	lancer	accéder

1. Nous… l'arrivée de notre nouvel ordinateur.
2. Tout le monde… au web.
3. Avant d'envoyer de l'e-mail, tu… sur Internet.
4. Tes copains et toi, vous… des informations sur disquette.
5. Bien sûr que les élèves…, mais ils devront y mettre un peu plus d'effort.
6. La France… une fusée.
7. Je… des renseignements sur le projet Ariane.
8. … -vous l'Eurotunnel l'été prochain?

11 ▶ Êtes-vous voyant(e)?

Faites des prédictions sur l'avenir en disant si les choses suivantes se passeront ou pas.

Modèles:

on/construire/des maisons sous la mer
On construira des maisons sous la mer.

la vie/être/la même
La vie ne sera pas la même.

Tout le monde aura un téléphone portable.

1. les États-Unis/faire/des progrès dans le domaine de la technologie
2. tout le monde/pouvoir/accéder à l'inforoute
3. on/envoyer et recevoir/des e-mails tous les jours
4. on/acheter/beaucoup de choses avec l'ordinateur
5. la clientèle/se servir de/l'argent liquide
6. tous les employés/travailler/à la maison
7. les athlètes/demander/un plus grand salaire
8. le gouvernement/résoudre/tous les problèmes du pays
9. tous les Américains/aller/en France
10. il/falloir/parler deux ou trois langues

12 ▸ Pour écrire une dissertation

Avec un(e) partenaire, posez des questions sur ce que vous ferez la prochaine fois que vous devrez écrire une dissertation. Puis répondez aux questions. Suivez le modèle.

Modèle:

aller à la bibliothèque
A: **Est-ce que tu iras à la bibliothèque?**
B: **Oui, j'irai à la bibliothèque. Et toi, est-ce que tu iras à la bibliothèque?**
A: **Non, je n'irai pas à la bibliothèque.**

1. avoir besoin d'un ordinateur
2. se brancher sur Internet
3. faire des recherches en ligne
4. choisir beaucoup d'outils de recherche
5. s'asseoir longtemps devant l'écran
6. être diligent(e) et organisé(e)
7. se servir d'un dictionnaire
8. sauvegarder ta dissertation sur disquette

Est-ce que tu t'assiéras longtemps devant l'écran?

Est-ce que tu utiliseras l'imprimante?

Non, je sauvegarderai ma dissertation sur disquette.

Answers

12 1. Est-ce que tu auras besoin d'un ordinateur?
2. Est-ce que tu te brancheras sur Internet?
3. Est-ce que tu feras des recherches en ligne?
4. Est-ce que tu choisiras beaucoup d'outils de recherche?
5. Est-ce que tu t'assiéras longtemps devant l'écran?
6. Est-ce que tu seras diligent(e) et organisé(e)?
7. Est-ce que tu te serviras d'un dictionnaire?
8. Est-ce que tu sauvegarderas ta dissertation sur disquette?

Students' responses to these questions will vary.

Cooperative Group Practice

Les horoscopes
First, have students write the horoscope they would like to read about themselves for the following month. Have them include the following topics: love, friendship, travel and pastimes. Then put students in small groups of four. Give each student a note card listing a different infinitive or infinitive expression, for example, **sortir, faire la connaissance de, voyager** and **faire.** Students use the infinitive on their card to form a question for the other members of the group, for example, **Avec qui est-ce que vous sortirez le mois prochain?** The other group members take turns answering the question, according to their horoscopes.

Game

Future Board Game

You might want to create game boards to provide additional practice with regular and irregular verbs in the future. On pieces of poster board or card stock, make a backwards "S" and divide it into even squares. The first square is labeled **Commencez**; the last square is labeled **Gagnez**. The squares in between list the infinitives of regular and irregular verbs. Make sets of cards with pronoun and noun subjects. Put students in small groups and give each group a board, a set of cards and a die. The first student in each group rolls the die and advances the number of squares indicated by the roll. Then he or she takes a card from the set and gives a sentence using the subject on the card and the verb on the board. If the student gives a correct sentence, for example, **On recevra**, he or she gets to stay on the square; if the student gives an incorrect sentence, he or she goes back to the beginning of the board. The first student to reach the end of the board wins.

 # Communication

13 **En partenaires**

 Comment sera la vie de demain? Bien sûr qu'il y aura des choses qui seront différentes. Mais y aura-t-il des choses qui ne changeront pas? Avec un(e) partenaire, comparez la vie d'aujourd'hui à la vie de demain. Choisissez un sujet à discuter avec votre partenaire parmi les suivants:

1. l'école et la vie des élèves
2. la maison et la vie en famille
3. la communication orale et écrite
4. les moyens de transport

D'abord copiez la grille suivante. Puis discutez votre sujet avec votre partenaire. Enfin remplissez la grille avec les idées qui résultent de votre discussion.

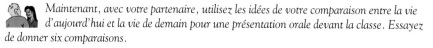

la communication orale et écrite	
aujourd'hui	demain
On se sert du téléphone.	*On se servira de l'ordinateur.*
_____	_____
_____	_____
_____	_____
_____	_____
_____	_____

14 **Une présentation orale**

 Maintenant, avec votre partenaire, utilisez les idées de votre comparaison entre la vie d'aujourd'hui et la vie de demain pour une présentation orale devant la classe. Essayez de donner six comparaisons.

15 **Une rédaction**

Écrivez une rédaction qui compare la vie d'aujourd'hui et la vie de demain en la décrivant maintenant et dans l'avenir. Servez-vous des idées de votre grille de l'Activité 13. Faites aussi des observations personnelles sur ces changements. À votre avis, seront-ils bons ou mauvais?

Using Computer Technology

Today's computer technology can help you locate information about francophone-related topics, check your assignments in French, key letters with French accent marks and communicate by e-mail with francophone teenagers.

For research projects, consult the Internet. Using the search engine of your choice, enter key words in French, which accesses articles in French. To verify that your written work in French is accurate, install a French spell checker and grammar checker on your home computer. When writing in French, you need to create letters with accent marks. If you have a Windows-based word-processing program, use the numerical keypad on the right side of your keyboard to make letters with accent marks. For example, to key **é**, hold down the Alt key and press 0233 on the keypad. Here is a list of keystroke combinations needed to create other common accented letters in French:

è	0232	î	0238	û	0251
ê	0234	œ	0156	À	0192
ë	0235	ç	0231	É	0201
â	0226	ù	0249	È	0200
à	0224	ô	0244	Ç	0199

For Macintosh computers, use the shortcuts below to make letters with accent marks using the keyboard. For example, to key **é**, hold down the Option key and press **e** to make the accent ´; then press the **e** key again to make the letter **e** below the accent.

è	option ` + e	î	option i + i	û	option i + u
ê	option i + e	œ	option q	À	option ` + A
ë	option u + e	ç	option c	É	option e + E
â	option i + a	ù	option ` + u	È	option ` + E
à	option ` + a	ô	option i + o	Ç	option C

To practice your French and make meaningful contact with someone in a francophone country, you can correspond with a key pal by e-mail. To find a correspondent, key "francophone key pals" using your favorite search engine.

16 Internet sur l'ordinateur

Utilisez l'Internet pour trouver les renseignements suivants en notant les adresses Internet où vous les avez trouvés.

1. l'adresse des Galeries Lafayette à Paris
2. les heures quand le musée Rodin est ouvert
3. un dictionnaire français-ouolof
4. le temps qu'il fait en France aujourd'hui
5. le nom et l'adresse d'un restaurant à Marseille
6. une photo de l'Ariane 5
7. l'adresse à Paris de l'ESA (Agence spatiale européenne)
8. un tableau de Gustave Caillebotte
9. un article dans un journal français
10. un horaire des trains français

deux cent soixante-cinq
Leçon A
265

 Advanced Placement

Un peu de plus

Les accents
To give students practice making accented letters in French, you may want them to do the activity that follows. Tell students that Tim wrote a letter to his pen pal, Élisabeth, on a conventional typewriter because the power was out. Consequently, he didn't use accent marks. Using either a Windows- or Macintosh-based program, students should rewrite his letter, adding accent marks wherever needed.

Chere Elisabeth,
Ca va? Moi, je vais tres bien. J'ai recu ta derniere lettre. Tu veux que je te rende visite au mois d'aout, mais, tu sais, les billets d'avion coutent beaucoup en cette saison. Donc, ce que je compte faire pendant l'ete, c'est de travailler a la patisserie de ma soeur. Peut-etre que je te verrai pour les vacances d'hiver l'annee prochaine. Reponds-moi vite!
A bientot,
Tim

LEÇON
B

Vocabulaire

une mission humanitaire

la pauvreté

le titre

un article

LE FIGARO

Les conséquences cachées de l'euro

une équipe

Teaching Notes

1. Point out that the noun **pauvreté** is related to the adjective **pauvre**.

2. Communicative functions that are recycled in this lesson are "describing past events," "thanking someone," "identifying professions," "telling location" and "expressing hope."

Brigitte Bardot de la Fondation Brigitte Bardot

Bernard Kouchner de
Médecins Sans Frontières

Jacques-Yves Cousteau de
l'Équipe Cousteau

Maryse est chef de son journal du lycée, *Un Monde Meilleur.*° Cet après-midi elle a rendez-vous avec son équipe de reporters. Aussitôt qu'ils seront tous là, ils parleront du prochain numéro dont le sujet sera de sauvegarder la terre.° Voilà, le dernier membre de l'équipe vient d'arriver.

Maryse: **Didier, tu parleras de quoi?**

Didier: **Ben, le titre de l'article sera "La lutte° pour la défense des animaux." Je parlerai de la Fondation Brigitte Bardot. Tu sais, cette actrice célèbre a été la première Française à dénoncer le mauvais traitement des animaux. Grâce° à elle, le commerce de fourrure° de bébés phoques° a été interdit. Elle a établi un refuge pour une variété d'animaux en Normandie. Si les animaux sont maltraités,° la fondation viendra les aider. C'est passionnant.°**

Maryse: **Merci, Dider. Tu me rendras° l'article dès que° tu l'auras, d'accord? Et toi, Philippe, tu choisiras quoi?**

Philippe: **Tu sais que quand je deviendrai médecin, je travaillerai pour Médecins Sans Frontières.° Alors, je vais décrire les missions humanitaires de ce groupe. Lorsqu'il y aura une guerre, une famine ou de la pauvreté, les médecins viendront aider les gens. Ils ont déjà participé à des missions humanitaires au Ruanda, en Irak et en République Démocratique du Congo.**

Maryse: **Excellent, Philippe. Rends-moi l'article avant vendredi si tu peux. Et toi, Valérie?**

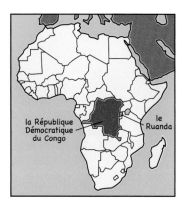

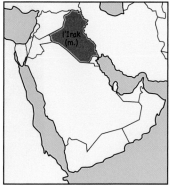

l'Irak (m.)

meilleur(e) *better*; la terre *earth*; une lutte *fight*; grâce *merci*; la fourrure *fur*; phoques *seals*; maltraité(e) *mistreated*; passionnant(e) *très intéressant(e)*; rendre *donner*; dès que *aussitôt que*; une frontière *border*

deux cent soixante-sept
267
Leçon B

 Workbook Activities 8-9

 Grammar & Vocabulary Exercises 16-18

 Audio CD *Conversation culturelle*

 Transparencies 3-4

FYI

1. On May 17, 1997, Zaire changed its name to the Democratic Republic of the Congo. 2. Other related terms and expressions include **la première page**, **la une** (*front page*), **une rubrique** (*column*), **l'activisme (m.)** (*activism*), **le Tiers-Monde** (*Third World*), **la qualité de la vie** (*quality of life*), **une espèce en voie d'extinction** (*endangered species*), **l'écologie (f.)** (*ecology*), **un(e) écologiste** (*ecologist*), **un explorateur**, **une exploratrice** (*explorer*) and **un scaphandrier** (*diver*).

Connections

Pour une politique engagée
To encourage social engagement in students, you may want to bring in a guest speaker from a local homeless shelter, an animal shelter, an AIDS organization or the Red Cross. Encourage the guest speaker to provide background information on his or her organization and to enumerate the ways in which students can contribute to it. Students may choose to write a poem or song, make a collage or write a skit to share with the rest of the class to creatively express what they have learned.

Teaching Notes

1. Tell students that **une équipe** also describes an athletic team.

2. **Meilleur(e)** is the comparative of the adjective **bon/bonne**. If students question the position of **meilleur** after the noun in the newspaper's title, tell them this is a stylistic choice made to emphasize the adjective.

3. Students learned **sauvegarder** as a computer-related word in **Leçon A**.

4. The phrase **a été interdit** is in the passive voice. Explain that in the passive voice, the subject does not perform the action.

268

Valérie: Quant à° moi, je parlerai de l'Équipe Cousteau. Je décrirai la lutte pour la protection des mers et des océans. On peut lire les livres de Jacques-Yves Cousteau si on veut connaître l'histoire de l'océanographie française. Dès qu'on les lira, on appréciera tous ses efforts pour protéger° la mer et les animaux de la mer, son intérêt pour l'éducation avec des films sérieux et amusants, et sa recherche avec les voyages de *La Calypso* et maintenant de *La Calypso II*. C'est l'Équipe Cousteau qui continuera à chercher une stratégie écologique mondiale.°

Maryse: Bon. Bravo à tout le monde! J'espère que notre prochain numéro sera populaire et que les gens deviendront plus engagés° en le lisant. N'oubliez° pas de me rendre vos articles avant vendredi à 16h00.

quant à *as for*; **protéger** *to protect*; **mondial(e)** *du monde*; **engagé(e)** *committed*; **oublier** *ne pas se souvenir*

 Quelle organisation?

 Écrivez "B" si l'on parle de la Fondation Brigitte Bardot; "M" si l'on parle de Médecins Sans Frontières; "C" si l'on parle de l'Équipe Cousteau.

 Ce n'est pas vrai!

Corrigez toutes les fautes dans les phrases suivantes d'après le dialogue.

1. Maryse est reporter pour un journal dans sa ville.
2. Le sujet du prochain numéro du journal sera un monde meilleur.
3. C'était Jacques-Yves Cousteau qui a été le premier Français à dénoncer le mauvais traitement des animaux.
4. Si les animaux sont maltraités, Médecins Sans Frontières viendra les aider.
5. Médecins Sans Frontières viendra aider les gens seulement quand il y aura une guerre.
6. La Fondation Brigitte Bardot participe à la lutte pour protéger les mers et les océans.
7. Pour connaître l'histoire de l'océanographie française, on peut lire *La Calypso II*.
8. On oubliera tous les problèmes écologiques en lisant le prochain numéro du journal.

Si les animaux sont maltraités, la Fondation Brigitte Bardot viendra les aider.

3 ▸ Des associations

À *quelle organisation les expressions suivantes sont-elles associées? D'abord copiez la grille suivante.*
Puis mettez un ✓ dans le blanc approprié.

	Un Monde Meilleur	la Fondation Brigitte Bardot	Médecins Sans Frontières	l'Équipe Cousteau
1. où il y a de la pauvreté				
2. une stratégie écologique				
3. le prochain numéro				
4. un refuge pour des animaux				
5. contre le commerce de fourrure				
6. des missions humanitaires				
7. une équipe de reporters				
8. l'océanographie				
9. la protection des mers et des océans				
10. le titre de l'article				
11. contre le mauvais traitement des animaux				
12. où il y a une famine				
13. la protection des bébés phoques				

4 ▸ C'est à toi!

Questions personnelles.

1. Est-ce que tu connais les films de Brigitte Bardot? Si oui, quel(s) film(s) as-tu vu(s)?
2. Est-ce que tu porterais quelque chose en fourrure? Pourquoi ou pourquoi pas?
3. Est-ce que tu aimerais travailler dans un refuge pour les animaux? Est-ce qu'il y en a un dans ta ville?
4. Est-ce que tu as vu des films de Jacques-Yves Cousteau? Si oui, quel(s) film(s)?
5. Est-ce que tu as jamais écrit quelque chose pour le journal de ton lycée? Si oui, quoi?
6. Est-ce que tu fais quelque chose pour aider les gens dans ta ville dans la lutte contre la famine? Contre la pauvreté? Si oui, quoi?
7. Est-ce que tu es engagé(e)? Et tes parents?
8. Qu'est-ce que tu penses devenir? Pour qui voudrais-tu travailler?

Est-ce que ces jeunes gens sont engagés?

deux cent soixante-neuf
Leçon B **269**

Answers

3 1. Médecins Sans Frontières
2. l'Équipe Cousteau
3. *Un Monde Meilleur*
4. la Fondation Brigitte Bardot
5. la Fondation Brigitte Bardot
6. Médecins Sans Frontières
7. *Un Monde Meilleur*
8. l'Équipe Cousteau
9. l'Équipe Cousteau
10. *Un Monde Meilleur*
11. la Fondation Brigitte Bardot
12. Médecins Sans Frontières
13. la Fondation Brigitte Bardot

4 Answers will vary.

1. Brigitte Bardot, born in Paris, began her career as a model in the late 1940s. She acted in her first movie in 1952. Her stardom in the U.S. was established with her role in *And… God Created Woman* in 1957. Bardot was considered a sex symbol in the 1950s and 1960s. In 1985 Bardot was recognized as a Chevalier de la Légion d'honneur. 2. To find out more about **la Fondation Brigitte Bardot** on the Internet, key "Fondation Brigitte Bardot," using your favorite search engine. 3. **Médecins Sans Frontières** is the largest emergency medical aid organization in the world. 4. Kouchner is a gastroenterologist married to journalist Christine Ockrent. From 1992 to 1993, he served as the Minister of Health in France and later as a **député européen**. 5. Located in central Africa near the Democratic Republic of the Congo, Rwanda is a former Belgian colony that gained its independence in 1962. Its economy is based on agriculture, but deforestation and civil war limit revenues. One million people have died in the civil war, and two and a half million have left the country. The refugees suffer from disease, poverty and famine. 6. See Activity 6 for a more detailed reading about **MSF**. 7. For more information about **MSF**, key "Médecins Sans Frontières International Homepage," using your favorite search engine.

~Aperçus culturels~

La Fondation Brigitte Bardot

Cette boutique de la Fondation Brigitte Bardot se trouve à Saint-Tropez.

Brigitte Bardot, née en 1934, était une vedette du cinéma français où elle a connu un grand succès. Mais elle a quitté l'écran pour s'occuper de la protection des animaux. Bardot croit que tout animal est sensible et qu'on doit respecter les animaux qui inspirent notre compassion. Elle a découvert qu'elle ne pouvait pas limiter son amour à quelques animaux privilégiés, parce que tous les animaux du monde avaient besoin de protection. Les plus grands problèmes que Bardot a trouvés étaient l'ignorance et la désinformation. Elle a dénoncé publiquement les méthodes de traitement des animaux à la boucherie, et elle a organisé un système plus humain. Elle a essayé de sauvegarder les bébés phoques et d'arrêter le commerce de leur fourrure. En 1986 elle a créé la Fondation Brigitte Bardot à Saint-Tropez pour sauvegarder les animaux. Elle a vendu ses bijoux et plusieurs objets d'art pour recevoir l'argent nécessaire pour la création de la fondation. Maintenant la fondation se trouve à Paris d'où elle met en place plusieurs actions importantes: préparer des publications audiovisuelles, donner des conférences, organiser des expositions et faire des présentations aux jeunes. La fondation a réussi à arrêter des expérimentations animales, à limiter la surpopulation des chiens et des chats, à arrêter le commerce de la fourrure, à dénoncer le commerce des animaux exotiques et à dire au public qu'il ne faut pas manger certains animaux.

Médecins Sans Frontières

Bernard Kouchner, médecin français, a réalisé qu'il serait beaucoup plus utile comme médecin dans les pays qui souffrent. Il a donc créé Médecins Sans Frontières, une organisation humanitaire internationale. Ses volontaires cherchent à aider les populations lorsqu'il y a une guerre, une famine ou de la pauvreté. Ni la politique, ni l'économique, ni la religion n'intéresse ces médecins, parce qu'ils restent indépendants. La première mission de cette organisation a été d'aider les gens quand il y avait une catastrophe naturelle, un tremblement de

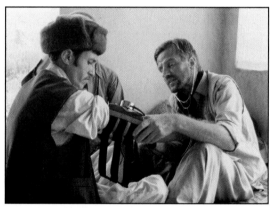

Bernard Kouchner aide une victime de la guerre d'Afghanistan.

terre, au Nicaragua. Ces volontaires ont tout de suite suivi cette mission avec une autre d'assistance médicale à l'Honduras et une mission de guerre au Liban. Depuis 1971, chaque année plus de 2.500 médecins et infirmiers ont aidé plus de 85 pays où la vie est devenue très difficile. Parmi leurs travaux humanitaires, ils ont organisé les camps pour les réfugiés en Asie et en Afrique, ont donné à manger aux Éthiopiens et ont aidé les gens au Ruanda. En décembre 2004 Médecins Sans Frontières a aidé les victimes du Tsunami dans plusieurs pays d'Asie. Les missions humanitaires de ces médecins ont aidé des millions de personnes.

L'Équipe Cousteau

Jacques-Yves Cousteau (1910-97) a encouragé un grand intérêt mondial pour les océans, les mers et la vie sous-marine. Il a été l'inventeur d'un système de plongée qui permet une exploration plus scientifique de ce qu'il y a sous la mer et de tous ses habitants. Cousteau aimait beaucoup le cinéma et la mer. Il a pu combiner les deux avec ses travaux qui ont ouvert au reste du monde les secrets de l'océan. Dans ses livres et ses films, il a exposé la symphonie colorée des animaux et des plantes qui habitent le monde du silence sous-marin. Au début Cousteau travaillait pour le gouvernement français où il a intégré ses travaux sous-marins à son plaisir d'archéologue amateur en tournant des films. Plus tard, avec sa femme et ses enfants, il a aimé descendre sous la mer avec ses caméras. Il a tourné plus de 100 documentaires pour la télévision, ce qui nous a permis de mieux connaître la vie dans les océans. Passionné par son amour pour la mer et son intérêt pour l'écologie, il a créé l'Équipe Cousteau pour sauvegarder la planète et aider à son exploration. Depuis plus de 40 ans, l'équipe explore le système aquatique dans son bateau, *La Calypso*. Ce bateau navigue sur tous les océans avec l'idée de protéger l'environnement avec des présentations de films et de livres. Les activités scientifiques de l'Équipe Cousteau ont commencé avec l'invention de "l'aqualung," qui lui permet de plonger sous la mer pour mieux étudier la vie de l'océan. En 1990 l'équipe a lancé une lutte pour sauvegarder l'Antarctique, pour qu'elle ne devienne une réserve naturelle d'étude pour la science.

Jean-Michel Cousteau, le fils de Jacques-Yves Cousteau qui est aussi océanographe, continue le travail de son père.

5 Trois organisations

Répondez aux questions suivantes.

1. Que faisait Brigitte Bardot avant son succès avec la protection des animaux?
2. Quelles sont les actions que la Fondation Brigitte Bardot met en place?
3. Qu'est-ce que la fondation a réussi à faire?
4. Qui a créé Médecins Sans Frontières?
5. Où va Médecins Sans Frontières?
6. Où était la première mission humanitaire de cette organisation?
7. Dans combien de pays est-ce que cette organisation a aidé les gens?
8. Qu'est-ce que Jacques-Yves Cousteau a inventé?
9. Combien de documentaires est-ce que Cousteau a tournés?
10. Qu'est-ce que l'invention de "l'aqualung" permet à l'Équipe Cousteau?

FYI

1. Jacques-Yves Cousteau (1910-97), French oceanographer, author and producer, was educated at the French Naval Academy in Brest. Besides the aqualung, he also developed the first underwater diving station and an underwater observation vehicle called the diving saucer. His books *The Silent World* (1953), *The Living Sea* (1962) and *World Without Sun* (1964) have been translated into many languages. Three of his films, *The Silent World* (1956), *The Golden Fish* (1959) and *World Without Sun* (1964), won Academy Awards. 2. Cousteau is perhaps best known for his television series, "The Undersea World of Jacques Cousteau," which first aired in 1968. 3. Cousteau founded the Cousteau Society in the U.S. in 1974. In 1981 he founded the French branch, called **l'Équipe Cousteau**. Both non-profit organizations are devoted to underwater exploration, research, education and preservation of the world's waterways and their inhabitants. 4. In 1977 the United Nations awarded Cousteau the International Environmental Prize. In 1985 President Reagan awarded him the Medal of Freedom. In 1989 he was elected to the **Académie française**. 5. For more information about **l'Équipe Cousteau**, key "Cousteau Society and environmental protection," using your favorite search engine.

5 Possible answers:

1. Brigitte Bardot était une vedette du cinéma français.
2. La Fondation Brigitte Bardot prépare des publications audiovisuelles, donne des conférences, organise des expositions et fait des présentations aux jeunes.
3. La fondation a réussi à arrêter des expérimentations animales, à limiter la surpopulation des chiens et des chats, à arrêter le commerce de la fourrure, à dénoncer le commerce des animaux exotiques et à dire au public qu'il ne faut pas manger certains animaux.
4. Bernard Kouchner, médecin français, a créé Médecins Sans Frontières.
5. Médecins Sans Frontières va où il y a une guerre, une famine ou de la pauvreté.
6. La première mission humanitaire de cette organisation a été au Nicaragua.
7. Cette organisation a aidé les gens dans plus de 85 pays.
8. Jacques-Yves Cousteau a inventé un système de plongée qui permet une exploration plus scientifique de ce qu'il y a sous la mer et de tous ses habitants.
9. Cousteau a tourné plus de 100 documentaires.
10. L'invention de "l'aqualung" lui permet de plonger sous la mer pour mieux étudier la vie de l'océan.

---

6 "Médecins Sans Frontières: C'est qui? C'est quoi?"

Lisez l'article suivant. Puis répondez aux questions.

MÉDECINS SANS FRONTIÈRES
C'EST QUI? C'EST QUOI?

"Et moi, est-ce qu'un jour je serai Médecin Sans Frontières?" Voici les réponses à toutes les questions que vous vous posez.

■ Qui sont les Médecins Sans Frontières?

Chaque année, 2900 volontaires partent en mission avec Médecins Sans Frontières. Parmi eux, il y a bien sûr le personnel médical: des médecins, des infirmières, des chirurgiens... Mais une partie des volontaires n'appartient pas au corps médical: ce sont les personnes responsables de toutes les questions de matériel (les "logisticiens") et administratives (les "administrateurs"). Il y a en permanence 900 volontaires sur le terrain: on les appelle les "expatriés".

■ Est-ce qu'à Médecins Sans Frontières on gagne beaucoup d'argent?

Non. Autant le savoir, on ne s'enrichit pas dans l'action humanitaire. C'est un choix. Celui de vivre une expérience forte en soulageant les souffrances des hommes et des femmes abandonnés à eux-mêmes. Les volontaires perçoivent une indemnité comprise entre 609,80 € et 838,47 € par mois. Mais durant leur mission, tous les frais sont pris en charge par l'organisation.

■ Où intervient Médecins Sans Frontières en ce moment?

Médecins Sans Frontières est présent actuellement dans une soixantaine de pays. Chaque année, de nouvelles missions ouvrent et d'autres se ferment. Médecins Sans Frontières est la plus grande organisation médicale d'urgence. Elle se retrouve ainsi dans des endroits où personne ne va. Son rôle est aussi de témoigner pour alerter l'opinion publique. Tous les ans, elle publie un rapport sur les populations en danger.

■ Médecins Sans Frontières existe-t-il dans d'autres pays?

Oui. Médecins Sans Frontières est un mouvement international. Depuis sa création en France en 1971, il s'est développé en Belgique, en Hollande, au Luxembourg, en Espagne et en Suisse. Chacune de ces sections est indépendante mais adhèrent à la même charte.

■ Comment devient-on membre de Médecins Sans Frontières?

Pour être un jour recruté comme volontaire, il faut répondre à trois critères:

1. D'abord avoir une bonne compétence professionnelle. Médecins Sans Frontières n'a pas seulement besoin de médecins. Tout le monde a quelque chose à apporter, à condition d'avoir une bonne formation. Les études sont donc essentielles.
2. La maîtrise des langues étrangères est indispensable, en particulier l'anglais.
3. Il faut être très motivé et avoir bon caractère. Dans une mission, on peut vivre à plusieurs dans une petite pièce, se laver tous les matins à l'eau froide et travailler 15 heures par jour. Et tout ça en conservant sa bonne humeur!

■ Comment aider Médecins Sans Frontières?

Sur 15,24 € donnés à Médecins Sans Frontières, 12,65 € sont utilisés pour les actions sur le terrain, 0,76 € servent à la gestion de l'association et 1,83 € sont consacrés à l'information et à la collecte de fonds. Médecins Sans Frontières a besoin d'argent pour poursuivre ses missions. C'est pourquoi, même si tu n'es pas encore médecin, infirmier(ère) ou logisticien, tu peux quand même nous aider. Deviens Ambassadeur Junior de Médecins Sans Frontières et fais connaître à tes parents, tes voisins, tes profs l'opération "0,15 € par jour". Appelle-nous au (1) 40.21.29.29, pour recevoir ton dossier d'Ambassadeur Junior.

1. Combien de volontaires partent en mission avec Médecins Sans Frontières chaque année?
2. Quels volontaires ne sont pas membres du corps médical?
3. Qui sont les "expatriés"?
4. Combien d'argent est-ce qu'un volontaire reçoit par mois?
5. Dans combien de pays est-ce que Médecins Sans Frontières est présent aujourd'hui?
6. Pourquoi est-ce que Médecins Sans Frontières publie un rapport tous les ans?
7. Dans quels autres pays est-ce que Médecins Sans Frontières s'est développé?
8. À quels trois critères faut-il répondre pour être recruté par Médecins Sans Frontières?
9. Qu'est-ce qu'un ado peut faire pour aider Médecins Sans Frontières?

Une volontaire de Médecins Sans Frontières aide des réfugiés d'Éthiopie dans un camp en Somalie.

Journal personnel

Humanitarian actions can take place in far-off countries, like Rwanda, as well as in your own community. Do problems such as poverty, homelessness, unemployment, hunger, disease, drugs and others exist in your city? Are there local organizations that help people with these problems? What are some additional solutions that you can think of to alleviate these problems? Does your school have any groups that work with these issues? Whom do you know personally that has done something to help people with these problems? What did they accomplish?

Future tense in sentences with *si*

To tell what will happen *if* something else happens or *if* some condition contrary to reality is met, use the future tense along with **si** and the present tense. Here is the order of tenses in these sentences with **si**.

si	+	present	future

Didier **parlera** de la Fondation Brigitte Bardot **s'il écrit** un article pour le prochain numéro.

Didier will talk about the Brigitte Bardot Foundation if he writes an article for the next issue.

Si les animaux **sont** maltraités, la fondation **viendra** les aider.

If animals are mistreated, the foundation will come to help them.

With **si** and the present tense, you may also use the present tense or the imperative in the result clause.

si	+	present	present
si	+	present	imperative

On **peut** lire les livres de Cousteau **si** on **veut** connaître l'histoire de l'océanographie.

You can read Cousteau's books if you want to know the history of oceanography.

Rends-moi l'article avant vendredi **si** tu **peux**.

Hand in the article to me before Friday if you can.

Note in the examples above that the phrase with **si** and the present tense can either begin or end the sentence.

Si Clarisse veut s'occuper des animaux, elle deviendra vétérinaire.

deux cent soixante-treize
Leçon B **273**

Answers

6 Possible answers:
1. Chaque année, 2900 volontaires partent en mission avec Médecins Sans Frontières.
2. Les volontaires qui sont responsables de toutes les questions de matériel et administratives ne sont pas membres du corps médical.
3. Les "expatriés" sont les 900 volontaires en permanence sur le terrain.
4. Un volontaire reçoit entre 609,80 € et 838,47 € par mois.
5. Médecins Sans Frontières est présent aujourd'hui dans une soixantaine de pays.
6. Médecins Sans Frontières publie un rapport tous les ans pour alerter l'opinion publique sur les populations en danger.
7. Médecins Sans Frontières s'est développé en Belgique, en Hollande, au Luxembourg, en Espagne et en Suisse.
8. Il faut avoir une bonne compétence professionnelle, avoir la maîtrise des langues étrangères, être très motivé et avoir bon caractère.
9. Un ado peut devenir Ambassadeur Junior pour aider Médecins Sans Frontières.

Comparisons

Si Clauses
Write the following sentence on the board: **Si tu m'aides avec mes corvées, je pourrai sortir plus tôt.** Ask students for two ways in which the **si** clause can be expressed in English. Students should tell you that in English, the clause can mean either "if you help me" (present) or "if you will help me" (future). Explain to students that although in English the present or the future may be used, only the present can be used in the **si** clause in French.

Teaching Notes

1. **Si** becomes **s'** before **il** and **ils**, but not before **elle**, **elles** or **on** or a word beginning with a vowel sound.

2. Point out that of the three sequences described on this page, the one with **si** and the present along with the future is the most common.

3. The **si** clause is placed at the end of the sentence for emphasis.
4. **Si** meaning "whether" can take any tense.

273

Pratique

7 **Qu'est-ce qu'on fera?**

Qu'est-ce que tout le monde fera si ces conditions existent? Complétez chaque phrase selon l'illustration convenable. Utilisez une expression logique de la liste donnée.

jouer dans la neige	nager
ne plus piqueniquer	jouer au volley
rentrer à la maison	prendre le soleil
faire de la luge	

Modèle:

S'il neige, Chantal et Benoît **feront de la luge**.

1. S'il fait beau, Caroline....
2. S'il fait beau, Damien et Luc....
3. S'il fait beau, Céline et toi, vous....
4. S'il pleut, Annette et Berthe....
5. S'il pleut, Marc et moi, nous....
6. S'il neige, Nadège et Véro....

8 **Que ferez-vous si...?**

 Audio CD Activity 8

Avec un(e) partenaire, parlez de ce que vous ferez dans chaque situation. Posez des questions, et puis répondez-y.

Modèle:

gagner beaucoup d'argent

A: **Qu'est-ce que tu feras si tu gagnes beaucoup d'argent?**
B: **Si je gagne beaucoup d'argent, j'irai en Europe. Et toi, qu'est-ce que tu feras si tu gagnes beaucoup d'argent?**
A: **Si je gagne beaucoup d'argent, j'achèterai une voiture.**

1. oublier les devoirs
2. devoir faire des recherches
3. avoir du temps libre
4. être obligé(e) de rester à la maison ce soir
5. ne pas se sentir bien
6. vouloir trouver du boulot

Qu'est-ce que tu feras si tu vois un animal maltraité?

Si je vois un animal maltraité, je contacterai la Fondation Brigitte Bardot.

9 **À mon avis...**

Que fera-t-on dans chaque situation suivante? Offrez une résolution en écrivant une phrase avec si.

Modèle:

On veut étudier l'océanographie.
Si on veut étudier l'océanographie, on lira les livres de Jacques-Yves Cousteau.

1. Les voyageurs veulent aller rapidement entre Londres et Paris.
2. Les touristes veulent aller rapidement entre Lyon et Paris.
3. On veut voir le centre spatial d'où on lance la fusée Ariane.
4. On veut trouver l'inforoute.
5. Les élèves veulent faire des recherches.
6. On veut aider la défense des animaux.
7. Les médecins veulent participer à des missions humanitaires.
8. Les élèves veulent essayer de sauvegarder la terre.

Si Gilles veut communiquer avec son correspondant, il lui enverra un e-mail.

Answers

8 1. Qu'est-ce que tu feras si tu oublies les devoirs?
2. Qu'est-ce que tu feras si tu dois faire des recherches?
3. Qu'est-ce que tu feras si tu as du temps libre?
4. Qu'est-ce que tu feras si tu es obligé(e) de rester à la maison ce soir?
5. Qu'est-ce que tu feras si tu ne te sens pas bien?
6. Qu'est-ce que tu feras si tu veux trouver du boulot?
Students' responses to these questions will vary.

9 Possible answers:
1. Si les voyageurs veulent aller rapidement entre Londres et Paris, ils passeront par l'Eurotunnel.
2. Si les touristes veulent aller rapidement entre Lyon et Paris, ils prendront le TGV.
3. Si on veut voir le centre spatial d'où on lance la fusée Ariane, on ira à Kourou.
4. Si on veut trouver l'inforoute, on cliquera avec la souris.
5. Si les élèves veulent faire des recherches, ils accéderont au web.
6. Si on veut aider la défense des animaux, on parlera à la Fondation Brigitte Bardot.
7. Si les médecins veulent participer à des missions humanitaires, ils travailleront pour Médecins Sans Frontières.
8. Si les élèves veulent essayer de sauvegarder la terre, ils écriront des articles pour le journal de leur lycée.

Workbook Activities 12-13

 Grammar & Vocabulary Exercises 23-26

Future tense after *quand*

Another use of the future tense is to tell what will happen *when* something else happens in the future. Here is the order of tenses in these sentences with **quand**:

quand	+	future	future

Quand je **deviendrai** médecin, je **travaillerai** pour Médecins Sans Frontières.

When I become a doctor, I will work for Médecins Sans Frontières.

Quand tu seras adulte, que feras-tu comme métier ou profession?

Note that the verb tense after **quand** in the French and English sentences is different. When referring to future events, both French verbs are in the future, whereas the English verb following "when" is in the present tense.

You also use the future tense after the conjunctions **lorsque** (*when*), **aussitôt que** (*as soon as*) and **dès que** (*as soon as*).

Aussitôt qu'ils **seront** tous là, ils **parleront** du prochain numéro.

Tu me **rendras** l'article **dès que** tu l'**auras**?

Lorsqu'il y **aura** une guerre, les médecins **viendront** aider les gens.

As soon as they are all there, they will talk about the next issue.

Will you hand in the article to me as soon as you have it?

When there is a war, the doctors will come to help people.

Note in the examples above that the phrase with **quand**, **lorsque**, **aussitôt que** or **dès que** can either begin or end the sentence.

276

deux cent soixante-seize
Unité 6

Dès que les sandwichs seront prêts, Guillaume les vendra.

Teaching Notes

1. A clause with **quand** is placed at the end of the sentence for emphasis.

2. When the verb of the main clause is in the near future or in the imperative and it implies a future event, the future is also used after **quand**, for example, **Quand je serai à Saint-Martin, je vais te téléphoner** and **Quand je serai à Saint-Martin, téléphone-moi!**

3. After the conjunctions **lorsque**, **aussitôt que** and **dès que**, **que** becomes **qu'** before a word that begins with a vowel or a vowel sound.

4. **Tant que** (*as long as*) is another conjunction that takes the future.

Faites des phrases!

Formez des phrases logiques pour dire ce qui se passera aussitôt que les personnes suivantes feront certaines choses. Choisissez un élément des colonnes A et B pour chaque phrase. Suivez le modèle.

A	B
les élèves/se brancher	l'envoyer à l'imprimante
nous/recycler	apprécier ses efforts pour protéger la mer
le gouvernement/lancer plus de satellites	en dépenser
Yves/accéder au web	développer sa connaissance de l'espace
les reporters/être tous là	parler du prochain numéro
Élise/finir son article	être en ligne
vous/sauvegarder le document	commencer à sauvegarder la terre
tu/trouver de l'argent	trouver des renseignements utiles
je/lire un livre de Cousteau	le rendre à son chef

Modèle:

Aussitôt que les élèves se brancheront,
ils seront en ligne.

 En partenaires

 Votre partenaire et vous, comment passerez-vous le reste de votre journée? L'Élève A demande à l'Élève B ce qu'il ou elle fera lorsqu'il ou elle sortira du cours de français. L'Élève A continue à poser des questions à l'Élève B fondées sur les réponses qu'il ou elle reçoit. Quand l'Élève B ne peut plus répondre aux questions, il faut changer de rôles. Suivez le modèle.

Modèle:

A: Qu'est-ce que tu feras lorsque tu
   sortiras du cours de français?
B: Lorsque je sortirai du cours de
   français, je rentrerai chez moi.
A: Et qu'est-ce que tu feras lorsque tu
   rentreras chez toi?
B: Lorsque je rentrerai chez moi, je....

Lorsque je rentrerai chez moi,
je prendrai mon goûter.

10 Aussitôt que nous recyclerons,
nous commencerons à sauvegarder
la terre.
Aussitôt que le gouvernement
lancera plus de satellites, il
développera sa connaissance de
l'espace.
Aussitôt qu'Yves accédera au web,
il trouvera des renseignements
utiles.
Aussitôt que les reporters seront
tous là, ils parleront du prochain
numéro.
Aussitôt qu'Élise finira son article,
elle le rendra à son chef.
Aussitôt que vous sauvegarderez le
document, vous l'enverrez à
l'imprimante.
Aussitôt que tu trouveras de
l'argent, tu en dépenseras.
Aussitôt que je lirai un livre de
Cousteau, j'apprécierai ses efforts
pour protéger la mer.

11 Answers will vary.

Cooperative Group Practice

En voyage
So that students can practice using
quand followed by the future, put them
in small groups of four or five. On the
board or an overhead transparency
write a list of countries whose names
students know how to express in
French, for example, **l'Italie, la Suisse,
la Belgique, l'Espagne, le Canada, le
Mexique, le Maroc, la Tunisie** and
l'Angleterre. Have students pretend
they are visiting each country in turn.
Tell them to express what they will do
in each country when they go there,
for example, **Quand j'irai en Italie, je
verrai Rome.** Each time students give a
logical sentence, have them record a
point for themselves on a piece of
paper. Encourage students to come up
with as many activities as possible for
each country.

Audio CD Activity 12

Answers

12 1. Quand Thérèse et sa cousine seront grandes, elles construiront des maisons.
2. Quand mes copains et moi, nous serons grands, nous nourrirons les sans-abri.
3. Quand tu seras grand(e), tu établiras un refuge pour les animaux.
4. Quand Chloé sera grande, elle fera un documentaire sur la vie dans les océans.
5. Quand Serge et toi, vous serez grands, vous travaillerez pour l'environnement.
6. Quand je serai grand(e), je serai médecin.
7. Quand Alain sera grand, il ira en mission humanitaire.
8. Quand tous les ados seront grands, ils deviendront plus engagés.

Paired Practice

La capsule témoin
To provide students with additional practice forming sentences with **quand** and the future, put them in pairs. Tell them that they are preparing a time capsule for students at school to open in the year 2080. Have the pairs make a list of representative items that will show future students what life was like during their high school years. Students should include a book or magazine, a film, a CD and a game. Then have them discuss what the students in 2080 will do when they open the capsule, for example, **Quand les élèves de 2080 ouvriront la capsule témoin, ils liront** People **(ils verront "Lost," ils écouteront Bobby Valentino, ils joueront à Gran Turismo 4)**. Finally, have each pair make a presentation to the class.

278

---

12 ▸ Quand on sera grand... ──

Dites ce que les ados dans les illustrations feront quand ils seront grands. Pour chaque phrase utilisez une expression logique de la liste suivante.

être médecin	aller en mission humanitaire
nourrir les sans-abri	travailler pour l'environnement
construire des maisons	établir un refuge pour les animaux
faire un documentaire sur la vie dans les océans	dénoncer le commerce de fourrure
	devenir plus engagés

Modèle:

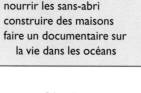

Lucien et Abdou
Quand Lucien et Abdou seront grands, ils dénonceront le commerce de fourrure.

1. Thérèse et sa cousine

2. mes copains et moi, nous

3. tu

4. Chloé

5. Serge et toi, vous

6. je

7. Alain

8. tous les ados

deux cent soixante-dix-huit
Unité 6

Communication

13 À vous de jouer!

 Avec un(e) partenaire, choisissez une mission humanitaire particulière qui vous intéresse. Puis jouez les rôles d'un reporter d'un journal français et d'une personne qui participe à cette mission. Pour faire des recherches avant d'écrire son article sur des missions humanitaires, le reporter doit interviewer la personne engagée pour savoir tous les détails possibles:

- le nom de la mission
- les buts (*goals*) de cette mission
- pourquoi la personne a choisi cette mission
- les problèmes qui existent aujourd'hui
- ce qui se passera si cette mission ne réussit pas
- les progrès qu'on a déjà faits
- ce que les gens peuvent faire pour aider
- ce qui se passera aussitôt que cette mission réussira

Il vaut mieux que le reporter prenne des notes pendant qu'il parle à la personne engagée. Après l'interview, changez de rôles, choisissez une autre mission humanitaire et répétez l'activité.

Pourquoi as-tu choisi de lutter pour la défense des animaux?

J'ai lu l'info-journal de la Fondation Brigitte Bardot.

14 Un sommaire

Imaginez que le chef du journal français s'intéresse beaucoup à l'article que vous lui avez proposé sur des missions humanitaires. Avant de publier l'article, le chef exige que vous lui rendiez un petit sommaire de votre interview de l'Activité 13. Écrivez ce sommaire en vous servant de vos notes.

deux cent soixante-dix-neuf
Leçon B
279

Connections

Newspaper Articles
After completing Activities 13 and 14, have students write a newspaper article about the humanitarian mission they learned about. Students can gather additional information on the Internet about **la Fondation Brigitte Bardot, Médecins Sans Frontières, l'Équipe Cousteau,** or any other humanitarian organization that interests them. (See the teaching notes on pages 270-71 for tips on how to access the Internet addresses of these organizations.) You may want to ask a journalist or the newspaper advisor at your school to give a presentation to your class on tips for writing effective newspaper articles. When the articles are finished, select one for each humanitarian organization that students selected and print them in a class newspaper for all students to read. You may want to call your newspaper *Un Monde Meilleur*.

Teaching Note

Before students begin Activity 13, you might encourage them to gather information about their specific humanitarian mission, formulate their ideas, and review or learn the vocabulary they will need for their interviews. You may want to tell the reporters to write out in advance the questions they plan to ask.

Audio CD *Lecture*

 Advanced Placement

Cooperative Group Practice

Les poèmes

Put students in small groups. Distribute a collection of famous French poems with rhyme schemes to each group. Have students decipher the rhyme scheme for each poem. Then go over the rhyme schemes so that groups can check their answers. Next, challenge students to find examples of similes and metaphors in the poems and list them on the board.

Apprenez par cœur!

Put students in groups of seven. Have each group member memorize one of the stanzas of the song. Then have each group practice reciting the song with books closed. Finally, have one of the groups present the song to the class.

Connections

Dessinez!

Have students pictorially depict the meaning of the song's theme. Students might draw the urban landscape described in the poem or cut out pictures from magazines and make a collage.

 **Lecture**

Simile and Rhyme Scheme

Writers create vivid images by using figures of speech. Do you know which one is used in the sentence "Jennifer dances like a willow in the wind"? It's a simile (**une comparaison**) that makes a comparison using *like* or *as*.

Poets and songwriters often use rhyme scheme (**l'agencement des rimes**) to organize their verses. A rhyme scheme is a pattern of end rhymes, words that rhyme at the ends of lines of poetry. The rhyme scheme of a poem is designated by letters, with matching letters signifying matching sounds. Each time a new sound is introduced at the end of a line, a new letter (*a, b, c,* etc.) is used. What is the rhyme scheme of the following stanza of a poem by Emily Dickinson?

> The Brain is deeper than the sea—
> For—hold them—Blue to Blue—
> The one the other will absorb—
> As Sponges—Buckets—do—

Its rhyme scheme is *abcb*. "Sea" doesn't rhyme with any of the other end words, so the *a* representing this sound is not repeated. "Blue" rhymes with "do," so both these sounds are described as *b*. "Absorb" is labeled *c* because it is yet another different sound; like *a*, it is not repeated because it has no rhyming match.

As you read the lyrics for the song "Comme un Arbre," decide what rhyme scheme the French singer Maxime LeForestier uses. Then look for the repeated simile that unifies this song-poem about the problems of modern life in the city.

15 **Pour commencer**

Avant de lire la chanson, répondez aux questions suivantes.

1. Est-ce que tu habites dans une grande ville? Si oui, aimes-tu y habiter ou pas?
2. Quels problèmes y a-t-il dans les grandes villes?
3. Te sens-tu isolé(e) quand tu es avec des gens que tu ne connais pas?
4. À ton avis, en quoi est-ce qu'une personne ressemble à un arbre?

Comme un Arbre

1 Comme un arbre dans la ville
2 Je suis né dans le béton
3 Coincé entre deux maisons
4 Sans abri sans domicile
5 Comme un arbre dans la ville.

6 Comme un arbre dans la ville
7 J'ai grandi loin des futaies
8 Où mes frères des forêts
9 Ont fondé une famille
10 Comme un arbre dans la ville.

280 deux cent quatre-vingts
Unité 6

Teaching Notes

1. The **Lecture** is designed to develop skills that will help students prepare to take the Advanced Placement Exam in French Literature. This unit's **Lecture** focuses on figures of speech and rhyme scheme.

2. Before students analyze the lyrics of the song, you may want to play the song for your students. Distribute a copy of the song with blanks for the words that students already know. Then play the song and have students write in the missing words. You might also

consider placing the words that will be filled in at the bottom of the page. Then students can cross them off as they fill in the blanks. This activity will give students confidence that they have the vocabulary to understand the song's lyrics.

11 Entre béton et bitume
12 Pour pousser je me débats
13 Mais mes branches volent bas
14 Si près des autos qui fument
15 Entre béton et bitume.

16 Comme un arbre dans la ville
17 J'ai la fumée des usines
18 Pour prison, et mes racines
19 On les recouvre de grilles
20 Comme un arbre dans la ville.

21 Comme un arbre dans la ville
22 J'ai des chansons sur mes feuilles
23 Qui s'envoleront sous l'œil
24 De vos fenêtres serviles
25 Comme un arbre dans la ville.

26 Entre béton et bitume
27 On m'arrachera des rues
28 Pour bâtir où j'ai vécu
29 Des parkings d'honneur posthume
30 Entre béton et bitume.

31 Comme un arbre dans la ville
32 Ami, fais, après ma mort
33 Barricades de mon corps
34 Et du feu de mes brindilles
35 Comme un arbre dans la ville.

16 "Comme un Arbre"

Répondez aux questions suivantes.

1. Quel est l'agencement des rimes de la première strophe (*stanza*)?
2. Quelle est la comparaison qui est répétée, ou à quoi l'habitant (*resident*) de la ville se compare-t-il?
3. L'habitant est-il né dans la ville ou à la campagne?
4. A-t-il une maison?
5. Vit-il avec d'autres membres de sa famille?
6. Dans la troisième strophe, de quoi la ville est-elle composée?
7. Qu'est-ce qui empêche (*prevents*) le développement de l'habitant de la ville, selon la troisième strophe?
8. Dans la quatrième strophe, qu'est-ce qui emprisonne l'habitant de la ville?
9. Que signifie la ligne "J'ai des chansons sur mes feuilles"?
10. Pourquoi arrachera-t-on l'arbre?
11. Dans la dernière strophe, que veut l'habitant de la ville?

Answers

16 Possible answers:
1. L'agencement des rimes de la première strophe est *abbaa*.
2. L'habitant de la ville se compare à un arbre dans la ville.
3. Il est né dans la ville.
4. Non, il n'a pas de maison. C'est un sans-abri.
5. Non, il ne vit pas avec d'autres membres de sa famille.
6. La ville est composée de béton et bitume.
7. La pollution des autos empêche son développement.
8. La fumée des usines et les grilles l'emprisonnent.
9. L'habitant sait fêter la vie.
10. On arrachera l'arbre pour bâtir des parkings.
11. Il veut qu'on se souvienne de lui après sa mort.

FYI

Maxime LeForestier, born in Paris in 1949, has been on the French music scene since the 1960s. He began his career singing as a duo with his older sister Catherine. His first album, *Parachutiste*, was released in 1972. His **discographie** includes the titles *Enregistrement Public* (1974), *Maxime LeForestier Chante Brassens* (1979), *Les Rendez-vous Manqués* (1980), *Les Jours Meilleurs* (1984), *Bataclan 1989*, *Passer Ma Route* (1994) and *Essentielles* (1997). In 1996 LeForestier recorded 12 of the songs that Georges Brassens left unedited at his death (*12 Nouvelles de Brassens*). His latest CD is titled *Plutôt Guitare* (2002).

Teaching Notes

3. Ask students to find the two examples of the future tense in the song. Point out how the first example, **s'envoleront**, represents an optimistic view of the future, while the second, **arrachera**, suggests a more pessimistic conclusion. Ask students to consider whether LeForestier's viewpoint about the fate of nature in the postindustrial age is essentially optimistic or pessimistic.

4. Some new words used in the song and cognates not found in the end vocabulary of *C'est à toi!* are used to ask questions about "Comme un Arbre" in Activity 16.

281

17 ▸ Un paragraphe

Faites une liste des mots de la chanson qui sont associés à la ville. Puis écrivez un paragraphe où vous décrivez une scène de la ville en utilisant des mots de cette liste.

18 ▸ Les comparaisons

Complétez les comparaisons suivantes en utilisant "comme."

1. Je danse….
2. Mon ami(e) court….
3. Mon père conduit….
4. Mon prof de français chante….
5. Ma chambre est….
6. Le temps est….

19 ▸ À vous d'écrire!

Écrivez un poème avec une comparaison et l'agencement des rimes abbaa. Comme sujet vous pouvez considérer un jardin, une fête, un voyage, la nuit, la mer, l'amitié (friendship), la Fondation Brigitte Bardot, Médecins Sans Frontières ou Jacques-Yves Cousteau.

Dossier fermé

Tu es dans un hôtel en France, et tu as besoin de téléphoner à quelqu'un, mais tu ne sais pas son numéro de téléphone. L'hôtel n'a pas d'annuaire (le livre avec les numéros de téléphone), et tu ne connais pas le numéro des "Renseignements." Qu'est-ce que tu fais?

   A. Tu demandes à la réception de chercher le numéro de téléphone sur le Minitel.

Le Minitel offre une liste alphabétique de tous les Français qui ont le téléphone.

deux cent quatre-vingt-deux
Unité 6

✓ Évaluation culturelle

Pour voir si vous avez bien compris la culture francophone, décidez si chaque phrase est vraie ou fausse.

1. La vitesse moyenne du TGV est de 500 kilomètres à l'heure.
2. L'Eurostar est le train qui passe par l'Eurotunnel pour faire le voyage entre Londres et Paris.
3. On a construit l'Eurotunnel très rapidement.
4. L'Agence spatiale européenne lance les satellites de Kourou en Guyane française.
5. Le Minitel est un système d'ordinateurs multimédia qui permet de se brancher sur Internet.
6. La protection des animaux intéresse Brigitte Bardot.
7. La Fondation Brigitte Bardot a eu du succès en arrêtant des expérimentations animales et en limitant la surpopulation des chats et des chiens.
8. Médecins Sans Frontières dépend des gouvernements pour lancer ses missions humanitaires.
9. En Afrique il y a des pays troublés par la guerre, la famine et les maladies.
10. Jacques-Yves Cousteau a ouvert les secrets de l'océan à la population qui regarde la télévision.

Brigitte Bardot, une ancienne *(former)* vedette du cinéma français, lutte pour la protection des animaux.

✓ Évaluation orale

 À votre avis, quelle est l'avance technologique la plus importante du vingtième siècle? Pour connaître les opinions de vos camarades de classe, faites une enquête. Copiez la grille en bas. Puis parlez à trois élèves, et demandez-leur de vous dire leur choix pour l'avance du siècle. Ils peuvent choisir une avance technologique dans le domaine de la vie quotidienne, de la science ou des loisirs.

Demandez-leur aussi de vous expliquer pourquoi ils pensent que cette avance est si importante. Enfin demandez-leur de vous dire comment cette avance a changé la vie des gens. Complétez la grille selon leurs réponses à vos questions.

	l'avance du siècle	pourquoi elle est si importante	comment elle a changé la vie des gens
Justin	le web	La communication quotidienne devient plus facile.	On se sert moins du téléphone. On peut faire du shopping sans quitter la maison.
Caro			
Fred			

deux cent quatre-vingt-trois
283
Leçon B

 Listening Activity 3

Answers

Évaluation culturelle
1. fausse
2. vraie
3. fausse
4. vraie
5. fausse
6. vraie
7. vraie
8. fausse
9. vraie
10. vraie

FYI

1. Eurostar is owned by three national railroads: the French own 50 percent, the British 35 percent and the Belgians 15 percent. Trains traveling from France to England enter the tunnel near Calais at Coquelles, France, and exit near Folkestone, England. The actual time spent in the tunnel is only about half an hour. 2. The Channel Tunnel is also known as the "Chunnel." It was formally opened by England's Queen Elizabeth II and France's President Mitterand on May 6, 1994. 3. The Minitel, which is owned by France Télécom, has become part of everyday life in France. The telephone company distributed free terminals to provide an electronic phone book to all interested customers. Telephone directory assistance remains the most frequently used service, followed by home purchases (for example, train tickets). Other popular services include banking, real estate, help-wanted ads, movie schedules, horoscopes and weather reports. The Minitel's fastest growth is in professional services, such as financial, legal and scientific databases, that command far higher prices. To find out more about the srvices provided by the Minitel, key "services Minitel," using your favorite search engine.

283

Évaluation visuelle

Possible paragraph:

Pierre Coffe est un journaliste parisien qui écrit pour *Le Quotidien*. Un jour il faisait une promenade quand il a vu un chien maltraité. Pierre pensait que ce chien était le plus maltraité du quartier, et il s'inquiétait pour lui. Une fois rentré chez lui, il s'est branché sur Internet et a cherché le site de la Fondation Brigitte Bardot. En choisissant son outil de recherche favori, il a pu accéder à des renseignements sur la fondation. Sur l'écran du moniteur il a trouvé le numéro de téléphone dont il avait besoin. Il a téléphoné tout de suite à la fondation. Il a expliqué l'histoire du chien maltraité à la réceptionniste qui était rassurante. Elle lui a dit, "Si vous connaissez un chien maltraité, la fondation viendra l'aider." Pierre lui a donné l'adresse de l'homme avec le chien. Il a décidé de participer à la lutte pour protéger les animaux. Pierre est devenu très engagé. Pour le prochain numéro de son journal, il a écrit un article sur la Fondation Brigitte Bardot et les animaux maltraités. Finalement, il a dénoncé publiquement le mauvais traitement des animaux. Dès que tous les animaux ne seront plus maltraités, Pierre sera content.

✓ Évaluation écrite

Vous venez de parler des avances technologiques du vingtième siècle et comment elles ont changé la vie des gens. Mais, comme vous le savez bien, le vingt et unième siècle a commencé. Essayez de devenir voyant(e) et de prévoir (foresee) quelles avances il y aura dans ce nouveau siècle. Puis écrivez une rédaction où vous décrivez les avances technologiques qu'on fera à l'avenir. Quels en seront les effets dans le domaine de la vie quotidienne, de la science et des loisirs? Comment changeront-elles la vie des gens? Quels problèmes ces avances résoudront-elles? À votre avis, ces avances créeront-elles de nouveaux problèmes?

✓ Évaluation visuelle

Pierre Coffe est un journaliste parisien. Un jour, en faisant une promenade dans son quartier, il a vu un chien maltraité. Écrivez un paragraphe qui raconte ce qu'il a fait après cet incident en utilisant les illustrations et les nouvelles expressions de cette unité. (Avant de commencer, regardez les sections Révision de fonctions aux pages 285-86 et Vocabulaire à la page 287.)

Révision de fonctions

Can you do all of the following tasks in French?

- I can ask for and give information about various topics, including what people will do.
- I can talk about things sequentially.
- I can list things.
- I can explain how to do something.
- I can give my opinion by saying what I think.
- I can express enthusiasm.
- I can make an assumption.
- I can say what will probably happen.
- I can make a prediction.
- I can congratulate someone.
- I can express appreciation.
- I can tell someone not to forget something.
- I can request what I would like.

To ask for information, use:

Tu parleras de quoi?
Tu choisiras quoi?

To give information, use:

Je parlerai de la Fondation Brigitte Bardot.
Le titre de l'article **sera** "La lutte pour la défense des animaux."
La France **dépense** presque 685 millions d'euros par an pour la recherche spatiale.

To sequence events, use:

En plus, il y a aujourd'hui des Français qui sont en ligne avec un ordinateur qui permet d'accéder au web.
Au vingt et unième siècle on se branchera sur le monde entier.
Aussitôt qu'ils seront tous là, ils parleront du prochain numéro.
Tu me rendras l'article **dès que** tu l'auras?
Lorsqu'il y aura de la pauvreté, les médecins viendront aider les gens.

What will you talk about?
What will you choose?

I will talk about the Brigitte Bardot Foundation.
The title of the article will be "The Fight for the Defense of Animals."
France spends almost 685 million euros per year for space research.

In addition, today there are French people who are online with a computer that allows them to access the Web.
In the twenty-first century we will connect to the whole world.
As soon as they are all there, they will talk about the next issue.
You will hand in the article to me as soon as you have it?
When there is poverty, doctors will come to help people.

Tu prendras le pont dès que tu arriveras à la rivière.

To list, use:

Voici quelques adresses utiles où vous pourrez trouver tout ce qui vous intéresse.

Here are some useful addresses where you will be able to find everything that interests you.

To explain something, use:

On n'a qu'à cliquer avec la souris pour trouver l'inforoute.

All you have to do is click on the mouse to find the information superhighway.

To give opinions, use:

La connaissance scientifique **sera aussi** utile **aux** gens **qu'aux** sciences.
Excellent.

Scientific knowledge will be as useful to people as to science.
Excellent.

deux cent quatre-vingt-cinq
Leçon B

Paired Practice

Dès que

To provide practice with the conjunction **dès que** and the future tense, put students in pairs. Prepare a worksheet listing infinitive expressions, such as **se lever**, that students will use to inquire about what their partner expects to do as soon as he or she does something else tomorrow morning. Student A uses the first infinitive expression on the worksheet to form a question using **dès que** that Student B answers, for example, **Qu'est-ce que tu feras demain dès que tu te lèveras? Je prendrai une douche dès que je me lèverai.** Then Student B forms a question using the second infinitive expression and Student A answers. Other infinitive expressions that you might include are **prendre le petit déjeuner, se brosser les dents, s'habiller, quitter la maison, arriver à l'école, arriver en classe** and **arriver à la cantine.**

To express enthusiasm, use:

C'est passionnant.   *That's exciting.*

Excellent.   *Excellent.*

To hypothesize, use:

Si les animaux **sont** maltraités, la fondation **viendra** les aider.   *If animals are mistreated, the foundation will come to help them.*

Si un professeur est malade, une remplaçante (*sub*) viendra en classe.

To express probability, use:

La connaissance scientifique **permettra** une vie plus longue et plus riche.   *Scientific knowledge will permit a longer and richer life.*

To predict, use:

Quand je deviendrai médecin, je **travaillerai** pour Médecins Sans Frontières.   *When I become a doctor, I will work for Médecins Sans Frontières.*

To congratulate someone, use:

Bravo!   *Well done!*

To express appreciation, use:

Grâce à elle, le commerce de fourrure de bébés phoques a été interdit.   *Thanks to her, the fur trade in baby seals has been prohibited.*

To tell someone not to forget, use:

N'oubliez pas de me rendre vos articles avant vendredi à 16h00.   *Don't forget to hand in your articles to me before Friday at 4:00.*

To make requests, use:

Rends-moi l'article avant vendredi **si tu peux**.   *Hand in the article to me before Friday if you can.*

Vocabulaire

accéder to access A
appuyer to press A
un **article** article B
avancé(e) advanced A
l' **avenir (m.)** future A

un **bébé** baby B
se **brancher** to connect A
Bravo! Well done! B

ce qui that A
un **clavier** keyboard A
cliquer to click A
le **commerce** trade B
commercial(e) commercial A
la **connaissance** knowledge A
construire to build A

la **défense** defense B
dénoncer to denounce, to expose B
dépenser to spend A
dès que as soon as B
développer to develop A
un **domaine** field, area A

écologique ecological B
un **écran** screen A
électronique electronic A
l' **e-mail (m.)** e-mail A
en ligne online A
engagé(e) committed B
entendre parler de to hear about A
entier, entière whole A
une **équipe** team B
l' **espace (m.)** space A
établir to establish B
excellent(e) excellent B

une **famine** famine B
une **fondation** foundation B
la **fourrure** fur B
une **frontière** border, boundary B
une **fusée** rocket A

grâce thanks B

humanitaire humanitarian B

une **imprimante** printer A
l' **inforoute (f.)** information superhighway A
un **intérêt** interest B
l' **Irak (m.)** Iraq B

lancer to launch A
un **lanceur de satellites** satellite launcher A
une **ligne** line A
en ligne online A
une **lutte** fight B

maltraité(e) mistreated B
meilleur(e) better B
une **mission** mission B
mondial(e) world-wide B
un **moniteur** monitor A

l' **océanographie (f.)** oceanography B
oublier to forget B
un **outil de recherche** search engine A

parmi among A
passionnant(e) exciting, fascinating B
la **pauvreté** poverty B
permettre to permit, to allow A
un **phoque** seal B
le **progrès** progress A
la **protection** protection B
protéger to protect B

quant à as for B

recherche: un outil de recherche search engine A
un **refuge** shelter B
rendre to hand in, to return B
le **Ruanda** Rwanda B

sauvegarder to save A
une **souris** mouse A
spatial(e) space A
une **stratégie** strategy B
un **sujet** subject B

la **technologie** technology A
la **télématique** communication by computer A
la **terre** earth B
un **titre** title B
une **touche** key (on keyboard) A
un **traitement** treatment B

le **web** Web A

Game

Machine à écrire
You might play this spelling game to review words and expressions from the unit. Divide the class into two teams. Then assign a letter of the alphabet and accent marks to individual members of each team. In doing this, be sure each team has members that represent the whole alphabet and all accent marks. (If the class is small, then assign several letters or accent marks to single players.) Start the game by saying a vocabulary word from **Leçon A** or **Leçon B** to one of the teams. This team must spell the word orally. They must do this so fast that they sound like a typewriter; hence, the name of the game. (You may set a time limit for calling out letters, say one or two seconds.) For example, if the word is **passionnant**, the student with the letter **p** calls out that letter in French, and teammates with the appropriate letters complete in turn the spelling of the word. By doing this, the team earns one point. Then the other team gets their turn at a word. Whenever a team fails, its rival gets a chance to spell the same word and win another point.

287

Unité 7

Les Français comme ils sont

In this unit you will be able to:
- ask for information
- report
- state a generalization
- explain something
- request clarification
- clarify
- compare
- express importance and unimportance
- inquire about opinions
- ask about preference
- state preference
- propose solutions
- inquire about satisfaction and dissatisfaction
- express surprise
- agree and disagree
- describe character
- express compassion

www.emcp.com

LEÇON A

Tes empreintes ici

Est-ce qu'il y a des élèves d'autres pays dans ton école? Si oui, de quels pays viennent-ils? Sais-tu pourquoi ils sont venus aux États-Unis? Est-ce que leurs parents ont un nouvel emploi ici, par exemple? Est-ce que les ados américains acceptent bien ces élèves? Est-ce que les jeunes de ton école sont accueillants? Qu'est-ce que l'école fait pour ces nouveaux élèves? Qu'est-ce que tu fais pour eux?

As-tu jamais visité un pays francophone? Si oui, quel pays? Est-ce que ce pays ressemble aux États-Unis? Comment étaient les gens? Par exemple, étaient-ils très accueillants? Comment décrirais-tu la culture de ce pays?

Aimerais-tu vivre un peu dans une culture francophone?

Dossier ouvert

Avant ton départ pour la France, ta bonne amie t'a donné de l'argent et t'a demandé de lui acheter un ensemble parisien très chic. Maintenant que tu es à Paris, à quel magasin iras-tu pour acheter cet ensemble?

    A. Tu iras à Mammouth.
    B. Tu iras aux Galeries Lafayette.
    C. Tu iras à Monoprix.

Teaching Note

Communicative functions that are recycled in this lesson are "expressing intentions," "describing past events," "telling location," "making suggestions," "comparing things," "hypothesizing," "giving opinions" and "expressing fear."

Vocabulaire

l'Afrique

le Togo

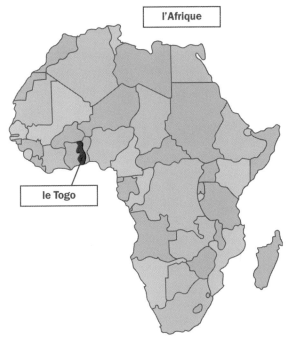

une cité

une HLM

des résidents (m.)

des graffiti (m.)

des passants (m.)

un mur

Non au FN!

Claudette ♥ Jacques

Jérôme + Cécile

À bas l'école !

deux cent quatre-vingt-onze

291

Leçon A

Workbook Activity 1A

Audio CD *La cité*

Transparencies 3-4

FYI

1. **Une cité** can also refer to a student hall of residence (**une cité universitaire**). 2. **HLM** is the abbreviation for **habitation à loyer modéré**. As in the United States, public housing developments in France are physically grouped together. However, in some parts of Paris, HLMs are interspersed with private housing developments in an attempt to create a more integrated living environment where no one feels excluded from society. Consequently, in some developments juvenile delinquency is practically nonexistent. There are more than four million HLM units in France. The first HLMs were constructed in 1894 to provide clean and comfortable housing for workers drawn to the cities by industrial jobs. Since 1980 1,500,000 apartments have been built or rehabilitated. HLM construction has decreased in recent years. The government is planning to demolish 300,000 units within the next 15 years, due to financial losses. 3. Other related terms include **togolais(e)** *(Togolese)*, **un(e) Togolais(e)** *(Togolander)*, **un(e) concierge** *(caretaker)*, **défavorisé(e)** *(disadvantaged, underprivileged)*, **la xénophobie** *(xenophobia)*, **xénophobe** *(xenophobic)*, **une subvention** *(subsidy)* and **subventionné(e)** *(subsidized)*.

Teaching Notes

1. The feminine form of **un résident** is **une résidente**.

2. **Graffiti** is invariable in the plural.

3. The feminine form of **un passant** is **une passante**.

291

FYI

By extension, une **HLM** can refer to an entire **cité**, rather than to just one building.

Connections

Colonial Roots

Immigration is just one area where France's colonial past continues to impact the present. Focusing on Africa, students can research which countries were former French colonies, when they gained their independence and the relationship they currently have with France, especially economically. What raw materials does France import from former African colonies? What products do the African countries import from France?

Conversation culturelle

Es-tu optimiste?

Si on acceptait que la France est un pays d'immigrés depuis longtemps, on pourrait mieux profiter de la diversité culturelle.

Valérie est un des reporters d'*Un Monde Meilleur*, le journal de son lycée. Elle va écrire un article au sujet de l'immigration en France vue par un de ses copains. Elle a pris rendez-vous avec Kofi Andjou, un immigré du Togo, dans un café près du lycée. Quelle sera l'opinion de Kofi?

Valérie: **Salut, Kofi! T'es prêt?**
Kofi: **Salut, Valérie! Oui, allons-y.**
Valérie: **Alors, commençons au début. Depuis combien de temps es-tu en France?**
Kofi: **Ben, ma famille et moi, nous sommes ici depuis un an et demi.**
Valérie: **Vous êtes combien?**
Kofi: **Nous sommes cinq, trois enfants et mes parents.**
Valérie: **Pourquoi êtes-vous venus vous installer en France?**
Kofi: **Pour plusieurs raisons.**
Valérie: **Lesquelles° sont les plus importantes?**
Kofi: **Ben, il y a un meilleur choix d'emplois ici et les études universitaires sont plus intéressantes.**
Valérie: **Où habitez-vous?**
Kofi: **Maintenant nous sommes dans une HLM moderne dont les immeubles sont assez nouveaux. L'année dernière nous habitions une autre HLM.**
Valérie: **Ah bon?° Laquelle?**

lesquelles *which ones;* **Ah bon?** Vraiment?

292

deux cent quatre-vingt-douze
Unité 7

Teaching Notes

1. Valérie was one of the reporters for *Un Monde Meilleur* in **Unité 6**.
2. The noun **immigration (f.)** was introduced in **Unité 7** in the second level of *C'est à toi!*

3. **Vue** is a past participle used as an adjective describing the feminine noun **immigration**. Past participles used this way are not listed separately in the end vocabulary.

4. **T'es** is a colloquial abbreviation of **Tu es**.
5. **Vous êtes combien?** asks "How many are you?" instead of "How many of you are there?"

Kofi:	L'HLM Cité Jardins à Champigny.
Valérie:	Ah oui? Je la connais. Comment était l'ambiance de la cité?
Kofi:	C'était plutôt déprimant.°
Valérie:	Comment déprimant?
Kofi:	La plupart° des résidents étaient au chômage.
Valérie:	D'où venaient les immigrés?
Kofi:	Beaucoup de familles d'immigrés, dont les pays d'origine sont les pays maghrébins° et d'autres pays africains, y habitaient.
Valérie:	Est-ce que les résidents s'entendaient bien?
Kofi:	Les relations entre les résidents étaient tendues.° On appelait° notre HLM un "huit cent huit" car° il y avait 808 appartements. La cité était plutôt comme une cage à lapins. En plus, parce qu'il n'y avait pas beaucoup d'activités pour les jeunes, ils perdaient leur temps° dans la rue. Ils agressaient° les passants et les résidents avec qui ils ne sympathisaient pas.
Valérie:	S'il y avait plus d'activités et moins de chômage, est-ce que les relations seraient meilleures?
Kofi:	Je crois que oui. À l'HLM où nous habitons maintenant, l'ambiance est différente.
Valérie:	Qu'est-ce qu'il y a de différent?
Kofi:	Le climat social est différent. Il y a plus de Français parmi les résidents et moins de familles qui touchent° les allocations. Bien sûr, presque toutes les familles touchent les allocations familiales, mais c'est parce qu'elles ont des enfants. Le pourcentage des chômeurs° est moins grand. En plus, c'est plus beau. Il n'y a pas de graffiti sur les murs. Des espaces verts se trouvent partout. Tout est propre.°

Dans la région parisienne, il y a des HLM qui ressemblent aux autres immeubles. (Créteil)

Valérie:	Selon toi, à quel avenir° les immigrés peuvent-ils s'attendre?
Kofi:	En général, je trouve que les Français acceptent bien les étrangers,° mais il y en a qui ont peur que les immigrés prennent leurs emplois. Ce n'est pas vrai. Les immigrés prennent souvent des emplois très durs dont les autres ne veulent pas.
Valérie:	Parmi les immigrés, lesquels ont des ennuis?
Kofi:	Aucun groupe n'a plus d'ennuis qu'un autre. La façon dont on traite les gens dépend plus de l'apparence d'une personne que de sa nationalité ou de son pays d'origine.
Valérie:	Es-tu optimiste?
Kofi:	Naturellement. Si on acceptait que la France est un pays d'immigrés depuis longtemps, on pourrait mieux profiter de la diversité culturelle. De plus, on se rendrait compte que les immigrés sont prêts à travailler et à s'intégrer dans la société française.
Valérie:	Merci beaucoup, Kofi. J'espère que nos copains deviendront plus sensibles au côté humain de l'immigration en lisant mon article dans le prochain numéro du journal.

Un immigré fait un travail très dur.

déprimant(e) *depressing*; la plupart (de) la majorité (de); maghrébin(e) du Maghreb (le Maroc, l'Algérie, la Tunisie); tendu(e) *strained*; appeler *to call*; car parce que; perdre son temps *to waste one's time*; agresser attaquer; toucher recevoir; un chômeur, une chômeuse une personne au chômage; propre *clean*; l'avenir (m.) le futur; un étranger, une étrangère une personne d'un autre pays

deux cent quatre-vingt-treize

 293

Leçon A

FYI

1. Champigny, a city of approximately 80,000 people, is located about nine miles east of Paris on the left bank of the Marne River. Cité Jardins is the oldest of three **cités** located in Champigny. Begun in 1931, its schools and recreation center were added in 1936. 2. **Le Maghreb** refers to the combined region of Algeria, Morocco and Tunisia. **Le Maghreb** was the subject of the cultural reading beginning on page 260 in the second level of *C'est à toi!*

Connections

Cultural Diversity
Have the class make a list of the ethnic groups that live in your community. Tell students to select one of the groups and research it in the instructional materials center or library. Then ask students if they know a representative of each group in your community, and invite these people to be guest speakers. Have students prepare questions in advance to ask the guest speakers about their lives in their native countries, the culture there and their perceptions of American culture and how they learned to adjust to it.

Teaching Notes

1. **La plupart** is followed by **de** plus the definite article.
2. Students learned the singular forms of **s'appeler** in the first level of *C'est à toi!* **S'appeler** also appeared in **Unité 4** in the third level.
3. Students learned **toucher**, meaning "to cash," in **Unité 11** in the first level of *C'est à toi!*
4. **L'avenir** refers to the future in time while **le futur** refers to the tense.
5. In formal French **avoir peur que** should be followed by the pleonastic **ne** before the subjunctive.
6. Here are the present tense forms of the orthographically changing verb **s'intégrer**: **je m'intègre, tu t'intègres, il/elle/on s'intègre, nous nous intégrons, vous vous intégrez** and **ils/elles s'intègrent**.

Answers

1 1. C
2. G
3. A
4. F
5. B
6. E
7. D

2 Possible answers:
1. C'est sur l'immigration en France vue par un copain.
2. Valérie a pris rendez-vous avec Kofi Andjou, un immigré du Togo.
3. Les raisons les plus importantes sont la possibilité d'avoir un meilleur choix d'emplois et de faire ses études à l'université.
4. Ils viennent de pays maghrébins et d'autres pays africains.
5. On le dit parce qu' il y avait 808 appartements.
6. Il dit que c'est une cage à lapins.
7. Ils perdaient leur temps dans la rue et agressaient les passants et les résidents avec qui ils ne sympathisaient pas.
8. Il y a plus de Français parmi les résidents, il y a moins de familles qui touchent les allocations, le pourcentage des chômeurs est moins grand, c'est plus beau et tout est propre.
9. Non, ce n'est pas vrai. Les immigrés prennent souvent des emplois très durs dont les autres ne veulent pas.
10. Les immigrés offrent une diversité culturelle à la société française.

 1 ## Le contraire

 Écrivez la lettre de l'expression contraire à ce que vous entendez.

A. passionnant
B. accueillant
C. un étranger
D. le passé
E. dépenser
F. très peu
G. un employé

2 ## L'immigration en France

Répondez aux questions suivantes d'après le dialogue.

1. Le prochain article de Valérie, c'est sur quoi?
2. Avec qui est-ce que Valérie a pris rendez-vous? Ce copain de Valérie, est-il français?
3. Pour quelles raisons est-ce que la famille de Kofi a déménagé en France?
4. Quels sont les pays d'origine des résidents de l'HLM Cité Jardins à Champigny?
5. Pourquoi est-ce qu'on dit que l'HLM Cité Jardins était un "huit cent huit"?
6. Comment Kofi décrit-il la cité où il habitait?
7. Qu'est-ce que les jeunes y faisaient parce qu'il n'y avait pas beaucoup d'activités pour eux?
8. Comment le climat social est-il différent là où Kofi habite maintenant?
9. Est-ce vrai que les immigrés prennent les emplois des Français?
10. Qu'est-ce que les immigrés offrent à la société française?

Selon Kofi, il y a un meilleur choix d'emplois en France qu'au Togo.

3 ▸ Complétez!

Choisissez l'expression convenable de la liste suivante pour compléter chaque phrase.

lesquels	maghrébins	étrangers
origine	ambiance	allocations familiales
propre	tendues	perd son temps

1. Les trois pays… sont l'Algérie, le Maroc et la Tunisie.
2. Le Togo, c'est le pays d'… de Kofi.
3. Il y a beaucoup d'… qui ont réussi à s'intégrer dans la société française.
4. S'il y a au moins deux enfants dans une famille, la famille peut toucher des….
5. L'… d'une cité est assez déprimante quand il y a beaucoup de résidents au chômage.
6. Si les relations entre les résidents sont difficiles, on peut dire qu'elles sont….
7. Quand on ne profite pas au maximum de son temps libre, on….
8. Tous les résidents apprécient un immeuble qui est….
9. … des articles du journal sont les plus intéressants?

Les Aknouch sont une famille maghrébine. (La Rochelle)

4 ▸ C'est à toi!

Questions personnelles.

1. Vous êtes combien dans ta famille?
2. Quelles sont les nationalités de tes grands-parents?
3. Depuis combien de temps habites-tu dans ta ville?
4. Penses-tu qu'il soit facile ou difficile pour une personne d'un autre pays de s'installer dans la ville où tu habites? Pourquoi?
5. Dans ta ville, où est-ce que tu vois souvent des graffiti?
6. Comment est l'ambiance du quartier où tu habites?
7. De quoi dépend la façon dont tu traites les gens?
8. Si tu devais habiter un autre pays pendant deux ans, quel pays choisirais-tu? Pourquoi?

Nous sommes six dans ma famille, si on compte Médor.

deux cent quatre-vingt-quinze
Leçon A
295

295

FYI

1. Togo is a narrow strip of land wedged in by three other countries: Ghana on the west, Burkina Faso on the north and Benin on the east. Its southern seacoast is on the Gulf of Guinea. 2. After World War I the German territory of Togo was divided in two. The western portion became a British mandate, while the eastern part became a French mandate. For ten years, beginning in 1946, the two mandates became trust territories of the United Nations. In 1956 British Togoland became Ghana. French Togoland became the Republic of Togo when the country gained its independence from France. General Gnassingbé Eyadéma was the president of Togo from 1967 until his death in 2005. He was succeeded by his son, Faure Gnassingbé.

~Aperçus culturels~

Le Togo

Le Togo est un petit pays de l'Afrique francophone avec une côte de 56 kilomètres sur l'océan Atlantique. Le climat est tropical et il fait chaud, surtout dans le sud du pays. La France a pris possession du Togo en 1919; il a gagné son indépendance de la France en 1960. L'influence française y est évidente partout. Le français est la langue officielle, et le système d'enseignement ressemble au système français. Le siège du gouvernement est à Lomé. Aujourd'hui le pays a une population de 5.500.000 habitants, mais il n'y a que 58 pour cent des gens qui savent lire et écrire. L'économie dépend de l'agriculture qui emploie 65 pour cent de la population dans la production de coton, de café et de cacao. Ni la situation politique ni l'argent africain n'est solide, donc le pays souffre de problèmes économiques. Quant à l'environnement, le Togo fait face à la déforestation parce qu'on continue à ravager les forêts. Même si le Togo est petit, il connaît les mêmes problèmes que les autres pays africains.

Ces femmes togolaises vont au marché avec des noix de coco (*coconuts*) sur la tête.

Les HLM

L'HLM (habitation à loyer modéré) est, depuis 100 ans, un système d'immeubles qui offre aux ouvriers des appartements confortables à un prix bon marché. Mais la clientèle a changé dans ces dernières années. Parce que le chômage, la pauvreté et le nombre de sans-abri sont en train d'augmenter, le gouvernement offre ces appartements aux personnes qui ne peuvent pas trouver un endroit pour vivre avec leur salaire. Un Français sur cinq habite une HLM. On continue à construire ces immeubles là où on peut trouver de l'espace. Mais l'HLM n'est pas toujours la meilleure solution. Certaines HLM sont mal construites, et les appartements sont trop petits, d'où vient le nom "cage à lapins." Dans la cité on y fait trop de bruit, et on n'y trouve pas toutes les choses dont on a besoin. La population typique d'une cité

Ces HLM se trouvent dans la Cité de l'Ophite à Lourdes.

Teaching Note

Cognates in this reading include **tropical, possession, indépendance, influence, officielle, système, population, pour cent, habitants, économie, agriculture, emploie, production, coton, cacao, situation, souffre,** **économiques, déforestation, ravager, forêts, confortables, nombre, augmenter, typique, consiste, provoque, exemple, exclu, résultat, délinquance, juvénile, éliminée, conditions, bénéficier, somme, base,** **logement, supplémentaire, monoparentales, poser, limitée, Maghreb, Portugal, principalement, industrie, se considèrent, tendance, qualifiés, particulièrement** and **touchés**.

consiste d'immigrés et de familles avec des enfants. Sarcelles, pas loin de Paris, est une cité où il n'y a ni centre commercial, ni lycée et où il y a peu d'espaces verts. Cela provoque alors d'autres problèmes sociaux là où les relations sont déjà tendues.

Mais il y a d'autres cités qui sont mieux faites. Depuis 1981 on commence à construire des HLM en ville parmi d'autres immeubles où habite une population différente. La ville de Créteil, au sud-est de Paris, en est un bon exemple. Ici les résidents des HLM peuvent s'intégrer à la population du quartier. Tout le monde profite du même centre commercial et des mêmes écoles, et personne ne se sent exclu de la société. Comme résultat, la délinquance juvénile a été presque éliminée. En général, les conditions de vie dans les HLM pourraient être meilleures, mais pour beaucoup de gens, ces conditions sont déjà bien meilleures que d'être sans-abri.

Le gouvernement français donne 115,07 euros par mois aux parents de Georges et Danièle parce qu'ils ont deux enfants.

Les allocations familiales

Les allocations familiales peuvent bénéficier à tout résident en France, même s'il n'est pas français, s'il a au moins deux enfants qui habitent en France. La famille reçoit une certaine somme d'argent comme base pour l'aider avec la nourriture, les vêtements et le logement. Les enfants doivent avoir moins de 18 ans (20 ans pour les étudiants). Pour chaque enfant on offre de l'argent supplémentaire. Les familles monoparentales peuvent aussi toucher les allocations familiales.

Les immigrés

Les immigrés continuent à poser problème en France, surtout parce que l'immigration y reste limitée. Ils représentent 13 pour cent de la population française. Trente pour cent des immigrés viennent du Maghreb (le Maroc, l'Algérie et la Tunisie). Ils viennent aussi du Portugal, d'Espagne et d'Italie. Ils vivent principalement dans les villes. Un peu plus d'un immigré sur trois habite à Paris, surtout pour des raisons économiques puisqu'ils sont souvent embauchés dans l'industrie. Parce que les immigrés se considèrent souvent "de passage," ils n'ont tendance à acheter ni maisons ni appartements. Il y a beaucoup d'immigrés parmi les ouvriers parce qu'ils sont souvent moins qualifiés que les Français pour les travaux les plus prestigieux. Ils sont particulièrement touchés par le chômage aussi. Voilà pourquoi on voit beaucoup d'immigrés dans les HLM.

> Parce que mes parents viennent du Maghreb, je parle arabe à la maison et français à l'école.

FYI

1. Eligibility for **l'allocation logement** depends on a variety of factors, including income, geographic area and the number of persons in the household. For a single person, **l'allocation logement** specifies nine square meters of living space. Two people are entitled to 16 square meters. The maximum living space allowed for a family of eight or more is 70 square meters. 2. Immigrants of Arab heritage are sometimes called **beurs**, which has a negative connotation. 3. In 2001 over 147,000 immigrants entered France. Refugees currently account for about 9.1 percent of the country's immigrant population. Forty-two percent are joining family members who have already immigrated, while 58 percent are joining French spouses. Nineteen percent of immigrants are permanent workers. Immigrants tend to speak their native language at home and French outside the home. Three out of four second-generation immigrants speak French to their children. Fifty-two percent of the children of immigrants have to repeat a year of elementary school.

Connections

Immigration

To compare immigration patterns in the U.S. and France, have students research the following questions: In the U.S., what countries do the greatest number of immigrants come from? How many come from our neighboring countries? Do most immigrants live and work in big cities or in rural areas? What type of work do they do? What percentage of the U.S. population do immigrants comprise? Finally, have students make a chart comparing what they know about immigration in the U.S. and France.

5 ▸ Le Togo, les HLM et les immigrés

Répondez aux questions suivantes.

1. Où se trouve le Togo?
2. Où voit-on l'influence française au Togo?
3. Quels sont les produits principaux du Togo?
4. À qui loue-t-on les appartements dans les HLM?
5. Quel pourcentage des Français habite les HLM?
6. Quels sont les problèmes des HLM?
7. Qu'est-ce qui permet une meilleure intégration des résidents des HLM?
8. Les gens qui habitent en France mais qui ne sont pas français, peuvent-ils toucher les allocations familiales?
9. Les immigrés représentent quel pourcentage de la population française?
10. D'où vient le plus grand pourcentage des immigrés?

Ce monument est dédié (*dedicated*) à l'indépendance du Togo en 1960. (Lomé)

Journal personnel

Do you personally know any immigrants who have moved to your city? If so, ask them why they came to the United States and what their plans are for the future. Have they experienced any prejudice while living here? Finally, ask them about their native culture, for example, what their national holidays are and what they eat regularly. In their opinion, what advantages are there to living in the United States? What disadvantages are there?

Would you have difficulty living in a francophone country for an extended period of time? Which francophone customs and habits could you adapt to easily? Which ones would be difficult for you to accept?

Conditional tense in sentences with *si*

Use the conditional tense along with **si** and the imperfect tense to tell what would happen *if* something else happened or *if* some condition contrary to reality were met.

si	+	imperfect	conditional

S'il y avait plus d'activités et moins de chômage, est-ce que les relations **seraient** meilleures?

Si on **acceptait** que la France est un pays d'immigrés depuis longtemps, on **pourrait** mieux profiter de la diversité culturelle.

If there were more activities and less unemployment, would relations be better?

If we accepted that France has been a country of immigrants for a long time, we would be better able to take advantage of the cultural diversity.

The phrase with **si** and the imperfect can either begin or end the sentence.

Nous ne perdrions pas notre temps au parc si nous travaillions.

Pratique

6 Une vie différente

Dites comment la vie des personnes suivantes serait différente si elles faisaient les changements indiqués. Suivez le modèle.

Modèle:

Je ne suis pas en bonne forme. (s'entraîner)
Si tu t'entraînais, tu serais en bonne forme.

1. Vivianne ne réussit pas aux examens. (étudier)
2. Les élèves ne terminent pas leurs devoirs. (ne pas perdre leur temps)
3. Édouard ne trouve pas son carnet de maths. (ranger sa chambre)
4. Martin et moi, nous avons besoin d'aller à la bibliothèque. (se servir du web)
5. Tu ne te sens pas triste. (devoir aller à un autre lycée)
6. Les ados ne savent pas conduire. (suivre des cours dans une auto-école)
7. Je dépense beaucoup d'argent. (manger à la maison)

deux cent quatre-vingt-dix-neuf
Leçon A **299**

 Workbook Activity 4

 Grammar & Vocabulary Exercises 4-8

Audio CD Activity 6

Answers

6 1. Si Vivianne étudiait, elle réussirait aux examens.
2. Si les élèves ne perdaient pas leur temps, ils termineraient leurs devoirs.
3. Si Édouard rangeait sa chambre, il trouverait son carnet de maths.
4. Si Martin et toi, vous vous serviez du web, vous n'auriez pas besoin d'aller à la bibliothèque.
5. Si je devais aller à un autre lycée, je me sentirais triste.
6. Si les ados suivaient des cours dans une auto-école, ils sauraient conduire.
7. Si tu mangeais à la maison, tu ne dépenserais pas beaucoup d'argent.

Cooperative Group Practice

Si j'étais....
On note cards have students in small groups write two problem situations about two different imaginary characters, for example, **Abdou est un nouvel immigré en France. Il ne connaît personne dans son HLM.** Each student puts his or her two note cards into the group pile. Then the first student in each group takes the top card and reads it to the rest of the group. Group members take turns expressing what they would do if they were the character.

Workbook Activity 5

 Grammar & Vocabulary Exercises 9-10

Answers

7 Possible answers:
Les immigrés s'installeraient en France s'ils avaient un meilleur choix d'emplois.
Kofi et sa famille trouveraient une autre HLM s'ils n'aimaient pas l'ambiance de la cité.
Chaque famille aurait assez d'argent si elle touchait les allocations familiales.
Les jeunes seraient acceptés s'ils n'agressaient pas les passants et les résidents.
Les résidents de l'HLM s'entendraient bien s'ils n'étaient pas au chômage.
L'ambiance de la cité serait meilleure si les relations entre les résidents n'étaient pas tendues.
On pourrait mieux profiter de la diversité culturelle si on acceptait que la France est un pays d'immigrés depuis longtemps.

Cooperative Group Practice

Interview Questions
To provide additional practice asking questions using **quel**, put students in small groups of four or five. Prepare a set of note cards, writing a profession on each one, for example, **un acteur**. The first student in each group draws a card and identifies his or her profession. The other students in the group think of an interview question using a form of **quel** to ask the first student, for example, **Quel est le nom de votre dernier film**? After each student has asked a question, the second student draws another profession card and the activity begins again.

300

---

 7 ▸ Faites des phrases!

Dites comment seraient les personnes et les choses dans la colonne A si les conditions dans la colonne B existaient. Formez des phrases logiques en choisissant un élément de chaque colonne. Suivez le modèle.

A	B
Valérie/ne pas pouvoir écrire son article	ils/ne pas aimer l'ambiance de la cité
les immigrés/s'installer en France	ils/ne pas être au chômage
Kofi et sa famille/trouver une autre HLM	ils/avoir un meilleur choix d'emplois
chaque famille/avoir assez d'argent	Kofi/ne pas lui donner son opinion
les jeunes/être acceptés	elle/toucher les allocations familiales
les résidents de l'HLM/s'entendre bien	on/accepter que la France est un pays
l'ambiance de la cité/être meilleure	d'immigrés depuis longtemps
on/pouvoir mieux profiter de la diversité culturelle	les relations entre les résidents/ne pas être tendues
	ils/ne pas agresser les passants et les résidents

Modèle:

Valérie ne pourrait pas écrire son article si Kofi ne lui donnait pas son opinion.

The interrogative adjective *quel*

The interrogative adjective **quel** asks the question "which" or "what." **Quel** agrees with the noun it describes. **Quel** may precede the noun it describes or come directly before the verb **être**.

	Masculine	Feminine
Singular	quel	quelle
Plural	quels	quelles

Quels immeubles sont assez nouveaux?   *Which apartment buildings are quite new?*
Quelle sera l'opinion de Kofi?   *What will Kofi's opinion be?*

Quelles compagnies embauchent les étrangers?

300 trois cents
Unité 7

Pratique

8 **Complétez!**

*Valérie va interviewer d'autres ados qui habitent une HLM. Choisissez la forme convenable de **quel** pour compléter ses questions.*

1. Pour… raisons ta famille a-t-elle décidé de s'installer en France?
2. … HLM habites-tu?
3. … sont les pays d'origine des résidents?
4. … est le plus grand problème des résidents de ton HLM?
5. À… activités les jeunes de ton HLM participent-ils?
6. Selon toi,… est la meilleure HLM?
7. … groupes d'immigrés ont les plus d'ennuis?
8. … emplois les immigrés prennent-ils?
9. À ton avis, à… avenir les immigrés peuvent-ils s'attendre?

Quel emploi Latifa a-t-elle pris en France?

9 **"Jeopardy"**

*Imaginez que vous allez passer (to be) à la télé au jeu télévisé "Jeopardy." Pour vous préparer, posez une question en utilisant la forme convenable de **quel** pour chaque phrase qui correspond au dialogue.*

Modèle:

Ce sont le Maroc, l'Algérie et la Tunisie.
Quels sont les trois pays maghrébins?

1. C'est *Un Monde Meilleur*.
2. C'est l'immigration en France vue par un copain.
3. C'est le Togo.
4. C'est l'HLM Cité Jardins à Champigny.
5. C'est ce qu'on écrit sur les murs d'une HLM.
6. C'est une HLM moderne dont les immeubles sont assez nouveaux.
7. Ce sont les emplois très durs dont les autres ne veulent pas.

Quel est le pays d'origine de Kofi?

Answers

8 1. quelles
2. Quelle
3. Quels
4. Quel
5. quelles
6. quelle
7. Quels
8. Quels
9. quel

9 Possible answers:
1. Quel est le journal du lycée de Valérie?
2. Quel est le sujet de l'article de Valérie?
3. Quel est le pays d'origine de Kofi?
4. Quelle est l'HLM que Kofi habitait?
5. Quels sont les graffiti?
6. Quelle est l'HLM de Kofi maintenant?
7. Quels sont les emplois que les immigrés prennent souvent?

TPR

Lequel
To give students practice selecting the appropriate form of **lequel**, prepare a list of sentences that can logically be followed by a question using **lequel**, for example, **Mahmoud travaillait avec cette technologie.** Read the sentences for the class one at a time. After each sentence, have students hold up a sheet of paper with **lequel, laquelle, lesquels** or **lesquelles** on it to identify which form of the pronoun they would select if asking a question. When students have selected the correct form of **lequel**, say the question that would logically follow the sentence you read so that students can check their answer, for example, **Avec laquelle est-ce que Mahmoud travaillait?**

Paired Practice

Asking Questions
So that students can practice forming questions using **quel** and **lequel**, put them in pairs. Prepare a worksheet listing eight noun/verb combinations, for example, **profession/intéresser.** Student A begins with the first noun/verb combination and forms a question using a form of **quel**, for example, **Quelle profession t'intéresse?** Student B responds, then asks Student A the same question using a form of **lequel**, for example, **Je voudrais être comptable. Laquelle t'intéresse?** After Student A answers, students switch roles and continue with the next combination on the worksheet.

The interrogative pronoun *lequel*

The interrogative pronoun **lequel** asks the question "which one(s)." It is often used to replace the interrogative adjective **quel** plus a noun. **Lequel** consists of two parts: the definite article and **quel**. Both parts agree in gender and in number with the noun they replace.

	Masculine	Feminine
Singular	lequel	laquelle
Plural	lesquels	lesquelles

Quelles raisons sont les plus importantes?
Lesquelles sont les plus importantes?

Which reasons are the most important?
Which (ones) are the most important?

A form of **lequel** may be the subject or direct object of a sentence or the object of a preposition. **Lequel** can refer to both people and things.

Parmi les immigrés, **lesquels** ont des ennuis?

Among the immigrants, which ones have problems?

Il y a beaucoup de familles qui habitent cette HLM. **Laquelle** connais-tu?

There are a lot of families who live in this HLM. Which one do you know?

Avec **lequel** de ses copains Valérie a-t-elle pris rendez-vous?

With which one of her friends did Valérie make an appointment?

A form of **lequel** may be used as a one-word question.
Nous habitions une autre HLM.
Ah bon? **Laquelle?**

We used to live in another HLM.
Really? Which one?

Teaching Notes

1. Use **de** after **lequel** to express the group you are choosing from, for example, **Lequel de ces restaurants a la meilleure ambiance?**

2. When **lequel** is a preceding direct object, the past participle agrees with it in gender and in number, for example, **Lesquels de ces graffiti as-tu écrits?**

3. **Lequel** contracts with **à** and **de** to form **auquel, duquel,** etc. Point out that in French the preposition never comes at the end of the sentence.

Pratique

10 **Soyez plus précis!**

*Katia est très bavarde. Elle dit beaucoup de choses, mais elle ne donne jamais de détails. Pour chaque phrase qu'elle dit, demandez-lui d'être plus précise en utilisant la forme convenable de **lequel**.*

Modèle:

J'habite une HLM.
Ah bon? Laquelle?

1. Les immeubles de la cité sont assez nouveaux.
2. Il y a beaucoup d'activités pour les jeunes.
3. Ma famille connaît d'autres familles qui habitent ici.
4. Une des familles vient du Togo.
5. Deux filles dans cette famille sont très sympa.
6. Un des enfants dans cette famille perd son temps dans la rue.
7. Quelques résidents ne s'entendent pas bien.
8. Plusieurs groupes d'immigrés ont des ennuis.

11 **Choisissez!**

*Valérie a d'autres questions à poser aux ados qui habitent une HLM. Complétez ses nouvelles questions avec la forme convenable de **lequel**.*

1. Tu avais plusieurs raisons pour t'installer en France. … était la plus importante?
2. Il y a beaucoup d'HLM. … as-tu choisie?
3. De tous ces immeubles,… est le plus calme?
4. … des appartements habites-tu?
5. … de ces résidents viennent des pays africains?
6. Parmi les groupes d'immigrés,… ont beaucoup d'ennuis?
7. … des familles touchent les allocations familiales?
8. … des résidents les jeunes ont-ils agressé?

Lesquels de ces élèves sont des enfants d'immigrés?

Answers

10
1. Ah bon? Lesquels?
2. Ah bon? Lesquelles?
3. Ah bon? Lesquelles?
4. Ah bon? Laquelle?
5. Ah bon? Lesquelles?
6. Ah bon? Lequel?
7. Ah bon? Lesquels?
8. Ah bon? Lesquels?

11
1. Laquelle
2. Laquelle
3. lequel
4. Lequel
5. Lesquels
6. lesquels
7. Lesquelles
8. Lequel

Paired Practice

Les sketches
To provide additional practice with the interrogative pronoun **lequel**, put students in pairs. Prepare a note card for Student A that asks a question intended to find out if a specific activity has been done. This card will be the first line of the pair's skit, for example, **Tu as fait la corvée?** Student B responds using an appropriate form of **lequel**. Tell students to use their imaginations to extend the conversation as far as they can. Other questions that you might use to start the skits include the following: **Tu as rempli la fiche? Tu as vu les films? Tu as envoyé le fax? Tu as embauché les immigrés? Tu as lu l'article? Tu as vu l'exposition? Tu as trouvé les magazines?**

Answers

12 Lequel/laquelle de ces deux athlètes préfères-tu,...?
Lequel de ces deux restaurants préfères-tu,...?
Lequel de ces deux films préfères-tu,...?
Laquelle de ces deux vedettes préfères-tu,...?
Laquelle de ces deux émissions de télé préfères-tu,...?
Lequel de ces deux chanteurs préfères-tu,...?
Laquelle de ces deux voitures préfères-tu,...?
Students' responses to these questions will vary.

 12 **Une enquête**

 Faites une enquête sur les préférences de vos camarades de classe. Copiez la grille suivante. Puis, dans chaque catégorie, écrivez deux possibilités. Demandez à trois élèves laquelle de ces deux possibilités ils préfèrent. Écrivez leurs réponses dans les espaces blancs convenables.

		Yannick	Chloé	Khaled
sports	*le foot ou le tennis*	*le foot*		
athlètes				
restaurants				
films				
vedettes				
émissions de télé				
chanteurs				
voitures				

Modèle:

Laure: **Lequel de ces deux sports préfères-tu, le foot ou le tennis?**

Yannick: **Je préfère le foot.**

Communication

 13 **Au centre d'accueil**

La France, comme les États-Unis, est un pays d'immigrés depuis longtemps. Il est certain que tous les immigrés ont beaucoup d'ennuis en déménageant dans un nouveau pays. Imaginez que vous êtes un(e) immigré(e) et que vous venez d'arriver en France. Quels obstacles rencontrerez-vous? Faites une liste de questions que vous poseriez si vous alliez dans un centre d'accueil (reception center) pour nouveaux résidents en France. Préparez des questions sur les problèmes de la vie quotidienne, par exemple, le logement (housing), le travail, la nourriture, les allocations familiales, les écoles et la langue.

 14 **En partenaires**

Avec un(e) partenaire, comparez les listes de questions que vous avez préparées dans l'Activité 13. Selon les obstacles et les problèmes que vous avez identifiés, discutez comment on pourrait aider les immigrés. Puis, pour chaque obstacle ou problème dans vos listes, proposez une solution. Utilisez la forme d'une proposition, par exemple, "Si les immigrés ne savaient pas la langue et avaient besoin de l'apprendre, on pourrait leur offrir des cours de français." Enfin, présentez les solutions que vous avez discutées à la classe.

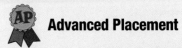

Circumlocuting

When you want to use a specific word or expression that you don't know in French, try using words you already know to get your meaning across. This is called "circumlocution," a term which comes from two Latin words meaning "to talk around." Circumlocution is an important language skill because it widens the scope of what you can talk about in French.

Depending on what you are describing, you may want to give a definition, an example or a description. For instance, if you want to talk about a portrait but don't know this word in French, you could define it as **un tableau d'une personne**. Or, to communicate a concept such as "car pooling," you could give an example: **C'est quand ma mère emmène au travail quelqu'un qui lui offre de l'argent**. Finally, to describe an object that you don't know the French word for, such as a can opener, you could give its shape, tell what it's made of and explain its use. You might say **C'est quelque chose de rectangulaire en métal qui sert à ouvrir les boîtes**. Here are the expressions for some shapes and materials that will make your descriptions of objects clearer:

carré	*square*	en métal	*made of metal*
rond	*round*	en bois	*made of wood*
rectangulaire	*rectangular*	en plastique	*made of plastic*
triangulaire	*triangular*	en coton/laine	*made of cotton/wool*
		en verre	*made of glass*

 15 Exprimez en français!

Imaginez que vous ne savez pas les expressions suivantes en français. Pour chaque expression, donnez une définition, un exemple ou une explication en français. Soyez (Be) aussi spécifique que possible.

1. a phone book
2. a personal ad
3. a toaster oven
4. a wooden spoon
5. a cuckoo clock
6. a high school yearbook
7. a school bus
8. a ski hat
9. a traffic jam
10. a picture frame
11. talk radio
12. bunk beds

Un guichet automatique est une machine qui te permet de prendre de l'argent de ta banque.

trois cent cinq **305**
Leçon A

Un peu de plus

Describing Objects
To provide additional practice in describing objects, put students in pairs. Hand out an object to each pair. Have each pair explain the function, shape and material of the object. Then have students return the objects and place them on your desk. As each pair explains their object to the class, ask students to write down which of the objects on the desk is being described. Finally, you may want to give the French word for each object. Students may be surprised to learn that some of their explanations closely match the real name of the object. For example, students might describe **un carnet d'adresses** as **un petit carnet rectangulaire en cuir où on met des adresses**.

Describing People
You may want to extend students' circumlocution practice to describing people by giving their approximate age, physical appearance (height; eye color; hair color, texture and length) and clothing. To approximate someone's age, tell students they can use **environ**, for example, **Il a environ 30 ans**. To express height, introduce **mesurer** and give several metric examples, for example, **Il mesure 1 mètre 80**. Tell students that hair can be **raides** (*straight*), **bouclés** (*curly*) or **frisés** (*frizzy*), as well as **courts, moyens** or **longs**. To describe clothing more specifically, you may want to introduce **à rayures** (*striped*), **à pois** (*polka dots*) and **à carreaux** (*checked*). So that students can practice their new vocabulary, put them in small groups. Give each student a magazine picture of a person to describe to the group.

Teaching Note

The **Stratégie communicative** is designed to develop skills that will help students prepare to take the Advanced Placement Exam in French Language. This unit's **Stratégie communicative** develops oral proficiency as students focus on learning how to circumlocute.

Workbook Activity 8

Audio CD Adjectives

FYI

Other related terms and expressions include **faire presser quelqu'un** (*to hurry somebody*), **faire presser les choses** (*to speed things up*), **l'indépendance** (*independence*), **la différence** (*difference*), **différer** (*to differ*) and **la circonspection** (*caution*).

LEÇON
B

Vocabulaire

Pierre est pressé.

Michel est indépendant.

Il est génial!

Je suis amoureuse de toi!

Chloé est ouverte.

Malick est circonspect.

306

trois cent six
Unité 7

Teaching Notes

1. **Génial(e)** is a synonym for **extra**, which was introduced in **Unité 6** in the second level of *C'est à toi!*

2. Communicative functions that are recycled in this lesson are "explaining something," "describing past events," "expressing need and necessity," "stating a preference," "giving opinions," "expressing likes and dislikes" and "giving examples."

 Workbook Activity 9

 Grammar & Vocabulary Exercises 15-17

 Audio CD *Conversation culturelle*

Transparency 20

Philippe adore être reporter pour *Un Monde Meilleur*. Chaque jour il écrit dans son journal. Quelquefois il y trouve des idées pour un article. Regardons ses notes pour savoir ce qu'il a fait cette semaine.

> J'aime écrire dans mon journal chaque jour.

lundi

Après le cours de philosophie, j'ai rencontré° Émilie, Martin et Anne au Quick. On est de vrais amis, et je peux toujours compter° sur eux. Même si nous n'avons pas les mêmes idées, nous acceptons celles° des autres dans le groupe. Les amis sont si importants pour moi. Cet après-midi j'avais vraiment besoin de rigoler car ma note° de philosophie était mauvaise.

Pour prendre un goûter, où peut-on aller? Au Macdo, à Pizza Pino, au Free Time, à Love Burger? Ben, ça dépend. Il faut considérer ce qu'on veut, combien de temps on a et ce qu'on veut dépenser. Aujourd'hui nous étions plus pressés que d'habitude,° alors nous avons choisi le Quick, le fast-food le plus près du lycée. On trouve toujours un bon choix dans ce fast-food-ci.

Nous venons tous de familles modernes dans lesquelles les parents travaillent tous les deux. Nos mères n'ont plus le temps de préparer un grand dîner. En France presque 80% des femmes qui travaillent ont entre 25 et 49 ans. Celles qui travaillent ont moins de temps libre mais ont plus de travail à la maison que les femmes américaines, anglaises et canadiennes.

Plus les femmes travaillent, plus les repas sont simples et rapides. La famille française d'aujourd'hui dépense moins pour la nourriture qu'avant. C'est parce qu'on dépense plus du budget familial pour le logement.°

Temps libre des femmes et temps pour le ménage (en heures par semaine)		
	États-Unis	France
Temps libre	33,6	27,7
Ménage	25,8	27,7

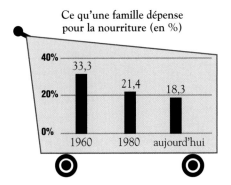

Ce qu'une famille dépense pour la nourriture (en %)

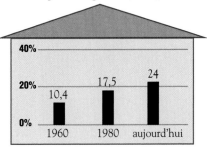

Ce qu'une famille dépense pour le logement (en %)

rencontrer *to meet;* **compter** dépendre; **celles** *those;* **une note** *grade;* **d'habitude** *usual;* **le logement** *housing*

trois cent sept
307
Leçon B

Teaching Notes

1. Philippe was the reporter in **Unité 6** who wrote an article for *Un Monde Meilleur* about **Médecins Sans Frontières**.

2. **Journal** has been presented in the **Journal personnel** section of each unité.

3. **Rencontrer** is a synonym of **se rejoindre**, which was introduced in **Unité 9** in the second level of *C'est à toi!*

4. Point out the two different meanings of **même**: "even" and "same."

5. Students learned **une note**, meaning "note," in **Unité 1** in the third level of *C'est à toi!*

6. The forms of the orthographically changing verb **considérer** are: **considère**, **considères**, **considère**, **considérons**, **considérez**, **considèrent**.

7. **Lesquelles** in the third paragraph is a relative pronoun, not an interrogative pronoun.

FYI

About one in every two marriages in France ends in divorce, but the figure increases in the Paris area. Divorce first became legal in 1792 after the French Revolution. It was banned in 1816 but was reinstated by the Third Republic in 1884. The number of divorces in France has multiplied by five since 1960.

une famille nucléaire

une famille monoparentale

Où vont les jeunes quand ils sortent?		
	15-25 ans	plus de 26 ans
cinéma	90	43
discothèque	69	17
concert de rock	42	6
parc d'attractions	37	13
match	36	22
monument national	31	25
musée	27	31
théâtre	17	14

Philippe et Martin vont voir Angélique Kidjo en concert au Zénith.

mardi

Après quelques ennuis dans le labo de chimie, j'ai rencontré Martin au café du coin° de la rue. Il m'a annoncé que ses parents allaient divorcer. Il a dit que son père passait trop de temps à s'occuper de sa compagnie et que sa mère voudrait réussir dans sa profession d'écrivain. Presque 50% des mariages se terminent en divorce. Dommage que ça soit celui de ses parents! Au revoir la famille nucléaire; bonjour la famille monoparentale! Les gens qui vivent dans une famille non-traditionnelle deviennent plus nombreux. Ceux qui se marient° le font plus tard, à l'âge de 30 ans pour les hommes et de 28 ans pour les femmes.

Karine et Gérard se sont mariés à l'âge de 29 ans.

mercredi

Quand Émilie, Martin, Anne et moi, nous sommes sortis du lycée, nous sommes allés tout de suite à la Fnac. Émilie et Anne voulaient écouter les nouveaux CDs pendant que Martin et moi, nous sommes allés au bureau de location. J'ai demandé à Martin, "Qu'est-ce que tu voudrais faire le weekend prochain? Assister à un concert? Aller dans une discothèque, au cinéma ou à un parc d'attractions?" Il a répondu, "J'aimerais mieux me distraire° à un concert. Voyons ce qu'il y a au Zénith." Donc, pendant que les filles écoutaient de la musique, nous avons acheté des billets pour le concert d'Angélique Kidjo. Ceux que nous avons achetés étaient les plus chers.

un coin *corner;* se marier *l'action de devenir homme et femme;* se distraire *s'amuser*

Teaching Notes

1. **Marier**, when not used reflexively, refers to the action of performing a marriage.

2. Here are the present tense forms of the irregular verb **se distraire: je me distrais, tu te distrais, il/elle/on se distrait, nous nous distrayons, vous vous distrayez** and **ils/elles se distraient.**

jeudi

Rien d'important aujourd'hui. Je me suis disputé° avec ma sœur, Laurence. Heureusement, il y a seulement un ou deux enfants dans la plupart des familles françaises. Je trouve qu'une petite sœur est assez!

Il faut étudier ce soir parce que demain j'ai une interro d'anglais.

Combien d'enfants il y a dans une famille française

vendredi

J'ai eu 15 à l'interro. Ben, ouais, celui qui étudie dur réussit. Ce soir j'ai passé des heures au téléphone. C'est génial de pouvoir parler "franglais," avec des mots° d'origine américaine ou anglaise.

J'écoute beaucoup de musique anglaise et américaine. Il y a des groupes francophones qui sont très bons, mais ils sont moins nombreux. Je n'aime pas la loi° qui exige que 40% des chansons qu'une radio passe° entre 6h30 et 22h30 soient en français. Personne ne peut écouter la musique qu'il préfère. C'est une question de liberté de choix. On a le même problème à la télé. Les chaînes sont obligées de diffuser° 50% d'émissions européennes, dont 40% sont des émissions francophones. On ne sait pas s'il faut aimer l'influence culturelle américaine ou pas, mais je la trouve passionnante.

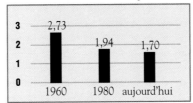

se disputer ne pas être d'accord; **un mot** *word*; **une loi** *law*; **passer** *to play (on the radio)*; **diffuser** *to broadcast*

Philippe aime écouter la musique anglaise et américaine à la radio.

trois cent neuf
Leçon B

309

Transparency 22

Est-ce que cet ensemble donne
l'air américain?

samedi

Après les cours nous avons fait les magasins. Il y avait des soldes aux Galeries Lafayette et à Naf Naf. Ce soir nous avons invité une lycéenne américaine à venir avec nous au cinéma. Elle s'appelle Shelley (celle qui a les cheveux roux), et elle passe l'année scolaire dans notre lycée. Quand Émilie et Anne ont le temps, elles aiment beaucoup faire les magasins avec Shelley pour pouvoir choisir des vêtements qui donnent l'air plus américain. Elles ont déjà acheté des jeans, des chaussures de sport et des pulls de marque° américaine.

Après le film nous avons pris un coca au café. Shelley nous a parlé de l'influence française en Amérique. On la trouve partout: dans les restaurants, les films, les collections et les expositions de tableaux, le vocabulaire, les vêtements, le rock et même les stylos. Il y a aussi beaucoup de compagnies françaises qui se trouvent aux États-Unis. Nous nous amusons avec Shelley qui est toujours aimable et enthousiaste. Comme nous, elle prend ses cours au sérieux, et elle est toujours très organisée. Shelley est aussi indépendante et ouverte qu'Émilie et Anne, mais elle est différente d'elles aussi parce qu'elle est plus engagée dans tout ce qui se passe dans son lycée. Par exemple, elle est membre de l'équipe de foot. Je trouve mes copines françaises un peu plus circonspectes que Shelley, mais c'est parce que celles-là habitent une grande ville et leur culture est plus vieille.

Les ados français aiment la sélection de vêtements à Naf Naf.

dimanche

Mes grands-parents sont venus déjeuner chez nous comme d'habitude. C'est génial, toute la famille ensemble. Après j'ai dû faire mes devoirs. Quelle longue semaine! Alors, mon journal, à demain.

une marque *brand*

 trois cent dix
Unité 7

Teaching Note

Point out that the comparative form **aussi... que** is used with two adjectives, **independante** and **ouverte**.

1 Vrai ou faux?

Écrivez "V" si la phrase est vraie; écrivez "F" si la phrase est fausse.

2 Le journal de Philippe

D'après le journal de Philippe, mettez les événements suivants en ordre chronologique. Écrivez "1" pour la première phrase, "2" pour la deuxième phrase, etc.

1. Philippe a eu 15 à l'interro.
2. Philippe a eu quelques ennuis dans le labo de chimie.
3. Toute la famille était ensemble pour le déjeuner.
4. Émilie, Martin et Anne ont rencontré Philippe chez Quick.
5. Laurence et Philippe se sont disputés.
6. Les copains sont allés au cinéma avec Shelley.
7. Martin et Philippe ont acheté des billets pour un concert.
8. Les quatre amis ont fait du shopping aux Galeries Lafayette.
9. Martin a annoncé que ses parents allaient divorcer.

Lundi, Philippe et ses copains ont choisi le Quick parce qu'ils étaient pressés.

 Audio CD Activity 1

Answers

1
1. F
2. F
3. F
4. F
5. V
6. F
7. V

2
1. 6
2. 2
3. 9
4. 1
5. 5
6. 8
7. 4
8. 7
9. 3

3 ▶ **Complétez!**

Choisissez l'expression qui complète chaque phrase d'après le journal de Philippe.

1. Quand on est très..., on choisit un fast-food près du lycée.
   A. nombreux
   B. pressé
   C. circonspect
2. Aujourd'hui une famille française dépense moins pour... qu'avant parce qu'on n'a plus beaucoup de temps pour préparer les repas.
   A. la nourriture
   B. le budget familial
   C. le logement
3. Les parents de Martin allaient....
   A. établir une famille nucléaire
   B. divorcer
   C. se marier
4. Pour..., Martin préfère aller à un concert.
   A. se marier
   B. se disputer
   C. se distraire
5. Le franglais? Ce sont des... d'origine anglaise ou américaine, comme *un fast-food*.
   A. mots
   B. notes
   C. vocabulaire
6. Une radio passe de la musique, mais une chaîne de télévision... des émissions.
   A. annonce
   B. considère
   C. diffuse
7. Émilie et Anne choisissent des vêtements de... américaine.
   A. loi
   B. budget
   C. marque
8. Shelley est une fille... parce qu'elle participe à beaucoup d'activités dans son lycée.
   A. engagée
   B. ouverte
   C. non-traditionnelle

La mère de Philippe, qui travaille, prépare un dîner simple et rapide.

4 ▸ La famille française

Écrivez un paragraphe de cinq phrases où vous expliquez ce que vous venez d'apprendre au sujet de la famille française moderne. Parlez des repas, de l'effet sur la vie familiale des parents qui travaillent, du budget familial et de la composition de la famille moderne.

5 ▸ C'est à toi!

Questions personnelles.

1. Est-ce que tu écris dans un journal? Si oui, au sujet de quoi? De tes activités? De tes relations? De tes idées?
2. Est-ce que tu reçois quelquefois de mauvaises notes? Si oui, dans quel(s) cours?
3. Est-ce que tous les membres de ta famille ont la liberté de choisir les émissions qu'ils regardent à la télé?
4. Est-ce que tu te disputes souvent avec les membres de ta famille? Si oui, avec qui?
5. Selon toi, quel est le meilleur âge pour se marier?
6. Quand tu sors le weekend, où vas-tu le plus souvent?
7. Est-ce que tu as les mêmes idées que tes amis? Si non, est-ce que tu acceptes leurs idées?
8. Est-ce que tu connais des Français? Si oui, est-ce qu'ils sont différents des Américains? Comment?

À quel âge est-ce que tu voudrais te marier?

Quelles marques de chaussures préfères-tu?

trois cent treize
Leçon B
313

Audio CD Activity 5

Answers

4 Possible paragraph:
Les Français mangent plus souvent qu'avant dans les fast-foods quand ils sont pressés. La plupart des femmes françaises travaillent, donc, les repas en famille sont plus simples et rapides. On dépense moins du budget familial pour la nourriture et plus pour le logement. Les Français qui vivent dans une famille non-traditionnelle deviennent plus nombreux. La famille monoparentale prend la place de la famille nucléaire.

5 Answers will vary.

FYI

1. There are 258 Brioche Dorée restaurants and 80 Pomme de Pain restaurants in France. 2. Fast-food dining is known as **la restauration rapide**. 3. Burger King has pulled out of the French market, but McDonald's remains strong in France, with over two million dollars in annual revenue. The McDonald's menu includes **le hamburger, le cheeseburger, le Double Cheeseburger, le Royal Cheese, le Big Mac, le McBacon, le McChicken, le Filet-O-Fish** and **le Happy Meal.** 4. The Hard Rock Café in Paris is located at 14, boulevard Montmartre (9ᵉ).

Le fast-food français

Contrairement à la mentalité et la culture françaises, le fast-food se trouve partout en France. Les Français n'ont pas pu résister à l'invasion des chaînes de restaurants. Il y a les chaînes sandwichs, par exemple, la Brioche Dorée, le Relais H, la Viennoisière et la Pomme de Pain. On peut y manger pour pas cher. Bien sûr, il y a de grandes chaînes de fast-food américaines. On compte plus de 1000 McDo en France, aussi bien que des Domino's, des El Rancho et des Kentucky Fried Chicken. Et la France en a ses imitations: le Quick, Pizza Pino, le Free Time et Love Burger. Les cafétérias sont généralement situées dans des centres commerciaux ou sur les autoroutes. Il y a des Casino Cafétéria, des Flunch et de petits restaurants dans les magasins, comme Monoprix. Les chaînes grill, par exemple, Buffalo Grill, Courtepaille et Hippopotamus, connaissent beaucoup de succès. Ils offrent des menus complets où on trouve une cuisine plutôt française. Et enfin, il ne faut pas oublier le Hard Rock Café à Paris où se réunissent beaucoup de touristes américains.

Il y a plus de 250 restaurants de la chaîne la Brioche Dorée en France.

Aujourd'hui les Français dépensent plus de leur budget pour le logement que pour la nourriture.

Le budget familial

Si la famille française dépense 18,3 pour cent de son budget pour la nourriture et 24 pour cent pour le logement, où dépense-t-elle le reste de son argent?

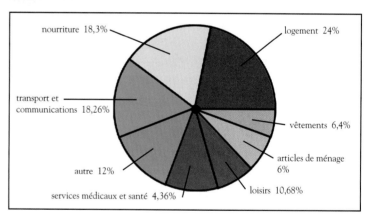

- nourriture 18,3%
- logement 24%
- transport et communications 18,26%
- vêtements 6,4%
- articles de ménage 6%
- autre 12%
- loisirs 10,68%
- services médicaux et santé 4,36%

Teaching Note

Cognates in this reading include **contrairement, mentalité, résister, invasion, chaînes, imitations, cafétérias, généralement, autoroutes, grill, se réunissent, pour cent, reste, modèle, norme, cohabitent, remariage, structure,** **traditionnelle, insertion, invasion, expressions, acceptable, remplacer, équivalents, suggérés, personnels, sélection, parisiens, classiques, élégant, parfum, observation** and **catalogue.**

La famille d'aujourd'hui

Le modèle de la famille de deux parents avec des enfants n'est plus la norme. Maintenant en France il y a des couples qui cohabitent sans se marier et qui ont des enfants. Le divorce a augmenté le nombre de familles monoparentales, et onze pour cent des enfants vivent dans ces familles. Le remariage change aussi la structure de la famille traditionnelle. Les enfants peuvent vivre avec d'autres enfants qui viennent d'autres mariages de leurs parents.

Le franglais

Le franglais est l'insertion dans la langue française de mots anglais ou américains. Les jeunes Français le trouvent génial, et ils utilisent souvent des mots du franglais. Le gouvernement français n'aime pas l'invasion de ces expressions, surtout quand il y a une expression française acceptable qui pourrait les remplacer. Si vous êtes avec les jeunes, vous pouvez parler franglais, mais si vous cherchez à faire bonne impression devant les professeurs en France, il vaut mieux utiliser des expressions françaises. Voici une liste de mots franglais et de leurs équivalents français suggérés.

J'ai envie de me relaxer ce weekend. Je vais écouter mon walkman en mangeant du popcorn.

franglais	français standard
le fast-food	la restauration rapide
le hit-parade	le palmarès
le popcorn	le maïs explosé
le gadget	le truc
le parking	le terrain de stationnement
le stress	la tension
se relaxer	se reposer
le weekend	la fin de semaine
faire du shopping	faire des achats
le zappeur	la télécommande
le walkman	le baladeur
le convenience store	la bazarette
le teleshopping	le téléachat

À Auchan on peut même acheter de l'essence.

Les grands magasins

Partout en France on trouve Monoprix et Prisunic. Ce sont des grands magasins du quartier qui offrent un peu de tout aux meilleurs prix: nourriture, vêtements, articles personnels, articles de ménage et plus. Si vous cherchez un supermarché ou un magasin même plus grand, vous trouverez Carrefour, Mammouth, Auchan et Continent. Ce sont des "grandes surfaces" ou des "hypermarchés." Avec une grande sélection de nourriture, on y vend aussi ce qu'on trouverait dans un Monoprix et des articles de jardin, des jeux, des CDs et des télévisions.

trois cent quinze

315

Leçon B

FYI

1. Only 15 percent of French families have three children; five percent have four or more. One couple in six chooses to live together without getting married, but among young people from 18 to 25 the figure is almost three times as high. Eighty-seven percent of children of divorced parents under the age of seven live with the mother. The justice system favors alternating custody, where children spend equal time with each parent. Fathers are more and more accepted as the custodial parent. At custody hearings the child is allowed to express with which parent he or she would rather live. 2. Other **franglais** terms that have been replaced with standard French equivalents include **le disc-jockey** (*l'animateur*), **l'air bag** (*le coussin gonflable*) and **le marketing** (*le mercantique*).

Cooperative Group Practice

Le franglais
To make students more aware of the presence of **le franglais** in France, put them in small groups and have them make lists of **franglais** terms that they find in French magazines. Tell each group to divide the words into categories, such as sports, fashion, politics and entertainment, in order to gauge the infiltration of **le franglais** into various areas of French life. Then have students try to find the acceptable French term for each of the words on their list. Finally, have each group present a chart to the class with the **franglais** and standard French terms for the words that students found.

1. Au Bon Marché, located at 38, rue de Sèvres (7ᵉ), has a well-known antiques department. Opened in 1852, the store specializes in linens, tableware and quality furniture. 2. In 1996 Galeries Lafayette celebrated its centennial. The chain operates 60 stores, two of which are in Paris, at 40, boulevard Haussmann (1ᵉʳ) and at the foot of the Tour Maine-Montparnasse (6ᵉ). The flagship store on the boulevard Haussmann is listed as a national historic monument. Visited by over 80,000 people each day, its interior is reminiscent of **la Belle Époque.** Galeries Lafayette has also opened stores in New York, Berlin, London, Montreal, Tokyo and Peking. Galeries Lafayette's supermarket, which accepts orders by telephone, fax, cable and Minitel, offers home delivery service. 3. Printemps, located at 64, boulevard Haussmann (1ᵉʳ), closely resembles the original Galeries Lafayette store in style and spaciousness. An entire annex is devoted to home furnishings and accessories, but the store is most famous for its perfume department. The men's store, Brummel, is in a separate building. 4. La Samaritaine is located at 19, rue de la Monnaie (1ᵉʳ).

Paris compte plusieurs grands magasins très célèbres. Au Bon Marché était le premier grand magasin à ouvrir ses portes sur Paris. Les magasins parisiens les plus populaires sont les Galeries Lafayette et le Printemps, qui offrent des vêtements contemporains et classiques. Les Galeries Lafayette en offrent avec une grande variété de prix dans un magasin à plusieurs étages. C'est le plus grand magasin de Paris. Le Printemps vend de tout dans un magasin aussi élégant que les Galeries Lafayette. C'est un magasin plutôt traditionnel, et la clientèle est généralement plus âgée. Si c'est du parfum que vous cherchez,

La Samaritaine a ouvert ses portes en 1869.

allez au Printemps où la sélection de parfums est aussi grande qu'un stade de foot. La Samaritaine est plus pratique et vend tout, des poissons rouges aux aspirateurs. À la Samaritaine n'oubliez pas de visiter la tour d'observation au-dessus de leur restaurant d'où vous pouvez voir tout Paris.

Comme aux États-Unis, les Français peuvent aussi faire du shopping par catalogue. La Redoute et les Trois Suisses sont deux magasins qui offrent depuis longtemps des catalogues. On peut même faire sa commande par Minitel.

6 Les Français comme ils sont

Répondez aux questions suivantes.

1. Où sont les fast-foods en France?
2. Quelles sont des chaînes sandwichs en France?
3. Quels fast-foods suivent le modèle des chaînes américaines?
4. Qu'est-ce qui a augmenté le nombre de familles monoparentales?
5. Qu'est-ce qui a changé la structure de la famille traditionnelle?
6. Le franglais, qu'est-ce que c'est?
7. Qui n'aime pas l'invasion des expressions américaines?
8. Carrefour, qu'est-ce que c'est?
9. Quel est le plus grand magasin de Paris?
10. Quels magasins offrent des catalogues?

Mammouth est une "grande surface" ou un "hypermarché."

Les Galeries Lafayette offrent plus de 80.000 marques dans leur magasin, qui est le plus grand de Paris. Regardez le plan du magasin. Puis dites à quel étage on peut trouver les articles suivants.

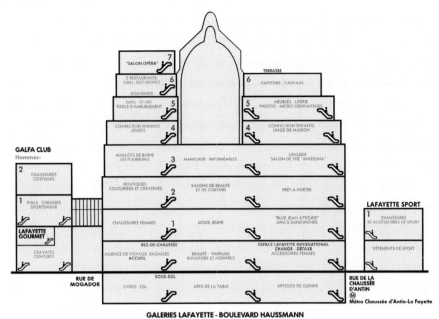

GALERIES LAFAYETTE - BOULEVARD HAUSSMANN

1. un livre sur l'histoire de France
2. une disquette
3. des baskets
4. une valise
5. un sweat
6. des sous-vêtements
7. des vêtements pour ados
8. du mascara
9. un foulard
10. des boucles d'oreilles

Journal personnel

The American influence is everywhere in France. To what extent is this "invasion" a positive force in French life? Why do many French teens readily accept these American influences? Why do you think conservative French people consider this a commercial bombardment into their traditional French culture?

In what areas has French culture influenced American life? What American products are advertised with a French "flavor"? What stereotypes about France or French people do these ads reinforce? Finally, make a list of French words that are commonly used in English.

6 Possible answers:
  1. Les fast-foods sont partout en France.
  2. La Brioche Dorée, le Relais H, la Viennoisière et la Pomme de Pain sont des chaînes sandwichs en France.
  3. Le Quick, Pizza Pino, le Free Time et Love Burger suivent le modèle des chaînes américaines.
  4. Le divorce a augmenté le nombre de familles monoparentales.
  5. Le remariage a changé la structure de la famille traditionnelle.
  6. Le franglais est l'insertion dans la langue française de mots anglais ou américains.
  7. Le gouvernement français n'aime pas l'invasion des expressions américaines.
  8. C'est une "grande surface" ou un "hypermarché."
  9. Les Galeries Lafayette sont le plus grand magasin de Paris.
  10. La Redoute et les Trois Suisses offrent des catalogues.

7 1. au sous-sol
   2. au 5e étage
   3. au 1er étage, Lafayette Sport
   4. au rez-de-chaussée
   5. au rez-de-chaussée, Lafayette Sport
   6. au 3e étage
   7. au 1er étage
   8. au rez-de-chaussée
   9. au rez-de-chaussée
   10. au rez-de-chaussée

Answers

8 1. Cette chanson-ci est en anglais.
2. Ces mots-là sont d'origine américaine.
3. Ces groupes-là sont francophones.
4. Ces chaînes-ci sont obligées de diffuser beaucoup d'émissions européennes.
5. Cette discothèque-là est populaire parmi les jeunes.
6. Cette marque-ci de chaussures de sport est française.
7. Ces ados-ci sont de bons amis.
8. Cette fille-là est plus engagée dans tout ce qui se passe dans son lycée.

Paired Practice

Les préférences
Put students in pairs. Give them a worksheet with pairs of pictured items, such as food, clothing, video games and cars. Make one item of each pictured pair smaller so that it looks farther away. The first student in each pair asks his or her partner questions based on the odd-numbered pairs, for example, **Est-ce que tu préfères cette glace-ci ou cette glace-là?** The second student responds, for example, **Je préfère cette glace-ci.** Then the second student asks the first student questions based on the even-numbered pairs.

Demonstrative adjectives

Demonstrative adjectives point out specific people or things. **Ce, cet** and **cette** mean "this" or "that"; **ces** means "these" or "those." Demonstrative adjectives agree with the nouns that follow them.

Singular			Plural
Masculine before a Consonant Sound	**Masculine before a Vowel Sound**	**Feminine**	
ce coin	**cet** immigré	**cette** radio	**ces** notes

Cet après-midi j'avais vraiment besoin de rigoler.

This afternoon I really needed to laugh.

Je peux toujours compter sur **ces** amis.

I can always count on these friends.

To make a clear distinction between who or what is closer to the speaker and who or what is farther away, add **-ci** after the noun to mean "this" or "these" or **-là** after the noun to mean "that" or "those."

On trouve toujours un bon choix dans **ce** fast-food-**ci**.

You always find a good choice at this fast-food restaurant.

Je dois étudier très dur pour **cette** interro-**là**.

I have to study very hard for that test.

Pratique

8 ▶ Décrivez!

Utilisez l'adjectif démonstratif convenable pour décrire les personnes et les choses indiquées. Suivez les modèles.

Modèles:

le cours/ici/plus difficile que les autres
Ce cours-ci est plus difficile que les autres.

la famille/là-bas/monoparental
Cette famille-là est monoparentale.

1. la chanson/ici/en anglais
2. les mots/là-bas/d'origine américaine
3. les groupes/là-bas/francophone
4. les chaînes/ici/obligé de diffuser beaucoup d'émissions européennes
5. la discothèque/là-bas/populaire parmi les jeunes
6. la marque de chaussures de sport/ici/français
7. les ados/ici/de bons amis
8. la fille/là-bas/plus engagé dans tout ce qui se passe dans son lycée

Pourriez-vous me recommander un hôtel?

Cet hôtel-là est moins cher que cet hôtel-ci.

Teaching Notes

1. Demonstrative adjectives were introduced on page 270 in the first level of *C'est à toi!* and reviewed on page 78 in the second level.

2. Remind students that there is liaison after **cet** and **ces** when the next word begins with a vowel sound.

3. Tell students that **-ci** stands for **ici** and **-là** stands for **là-bas**.

9 **En partenaires**

 *Il y a des soldes à Naf Naf. Avec un(e) partenaire, donnez vos opinions sur les vêtements qui sont en solde. Suivez le modèle.*

Modèle:

46,58 €
30,34€

A: **Comment tu trouves ce jean?**
B: **Il est assez beau, mais cher. Et toi, comment tu trouves ce jean?**
A: **Il me semble laid.**

45,58 €
22,71€

1.

33,39 €
27,29 €

2.

Naf Naf
7,47 €
5,95 €

3.

19,67 €
13,57 €

4.

13,57 €
4,42 €

5.

42,53 €
30,34 €

6.

trois cent dix-neuf
Leçon B **319**

Answers

9 1. Comment tu trouves ces bottes?
2. Comment tu trouves ce pull?
3. Comment tu trouves cette casquette?
4. Comment tu trouves ces chemises?
5. Comment tu trouves ce tee-shirt?
6. Comment tu trouves cet imperméable?

Students' responses to these questions will vary.

Paired Practice

Le marché aux puces
Bring to class pairs of some old clothing items. Arrange them on a table so that the similar items are not next to each other. Put students in pairs. One student plays the role of a vendor at a flea market, the other plays the role of a shopper. The shopper indicates interest in an item, and the vendor asks him or her to specify which one, using a demonstrative pronoun. The vendor gives the price, and the shopper makes a selection. You may want to model the following role-play with a student before pairs begin. **—Je peux voir ces tennis? —Lesquels? Ceux-là? —Non, ceux-ci. —Ils coûtent 5 euros. —Bon. Je les prends.**

Demonstrative pronouns

The demonstrative pronoun **celui** points out specific people or things and is often used to replace the demonstrative adjective **ce** plus a noun. The form of **celui** agrees in gender and in number with the noun it replaces. The singular forms mean "this one," "that one" or "the one." The plural forms mean "these," "those" or "the ones."

	Masculine	Feminine
Singular	celui	celle
Plural	ceux	celles

Même si nous n'avons pas les mêmes idées, nous acceptons **celles** des autres dans le groupe.

Even if we don't have the same ideas, we accept those of the others in the group.

Celui qui étudie dur réussit.

The one who studies hard succeeds.

A demonstrative pronoun is never used alone in a sentence. It is followed by **-ci** or **-là**, **qui** or **que**, or **de**.

Add **-ci** or **-là** after a form of **celui** to indicate a choice, to clarify or to single out. To point out who or what is closer to the speaker (*this one, these*), add **-ci**; to point out who or what is farther away (*that one, those*), add **-là**.

Quels mecs travaillent à la Fnac? **Ceux-ci** ou **ceux-là**?

Which guys work at Fnac? These or those?

Je trouve mes copines françaises plus circonspectes que Shelley, mais c'est parce que **celles-là** habitent une grande ville.

I think my French friends are more reserved than Shelley, but that's because they (those girls) live in a big city.

La plupart de ces lycéens sont diligents, mais celui-là préfère parler.

Add **qui** or **que** after a form of **celui** to identify. Use **celui qui** as the subject and **celui que** as the object.

Les billets pour le concert d'Angélique Kidjo? **Ceux que** nous avons achetés étaient les plus chers.

The tickets for the Angélique Kidjo concert? The ones (that) we bought were the most expensive.

Ceux qui se marient le font plus tard.

Those who get married do so later.

Teaching Note

1. **Celui-ci** or **celle-ci** may also mean "the latter." **Celui-là** or **celle-là** may also mean "the former." A form of **celui-ci** always comes before a form of **celui-là** when both occur in the same sentence, for example, **D'où viennent tes copains Shelley et Martin**? (*Where do your friends Shelley and Martin come from?*) **Celui-ci est français, et celle-là est américaine**. (*The latter is French, and the former is American.*) Point out that in English we tend to use the reverse of this phrasing, saying "former" before "latter."

Add **de** after a form of **celui** to express possession.

Le mariage qui se termine en divorce?   *The marriage that ends in divorce?*
Dommage que ça soit **celui de** ses parents.   *Too bad it's his parents'!*
Ces notes-ci? Ce sont **celles de** Philippe.   *These grades? They are Philippe's.*

Pratique

10 **Précisez, s'il vous plaît!**

On vous parle de Philippe, de ses amis et de ce qu'ils ont dit et fait la semaine passée. Mais vous ne comprenez pas exactement de qui ou de quoi on parle, et vous voulez qu'on soit plus précis. Posez des questions avec la forme convenable de **celui.** *Suivez le modèle.*

Modèle:

Philippe est reporter pour ce journal.
Pour celui-ci ou celui-là?

1. Philippe accepte ces idées.
2. La note de Philippe dans ce cours n'était pas bonne.
3. Philippe et ses amis trouvent un bon choix dans ces fast-foods.
4. On dit que ce mariage va se terminer en divorce.
5. Les ados ont acheté ces billets.
6. Shelley prend ces cours au sérieux.
7. Shelley est membre de cette équipe.
8. Émilie et Anne préfèrent ces vêtements qui donnent l'air plus américain.
9. Philippe dit que ces compagnies françaises se trouvent aux États-Unis.

trois cent vingt et un
Leçon B

 Audio CD Activity 10

Answers

10 1. Celles-ci ou celles-là?
2. Dans celui-ci ou celui-là?
3. Dans ceux-ci ou ceux-là?
4. Celui-ci ou celui-là?
5. Ceux-ci ou ceux-là?
6. Ceux-ci ou ceux-là?
7. De celle-ci ou celle-là?
8. Ceux-ci ou ceux-là?
9. Celles-ci ou celles-là?

Game

Identification with *celui qui*
Divide the class into Team A and Team B. Prepare a list of items that you want students to identify, for example, **le Minitel, le TGV,** *Hiroshima mon amour, Rue de Paris*; *Temps de pluie,* **la tour Eiffel,** a current TV show and a current song. The first two students from Team A come to the front of the room. Say the generic category for the first item on your list, for example, **un ordinateur.** Show the answer (**le Minitel**) to one of the students, who then gives a clue to his or her partner, for example, **C'est celui qui est le plus populaire en France.** If the partner can identify **le Minitel** within ten seconds, Team A earns a point. If not, Team B gets a turn. The team with the most points wins.

Teaching Notes

2. When a form of **celui** is used with the relative pronoun **que,** there is agreement between the past participle and the demonstrative pronoun, for example, **Les photos? Celles que nous avons vues étaient jolies.**

3. In formal French a form of **celui-ci** is often used to replace a personal pronoun, for example, **J'ai fait la connaissance de ta camarade de chambre quand celle-ci habitait à Toulon.**

4. A form of **celui de** can also express relationship or origin. It can be followed by an adverb or by a verb.

321

Audio CD Activities 11-12

Answers

11 1. C'est celle de Marianne.
2. Ce sont celles de Chloé.
3. C'est celui de Nora.
4. Ce sont ceux de Malick.
5. Ce sont ceux d'Alex.
6. C'est celui de Nadia.
7. Ce sont celles d'Hélène.
8. C'est celle de Daniel.

12 1. Tu préfères les tableaux de Van Gogh ou de Monet?
2. Tu préfères la musique de Céline Dion ou de LeAnn Rimes?
3. Tu préfères les livres de John Grisham ou de Jane Austen?
4. Tu préfères les vêtements de Tommy Hilfiger ou de Calvin Klein?
5. Tu préfères la nourriture qu'on prépare à la maison ou qu'on sert au fast-food?
6. Tu préfères les sports d'été ou d'hiver?
7. Tu préfères les voitures qui viennent du Japon ou qui viennent des États-Unis?
8. Tu préfères le climat du Canada ou du Togo?
Students' responses to these questions will vary.

Paired Practice

Les comparaisons
Put students in pairs. Give each pair a worksheet that you have prepared with six sentences that students can use to make comparisons, for example, **Le climat du Togo est chaud**. Each sentence is followed by a noun that will be used in the comparison, for example, **le Canada**. Students alternate making comparisons using demonstrative pronouns for each sentence on the worksheet, for example, **Le climat du Togo est plus chaud que celui du Canada.** Here are some other sentences and nouns that you might use: **Les immigrés aux États-Unis sont nombreux. (la France); Les relations à notre lycée sont tendues. (another school); La musique de Céline Dion est bonne. (Angélique Kidjo); Les monuments de Paris sont vieux. (New York)**

322

---

11 ## C'est à qui?

Ces objets perdus, à qui sont-ils (to whom do they belong)?

Modèle:

Ce carnet-ci?
C'est celui de Philippe.

1. Cette cage-ci?
2. Ces chaussures-ci?
3. Ce CD-ci?
4. Ces chiens-ci?

5. Ces sandwichs-ci?
6. Ce peigne-ci?
7. Ces disquettes-ci?
8. Cette raquette-ci?

12 ## En partenaires

 Avec un(e) partenaire, posez des questions sur vos préférences. Puis répondez aux questions. Suivez le modèle.

Modèle:

les films (de Will Smith/de Brad Pitt)
A: **Tu préfères les films de Will Smith ou de Brad Pitt?**
B: **Je préfère ceux de Will Smith. Et toi, tu préfères les films de Will Smith ou de Brad Pitt?**
A: **Moi aussi, je préfère ceux de Will Smith.**

1. les tableaux (de Van Gogh/de Monet)
2. la musique (de Céline Dion/de LeAnn Rimes)
3. les livres (de John Grisham/de Jane Austen)
4. les vêtements (de Tommy Hilfiger/de Calvin Klein)
5. la nourriture (qu'on prépare à la maison/qu'on sert au fast-food)
6. les sports (d'été/d'hiver)
7. les voitures (qui viennent du Japon/qui viennent des États-Unis)
8. le climat (du Canada/du Togo)

322 trois cent vingt-deux
Unité 7

Communication

 Listening Activity 2

 Communicative Activities

 Leçon B Quiz

13 **Une enquête**

Faites une enquête pour savoir ce que les élèves dans votre cours de français préfèrent. Copiez la grille suivante. Puis demandez à trois élèves de vous dire le fast-food, le magasin, la musique, les loisirs et le cours qu'ils préfèrent, et pourquoi. Écrivez leurs réponses dans les espaces blancs convenables.

	Chantal	Francis	Élise
fast-food raison	*Burger King* *On a les meilleures frites.*		
magasin raison			
musique raison			
loisirs raison			
cours raison			

Quels loisirs préfères-tu?

Je préfère le camping parce que j'aime me distraire à la campagne.

Modèle:

Anne-Marie: **Quel est le fast-food que tu préfères?**

Chantal: **Celui que je préfère, c'est Burger King.**

Anne-Marie: **Ah bon? Pourquoi?**

Chantal: **Parce qu'on a les meilleures frites.**

14 **Vos préférences?**

Et vous, qu'est-ce que vous préférez comme fast-food, magasin, musique, loisirs et cours, et pourquoi? Vos préférences ressemblent-elles à celles des élèves dans votre cours de français? Écrivez un paragraphe où vous comparez vos choix avec ceux des trois élèves dans l'Activité 13. Si vous êtes d'accord avec les choix de ces élèves, comparez vos raisons. Si vous disputez leurs choix, dites pourquoi.

trois cent vingt-trois

Leçon B

FYI

Christiane Rochefort challenged the rosy picture of economic development and social progress by illustrating the negative aspects of France's rapid post-war modernization in *Les petits enfants du siècle* (1961). Considered *un roman réaliste*, *Les petits enfants du siècle* won **le Prix Populiste** in 1962. Rochefort's first novel, *Le repos du guerrier*, caused a scandal with its realistic use of language. Rochefort also wrote *Les stances à Sophie* (1963) and *Une rose pour Morrison* (1966).

 *Lecture*

Setting

In this unit you will read an excerpt from *Les petits enfants du siècle*, a novel by Christiane Rochefort about a young girl, Josyane, growing up in **la banlieue de Paris** (*the suburbs of Paris*) after World War II. As you read, focus on the setting (**le milieu**) of the story. Setting, in its narrowest sense, is the time and place in which a literary work takes place, together with all the details used to create a sense of a particular time and place. Writers create setting by describing such elements as landscape, scenery, buildings, furniture, clothing, weather and seasons. Do you remember the setting in the excerpt you read from *Au revoir, les enfants* in **Unité 3**? In its narrowest sense, the setting of that story is a Catholic boarding school in France during the Nazi occupation.

But setting in its broadest sense can reveal the general social, political, moral and psychological conditions in which the characters find themselves. In this sense, the setting of *Au revoir, les enfants* is a highly moral environment in which priests punish those who do not follow the rules or make moral choices. As you read the excerpt from *Les petits enfants du siècle*, determine its setting in the narrowest and broadest senses.

15 ▸ **Pour commencer**

Avant de lire l'extrait du roman, répondez aux questions suivantes.

1. Où habites-tu? Y es-tu content(e), ou choisirais-tu un autre endroit si c'était possible? Si oui, lequel et pourquoi?
2. Combien d'enfants y a-t-il dans ta famille? Quelles sont les responsabilités de chaque enfant? À quel âge as-tu commencé à faire des corvées à la maison?
3. Est-ce que les rôles de tes parents sont traditionnels ou non-traditionnels? Compterais-tu jouer les mêmes rôles avec ton mari ou ta femme si tu te mariais?

Les petits enfants du siècle

C'était un dimanche au début de l'hiver. Mes parents... étaient heureux, mais ils avaient besoin d'argent. Les Allocations Familiales arriveraient donc au bon moment.

Je naquis... le 2 août. C'était ma date correcte, mais je faisais rater les vacances à mes parents, en les retenant à Paris tout le mois d'août, alors que l'usine, où travaillait mon père, était fermée. Je ne faisais pas les choses comme il faut.

J'étais pourtant en avance pour mon âge: Patrick avait à peine pris ma place dans mon berceau que je me montrais capable, en m'accrochant aux meubles, de quitter la pièce dès qu'il se mettait à pleurer. Au fond je peux bien dire que c'est Patrick qui m'a appris à marcher.

Quand les jumeaux firent leur arrivée à la maison, je m'habillais déjà toute seule et je savais poser sur la table les couverts et le pain, en me mettant sur la pointe des pieds.

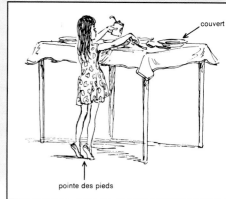

couvert

pointe des pieds

Teaching Note

The **Lecture** is designed to develop skills that will help students prepare to take the Advanced Placement Exam in French Literature. In this section students read a variety of prose, poetry and drama from different periods; answer content questions; and demonstrate their critical understanding of literary techniques, such as character development, setting, point of view, satire, figures of speech and inference. This unit's **Lecture** focuses on setting in its narrowest and broadest sense.

—Et dépêche-toi de grandir, disait ma mère, pour que tu puisses m'aider un peu.

Elle était déjà malade quand je la connus. Elle ne pouvait pas aller à l'usine plus d'une semaine de suite. Après la naissance de Chantal, elle s'arrêta complètement.

À ce moment-là je pouvais déjà rendre pas mal de services, aller acheter le pain, pousser les jumeaux dans leur double landau, le long des blocs, pour qu'ils prennent l'air, et surveiller Patrick, qui était en avance lui aussi, malheureusement. Il n'avait même pas trois ans quand il mit un petit chat dans la machine à laver. Cette fois-là, quand même, papa lui donna une bonne gifle: on n'avait même pas fini de payer la machine.

gifle

machine à laver

Je commençais à aller à l'école. Le matin je préparais le déjeuner pour les garçons, je les emmenais à la maternelle, et j'allais à l'école. À midi, on restait à la cantine. J'aimais la cantine, on s'assoit et les assiettes arrivent toutes remplies. C'est toujours bon ce qu'il y a dans des assiettes qui arrivent toutes remplies. Les autres filles en général n'aimaient pas la cantine, elles trouvaient que c'était mauvais. Je me demande ce qu'elles avaient à la maison.

Le soir, je ramenais les garçons et je les laissais dans la cour, à jouer avec les autres. Je montais prendre les sous et je redescendais aux commissions. Maman faisait le dîner, papa rentrait et ouvrait la télé, maman et moi nous faisions la vaisselle, et ils allaient se coucher. Moi, je restais dans la cuisine, à faire mes devoirs.

Maintenant, notre appartement était bien. Avant, on habitait dans le treizième, une sale chambre avec l'eau sur le palier. Quand le quartier avait été démoli, on nous avait mis ici, dans cette Cité. On avait reçu le nombre de pièces auquel nous avions droit selon le nombre d'enfants. Les parents avaient une chambre, les garçons une autre. Moi, je couchais avec les bébés dans la troisième. On avait une salle de bains, où on avait mis la machine à laver, et une cuisine-salle de séjour, où on

Cité

mangeait. C'est sur la table de la cuisine que je faisais mes devoirs. C'était mon bon moment: quel bonheur quand ils étaient tous couchés, et que je me retrouvais seule dans la nuit et le silence! Le jour, je n'entendais pas le bruit, je ne faisais pas attention; mais le soir j'entendais le silence. Le silence commençait à dix heures: les fenêtres s'éteignaient, les radios se taisaient, les bruits, les voix, et, à dix heures et demie, c'était fini. Plus rien. Le désert. J'étais seule, en paix. Je me suis mise à aimer mes devoirs peu à peu. J'aurais bien passé ma vie à ne faire que des choses qui ne servaient à rien.

After World War II France enjoyed unparalleled prosperity as it recovered from the devastation of occupation and war. Industrial production increased, and business began to modernize. Employees' incomes increased steadily. The working class became the new consumers as increased spending power made refrigerators, washing machines, cars and televisions more affordable. As more people moved to the city, new housing construction became imperative. Soon old, dilapidated neighborhoods gave rise to suburban **cités**. To increase the birthrate, the government granted tax breaks for each child and made apartment size contingent on family size to encourage families to have more children, a policy known as **la politique nataliste**. Such government incentives encouraged mothers to stay home with their growing families.

Teaching Notes

1. Point out that some verbs in this selection, such as **naquis**, **firent** and **donna**, are in the literary past tense, **le passé simple**. You may want to acquaint students with its formation for recognition purposes only.

2. If students want to finish reading the novel, it is published by EMC/Paradigm in the *Easy Readers* series (Christiane Rochefort *Les petits enfants du siècle*).

16 1. 6
2. 10
3. 1
4. 2
5. 4
6. 8
7. 9
8. 5
9. 7
10. 3

17 Possible answers:
1. C'est un appartement dans une cité dans la banlieue de Paris.
2. Ils avaient besoin d'argent.
3. Ils n'étaient pas heureux quand elle est née. Ils voulaient de l'argent et des vacances plus qu'un enfant.
4. Elle était ouvrière parce que le père travaillait dans une usine et la famille avait besoin d'Allocations Familiales.
5. Josyane dit "Je ne faisais pas les choses comme il faut." Cette attitude vient de ses parents.
6. Elle disait à sa fille de se dépêcher de grandir pour qu'elle puisse l'aider un peu.
7. Ils jouaient des rôles traditionnels. Le père travaillait. La mère s'occupait des enfants et de l'appartement. Elle ne travaillait plus à l'usine après la naissance de Chantal.
8. Il y en avait cinq.
9. Josyane achetait le pain, poussait les jumeaux dans leur double landau, le long des blocs, pour qu'ils prennent l'air et surveillait Patrick.
10. Il a donné une gifle à Patrick quand celui-ci a mis un chat dans la machine à laver.
11. Le matin Josyane préparait le déjeuner pour les garçons et elle les emmenait à la maternelle. Le soir elle ramenait les garçons. Elle les laissait jouer dans la cour pendant qu'elle faisait les commissions. Après le dîner elle faisait la vaisselle avec sa mère.

Continued on page 327

326

---

16 ▸ **En ordre, s'il vous plaît!**

Mettez les événements du roman en ordre chronologique. Écrivez "1" pour la première phrase, "2" pour la deuxième phrase, etc.

1. Chantal est née.
2. Josyane a commencé à aimer ses devoirs.
3. Josyane est née.
4. Josyane a fait rater les vacances à ses parents.
5. Josyane a appris à marcher.
6. Patrick a mis un chat dans la machine à laver.
7. Josyane a commencé à aller à l'école.
8. Les jumeaux sont nés.
9. Josyane a commencé à acheter le pain.
10. Patrick est né.

17 ▸ *Les petits enfants du siècle*

Répondez aux questions suivantes.

1. Quel est le milieu de l'histoire?
2. De quoi est-ce que les parents de Josyane avaient besoin au début du roman?
3. Avez-vous l'impression que les parents de Josyane étaient heureux quand elle est née? Pourquoi ou pourquoi pas?
4. Cette famille était-elle bourgeoise (*middle class*) ou ouvrière (*working class*)? Comment le savez-vous?
5. Comment est-ce que Josyane se critique dans le deuxième paragraphe? D'où vient cette attitude?
6. Pourquoi la mère de Josyane disait-elle à sa fille de se dépêcher de grandir?
7. Les parents de Josyane jouaient-ils des rôles traditionnels? Pourquoi ou pourquoi pas?
8. Combien d'enfants y avait-il dans la famille de Josyane?
9. Quand Chantal est née, comment est-ce que Josyane aidait sa mère?
10. Comment le père a-t-il discipliné Patrick quand celui-ci a mis un chat dans la machine à laver?
11. Le matin et le soir, que faisait Josyane pour aider sa mère quand Josyane a commencé à aller à l'école?
12. Avez-vous l'impression que Josyane mangeait bien chez elle? Pourquoi ou pourquoi pas?
13. Comment était le vieil appartement de Josyane? Combien de pièces y avait-il dans le nouvel appartement?
14. Que représentait le soir de devoirs pour Josyane?
15. Selon Josyane, les devoirs servaient-ils à quelque chose?

Teaching Note

Some new words used in the novel and cognates not found in the end vocabulary of *C'est à toi!* are used to ask questions about *Les petits enfants du siècle* in Activity 17.

18 **Faites un schéma!**

Complétez le schéma (outline) *de l'extrait* (excerpt).

Le titre:

Le milieu:

La période de la vie de Josyane:

Les personnages (characters) et une petite description de ce qu'ils font:

19 **Le milieu**

Indiquez autant de (as many) *détails que possible pour décrire le milieu dans lequel le roman est situé. On a déjà indiqué un détail pour chaque aspect.*

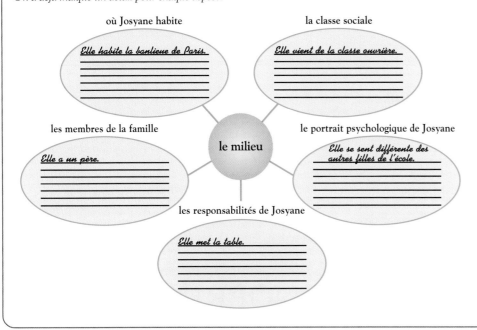

où Josyane habite

Elle habite la banlieue de Paris.

la classe sociale

Elle vient de la classe ouvrière.

les membres de la famille

Elle a un père.

le milieu

le portrait psychologique de Josyane

Elle se sent différente des autres filles de l'école.

les responsabilités de Josyane

Elle met la table.

Mon autobiographie

Have students write a short, autobiographical sketch of their own or an imaginary childhood, focusing on at least one of the aspects of setting: time and place, social background, moral or psychological conditions. Then have students exchange their sketch with a partner. The partner should identify which aspects of setting the sketch describes by pinpointing relevant passages.

Le milieu

To further acquaint students with French literature and literary settings, put them in pairs. Give each pair a copy of a famous French novel or short story from the 19th or 20th centuries. Have students read the opening pages of their assigned work of fiction and write a paragraph describing the setting in the narrowest sense. Then have each pair share its description with the class. You might order the presentations chronologically, moving from 19th century to 20th century fiction.

20 Comparez!

Écrivez un paragraphe dans lequel vous comparez votre vie à celle de Josyane. Aviez-vous autant de responsabilités qu'elle quand vous étiez petit(e)? Quelles étaient vos responsabilités? Quelles étaient les responsabilités de Josyane? Vos parents jouent-ils des rôles traditionnels ou non-traditionnels? Et les parents de Josyane? Est-ce que votre famille est bourgeoise? Ouvrière? Et la famille de Josyane? Que pensez-vous de vous-même (yourself)? Pourquoi le pensez-vous? Que pense Josyane d'elle-même (herself)? Pourquoi?

21 À vous d'écrire!

Choisissez un endroit réel ou imaginaire pour créer le milieu d'une histoire, par exemple, un café, une pâtisserie, une librairie, un château, une école ou une maison. Commencez avec une description détaillée de l'endroit. Quelles sont les qualités uniques à cet endroit? Y a-t-il des tableaux aux murs ou de la musique? Que voit-on par la fenêtre? Quel temps fait-il? Qu'est-ce qu'on sent (smell)? Ensuite, décrivez les personnages dans cet endroit. Enfin, écrivez un dialogue qui révèle l'aspect social, politique, moral et psychologique dans lequel les personnages se trouvent.

Dossier fermé

Avant ton départ pour la France, ta bonne amie t'a donné de l'argent et t'a demandé de lui acheter un ensemble parisien très chic. Maintenant que tu es à Paris, à quel magasin iras-tu pour acheter cet ensemble?

> B. Tu iras aux Galeries Lafayette.

On vend des vêtements très chic aux Galeries Lafayette. Mammouth et Monoprix vendent aussi des vêtements, mais pas ceux qui sont vraiment élégants. Si tu veux faire plaisir à ton amie et l'impressionner, achète son ensemble aux Galeries Lafayette.

À Monoprix tu ne trouveras pas d'ensemble élégant.

Évaluation

✓ Évaluation culturelle

*Pour voir si vous avez bien compris la culture francophone, décidez si chaque phrase est **vraie** ou **fausse**.*

1. Le Togo est un pays du Maghreb.
2. Les HLM offrent des appartements à tout le monde.
3. Quelquefois on appelle les HLM des "cages à lapins" parce que les appartements sont très petits.
4. En France, si les familles ont au moins deux enfants, elles touchent les allocations familiales.
5. Les immigrés représentent 20 pour cent de la population française.
6. Il y a peu de chaînes de restaurants américaines en France, et elles n'ont pas connu beaucoup de succès.
7. La plupart des enfants français vivent dans des familles monoparentales.
8. Le franglais est bien accepté en France, même par le gouvernement.
9. Carrefour est une "grande surface" où on peut tout acheter.
10. Pour un meilleur choix de parfums, faites du shopping au Printemps.

Le Togo se trouve sur la côte ouest de l'Afrique, sur l'océan Atlantique.

Comme Carrefour, Auchan est une "grande surface" où on peut acheter tout ce qu'on peut trouver dans un grand magasin… et même plus.

Answers

Évaluation culturelle
1. fausse
2. fausse
3. vraie
4. vraie
5. fausse
6. fausse
7. fausse
8. fausse
9. vraie
10. vraie

FYI

1. While French is the official language of Togo, over 40 other languages and dialects are used in daily affairs, including Ewe, Kotokoli, Kabrai, Hausa, Ana and Bassari. 2. Lomé, the largest city as well as the capital of Togo, is located on the western border of the country near Ghana. A bustling seaport, the city is the regional commercial and trade center. 3. Togo suffers from a shortage of schools and qualified teachers. Only about one-fifth of the students who complete elementary school go on to secondary education. Togo's university at Lomé was established in 1965. 4. Other agricultural products, grown mainly for consumption by the population, include corn, rice, manioc, yams, millet and peanuts. In addition to cotton, coffee and cocoa, phosphates are also exported. Togo's economic problems include insufficient export products, periodic droughts and transportation difficulties.

329

Listening Activity 3

Un peu de plus

Dictée
To provide additional written practice, you might want to give this dictation. Read each sentence twice, once at a natural speed and once more slowly. Have students write what you say. As a group correction activity, either put the paragraph on a transparency in advance or have volunteers write the sentences on the board.

François est un nouveau résident dans une HLM. Laquelle? Celle qui s'appelle Cité Jardins à Champigny. François a déjà deux amis, Pierre et Saïd. Celui-ci est maghrébin, mais celui-là est français. C'est samedi soir et François veut sortir. Saïd lui dit, "Si je ne devais pas travailler ce soir, je sortirais avec toi." Pierre veut aller dans une discothèque. "Cette discothèque-là a une bonne ambiance," dit Pierre quand ils arrivent au coin de la rue. Ils ne perdent pas leur temps. Ils y entrent.

✓ Évaluation orale

Avec un(e) partenaire, jouez les rôles d'un reporter pour Un Monde Meilleur et d'un(e) jeune immigré(e). Le reporter interviewe l'immigré(e) pour un article qu'il va écrire au sujet de l'immigration en France vue par un(e) ado. Pendant l'interview le reporter demande à l'immigré(e):

1. son pays d'origine
2. depuis combien de temps il ou elle est en France
3. pourquoi sa famille est venue s'installer en France
4. si sa famille est monoparentale ou nucléaire
5. si le chef de famille travaille
6. de décrire son logement et son ambiance
7. si la plupart des Français traitent bien l'immigré(e) et sa famille
8. quels problèmes sont les plus sérieux pour les immigrés

Pendant votre conversation, le reporter doit prendre des notes. En finissant l'interview, changez de rôles et répétez l'activité.

> Comment est ton logement et son ambiance?

> Nous sommes dans une vieille HLM où les résidents s'entendent bien.

✓ Évaluation écrite

Maintenant, en vous servant de vos notes de l'activité précédente, écrivez l'article pour Un Monde Meilleur au sujet de l'immigration en France vue par un(e) ado. Après que vous avez discuté les problèmes des immigrés qui sont les plus sérieux, proposez quelques solutions en forme de propositions.

✓ Évaluation visuelle

Voici des HLM typiques dans la région parisienne. Décrivez l'ambiance de la cité et ce qui se passe ici mercredi après-midi en écrivant un paragraphe au présent. Utilisez l'illustration et les nouvelles expressions de cette unité. (Avant de commencer, regardez les sections Révision de fonctions aux pages 332-34 et Vocabulaire à la page 335.)

Révision de fonctions

Can you do all of the following tasks in French?
- I can ask for information about various topics, including how long something has been going on.
- I can report to someone about something.
- I can make a generalization.
- I can explain why.
- I can ask for and give clarification by pointing out which one(s).
- I can compare people and things.
- I can say what is unimportant.

- I can ask someone's opinion about something.
- I can ask about and tell what someone prefers.
- I can propose solutions by saying what would happen.
- I can ask about someone's dissatisfaction with something.
- I can say what surprises me.
- I can say that I disagree with someone.
- I can describe someone's character traits.
- I can express pity.

To ask for information, use:

Depuis combien de temps es-tu en France?   *How long have you been in France?*
Vous êtes combien?   *How many of you are there?*

To report, use:

Il m'a annoncé que ses parents   *He announced to me that his parents*
allaient divorcer.   *were going to get divorced.*

To state a generalization, use:

La plupart des résidents étaient   *Most of the residents*
au chômage.   *were unemployed.*

La plupart des touristes à Paris
visitent Notre-Dame.

To explain something, use:

Pour plusieurs raisons.   *For several reasons.*
On appelait notre HLM un "huit cent huit"   *They called our HLM an "808"*
car il y avait 808 appartements.   *because there were 808 apartments.*

To request clarification, use:

Lesquelles sont les plus importantes?   *Which (ones) are the most important?*
Parmi les immigrés, **lesquels** ont   *Among the immigrants, which ones*
des ennuis?   *have problems?*

To clarify, use:

Même si nous n'avons pas les mêmes
idées, nous acceptons **celles** des autres
dans le groupe.
Ceux que nous avons achetés étaient les
plus chers.
Celui qui étudie dur réussit.
Celle qui a les cheveux roux
s'appelle Shelley.

*Even if we don't have the same
ideas, we accept those of the others
in the group.*
*The ones that we bought were the
most expensive.*
The one who studies hard succeeds.
*The one who has red hair
is Shelley.*

Les Français? Ceux qui se marient le font plus tard.

To compare, use:

Il y a **plus de** Français parmi
les résidents.
Il y a **moins de** familles qui touchent
les allocations.
On dépense **plus du** budget familial pour
le logement.
Plus les femmes travaillent, **plus** les repas
sont simples et rapides.

*There are more French people
among the residents.*
*There are fewer families that
get benefits.*
*They spend more of the family
budget for housing.*
*The more women work, the simpler
and faster meals are.*

To express unimportance, use:

Rien d'important aujourd'hui.

Nothing important today.

To inquire about opinions, use:

Quelle sera l'opinion de Kofi?
Selon toi, à quel avenir les immigrés
peuvent-ils s'attendre?
Es-tu optimiste?

What will Kofi's opinion be?
*According to you, what sort of future
can immigrants expect?*
Are you optimistic?

To ask about preference, use:

Qu'est-ce que tu voudrais faire le
weekend prochain?

*What would you like to do
next weekend?*

To state preference, use:

J'aimerais mieux me distraire à
un concert.

*I'd prefer to enjoy myself at
a concert.*

To propose solutions, use:

S'il y avait plus d'activités et moins
de chômage, est-ce que les relations
seraient meilleures?

*If there were more activities and
less unemployment, would
relations be better?*

To inquire about dissatisfaction, use:

Comment déprimant?

How (was it) depressing?

To express surprise, use:

Ah bon?

Really?

To disagree, use:

Je me suis disputé avec ma sœur.

I argued with my sister.

To describe character, use:

Je trouve mes copines françaises **un peu**
plus **circonspectes** que Shelley.

*I think my French friends are a little
more reserved than Shelley.*

To express compassion, use:

Dommage que ça soit celui de ses parents!

Too bad it's his parents'!

Vocabulaire

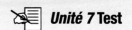

agresser to attack A
Ah bon? Really? A
les **allocations (f.)** benefits, allowance A
une **ambiance** atmosphere A
une **apparence** appearance A
appeler to call A
bon: Ah bon? Really? A
un **budget** budget B

une **cage** cage A
    une cage à lapins rabbit hutch A
car because A
celui, celle; ceux, celles this one, that one, the one; these, those, the ones B
un **chômeur, une chômeuse** unemployed person A
circonspect(e) cautious, reserved B
une **cité** housing development A
un **climat** climate A
un **coin** corner B
compter to count, to rely B
considérer to consider B
culturel, culturelle cultural A

d'habitude usual B
dépendre (de) to depend (on) A
déprimant(e) depressing A
différent(e) different A
diffuser to broadcast B
une **discothèque** discotheque B
se **disputer** to argue B
se **distraire** to enjoy oneself, to have a good time B
une **diversité** diversity A
un **divorce** divorce B
divorcer to get divorced B

un **étranger, une étrangère** foreigner A

familial(e) family A
le **franglais** franglais (English words used in French) B

génial(e) great, terrific, fantastic B
des **graffiti (m.)** graffiti A

une **HLM (habitation à loyer modéré)** public housing A

un(e) **immigré(e)** immigrant A
indépendant(e) independent B

une **influence** influence B
s' **intégrer** to become integrated A

un **journal** journal A

lequel, laquelle; lesquels, lesquelles which one; which ones A
le **logement** housing B
une **loi** law B

maghrébin(e) inhabitant of/from the Maghreb A
se **marier** to get married B
une **marque** brand B
monoparental(e) single-parent B
un **mot** word B
un **mur** wall A

nombreux, nombreuse numerous B
non-traditionnel, non-traditionnelle nontraditional B
une **note** grade B

optimiste optimistic A
une **origine** origin A
ouvert(e) frank B

un(e) **passant(e)** passerby A
passer to play (on the radio) B
perdre son temps to waste one's time A
la **plupart (de)** most A
pressé(e) in a hurry B
propre clean A

une **radio** radio B
une **relation** relation(ship) A
rencontrer to meet B
un(e) **résident(e)** resident A

simple simple B
social(e) social A
une **société** society A
sujet: au sujet de about A

tendu(e) strained A
le **Togo** Togo A
toucher to get A

universitaire university A

le **vocabulaire** vocabulary B

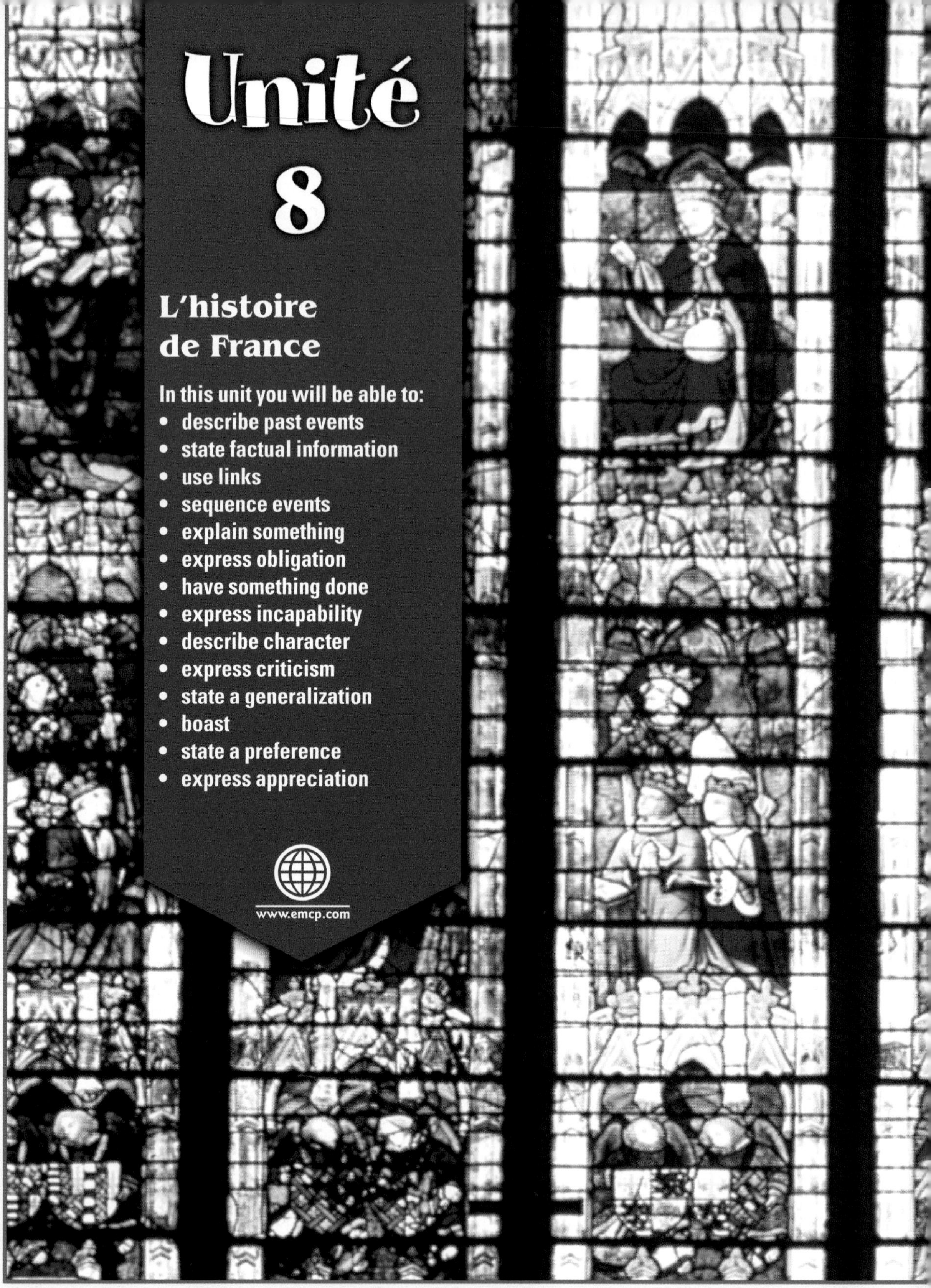

Unité 8

L'histoire de France

In this unit you will be able to:
- describe past events
- state factual information
- use links
- sequence events
- explain something
- express obligation
- have something done
- express incapability
- describe character
- express criticism
- state a generalization
- boast
- state a preference
- express appreciation

www.emcp.com

336

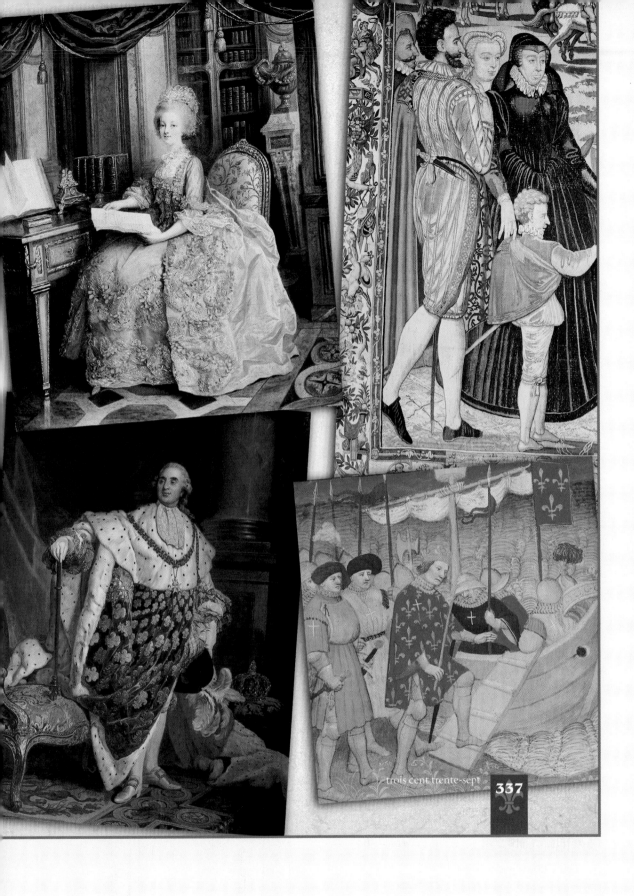

trois cent trente-sept

LEÇON A

Tes empreintes ici

Est-ce que l'histoire t'intéresse? As-tu jamais lu des romans d'histoire? Si oui, lesquels? Quels en étaient les héros et les héroïnes? Si tu pouvais faire la connaissance d'un(e) de ces héros ou héroïnes, qui choisirais-tu, et qu'est-ce que tu lui demanderais? Si tu pouvais être une de ces personnes, qui serais-tu? Pourquoi?

Il est intéressant d'imaginer la vie d'avant. Il y a toujours quelque chose dans les siècles passés qui t'intéresse: l'art, la musique, l'histoire politique ou la philosophie, ou peut-être une personne que tu admires pour ses idées ou pour ce qu'elle a fait. Tu trouveras que les gens n'ont pas beaucoup changé au cours de l'histoire du monde.

Aimerais-tu connaître les gens du passé?

Dossier ouvert

Avec un groupe d'élèves de ton école, tu passes 15 jours en France. Pendant votre visite d'une belle cathédrale gothique, le guide vous parle des fenêtres de la cathédrale. Il dit que ces fenêtres, composées de morceaux de verre colorés, ne sont pas connues seulement pour leur beauté. Il dit que dans le passé elles avaient aussi une fonction utile. Qu'est-ce que ces fenêtres faisaient?

    A. Elles permettaient aux gens d'entrer dans la cathédrale.
    B. Elles permettaient à l'air d'entrer dans la cathédrale.
    C. Elles racontaient des histoires de la Bible et des héros et héroïnes français.

trois cent trente-huit
Unité 8

Teaching Notes

1. The following new words appear in the time lines on pages 339-42 but are not a part of the lesson's active vocabulary: **axe**, **chronologique**, **Francs**, **bataille** and **cathédrale**.

2. Communicative functions that are recycled in this lesson are "pointing out something," "describing physical traits," "expressing emotions," "clarifying," "pointing out exceptions" and "comparing things."

338

Conversation culturelle

Ce sont les événements et les gens qui font l'histoire d'un pays. Quand on étudie le passé,° on voit que les gens se sont occupés des mêmes problèmes que dans le présent. On dit que les temps changent, mais que la nature humaine ne change pas. Pourquoi étudier le passé? Parce que le passé, c'est comme un miroir du présent. Voici des descriptions de quelques personnes importantes qui ont aidé à créer la France.

Vercingétorix (72-46 avant Jésus-Christ)

l'axe chronologique

58 av. J.-C.
Jules César arrive en Gaule

52 av. J.-C.
Vercingétorix est vaincu par César

46 av. J.-C.
Vercingétorix meurt

Au temps des Romains la France s'appelait la Gaule. En ce temps-là les Gaulois° vivaient en tribus indépendantes. Jules César, qui était très ambitieux, voulait faire de la Gaule une province de Rome depuis longtemps. Il contrôlait déjà la plupart de la Gaule, mais il voulait avoir tout le pays pour devenir plus puissant. Un jeune chef qui s'appelait Vercingétorix a réuni les différentes tribus. Il n'avait que 20 ans en 52 avant Jésus-Christ quand ses 80.000 hommes ont rencontré Jules César et son armée à Alésia, près de Dijon. Jules César a réussi à vaincre° Vercingétorix et a déclaré en latin, "*Veni, vidi, vici.*" En français, on dit "Je suis venu, j'ai vu, j'ai vaincu." César a emmené Vercingétorix à Rome où il est resté prisonnier. Après six ans César l'a fait tuer.° Les Français disent que l'an 52 avant Jésus-Christ est le début de leur histoire, et que Vercingétorix est le premier héros français.

le passé le contraire du "présent"; un(e) Gaulois(e) une personne qui habitait la Gaule; vaincre *to defeat, to conquer*; tuer *to kill*

360 apr. J.-C.
Lutèce devient Paris

trois cent trente-neuf
Leçon A   **339**

 Workbook Activities 1-2

 Grammar & Vocabulary Exercises 1-3

 Audio CD
Conversation culturelle

 Transparency 23

FYI

1. You might want to give students background information about the significance of events listed in the time line. In 57 B.C. what are now northern France and Belgium fell to Caesar. Gallic tribes along the Atlantic coast were conquered in 56 B.C., and in 55 B.C. and 54 B.C. Caesar campaigned in Germany and Britain. 2. Vercingétorix had some success fighting the Romans prior to Alésia by engaging in guerilla warfare, raiding Roman supply lines and choosing terrain unfavorable to the Romans for battles. At Alésia Vercingétorix and his warriors fought from a fortress that could not withstand attacks by Caesar's army. After capturing Vercingétorix, Caesar kept him in chains and exhibited him in Rome as part of his Gallic triumph. 3. The uprising led by Vercingétorix was the most serious challenge that Caesar faced in Gaul. Prior to that, Gallic tribes had asked for Caesar's protection from other tribes. 4. The Gallic Wars lasted from 58 to 51 B.C. Caesar describes his version of the Gauls' rebellion in the seventh book of *Commentarii de bello gallico*. 5. When Caesar became emperor, he ruled an empire that extended to the Rhine. Thanks to Caesar, the calendar is divided into 12 months; July is named after him. Caesar was killed as he entered the Senate on March 15, 44 B.C., known as the ides of March.

Teaching Notes

1. Students learned **occupé(e)**, meaning "busy," in **Unité 2** in the second level of *C'est à toi!* and **s'occuper de**, meaning "to take care of," in **Unité 2** in the third level.

2. Alésia is the name of a Parisian **métro** stop.

3. The present tense forms of the irregular verb **vaincre** are **vaincs, vaincs, vainc, vainquons, vainquez** and **vainquent**.

339

1. Aix-la-Chapelle is the French name for the German city of Aachen. 2. The opposite of **Occident** is **Orient** (*East*). 3. It can be argued that the life and reign of Charlemagne belong to the history of Europe and not just that of France. It was the force of his personality that distinguished him from his predecessors and successors. Charlemagne added the most learned churchmen of the day to his court circle and oversaw the elimination of pagan practices, the proper observance of the Benedictine rule in monasteries, the adoption of standard texts for worship and the adoption of tithing to support churches. In the secular world he succeeded in increasing the number of learning centers; adopting a higher standard of Latin; reforming weights and measures; and introducing a standard, royally controlled coinage and new judicial procedures. 4. You might want to give students background information about the significance of events listed in the time line. The Franks, who first appeared as settlers along the lower Rhine, expanded into Roman territory in northern Gaul where they rendered military service to the Romans in exchange for status as Roman allies. Due to internal divisions, their expansion was slow and faltering, until Clovis. 5. Under Clovis, Frankish expansion dominated Gaul for 80 years. Probably for political reasons, Clovis was baptized in 496 or 506. A cruel, vicious barbarian, Clovis succeeded in extending his authority from northern France to the Pyrenees. 6. The 17-year kingship of Pépin III served as a preparation for that of his son and successor, Charlemagne. During his reign a large number of wealthy landowners swore fealty to him, and church reform was continued and extended.

ca. 400
Les Francs arrivent en Gaule

481
Clovis devient roi

486
Paris est la capitale de la France

751
Pépin le Bref devient roi

800
Charlemagne devient empereur

814
Charlemagne meurt

Charlemagne ("Carolus Magnus" en latin ou "Charles le Grand" en français) est né en 742. Son père était Pépin (on l'appelait "Pépin le Bref" parce qu'il était petit) et sa mère était Berthe (on l'appelait "Berthe au grand pied" parce qu'un de ses pieds était plus grand que l'autre). Charlemagne était grand, fort et sportif. Il pouvait lire et parler latin, mais il n'a jamais appris à l'écrire. Charlemagne voulait que tous les hommes sachent lire et écrire. Pour cela il a demandé aux églises d'ouvrir des écoles où on pouvait faire des études gratuites. Il a fait venir les meilleurs professeurs de son temps à son école à Aix-la-Chapelle. Pour préserver la littérature du passé, certains moines° passaient sept heures par jour à copier des livres.

En 800 Charlemagne est devenu empereur d'Occident.° Il a dit qu'il travaillait pour Dieu° en créant un si grand empire. Pour le gouverner il l'a réuni sous les mêmes lois. Il a établi partout le même système monétaire et le même système d'administration. Il a créé des marchés pour améliorer° le commerce et aider les fermiers et les familles. Les progrès en culture, en lois et en administration que Charlemagne a commencés ont pu être appréciés par tous. L'empire de Charlemagne a été le plus grand depuis celui de Jules César. Ses frontières se trouvaient en Italie, en Allemagne et en Espagne. Son fils Louis est devenu empereur en 813, et Charlemagne est mort un an plus tard. Louis a divisé l'empire entre ses trois fils. Leurs empires sont devenus les pays modernes d'Allemagne et de France.

un moine *monk;* **l'Occident** (m.) *l'Ouest;* **Dieu** *God;* **améliorer** *faire mieux*

Guillaume le Conquérant (1027-87)

987
Hugues Capet devient roi

ca. 1000
La Chanson de Roland est écrite

1066
*Les Français vainquent les
Anglais à la bataille de Hastings*

Le roi Édouard d'Angleterre a choisi son cousin Guillaume, duc de Normandie, pour être le nouveau roi d'Angleterre. Mais quand Édouard est mort, Harold est devenu roi. En entendant parler de ça, Guillaume s'est fâché. Il était fort, courageux et fier° de ses qualifications, et il pensait qu'il devait être roi. Il a d'abord réuni une armée de 8.000 hommes qui a ensuite traversé la Manche. Enfin Guillaume et son armée sont arrivés à Hastings. Après une lutte difficile, les Français ont vaincu les Anglais. L'armée de Guillaume le Conquérant a été la dernière à vaincre l'Angleterre. C'est pourquoi l'an 1066 est une date importante pour les Anglais et les Français.

Peu après les Anglais ont accepté la langue et la culture des Normands.° Guillaume a gardé les lois d'Édouard pour faire accepter son administration d'une façon plus facile. Ceux qui avaient des terres° ont échangé la loyauté envers° le roi contre° ces terres. Des Normands et des Anglais se sont mariés. Sauf pour la langue, la vie quotidienne n'a pas beaucoup changé. Guillaume a laissé un grand monument, le *Domesday Book*, et il a fait une enquête sur les gens et leurs terres. Mais Guillaume n'a jamais pu utiliser son enquête. Il est tombé° de cheval au cours d'une lutte en France et est mort un mois après en 1087. On voit toujours l'influence de Guillaume, duc de Normandie, dans les lois, le gouvernement, la littérature, la langue et la construction des châteaux et des églises.

1194

On construit la cathédrale de Chartres

1224

fier, fière *proud;* un(e) Normand(e) *une personne qui habite la Normandie, une province au nord-ouest de la France;* une terre *land;* envers *à;* contre *pour;* tomber *to fall*

trois cent quarante et un

341

Leçon A

FYI

1. The Battle of Hastings was fought on October 14, 1066, at Senlac, seven miles northwest of Hastings, Sussex. Guillaume actually landed in England on September 28. The armies were roughly equal in size. After the English heavily repulsed the cavalry, Guillaume saved the day by rallying his forces. The battle appeared to be drawn, when toward nightfall Harold was killed and the English forces disintegrated. 2. The advantages that the Norman Conquest conferred on England were numerous. It grafted onto Anglo-Saxon institutions the Normans' superior organization and greater mastery of law. It allowed England to develop wide-reaching foreign influence by keeping the country in closer contact with Europe. In addition, it repressed internal conflict and brought greater security of life and property. Finally, it contributed to the development of Old English into Modern English by lending vocabulary and basic grammar. 3. The *Domesday Book*, considered the most important public record of medieval Europe, lists the property holders in England and the amount of land they held. 4. You might want to give students background information about the significance of events listed in the time line. Hugues Capet, who ruled from 987 to 996, is responsible for establishing a dynasty that transmitted the crown in the direct male line for over three hundred years. 5. *La Chanson de Roland* is described in the **Aperçus culturels** on page 346. 6. The cathedral of Chartres was erected on the site of a basilica built by early Christians, which had burned down. Through the cooperation of nobles and peasants alike, it was built in 31 years, a short span of time that gave it an unusual degree of architectural unity.

Teaching Notes

1. The irregular feminine form of the adjective **fier** is **fière**.

2. Point out that **tomber** takes **être** as a helping verb in the **passé composé**.

341

Louis IX (1214-70)

FYI

1. Blanche de Castille was also in charge of her son's education. She played an important role in all his decisions until her death in 1252. 2. Louis IX's first crusade was the Seventh Crusade, which went to Egypt. Once captured, Louis had to pay a high ransom to his captors to secure his release. 3. The **Sainte-Chapelle**, introduced on page 445 in the first level of *C'est à toi!*, is a marvel of Gothic architecture. Completed in less than 33 months, it was consecrated in 1248. About half of the windows date from the 13th century. The windows portray more than 1,000 biblical scenes in a kaleidoscope of red, gold, green and blue. There are actually two separate chapels. The somber lower one was used by servants and lower court officials, while the upper one was reserved for the royal family and its courtiers. 4. Louis IX's last crusade, in 1270, was the Eighth Crusade. This time he landed with his army in Tunis. Louis died when a plague broke out. 5. You might want to give students background information about the significance of events listed in the time line. The Hundred Years' War refers to a series of conflicts that embroiled France and England intermittently from 1337 to 1453. The economic, social and political effects of the war were profound. It led to a general redistribution of wealth, and it accelerated royal demands for taxation that fostered the development of absolute monarchy in France and of parliamentary government in England. 6. Students learned about the life of Joan of Arc on page 371 in the second level of *C'est à toi!*

1226
Louis IX devient roi

1248
On finit la Sainte-Chapelle

1270
Louis IX meurt

1297
Louis IX devient Saint-Louis

1337
La guerre de Cent Ans commence

1429
Jeanne d'Arc aide le roi Charles VII

1431
Jeanne d'Arc meurt

1453
La guerre de Cent Ans se termine

Louis IX était un roi admiré par les Français. Il est devenu roi en 1226, à l'âge de 12 ans, quand son père, Louis VIII, est mort. Sa mère, Blanche de Castille, a gouverné pour Louis IX parce qu'il était trop jeune. Il est devenu pieux° et courageux. Louis IX était l'ami des gens pauvres parce qu'il faisait attention à leurs besoins. Connu pour son amour de la justice et de la paix,° sa cour se trouvait souvent sous un arbre. Même les autres chefs européens sont venus en France chercher ses conseils.°

Louis IX a participé à deux croisades. Pendant sa première croisade on l'a fait prisonnier. Par conséquent il a été obligé d'acheter sa liberté. Pendant qu'il était roi, Louis IX a fait construire la Sainte-Chapelle à Paris en 1248. Il y a mis des reliques de Jésus-Christ achetées pendant les croisades. Les vitraux° de la Sainte-Chapelle ont des couleurs magnifiques. Ce sont les plus vieux de Paris et parmi les plus beaux du monde. Au cours de sa deuxième croisade, Louis IX est mort de maladie. Les Français l'ont toujours apprécié pour son christianisme et sa justice. En 1297 Louis IX est devenu Saint-Louis.

pieux, pieuse religieux, religieuse; **la paix** le contraire de la "guerre"; **un conseil** une suggestion; **des vitraux (m.)** des fenêtres de morceaux de verre colorés

Teaching Note

The singular of **des vitraux** is **un vitrail**.

1 Qui est-ce?

Identifiez la personne célèbre qui correspond à la description.
Écrivez "V" pour Vercingétorix; "C" pour Charlemagne;
"G" pour Guillaume le Conquérant; "L" pour Louis IX.

2 En ordre chronologique

Mettez les événements suivants en ordre chronologique d'après l'axe chronologique (time line) *et les descriptions des Français célèbres. Écrivez "1" pour le premier événement, "2" pour le deuxième événement, etc.*

1. Charlemagne a réuni son empire sous les mêmes lois, le même système monétaire et le même système d'administration.
2. Vercingétorix est devenu le premier héros français.
3. Jeanne d'Arc a aidé le roi Charles VII pendant la guerre de Cent Ans.
4. Louis IX a fait construire la Sainte-Chapelle.
5. Jules César est arrivé en Gaule.
6. Les Anglais ont accepté la langue et la culture des Normands.
7. La ville de Paris est devenue la capitale de la France.
8. Les Français ont vaincu les Anglais à Hastings.

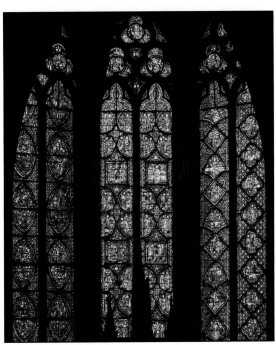

Il y a 15 belles fenêtres du treizième siècle dans la Sainte-Chapelle. (Paris)

trois cent quarante-trois

343

Leçon A

Audio CD Activity 4

 Décrivez!

Choisissez l'expression à droite qui décrit les mots à gauche.

1. une tribu
2. un événement
3. la paix
4. les Normands
5. des vitraux
6. la Gaule
7. des moines
8. un conquérant

A. les hommes de l'armée de Guillaume le Conquérant
B. des hommes pieux qui ont copié des livres
C. quelqu'un qui a vaincu d'autres gens
D. des fenêtres de verre qui ont de belles couleurs
E. quand il n'y a pas de guerre
F. le premier nom de la France
G. quelque chose qui se passe
H. un groupe de gens de la même origine gouverné par un chef

Les vitraux de Chartres datent du treizième siècle.

 C'est à toi!

Questions personnelles.

1. À ton avis, étudier le passé, c'est important? Pourquoi ou pourquoi pas?
2. À ton avis, lequel des hommes que tu viens d'étudier, Vercingétorix, Charlemagne, Guillaume le Conquérant ou Louis IX, a fait le plus pour créer la France moderne? Pourquoi?
3. Si tu pouvais parler à un de ces quatre hommes, à qui parlerais-tu, et qu'est-ce que tu lui demanderais?
4. À ton avis, quelles qualifications le chef d'un pays doit-il avoir?
5. Est-ce que tu penses que la nature humaine change ou pas? Pourquoi?
6. À ton avis, qui est le premier héros américain?
7. Est-ce que tu crois que l'éducation doive être gratuite, même à l'université?
8. Est-ce que tu as envie de voir la Sainte-Chapelle? Pourquoi ou pourquoi pas?

La conquête de la Gaule

Au temps de Vercingétorix, Jules César avait déjà exploré et conquis une grande partie de l'Europe: l'Helvétie (la Suisse moderne), la Gaule et la Grande Bretagne (l'Angleterre). Avec ses armées romaines, il a rapidement vaincu les grandes tribus et a pris leurs terres pour créer l'empire romain. César a consacré six ans à la conquête de la Gaule. La Gaule était fragmentée en plusieurs cités fortifiées et préservées par de gros murs. Son adversaire principal, Vercingétorix, a pu réunir les populations de ces cités et a groupé toutes ces forces gauloises contre l'ennemi romain. Pendant plus de six mois, ils ont joué au chat et à la souris avant les batailles importantes et décisives. Mais, n'ayant jamais appris la stratégie militaire, cette armée de volontaires n'a pas pu endurer l'attaque de l'armée supérieure de Rome.

On peut toujours voir des monuments romains en France, comme le théâtre antique d'Orange.

On peut voir Obélix et Astérix au Parc Astérix, qui se trouve à 30 kilomètres au nord de Paris.

Astérix

Deux des chefs helvétiens et gaulois, dont César a fait la connaissance, étaient Orgétorix et Vercingétorix. Ces noms sont popularisées aujourd'hui dans la bande dessinée *Astérix*. Le héros Astérix est un Gaulois intelligent et courageux. Quand les Français lisent aujourd'hui les aventures d'Astérix et de son ami Obélix, ils se rappellent le début de leur histoire nationale.

 Workbook Activity 3

FYI

1. Julius Caesar was a soldier, scholar, writer and statesman. He organized the chaos of an outworn government to build one of the greatest ancient empires. 2. Caesar's campaign against the Helvetians opens his memoirs *Commentarii de bello gallico*. 3. In an attempt to drive out Caesar's army, Vercingétorix employed a "scorched earth" policy.

Teaching Note

Cognates in this reading include **exploré, conquis, consacré, conquête, fragmentée, cités, fortifiées, adversaire, populations, groupé, forces, ennemi, batailles, décisives, militaire, volontaires, endurer, attaque, supérieure, helvétiens, popularisées, attraction, général, défendre, biographie, légendaire, poème, épique, actions, héroïques, face, exploits, commandée, passage, sorte, scène, se venger, vaste, nobles, contributions, représentée, cathédrale, période, médiévale, visuelles, gloire, existe, couvre, illustre, mesure, secondaires, documentation, peuple, disputes, lépreux, hospices, fondés, musulmans, expéditions, illustrations** and **religieuses.**

1. Dijon is located 168 miles southeast of Paris and is the seat of government of the Côte d'Or department. It has been the seat of a bishopric since 1731. In 1016 it became the capital of the Dukes of Burgundy, who built up one of the most powerful states in Europe, which included Flanders and parts of Holland. In 1477, after the death of Charles the Bold, the duchy's holdings were broken up. Dijon today has a rich cultural life and a renowned university. Besides mustard, Dijon is also famous for its **pain d'épices** and local wine trade. 2. The first time Charlemagne waged a campaign against the Moors in Spain, the rear guard of his army was ambushed at Roncevaux in the Pyrenees and all were killed, including, reputedly, his nephew Roland. This historic event inspired the most famous of all the **chansons de geste**, *La Chanson de Roland*. In the poem Roland is too proud to summon aid until after his friend Oliver and all his men have been killed. Then Roland blows his horn with such force that he bursts his temple and dies. Charlemagne's army then returns and defeats the Saracens. The basic theme of the poem is the epic conflict between ruler and subject. Roland is wrong to set his pride and fame above the Christian empire. The only manuscript of *La Chanson de Roland* is at Oxford. It is in Anglo-Norman and dates from about 1170. It retains much evidence of its original oral version. 3. Charlemagne ordered that bishops and abbots of monasteries open free schools in every diocese, and a law was passed that established elementary schools in rural parishes.

Dijon

Dijon était la capitale de la Bourgogne, une province à l'est de la France. Au quinzième siècle, l'influence des ducs de Bourgogne allait de Dijon jusqu'en Belgique. Le Palais des Ducs est toujours un centre d'attraction à Dijon. C'est aujourd'hui à Dijon qu'on prépare la moutarde qui est célèbre partout.

Charlemagne

Comme Jules César, Charlemagne était aussi général avant de gouverner la France. On dit que pendant le huitième siècle le héros Roland a aidé Charlemagne à défendre le pays. *La Chanson de Roland*, partie de la biographie légendaire de Charlemagne, est le premier chef-d'œuvre de la

littérature française. Elle a été écrite à la fin du dixième siècle, 200 ans après que les héros sont morts. Ce poème épique décrit les actions héroïques de Roland et de son oncle Charlemagne qui étaient courageux face à l'ennemi d'Espagne. Après ses exploits en Espagne, Charlemagne retourne en France et laisse une partie de son armée commandée par Roland à Roncevaux, un passage dans les Pyrénées. Dès que Charlemagne est parti avec la plupart de l'armée, l'ennemi attaque l'armée de Roland et tue presque tous les hommes. Enfin, Roland décide d'appeler Charlemagne avec son cor, une sorte de trompette. Quand Charlemagne entend le cor, il revient avec son armée. Mais il est déjà trop tard; Roland est mort. En voyant cette scène, Charlemagne décide de se venger et retourne combattre les Espagnols.

L'empire de Charlemagne était si vaste qu'il était difficile à contrôler. Il a donc décidé d'établir sa capitale à Aix-la-Chapelle en Allemagne. Il a fait ouvrir des écoles près de chaque église. Tous les enfants des nobles y étaient des élèves, et parmi eux il y avait Charlemagne, sa femme et ses enfants.

L'histoire de la vie de Charlemagne et de ses contributions à l'histoire française est représentée dans quelques vitraux de la cathédrale de Chartres. Pendant la période médiévale la plupart de la population française ne savait pas lire. Il y avait donc des aides visuelles dont on se servait pour leur apprendre ces histoires de la gloire de la France.

Cette statue de Charlemagne se trouve à Aix-la-Chapelle.

La tapisserie de Bayeux

À Bayeux en Normandie, il existe une célèbre tapisserie (un long tapis qui couvre le mur) qu'a fait Mathilde, femme de Guillaume le Conquérant, avec les femmes de la cour. Cette tapisserie illustre la bataille de Hastings avec l'histoire écrite en latin. Elle mesure 70 mètres de long. On l'appelle maintenant la "tapisserie de Bayeux," et on peut la voir dans le musée dans cette ville. C'est comme une bande dessinée médiévale parce qu'il y a 73 scènes représentées en couleurs et expliquées en latin. Au-dessus et en bas, on voit des scènes de la vie quotidienne, des scènes d'animaux, et des scènes de quelques batailles secondaires. Au centre, on voit l'histoire de la bataille de Hastings. Cette documentation artistique pouvait aider les gens de ce temps à comprendre l'histoire.

Dans la tapisserie de Bayeux, il est facile de reconnaître les Anglais; ils ont les cheveux longs et des moustaches.

Louis IX et les croisades

Louis IX était un roi qui restait près de son peuple. Les hommes venaient le voir pour lui expliquer leurs disputes, puis le roi décidait de leur justice. Il s'occupait des gens malades, des lépreux et des pauvres dans les hospices qu'il avait fondés.

Entre 1096 et 1291, il y a eu huit croisades. C'était des voyages dans la Terre sainte pour délivrer Jérusalem des musulmans. Seulement la première et la troisième croisade ont réussi, mais ces expéditions ont profité aux Français dans le domaine des arts, des sciences, de la littérature et du commerce parce qu'ils pouvaient découvrir des cultures différentes.

Les illustrations des vitraux de la Sainte-Chapelle parlent des histoires religieuses de la Bible en 1.134 scènes.

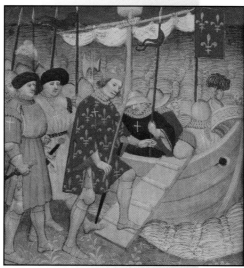

Louis IX part pour les croisades sous le drapeau (*flag*) français.

Pendant la Deuxième Guerre mondiale on a enlevé les vitraux de la Sainte-Chapelle pour les protéger contre les bombes. (Paris)

Workbook Activity 4

Grammar & Vocabulary
Exercises 4-8

Answers

5 Possible answers:

1. César a conquis l'Helvétie (la Suisse), la Gaule et la Grande Bretagne (l'Angleterre).
2. Vercingétorix a réussi à réunir les populations des cités et à grouper toutes les forces gauloises contre l'ennemi romain.
3. Le nom d'Astérix vient des noms des héros helvétiens et gaulois: Orgétorix et Vercingétorix.
4. Le produit principal de Dijon est la moutarde.
5. L'histoire de Charlemagne et de Roland se trouve dans le poème épique *La Chanson de Roland*.
6. On peut voir les scènes de la vie de Charlemagne dans les vitraux de la cathédrale de Chartres.
7. L'histoire de la bataille de Hastings est racontée sur la tapisserie de Bayeux.
8. La tapisserie mesure 70 mètres de long.
9. Louis IX était un roi très populaire parce qu'il restait près de son peuple et faisait attention à leurs besoins.
10. Ce sont les vitraux et la tapisserie.

Game

Les charades
Make a stack of note cards on which you write **faire** commands for small groups of students. Give each group a stack of cards. The first student in each group selects a card and silently acts out the listed expression until another student in the group makes a correct identification.

348

---

5 ## Des Français célèbres

Répondez aux questions suivantes.

1. Quels pays est-ce que Jules César a conquis?
2. Qu'est-ce que Vercingétorix a réussi à faire?
3. D'où vient le nom d'Astérix?
4. Quel est le produit principal de Dijon?
5. Où peut-on lire l'histoire de Charlemagne et de Roland?
6. Où peut-on voir les scènes de la vie de Charlemagne?
7. Où est racontée l'histoire de la bataille de Hastings?
8. Quelle est la longueur de la tapisserie de Bayeux?
9. Pourquoi est-ce que Louis IX était un roi très populaire?
10. Quelles sont deux aides visuelles qui ont aidé les gens à comprendre l'histoire?

Les vitraux de Chartres racontent des histoires religieuses et historiques.

Journal personnel

Tapestries and stained glass windows were visual aids used during the Middle Ages to help illiterate people understand and remember history and Bible stories. Implied in the use of these visual aids is the art of storytelling. Is the art of storytelling in our culture as important as it was in the past? Storytelling is still very important in some African countries. For example, **le griot** (*storyteller*) plays an important and powerful role in African society, passing along historical and cultural information and explaining natural phenomena through the telling of legends. Why do you tell stories?

Langue active

Expressions with *faire*

The verb **faire** (*to do, to make*) is one of the most frequently used verbs in French.

Ce sont les événements et les gens qui **font** l'histoire d'un pays.	*It's events and people that make a country's history.*

Faire is called a "building block" verb because it is used to form so many expressions in French. Some of the most common expressions with **faire** deal with various activities, the weather, shopping and traveling. Here are some examples where **faire** is used in French but a different verb is used in English.

Charlemagne a demandé aux églises d'ouvrir des écoles où on pouvait **faire des études** gratuites.	*Charlemagne asked churches to open schools where people could study free of charge.*
Il **faisait froid** quand Guillaume le Conquérant et son armée sont arrivés à Hastings.	*It was cold when William the Conqueror and his army arrived in Hastings.*
Louis IX **faisait attention** aux besoins des gens pauvres.	*Louis IX paid attention to the needs of poor people.*
Pendant la première croisade de Louis IX, on l'**a fait prisonnier.**	*During Louis IX's first crusade, they took him prisoner.*

348 trois cent quarante-huit
Unité 8

Teaching Notes

1. The **Langue active** section in **Unité 8** contains both new and recycled grammatical concepts.

2. **Faire** was introduced on page 209 in the first level of *C'est à toi!* and was reviewed on page 38 in the second level and on page 13 in the third level.

3. The other **faire** expressions that students have learned are **faire de l'aérobic** (and other sports), **faire du** (+ *number*), **faire du baby-sitting, faire du camping, faire du shopping, faire du sport, faire enregistrer ses bagages, faire la connaissance**

Pratique

6 ▸ Quelle expression?

*Décrivez chaque illustration en utilisant une des expressions avec **faire** de la liste suivante.*

faire le plein	faire ses devoirs
faire la queue	faire la connaissance du roi
faire les courses	ne pas faire attention
faire un somme	faire un tour de grande roue
faire de la luge	

Modèle:

Alain
Alain fait ses devoirs.

1. nous

2. Nicolas et Francis

3. Nadine

4. Mme Piedbœuf et sa fille

5. on

6. tu

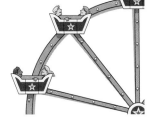

7. vous

8. je

Answers

6
1. Nous faisons la connaissance du roi.
2. Nicolas et Francis ne font pas attention.
3. Nadine fait le plein.
4. Mme Piedbœuf et sa fille font les courses.
5. On fait la queue.
6. Tu fais un somme.
7. Vous faites un tour de grande roue.
8. Je fais de la luge.

Comparisons

Expressions with *Faire*
You might choose to have students think of categories for the **faire** expressions they know, for example, weather, sports, household chores, pastimes, amusement park rides and miscellaneous. Then tell students to write category headings, listing all the **faire** expressions under the appropriate heading. In their miscellaneous column students could include expressions such as **faire du baby-sitting, faire la connaissance (de), faire la queue, faire le plein, faire le tour, faire les devoirs** and **faire un stage.**

Teaching Note

(de), **faire la queue, faire le plein, faire le tour, faire les courses, faire les devoirs, faire les magasins, faire les touristes, faire partie de, faire sécher le linge, faire un somme, faire un stage, faire un tour, faire un tour de grande roue** (and other rides), **faire un voyage, faire une promenade, Ça fait...., Quel temps fait-il?** and **Il fait beau** (and other weather expressions).

Answers

7 Possible answers:
1. Jules César voulait faire de la Gaule une province de Rome depuis longtemps.
2. Non, César l'a fait prisonnier.
3. Non, au temps de Charlemagne, on pouvait faire des études gratuites.
4. Guillaume le Conquérant a fait un voyage en Angleterre.
5. Non, il est tombé en faisant du cheval.
6. Les gens pauvres aimaient Louis IX parce qu'il faisait attention à leurs besoins.

Paired Practice

Changing Tenses
You might have students practice using **faire** expressions in various tenses. Put students in pairs, and give each pair a note card with a sentence and a tense that they are to change the sentence to, for example, **Claude ferait enregistrer ses bagages (passé composé)**. Student A reads the first sentence to Student B, who identifies the tense being used, for example, conditional, and then changes the sentence to the tense indicated in parentheses, for example, **Claude a fait enregistré ses bagages**. Then tell the pairs to exchange their card for one belonging to another pair, at which point students switch roles. Pairs continue exchanging cards until they have practiced a sentence in the present, **passé composé**, imperfect, conditional and future.

---

7 ▶ **L'histoire de France**

Répondez à chaque question au sujet de l'histoire de France en utilisant une expression avec **faire**. *Dans votre réponse utilisez le même temps* (tense) *que dans la question.*

Modèle:

Qu'est-ce qui fait l'histoire d'un pays?
Ce sont les événements et les gens qui font l'histoire d'un pays.

1. Qu'est-ce que Jules César voulait depuis longtemps?
2. Est-ce que César a donné sa liberté à Vercingétorix?
3. Au temps de Charlemagne, est-ce qu'on devait payer ses études?
4. Où Guillaume le Conquérant est-il allé en 1066?
5. Guillaume le Conquérant est-il tombé en faisant du footing?
6. Pourquoi est-ce que les gens pauvres aimaient Louis IX?

Faire + infinitive

To express the idea of having someone do something or having something done, use a form of the verb **faire** followed by an infinitive. Contrast the following two sentences:

Les Martel **construisent** une maison.	*The Martels build a house.*
Les Martel **font construire** une maison.	*The Martels have a house built.*

Who does the actual building of the house in each sentence? In the first example the Martels build the house themselves. However, in the second sentence they have someone else build it for them.

The form of **faire** can be in any tense.

Louis IX **a fait construire** la Sainte-Chapelle.	*Louis IX had the Sainte-Chapelle built.*
Guillaume a gardé les lois d'Édouard pour **faire accepter** son administration d'une façon plus facile.	*William kept Édouard's laws in order to have his administration accepted more easily.*

When object pronouns are used, they precede the form of **faire**. There is no agreement between the past participle **fait** and a preceding direct object pronoun.

César a fait tuer Vercingétorix?	*Did Caesar have Vercingétorix killed?*
Oui, après six ans il **l'a fait** tuer.	*Yes, after six years he had him killed.*
Les meilleurs professeurs du temps de Charlemagne?	*The best teachers in Charlemagne's time?*
Il **les a fait** venir à son école.	*He had them come to his school.*

In an affirmative command, object pronouns are attached with hyphens to the form of **faire**.

Faites-les venir!	*Have them come!*

Teaching Notes

1. **Faire** + infinitive is also known as **faire causatif**.

2. The infinitive after **faire** can have a subject rather than an object. In the model sentence **la Sainte-Chapelle** is the object. However, in the sentence **Vous ferez venir le prisonnier** (*You'll have the prisoner come*), **le prisonnier** is the subject of **venir**.

3. In a negative command object pronouns precede the form of **faire**, for example, **Ne les faites pas venir**!

Pratique

8 Qui le fait?

Les personnes indiquées ont-elles fait elles-mêmes (themselves) les actions illustrées? Suivez les modèles.

Modèles:

Est-ce que M. Gastineau fait construire le garage?
Non, il construit le garage.

1. Est-ce que les Landon peignent leur maison?

2. Est-ce que Laurent nettoie sa chambre?

Est-ce que M. Gastineau construit le garage?
Non, il fait construire le garage.

3. Est-ce que Mme Duteuil fait préparer le dîner?

4. Est-ce qu'Étienne goûte la soupe?

5. Est-ce que Mme Béjart fait nourrir le chien?

6. Est-ce que Damien fait éteindre la télé?

7. Est-ce que Jean-Claude enregistre ses bagages?

trois cent cinquante et un
351
Leçon A

Audio CD Activity 8

Answers

8
1. Non, ils font peindre leur maison.
2. Non, il fait nettoyer sa chambre.
3. Non, elle prépare le dîner.
4. Non, il fait goûter la soupe.
5. Non, elle nourrit le chien.
6. Non, il éteint la télé.
7. Non, il fait enregistrer ses bagages.

Game

Le baseball
Prepare a list of sentences that set up situations that would take **faire +** infinitive and write them on an overhead transparency, for example, **Tu as besoin d'essence.** On the board write a list of infinitive expressions, such as **faire le plein,** that students will choose from to form a logical **faire** + infinitive sentence. Divide the class into two teams, such as **les tigres** and **les couguars.** Then draw two baseball diamonds on the board, one for each team. The first student on the first team looks at the first situation on the transparency and forms a sentence using **faire** + infinitive based on the infinitive in parentheses, for example, **Tu fais faire le plein.** If the student correctly forms a logical sentence, he or she advances to first base, designated by marking a stick figure along the side of the base, and the next player on that team takes a turn. If the student incorrectly forms a sentence, he or she stays at home plate and the first player from the second team takes a turn. A run is scored after a team gets four correct answers, thus arriving at home plate. The team with the largest number of runs wins.

351

Audio CD Activities 9-10

Answers

9 1. Non, je l'ai fait mettre.
2. Non, je l'ai fait servir.
3. Non, je l'ai fait faire.
4. Non, je l'ai fait ranger.
5. Non, je les ai fait changer.
6. Non, je les ai fait repasser.
7. Non, je l'ai fait enlever.
8. Non, je les ai fait arroser.

10 1. Tes parents te font téléphoner si tu vas être en retard?
2. Tes parents te font passer l'aspirateur?
3. Tes parents te font faire la lessive?
4. Tes parents te font sortir la poubelle?
5. Tes parents te font tondre la pelouse?
6. Tes parents te font payer tes vêtements?
7. Tes parents te font écrire à tes grands-parents?
8. Tes parents te font étudier avant de regarder la télé?
Students' responses to these questions will vary.

Paired Practice

Sous l'influence

So that students can practice **faire** + infinitive, put them in pairs. Prepare a worksheet for Student A with eight sentences expressing what certain people are doing, for example, **Les voleurs parlent**. Prepare another worksheet for Student B, listing under whose influence the people on Student A's worksheet are doing those activities, for example, **les agents de police**. Student A reads the first sentence from his or her worksheet for Student B, who forms a new sentence using **faire** + infinitive, for example, **Les agents de police font parler les voleurs**. Other sentences and nouns that you might use are: 1. Les employés travaillent. (le chef) 2. Alice étudie. (la prof) 3. Les touristes partent. (le gérant) 4. Les enfants chantent. (la mère) 5. Martin accélère. (la monitrice) 6. Khadim danse. (Joëlle) 7. M. Chéreau déjeune. (l'infirmière)

352

---

9 Des corvées

Quand Paulette vous demande si vous avez fait certaines corvées, dites-lui que quelqu'un d'autre (else) les a faites pour vous. Suivez le modèle.

Modèle:

Est-ce que tu as préparé la salade?
Non, je l'ai fait préparer.

1. Est-ce que tu as mis la table?
2. Est-ce que tu as servi le dîner?
3. Est-ce que tu as fait la vaisselle?
4. Est-ce que tu as rangé ta chambre?
5. Est-ce que tu as changé tes draps?
6. Est-ce que tu as repassé tes chemises?
7. Est-ce que tu as enlevé la poussière?
8. Est-ce que tu as arrosé les plantes?

10 En partenaires

 Avec un(e) partenaire, parlez de ce que vos parents vous font faire ou ne pas faire. Posez des questions, et puis répondez-y. Suivez le modèle.

Modèle:

rentrer avant minuit
A: **Tes parents te font rentrer avant minuit?**
B: **Oui, ils me font rentrer avant minuit. Et toi, tes parents te font rentrer avant minuit?**
A: **Oui, moi aussi, ils me font rentrer avant minuit.**

1. téléphoner si tu vas être en retard
2. passer l'aspirateur
3. faire la lessive
4. sortir la poubelle
5. tondre la pelouse
6. payer tes vêtements
7. écrire à tes grands-parents
8. étudier avant de regarder la télé

Communication

Listening Activity 1

Communicative Activities

Leçon A Quiz

11 **Une enquête**

 Dans cette leçon vous faites la connaissance de quatre personnes importantes qui ont aidé à créer la France. Qui est-ce qui a aidé à créer notre pays? Pour connaître les opinions de vos camarades de classe, faites une enquête. D'abord copiez la grille suivante. Puis remplissez la première colonne avec les noms de quatre personnes qui, à votre avis, sont les vrais héros ou les vraies héroïnes de l'histoire de notre pays. Ensuite demandez à quatre élèves de vous dire quelle personne de votre liste ils admirent le plus et pourquoi. Complétez la grille avec un ✓ et leurs réponses à vos questions.

Personne	Daniel	Nora	Cécile	Marc
Abraham Lincoln	✓ *Il voulait la liberté pour tout le monde.*			

Un peu de plus

Webbing Activity
Before students begin to write biographies in Activity 13, have them web the information they are going to include. In the center circle they name the person they are going to write about. In the three supporting circles they list the person's character traits, activities and contributions. If students need to be reminded what a web looks like, make an overhead transparency of the web on page 97 in the second level of *C'est à toi!*

12 **Qui admirez-vous beaucoup?**

Choisissez une personne de l'histoire de notre pays ou de France, ou quelqu'un qui a influencé votre vie personnelle par ses idées ou par ce qu'il a fait. Puis faites des recherches pour apprendre plus de détails sur la vie de cette personne. Enfin organisez les événements importants de sa vie dans un axe chronologique qui indique les dates qui correspondent à ces événements. Utilisez les axes chronologiques aux pages 339-42 comme guide.

13 **Une biographie**

*Écrivez une petite biographie de la personne que vous avez choisie dans l'Activité 12. Décrivez sa personnalité, ce qu'elle a fait et ses contributions à la société. En organisant votre composition, servez-vous de l'axe chronologique que vous avez déjà créé. Utilisez des expressions qui vous aident à lier (link) vos phrases, comme **d'abord**, **ensuite**, **puis**, **après**, **enfin**, **au temps de**, **au cours de**, etc.*

Advanced Placement

Cooperative Group Practice

Novels in English

To provide additional practice writing summaries of a literary selection, have each student write a summary in French of a novel that they have read in English. Then put students in small groups. Each student reads his or her summary to the rest of the group members, who try to identify the title and the author. Finally each group selects the novel in their group that they think the class will like most and shares that summary with the class.

Paired Practice

Book Jackets

To further acquaint students with French literature, put them in pairs. Assign a famous novel or play to each pair. Students then research the plot of their novel or play in the library. (The *Masterplots* series is a good reference.) Then the pairs write a summary of their literary work on the inside cover of a book jacket they create. On the cover of the book jacket they draw a picture that illustrates the theme of the literary work they have researched. Display all the book jackets for the class to read. You may want to prepare a worksheet that asks questions about the different books and plays displayed so that students will carefully read each book jacket summary.

Stratégie communicative

Summarizing a Literary Selection

Un homme et une femme sont à table. C'est l'heure du petit déjeuner. La femme regarde ce que l'homme fait. D'abord, il prépare un café au lait et il le boit. Puis, il allume une cigarette. Ensuite, il met son chapeau et son imperméable parce qu'il pleut. Enfin, il part, et la femme est triste parce qu'il ne lui parle ni la regarde.

Do you remember what literary selection the preceding paragraph summarizes? It's "Déjeuner du matin" by Jacques Prévert, which you read in **Unité 2**. Although it's not as poetic as the original, the paragraph clearly tells what the poem is about. To write a good summary of a literary selection, it is important to introduce the characters, describe the setting and highlight the main events. Write your summary in the present tense and in your own words. Also try to relate some of the flavor of the original selection. As a rule of thumb, try to keep your summary to a quarter of the size of the original text or less. You will find it useful to refer to summaries you have written to refresh your memory before class discussions and tests.

 14 ▶ Un sommaire

Relisez l'extrait de Au revoir, les enfants *aux pages 143-44 de l'Unité 3. Écrivez un sommaire du scénario où vous présentez les personnages, décrivez la mise en scène (setting) et racontez les événements.*

354

trois cent cinquante-quatre
Unité 8

Teaching Note

The **Stratégie communicative** is designed to develop skills that will help students prepare to take the Advanced Placement Exam in French Language. This unit's **Stratégie communicative** develops writing proficiency. Students focus on how to write summaries about literary selections.

Conversation culturelle

Voici quelques autres gens importants qui ont aidé à créer la France.

Catherine de Médicis

Louis XVI

Le marquis de La Fayette

Georges Haussmann

355

Workbook Activities 7-8

 Grammar & Vocabulary Exercises 15-17

 Audio CD
Conversation culturelle

FYI

1. The Médicis were a family of merchants and bankers who played a critical role in the history of Florence and Tuscany from the 15ᵗʰ century to 1737. In addition, they influenced European politics and arts and letters. 2. In 1533 Catherine de Médicis married the Duke d'Orléans, who in 1547 became Henri II. She was denied domestic happiness due to her husband's infatuation with his mistress, Diane de Poitiers. During the 26 years of her marriage, she played no part in affairs of state, but this changed with Henri's death in 1559. While regent and chief adviser to her incapable sons during their reigns, Catherine sought to preserve the monarchy's power in the mounting chaos of civil war. Despite her responsibility for the St. Bartholomew's Day Massacre, her policies were directed at persuading Catholics and Huguenots to coexist in peace. However, after that event she was distrusted by both religious groups. Catherine was a woman of the Renaissance in her patronage of the arts. She commissioned the Tuileries as one of her building projects.

l'axe chronologique

— 1515
  François Iᵉʳ devient roi

— 1539
  Le français devient la langue officielle de la France

— 1560
  Charles IX devient roi
— 1562
  Les guerres de Religion commencent

— 1572
  Le massacre de la Saint-Barthélemy a lieu

— 1589
  Henri IV devient roi

— 1598
  L'édit de Nantes annonce la fin des guerres de Religion

Catherine de Médicis (1519-89)

À Chenonceaux Catherine de Médicis a fait construire la grande galerie sur cinq arches au-dessus du Cher.

Catherine de Médicis, reine de France, était la femme d'Henri II. C'était une femme intelligente et rusée,° la fille de Laurent II de Médicis de la célèbre famille italienne. Quand son mari, Henri II, et son fils François II sont morts, son fils Charles IX est devenu roi. Charles n'avait que dix ans, donc Catherine a dû gouverner pour lui. Pendant le règne° de Charles IX, Catherine de Médicis jouait un rôle important dans le gouvernement en montrant ses grandes qualifications politiques.

En ce temps-là la France était troublée par des guerres de Religion. Dans ses conseils à ses fils, Catherine a essayé de maintenir la paix entre les protestants et les catholiques, mais elle n'a pas réussi. Une fois, parce qu'elle avait peur pour Charles IX, elle a ordonné le massacre de la Saint-Barthélemy, qui a eu lieu° en 1572. Ce massacre a commencé à Paris et a continué en province.° Presque 30.000 protestants sont morts. Le règne de Charles IX n'a duré° que 14 ans. Quand il est mort en 1574, son frère Henri III, le fils favori de Catherine, est devenu roi. On l'a assassiné en 1589, la même année où sa mère est morte. Les protestants et les catholiques ont beaucoup critiqué Catherine pendant sa vie. Elle était obligée de défendre ses fils, et elle a survécu° à des intrigues politiques très complexes.

rusé(e) *crafty, sly;* **un règne** *la période pendant qu'un roi ou une reine gouverne;* **avoir lieu** *se passer;* **en province** *dans toutes les régions de la France;* **durer** *to last;* **survivre** *to survive*

 356

trois cent cinquante-six
Unité 8

Teaching Notes

1. The following new words appear in the time lines but are not a part of the lesson's active vocabulary: **axe, chronologique, officielle, édit, parisien, emprisonnés, embellissement** and **Franco-allemande**.

2. Communicative functions that are recycled in this lesson are "describing character," "using links," "explaining something," "expressing appreciation" and "summarizing."
3. Point out that **maintenir** is conjugated like **venir**.

4. Tell students not to confuse **une province** with **la Provence**. You might write this sentence on the board: **La Provence est une province.**
5. **Défendre** is a regular **-re** verb.
6. **Survivre** belongs to the **vivre** verb family.

356

Louis XVI (1754-93)

Pendant les derniers mois de sa vie, Marie-Antoinette était prisonnière dans la Conciergerie de Paris.

Quand Louis XVI avait 16 ans et Marie-Antoinette d'Autriche° en avait 15, ils se sont mariés. Quatre ans plus tard ils sont devenus roi et reine. Bientôt ils ont eu des problèmes avec le gouvernement et le peuple français. Louis XVI voulait bien gouverner, mais il préférait la chasse° aux affaires du pays. Louis était timide et trop circonspect dans ce qu'il décidait. En plus, Marie-Antoinette lui donnait de mauvais conseils. Le peuple ne l'aimait pas du tout parce qu'elle n'était pas française et elle dépensait trop d'argent. Le gouvernement avait de graves problèmes politiques, sociaux et monétaires. Trop de gens ne payaient pas d'impôts.° Le pays était pauvre après avoir aidé les Américains pendant la guerre de l'Indépendance américaine, et après avoir dépensé beaucoup d'argent dans des guerres qui n'ont pas réussi. Louis XVI a choisi des hommes honnêtes pour lui donner des conseils, mais, eux aussi, ils n'ont pas pu réussir à lui en faire accepter.

Le 14 juillet 1789, le peuple de Paris a pris la Bastille. C'était le début de la Révolution française. Louis XVI et Marie-Antoinette sont devenus prisonniers à Paris. La violence a continué. Personne n'a pu arrêter la Révolution. Enfin on a guillotiné le roi et la reine, lui en janvier 1793 et elle dix mois plus tard.

l'Autriche (f.) le pays à l'est de la Suisse; la chasse *hunting*; un impôt *tax*

1638
Louis XIV est né

1643
Louis XIV devient roi

1670
Molière écrit Le Bourgeois gentilhomme

1680
On établit la Comédie-Française

1682
La cour déménage à Versailles

1715
Louis XIV meurt; Louis XV devient roi

1756

La guerre de Sept Ans a lieu

1763

1774
Louis XVI devient roi

trois cent cinquante-sept
Leçon B
357

FYI

1. Louis XVI was the last Bourbon king to govern France as an absolute monarch. Early in his reign, he initiated reforms that made him popular with his subjects. Unwittingly, his reinstatement of the **parlements** resurrected the monarchy's most powerful adversaries. Facing bankruptcy in 1788, Louis was forced to summon the Estates General, thereby conceding that the aristocracy would share his power. Louis' lack of decisive leadership at this juncture allowed the national uprising to grow. After **la prise de la Bastille** (*the storming of the Bastille*), Louis publicly showed cooperation with the new regime while working secretly to have it overthrown. Even after he was brought to Paris by an angry mob on October 6, 1789, he refused to accept curtailment of his power. 2. The Bastille was a fortress built under Charles V in 1370 with eight massive towers; it became a prison under Richelieu. Its most famous prisoners were Fouquet, the Man in the Iron Mask, Voltaire and Sade. Considered a symbol of the Ancien Régime, the people of Paris attacked it and tore it down, starting the French Revolution. Only seven prisoners occupied the prison at the time of **la prise de la Bastille**. 3. The guillotine was last used in 1977. 4. You might want to give students background information about the significance of events listed in the time line. An excerpt from *Le Bourgeois gentilhomme* appears on page 372 in the **Lecture** section. 5. Rich in a history that merges with that of French dramatic literature, **la Comédie-Française** was formed in partnership between Molière's company and those of the Marais Theater and the hôtel de Bourgogne. 6. Louis XV (1715-74), called **le Bien-Aimé**, assumed control of the country in 1723, allowing Cardinal Fleury to govern as first minister. Upon Fleury's death, Louis attempted to act as his own first minister, but he proved unequal to the task.

Teaching Notes

1. You may want to introduce the adjective **autrichien**, **autrichienne** (*Austrian*).

2. Students learned about life at the court of Versailles on pages 299-300 in the second level of *C'est à toi!*

La Fayette was a French soldier and statesman whose liberal beliefs cost him his fortune, his social position, and even his freedom. He spent nearly 60 years of his life as a public figure seeking liberty under law in America and in France. La Fayette came from a long line of soldiers and studied at the Military Academy in Versailles. However, he disliked court life and welcomed the opportunity to win military glory by fighting against Great Britain for France in America. A grateful United States awarded him a land grant in Louisiana; $200,000; and a township in Florida for his heroic contributions. Back in France, as commander of the new National Guard, La Fayette was one of the country's most powerful men from 1789 to 1791. However, by 1791, he found himself hated by the people, the former nobles and the court due to his liberal ideas and attempts to suppress crowd violence. He spent five years in Austrian and Prussian prisons when a bill of impeachment was passed against him in France and he was caught fleeing the country. After he was permitted to return to France, he turned down honors from Napoléon because there were no "guarantees of popular liberties." La Fayette later served in the Chamber of Deputies. Some of his heirs still claim American citizenship, which was granted to his descendants.

1777

La Fayette aide les Américains

1782

1789

Le peuple parisien prend la Bastille; la Révolution commence

1792

Louis XVI et Marie-Antoinette sont emprisonnés

1793

Louis XVI et Marie-Antoinette sont guillotinés

Le marquis de La Fayette n'avait que 20 ans quand il est arrivé en Amérique. Il voulait aider le général Washington à vaincre les Anglais. Après avoir accepté de travailler sans salaire, La Fayette est devenu général dans l'armée américaine. Il a participé à beaucoup de batailles et a même passé l'hiver à Valley Forge. Après la guerre de l'Indépendance américaine, La Fayette est rentré en France où il a aidé à négocier la paix et a continué à travailler pour de bonnes relations entre les États-Unis et la France.

Il s'occupait aussi des problèmes de son propre pays. Au début de la Révolution française, il est devenu homme politique et a travaillé dur pour établir une monarchie libérale. La Fayette avait beau° essayer d'arrêter la violence de la Révolution. Mais on ne pouvait pas accepter ses idées, et La Fayette a dû quitter la France. Après être rentré en 1797, il a continué à servir son pays et à maintenir de bonnes relations et le commerce avec les États-Unis.

avoir beau être en vain

Georges Haussmann (1809-91)

La place Charles-de-Gaulle s'appelait la place de l'Étoile jusqu'en 1970 parce que les 12 avenues qui y commencent font penser à une étoile (*star*). (Paris)

C'est l'ingénieur Georges Haussmann qu'il faut remercier si vous appréciez la beauté de la ville de Paris: les larges° avenues, les quartiers de grands immeubles avec de jolies fleurs aux fenêtres, des jardins et des parcs partout. Si vous faites une promenade le soir, vous saurez pourquoi on appelle Paris "la Ville lumière." C'est parce que presque tous ses monuments sont illuminés. Si vous montez les Champs-Élysées jusqu'à l'arc de triomphe, vous verrez 12 belles avenues qui en sortent. Tout ça, c'est le travail de Georges Haussmann, homme politique engagé, et de ses ingénieurs. Après avoir démoli les plus vieux quartiers de la ville, Haussmann a passé presque 20 ans à transformer la capitale.

large *wide*

FYI

Haussmann was the French administrator responsible for the transformation of Paris from its medieval character to the one that it still largely preserves today. As an urban planner he exerted great influence on city design all over the world. As prefect of the Seine **département**, he undertook large public works projects, approved by Napoléon III. He designed wide, straight, tree-lined avenues through the chaotic mass of small streets, connecting the train terminals and making movement across the city rapid and easy for the first time. The purpose was partly economic, promoting efficient transportation of goods; partly aesthetic, to allow more space and light; and partly military, eliminating the possibility that barricades could be erected. Haussmann also eliminated the foul odors of Paris by creating new systems of water supply and drainage. His other contributions include the creation of **le bois de Boulogne** and **le bois de Vincennes**, the installation of more streetlights and sidewalks, and the demolition of most of the private buildings on the **île de la Cité**, which resulted in its current administrative and religious character. Haussmann also built the **Opéra** and the central marketplace known as **les Halles**, which was torn down in the 1960s. Eventually Haussmann's handling of public money under Napoléon III roused criticism and in 1870 he was dismissed.

1804
Napoléon Ier devient empereur

1815
Napoléon Ier est vaincu à Waterloo

1821
Napoléon Ier meurt

1852
Napoléon III devient empereur

1853

*Haussmann fait ses projets
d'embellissement de la capitale*

1869

1870
La guerre Franco-allemande a lieu

1871

trois cent cinquante-neuf
Leçon B **359**

Teaching Notes

1. Point out that **large** is a false cognate.
2. See page 360 for information about the time line on this page.

Audio CD Activities 1-2

Answers

1 1. F
   2. L
   3. H
   4. C
   5. L
   6. C
   7. F

2 1. faux
   2. faux
   3. vrai
   4. faux
   5. vrai
   6. vrai
   7. faux
   8. faux

FYI

1. Here is some background information about the time line on page 359. Napoléon I (1769-1821) was the greatest military genius of his time and perhaps the greatest general in history. A general at the age of 24, he became first consul of the French republic (1799-1804) and then emperor (1804-14, and again in 1815). He created an empire that covered most of western and central Europe, virtually controlling the continent from 1809 to 1812. He was also an excellent administrator, introducing many useful reforms, including the creation of a strong, efficient central government and the organization of French laws into codes. In 1814 he abdicated the imperial throne after his defeat at the Battle of the Nations at Leipzig. He was exiled to the island of Elba, but returned during the Hundred Days, only to be resoundingly defeated at Waterloo, Belgium. He spent the rest of his days in exile on the island of St. Helena. His body lies in the Église du Dôme in the **hôtel des Invalides**.
2. France was not militarily prepared for the Franco-Prussian War. The Germans easily defeated the French, seized territory in eastern France, and created the new German empire that Otto von Bismarck envisaged. The Franco-Prussian War set the stage for World War I by increasing French and German hostility.

360

---

1 ▶ Qui est-ce?

Identifiez la personne célèbre qui correspond à la description. Écrivez "C" pour Catherine de Médicis; "L" pour Louis XVI; "F" pour La Fayette; "H" pour Georges Haussmann.

2 ▶ L'histoire de France

Répondez par "vrai" ou "faux" d'après les descriptions des Français célèbres.

1. Charles IX a ordonné le massacre de la Saint-Barthélemy.
2. La France était troublée par des guerres de Religion pendant le règne de Louis XVI.
3. Au temps de Louis XVI, la France avait des problèmes sociaux, monétaires et politiques.
4. On a guillotiné Louis XVI et Marie-Antoinette le 14 juillet 1789.
5. Le marquis de La Fayette a aidé les Américains pendant la guerre de l'Indépendance américaine.
6. La Fayette a travaillé pour de bonnes relations entre la France et les États Unis.
7. On appelle Paris "la Ville lumière" parce qu'il y a beaucoup de jolis parcs et de larges avenues.
8. Haussmann a dû démolir tous les monuments de Paris.

Le peuple de Paris a pris la Bastille le 14 juillet 1789.

360

trois cent soixante
Unité 8

3 ▸ Complétez!

Choisissez le mot convenable pour compléter chaque phrase d'après les descriptions des Français célèbres.

impôts	Autriche	large	complexes
bataille	règne	chasse	conseils

1. Catherine de Médicis a donné beaucoup de… à ses fils.
2. Elle a survécu à des intrigues politiques qui étaient très….
3. Louis XVI aimait plus la… que les affaires du pays.
4. Marie-Antoinette n'est pas née en France. Elle est née en….
5. Les… sont l'argent qu'on doit payer au gouvernement.
6. C'était pendant le… de Louis XVI que la Révolution française a commencé.
7. Une grande… a eu lieu à Valley Forge.
8. Les Champs-Élysées sont une… avenue à Paris.

Catherine de Médicis a donné des conseils à son fils Charles IX après qu'il est devenu roi en 1560.

4 ▸ C'est à toi!

Questions personnelles.

1. Est-ce que tu connais une personne rusée? Si oui, l'admires-tu?
2. Qui te donne des conseils à l'école? À la maison? En suis-tu?
3. Qu'est-ce que tu as beau faire?
4. Est-ce que tu préfères faire du sport ou étudier? Louer des DVDs ou aller au cinéma?
5. Qu'est-ce que tu fais après avoir fini tes devoirs le soir?
6. Qui essaie de maintenir la paix dans ta famille?
7. À ton avis, quelle est la plus belle avenue de ta ville?
8. Est-ce que tu paies des impôts? Selon toi, est-ce que les Américains paient trop d'impôts? Pourquoi ou pourquoi pas?

Quand est-ce que ta fête nationale a lieu?

trois cent soixante et un
Leçon B

Answers

3
1. conseils
2. complexes
3. chasse
4. Autriche
5. impôts
6. règne
7. bataille
8. large

4 Answers will vary.

FYI

Notes about the **Aperçus culturels** on page 262 follow. 1. François II (1544-60) was the oldest son of Henri II and Catherine de Médicis. He was the first husband of Mary Stuart, Queen of Scots, whom he married in 1558. In 1559 he became king when his father died in a tournament. As king, François was dominated by his wife's maternal uncles, the Duke de Guise and the Cardinal de Lorraine, who extended a policy of rigorous repression of Calvinist Protestantism. Tension was increasing between the Catholics and the Huguenots when François died.
2. Catherine de Médicis conspired with leading Catholics to assassinate Huguenot leaders and convinced her son, Charles IX, to go along with her plan. The result was the St. Bartholomew's Day Massacre.
3. Gaspard de Coligny (1519-72) was the leader of the Huguenots, whom Catherine de Médicis had her son Charles IX kill during the St. Bartholomew's Day Massacre.
4. Henri III (1551-89) was the last Valois king of France. He succeeded his brother Charles IX in 1574. Henri was a weak king who was greatly influenced by his mother. Throughout his reign, Henri was caught in the struggle, including warfare, between the Catholics and the Huguenots. Fearing the Huguenot leader, the Duke de Guise, Henri had him assassinated in 1588. The next year Henri himself was assassinated by a religious fanatic. His death made way for the succession of Henri de Navarre.

~Aperçus culturels~

Catherine de Médicis

Quand les rois de France venaient au trône trop jeunes, ils avaient des régentes pour gouverner pour eux. La régente Catherine de Médicis aimait gouverner tellement qu'elle a gardé le contrôle du pays même quand ses fils François II, Charles IX et Henri III étaient rois.

Catherine n'aimait pas les protestants français, qui s'appelaient les Huguenots. Quand leur chef, l'Amiral Coligny, est devenu ami du roi Charles IX, Catherine n'était pas contente. Elle s'inquiétait de l'influence que Coligny aurait sur son fils. Donc, elle a ordonné à Charles de faire tuer Coligny et ses disciples en 1572.

Catherine s'intéressait beaucoup à l'astrologie, à l'occultisme et à la magie. C'est pourquoi elle a fait venir à la cour un certain Michel de Notre-Dame, médecin et astrologue. Après avoir latinisé son nom en Nostradamus, il a commencé à faire des prédictions. En 1555 Nostradamus a écrit un livre, *Centuries astrologiques*, où il a fait plusieurs prédictions. En 1559 le roi Henri II est mort exactement comme avait prédit Nostradamus dans ce livre. Beaucoup de ses autres prédictions sont devenues vraies aussi.

Henri III, le dernier roi Valois, était le troisième fils d'Henri II et de Catherine de Médicis.

Marie-Antoinette

Marie-Antoinette était une autre femme qui a eu une grande influence sur l'histoire de la France sans jamais contrôler le gouvernement. Si le roi Louis XVI était faible, la reine était forte et a beaucoup influencé le roi. Contrairement à la personnalité de son mari, Marie-Antoinette aimait la vie sociale et les fêtes. Parce qu'elle ne faisait attention ni aux traditions de la cour ni à l'étiquette, les Français étaient choqués. On l'a même appelée "cette femme d'Autriche."

Mais Marie-Antoinette n'était pas sensible aux besoins de son peuple. La légende dit que les pauvres ont manifesté parce qu'ils n'avaient pas de pain à manger. Quand Marie-Antoinette a entendu leur demande pour du pain, elle a répondu, "Qu'ils mangent du gâteau!" On n'est pas certain si la reine a vraiment prononcé ces mots, mais si elle l'a bien dit, est-ce qu'elle l'a fait parce qu'elle n'était pas sensible ou parce qu'elle ne comprenait pas la situation?

Les Français critiquaient Marie-Antoinette pour les sommes énormes qu'elle dépensait pour ses vêtements.

Benjamin Franklin et la Révolution américaine

Au temps de la guerre de l'Indépendance américaine, il y a eu des Français qui sont venus en Amérique et des Américains qui sont allés en France. Le marquis de La Fayette a participé à la Révolution comme général et comme ambassadeur. C'est lui qui est allé en France en ce temps pour créer une alliance entre la France et les colonies américaines. Benjamin Franklin était aussi ambassadeur des colonies en France. Franklin était très populaire et respecté. En 1776 il est allé à la cour de Louis XVI pour le persuader d'aider les colonies dans leur lutte pour l'indépendance. Il a dû convaincre le roi d'accepter que les colonies étaient politiquement indépendantes de l'Angleterre et il a persuadé le roi qu'une alliance entre les deux pays profiterait aux Français. Il a eu un succès énorme. Louis XVI a proclamé que la France était l'amie des colonies américaines et que la France les aiderait. Franklin est devenu le représentant des colonies américaines en France et a négocié la fin de la guerre de l'Indépendance américaine.

Pierre L'Enfant aussi est venu de France pour aider les colonistes avec la guerre de l'Indépendance américaine. Après la guerre, George Washington lui a demandé de faire des plans pour construire la nouvelle capitale fédérale du pays à Washington, D.C. L'Enfant a créé un plan pour la ville avec des avenues qui sortaient d'un centre, comme la ville de Paris. Mais il a dépensé trop d'argent sur ce projet et a dû quitter le poste.

Georges Haussmann

Si L'Enfant a créé la ville de Washington, D.C., selon un plan de Paris, Georges Haussmann a décidé de recréer Paris avec de grands boulevards et de jolies avenues comme ceux de Washington. Lui aussi a dépensé trop d'argent sur ses projets et a dû quitter son poste.

5 — Des Français célèbres

Répondez aux questions suivantes.

1. Une régente, qu'est-ce que c'est?
2. Comment s'appellent les fils de Catherine de Médicis?
3. Qui étaient les Huguenots?
4. Pourquoi Catherine a-t-elle ordonné le massacre de la Saint-Barthélemy?
5. Au seizième siècle qui a fait des prédictions qui sont devenues vraies?
6. Pourquoi Marie-Antoinette avait-elle beaucoup d'influence sur le roi Louis XVI?
7. Selon la légende, quelle phrase célèbre est attribuée à Marie-Antoinette?
8. Quels sont les deux Français qui ont participé à la guerre de l'Indépendance américaine?
9. Pourquoi est-ce que Benjamin Franklin est allé en France?
10. Qu'est-ce que Pierre L'Enfant et Georges Haussmann avaient en commun?

Parce que Charles IX était mineur quand il est devenu roi, Catherine de Médicis gouvernait pour lui.

trois cent soixante-trois

363

Leçon B

Answers

5 Possible answers:
1. C'est une femme qui gouverne pour quelqu'un qui est très jeune.
2. François II, Charles IX et Henri III étaient ses fils.
3. Ils étaient des protestants français.
4. Catherine s'inquiétait de l'influence que Coligny aurait sur son fils, le roi Charles IX.
5. C'est Nostradamus.
6. Elle avait beaucoup d'influence sur le roi Louis XVI parce que c'était un homme faible.
7. Selon la légende, Marie-Antoinette a dit, "Qu'ils mangent du gâteau!"
8. Le marquis de La Fayette et Pierre L'Enfant ont participé à la guerre de l'Indépendance américaine.
9. Franklin est allé en France pour persuader le roi d'aider les colonies dans leur lutte pour l'indépendance.
10. Pierre L'Enfant et Georges Haussmann faisaient des plans pour les villes de Washington, D.C. et Paris.

FYI

In Paris the literary and scientific community greeted Franklin as a hero. Turgot expressed the French idolization of Franklin in a famous epigram, "He seized the lightning from Heaven and the scepter from tyrants." Franklin found his portrait everywhere, on objets d'art from snuffboxes to chamber pots. Wigless, dressed in plain brown clothes and spectacles, he was nicknamed **le Bonhomme Richard**. His company was sought after by everyone. He frequented the salon of Madame Helvétius and found himself popular among the most fashionable ladies.

6 ▸ En quelle année?

Voici quelques événements importants du vingtième siècle en France. Cherchez dans vos sources (encyclopédies, CD-ROM, Internet ou livres d'histoire) pour écrire l'année où chaque événement a eu lieu.

1. Marie Curie reçoit le Prix Nobel de physique.
2. La France perd 360.000 hommes dans la Bataille de Verdun.
3. Les Américains arrivent à Paris pour délivrer la ville des forces nazies.
4. L'armée vietnamienne conquiert les forces françaises à Diên Biên Phu.
5. Charles de Gaulle devient président de la Cinquième République.
6. Après une longue guerre, l'Algérie gagne son indépendance de la France.
7. Jean-Paul Sartre reçoit le Prix Nobel de littérature et le refuse.
8. Les étudiants parisiens commencent des manifestations violentes.
9. François Mitterrand devient le premier président socialiste.
10. Édith Cresson devient Premier ministre.
11. Disneyland Resort Paris ouvre ses portes.

MÉMORIAL-MUSÉE

DE LA BATAILLE DE

VERDUN 1914 1918

FLEURY-devant-DOUAUMONT

Nommée Premier ministre par François Mitterrand, Édith Cresson est devenue la première femme à occuper cette fonction en France.

Journal personnel

You have read about several women who have shaped French history without ever having had a position of real power in the government. Many people have shaped history either by influencing those in power or by doing something extraordinary that changed the way people lived, thought or acted. Name someone in history who did not have a political position, yet played a major role in shaping future generations. What did this person contribute? Name someone today who, likewise, does not shape governmental policy but manages to influence people. What has this person accomplished?

Expressions with *avoir*

The verb **avoir** (*to have*) is another frequently used verb in French.

Le gouvernement de Louis XVI **avait** des problèmes politiques et monétaires.

Louis XVI's government had political and monetary problems.

Also called a "building block" verb, **avoir** is used in many expressions in French. Some of the most common expressions with **avoir** deal with age, physical ailments, or being hot/cold/hungry/thirsty/afraid. How many more can you think of?

Quand Louis XVI **avait** 16 **ans** et Marie-Antoinette en **avait** 15, ils se sont mariés.

When Louis XVI was 16 and Marie-Antoinette was 15, they got married.

Parce que Catherine **avait peur** pour son fils, elle a ordonné le massacre.

Because Catherine was afraid for her son, she ordered the massacre.

Ces passagers ont de la chance de pouvoir voyager au Maroc.

Two new expressions with **avoir** are **avoir lieu** (*to take place*) and **avoir beau** plus an infinitive (*to do something in vain*).

Le massacre **a eu lieu** en 1572.

The massacre took place in 1572.

La Fayette **avait beau** essayer d'arrêter la violence de la Révolution.

La Fayette tried in vain to stop the violence of the Revolution.

 Workbook Activity 10

 Grammar & Vocabulary Exercises 18-21

Un peu de plus

Phrases avec avoir
You might have students write an original sentence using each of the new and review expressions with **avoir**.

Teaching Notes

1. **Avoir** was introduced on page 106 in the first level of *C'est à toi!* and reviewed on page 38 in the second level and on page 13 in the third level.

2. The other **avoir** expressions that students have learned are **avoir besoin de, avoir bonne/mauvaise mine, avoir chaud, avoir de la chance, avoir envie de, avoir faim, avoir froid, avoir l'air, avoir mal (à...), avoir mal au cœur, avoir quel âge** and **avoir soif**.

3. Remind students that **avoir peur** can also be followed by the preposition **de (d')** and a noun or a stress pronoun.

365

Comparisons

Expressions with *Avoir*
To help students remember the other **avoir** expressions that they have learned, prepare a worksheet containing a list of sentences where the **avoir** expression is omitted, for example, **J'… quand il fait 33°C**. As students fill in the blanks with the correct **avoir** expression, for example, **J'ai chaud**, have them make a list that includes each one.

Paired Practice

Changing Tenses
You might have students practice using **avoir** expressions in various tenses. Put students in pairs, and give each pair a note card with a sentence and a tense that they are to change the sentence to, for example, **Caro avait de la chance (passé composé)**. Student A reads the first sentence for Student B, who identifies the tense being used, for example, imperfect, and then changes the sentence to the tense indicated in parentheses, for example, **Caro a eu de la chance**. Then tell the pairs to exchange their card for one belonging to another pair, at which point Student A and Student B switch roles. Pairs continue exchanging cards until they have practiced a sentence in the present, **passé composé**, imperfect, conditional and future.

 Pratique

7 **La journée de Guillaume**

*Racontez l'histoire de la journée de Guillaume selon les illustrations. Utilisez l'expression convenable de la liste suivante pour décrire chaque illustration. Dans votre réponse utilisez le temps convenable du verbe **avoir**.*

avoir de la chance	avoir envie de	avoir mal au cœur	avoir soif
avoir 17 ans	avoir besoin de	avoir l'air	avoir faim

Modèle:

Hier c'était l'anniversaire de Guillaume.
Il avait 17 ans.

1. Guillaume….

2. Il… aller au café avec ses amis.

3. Mais, pauvre Guillaume! Il… triste parce qu'il… argent.

4. Tout à coup, Guillaume…. Il a trouvé de l'argent!

5. Guillaume a beaucoup mangé, et il a beaucoup bu parce qu'il….

6. Après avoir mangé, Robert est rentré à la maison tout de suite parce qu'il….

Teaching Note

Point out that in the expression **avoir beau**, the following infinitive is expressed by the same tense as that of **avoir beau**, for example, **J'ai beau faire mes devoirs.** (*I'm doing my homework in vain.*)

*Donnez une réponse logique aux questions suivantes en utilisant une expression avec **avoir** au temps convenable.*

Modèle:

Pourquoi est-ce que Camille et sa sœur portent un manteau et des gants?
Parce qu'elles ont froid.

1. Pourquoi est-ce que tu ne t'approches pas du chien?
2. Tu n'as pas réussi à trouver ton verre de contact?
3. As-tu jamais gagné quelque chose?
4. Pourquoi est-ce que tu as deux boulots?
5. Pourquoi Bruno a-t-il mis la clim?
6. Pourquoi la chanteuse ne peut-elle pas chanter?
7. Tu trouves que Patricia a l'air malade?
8. Quelle est la date du massacre de la Saint-Barthélemy?

Pourquoi tu ne conduis pas à l'école?

Je n'ai que 17 ans.

Past infinitive

To say that one action in the past happened before another one, use the past infinitive. After the preposition **après**, add the helping verb **avoir** or **être** and the past participle of the main verb.

après	+	avoir être	+	past participle

Après avoir accepté de travailler sans salaire, La Fayette est devenu général.
Après être rentré en France, il a continué à servir son pays.

After having agreed to work without pay, La Fayette became a general.
After having returned to France, he continued to serve his country.

Agreement of the past participle is the same as in the **passé composé**.

Après l'avoir négociée, La Fayette a travaillé dur pour maintenir la paix entre l'Angleterre et les États-Unis.
Après s'être mariés, Louis XVI et Marie-Antoinette sont devenus roi et reine.

After having negotiated it, La Fayette worked hard to maintain peace between England and the United States.
After having married, Louis XVI and Marie-Antoinette became king and queen.

Après s'être lavé les cheveux, Danièle les a séchés.

trois cent soixante-sept
367
Leçon B

Answers

8 Possible answers:
1. Parce que j'ai peur.
2. Non, j'ai eu beau chercher.
3. Non, je n'ai pas de chance.
4. Parce que j'ai besoin d'argent.
5. Parce qu'il avait chaud.
6. Parce qu'elle a mal à la gorge.
7. Oui, elle a mauvaise mine.
8. Le massacre a eu lieu en 1572.

Un peu de plus

Descriptions des actions
This activity provides speaking and listening practice with the past infinitive. Each student writes his or her name on a slip of paper and places it in a bag that you provide. A volunteer comes to the front of the room and selects a name from the bag. Then he or she performs two actions, and the named student describes what the volunteer did, for example, **Après avoir mis une feuille de papier dans la corbeille, tu as pris le manuel sur le bureau du professeur.** Next the named student goes to the front of the room, and the process begins again until all name slips have been drawn and each student has given a sentence using the past infinitive and performed two actions.

Teaching Notes

1. The conjunction **après que** is followed by the indicative.
2. Point out that the use of **avoir** or **être** depends on which verb the infinitive takes in the **passé composé**.
3. In the third example, note the agreement between the past participle **négociée** and the preceding direct object pronoun **l'**, which refers to **la paix**.
4. In the fourth example, note the agreement between the past participle **mariés** and the reflexive pronoun **s'**.
5. The past infinitive is made negative in one of two ways: the negative may come before the past infinitive, for example, **Après ne pas avoir dormi, j'étais fatigué(e)**, or **ne... pas** may surround **avoir** or **être**, for example, **Après n'avoir pas dormi, j'étais fatigué(e)**.

367

9 Possible answers:
1. Après m'être réveillé(e), je suis sorti(e).
2. Après avoir fait son lit, Suzanne est sortie.
3. Après avoir pris son petit déjeuner, Abdou est sorti.
4. Après s'être brossé les dents, Max est sorti.
5. Après s'être maquillées, Sophie et Annick sont sorties.
6. Après avoir fait le ménage, Chloé et toi, vous êtes sorti(e)s.
7. Après avoir fait la vaisselle, tu es sorti(e).
8. Après avoir fini nos devoirs, Paul et moi, nous sommes sortis.

Paired Practice

Magazine Pictures
Put students in pairs. Display ten magazine pictures that students can describe at the front of the classroom. Tell students to take turns forming logical past infinitive sentences to describe what took place before each pictured activity and then what happened in the picture, for example, **Après avoir mis un short, un tee-shirt et des tennis, Alain a joué au foot.**

Pratique

9 ▸ Qui est sorti?

Dites que les personnes suivantes sont sorties après avoir fait les actions illustrées.

Modèle:

Marcel
Après avoir tondu la pelouse, Marcel est sorti.

1. je

2. Suzanne

3. Abdou

4. Max

5. Sophie et Annick

6. Chloé et toi

7. tu

8. Paul et moi

Est-ce que tu es sortie avec tes amis?

Oui, après m'être maquillée, je suis sortie avec eux.

10 En partenaires

 *Demandez si votre partenaire a fait les actions indiquées hier (ou la semaine dernière). Dites que oui, après avoir fait quelque chose d'autre. Alternez les questions et les réponses avec votre partenaire. Suivez le modèle et l'ordre indiqué par le cercle.*

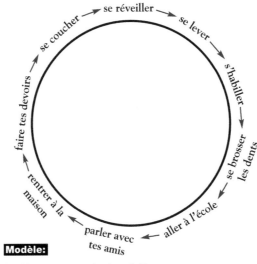

Modèle:

A: **Est-ce que tu t'es levé(e)?**

B: **Oui, après m'être réveillé(e), je me suis levé(e).**

Après être rentrée, Mme Enjary a été obligée d'aider ses enfants avec leurs devoirs.

11 Formez une phrase!

Combinez chaque groupe de deux phrases en utilisant le passé de l'infinitif. Suivez le modèle.

Modèle:

Jules César a réussi à vaincre Vercingétorix.
Puis César est retourné à Rome.
Après avoir réussi à vaincre Vercingétorix, Jules César est retourné à Rome.

1. César a emmené Vercingétorix à Rome. Puis César l'a fait tuer.
2. Charlemagne a entendu la trompette de Roland. Puis Charlemagne est revenu avec son armée.
3. Guillaume le Conquérant et son armée sont arrivés à Hastings. Puis ils ont vaincu les Anglais.

4. Louis IX a fait construire la Sainte-Chapelle. Puis il y a mis des reliques de Jésus-Christ.
5. Catherine de Médicis a lu *Centuries astrologiques* de Nostradamus. Puis elle l'a fait venir à la cour.
6. Marie-Antoinette s'est mariée avec Louis XVI. Puis elle est devenue reine de France.
7. La Fayette a participé à la guerre de l'Indépendance américaine. Puis il est rentré en France.
8. Georges Haussmann a démoli les plus vieux quartiers de Paris. Puis il les a transformés.

trois cent soixante-neuf

Leçon B

Communication

12 Une enquête

 Dans cette leçon vous avez étudié l'histoire de France du seizième au dix-neuvième siècles. Quant à l'histoire, tout le monde, même ceux qui n'en sont pas fanas, a ses préférences de périodes pour diverses raisons. Pour connaître les opinions de vos camarades de classe, faites une enquête. D'abord copiez la grille suivante. Puis demandez à quatre élèves de vous dire quel siècle et quel personnage de ce siècle les intéressent le plus et de vous dire pourquoi. (Préparez vos propres réponses pour les élèves qui vous interviewerront.) Enfin complétez la grille avec un ✓ et leurs réponses à vos questions.

Siècle	Amélie	Salim	Anne	Jacques
16ᵉ				
17ᵉ	✓ *Louis XIV* *Je viens de voir le film* Man in the Iron Mask, *et la vie du Roil Soleil à la cour de Versailles m'intéresse.*			
18ᵉ				
19ᵉ				

13 Un paragraphe

Maintenant utilisez les réponses de vos camarades de classe (et aussi vos réponses personnelles) pour écrire un paragraphe où vous présentez les résultats de votre enquête dans l'Activité 12. Dites combien d'élèves ont préféré chaque siècle, et indiquez quels personnages ils ont choisis. Puis donnez les raisons de leurs choix.

14 En groupes de quatre

 Groupez-vous avec quatre autres élèves. Avec vos grilles de l'Activité 12, discutez les résultats de vos enquêtes sur les personnages les plus intéressants de l'histoire de France. Puis préparez une liste de ces personnages selon l'ordre de leur popularité et présentez cette liste à la classe.

 Audio CD *Lecture*

 Advanced Placement

Research Skills

Some literary works, including the seventeenth century comedy *Le Bourgeois gentilhomme* by Molière, are enriched and more deeply understood by learning background information. During Molière's time, King Louis XIV believed that he was the "earthly representative of God." He ruled as an absolute monarch from his palace at Versailles, where Molière's troupe of actors entertained him. The importance of the court—20,000 strong—reached its highest point during Louis XIV's reign. While the Sun King forced nobles into financial dependence on the crown, he bestowed privileges on the middle class, or bourgeoisie, whom he used to build his centralized bureaucracy. Molière observed some bourgeois striving to rise above their social position. This gave him the idea for *Le Bourgeois gentilhomme*, the story of a successful, middle-class businessman who longs to become a nobleman. Without such background information, reading *Le Bourgeois gentilhomme* probably wouldn't be as meaningful to you.

To do further research on Molière or topics from the seventeenth century, go to your instructional materials center or library, where you can begin by reading a general summary of your topic. For example, to research the significance of Louis XIV's reign, begin by looking in an encyclopedia under the heading "France" and then under the subheading "History." Or, to find information about Molière's other plays, read plot summaries in the drama volume of the *Masterplots* series. After you have a general understanding of your topic, look for more detailed information in the card catalogue. If your card catalogue is computerized, simply select the author, title or subject option. For example, to find out more about the rise of the middle class during the seventeenth century, key "seventeenth century France" in the subject field. When you find a title that interests you, jot down the call number so you can locate the book on the shelf. Remember that the person who best knows the resources in your instructional materials center or library is the librarian. He or she will be able to point out additional sources with which you may be unfamiliar.

15 ▶ Pour commencer...

Avant de lire la scène suivante du Bourgeois gentilhomme, *répondez aux questions.*

1. Qu'est-ce que tu regrettes de ton éducation?
2. Quels cours est-ce que tu comptes suivre l'année prochaine? Pourquoi?
3. Quelles sortes de personnes est-ce que tu admires? Est-ce que tu fais quelque chose pour leur ressembler? Par exemple, est-ce que tu imites leurs coiffures (*hairstyles*) ou leurs vêtements?
4. As-tu jamais écrit une lettre d'amour? Si oui, est-ce que quelqu'un t'a aidé(e)?

Teaching Note

The **Lecture** is designed to develop skills that will help students prepare to take the Advanced Placement Exam in French Literature. In this section students read a variety of works of prose, poetry and drama from different periods, answer content questions, and demonstrate their critical understanding of literary techniques, such as character development, setting, point of view, satire, figures of speech and inference. This unit's **Lecture** asks students to apply research skills to learn background information about Molière's works and era in order to gain a deeper understanding of and appreciation for *Le Bourgeois gentilhomme*.

1. Molière borrowed from the Italian *commedia dell'arte* a rhetoric of movement and gesture, a choreography of action and language, and a standard repertoire of comic routines. 2. In the 17th century comedy was justified on the grounds that it was socially beneficial, since it exposed human failings to ridicule. With Louis XIV's blessing, Molière thus set himself the task of reforming morals and manners through ridicule. Most of his comic characters are excessive types whose passions are out of balance. We can see many of our own failings in his character portraits. In *Le Bourgeois gentilhomme* Molière's satire is more gentle than in many of his plays, but he takes obvious aim at the sham and hypocrisy of 17th century Paris. He borrowed the stock figure of the parvenu from contemporary 17th century comedy. Yet it is the nobles who come off the worst in *Le Bourgeois gentilhomme*. Molière shows his admiration for the fine character of the true bourgeois, Cléonte, and Madame Jourdain's common sense and reliability. 3. You may want to show the French film *Ridicule* to your students to give them an introduction to 18th century court life. Written by Remi Waterhouse and directed by Patrice Leconte, the highly acclaimed film stars Charles Berling, Jean Rochefort and Fanny Ardant.

Le Bourgeois gentilhomme
Acte II, Scène IV

Maître de Philosophie.	….Que voulez-vous apprendre?
Monsieur Jourdain.	Tout ce que je pourrai, car j'ai toutes les envies du monde d'être savant; et j'enrage que mon père et ma mère ne m'aient pas fait bien étudier dans toutes les sciences quand j'étais jeune.
Maître de Philosophie.	Ce sentiment est raisonnable, *Nam sine doctrina vita est quasi mortis imago.* Vous entendez cela, et vous savez le latin sans doute.
Monsieur Jourdain.	Oui, mais faites comme si je ne le savais pas: expliquez-moi ce que cela veut dire.
Maître de Philosophie.	Cela veut dire que *Sans la science, la vie est presque une image de la mort.*
Monsieur Jourdain.	Ce latin-là a raison.
Maître de Philosophie.	N'avez-vous point quelques principes, quelques commencements des sciences?
Monsieur Jourdain.	Oh! oui, je sais lire et écrire.
Maître de Philosophie.	Par où vous plaît-il que nous commencions? Voulez-vous que je vous apprenne la logique?
Monsieur Jourdain.	Qu'est-ce que c'est que cette logique?
Maître de Philosophie.	C'est elle qui enseigne les trois opérations de l'esprit.
Monsieur Jourdain.	Qui sont-elles, ces trois opérations de l'esprit?
Maître de Philosophie.	La première, la seconde, et la troisième. La première est de bien concevoir par le moyen des universaux. La seconde, de bien juger par le moyen des catégories; et la troisième, de bien tirer une conséquence par le moyen des figures *Barbara, Celarent, Darii, Ferio, Baralipton,* etc.

Monsieur Jourdain.	Voilà des mots qui sont trop rébarbatifs. Cette logique-là ne me revient point. Apprenons autre chose qui soit plus joli.
Maître de Philosophie.	Voulez-vous apprendre la morale?
Monsieur Jourdain.	La morale?
Maître de Philosophie.	Oui.
Monsieur Jourdain.	Qu'est-ce qu'elle dit cette morale?
Maître de Philosophie.	Elle traite de la félicité, enseigne aux hommes à modérer leurs passions, et....
Monsieur Jourdain.	Non, laissons cela. Je suis bilieux comme tous les diables; et il n'y a morale qui tienne, je me veux mettre en colère tout mon soûl, quand il m'en prend envie.
Maître de Philosophie.	Est-ce la physique que vous voulez apprendre?
Monsieur Jourdain.	Qu'est-ce qu'elle chante cette physique?
Maître de Philosophie.	La physique est celle qui explique les principes des choses naturelles, et les propriétés du corps; qui discourt de la nature des éléments, des métaux, des minéraux, des pierres, des plantes et des animaux, et nous enseigne les causes de tous les météores, l'arc-en-ciel, les feux volants, les comètes, les éclairs, le tonnerre, la foudre, la pluie, la neige, la grêle, les vents et les tourbillons.
Monsieur Jourdain.	Il y a trop de tintamarre là-dedans, trop de brouillamini.
Maître de Philosophie.	Que voulez-vous donc que je vous apprenne?
Monsieur Jourdain.	Apprenez-moi l'orthographe.
Maître de Philosophie.	Très volontiers.
Monsieur Jourdain.	Après vous m'apprendrez l'almanach, pour savoir quand il y a de la lune et quand il n'y en a point.
Maître de Philosophie.	Soit. Pour bien suivre votre pensée et traiter cette matière en philosophe, il faut commencer selon l'ordre des choses, par une exacte connaissance de la nature des lettres, et de la différente manière de les prononcer toutes. Et là-dessus j'ai à vous dire que les lettres sont divisées en voyelles, ainsi dites voyelles parce qu'elles expriment les voix; et en consonnes, ainsi appelées consonnes parce qu'elles sonnent avec les voyelles, et ne font que marquer les diverses articulations des voix. Il y a cinq voyelles ou voix: A, E, I, O, U.
Monsieur Jourdain.	J'entends tout cela.
Maître de Philosophie.	La voix A se forme en ouvrant fort la bouche: A.
Monsieur Jourdain.	A, A. Oui.
Maître de Philosophie.	La voix E se forme en rapprochant la mâchoire d'en bas de celle d'en haut: A, E.
Monsieur Jourdain.	A, E, A, E. Ma foi! oui. Ah! que cela est beau!
Maître de Philosophie.	Et la voix I en rapprochant encore davantage les mâchoires l'une de l'autre, et écartant les deux coins de la bouche vers les oreilles: A, E, I.

1. Critics contend that Act II, Scene 4, is based on Aristophanes' *Clouds*, where Socrates instructs Strepsiades in philosophy. Just as the dissertation on philosophy degenerates into an absurd grammar lesson in the Aristophanes play, Monsieur Jourdain's instruction in philosophy terminates in a ridiculous study of pronunciation. 2. Two years prior to the production of *Le Bourgeois gentilhomme*, the philosopher Cordemoy had published *Discours Physique de la Parole*, which delineated a theory of "grammatical physiology." Molière's spectators were thus in a position to understand and appreciate the playwright's biting satire on the method of pronunciation.

Connections

Research Skills
Ask your librarian to conduct a class on library research skills for your students. He or she could explain how to use the card catalogue (traditional or electronic) and the Dewey decimal classification. In addition, he or she can update students on the latest technological services in the instructional materials center or library, as well as where to find relevant reference books such as *Masterplots*.

Monsieur Jourdain.	A, E, I, I, I, I. Cela est vrai. Vive la science!
Maître de Philosophie.	La voix O se forme en rouvrant les mâchoires en rapprochant les lèvres par les deux coins, le haut et le bas: O.
Monsieur Jourdain.	O, O. Il n'y a rien de plus juste. A, E, I, O, I, O. Cela est admirable! I, O, I, O.
Maître de Philosophie.	L'ouverture de la bouche fait justement comme un petit rond qui représente un O.
Monsieur Jourdain.	O, O, O. Vous avez raison, O. Ah! la belle chose, que de savoir quelque chose!
Maître de Philosophie.	La voix U se forme en rapprochant les dents sans les joindre entièrement, et allongeant les deux lèvres en dehors, les approchant aussi l'une de l'autre sans les joindre tout à fait: U.
Monsieur Jourdain.	U, U. Il n'y a rien de plus véritable: U.
Maître de Philosophie.	Vos deux lèvres s'allongent comme si vous faisiez la moue; d'où vient que si vous la voulez faire à quelqu'un, et vous moquer de lui, vous ne sauriez lui dire que: U.
Monsieur Jourdain.	U, U. Cela est vrai. Ah! que n'ai-je étudié plus tôt, pour savoir tout cela?
Maître de Philosophie.	Demain, nous verrons les autres lettres, qui sont les consonnes.
Monsieur Jourdain.	Est-ce qu'il y a des choses aussi curieuses qu'à celles-ci?
Maître de Philosophie.	Sans doute. La consonne D, par exemple, se prononce en donnant du bout de la langue au-dessus des dents d'en haut: DA.
Monsieur Jourdain.	DA, DA. Oui. Ah! les belles choses! les belles choses!
Maître de Philosophie.	L'F en appuyant les dents d'en haut sur la lèvre de dessous: FA.
Monsieur Jourdain.	FA, FA. C'est la vérité. Ah! mon père et ma mère, que je vous veux de mal!
Maître de Philosophie.	Et l'R, en portant le bout de la langue jusqu'au haut du palais, de sorte qu'étant frôlée par l'air qui sort avec force, elle lui cède, et revient toujours au même endroit, faisant une manière de tremblement: RRA.
Monsieur Jourdain.	R, R, RA; R, R, R, R, R, RA. Cela est vrai. Ah! l'habile homme que vous êtes! et que j'ai perdu de temps! R, R, R, RA.
Maître de Philosophie.	Je vous expliquerai à fond toutes ces curiosités.
Monsieur Jourdain.	Je vous en prie. Au reste, il faut que je vous fasse une confidence. Je suis amoureux d'une personne de grande qualité, et je souhaiterais que vous m'aidassiez à lui écrire quelque chose dans un petit billet que je veux laisser tomber à ses pieds.
Maître de Philosophie.	Fort bien.
Monsieur Jourdain.	Cela sera galant, oui.
Maître de Philosophie.	Sans doute. Sont-ce des vers que vous lui voulez écrire?
Monsieur Jourdain.	Non, non, point de vers.
Maître de Philosophie.	Vous ne voulez que de la prose?
Monsieur Jourdain.	Non, je ne veux ni prose ni vers.

Maître de Philosophie.	Il faut bien que ce soit l'un, ou l'autre.
Monsieur Jourdain.	Pourquoi?
Maître de Philosophie.	Par la raison, Monsieur, qu'il n'y a pour s'exprimer que la prose, ou les vers.
Monsieur Jourdain.	Il n'y a que la prose ou les vers?
Maître de Philosophie.	Non, Monsieur: tout ce qui n'est point prose est vers; et tout ce qui n'est point vers est prose.
Monsieur Jourdain.	Et comme l'on parle qu'est-ce que c'est donc que cela?
Maître de Philosophie.	De la prose.
Monsieur Jourdain.	Quoi! quand je dis: "Nicole, apportez-moi mes pantoufles et me donnez mon bonnet de nuit," c'est de la prose?
Maître de Philosophie.	Oui, Monsieur.
Monsieur Jourdain.	Par ma foi! Il y a plus de quarante ans que je dis de la prose sans que j'en susse rien, et je vous suis le plus obligé du monde de m'avoir appris cela. Je voudrais donc lui mettre dans un billet: *Belle Marquise, vos beaux yeux me font mourir d'amour*; mais je voudrais que cela fût mis d'une manière galante, que cela fût tourné gentiment.
Maître de Philosophie.	Mettre que les feux de ses yeux réduisent votre cœur en cendres; que vous souffrez nuit et jour pour elle les violences d'un....
Monsieur Jourdain.	Non, non, non, je ne veux point tout cela; je ne veux que ce que je vous ai dit: *Belle Marquise, vos beaux yeux me font mourir d'amour.*
Maître de Philosophie.	Il faut bien étendre un peu la chose.
Monsieur Jourdain.	Non, vous dis-je, je ne veux que ces seules paroles-là dans le billet, mais tournées à la mode, bien arrangées comme il faut. Je vous prie de me dire un peu, pour voir, les diverses manières dont on les peut mettre.
Maître de Philosophie.	On les peut mettre premièrement comme vous avez dit: *Belle Marquise, vos beaux yeux me font mourir d'amour.* Ou bien: *D'amour mourir me font, belle Marquise, vos beaux yeux.* Ou bien: *Vos yeux beaux d'amour me font, belle Marquise, mourir.* Ou bien: *Mourir vos beaux yeux, belle Marquise, d'amour me font.* Ou bien: *Me font vos yeux beaux mourir, belle Marquise, d'amour.*
Monsieur Jourdain.	Mais de toutes ces façons-là, laquelle est la meilleure?
Maître de Philosophie.	Celle que vous avez dite: *Belle Marquise, vos beaux yeux me font mourir d'amour.*
Monsieur Jourdain.	Cependant je n'ai point étudié, et j'ai fait cela tout du premier coup. Je vous remercie de tout mon cœur, et vous prie de venir demain de bonne heure.
Maître de Philosophie.	Je n'y manquerai pas....

16 Le Bourgeois gentilhomme

Répondez aux questions suivantes.

1. Avec qui est-ce que M. Jourdain a une leçon?
2. Qu'est-ce que M. Jourdain regrette de son enfance (*childhood*)?
3. Le Maître de Philosophie dit une phrase en latin. Qu'est-ce qu'elle exprime?
4. M. Jourdain a-t-il quelques connaissances des sciences?
5. Quelle est la première matière que le Maître propose?
6. Est-ce que M. Jourdain s'y intéresse? Que veut-il plutôt apprendre?
7. Quelles sont les deux autres matières proposées par le Maître que M. Jourdain rejette?
8. Finalement, qu'est-ce que M. Jourdain veut apprendre?
9. M. Jourdain est-il content d'apprendre les voyelles? Que dit-il au sujet de cette "science"?
10. Selon toi, est-ce que M. Jourdain est un étudiant sérieux? Pourquoi ou pourquoi pas?
11. Qu'est-ce que M. Jourdain va apprendre demain?
12. Pourquoi M. Jourdain demande-t-il de l'aide du Maître?
13. Qu'est-ce que M. Jourdain dit quand il apprend qu'il fait de la prose en parlant?
14. Selon le Maître, laquelle des versions de la lettre de M. Jourdain est la meilleure?
15. Qu'est-ce que tu trouves de comique dans cette scène?

17 Trouvez un article!

Utilisez les encyclopédies et Masterplots *dans la bibliothèque de votre école pour trouver un article général sur chacun des sujets suivants. Pour chaque sujet écrivez le titre du livre que vous utilisez, le titre de l'article et le sous-titre* (subtitle).

1. l'Empire romaine
2. l'Angleterre normande (après 1066)
3. les croisades
4. l'intrigue de *L'École des femmes* de Molière
5. les châteaux de la Loire
6. les contributions françaises à la guerre de l'Indépendance américaine

À l'âge de 18 ans, Isabelle Adjani joue le rôle d'Agnès dans *L'école des femmes* de Molière.

Teaching Note

Some new words used in the play and cognates not found in the end vocabulary of *C'est à toi!* are used to ask questions about *Le Bourgeois gentilhomme* in Activity 16.

18 Trouvez un livre!

Utilisez le fichier (card catalogue) dans la bibliothèque de votre école pour trouver un livre sur chacun des six sujets dans l'Activité 17. Pour chaque sujet écrivez le nom de l'auteur (author), le titre, la cote (call number) et la date de publication.

19 Faites des recherches!

Choisissez le sujet qui vous intéresse le plus parmi ceux qui suivent sur l'œuvre (works) et le temps de Molière.

1. la vie à la cour de Versailles
2. le règne de Louis XIV
3. l'importance de la bourgeoisie au dix-septième siècle
4. la vie de Molière
5. les pièces de Molière

Faites des recherches sur votre sujet en utilisant les encyclopédies, Masterplots, le fichier et les autres techniques de recherche que vous venez d'apprendre. Puis préparez un plan détaillé de votre sujet. (Utilisez la section Writing a Formal Outline *qui se trouve aux pages 312-13 du deuxième manuel de la série* C'est à toi!)

Dossier fermé

Avec un groupe d'élèves de ton école, tu passes 15 jours en France. Pendant votre visite d'une belle cathédrale gothique, le guide vous parle des fenêtres de la cathédrale. Il dit que ces fenêtres, composées de morceaux de verre colorés, ne sont pas connues seulement pour leur beauté. Il dit que dans le passé elles avaient aussi une fonction utile. Qu'est-ce que ces fenêtres faisaient?

C. Elles racontaient des histoires de la Bible et des héros et héroïnes français.

Les gens qui ne pouvaient pas lire se servaient des vitraux des églises pour apprendre les histoires religieuses et celles de la gloire de France. Les vitraux de Chartres, par exemple, racontaient la vie de Charlemagne, et ceux de la Sainte-Chapelle racontaient des histoires de la Bible.

Une scène des vitraux de Chartres montre Charlemagne et Roland en train de partir pour l'Espagne.

Un peu de plus

Un(e) parvenu(e)
Ask students how they would recognize a parvenu(e) in our century. What activities would he or she participate in? What clubs and organizations would he or she join? How would he or she dress, speak and entertain? After a class discussion, ask students to write a paragraph summarizing the life of a fictitious modern parvenu(e).

Cooperative Group Practice

Des recherches
Before students begin Activities 17, 18 and 19, you might want to research a French topic as a class, for example, Georges Haussmann's urban planning in Paris. Divide the class into five small groups, and give each group one of the areas that Haussmann made changes in, such as the boulevards, parks and gardens, public works, monuments, and public buildings of Paris. Each group researches its topic in an encyclopedia, then consults the card catalogue to find a book on the topic. Then have each group write an outline for its section of Haussmann's achievements in one area. Next hold a class discussion to see in what order each of the areas should go on a consolidated class outline. After doing this activity, students will have practice using the library research skills needed to successfully complete Activities 17, 18 and 19.

Answers

Évaluation culturelle

1. vraie
2. vraie
3. fausse
4. vraie
5. fausse
6. fausse
7. fausse
8. fausse
9. fausse
10. fausse

FYI

Nostradamus (1503-66) was born in southern France. His book, *Centuries astrologiques*, is a set of prophecies in verse, some of which are open to interpretation. He correctly predicted that Henri II would die when a lance pierced his eye in a tournament. After the death of her husband, Catherine de Médicis had Nostradamus prepare horoscopes for her sons at the château of Blois. Nostradamus also correctly prophesied that Henri de Navarre would become king.

✓ Évaluation culturelle

*Pour voir si vous avez bien compris la culture francophone, décidez si chaque phrase est **vraie** ou **fausse**.*

1. Jules César a vaincu Vercingétorix et les Gaulois.
2. Roland a essayé d'aider Charlemagne.
3. Charlemagne voulait établir sa capitale à Paris.
4. La tapisserie et les vitraux ont aidé les gens à comprendre les événements historiques.
5. Le roi Louis IX a participé à toutes les croisades et a réussi à délivrer la Terre sainte.
6. Les trois fils de Catherine de Médicis sont connus comme *Les Trois Mousquetaires*.
7. L'Amiral Coligny a ordonné le massacre de la Saint-Barthélemy.
8. Nostradamus était l'architecte de la cathédrale de Notre-Dame de Paris.
9. Marie-Antoinette plaisait à son peuple, qui l'adorait.
10. Pierre L'Enfant et Georges Haussmann ont travaillé ensemble pour construire un nouveau Paris.

Georges Haussmann a transformé Paris en la plus belle ville du monde.

✓ Évaluation orale

 Avec un(e) partenaire, jouez les rôles de deux personnages historiques que vous venez d'étudier. Imaginez la conversation qui aurait lieu s'ils se rencontraient pour la première fois. Vous pouvez choisir entre ces couples:

- Vercingétorix et Jules César
- Guillaume le Conquérant et Harold
- Catherine de Médicis et Nostradamus
- Louis XVI et Marie-Antoinette
- le marquis de La Fayette et George Washington

Pour préparer votre conversation, c'est une bonne idée de faire des recherches pour apprendre plus sur la vie et le caractère de vos personnages. Chaque partenaire doit dire à l'autre comment il le/la trouve et doit donner des raisons spécifiques pour ses sentiments. Avant de commencer votre conversation, vous devez considérer:

- si votre partenaire et vous, vous vous entendez bien ou mal
- si vous aimez ou détestez votre partenaire
- si vous êtes d'accord avec ou si vous critiquez les actions de votre partenaire

✓ Évaluation écrite

Imaginez que vous êtes l'un des dix personnages qu'on a nommés dans l'activité précédente et que c'est un jour décisif dans votre vie. Écrivez une lettre à quelqu'un que vous connaissez assez bien et décrivez pour lui ce qui vient de se passer. Si vous êtes Catherine de Médicis, par exemple, vous pouvez décrire ce que Nostradamus vient de vous raconter, ou si vous êtes Louis XVI, vous pouvez décrire votre premier jour en prison. Parlez de ce que vous avez fait, en donnant des détails spécifiques de l'événement. Dites aussi qui vous avez vu, en donnant vos impressions de ces personnes. Enfin mentionnez comment vous vous sentez en ce moment.

✓ Évaluation visuelle

Maintenant c'est à vous de démontrer ce que vous savez sur l'histoire française! Écrivez un paragraphe où vous décrivez certains aspects de la vie de Marie-Antoinette pendant le dix-huitième siècle. Utilisez les suggestions dans les illustrations et les nouvelles expressions de l'Unité 8. (Avant de commencer, regardez les sections Révision de fonctions *aux pages 380-82 et* Vocabulaire *à la page 383.)*

Évaluation visuelle
    Possible paragraph:
       Après s'être mariée avec Louis XVI à l'âge de 15 ans, Marie-Antoinette est devenue reine de France en 1774 quand elle avait 19 ans. Son mari avait des ennuis avec le gouvernement et le peuple français. Marie-Antoinette était très forte et a beaucoup influencé son mari, mais elle lui donnait de mauvais conseils. Marie-Antoinette ne faisait attention qu'à ses propres plaisirs. Elle n'était pas sensible aux besoins de son peuple, donc les Français ne l'aimaient pas du tout. Ils l'appelaient "cette femme d'Autriche." Selon eux, Marie-Antoinette était fière et elle dépensait trop d'argent pour ses vêtements et ses fêtes. Les pauvres lui ont dit, "Donnez-nous du pain!" Mais Marie-Antoinette a répondu, "Qu'ils mangent du gâteau!" Pendant la Révolution française, on l'a fait prisonnière dans la Conciergerie de Paris. Le 16 octobre 1793, on a guillotiné Marie-Antoinette.

Révision de fonctions

Can you do all of the following tasks in French?

- I can talk about what happened in the past.
- I can give factual information.
- I can use linking expressions to connect narration.
- I can talk about things sequentially.
- I can explain what something means in another language.
- I can say what someone is obliged to do.
- I can say that someone has something done.
- I can say what someone is incapable of doing.
- I can describe someone's character traits.
- I can express criticism.
- I can make a generalization.
- I can boast.
- I can state someone's preference.
- I can express appreciation.

Je suis fier de mes qualifications.

To describe past events, use:

Après une lutte difficile, **les Français ont vaincu** les Anglais.

After a difficult fight, the French defeated the English.

Elle a survécu à des intrigues politiques très complexes.

She survived some very complicated political intrigues.

To state factual information, use:

Le massacre de la Saint-Barthélemy **a eu lieu** en 1572.

The St. Barthélemy Massacre took place in 1572.

Le bal masqué a eu lieu le 14 février.

To use links, use:

Au temps des Romains la France s'appelait la Gaule.
En ce temps-là les Gaulois vivaient en tribus indépendantes.
Au cours de sa deuxième croisade, Louis IX est mort de maladie.

At the time of the Romans, France was called Gaul.
At that time the Gauls lived in independent tribes.
In the course of his second crusade, Louis IX died of illness.

To sequence events, use:

Par conséquent il a été obligé d'acheter sa liberté.
Après avoir accepté de travailler sans salaire, La Fayette est devenu général.
Après être rentré, il a continué à servir son pays.

Consequently he had to buy his liberty.
After having agreed to work without pay, La Fayette became a general.
After having returned, he continued to serve his country.

To explain something, use:

En français, on dit "Je suis venu, j'ai vu, j'ai vaincu."

In French it's "I came, I saw, I conquered."

To express obligation, use:

Elle était obligée de défendre ses fils.

She was obliged to defend her sons.

To have something done, use:

Après six ans **César l'a fait tuer**.
Il a fait venir les meilleurs professeurs de son temps.
Guillaume a gardé les lois d'Édouard **pour faire accepter** son administration.
Louis IX a fait construire la Sainte-Chapelle à Paris.

After six years Caesar had him killed.
He had the best teachers of his time come.
William kept Édouard's laws in order to have his administration accepted.
Louis IX had the Sainte-Chapelle built in Paris.

To express incapability, use:

La Fayette **avait beau essayer d'**arrêter la
violence de la Révolution.

*La Fayette tried in vain to stop the
violence of the Revolution.*

To describe character, use:

Il était courageux.

He was courageous.

To express criticism, use:

Les protestants et les catholiques **ont**
beaucoup **critiqué** Catherine.

*Protestants and Catholics criticized
Catherine a lot.*

To state a generalization, use:

On a dit que les temps changent, mais que
la nature humaine ne change pas.

*People have said that times change
but human nature doesn't.*

To boast, use:

César a déclaré, **"Je suis venu, j'ai vu,
j'ai vaincu."**

*Caesar declared, "I came, I saw,
I conquered."*

Il était fier de ses qualifications.

He was proud of his qualifications.

To state a preference, use:

Louis XVI **préférait** la chasse **aux** affaires
du pays.

*Louis XVI preferred hunting to the
business of the country.*

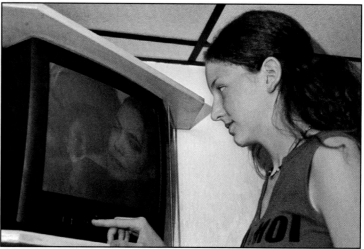

Julie préférait les drames aux jeux télévisés.

To express appreciation, use:

Les Français l'ont toujours **apprécié pour**
son christianisme et sa justice.

*The French have always appreciated
him for his Christianity and justice.*

Vocabulaire

une **administration** administration A
des **affaires (f.)** business B
ambitieux, ambitieuse ambitious A
améliorer to improve A
assassiner to assassinate B
l' **Autriche (f.)** Austria B
avoir beau (to do something) in vain B
avoir lieu to take place B

une **bataille** battle B
beau: avoir beau (to do something) in vain B

un(e) **catholique** Catholic B
la **chasse** hunting B
un **chef** chief A
le **christianisme** Christianity A
complexe complicated B
un(e) **conquérant(e)** conqueror A
un **conseil** (piece of) advice A
la **construction** building A
contre for A
copier to copy A
une **cour** court A
critiquer to criticize B
une **croisade** crusade A

défendre to defend B
démolir to demolish B
Dieu (m.) God A
diviser to divide A
un **duc** duke A
durer to last B

un **empereur** emperor A
un **empire** empire A
envers towards A
un **événement** event A

faire prisonnier/prisonnière to take prisoner A
fier, fière proud A

la **Gaule** Gaul A
un(e) **Gaulois(e)** inhabitant of/from Gaul A
un **général** general B
gouverner to govern A
guillotiner to guillotine B

illuminé(e) illuminated B
un **impôt** tax B
l' **indépendance (f.)** independence B

la **justice** justice A

large wide B
libéral(e) liberal B
un **lieu** place B
avoir lieu to take place B
la **loyauté** loyalty A

maintenir to maintain B
un(e) **marquis(e)** marquis, marchioness B
un **massacre** massacre B
un **moine** monk A
une **monarchie** monarchy B
monétaire monetary A

négocier to negotiate B
un(e) **Normand(e)** inhabitant of/from Normandy A

l' **Occident (m.)** West A
s' **occuper de** to deal with A
ordonner to order B

la **paix** peace A
par conséquent consequently A
le **passé** past A
le **peuple** people B
pieux, pieuse pious A
le **présent** present A
un **prisonnier, une prisonnière** prisoner A
un(e) **protestant(e)** Protestant B
province: en province in the provinces B

un **règne** reign B
la **religion** religion B
une **relique** relic A
réunir to reunite, to bring together A
une **révolution** revolution B
un(e) **Romain(e)** Roman A
rusé(e) crafty, sly B

survivre to survive B
un **système** system A

une **terre** land A
tomber to fall A
transformer to transform B
une **tribu** tribe A
troublé(e) disrupted B
tuer to kill A

vaincre to defeat, to conquer A
la **violence** violence B
des **vitraux (m.)** stained glass windows A

Game

Le pendu
To practice new vocabulary in this unit, you might play "Hangman." The object of *Le pendu* is to spell out words before the figure of a hanged man takes shape. The game calls for some sheer guesswork, but it also reinforces spelling skill. A student at the board writes a set of broken lines corresponding to the number of letters of a word he or she chooses from the unit's vocabulary. One at a time students try to guess the word by calling out letters. The student at the board writes a letter on the appropriate line if a right call is made. For each wrong call, he or she draws elsewhere on the board a line that would become part of a hanged man. Drawing begins with a line-by-line sketch of a gallows. The number of lines needed to form the whole image should be predetermined.

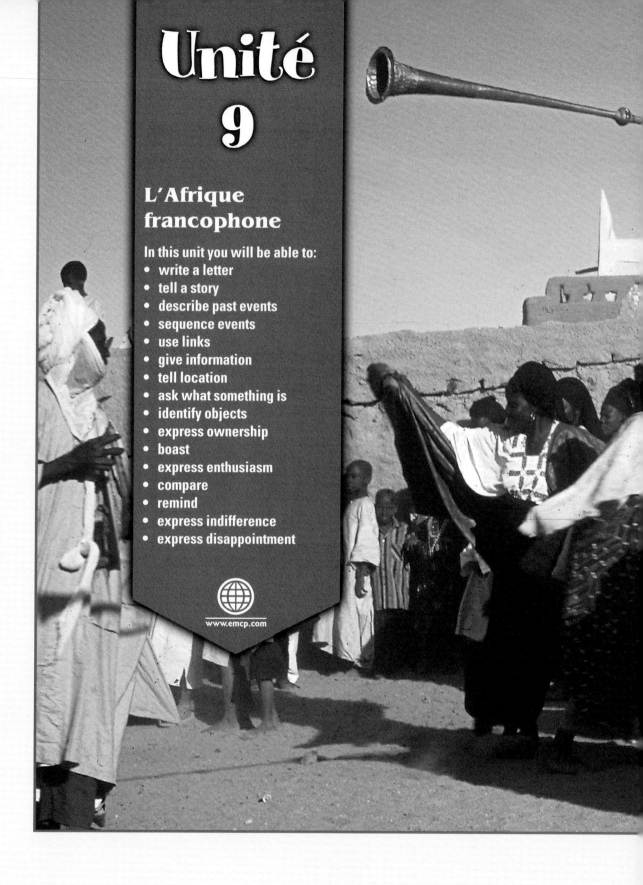

Unité 9

L'Afrique francophone

In this unit you will be able to:
- write a letter
- tell a story
- describe past events
- sequence events
- use links
- give information
- tell location
- ask what something is
- identify objects
- express ownership
- boast
- express enthusiasm
- compare
- remind
- express indifference
- express disappointment

www.emcp.com

trois cent quatre-vingt-cinq **385**

LEÇON A

Tes empreintes ici

As-tu jamais voyagé en Afrique? Si oui, comment l'as-tu trouvée? Si non, voudrais-tu y aller un jour? Quel pays choisirais-tu de visiter? Un pays francophone, peut-être? Penses-tu que la vie quotidienne en Afrique soit très différente de la vie quotidienne ici?

Quand un(e) ami(e) te rend visite, quels sont les endroits intéressants que tu aimes lui montrer? Par exemple, tu peux lui montrer:

- le zoo, parce que presque tout le monde aime regarder les éléphants, les singes et les poissons. Quels sont tes animaux favoris?
- un musée, surtout s'il y a une exposition spéciale. Est-ce que les musées d'art, d'histoire ou de la nature t'intéressent? Est-ce qu'il y a un musée célèbre là où tu habites? Lequel?
- un atelier où on crée quelque chose de spécial. Quelquefois on peut y acheter ce qui y est créé. Quelle est la spécialité de ta ville?

As-tu jamais comparé la vie quotidienne en Afrique avec celle de l'Ouest? (Niger)

Dossier ouvert

Imagine que tu es à Niamey (au Niger), à Abidjan (en Côte-d'Ivoire) ou à Dakar (au Sénégal) en visite touristique. Tous les sites africains et leurs couleurs riches t'impressionnent. Tu vois une femme en jupe et avec un foulard de tête de couleurs vives, et tu veux la prendre en photo. Mais cette femme se fâche. Pourquoi?

- A. La femme n'a pas eu le temps de se peigner.
- B. Selon la tradition islamique, les Africains n'aiment pas que les touristes les prennent en photo.
- C. La femme n'a pas son appareil-photo pour te prendre en photo.

Teaching Note

Communicative functions that are recycled in this lesson are "asking for information," "clarifying," "inviting," "agreeing and disagreeing" and "asking for a price."

le Niger

le Sahara

Niamey

une case

une concession

des animaux africains

une girafe

un éléphant

un singe

une autruche

un lion

un hippopotame

une hyène

un dinosaure

une antilope

trois cent quatre-vingt-sept
Leçon A
387

Teaching Notes

1. **Niger** is pronounced [niʒɛr].

2. **Un hippopotame, un éléphant, un lion, un singe** and **une girafe** were introduced in **Unité 2** in the second level of *C'est à toi!*

3. Other related terms and expressions include **nigérien, nigérienne** (*Nigerois*), **un Nigérien, une Nigérienne** (*an inhabitant of/from Niger*) and **saharien, saharienne** (*Saharan, tropical*).

Nous sommes samedi. Abdoulaye, un étudiant de l'Université de Niamey, emmène sa nouvelle copine, Salmou, au musée national. Elle était venue faire ses études d'infirmière à Niamey, la capitale du Niger, et ils se sont rencontrés° chez des amis. C'est la première visite de Salmou au musée.

Abdoulaye et Salmou finissent la journée au snack-bar du musée national de Niamey.

La girafe avec le gratte-ciel de Niamey derrière montre le contraste entre le passé et le présent au Niger.

Salmou:	Où est le musée, Abdoulaye? Je ne vois qu'un parc.
Abdoulaye:	Oui, c'est le parc du musée. Tout ça, c'est le musée national de Niamey.
Salmou:	Qu'est-ce qu'il y a alors?
Abdoulaye:	Bon, tu vois partout des pavillons d'exposition. Celui des vêtements traditionnels est à droite, celui des instruments de musique est à gauche, et plus loin il y a celui des squelettes de dinosaures du Sahara.
Salmou:	Et tous ces enfants qui sont là-bas, qu'est-ce qu'ils regardent?
Abdoulaye:	Les hippopotames! Le zoo fait partie du° musée.
Salmou:	Il y a aussi des éléphants, n'est-ce pas?
Abdoulaye:	Non, mais regarde! Voilà les hyènes, les lions et les singes. Derrière, on trouvera les autruches et les antilopes.
Salmou:	Et les girafes?
Abdoulaye:	Elles sont de l'autre côté.° Allons voir! Tu as ton appareil-photo?° Ça fera une photo intéressante, les girafes avec un gratte-ciel° de Niamey derrière. Ça montrera le contraste entre le passé et le présent.
Salmou:	Malheureusement,° j'ai oublié mon appareil-photo. Si j'avais su que c'était si passionnant.... Tiens, qu'est-ce que c'est que° ce pavillon à côté?

se rencontrer faire la connaissance de; **faire partie de** être une partie de; **de l'autre côté** *on the other side*; **un appareil-photo** ce qu'on utilise quand on prend une photo; **un gratte-ciel** *skyscraper*; **malheureusement** *unfortunately*; **Qu'est-ce que c'est que...?** *What is . . .?*

388

trois cent quatre-vingt-huit
Unité 9

Teaching Notes

1. Point out that **faire partie de** is an idiomatic **faire** expression.
2. The plural of **appareil-photo** is **appareils-photos**.

3. **Gratte-ciel** is invariable.

4. Point out that **malheureusement** belongs to the **heureux** word family.

Abdoulaye:	Ce sont les villages modèles. On peut voir les concessions des paysans° avec leurs cases en banco.° Même aujourd'hui beaucoup de villages ressemblent toujours à ces villages modèles.
Salmou:	Oui, oui, je sais. Dans mon village de Koré Mai Ruwa, tu verras aussi des concessions comme ça. C'est fantastique qu'on puisse voir un peu de notre pays ici. Et les artisans° célèbres dont tu m'as parlé, où sont-ils?
Abdoulaye:	Ils se trouvent près de l'entrée du musée. Tu veux voir la maroquinerie?°
Salmou:	Des trucs en cuir? Oui, je veux acheter des sandales.
Abdoulaye:	Bon alors, allons-y!

Salmou vient d'un village nigérien typique.

Abdoulaye et Salmou vont à l'atelier° des artisans et s'arrêtent devant Garba, un vieil homme qui est en train de travailler.

Salmou:	Oh! J'adore ces sandales! Elles sont à° vous, Monsieur?
Garba:	Oui, oui. Elles sont à moi.
Abdoulaye:	Et ce tapis de Zinder?
Garba:	Il est en cuir et en peau° de chèvre. Je n'aime pas me vanter,° mais c'est un travail très fin,° n'est-ce pas? Je suis de Zinder, capitale de la maroquinerie.
Salmou:	C'est combien, ces sandales?
Garba:	Elles coûtent 3.500 francs, Mademoiselle. Vous faites du...
Salmou:	Trente-neuf, Monsieur. Je préfère cette paire-ci.
Garba:	Voilà, Mademoiselle. Vous savez, il faut aller à la boutique du musée. Je crois que tout est en solde aujourd'hui.
Salmou:	Super! Allons-y, Abdoulaye!
Abdoulaye:	Bon, je suis d'accord. Et les autres expositions?
Salmou:	Bof!° On verra tout ça un autre jour.

Abdoulaye et Salmou sont dans la boutique du musée.

Vendeuse:	Est-ce que les foulards de tête vous intéressent, Mademoiselle? J'en ai de très jolis comme celui-ci en marron et rouge. Il va très bien avec votre pagne.° Et je vous rappelle° que tout est en solde aujourd'hui.
Salmou:	Ah oui. Je trouve ces couleurs très jolies. Ce foulard de tête-ci, il fait combien?
Vendeuse:	Trois mille francs, Mademoiselle.
Abdoulaye:	Attention, hein? Tu as assez d'argent sur toi?
Salmou:	Ah! Oh, si seulement j'étais venue avec tout mon argent.... Euh... Abdoulaye, je peux t'emprunter° 2.000 francs?
Abdoulaye:	Oui, oui. Je crois que j'ai assez d'argent à te prêter.°
Salmou:	Tu es très gentil.
Abdoulaye:	Et maintenant je t'invite à prendre un coca au snack-bar du musée.

Beaucoup de Nigériennes portent un foulard de tête.

un paysan, une paysanne une personne qui habite à la campagne; le banco *adobe*; un artisan *craftsperson*; la maroquinerie les objets en cuir; un atelier où travaille un artisan; être à *to belong to*; une peau *skin*; se vanter *to boast*; fin(e) compliqué(e); Bof! Qu'est-ce que je peux dire?; un pagne une jupe africaine; rappeler *to remind*; emprunter *to borrow*; prêter *to lend*

trois cent quatre-vingt-neuf

Leçon A

389

FYI

1. **Oui, oui** is a common affirmative reply in francophone Africa. 2. Koré Mai Ruwa is a small village southeast of Niamey. Mai Ruwa means "with water." 3. Point out that **la maroquinerie** comes from the noun **Maroc**. Here it refers to fine leather goods made from animal skins. It can also refer to the business of making fine leather goods or to a store where such goods are purchased. 4. One of Niamey's best artisan cooperatives was established in 1968 at the **musée national de Niamey**. A wide variety of representative crafts from different parts of the country can be found there, such as Djarma blankets, Tuareg jewelry, rugs and fine leather goods from Zinder, brass figurines, camel hair blankets and batik T-shirts. 5. The city of Zinder is located about 900 kilometers east of Niamey. It is known for its decorated adobe houses, large market and leather goods. 6. In Niger and many other African countries, women wear **un foulard de tête**. 7. **Un pagne** is a two-yard length of printed cloth wrapped around the waist as a skirt. 8. Prices for crafts purchased in the museum store are fixed and may be higher than in the workshops, where customers are expected to bargain. 9. The currency used in many francophone African countries is the African franc, **le franc CFA (Communauté Financière Africaine)**.

Teaching Notes

1. Students learned **un atelier**, meaning "studio," in **Unité 3** in the third level of *C'est à toi!*
2. Point out that **être à** is an idiomatic **être** expression.

3. Students learned **se rappeler**, meaning "to remember," in **Unité 2** in the third level of *C'est à toi!*

4. **Emprunter de l'argent à quelqu'un** means "to borrow money from someone."

Answers

1 1. B
2. F
3. A
4. D
5. C
6. E

2 1. A
2. C
3. A
4. C
5. A
6. B
7. A
8. C

 Quel animal?

 Écrivez la lettre de l'animal que vous entendez.

A.

B.

C.

D.

E.

F.

Complétez!

Choisissez l'expression qui complète chaque phrase d'après le dialogue.

1. Salmou et Abdoulaye sont....
   A. au musée national de Niamey
   B. à l'Université de Niamey
   C. chez des amis

2. On peut voir tous les pavillons sauf....
   A. le pavillon des vêtements traditionnels
   B. le pavillon des instruments de musique
   C. le pavillon des squelettes d'antilopes

3. La photo des girafes avec un gratte-ciel de Niamey derrière montrerait....
   A. le contraste entre le passé et le présent
   B. le contraste entre Niamey et Koré Mai Ruwa
   C. le zoo et les villages

4. Dans les villages modèles on peut voir des cases dans des....
   A. rues
   B. pavillons
   C. concessions

5. Le tapis de Zinder est en cuir et en....
   A. peau de chèvre
   B. marron et rouge
   C. solde

6. Salmou achète... de Garba.
   A. un tapis
   B. une paire de sandales
   C. des photos de l'atelier des artisans

7. Salmou veut aller à la boutique du musée car....
   A. tout est en solde aujourd'hui
   B. tout est bon marché
   C. elle n'aime pas les pavillons

8. Abdoulaye prête 2.000 francs à Salmou parce qu'elle....
   A. veut lui offrir un foulard de tête
   B. veut plaire à la vendeuse
   C. n'a pas assez d'argent

Qui a oublié son appareil-photo?

Game

Machine à écrire
Divide the class into two teams to practice spelling new vocabulary words introduced in this lesson and any you want to review from previous units. Then assign a letter of the alphabet to individual members of each team. Assign accent marks, too. In doing this, be sure each team has members that represent the whole alphabet and all accent marks. (Depending on the size of the class, you may need to assign more than one letter or accent mark to some students.) Start the game by giving one team a vocabulary word. This team must spell the word orally. They must do this so fast that they sound like a typewriter; hence the name of the game. (You may want to set a time limit for calling out letters.) For example, if the word is **pavillon**, the student with the letter **p** calls out that letter in French, and teammates with the appropriate letters complete in turn the spelling of the word. By doing this, the team earns one point. Then the other team gets its turn at a word. Whenever a team fails to correctly spell a word, its rival gets a chance to spell the same word and win another point.

391

Audio CD Activity 4

Answers

3 pavillons, traditionnels, fait partie, appareil-photo, modèles, maroquinerie, paire, rappelé, pagne, emprunté

4 Answers will vary.

---

 3 La journée d'Abdoulaye

Vous verrez une page du journal d'Abdoulaye. Il décrit sa journée au musée. Complétez chaque phrase avec l'expression convenable de la liste suivante.

paire	emprunté	appareil-photo	rappelé	modèles
traditionnels	pavillons	maroquinerie	fait partie	pagne

samedi

Aujourd'hui j'ai emmené Salmou au musée national de Niamey. Je lui ai montré la plupart des... d'exposition, par exemple, celui des vêtements... et le zoo qui... du musée. Elle avait oublié son..., donc elle n'a pas pu prendre de photos. Après avoir visité les villages..., elle avait envie de voir la.... Elle a acheté une... de sandales. Puis nous sommes allés à la boutique du musée où la vendeuse nous a... que tout était en solde. Salmou a choisi un foulard de tête en marron et rouge pour aller avec son.... Elle m'a... 2.000 francs parce qu'elle n'était pas venue avec tout son argent. Après nous avons pris un coca au snack-bar du musée.

Abdoulaye a-t-il montré le pavillon des instruments de musique à Salmou? (Niamey)

4 C'est à toi!

Questions personnelles.

1. Est-ce que tu voudrais aller en Afrique un jour? Si oui, où irais-tu?
2. Quand tu as des ami(e)s d'une autre ville qui te rendent visite, quels endroits est-ce que tu leur montres?
3. Est-ce que tu aimes aller aux musées? Si oui, lequel préfères-tu?
4. Quels sont tes animaux favoris au zoo?
5. Est-ce que tu aimes prendre des photos? As-tu un appareil-photo?
6. Joues-tu d'un instrument de musique? Si oui, duquel?
7. Est-ce que tu prêtes quelquefois de l'argent à tes ami(e)s?
8. Est-ce que tu empruntes de l'argent à tes ami(e)s? Pourquoi ou pourquoi pas?

Le Niger

Comme plusieurs pays francophones d'Afrique, la république du Niger se trouve dans le désert du Sahara. Le Niger est deux fois plus grand que le Texas. Le fleuve Niger traverse le pays à l'ouest, à l'est du pays on trouve le lac Tchad et le désert est au nord. Le fleuve et le lac donnent de l'eau à ce pays très pauvre qui dépend de l'agriculture pour manger. Comme d'autres pays africains, le Niger connaît les problèmes de déforestation et de désertification. La richesse du pays consiste en sa population animale, mais, malheureusement, la chasse l'a diminuée.

Une caravane de sel traverse le Sahara au Niger.

Nous parlons haoussa et français.

L'histoire du Niger

L'histoire du Niger date de six mille ans. Au début du vingtième siècle, les Français ont établi des colonies au Niger. En 1960 le Niger est devenu indépendant comme plusieurs autres colonies françaises d'Afrique. La capitale du Niger, Niamey, est située sur le fleuve Niger. Elle a une population de presque 800.000 habitants. C'est le centre d'affaires et de gouvernement. Pour ceux qui font des affaires, il est important de parler français, parce que c'est aussi bien la langue du commerce que la langue officielle. C'est la religion islamique qui domine dans la région, et 80 pour cent des Nigériens sont musulmans.

Le musée national de Niamey

Le musée national de Niamey est un centre d'éducation pour la population nigérienne. Comme représentation de l'histoire et de la géographie du pays, le musée sert aussi aux touristes. Si la préhistoire vous intéresse, visitez le pavillon de la grande exposition des squelettes des dinosaures qui habitaient la région. Le *Carcharodontosaurus*, un dinosaure plus grand que le *Tyrannosaurus rex*, vivait là il y a 90 millions d'années. D'autres parties du musée sont consacrées à l'ethnographie, la paléontologie, la géologie et l'architecture. Si vous vous arrêtez dans les ateliers des artisans, vous pouvez y admirer leurs articles traditionnels de maroquinerie, des tapis, des objets en argent et en or et aussi de la poterie du pays. Commencez une conversation avec un

Un artisan fait de la poterie. (Niamey)

trois cent quatre-vingt-treize
Leçon A

393

 Workbook Activity 3

FYI

1. Niger is a landlocked nation that borders Libya, Chad, Nigeria, Benin, Burkina Faso, Mali and Algeria. 2. Nearly 90 percent of the inhabitants of Niger are dependent on agriculture. Peanuts, traditionally the leading cash crop, are no longer economically important, since France withdrew its subsidy. The chief agricultural products are beans, cassava, cotton, hides and skins, livestock, millet, peas, rice and sorghum. 3. Niger is one of the world's top producers of uranium. Natron, phosphate, iron ore, tungsten, salt and tin are also mined. 4. Niger is a developing nation and ranks as one of the world's poorest countries. It has few natural resources. Only three percent of the land is used to grow crops. Droughts periodically devastate Niger's agrarian economy, causing sharp reductions in crop and livestock production. 5. Big game hunting in Niger has been outlawed. 6. Niger was the location of the Songhai Empire, which has been traced back as far as the 7th century. The Hausa city-states of the 10th century developed when immigrants from eastern and northern Africa took control of much of the land along Niger's trade routes. At the beginning of the 19th century, the Fulani rebelled against the Hausa rulers and set up their own kingdom. 7. French occupation of Niger took place in the late 1890s. The Colony of Niger was established in 1922. It became the largest and poorest of the eight colonies that made up French West Africa. Niger gained more control over its internal affairs in 1958, as did other French dependencies. 8. Many buildings in Niamey combine Western and African design. The government of Niger has built low-cost, single-family houses in the capital. Residents of Niamey work primarily in the government, other services, or business.

Continued on page 394

393

artisan! Il aimera sans doute vous parler de son travail. Et il est toujours utile de discuter les prix avec l'artisan, parce que vous pourriez trouver des objets d'art à de très bons prix.

N'oubliez pas de prendre votre appareil-photo quand vous visiterez le parc d'animaux sauvages au musée national de Niamey. Il est permis de prendre des photos des animaux et des différents sites touristiques au Niger, mais pas des aéroports ou des centres gouvernementaux. Les gens en Afrique n'aiment pas qu'on les prenne en photo, et c'est toujours une bonne idée de demander d'abord à quelqu'un si vous pouvez prendre sa photo. Et enfin, quand vous aurez faim et soif, allez au snack-bar pour pouvoir sortir au soleil en écoutant des chansons dans la langue nationale ou des légendes historiques.

N'oubliez pas de demander la permission aux Africains avant de les prendre en photo.

5 ▸ Le Niger

Répondez aux questions suivantes.

1. Où se trouve la république du Niger?
2. Quelles sources d'eau trouve-t-on au Niger?
3. Qu'est-ce qui crée des problèmes pour la population des animaux?
4. Quand est-ce que le Niger est devenu indépendant?
5. Quelle est la langue du commerce au Niger?
6. Quelle est la religion de la plupart des Nigériens?
7. Quels sont les diverses parties du musée national de Niamey?
8. Le *Carcharodontosaurus*, qu'est-ce que c'est?
9. Avant d'acheter quelque chose qu'un artisan a fait, qu'est-ce qu'il est toujours utile de faire?
10. Qu'est-ce qu'on peut photographier au Niger?

Dans le pavillon de paléontologie on apprend les périodes géologiques. (Niamey)

Journal personnel

Before you began this lesson, what ideas did you have about life in Africa? What did you know about its geography? How did you imagine people made a living? In what kinds of buildings did you think they lived and worked? What animals did you think were found there? What kinds of products did you think people made? Having learned specific details about life in Niger, how has your picture of Africa now changed? Which of your ideas are correct? Which need to be readjusted? What more would you need to know about Niger to be able to say you understand what life is really like there?

Expressions with être

The verb **être** (*to be*) is another frequently used verb in French.

Tout **est** en solde aujourd'hui.   *Everything is on sale today.*

Also called a "building block" verb, **être** is used in a number of expressions in French where a different verb is used in English. You have already learned some common expressions with **être** that deal with agreeing with someone, giving the day/date and saying that you are busy doing something.

Bon, je **suis d'accord.**   *Good, I agree.*

Nous **sommes samedi.**   *It's Saturday.*

Garba **est en train de** travailler.   *Garba is busy working.*

Des Nigériennes sont en train d'apporter (*bring*) leurs marchandises
au marché.

To show ownership, use the expression **être à** (*to belong to*). A stress pronoun or a noun follows **être à**.

J'adore ces sandales! Elles **sont à**   *I love these sandals! Do they belong*
vous, Monsieur?   *to you, Sir?*
Oui, oui. Elles **sont à** moi.   *Yes. They are mine.*

À qui est le café au lait? Il est à Luc.

WB **Workbook Activity 4**

GV **Grammar & Vocabulary Exercises 4-7**

Cooperative Group Practice

Identifying Objects
Put students in small groups of four or five. Have each student place an object or a drawing of an object on his or her desk. Designate a leader for each group. The leader asks questions about the ownership of objects in his or her group, for example, **Anne, à qui est la photo**? Anne identifies the owner by using a sentence with **être à**, for example, **La photo est à Michel.**

Paired Practice

Changing Tenses
You might have students practice using expressions with **être** in various tenses. Put students in pairs, and give each pair a note card with a sentence using a different expression and the tense that they are to change the sentence to, for example, **Nous étions en train d'écrire une rédaction** (present). Student A reads the sentence to Student B, who identifies the tense being used, for example, imperfect, and then changes the sentence to the tense indicated by Student A, for example, **Nous sommes en train d'écrire une rédaction**. Then tell the pairs to exchange their card for one belonging to another pair, at which point students switch roles. Pairs continue exchanging cards until they have practiced a sentence in the present, **passé composé**, imperfect, conditional and future.

Teaching Notes

1. The **Langue active** section in **Unité 9** contains both new and recycled grammatical concepts.

2. **Être** was introduced on page 152 in the first level of *C'est à toi!* and reviewed on page 20 in the second level and page 13 in the third level.

Pratique

6 Complétez!

*Choisissez une phrase de la liste suivante pour accompagner chaque illustration. Puis complétez la phrase avec la forme convenable du verbe **être** au présent.*

Modèle:

Bon, je... d'accord.
Enfin, nous... vendredi.
Ces sandales, elles... à vous?
Zinder... à 900 kilomètres de Niamey.
Cet homme... en train de travailler une peau de chèvre.
Vous... de Niamey?
C'... le dix septembre.
Oh là là! Il... déjà cinq heures.
Ali et Sonia... en retard.

Enfin, nous sommes vendredi.

1.

2.

3.

4.

5.

6.

7. Allons-y!

8. Où est Sonia? Où est Ali?

Answers

7 1. À qui est l'appareil-photo?
Il est à Ousmane.
2. À qui sont les photos?
Elles sont à Malick.
3. À qui est le sac à main?
Il est à Saleh.
4. À qui sont les singes?
Ils sont à Assia.
5. À qui sont les sandales?
Elles sont à Amine.
6. À qui est le pagne?
Il est à Yasmine.
7. À qui est le foulard de tête?
Il est à Aya.
8. À qui sont les boissons?
Elles sont à Ahmed.

7 **En partenaires**

Avec un(e) partenaire, dites à qui sont les choses suivantes, selon l'illustration. Alternez les questions et les réponses avec votre partenaire. Suivez le modèle.

Modèle:

le portefeuille
A: **À qui est le portefeuille?**
B: **Il est à Mohamed.**

1. l'appareil-photo
2. les photos
3. le sac à main
4. les singes
5. les sandales
6. le pagne
7. le foulard de tête
8. les boissons

Comparisons

The Past Perfect in English
Write the sentence "Eve went to Niger" on the board. Then ask students to help you think of several things that Eve *had* done before she left in order to prepare for her trip. For example, students might say that Eve had bought a suitcase and had gone to the bank. Point out the similarity between the past perfect in English and the **plus-que-parfait** in French. Then write two examples of the **plus-que-parfait** using **avoir** and **être**, for example, **Ève avait acheté une valise** and **Ève était allée à la banque**. By looking at these two examples, students should be able to tell you how the **plus-que-parfait** is formed. Students should tell you that the helping verb is the imperfect of **avoir** and **être** and the past participle is formed as in the **passé composé**.

Cooperative Group Practice

Un alibi
Put students in small groups of four or five to give alibis for their whereabouts at M. Montmorency's château when he was killed at 11:00 P.M. in the library. Have students take turns saying where they had been in the château before the murder and where they had last seen the victim, for example, **J'avais flâné dans le jardin. J'avais vu M. Montmorency dans la salle à manger à 8h00.** Then have students play the role of the police inspector and write a report including the details of the testimony of the other group members.

Pluperfect tense

The **plus-que-parfait** (*pluperfect* or *past perfect*) is a tense used to tell what had happened in the past before another past action. Like the **passé composé**, the **plus-que-parfait** consists of a helping verb and a past participle. To form the **plus-que-parfait**, use the imperfect tense of the helping verb **avoir** or **être** and the past participle of the main verb. Agreement of the past participle in the **plus-que-parfait** is the same as in the **passé composé**.

	demander	*aller*
j'	avais demandé	étais allé(e)
tu	avais demandé	étais allé(e)
il/elle/on	avait demandé	était allé(e)
nous	avions demandé	étions allé(e)s
vous	aviez demandé	étiez allé(e)(s)(es)
ils/elles	avaient demandé	étaient allé(e)s

Abdoulaye **avait** déjà **visité** le musée.
Salmou **était venue** faire ses études à Niamey.

Abdoulaye had already visited the museum.
Salmou had come to study in Niamey.

Guillaume et sa famille avaient fait les touristes à Niamey.

The **plus-que-parfait** is often used to describe a past action that happened before another action in the past. Use the **plus-que-parfait** for the action that is farther back in time and the **passé composé** for the more recent one.

Quand les touristes sont arrivés à l'atelier des artisans, Garba **était** déjà **parti.**
Salmou a dit qu'elle **avait oublié** son appareil-photo.

When the tourists arrived at the workshop of the craftspeople, Garba had already left.
Salmou said that she had forgotten her camera.

Pratique

8 Pendant les vacances

Qu'est-ce que vos amis ont dit qu'ils avaient fait pendant les vacances? Répondez selon les illustrations.

Modèle:

Robert
Robert m'a dit qu'il avait visité le zoo.

1. Marcel et Francis

2. vous

3. Marielle

4. Adja et Sandrine

5. tu

6. Christian

trois cent quatre-vingt-dix-neuf
Leçon A

399

399

Answers

9 1. Zakia est arrivée en retard
parce qu'elle n'avait pas pu
trouver ses sandales.
2. Abdoulaye et toi, vous êtes
arrivés en retard parce que vous
aviez perdu vos sacs à dos.
3. Jamila et Myriam sont arrivées
en retard parce qu'elles avaient
eu des problèmes en démarrant
leur voiture.
4. Le prof de littérature est arrivé
en retard parce qu'il avait
oublié ses notes de cours.
5. Les filles sont arrivées en retard
parce qu'elles s'étaient arrêtées
au kiosque à journaux.
6. Mohamed et moi, nous sommes
arrivés en retard parce que nous
avions rencontré des copains.
7. Mahmoud est arrivé en retard
parce qu'il avait dû finir ses
devoirs.
8. Tous les étudiants sont arrivés
en retard parce qu'ils n'avaient
pas regardé l'heure.

10 Possible answers:
1. Salmou était déjà venue faire
ses études quand elle a fait la
connaissance d'Abdoulaye.
2. Abdoulaye avait déjà étudié
longtemps quand il a réussi au
bac.
3. Salmou était déjà arrivée à
Niamey quand Abdoulaye l'a
accompagnée à la fête.
4. Les touristes avaient déjà fait la
queue quand le musée a ouvert.
5. Salmou avait déjà acheté un
ticket quand elle est entrée
dans le musée.
6. Le lion était déjà sorti de
sa cage quand Salmou et
Abdoulaye l'ont vu.
7. Abdoulaye avait déjà fini son
repas quand il a demandé du
café.

---

9 **Des excuses**

Dites pourquoi tout le monde est arrivé en retard vendredi à l'Université de Niamey.

Modèle:

Ibrahim/ne pas se lever à l'heure
**Ibrahim est arrivé en retard parce
qu'il ne s'était pas levé à l'heure.**

1. Zakia/ne pas pouvoir trouver
ses sandales
2. Abdoulaye et toi, vous/perdre vos
sacs à dos
3. Jamila et Myriam/avoir des problèmes
en démarrant leur voiture
4. le prof de littérature/oublier ses notes
de cours
5. les filles/s'arrêter au kiosque
à journaux
6. Mohamed et moi, nous/rencontrer
des copains
7. Mahmoud/devoir finir ses devoirs
8. tous les étudiants/ne pas regarder
l'heure

Zakia est arrivée en retard parce qu'elle n'avait pas pu trouver
ses sandales.

---

10 **En ordre chronologique**

*Dites qu'une chose s'est passée avant une autre en combinant les deux phrases en ordre chronologique. Formez
une phrase dans laquelle vous utiliserez le **passé composé** et le **plus-que-parfait**. Suivez le modèle.*

Modèle:

Jamila s'approche. Salmou part.
**Salmou était déjà partie quand
Jamila s'est approchée.**

1. Salmou fait la connaissance d'Abdoulaye. Salmou vient faire ses études.
2. Abdoulaye étudie longtemps. Il réussit au bac.
3. Salmou arrive à Niamey. Abdoulaye l'accompagne à la fête.
4. Les touristes font la queue. Le musée ouvre.
5. Salmou achète un ticket. Elle entre dans le musée.
6. Salmou et Abdoulaye voient le lion. Le lion sort de sa cage.
7. Abdoulaye demande du café. Il finit son repas.

Communication

 Listening Activity 1

 Communicative Activities

 Leçon A Quiz

11 ▶ Un entretien

 Dans le dialogue de cette leçon, Garba dit que Zinder est la capitale de la maroquinerie. Pour quels sites ou monuments ou pour quelles expositions ou choses est-ce que les villes de votre région sont bien connues? D'abord, copiez la grille suivante. Puis, complétez-la avec les noms de cinq villes assez célèbres dans votre région. Pour chaque ville, dites pourquoi elle est bien connue et donnez votre opinion sur son attraction principale. Enfin, interviewez un(e) partenaire, demandez son opinion sur les attractions de vos cinq villes et notez ses réponses.

	Ville	Pourquoi	Mon opinion	L'opinion de Paul
1.	Bemidji (MN)	sa statue de Paul Bunyan	C'est fantastique!	Bof! Ce n'est qu'une grande statue.
2.				
3.				
4.				
5.				

12 ▶ Faites un dépliant!

Servez-vous de votre grille de l'Activité 11 pour créer un dépliant qui aidera votre région à se vanter de ses sites ou monuments historiques ou de ses expositions ou choses artistiques. Offrez des renseignements sur trois des villes que vous avez choisies dans l'activité précédente. Pour chaque ville que vous décrivez, donnez les détails suivants:

- le nom de la ville
- où la ville se trouve
- pourquoi la ville est bien connue
- une description de son attraction principale
- l'histoire du site ou monument ou la raison pour laquelle l'exposition ou la chose est célèbre
- si l'on peut y acheter un souvenir spécial
- le tarif ou le prix d'entrée pour visiter l'attraction (s'il y en a un)

Un peu de plus

Les comparaisons

You may want to review comparisons with your students by telling them that most adjectives and adverbs have three degrees of comparison. It's important to be able to know how to use these forms to compare and contrast. First is the positive, or base, form that appears as the entry word in a dictionary. Second comes the comparative form, and third is the superlative form. The positive form cannot be used to make a comparison. The comparative form shows two people or things being compared. The superlative form compares three or more people or things.

Positive:
Le Louvre est grand.
Abdoulaye explique bien.

Comparative:
Le Louvre est plus grand que le musée Rodin.
Abdoulaye explique mieux que Salmou.

Superlative:
Le Louvre est le plus grand musée de Paris.
Abdoulaye explique le mieux de tous.

Un *exposé*

Have students give an oral presentation in front of a small group or the class. Students could compare and contrast two friends that they know well or two French paintings with which they are familiar. Have students use visual aids as they talk about the characteristics the friends or the paintings have in common.

Technology

Have students compare and contrast technology in France and the United States. Have them consider the future of the environment and write an essay outlining what an optimist and a pessimist would say about the future of our planet.

402

Stratégie communicative

Comparing and Contrasting

To compare two or more people or things, explain how they are similar. To contrast them, tell how they are different. In order to prepare for writing a comparison-contrast paragraph, you might find it helpful to use one of two graphic organizers: intersecting circles or a comparison frame.

Here is how one student used intersecting circles to compare and contrast **le musée national de Niamey** with the science museum in her region:

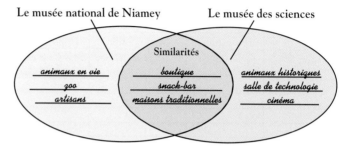

Here is an example of a comparison frame that compares and contrasts Senegal and Niger.

Catégories	Sujets	
	Le Sénégal	**Le Niger**
géographie	Sahara	Sahara
problèmes de l'environnement	désertification déforestation	désertification déforestation
influence de la colonisation	langue officielle enseignement	langue officielle

You will find the following expressions useful as you compare and contrast:

> **à part** *aside from;* **ainsi que** *as well as;* **un(e) autre** *another;* **d'un côté** *on one side;* **de l'autre côté** *on the other side;* **en plus** *in addition;* **non seulement** *not only;* **par contre** *on the other hand;* **quant à** *as for*

When you finally begin to write your paragraph, choose one of two methods of organization: either compare and contrast the two subjects feature by feature, or first discuss all aspects of one subject and then all of the other.

13 ▸ À vous d'écrire!

Écrivez un paragraphe qui compare et contraste un des sujets suivants. Avant d'écrire, faites des cercles qui se croisent (intersect) ou une grille de comparaison.

1. la vie en ville/la vie à la campagne
2. deux sports que vous connaissez bien
3. deux films du même genre que vous venez de voir (par exemple, deux comédies)

Teaching Notes

1. This unit's **Stratégie communicative** develops writing proficiency. Students focus on comparing and contrasting with the help of graphic organizers.

2. To further review the comparative and the superlative of adjectives, refer to pages 293 and 453 in the first level of *C'est à toi!* For adverbs, refer to pages 418 and 433 in the second-level textbook.

3. Challenge students to find an article in a French magazine or newspaper that compares and contrasts. Have students make a Venn diagram to compare the points that are compared and contrasted.

le Mali

Mopti

Bandiagara

Vocabulaire

 Audio CD *La chasse*

 Transparencies 3-4, 27-28

le gibier

Ils chassent.

une gazelle

quatre cent trois
Leçon B
403

Teaching Notes

1. The French also use the expression **aller à la chasse** (*to go hunting*).

2. When referring to a person, **gibier** means "prey."

3. Other related terms are **malien, malienne** (*Malian*) and **un Malien, une Malienne** (*an inhabitant of/from Mali*).

4. Communicative functions that are recycled in this lesson are "telling location," "explaining something," "stating a preference," "giving opinions," "expressing fear" and "expressing need and necessity."

403

Workbook Activities 7-8

Grammar & Vocabulary Exercises 13-15

Audio CD
Conversation culturelle

FYI

1. Millet is a cereal grass whose grain is used for food in many African countries. 2. Mopti is one of the principal cities in Mali. 3. **Pousser** can also be used to express growth in children, for example, **Tu pousses comme un champignon.** (*You're growing well.*) 4. In Mali and many other African countries it was considered valid in the past to arrange marriages between men and women of similar backgrounds for economic reasons.

Conversation culturelle

> J'ai fêté ma réussite au bac.

Cette année Moussa Keita était en terminale, de sorte qu'° il a pu se présenter au bac. Heureusement, il a réussi à l'examen. Après avoir fêté sa réussite° avec ses camarades de classe, Moussa est rentré à Bandiagara, le village où il est né, qui est à 80 kilomètres à l'est de Mopti au Mali. À son arrivée il est allé chercher son grand-père. Il l'a trouvé assis sous un grand baobab° dans ses champs de mil° en dehors du village. Ils ont parlé très longtemps. La conversation était si intéressante que Moussa avait envie de la décrire à son amie, Yakaré Kouyaté.

Le mil est un produit agricole important au Mali.

Bandiagara, le 20 juillet

Chère Yakaré,

Un grand "Salut" de la campagne! J'espère que tu vas bien, ainsi que° toute ta famille. J'écris pour t'envoyer de mes nouvelles° et pour recevoir des tiennes.° Ici tout va bien. Les pluies° ont été abondantes, grâce à Dieu. Je travaille dans les champs chaque matin, et le mil pousse° bien.

Quand je suis arrivé, j'ai eu une conversation intéressante avec mon grand-père. Je l'ai informé de mon succès au bac et de mes projets° d'études à l'université. Mon grand-père m'a raconté comment était la vie quand il avait mon âge. D'abord il m'a demandé quand j'allais me marier, car maintenant j'ai 19 ans. A cet âge, lui et mon père, tous les deux, avaient déjà une femme et deux enfants. Je lui ai expliqué que de nos jours,° les étudiants s'intéressent à finir leurs études et qu'ils n'ont pas les moyens° de se marier. Je lui ai dit que les jeunes préfèrent se marier pour l'amour, mais mon grand-père

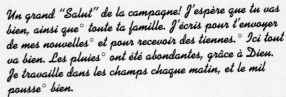

de sorte que *so that;* **une réussite** *success;* **un baobab** *baobab tree;* **le mil** *millet;* **ainsi que** et aussi; **des nouvelles (f.)** *news;* **les tiens, les tiennes** *yours;* **la pluie** *rain;* **pousser** *to grow;* **un projet** un plan; **de nos jours** aujourd'hui; **le moyen** *means*

 404

quatre cent quatre
Unité 9

Teaching Notes

1. **Le bac** was introduced on page 119 in the first level of *C'est à toi!* and mentioned again on page 363 in the second level.
2. **La réussite** belongs to the same word family as **réussir**.

3. **Nouvelles**, meaning "news," is a noun, not to be confused with the adjective, meaning "new." The expression **Pas de nouvelles, bonnes nouvelles!** means **No news is good news!**

4. **Pluie** comes from the same word family as **pleuvoir** and **plu**.
5. Students learned **projet**, meaning "project," in **Unité 4** in the third level of *C'est à toi!*

404

pensait que c'était bête. Il a dit que les parents savent mieux choisir les maris et les femmes pour leurs enfants.

Je lui ai demandé combien d'années il avait passées à l'école, et il m'a répondu qu'il n'avait jamais en l'occasion° d'aller à l'école moderne. Pourtant,° à cette époque-là,° les parents envoyaient presque tous leurs enfants à l'école coranique.° Autrefois,° ils pensaient que l'éducation religieuse était plus importante que l'enseignement en français. Et puis, ils avaient peur que leurs enfants soient pourris° par la grande ville et reviennent au village avec des habitudes européennes. De plus, ils avaient besoin de tous leurs enfants pour travailler aux champs.

Après cela, mon grand-père m'a parlé de ses aventures à la chasse. Au bon vieux temps,° il allait souvent à la chasse avec les autres jeunes hommes du village. Ils chassaient les antilopes et les gazelles. Quant au gibier, il partageait° quelquefois le sien° avec ses amis, et ils partageaient quelquefois le leur° avec lui. Par contre,° aujourd'hui il faut protéger la faune,° et maintenant il est interdit d'aller à la chasse.

Bon, je m'arrête là. J'espère que tes vacances se passent bien. Les miennes° sont trop longues car je ne suis pas avec toi.

À bientôt,

Moussa

Le grand-père de Moussa a dit qu'il avait étudié à l'école coranique.

une occasion *opportunity*; pourtant *however*; une époque *le temps*; coranique *de la religion islamique*; autrefois *au passé*; pourri(e) *spoiled*; au bon vieux temps *au passé*; partager *diviser*; le sien, la sienne *his, hers, its, one's*; le leur, la leur *theirs*; par contre *on the other hand*; la faune *les animaux*; les miens, les miennes *mine*

1 Aujourd'hui ou autrefois?

Si l'on parle de la vie moderne au Mali, écrivez "M." Si l'on parle de la vie dans le passé, écrivez "P."

Answers

1 1. M
2. P
3. P
4. P
5. P
6. M
7. M

FYI

Islam is the principal religion in Mali. The Bambara, Malinke and Voltaic peoples practice traditional African religions. Only about one percent of the population is Christian.

Game

Loto
Have students make a grid with 16 squares, four in each row. Show a transparency with 16 definitions in French of vocabulary words found in **Leçon A** and **Leçon B**, for example, **les animaux**. (You might choose to use the definitions found in the glossed vocabulary or easily recognizable cognates.) Tell students to copy the definitions, placing them at random on their grid. Then orally give the corresponding new French word for each definition, for example, **la faune**. Students mark with an "X" the matching definition on their grid. The student who first covers four squares horizontally, vertically or diagonally calls out "Loto" and gives the new French word for each square in his or her winning sequence.

Teaching Notes

1. Point out that **occasion** is a false cognate.
2. When describing food, **pourri(e)** means "rotten."

3. Point out that **la chasse** and **chasser** belong to the same word family. **La chasse** was introduced in **Unité 8** in the third level of *C'est à toi!*

4. Point out that **partager** is an orthographically changing verb that follows the pattern of **manger**. Remind students to add an **e** before the **ons** in the **nous** form (**partageons**).

405

Answers

2 1. faux
2. faux
3. vrai
4. vrai
5. vrai
6. faux
7. vrai
8. vrai

3 1. nouvelles
2. Mali
3. informé
4. les moyens
5. l'occasion
6. chassaient
7. Par contre
8. la faune

---

2 **Vrai ou faux?**

Répondez par "vrai" ou "faux" d'après la lettre de Moussa.

1. Moussa a fêté son anniversaire avec ses camarades de classe.
2. Le grand-père de Moussa ne pouvait pas parler avec lui parce qu'il était assis dans un baobab dans ses champs de mil.
3. Le mil pousse bien parce que les pluies ont été abondantes.
4. Moussa et son grand-père ont parlé de la vie de Moussa et de comment la vie de son grand-père était quand il avait le même âge.
5. Selon son grand-père, les parents savent mieux choisir les maris et les femmes pour leurs enfants.
6. Autrefois, les parents pensaient que l'enseignement en français était plus important que l'éducation religieuse.
7. À cette époque-là, les parents avaient peur que leurs enfants prennent des habitudes européennes.
8. Le grand-père de Moussa et ses amis partageaient quelquefois leur gibier.

Moussa et son grand-père ont parlé sous un baobab.

3 **Complétez**

Choisissez l'expression convenable pour compléter chaque phrase d'après la lettre de Moussa.

la faune	informé	par contre
les moyens	l'occasion	chassaient
Mali	nouvelles	

1. Moussa a écrit à Yakaré pour lui envoyer de ses….
2. Bandiagara est un village au….
3. Quand Moussa est rentré au village, il a… son grand-père de son succès au bac.
4. De nos jours, les étudiants n'ont pas… de se marier.
5. Son grand-père a dit qu'il n'avait jamais eu… d'assister à l'école moderne.
6. Les jeunes hommes du village… les antilopes et les gazelles.
7. …, maintenant il est interdit d'aller à la chasse.
8. Aujourd'hui il faut protéger….

M. Vignal envoie de ses nouvelles à son fils.

4 ▶ C'est à toi!

Questions personnelles.

1. Est-ce que tu parles souvent avec tes grands-parents? Si oui, de quoi?
2. Combien d'années est-ce que tu as déjà passées à l'école?
3. Est-ce que tu as des projets d'études à l'université? Si oui, qu'est-ce que tu vas y étudier?
4. Est-ce que tes parents ont peur de t'envoyer dans une université dans une grande ville? Si oui, pourquoi?
5. Est-ce que tu comptes te marier? Si oui, quand?
6. Est-ce que tu aimerais vivre dans une société où les parents choisissent les maris et les femmes de leurs enfants? Pourquoi ou pourquoi pas?
7. Est-ce que tu connais quelqu'un qui chasse? Si oui, qu'est-ce qu'il ou elle chasse?
8. Est-ce que tu t'intéresses à la protection des animaux?

As-tu souvent l'occasion de sortir avec tes amis?

As-tu les moyens de voyager pendant les vacances?

quatre cent sept
Leçon B **407**

 407

1. Mali is a landlocked nation that borders Algeria, Niger, Burkina Faso, the Ivory Coast, Guinea, Senegal and Mauritania, all former French colonies. 2. The word "Mali" means "where the master resides" and comes from the language of one of the country's former empires, that of the Mandingo people. Mali was called French Sudan until it gained its independence from France in 1960. 3. Bamako lies in the southwest along the Niger River. 4. The Fulani and Toucouleur make up the largest group of Mali's people. The Mandingos form the next largest group. 5. The Mali Empire flourished in western Africa from about 1240 to 1500. The cities of the Mali Empire were centers for the caravan trade from beyond the Sahara. 6. Timbuktu was founded around the beginning of the 12th century by Tuareg nomads, who came down from the desert for well water during the dry season. From the 13th century on, it was a trade center of the Muslim world, as well as an important spiritual, educational and cultural center. 7. Like other developing African nations, Mali faces major social problems. Most of Mali's adults can neither read nor write, and many of the country's school-age children do not attend school. The average life expectancy is less than 50 years. Approximately one-fifth of the babies born in rural areas die as infants. Malaria is widespread and a chief cause of death among children.

Le Mali

La république du Mali, un autre pays africain, est située entre le Niger et le Sénégal. C'est l'un des pays les plus pauvres du monde. Son économie dépend de l'agriculture, même si seulement 20 pour cent de la terre peut être cultivée. Le désert occupe la plus grande partie du pays, mais il y a aussi des vallées où on peut cultiver des fruits et des légumes. Ces produits, ainsi que le coton et le mil, sont ensuite vendus en Europe.

Un vendeur travaille dans les rues de Bamako.

Le Mali contemporain

Bamako est la capitale du Mali. C'est une ville cosmopolite où cohabitent tous les groupes ethniques qui font partie de la culture malienne et où vivent plus de 1.500.000 personnes. Son marché central, appelé le Marché Rose, est l'un des plus beaux d'Afrique. On peut y acheter des pagnes, des foulards de tête et de la maroquinerie. Sa grande mosquée, l'église islamique, est le centre de la religion principale du pays, l'islam. Le Mali a depuis longtemps des rapports avec le monde arabe. Au douzième siècle les empereurs du Mali faisaient des voyages religieux, ou pèlerinages, à La Mecque en Arabie Saoudite. C'est cette influence arabe qui reste importante au Mali même aujourd'hui. Maintenant 90 pour cent de la population malienne est islamique et suit les traditions de cette religion. Les écoles coraniques offrent un enseignement religieux basé sur les leçons du *Coran*, le livre religieux de l'islam. Il y a plusieurs traditions islamiques qui sont intégrées dans la vie quotidienne malienne. Par exemple, l'homme peut avoir jusqu'à quatre femmes, l'alcool n'est pas permis, la femme doit s'habiller modestement et les gens n'aiment pas qu'on les prenne en photo.

Le commerce au Mali

Le Mali est devenu un centre de commerce quand les caravanes de sel, d'or et d'argent traversaient le désert. Mais, lorsque les Européens ont commencé à faire leur commerce aux ports maritimes, les routes des caravanes ont perdu leur importance, et les oasis sont tombées en déclin. Donc, le Mali est devenu moins important pour l'Afrique. Les caravanes qui traversaient le Sahara s'arrêtaient dans des oasis comme celle de Tombouctou (Timbuktu, en

De Zagora au Maroc il faut 52 jours à chameau (*camel*) pour arriver à Tombouctou.

quatre cent huit
Unité 9

anglais). Elles leur permettaient de prendre de l'eau et d'autres provisions sur la route. La ville de Tombouctou, établie par les nomades au douzième siècle, continue à fasciner le monde. Dans les pays arabes, une expression populaire évoque une certaine Tombouctou qui n'existe que dans l'imagination, parce que l'accès à la ville est très difficile.

Oumou Sangaré

L'une des plus célèbres Maliennes d'aujourd'hui est Oumou Sangaré. Elle est à la fois chanteuse, écrivain, compositrice de musique et représentante de la cause féminine africaine. Dans ses robes de princesse, elle combine le traditionnel avec le non-traditionnel, le vieux avec le moderne, l'Occident avec l'Afrique. Sa musique est accompagnée de guitare électrique et de claviers, aussi bien que de flûtes et de batterie traditionnelles d'Afrique. Ses textes ne traitent pas seulement de problèmes sociaux, mais aussi de la culture de son monde. Cela crée des chansons dont le message est aussi important que l'origine.

Née en 1968 à Bamako, Sangaré a commencé à chanter à un très jeune âge. Sa mère, elle aussi musicienne, l'a encouragée à devenir chanteuse en faisant monter la petite Oumou sur la table pour chanter. Quand elle avait cinq ans, elle a dû chanter au stade de Bamako. Elle avait peur d'ouvrir la bouche, mais sa mère lui a donné un conseil: "Imagine que tu es à la maison, dans la cuisine." Grâce à cela, elle a pu chanter devant un public qui l'a beaucoup appréciée. Plus tard elle a pu voyager partout dans le monde avec le célèbre Ensemble National du Mali. Son premier triomphe a été son CD *Moussolou*, qui a su intéresser les jeunes tout en utilisant les instruments traditionnels de son pays. Cela est différent des autres chanteuses africaines, qui préfèrent une instrumentation moderne. Mais c'est Oumou Sangaré qui a combiné les deux genres d'instruments pour mettre ensemble deux genres de musique.

Quand elle donne un concert, Oumou Sangaré porte une robe de princesse.

Si la musique d'Oumou Sangaré est impressionnante, le message qu'elle offre est encore plus important. "J'ai compris les erreurs de nos parents...," dit-elle en parlant de son père, qui avait trois femmes. "Nous, les jeunes, nous refusons de continuer à faire ces mêmes erreurs. Un homme ne pourrait-il pas aimer seulement une femme et faire sa vie avec elle? Je crois que c'est ce que beaucoup de jeunes Maliens ont compris en écoutant mes chansons." Les jeunes ne vont pas à ses concerts pour entendre des chansons traditionnelles. Les jeunes Africains veulent qu'on leur parle de leur présent et de leur avenir.

FYI

1. Oumou Sangaré's style of music is called "Wassoulou." Her other albums include *Ko sira* (1993), *Worotan* (1996) and *Oumou* (2003). Sangaré has appeared in concert all over Europe and North America. 2. *Nervous Conditions*, a novel by Zimbabwe's Tsitsi Dangarembga, describes the roles of four different women in modern Africa.

Connections

Geography
Have each student make a map of Mali, labeling the surrounding countries; **le Sahara** in the north; **le Sahel** in the center; **la zone soudanaise** in the south; the rivers **Niger** and **Sénégal**; and the principal cities **Bamako, Kayes, Ségou, Sikasso, Mopti, Gao, Tombouctou** and **Taoudéni**. The next day play a game with the class to practice identifying these geographical features. At the front of the class, display a large unlabeled map of Mali and its surroundings. Then divide the class in half. As one student from each team goes to the map at the same time, name one of these geographical features. The student who locates it first on the map earns one point for his or her team.

5 ▸ Le Mali et Oumou Sangaré

Répondez aux questions suivantes.

1. Est-ce que le Mali est un pays assez riche?
2. De quoi dépend l'économie du Mali?
3. Quelle est la capitale du pays?
4. Quelle est la religion principale du Mali?
5. Quelle influence trouve-t-on encore de nos jours au Mali?
6. Quelles sont plusieurs traditions islamiques qu'on observe au Mali?
7. Quelle oasis malienne est devenue célèbre?
8. Qui est Oumou Sangaré?
9. Quels instruments combine-t-elle pour créer sa musique?
10. Pourquoi est-ce que les jeunes Africains aiment Oumou Sangaré?

Les gens de Djenne pratiquent leur religion, l'islam, dans leur grande mosquée. (Mali)

6 ▸ Faisons des recherches!

Utilisez vos différentes sources (encyclopédies, CD-ROM, Internet ou livres d'histoire) pour répondre aux questions suivantes.

1. Combien de kilomètres de côte le Mali a-t-il?
2. Quels pays partagent leurs frontières avec le Mali?
3. Qui est le président du Mali?
4. Quel âge doit-on avoir pour voter au Mali?
5. Quelle langue africaine est-ce que la plupart des Maliens parlent?
6. Combien de personnes au Mali peuvent lire et écrire?
7. Combien d'enfants une Malienne moyenne a-t-elle?
8. Jusqu'à quel âge un Malien moyen peut-il espérer vivre?
9. Quels sont quelques titres des CDs d'Oumou Sangaré?
10. Quel est le style musical d'Oumou Sangaré?

Trente et un pour cent des Maliens peuvent lire et écrire.

Journal personnel

Oumou Sangaré blends her unique style of popular music with an important and uplifting message for her African fans. Many musicians contribute their talents to social and political causes. Do you know of any other French or francophone artists who are socially and politically committed? Do any of your favorite singers or musical groups have a similar commitment to improving social and political conditions and deliver this message musically to their audiences? If so, who are they, and what are the social and political issues that they support?

Langue active

Possessive adjectives

Possessive adjectives express ownership or relationship. They agree in gender and in number with the nouns that follow them.

	Singular				Plural	
	Masculine		**Feminine before a Consonant Sound**			
my	**mon**	copain	**ma**	famille	**mes**	projets
your	**ton**		**ta**		**tes**	
his, her, one's, its	**son**		**sa**		**ses**	
our	**notre**		**notre**		**nos**	
your	**votre**		**votre**		**vos**	
their	**leur**		**leur**		**leurs**	

Mon grand-père m'a parlé de **ses** aventures à la chasse. — *My grandfather talked to me about his hunting adventures.*

Miam-miam! C'est notre plat préféré.

Note that before a feminine singular word beginning with a vowel sound, **ma**, **ta** and **sa** become **mon**, **ton** and **son**, respectively.

Moussa avait envie d'écrire à **son** amie, Yakaré. — *Moussa wanted to write to his friend, Yakaré.*

Teaching Note

To practice all the possessive adjectives, put students in pairs. Prepare an overhead transparency listing six short sentences followed by nouns, for example, **Je t'emprunte (jean, tennis)**. The first student in each pair completes the sentence by adding the correct possessive adjectives, for example, **Je t'emprunte ton jean et tes tennis**. Students alternate until sentences have been formed for all six items. Here are five other items to include:

1. Vous écrivez (notes, exposé)
2. Je te prête (CD, voiture)
3. Mme Cheval rappelle (mari, enfants)
4. Nous partageons (tarte, sandwichs)
5. Manu et Christelle informent (parents, sœur)

WB Workbook Activity 10

GV Grammar & Vocabulary Exercises 16-20

Game

Son, sa, ses

Put students in small groups of four or five. Prepare a set of cards for each group. On each card paste the picture of an object and an owner's name. Make sure that each owner has two possessions in the deck of cards. For example, Salmou could own a camera and a pair of sandals. One student in each group deals out all the cards. The first player asks another player if he or she has an object belonging to a person represented on one of the first player's cards, for example, **Pierre, as-tu un objet de Salmou?** The interviewed player responds with **Oui** or **Non**. If the answer is **Oui**, the player being interviewed must relinquish the card to the first player. The first player then earns a point if he or she uses the correct possessive adjectives in a sentence, for example, **J'ai son appareil-photo et sa paire de sandales.** If the first player forms an incorrect sentence, the card is returned to its original owner and the second player takes a turn.

Answers

7 1. Est-ce que ce pagne est à
Salmou?
Oui, c'est son pagne.

2. Est-ce que ces sandales sont à
toi?
Oui, ce sont mes sandales.

3. Est-ce que ce foulard de tête est
à Mme Yondo?
Oui, c'est son foulard de tête.

4. Est-ce que ces vêtements sont à
moi?
Oui, ce sont tes vêtements.

5. Est-ce que ces sacs à dos sont à
Abdoulaye et toi?
Oui, ce sont nos sacs à dos.

6. Est-ce que cet appareil-photo
est à M. et Mme Ferrié?
Oui, c'est leur appareil-photo.

7. Est-ce que ces photos sont à
Céline et moi?
Oui, ce sont vos photos.

8. Est-ce que ce champ de mil est
au grand-père de Moussa?
Oui, c'est son champ de mil.

 Pratique

7 **En partenaires**

 Avec un(e) partenaire, demandez si chaque objet illustré est à la personne indiquée. Puis répondez affirmativement en utilisant un adjectif possessif. Alternez les questions et les réponses avec votre partenaire. Suivez le modèle.

Modèle:

Garba
A: **Est-ce que ce tapis
est à Garba?**
B: **Oui, c'est son tapis.**

1. Salmou

2. toi

3. Mme Yondo

4. moi

5. Abdoulaye et toi

  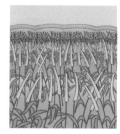

6. M. et Mme Ferrié

7. Céline et moi

8. le grand-père de Moussa

8 Changez de sujets!

Récrivez (Rewrite) les phrases suivantes en utilisant le sujet indiqué. Faites tous les autres changements nécessaires.

Modèle:

Nous avons pris ces photos avec notre nouvel appareil-photo. (Yakaré)
Yakaré a pris ces photos avec son nouvel appareil-photo.

1. Abdoulaye et Salmou ont pris leur petit déjeuner chez eux. (tu)
2. Salmou a oublié son argent chez elle. (mes copains)
3. Les artisans ont porté leurs vêtements traditionnels. (ma sœur et moi)
4. Moussa a réussi à son examen. (je)
5. Mon grand-père m'a raconté une de ses aventures. (les hommes du village)
6. J'ai expliqué mes projets à tout le monde. (Moussa)
7. Tu n'as jamais fini tes études. (vous)

Possessive pronouns

A possessive pronoun replaces a noun plus a possessive adjective.

Moussa a réussi à son examen.
Le sien était le 12 juillet, mais
l'examen de Yakaré était en juin.

Moussa passed his test.
His was July 12, but Yakaré's test
was in June.

The possessive pronoun is composed of two words, each of which agrees in gender and in number with the noun it replaces.

	Singular		Plural	
	Masculine	**Feminine**	**Masculine**	**Feminine**
mine	**le mien**	**la mienne**	**les miens**	**les miennes**
yours	**le tien**	**la tienne**	**les tiens**	**les tiennes**
his, hers, its, one's	**le sien**	**la sienne**	**les siens**	**les siennes**
ours	**le nôtre**	**la nôtre**	**les nôtres**	
yours	**le vôtre**	**la vôtre**	**les vôtres**	
theirs	**le leur**	**la leur**	**les leurs**	

Quant au gibier, mon grand-père
partageait **le sien** avec des amis.
Les amis de mon grand-père
partageait **le leur** avec lui.
Tes vacances se passent bien?
Les miennes sont trop longues.

As for game, my grandfather shared
his with friends.
My grandfather's friends shared theirs
with him.
Is your vacation going well?
Mine is too long.

Simone porte son nouveau collier et
sa copine Martine porte le sien aussi.

quatre cent treize
Leçon B

 413

 Workbook Activities 11-12

 Grammar & Vocabulary Exercises 21-25

 Audio CD Activity 8

Answers

8 1. Tu as pris ton petit déjeuner chez toi.
2. Mes copains ont oublié leur argent chez eux.
3. Ma sœur et moi, nous avons porté nos vêtements traditionnels.
4. J'ai réussi à mon examen.
5. Les hommes du village m'ont raconté une de leurs aventures.
6. Moussa a expliqué ses projets à tout le monde.
7. Vous n'avez jamais fini vos études.

Comparisons

Possessive Pronouns
Write the following three pairs of sentences on the board: **Mon instrument est nouveau. Le tien est vieux./ Salmou porte son nouveau foulard de tête. Assia porte le sien aussi./Nous voyageons avec nos amis. Vous ne voyagez pas avec les vôtres.** Ask students to identify the function of possessive pronouns in the three examples. Students should tell you that, in order, the possessive pronouns function as a subject, a direct object and an object of a preposition. This activity will help students identify when and where they can use possessive pronouns.

Teaching Note

Point out that the possessive adjectives **notre** and **votre** do not have circumflex accents, whereas **le/la/les nôtre(s)** and **le/la/les vôtre(s)** do. Also mention the difference in pronunciation between **notre** and **le/la/les nôtre(s)** and **votre** and **le/la/les vôtre(s)**. The latter pair has the same vowel sound as found in the **ô** in **hôtel**.

413

Audio CD Activity 9

Answers

9
1. Non, ce n'est pas le sien.
2. Non, ce n'est pas la sienne.
3. Non, ce ne sont pas les leurs.
4. Non, ce ne sont pas les vôtres.
5. Non, ce ne sont pas les tiens.
6. Non, ce n'est pas le leur.
7. Non, ce ne sont pas les miennes.
8. Non, ce n'est pas le mien.
9. Non, ce n'est pas la nôtre.
10. Non, ce n'est pas la tienne.

Cooperative Group Practice

Ce sont les tiennes!
Put students in small groups, and distribute a picture of an object to each student, for example, **deux glaces** or **un couteau**. Students in each group exchange their picture with that of another student. Then students take turns returning the picture to its rightful owner, saying a sentence using a possessive pronoun, for example, **Ce sont les tiennes**! or **C'est le tien**!

Rotating Dialogues
Put students in small groups to practice possessive pronouns. Tell students they are on a trip and staying at a hotel with a friend. Prepare a worksheet with a list of items they were supposed to have packed. The first student in each group turns to the student on his or her right and states that he or she cannot find the first item on the list and asks to borrow the roommate's, for example, **Dis, Tom, je ne peux pas trouver mon rasoir. Est-ce que je peux t'emprunter le tien?** The second student agrees, for example, **Oui, je te prête le mien.** Then the second student plays the role of the borrower, the third student is the lender, and the dialogue begins again. Some other items to include on the list are **mes pantoufles, mon parapluie, mes lunettes de soleil** and **ma ceinture**.

When the prepositions **à** and **de** precede a possessive pronoun, the usual combinations result, for example, **au mien, à la mienne, aux miens, aux miennes; du mien, de la mienne, des miens, des miennes.**

J'écris pour t'envoyer de mes nouvelles et pour recevoir **des tiennes**.

I'm writing to send you my news and to get yours (news from you).

Pratique

9 À qui est-ce?

Répondez négativement aux questions suivantes en utilisant le pronom possessif convenable.

Modèle:

Cet appareil-photo est à Abdoulaye?
Non, ce n'est pas le sien.

1. Ce tapis de Zinder est à l'artisan?
2. Cette case est à Garba?
3. Ces concessions sont aux paysans?
4. Ces instruments de musique sont à nous?
5. Ces trucs sont à moi?
6. Ce champ de mil est aux Keita?
7. Ces boucles d'oreilles sont à toi?
8. Ce gibier est à toi?
9. Cette voiture est à ta famille et toi?
10. Cette note est à moi?

quatre cent quatorze
Unité 9
414

10 En partenaires

 Avec un(e) partenaire, dites ce que font les personnes indiquées. Puis demandez si les personnes qui suivent le font aussi. Dites que oui. Alternez les questions et les réponses avec votre partenaire. Suivez le modèle et l'ordre indiqué par le cercle.

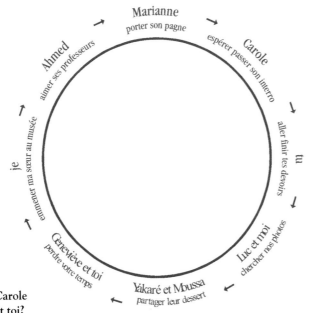

Marianne
porter son pagne

Carole
espérer passer son interro

tu
aller finir tes devoirs

Luc et moi
chercher nos photos

Yakaré et Moussa
partager leur dessert

Geneviève et toi
perdre votre temps

je
emmener ma sœur au musée

Ahmed
aimer ses professeurs

Modèle:

A: **Marianne porte son pagne. Et Carole?**
B: **Carole porte le sien aussi. Carole espère passer son interro. Et toi?**
A: **J'espère passer....**

11 Comme Bernadette

Dites que tout le monde fait exactement comme Bernadette. Utilisez un pronom possessif, et suivez le modèle.

Modèle:

Bernadette rend visite à son grand-père. (Laurent)
Et Laurent, il rend visite au sien.

1. Bernadette se souvient de ses vacances. (Abdou et toi)
2. Bernadette pense beaucoup à ses amies. (Jean et moi)
3. Bernadette écrit une lettre à ses cousins. (toi)
4. Bernadette a besoin de ses bagages. (Cécile et Denis)
5. Bernadette se plaint de sa chambre. (ses parents)
6. Bernadette offre un cadeau à ses parents. (moi)
7. Bernadette se sert souvent de son ordinateur. (Claire)
8. Bernadette s'intéresse à sa recherche. (Sébastien)

Bernadette dépend de son ordinateur. Et toi, tu dépends du tien?

quatre cent quinze
Leçon B
415

 Audio CD Activity 11

Answers

10 J'espère passer la mienne aussi. Tu vas finir tes devoirs. Et Luc et moi?

Luc et toi, vous allez finir les vôtres aussi. Luc et moi, nous cherchons nos photos. Et Yakaré et Moussa?

Yakaré et Moussa cherchent les leurs aussi. Yakaré et Moussa partagent leur dessert. Et Geneviève et toi?

Geneviève et moi, nous partageons le nôtre aussi. Geneviève et toi, vous perdez votre temps. Et moi?

Tu perds le tien aussi. J'emmène ma sœur au musée. Et Ahmed?

Ahmed emmène la sienne au musée aussi. Ahmed aime ses profs. Et Marianne?

Marianne aime les siens aussi.

11
1. Et Abdou et toi, vous vous souvenez des vôtres.
2. Et Jean et moi, nous pensons beaucoup aux nôtres.
3. Et toi, tu écris une lettre aux tiens.
4. Et Cécile et Denis, ils ont besoin des leurs.
5. Et ses parents, ils se plaignent de la leur.
6. Et moi, j'offre un cadeau aux miens.
7. Et Claire, elle se sert souvent du sien.
8. Et Sébastien, il s'intéresse à la sienne.

415

Listening Activity 2

Communicative Activities

Leçon B Quiz

Communication

12 ▶ **Une histoire de ma famille**

*Comme la famille de Moussa Keita, chaque famille a ses propres histoires et traditions. Par exemple, peut-être qu'un de vos grands-parents a immigré aux États-Unis d'un autre pays, et qu'il vous a parlé de son arrivée, ses expériences et ses premières impressions de ce pays. Ou il est possible que votre famille fasse quelque chose de spécial pour célébrer une fête, comme Noël ou un anniversaire. Écrivez un paragraphe où vous racontez une des histoires ou traditions de votre famille. Utilisez des expressions comme **d'abord**, **puis**, **ensuite** et **enfin** pour lier vos phrases et des expressions comme **de nos jours**, **à cette époque-là** et **autrefois** pour organiser vos idées et commentaires.*

Quelle est l'histoire ou la tradition de ta famille que tu préfères?

13 ▶ **Racontez une histoire!**

 *Comme on a dit, chaque famille a ses propres histoires et traditions. Pourtant, elles peuvent ressembler à celles d'autres familles, même s'il y a de petites différences. Racontez l'histoire ou la tradition que vous venez de décrire dans l'Activité 12 à deux ou trois élèves dans votre classe, et écoutez pendant qu'ils vous racontent les leurs. Notez les sujets et les détails qui ressemblent aux vôtres et ceux qui sont différents. Utilisez un des diagrammes suggérés (suggested) dans la **Stratégie communicative** à la page 402.*

14 ▶ **Comparez et contrastez!**

Maintenant, avec le diagramme que vous avez fait dans l'activité précédente, écrivez une composition où vous comparez et contrastez votre histoire ou tradition de famille avec celle qu'un(e) autre élève vous a racontée.

Making Cultural Inferences

In Moussa's letter you read about marriage customs in Mali. Now find out if they are similar to those in another African country as you read an excerpt from the play *Trois Prétendants, un Mari* (*Three Suitors, One Husband*) by Guillaume Oyônô-Mbia and make inferences about the culture of the people living in rural Cameroon. In plays, clues that help you draw cultural conclusions appear in the set directions and in the characters' dialogue.

In this play, the grandfather, Abessolo, complains to his son: "Si je n'avais été là, l'autre jour, tu aurais refusé de prendre les cent mille francs que nous avait versé Ndi, le jeune homme qui veut épouser ma petite-fille Juliette. D'après toi, il fallait attendre pour consulter Juliette elle-même avant d'accepter la dot." Can you use the textual clue in this dialogue and make a cultural inference from it? Do you agree with the following chart?

Textual clue	Cultural inference
Ndi a donné 100.000 francs comme dot au père parce qu'il veut se marier avec Juliette.	Au Cameroun un prétendant donne une dot au père de la femme qu'il veut épouser.

In *Trois Prétendants, un Mari*, Juliette learns that her father plans to marry her to the suitor who gives him the largest dowry. Juliette has just returned home to Mvoutessi from boarding school and discovers she has two wealthy suitors. However, she is already in love with a student who cannot afford to pay her father a dowry. In Act III, Juliette talks to her grandmother (Bella), mother (Makrita) and cousin (Matalina) about her future. As you read, look for textual clues that will give you cultural insights into life in Cameroon.

15 ▶ Pour commencer...

Avant de lire la scène suivante, répondez aux questions.

1. Quand tu as un problème, à qui est-ce que tu parles dans ta famille? Pourquoi?
2. Quand est-ce qu'il faut que tu demandes la permission à tes parents?
3. Est-ce que tu as jamais désobéi à tes parents? Si oui, pourquoi?
4. Si tu te maries un jour, ce sera pour quelles raisons?

 Audio CD *Lecture*

 Advanced Placement

FYI

Guillaume Oyônô-Mbia was born in Mvoutessi, the setting for *Trois Prétendants, un Mari*. Like Juliette, he went to boarding school in Cameroon. He continued his postsecondary studies in England at the University of Keele, graduating in 1968. Although perhaps best known for his comedies, such as *Notre fille ne se mariera pas!* (1969) and *His Excellency's Train* (1969), Oyônô-Mbia has also written many short stories. Cautioning the reader or spectator of *Trois Prétendants, un Mari* against seeing him as a champion of women's rights in Africa, Oyônô-Mbia asserts that his motive in writing is primarily to entertain: "Ce n'est qu'en le divertissant réellement qu'on peut espérer amener le public à prendre conscience de certains aspects de notre culture ou de notre vie sociale...." Oyônô-Mbia's greatest hope is that his public "prendrait spontanément part aux chants et aux danses" that fill his plays with local color.

Teaching Note

The **Lecture** is designed to develop skills that will help students prepare to take the Advanced Placement Exam in French Literature. In this section students read a variety of prose, poetry and drama from different periods; answer content questions; and demonstrate their critical understanding of literary techniques, such as character development, setting, point of view, satire and figures of speech. In this unit's **Lecture**, students learn how to draw cultural inferences.

So that students can better understand the setting of *Trois Prétendants, un Mari*, you might choose to provide the following background information on Cameroon. Although Cameroonians speak many tribal dialects, French and English are the country's two official languages. The average literacy rate is 79 percent, and more boys than girls finish school. Ninety-nine percent of students attend elementary school, 29 percent attend high school and only four percent go on to college. More and more young women who live in cities are pursuing an education and getting jobs. About 40 percent of the population is Christian, and one-fifth is Muslim; the remainder practice traditional African religions. Even though a Muslim man may have up to four wives, polygamy is decreasing for economic reasons. Traditionally, marriage in Cameroon is considered to be more of a social contract than a love match. The average age at which women and men marry is 18. About half of the population resides in rural areas, but each year more and more people move to the cities to find jobs.

Trois Prétendants, un Mari
Acte III

Le soir…. Nous sommes à l'intérieur de la cuisine de Makrita, vaste pièce qu'éclaire un feu de bois au fond, sur lequel bout une marmite…. Makrita et Juliette sont en train de préparer le repas du soir. Au lever du rideau, on voit Bella qui prend des arachides d'une énorme corbeille placée sur une table basse…. Makrita, près du feu, épluche des plantains qu'elle met au fur et à mesure dans la marmite qui bout. Juliette… décortique des arachides, assise sur un petit lit de bambou à gauche de la scène. Makrita est aussi assise sur un lit semblable. Un troisième lit est placé à droite, sur lequel Bella ira s'asseoir plus tard.

Bella: *(ayant rempli son panier)* Maintenant que nous sommes entre femmes, Juliette, il faut que tu m'expliques ton attitude. Pourquoi tu refuses d'épouser le fonctionnaire? Un homme si riche! Tu n'es pas fière d'un tel prétendant?

Juliette: Non, Na' Bella!

Bella: *(qui va s'asseoir)* Non? Tu oses dire non? Comment peux-tu ainsi désobéir à ta famille? Nous nous sommes donnés tant de mal pour t'élever!

Makrita: *(sans s'arrêter d'éplucher les plantains)* Tant de mal, ma fille! Tu ne peux savoir combien c'était difficile à ta grand-mère et à moi de persuader ton père de te donner de l'argent quand tu étais renvoyée de Dibamba pour défaut de pension!

Bella: *(s'asseyant)* Oui! Mon fils était devenu la risée de Mvoutessi! Tous les hommes le trouvaient bête de gaspiller tout l'argent de son cacao sur une fille, au lieu d'épouser d'autres femmes…

Makrita: Ou bien de doter une femme à Oyônô…

Bella: Une femme à ton frère! Il parle d'épouser une fille sérieuse et très travailleuse aux environs d'Ebolowa.

Juliette: Et alors…

Makrita: Et j'ai dit à ton frère: "Ne t'en fais pas pour la dot qu'on te demande de payer pour ta future femme! Ta sœur Juliette est belle et séduisante! De plus, c'est une collégienne! Nous serons riches le jour où un grand monsieur de la ville viendra lui demander la main!"

Bella: Et c'est justement ce qui s'est passé! Deux prétendants!

Juliette: Mais je ne veux ni l'un ni l'autre! Je vous l'ai déjà dit!

Makrita: *(s'arrête un instant)* Quoi? Tu ne veux pas que ton frère, ton propre frère, puisse enfin se marier? Tu ne veux pas que ta mère ait une bru qui l'aide à semer des arachides et du maïs dans ses champs? *(Soupire)* Je crois que tu n'as pas de cœur, Juliette! Tu…

(Matalina entre, portant une assiette posée en équilibre sur la tête. Elle salue les autres joyeusement.)

Matalina: Mbôlô ô ô?

Les Autres: Mbôlô ô ô, ah Matalina!

Matalina: *(allant s'asseoir près de Juliette)* Ma mère t'envoie à manger, Juliette!

(Elle découvre l'assiette.)

Juliette: *(prenant l'assiette)* Oh… merci!…

Matalina: … Juliette, comment est-ce qu'une fille peut bien refuser un homme qui l'aime assez pour verser deux cent mille francs de dot pour elle? Il y a des hommes qui n'en auraient pas fait tant, tu sais!

Juliette: Est-ce que l'argent est une preuve d'amour?

Makrita: *(couvrant sa marmite)* Bien sûr que oui! Tu ne le savais pas?

Juliette: Je vous ai dit que mon fiancé n'a pas d'argent, et pourtant je suis sure qu'il m'aime.

Matalina:	(*sourit, amusée par tant de naïveté*) Sûre! Tu dis que tu es sûre qu'il t'aime? Qu'est-ce qu'il t'a déjà donné?

(*Les questions qui suivent sont posées très rapidement.*)

Bella:	Combien de robes?
Juliette:	Aucune!
Matalina:	Et tu l'aimes?
Makrita:	Il a une voiture?
Matalina:	Il gagne beaucoup d'argent?
Juliette:	Mais...
Bella:	Est-ce qu'il possède une grande maison?
Matalina:	Il est au Gouvernement?
Bella:	Est-ce qu'il...
Juliette:	(*impatientée*) Rien de tout cela!
Bella:	(*après un temps*) Mais il est d'où, ce jeune homme-là?
Juliette:	Il est d'Ambam!
Les Autres:	(*consternées*) Eé é é é!
Bella:	De si loin? Tu veux donc nous quitter?
Juliette:	(*sourit, malicieuse*) Tu es donc née à Mvoutessi, Na' Bella?
Matalina:	(*avec une pointe de dédain*) Et qu'est-ce que tu lui trouves de si séduisant, à ce garçon?
Juliette:	Rien! Je l'aime!
Bella:	(*indignée*) Mais tu es folle, Juliette! Depuis quand est-ce que les filles aiment les gens sans la permission de leur famille? Pourquoi veux-tu nous causer tant de déception? (*Se lève et se dirige vers Juliette*) Je te le répète, mon enfant, il faut que tu nous épouses un grand homme! Il est grand temps que toi aussi tu nous apportes de la nourriture, des boissons, et des richesses de la ville comme Cécilia le fait depuis qu'elle est devenue la maîtresse de cet européen de Mbalmayo! Il est grand temps que notre famille elle aussi devienne respectable!
Juliette:	(*amusée*) Respectable? Qu'est-ce que...
Matalina:	Écoute, Juliette! Puisque tu ne veux pas te marier, va donc te trouver un grand bureau à Yaoundé, au ministère surtout! (*Ton confidentiel*) On dit que ce n'est pas du tout difficile pour les jolies filles! (*Emballée*) Comme cela, nous viendrons de temps à autre passer quelques mois en ville, comme tout le monde!
Juliette:	Pourquoi tu ne vas pas te trouver un grand bureau au ministère, toi, si c'est tellement facile?

(*Matalina se lève, vexée. Elle dit à Bella qui se tenait toujours au centre de la cuisine:*)

Matalina:	Je vais rentrer à la maison, Na' Bella! Il fait de plus en plus noir dehors.
Bella:	(*la raccompagnant jusqu'à la porte*) Oui, mon enfant.... (*Matalina sort, et Bella se tourne vers Juliette*) Je commence à croire que tu ne vas jamais nous écouter, Juliette!
Juliette:	(*essayant de plaider*) Mais c'est vous qui ne me comprenez pas! Je...
Makrita:	(*triste et déçue*) Juliette ne sera jamais aussi sage et obéissante que je l'avais toujours espéré! Je suis même sûre qu'une fois mariée à ce grand homme de la ville, elle va souvent l'empêcher de nous donner tout ce que nous exigerons de lui en plus de la dot! (*Commence à ramasser les épluchures de plantains, et à les mettre dans une corbeille à ordures.*) Elle va toujours essayer de limiter les dépenses, au lieu de menacer son mari de divorce chaque fois qu'il refuse de nous donner satisfaction! Je la vois déjà ne servant qu'un petit verre de vin seulement à ses oncles, au lieu d'en donner carrément cinq ou six grandes bouteilles à chacun d'eux!

Feminist Themes in Western Literature

Invite an English teacher to speak to your class about a famous piece of literature with feminist themes, for example, *A Doll's House* by Henrik Ibsen. Or ask the teacher to discuss the development of feminist themes in Western literature in the 19th and 20th centuries. After the lecture, encourage students to share their perceptions of female protagonists in novels that they have read in English class or for their own pleasure. Finally, have students discuss what novels with strong female characters they would recommend to a female relative and explain why.

Teaching Note

After students have read this excerpt from Act III of *Trois Prétendants, un Mari*, they may want to learn that, at the end of the play, Juliette dupes her father through a ruse involving her suitors' dowries and gets to marry the suitor that she loves.

16 Possible answers:

1. Elles préparent le dîner. Bella prend des arachides qu'elle met dans un panier. Makrita épluche des plantains qu'elle met dans la marmite qui bout. Juliette décortique des arachides.
2. Juliette refuse d'épouser le fonctionnaire riche.
3. Il a payé son éducation.
4. Il viendra demander la main de Juliette parce qu'elle est belle et séduisante et, de plus, elle est collégienne.
5. Juliette a deux prétendants.
6. Une bru l'aiderait à semer des arachides et du maïs dans ses champs.
7. Matalina pense qu'il est amoureux de Juliette parce qu'il a versé deux cent mille francs de dot.
8. Selon Matalina, un prétendant devrait offrir des cadeaux à la femme qu'il aime.
9. Elles pensent que le fiancé de Juliette n'est pas un prétendant sérieux parce qu'il n'offre pas de cadeaux, il n'a pas de voiture, il ne gagne pas beaucoup d'argent, il ne possède pas une grande maison et il n'est pas au Gouvernement.
10. Bella pense que Juliette cause tant de déception parce que Juliette aime son fiancé sans la permission de sa famille.
11. Selon Bella, Juliette doit apporter de la nourriture, des boissons et des richesses de la ville à sa famille.
12. Matalina suggère que Juliette trouve un grand bureau à Yaoundé, au ministère surtout.
13. Juliette devrait servir cinq ou six grandes bouteilles de vin à ses oncles.
14. Non, Juliette ne change pas son attitude à la fin. Elle veut toujours épouser son fiancé pauvre.
15. Answers will vary.

Bella: (*allant se rasseoir*) Peut-être qu'elle va...

Makrita: (*se redressant*) Je sais comment ces filles d'aujourd'hui traitent les membres de leur famille à Sangmélima! Chaque fois que nous irons lui rendre visite, Juliette va sans doute essayer de se débarrasser de nous après trois semaines seulement, sous prétexte que la nourriture coûte cher en ville!

Juliette: (*éclate d'un rire joyeux*) Ah ah! C'est donc pour cela que tout le monde de ce village tient à me donner au fonctionnaire?....

(*Voix d'hommes dans les coulisses.*)

Bella: Tiens, Juliette! Voilà ton père et ton grand-père qui reviennent de chez le chef! Va vite allumer la grosse lampe à pression avant que mon fils ne commence à rouspéter!

16 ▶ Trois Prétendants, un Mari

Répondez aux questions suivantes.

1. Que font Bella, Makrita et Juliette dans la cuisine?
2. Selon Bella, comment est-ce que Juliette désobéit à sa famille?
3. Au lieu d'épouser d'autres femmes ou de doter une femme à son fils, comment le père de Juliette a-t-il dépensé l'argent de son cacao?
4. Selon sa mère, pourquoi est-ce qu'un grand monsieur viendra demander la main de Juliette?
5. Combien de prétendants Juliette a-t-elle?
6. Comment une bru aiderait-elle la mère de Juliette?
7. Pourquoi Matalina pense-t-elle que le fonctionnaire soit amoureux de Juliette?
8. Selon Matalina, qu'est-ce qu'un prétendant devrait faire pour montrer son amour?
9. Pourquoi est-ce que Matalina, Bella et Makrita pensent que le fiancé de Juliette ne soit pas un prétendant sérieux?
10. Pourquoi Bella pense-t-elle que Juliette cause tant de déception?
11. Selon Bella, quelles sont les obligations familiales de Juliette?
12. Que suggère Matalina puisque Juliette ne veut pas épouser un grand homme?
13. Une fois mariée, qu'est-ce que Juliette devrait servir à ses oncles, selon sa mère?
14. Juliette change-t-elle son attitude à la fin? Que veut-elle finalement?
15. À ton avis, Juliette est-elle courageuse ou obstinée? Pourquoi?

17 ▶ Faites un schéma!

Faites un schéma comme celui qui se trouve à la page 417. À gauche écrivez cinq descriptions ou citations de la pièce qui ont une importance culturelle. À droite écrivez l'inférence culturelle de chaque phrase.

Teaching Note

Some new words used in the play and cognates not found in the end vocabulary of *C'est à toi!* are used to ask questions about *Trois prétendants, un Mari* in Activity 16.

18 ‣ **Une lettre à Juliette**

Imaginez que Juliette est votre correspondante. Elle vient de vous écrire une lettre où elle a expliqué la culture camerounaise en ce qui concerne le mariage. Écrivez-lui une lettre dans laquelle vous lui expliquez les attitudes américaines sur le mariage. Par exemple, pourquoi est-ce qu'on instruit (educate) les filles aux États-Unis? Comment savez-vous si quelqu'un vous aime? Quelles sont les qualités que vous respectez dans un(e) partenaire? La décision de se marier, est-ce une décision individuelle ou familiale? Quelles sont les obligations familiales d'une femme après son mariage?

19 ‣ **À vous de jouer!**

Avec un(e) partenaire, jouez les rôles de Juliette et de son père. Juliette explique pourquoi elle refuse ses deux prétendants et veut toujours se marier avec l'étudiant pauvre. Son père explique la position de la famille en ce qui concerne son mariage et pourquoi elle doit suivre ses conseils.

Dossier fermé

Imagine que tu es à Niamey (au Niger), à Abidjan (en Côte-d'Ivoire) ou à Dakar (au Sénégal) en visite touristique. Tous les sites africains et leurs couleurs riches t'impressionnent. Tu vois une femme en jupe et avec un foulard de tête de couleurs vives, et tu veux la prendre en photo. Mais cette femme se fâche. Pourquoi?

    B. Selon la tradition islamique, les Africains n'aiment pas que les touristes les prennent en photo.

Traditionnellement, les Africains n'aiment pas être photographiés sans leur permission.

Certains Africains acceptent d'être photographiés en échange d'argent. (Dakar)

quatre cent vingt et un
Leçon B

421

Les entretiens

Have students interview exchange students to learn about cultural differences in their countries. Tell students to choose one cultural fact or practice and write a paragraph in which that cultural difference is outlined or hinted at. For example, a student who interviewed a Mexican exchange student might write the following: "On the Day of the Dead, Pedro walks to the cemetery with his family. His mother puts flowers on his grandfather's grave. Then she places a blanket on the grass. Pedro opens the basket he carried and places the sandwiches, beverages and apples on separate plates for his parents and brother and sister." Then have each student exchange his or her paragraph with that of another student. Students read the paragraph they received and make a chart, listing a textual clue and a cultural inference that they can make. For example, (Textual clue) "On the Day of the Dead, Pedro and his family go to the cemetery, put flowers on his grandfather's grave and eat lunch." (Cultural inference) "The Day of the Dead is when Mexican families remember their dead relatives with flowers and picnics at the loved one's grave."

Comparisons

La vie des femmes

Have students write a composition describing the lives of their grandmother, mother and sister (or female cousin). Students can include the educational background, age of marriage, profession and hobbies of all three females. Students can make predictions based on their present knowledge of the sister or female cousin's choices and dreams for herself. Have students conclude with a commentary on any social changes they see as having taken place in the United States in three generations. Finally, you may want to hold a class discussion in which the lives of present-day American women are compared to the lives of the African women in the play.

Answers

Évaluation culturelle
1. vraie
2. vraie
3. fausse
4. vraie
5. vraie
6. vraie
7. fausse
8. vraie
9. fausse
10. vraie

FYI

1. Most of the women of Niger wear long, wrap-around skirts with blouses and sandals. In many areas men wear pants or knee-length shorts with loose shirts or robes. Tuareg men wear turbans with veils. Nomadic tribes who live in the Sahara wear long, loose robes. 2. The major ethnic groups of Niger are the Hausa, the Djerma-Songhai and the Kanuri. The Hausa make up over half of the country's population. Between one-fourth and one-fifth of the people belong to the Djerma-Songhai group, and only about five percent of the population are Kanuri. All these groups are farmers. The nomadic Fulani and Tuareg together make up about 16 percent of the population. During the rainy season, from July to September, they live in the Sahara. In dry months they travel south in search of water and pastureland. 3. About 80 percent of the work force of Mali is engaged in agriculture. Women help plant and harvest crops and raise livestock. The leading crops are rice, cassava, corn, millet, sorghum, sugar cane, cotton and peanuts. Most Malian farmers cannot afford agricultural machinery, so they depend on hand tools for almost all their work. Cotton is Mali's chief export, earning about half the country's export income. Other exports include gold, livestock, fish, leather products, meat and peanuts. The production of textiles is the leading manufacturing activity. Most of the country's largest industrial plants were built with foreign aid. Mali's economy has been troubled by sharp drops in world cotton prices and large increases in the cost of imported petroleum and other fuels.

Évaluation

✓ Évaluation culturelle

*Pour voir si vous avez bien compris la culture francophone, décidez si chaque phrase est **vraie** ou **fausse**.*

1. Le Niger était une vieille colonie française.
2. Le Niger et le Mali se trouvent dans le désert du Sahara.
3. Le Niger et le Mali sont parmi les pays les plus riches d'Afrique.
4. La religion principale au Niger et au Mali est l'islam.
5. Selon l'islam, un homme peut avoir jusqu'à quatre femmes.
6. Le Niger et le Mali ont des artisans qui créent des pagnes, des foulards de tête et de la maroquinerie.
7. L'économie du Mali dépend des artisans.
8. Les habitants du Niger et du Mali n'aiment pas qu'on les prenne en photo.
9. Niamey est la capitale du Mali.
10. Oumou Sangaré est une chanteuse malienne qui est très engagée.

La France a colonisé le Niger au début du vingtième siècle. (Niamey)

✓ Évaluation orale

 Avec un(e) partenaire, parlez d'un voyage ou de vacances dont vous vous souvenez bien. Interviewez votre partenaire pour savoir pourquoi ce voyage ou ces vacances ont été mémorables pour lui ou elle. Aidez votre partenaire à s'en rappeler les détails en lui demandant de vous dire ou de vous décrire:

- les préparatifs qu'il ou elle avait faits avant son départ
- où il ou elle est allé(e)
- quand il ou elle est parti(e)
- comment il ou elle a voyagé
- s'il ou elle a voyagé avec sa famille ou avec des copains
- la durée du voyage ou des vacances
- si c'était sa première visite à cet endroit
- le temps qu'il faisait là-bas
- ce qu'il ou elle a fait pour s'amuser
- s'il ou elle a visité des sites historiques, des monuments ou des musées
- s'il ou elle a acheté des souvenirs
- s'il ou elle voudrait y retourner un jour et pourquoi

Après l'interview, changez de rôles et répondez aux questions que votre partenaire vous pose.

✔ Évaluation écrite

Maintenant écrivez une lettre à un(e) correspondant(e) francophone où vous décrivez le voyage ou les vacances spéciales dont vous vous êtes souvenu(e) dans l'activité précédente. Donnez-lui tous les détails aussi bien que vos impressions générales. Servez-vous des expressions comme **d'abord**, **puis**, **ensuite**, **après cela**, **enfin**, etc., pour lier vos phrases. Si vous voulez, vous pouvez utiliser comme modèle la lettre que Moussa a écrite à Yakaré aux pages 404-5.

✔ Évaluation visuelle

Imaginez que vous êtes Malika, une fille qui habite au Niger. Dans une lettre à votre cousine Latifa, décrivez votre journée au musée national de Niamey avec votre ami Mamadou. Racontez ce que vous avez vu et fait, en utilisant les illustrations et les nouvelles expressions de cette unité. (Avant de commencer, regardez les sections Révision de fonctions aux pages 424-26 et Vocabulaire à la page 427.)

Évaluation visuelle
Possible letter:

Niamey, le 22 mai

Chère Latifa,
 Un grand "Salut" de Niamey! Je t'écris pour t'envoyer de mes nouvelles et pour recevoir des tiennes.
 Ici tout va bien. Hier j'ai eu l'occasion d'aller au musée national de Niamey pour la première fois. Heureusement, mon copain Mamadou a pu m'accompagner. Je te rappelle qu'on s'est rencontré au lycée. Je portais mon pagne violet et un foulard de tête jaune. Je n'aime pas me vanter, mais j'étais très belle!
 Pour commencer nous avons visité le pavillon avec ses cases en banco. En les voyant, je pouvais imaginer comment vivaient les paysans autrefois. À cette époque-là les hommes chassaient et les femmes préparaient le gibier. La vue de la concession devant un gratte-ciel m'a beaucoup plu. Mamadou voulait prendre une photo, mais, malheureusement, il avait laissé son appareil-photo chez lui. Sais-tu qu'un zoo fait partie du musée? Nous avons vu une autruche, une hyène et un singe.
 Ensuite nous sommes allés voir la maroquinerie dans l'atelier des artisans. Mamadou m'a prêté de l'argent parce que je n'en avais pas assez pour acheter un sac à main. Il est en peau de chèvre, et je l'aime beaucoup.
 Après avoir admiré les tapis fins de l'artisan, nous avons pris des sandwichs dans le snack-bar. J'ai partagé le mien avec Mamadou. Malheureusement, nous n'avons pas eu le temps de voir les autres pavillons d'exposition. Je m'arrête là. Quels sont tes projets pour les vacances?

Grosses bises,
Malika

Révision de fonctions

Can you do all of the following tasks in French?

- I can write a letter.
- I can tell a story.
- I can talk about what happened in the past.
- I can talk about things sequentially.
- I can use linking expressions to connect narration.
- I can give information about various topics, including passing tests.
- I can tell location.
- I can ask what something is.
- I can identify objects.
- I can say that something belongs to someone.
- I can boast.
- I can express enthusiasm.
- I can compare people and things.
- I can remind someone about something.
- I can express my indifference about something.
- I can say that I'm disappointed.

Je vous rappelle qu'il y aura une boum chez moi le 25 mai.

To write a letter, use:

Un grand "Salut" de la campagne! — *A big "Hi" from the country!*
J'écris pour t'envoyer de mes nouvelles et pour recevoir des tiennes. — *I'm writing to send you my news and to get yours (news from you.)*
Ici tout va bien. — *Here everything is fine.*
Je m'arrête là. — *I'll quit for now.*

To tell a story, use:

Mon grand-père m'a raconté comment était la vie quand il avait mon âge.
Au bon vieux temps, il allait souvent à la chasse.

My grandfather told me how life was when he was my age.
In the good old days, he often went hunting.

Il y a des régions où on continue à préparer le mil comme au bon vieux temps. (Niger)

To describe past events, use:

Elle était venue faire ses études d'infirmière.
Si **j'avais su** que c'était si passionnant....
Quant au gibier, **il partageait** quelquefois le sien avec ses amis.

She had come to study nursing.
If I had known that it was so fascinating . . . .
As for game, he sometimes shared his with his friends.

To sequence events, use:

Je lui ai expliqué que **de nos jours**, les étudiants s'intéressent à finir leurs études.
Autrefois, ils pensaient que l'éducation religieuse était plus importante.

I explained to him that today, students are interested in finishing their studies.
Formerly, they thought that religious education was more important.

De nos jours on envoie plus d'e-mails que de lettres.

quatre cent vingt-cinq
Leçon B

To use links, use:

À cette époque-là, les parents envoyaient
presque tous leurs enfants à l'école coranique.

*At that time, parents sent almost all
their children to the Islamic school.*

À cette époque-là, on
construisait des forteresses
pour protéger les habitants
de l'ennemi. (Angers)

To give information, use:

Je l'ai informé de mon succès au bac.

I informed him about my success in the bac.

To tell location, use:

Elles sont **de l'autre côté**.

They are on the other side.

To ask what something is, use:

Qu'est-ce que c'est que ce pavillon à côté?

What is this next pavilion?

To identify objects, use:

Elles **sont à vous**, Monsieur?
Oui, oui. Elles **sont à moi**.

Do they belong to you, Sir?
Yes. They are mine.

To express ownership, use:

J'écris pour t'envoyer de mes nouvelles et
pour recevoir **des tiennes**.
Quand au gibier, il partageait **le sien** avec
ses amis, et ils partageaient **le leur** avec lui.
Les miennes sont trop longues.

*I'm writing to send you my news and to
get yours (news from you).*
*As for game, he shared his with his friends,
and they shared theirs with him.*
Mine are too long.

To boast, use:

Je n'aime pas me vanter, mais c'est un
travail très fin.

*I don't like to boast, but it's very
intricate work.*

To express enthusiasm, use:

C'est fantastique qu'on puisse voir un peu
de notre pays ici.

*It's fantastic that one can see a little
of our country here.*

To compare, use:

Par contre, aujourd'hui il faut protéger
la faune.

*On the other hand, today we have to
protect animal life.*

To remind, use:

Je vous **rappelle** que tout est en
solde aujourd'hui.

*I remind you that everything is on
sale today.*

To express indifference, use:

Bof!

What can I say?

To express disappointment, use:

Malheureusement, j'ai oublié mon
appareil-photo.

Unfortunately, I forgot my camera.

Vocabulaire

abondant(e) plentiful B
ainsi que as well as B
une antilope antelope A
un appareil-photo camera A
un artisan craftsperson A
un atelier workshop A
autrefois formerly B
une autruche ostrich A
le banco adobe A
un baobab baobab tree B
Bof! What can I say? A
une case hut A
chasser to hunt B
une concession African housing area A
un contraste contrast A
contre: par contre on the other hand B
coranique of the Islamic religion B
côté: de l'autre côté on the other side A
de l'autre côté on the other side A
de nos jours these days B
de sorte que so that B
un dinosaure dinosaur A
emprunter (à) to borrow (from) A
une époque time B
être à to belong to A
faire partie de to be a part of A
fantastique fantastic A
la faune animal life B
fin(e) intricate A
un franc franc A
une gazelle gazelle B
le gibier game B
un gratte-ciel skyscraper A
une habitude habit B
une hyène hyena A
informer to inform B
un instrument instrument A
s' intéresser à to be interested in B
jour: de nos jours these days B
le leur, la leur theirs B

malheureusement unfortunately A
le Mali Mali B
la maroquinerie leather goods A
le mil millet B
le mien, la mienne mine B
modèle model A
le moyen means B
le Niger Niger A
le nôtre, la nôtre ours B
des nouvelles (f.) news B
une occasion opportunity B
un pagne African skirt A
une paire pair A
par: par contre on the other hand B
partager to share B
un pavillon pavilion, hall A
un paysan, une paysanne peasant A
une peau skin A
la pluie rain B
pourri(e) spoiled B
pourtant however B
pousser to grow B
prêter to lend A
un projet plan B
Qu'est-ce que c'est que...? What is . . . ? A
rappeler to remind A
religieux, religieuse religious B
se rencontrer to meet A
une réussite success B
le Sahara Sahara A
le sien, la sienne his, hers, its, one's B
un snack-bar snack bar A
une sorte: de sorte que so that B
un squelette skeleton A
temps: au bon vieux temps in the good old days B
le tien, la tienne yours B
traditionnel, traditionnelle traditional A
se vanter to boast A
le vôtre, la vôtre yours B

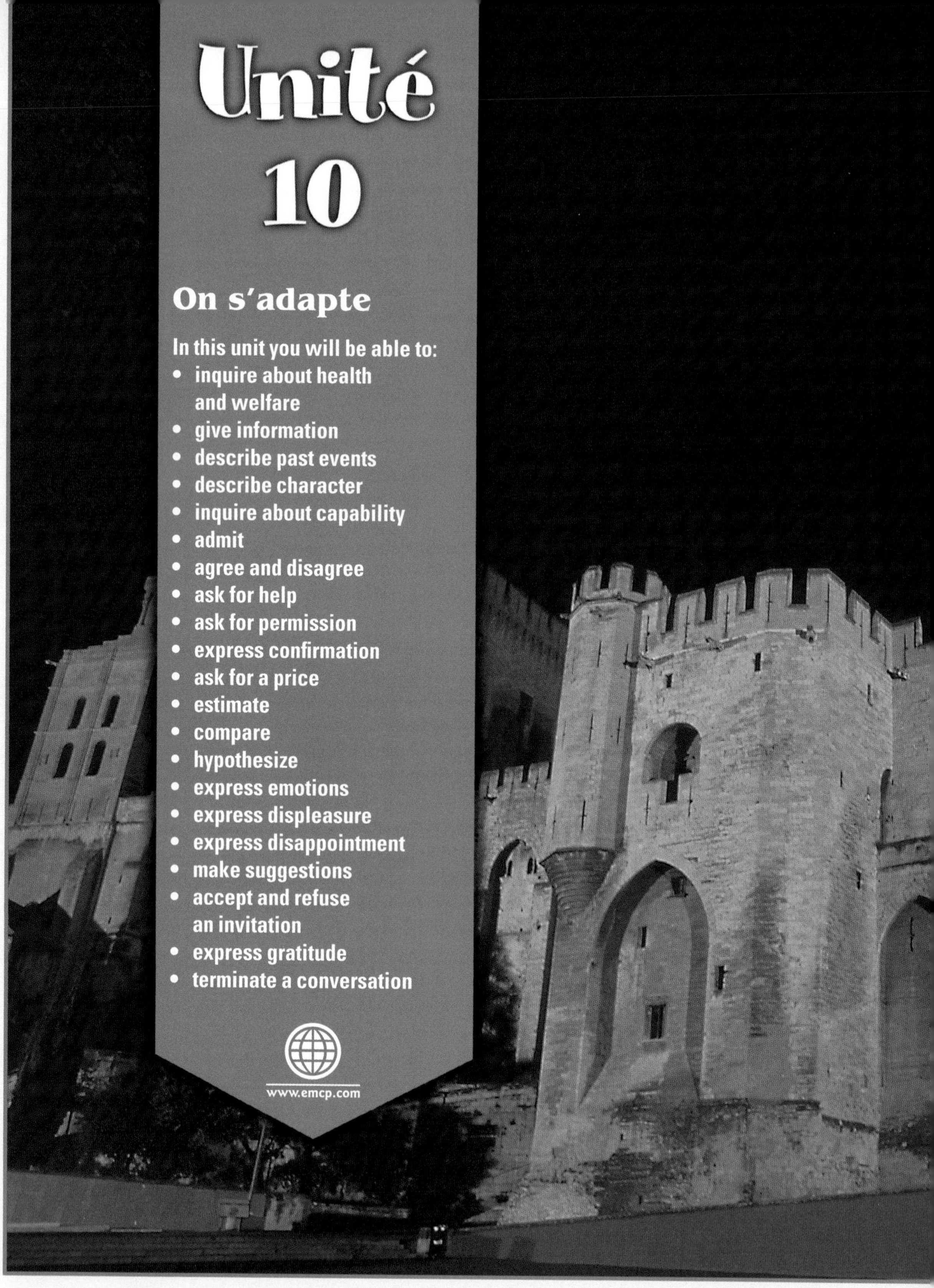

Unité 10

On s'adapte

In this unit you will be able to:
- inquire about health and welfare
- give information
- describe past events
- describe character
- inquire about capability
- admit
- agree and disagree
- ask for help
- ask for permission
- express confirmation
- ask for a price
- estimate
- compare
- hypothesize
- express emotions
- express displeasure
- express disappointment
- make suggestions
- accept and refuse an invitation
- express gratitude
- terminate a conversation

www.emcp.com

428

quatre cent vingt-neuf

Tes empreintes ici

Imagine que tu tombais malade pendant un voyage dans un pays francophone et que tu avais besoin d'un médecin. Comment est-ce que tu te débrouillerais? À qui parlerais-tu? Où irais-tu? Quels mots faudrait-il savoir pour expliquer tes problèmes au médecin? Puis après avoir parlé au médecin, il faudrait que tu expliques ce que tu voudrais au pharmacien ou à la pharmacienne. Pourrais-tu le faire?

Est-ce que tu as jamais acheté un truc électronique qui ne marchait pas? Si oui, qu'est-ce que tu as fait? Est-ce que tu es retourné(e) au magasin pour t'en plaindre? Est-ce que tu étais satisfait(e) de ce que les employés du magasin ont offert de faire? Pourrais-tu faire la même chose si tu étais dans un pays francophone? Il est important de savoir te préparer le mieux possible pour toutes tes aventures en voyage dans des pays francophones.

Saurais-tu que dire au pharmacien si tu tombais malade pendant un voyage en France?

Dossier ouvert

Si tu étais en France et tu voyais un accident dans la rue et que quelqu'un avait besoin d'aide médicale, que ferais-tu?

A. J'essaierais de trouver les parents de la personne malade.
B. Je ferais le 15 sur un téléphone.
C. Je téléphonerais au commissariat.

Teaching Note

Communicative functions that are recycled in this lesson are "expressing likes and dislikes," "describing past events," "sequencing events," "expressing fear" and "expressing need and necessity."

une salle d'attente

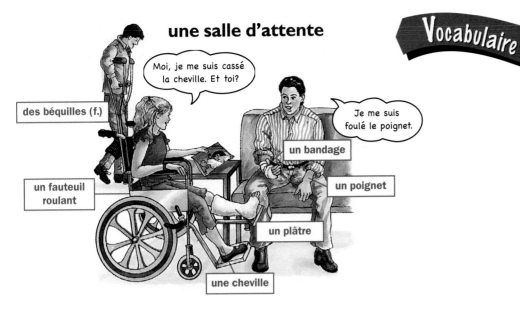

Moi, je me suis cassé la cheville. Et toi?

Je me suis foulé le poignet.

des béquilles (f.)

un fauteuil roulant

un bandage

un poignet

un plâtre

une cheville

une pharmacie

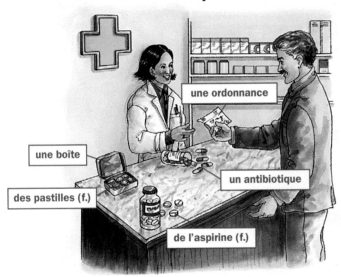

une ordonnance

une boîte

un antibiotique

des pastilles (f.)

de l'aspirine (f.)

Vocabulaire

Conversation culturelle

Karine et Mathieu sont des camarades de classe qui habitent le même immeuble à Paris. C'est mercredi, donc ils n'ont pas cours. Karine adore l'histoire. Voilà pourquoi elle est allée à Fontainebleau ce matin. Quant à Mathieu, il trouve le foot passionnant. C'est pourquoi il y jouait avec ses copains. Tous les deux sont maintenant dans la salle d'attente d'un hôpital. Karine et Mathieu sont assis l'un à côté de l'autre.° Elle est dans un fauteuil roulant, sa jambe gauche° élevée.° Il a mal au poignet droit.° Son poignet est entouré° d'un bandage. Karine et Mathieu ne parlent pas de n'importe quel° sujet. Ils parlent de leurs blessures,° naturellement.

l'un(e) à côté de l'autre *next to each other*; **gauche** *left*; **élevé(e)** *pas baissé(e)*; **droit(e)** *right*; **entouré(e)** *wrapped*; **n'importe quel, n'importe quelle** *just any*; **une blessure** *wound*

quatre cent trente et un
Leçon A

431

 Workbook Activities 1-2

 Grammar & Vocabulary Exercises 1-3

 Audio CD *Une salle d'attente, Une pharmacie, Conversation culturelle*

 Transparencies 29-30

FYI

1. A synonym for **un bandage** is **un pansement**. 2. Other related terms and expressions include **un comprimé** (*tablet*), **un brancard** (*stretcher*), **un tourniquet** (*tourniquet*), **une canne** (*cane*), **une cassure** (*break*), **une foulure** (*sprain*), **un rayon X** (*X ray*) and **se faire faire une radio** (*to have an X ray*).

Game

L'ordre chronologique

On an overhead transparency write pairs of related sentences that summarize events in the dialogue, for example, **Karine s'est cassé la cheville gauche** and **Elle s'est cassé la cheville droite.** Divide the class into two teams. Call on the first player from Team A to order the first pair of sentences correctly using **d'abord** and **ensuite,** for example, **D'abord, Karine s'est cassé la cheville droite. Ensuite, elle s'est cassé la cheville gauche.** If the student orders the pair of sentences correctly, he or she earns a point for Team A. If not, the first player from Team B takes a turn with the next pair of sentences. When all the pairs of sentences have been ordered, the team with the most points wins.

Karine a visité le château de Fontainebleau.

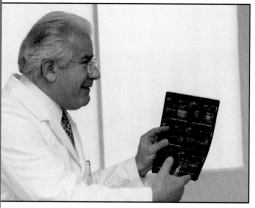

La radiographie montre une cheville cassée.

Karine: Tu attends depuis combien de temps?

Mathieu: Je suis ici depuis déjà deux heures.

Karine: Oh, mon pauvre! Tu es ici depuis plus de temps que moi. Moi, ça fait une heure.

Mathieu: Qu'as-tu fait?

Karine: Après avoir passé toute la journée à Fontainebleau, j'étais pressée de rentrer chez moi. Quand je suis descendue du train, je suis tombée. J'avais tellement mal à la cheville, tu ne peux pas imaginer. Je me suis vite rendu compte que je ne pouvais pas me lever. Heureusement, j'ai pu demander à quelqu'un de gentil de venir m'aider. Cette femme est allée téléphoner au SAMU.° Grâce à Dieu, ils sont vite arrivés. Et toi?

Mathieu: Je jouais au foot avec quelques copains. J'avais le ballon° quand un des gars a essayé de le rattraper.° Il courait si vite que quand il m'a heurté, je suis tombé. Je savais tout de suite que je m'étais fait mal° au poignet. Ma mère m'a emmené à la salle des urgences.° Maintenant elle cherche une canette° de coca pendant que j'attends les résultats de la radiographie.° On t'a déjà fait une radiographie?

Karine: Oui, plusieurs. Moi aussi, j'attends les résultats. J'ai peur que ma cheville soit cassée.° Après tout, un tel° accident pourrait arriver° à n'importe qui.°

Mathieu: C'est vrai. Oh, voilà, j'entends mon nom. Je te reverrai° après peut-être....

Karine: Tiens! On m'appelle aussi maintenant. Alors, à bientôt.

Après une heure Karine et Mathieu se retrouvent° dans la salle d'attente.

Mathieu: **Alors, je vois que tu as un plâtre.**

Karine: Oui, ça va durer deux mois. On a vu sur la radiographie que je m'étais cassé° la cheville. Et toi, tu n'as qu'un bandage?

le **SAMU** le service d'assistance médicale d'urgence (*emergency medical service*); un **ballon** (*inflated*) *ball;* **rattraper** *to trap;* **se faire mal** *to hurt oneself;* une **salle des urgences** *emergency room;* une **canette** une boîte; une **radiographie** X *ray;* **cassé(e)** *broken;* un **tel**, une **telle** *such a;* **arriver** se passer; **n'importe qui** *anyone;* **revoir** *to see again;* **se retrouver** se rencontrer; **se casser** *to break*

Teaching Notes

1. Point out that **ça fait** plus an expression of time is equivalent to "for," as in **Ça fait une heure** (*For an hour*).

2. You may want to point out the difference between a hard ball, **une balle,** and an inflated ball, **un ballon.**

3. Students learned **une boîte,** a synonym for **une canette,** in **Unité 8** in the first level of *C'est à toi!*

4. **Plusieurs** is used here as an indefinite pronoun, not an indefinite adjective.

5. **Un tel** changes to **de tels** in the plural.

6. **Se passer,** another expression for **arriver,** means "to happen" and was presented in **Unité 2** in the third level of *C'est à toi!*

7. Remind students that the prefix **re-** in **revoir** means "to do (something) again."

Mathieu: Oui. Je l'aurai pour trois ou quatre semaines. Je me suis foulé° le poignet. C'est vraiment quelque chose d'embêtant,° moi qui suis sportif. Pas de chance! Tu n'as pas trop de mal à marcher avec des béquilles?

Karine: J'aurai autant de° mal au début que la dernière fois. Je me suis déjà cassé l'autre cheville.

Mathieu: Dis donc, comment vas-tu rentrer chez toi? Ma mère pourrait te conduire, donc tu n'aurais pas besoin d'un taxi.

Karine: Ça serait très gentil. Je te serais très reconnaissante. Mais d'abord il faut aller à la pharmacie. On m'a donné une ordonnance pour un antibiotique.

Mathieu: Moi aussi, et j'ai besoin d'une boîte de pastilles et d'aspirine. Oh, voilà ma mère. Allons-y!

se fouler *to sprain*; **embêtant(e)** *annoying*; **autant de** *as much*

M. Curel s'arrête à la pharmacie avant de rentrer chez lui.

 Karine ou Mathieu?

 Si l'on parle de Karine, écrivez "K." Si l'on parle de Mathieu, écrivez "M."

quatre cent trente-trois
Leçon A
433

 Audio CD Activity 1

Answers

1 1. M
2. K
3. M
4. K
5. K
6. M
7. K

Teaching Note

Point out that **embêtant** belongs to the same word family as **embêter**, presented in **Unité 5** in the third level of C'est à toi!

433

Answers

2 1. Mercredi matin Karine est allée à Fontainebleau et Mathieu a joué au foot.

2. Ils sont dans la salle d'attente d'un hôpital.

3. Mathieu est dans la salle d'attente depuis deux heures, et Karine y est depuis une heure.

4. Une femme est allée téléphoner au SAMU.

5. Ils attendent les résultats de la radiographie.

6. Karine s'est cassé la cheville, et Mathieu s'est foulé le poignet.

7. Karine va avoir un plâtre pour deux mois.

8. Avant de rentrer chez eux, ils vont à la pharmacie. Tous les deux ont une ordonnance pour un antibiotique, et Mathieu a besoin d'une boîte de pastilles et d'aspirine.

3 1. vrai

2. faux
   Quelqu'un de gentil a aidé Karine en téléphonant au SAMU.

3. faux
   Mathieu est tombé parce qu'un des garçons a essayé de rattraper le ballon, et ce garçon courait si vite qu'il a heurté Mathieu.

4. vrai

5. vrai

6. faux
   Mathieu trouve que se fouler le poignet est vraiment quelque chose d'embêtant.

7. faux
   Karine s'est déjà cassé l'autre cheville.

8. faux
   La mère de Mathieu va les conduire chez eux.

4 Answers will vary.

---

2 ▸ **Dans la salle d'attente**

Répondez aux questions suivantes d'après le dialogue.

1. Qu'est-ce que Karine et Mathieu ont fait mercredi matin puisqu'ils n'avaient pas cours?
2. Où sont-ils maintenant?
3. Depuis combien de temps sont-ils dans la salle d'attente?
4. Qu'a-t-on fait pour aider Karine?
5. Qu'est-ce que Karine et Mathieu attendent dans la salle d'attente?
6. Quelles blessures ont-ils?
7. Pour combien de temps Karine va-t-elle avoir un plâtre?
8. Où vont Karine et Mathieu avant de rentrer chez eux? Pourquoi?

3 ▸ **Vrai ou faux?**

Répondez par "vrai" ou "faux" d'après le dialogue. Puis corrigez les fautes dans les phrases qui sont fausses.

1. Karine ne pouvait pas se lever parce qu'elle avait très mal à la cheville.
2. Quelqu'un de méchant a aidé Karine en téléphonant au SAMU.
3. Mathieu est tombé parce qu'il ne sait pas jouer au foot.
4. Karine a peur que sa cheville soit cassée.
5. Mathieu n'a qu'un bandage qu'il doit porter pour trois ou quatre semaines.
6. Mathieu trouve que se fouler le poignet est vraiment quelque chose d'amusant.
7. Karine ne s'est jamais cassé la cheville.
8. Mathieu et Karine vont rentrer à leur immeuble en taxi.

4 ▸ **C'est à toi!**

Questions personnelles.

1. Qu'est-ce que tu aimes faire quand tu n'as pas cours?
2. Est-ce que tu es membre d'une équipe? Si oui, de quelle équipe?
3. Est-ce que tu as jamais eu mal après un match? Si oui, où as-tu eu mal? Qu'est-ce que tu as fait?
4. Quand tu as une blessure, qu'est-ce que tu fais?
5. Est-ce que tu as eu un accident cette année? Si oui, qu'est-ce qui s'est passé?
6. Est-ce que tu t'es jamais foulé quelque chose? Si oui, quoi? Est-ce que tu t'es jamais cassé quelque chose? Si oui, quoi?
7. Est-ce que tu as jamais été à l'hôpital? Si oui, pour combien de temps?
8. Est-ce que tu aimes regarder les émissions à la télé qui ont lieu dans la salle des urgences d'un hôpital? Si oui, lesquelles?

As-tu jamais visité une salle des urgences?

Fontainebleau

Fontainebleau est un des châteaux les plus célèbres de France. Au centre d'une vaste et très belle forêt, le château se trouve dans la ville du même nom à 56 kilomètres au sud-est de Paris. Le nom de Fontainebleau vient de "fontaine de belle eau," ce qui confirme la beauté de la région. Le style d'architecture de la façade principale du château montre l'influence de la Renaissance italienne.

Ce château est la réalisation des idées de plusieurs rois. Le palais que nous voyons aujourd'hui date du temps de François Ier, roi de France de 1515 à 1547. Il a fait construire un château royal dans la forêt

De ses cinq cours (*courtyards*), la plus célèbre du château de Fontainebleau s'appelle la Cour du Cheval Blanc.

parce qu'il aimait la chasse et avait besoin d'une résidence près de cet endroit. D'autres rois de France ont souvent fréquenté le château de Fontainebleau et ont passé des mois dans ce lieu tranquille et loin du travail de la cour. L'aspect le plus notable du château est l'escalier de l'entrée qui a la forme d'un demi-cercle. On l'appelle "l'Escalier du Fer à Cheval." C'était ici que l'empereur Napoléon Ier a dit "adieu" à sa garde avant de partir en exil pour l'île d'Elbe en 1814. Bientôt après son retour en France, il a signé son acte d'abdication dans le château.

Beaucoup de jeunes footballeurs rêvent de jouer pour une équipe professionnelle un jour.

Le football

Tout le monde sait que le sport qui intéresse le plus les Français, c'est le football. Il n'y a pas d'équipes de foot aux lycées, mais on y joue beaucoup en équipes organisées par les Maisons des Jeunes et de la Culture, par les villes ou même entre copains. Toutes les grandes villes ont une équipe professionnelle qui joue contre d'autres équipes municipales. En été les meilleures équipes du monde de foot se présentent aux matchs de la Coupe du Monde de foot. En 1998 la Coupe du Monde a eu lieu en France, et la France l'a gagnée.

quatre cent trente-cinq
Leçon A
435

FYI

1. The forest surrounding Fontainebleau has the same name as the château and the town. French kings, lovers of hunting, often built their castles near woods stocked with game. Artists have been drawn to the forest since the 1840s, when Théodore Rousseau, Jean-François Millet and others determined to paint from nature. They settled in the nearby hamlet of Barbizon, where Rousseau's workshop has been turned into a museum dedicated to the **École de Barbizon.** 2. There has been a château at Fontainebleau ever since the 12th century, when it was a feudal stronghold. A medieval tower survives, but the present château is the work of François Ier, whose salamander emblem can be seen throughout Fontainebleau. In the Galerie François Ier 14 large paintings pay tribute to the Italian Renaissance and that king's wish to create "a second Rome."

Teaching Notes

1. The **Maisons des Jeunes et de la Culture** were introduced on page 225 in the second level of *C'est à toi!*
2. Cognates in this reading include **vaste, forêt, fontaine, confirme, région, style, architecture, façade, réalisation,** palais, date, royal, résidence, fréquenté, tranquille, aspect, notable, demi-cercle, adieu, garde, exil, retour, acte, abdication, professionnelle, municipales, Coupe, assistance, médicale, installées, public, chargé, demande, urgente, déterminé, ambulance, assurer, transport, organiser, existence, approprié, extrême, victimes, Samaritain, biblique, qualité, généralement, produits, pharmaceutiques, édifice, croix, directement and client.

435

1. When you call **le SAMU**, the dispatcher takes down details of your problem and then sends out a private ambulance with a driver (about 50 euros) or, if necessary, a mobile intensive care unit. For less serious problems, **le SAMU** will dispatch a doctor for a house call. If you prefer to be taken to a particular hospital, you should mention this to the ambulance crew, as the usual procedure is to take you to the nearest one. In emergency cases (those requiring intensive care units), billing will be taken care of later. Otherwise, you need to pay in cash at the time you receive assistance. 2. "To witness" is **être témoin de**.

Le SAMU

En cas d'urgences, les Français font le 15 sur le téléphone pour appeler le SAMU, le service d'assistance médicale d'urgence, dont il y a 105 stations installées en France. C'est un service public chargé de répondre 24 heures sur 24 heures à la demande d'aide médicale urgente. Déterminé à offrir la meilleure réponse possible, le SAMU décide s'il faut un simple conseil médical, un médecin ou une ambulance. Ensuite il peut envoyer une ambulance pour assurer le transport à l'hôpital ou organiser une équipe

Les employés du SAMU donnent de l'assistance pré-hospitalière.

pour répondre à la demande. L'existence d'un SAMU permet un transport direct à l'hôpital le plus approprié de la région. De plus, le SAMU organise des cours pour mieux préparer les médecins, les infirmières et d'autres personnels médicaux aux besoins d'urgences.

Il est important de savoir que la loi française exige que les personnes qui voient un accident ou un cas de maladie extrême essaient d'aider les victimes. Connue comme "la loi du bon Samaritain" (d'après l'histoire biblique), cette loi cherche à améliorer la qualité de la vie.

Dans une pharmacie française on peut même trouver des remèdes homéopathiques.

À la pharmacie

En France quelques magasins ont le nom "drugstore," mais ce n'est pas là qu'il faut aller avec une ordonnance. Au "drugstore" on peut acheter un peu de tout, et généralement on n'y trouve pas de produits pharmaceutiques. Si vous en avez besoin, vous devez chercher une pharmacie. Sur la façade de l'édifice on voit toujours une croix verte et le mot "pharmacie." Les Français se présentent directement au pharmacien ou à la pharmacienne quand ils veulent des conseils sur une maladie qui n'est pas très grave. En France c'est le client ou la cliente, pas le pharmacien ou la pharmacienne, qui doit garder l'ordonnance.

5 ▶ Fontainebleau, le foot et la santé

Répondez aux questions suivantes.

1. Où se trouve le château de Fontainebleau?
2. Qui a fait construire le château?
3. Pourquoi les rois de France sont-ils allés à Fontainebleau?
4. Quel sport intéresse le plus les Français?
5. Que fait-on quand on a besoin d'assistance médicale en France?
6. Que décide le SAMU?
7. Qu'est-ce que le SAMU organise pour les personnels médicaux?
8. Qu'est-ce que c'est que "la loi du bon Samaritain"?
9. Est-ce que les Français vont au drugstore quand ils ont besoin de produits pharmaceutiques?
10. En France qui garde l'ordonnance?

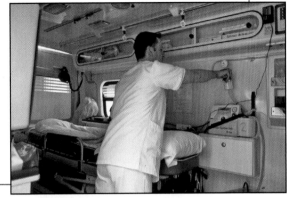

Le SAMU organise des cours pour les personnels médicaux.

Journal personnel

If you saw someone on the pavement who wasn't moving and obviously needed help, what would you do? Would you keep on your way, stop to help the person or phone the police? What would keep you from coming to the person's aid?

The French law of the good Samaritan requires people to help accident victims or those with sudden illnesses. Do you think this is a good law? Do you think it's enforceable? Why or why not? Should we pass a similar law in the United States? Why might some Americans be against passing this law? Do you think their concerns would be justified?

Expressions of quantity

You have already learned a variety of ways to express quantities of things. These expressions are followed by **de** and a noun:

assez de	*enough*
beaucoup de	*a lot of, many*
combien de	*how much, how many*
moins de	*less*
(un) peu de	*(a) little, few*
plus de	*more*
trop de	*too much, too many*

quatre cent trente-sept
Leçon A
437

Teaching Notes

1. The **Langue active** section in **Unité 10** contains both new and recycled grammatical concepts.
2. Expressions of quantity were introduced on page 275 in the first level of *C'est à toi!*

3. Remind students that **de** becomes **d'** before a word beginning with a vowel sound.
4. The noun after **de** may be singular or plural.

437

Cooperative Group Practice

Le barbecue

Put students in small groups. Tell students that their task is to prepare a shopping list for a barbecue. Designate a leader, secretary and reporter for each group. The leader asks the group members who wants a certain food item, for example, **Qui veut des hamburgers**? Then he or she determines the quantity of each item that needs to be purchased, for example, **Combien de hamburgers veux-tu manger?** The secretary records the totals. When each group has finished its list, the secretary gives the list to the reporter, who reports to the class on what his or her group needs to purchase, for example, **Il faut que nous achetions trois kilos de hamburger, un pot de moutarde, un kilo de fromage, une bouteille de ketchup et dix canettes de coca.**

Tu attends depuis **combien de** temps?	*How long (how much time) have you been waiting?*
Tu es ici depuis **plus de** temps que moi.	*You've been here longer (more time) than I have.*
Tu n'as pas **trop de** mal à marcher avec des béquilles?	*It doesn't hurt too much to walk on crutches?*

To tell "as much" or "as many," use **autant de** before a noun.

J'aurai **autant de** mal au début que la dernière fois.	*It will hurt as much at the beginning as last time.*

Tu as autant de crayons et de stylos que la librairie?

Certain nouns also express quantity and are followed by **de**.

une boîte de	*a can of, a box of*
une bouteille de	*a bottle of*
une canette de	*a can of*
un kilo de	*a kilogram of*
un morceau de	*a piece of*
un pot de	*a jar of*
une tasse de	*a cup of*
une tranche de	*a slice of*

J'ai besoin d'une **boîte de** pastilles.	*I need a box of lozenges.*

Pratique

6 Au supermarché

La mère de Mathieu vient de faire les courses au supermarché. Dites la quantité qu'elle a achetée des choses suivantes.

Modèle:

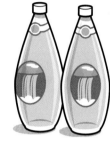

Elle a acheté un pot de confiture.

1.

2.

3.

4.

5.

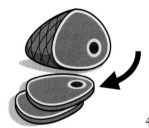

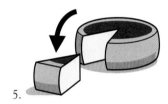

6.

7.

8.

Aurélie et Leïla ont acheté un pot de moutarde et deux bouteilles d'eau minérale. (La Rochelle)

quatre cent trente-neuf
Leçon A
439

Workbook Activities 5-6

Grammar & Vocabulary Exercises 8-11

Answers

7 1. Combien de frères as-tu?
2. Combien de cousines as-tu?
3. Combien de chats as-tu?
4. Combien de cours as-tu?
5. Combien de CDs as-tu?
6. Combien de casquettes as-tu?
Students' responses to these questions and their comparisons will vary.

---

7 **En partenaires**

 Avec un(e) partenaire, posez et répondez aux questions pour déterminer si vous avez plus de, autant de ou moins de ce qu'il ou elle a. Puis comparez vos réponses. Suivez le modèle.

Modèle:

sœurs
A: **Combien de sœurs as-tu?**
B: **J'en ai trois. Et toi, combien de sœurs as-tu?**
A: **J'en ai une.**
B: **Alors, j'ai plus de sœurs que toi.**
A: **Et moi, j'en ai moins que toi.**

1. frères
2. cousines
3. chats
4. cours
5. CDs
6. casquettes

Combien d'amis a Zakia?

Indefinite adjectives

Indefinite adjectives describe inexact quantities or types of things. Like other adjectives, indefinite adjectives agree in gender and in number with the nouns they describe. You have already learned these indefinite adjectives:

aucun(e)... ne (n')	*not one, no*
autre	*other*
certain(e)	*certain*
chaque	*each, every*
même	*same*
la plupart de	*most*
plusieurs	*several*
quelques	*some*
tout(e)	*all, every*

J'ai passé **toute** la journée à Fontainebleau.	*I spent all day at Fontainebleau.*
Je jouais au foot avec **quelques** copains.	*I was playing soccer with some friends.*
Je me suis déjà cassé l'**autre** cheville.	*I already broke my other ankle.*

Two new indefinite adjectives are **n'importe quel**, **n'importe quelle** (*just any*) and **un tel**, **une telle** (*such a*).

Karine et Mathieu ne parlent pas de **n'importe quel** sujet.	*Karine and Mathieu aren't talking about just any subject.*
Un **tel** accident ne pourrait jamais arriver.	*Such an accident could never happen.*

440

quatre cent quarante
Unité 10

Teaching Notes

1. **Aucun(e)... ne (n')** was introduced with other negative expressions in **Unité 2** in the third level of *C'est à toi!*
2. **Autre** may be preceded by a definite or an indefinite article.

3. **Certain(e)** takes an indefinite article when the noun that follows it is singular, but it takes no article in its plural form.
4. Point out that **chaque** is always singular.

5. **Même** is preceded by a definite article, for example, **J'ai pris le même antibiotique**.
6. **La plupart de** can be followed by a definite article, a possessive adjective or a demonstrative adjective.

Pratique

 8 **Dans la salle des urgences**

Regardez ce qui se passe dans la salle des urgences. Puis répondez aux questions en utilisant un des adjectifs de la liste qui suit. Choisissez un adjectif différent pour chaque réponse.

aucun(e)... ne (n')	la plupart de	certain(e)	plusieurs
chaque	quelques	même	tout(e)

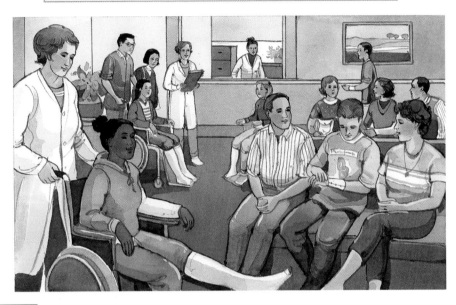

Modèle:

Est-ce que tous les fauteuils roulants sont libres?
Non, aucun fauteuil roulant n'est libre.

1. Quelles infirmières sont sérieuses?
2. Est-ce que tous les ados sont avec leurs parents?
3. Est-ce que toutes les filles se sont cassé la jambe?
4. Quel ado marche avec des béquilles?
5. Est-ce que toutes les filles sont dans un fauteuil roulant?
6. Combien de filles ont un plâtre?
7. Quel poignet est-ce que les deux garçons se sont foulé?
8. Combien de filles se sont cassé le bras?

 Audio CD Activity 8

Answers

8 Possible answers:
1. Toutes les infirmières sont sérieuses.
2. Non, mais plusieurs ados sont avec leurs parents.
3. Non, quelques filles se sont cassé la jambe.
4. Aucun ado ne marche avec des béquilles.
5. Non, mais la plupart des filles sont dans un fauteuil roulant.
6. Chaque fille a un plâtre.
7. Ils se sont foulé le même poignet.
8. Certaines filles se sont cassé le bras.

Paired Practice

Certains/certaines
Put students in pairs to practice the indefinite adjective **certain(e)**. Prepare a worksheet with the following questions and distribute a copy to each pair:
1. Tu as utilisé les outils de recherche?
2. Tu as lu les petites annonces?
3. Tu as écouté les CDs d'Oumou Sangaré?
4. Tu as goûté les plats français?
5. Tu as acheté les magazines au kiosque à journaux?
6. Tu as invité tes camarades de classe à ta boum?
7. Tu as fait les corvées?
8. Tu as vu les expositions?

Student A asks Student B the first four questions on the worksheet, and Student B responds using **certains** or **certaines** after **ne... que**, for example, **Je n'ai utilisé que certains outils de recherche**. Then students switch roles, and Student B questions Student A.

Teaching Notes

7. **Plusieurs** does not have a feminine form.
8. Remind students that **tout** agrees in gender and in number with the noun it describes, for example, **toutes les bouteilles**.

9. The plural of **un tel, une telle** is **de tels, de telles**. **Un tel, une telle** does not change after a negative verb, for example, **Je n'ai jamais vu un tel accident**.

Audio CD Activity 9

Answers

9 1. Je n'ai jamais vu de tels ballons!
2. Je n'ai jamais vu un tel château!
3. Je n'ai jamais vu un tel accident!
4. Je n'ai jamais vu une telle salle des urgences!
5. Je n'ai jamais vu de telles blessures!
6. Je n'ai jamais vu une telle radiographie!

9 **Jamais de la vie!**

Pour chaque illustration dites que vous n'avez jamais vu une telle chose.

Modèle:

Je n'ai jamais vu de telles fleurs!

1.

2.

3.

4.

5.

6.

As-tu jamais vu une telle danse?

Unité 10

Indefinite pronouns

Indefinite pronouns replace inexact quantities of things or unidentified people. Here are some of the indefinite pronouns that you have already learned:

aucun(e)... ne (n')	*not one*
un(e) autre	*another*
la plupart	*most*
plusieurs	*several*
quelqu'un	*someone, somebody*
quelque chose	*something*
tous les deux	*both*

Tous les deux sont maintenant dans la salle d'attente.

Both are now in the waiting room.

On t'a déjà fait une radiographie?
Oui, **plusieurs**.

Have they already taken an X ray?
Yes, several.

To describe **quelqu'un** or **quelque chose**, use the adjective's masculine singular form preceded by **de**.

J'ai pu demander à **quelqu'un de gentil** de venir m'aider.

I was able to ask someone nice to come and help me.

C'est vraiment **quelque chose d'embêtant**.

That's really something annoying.

Two new indefinite pronouns are **n'importe qui**, meaning "anyone," and **l'un(e)... l'autre**, meaning "(the) one . . . the other."

Karine et Mathieu sont assis **l'un** à côté de **l'autre**.

Karine and Mathieu are seated next to each other (one next to the other).

N'importe qui pourra te dire cela.

Anyone will be able to tell you that.

N'importe qui peut en prendre?

quatre cent quarante-trois
Leçon A

443

Teaching Note

Some other expressions that may be used as indefinite pronouns include **d'autres, l'autre, les un(e)s... les autres, chacun(e), n'importe qui, n'importe quoi, quelques-un(e)s, tel(s), telle(s)** and **certain(e)s**.

WB Workbook Activities 7-8

GV Grammar & Vocabulary Exercises 12-14

Paired Practice

Tous les deux
Put students in pairs. Prepare a worksheet with eight pairs of sentences about two people in the same location, for example, **Christine est dans un fauteuil roulant. Le poignet de Nadine est entouré d'un bandage.** Student A reads the first four situations to Student B, who identifies the location in a sentence using **tous les deux** and **être**, for example, **Toutes les deux sont dans la salle d'attente.** Then Student A gives the worksheet to Student B, who reads the last four situations to Student A. Tell students to pay attention to the tense used in the pairs of sentences, and to use the same tense when they form their sentences. Here are seven other pairs of sentences to include on the worksheet: 1. M. Guyomard a donné son ordonnance à la pharmacienne. Mme Blondel a acheté de l'aspirine. 2. Salmou regardait les squelettes de dinosaures du Sahara. Abdoulaye visitait le pavillon des vêtements traditionnels du Niger. 3. Solange met son sac à dos dans le porte-bagages. Marie montre son billet à l'hôtesse de l'air. 4. Alex demande l'addition. Claire prend la spécialité du jour. 5. Monique a fait un tour de manège. Nicolas est monté dans une auto tamponneuse. 6. Christophe rattrapait le ballon. Adèle regardait le match. 7. Anne parle à la réceptionniste. Denise met ses bagages dans l'ascenseur.

Les dialogues
You may want to put students in pairs to create a short dialogue that incorporates **plusieurs**. For example, in a dialogue about school homework, students might say, **Tu as déjà fait les problèmes de maths? Oui, plusieurs.** Tell students to extend their dialogues to imitate a normal interaction between two people, then have the pairs present their dialogues to the rest of the class.

Audio CD Activity 11

Answers

10
1. La plupart
2. Quelqu'un
3. N'importe qui
4. aucun n'
5. plusieurs
6. toutes les deux
7. l'un, l'autre
8. une autre
9. quelque chose

11 Answers will vary.

Cooperative Group Practice

Un voyage en France
Put students in small groups. Tell them that Marc is interested in going on the school trip to France, but he could not attend the meeting that took place last night. Prepare a set of questions on note cards that Marc wants to ask the students who attended the meeting. The first student in each group takes a card from the stack and asks the student on his or her right the indicated question, for example, **Jacques et Anne sont venus**? The student on his or her right responds using an indefinite pronoun, for example, **Oui, tous les deux sont venus**. Then the second student in the group takes a card and questions the student on his or her right, and so on. Here are some other questions to include on the cards:
1. Plusieurs élèves sont arrivés en retard?
2. Quelques parents étaient là?
3. La plupart des élèves ont décidé d'aller en France?
4. On a offert des boissons?
5. Notre professeur a parlé au groupe?
(Possible answers: 1. Non, aucun n'est arrivé en retard. 2. Oui, plusieurs étaient là. 3. Oui, la plupart ont décidé d'y aller. 4. Oui, quelqu'un en a offert. 5. Non, un autre a parlé au groupe.)

444

Pratique

10 Un accident de foot

Jean-Claude a eu un accident quand il jouait au foot. Complétez chacune de ses phrases avec un pronom convenable de la liste suivante. Choisissez un pronom différent pour chaque phrase.

aucun... n'	quelqu'un	une autre
quelque chose	n'importe qui	toutes les deux
la plupart	l'un... l'autre	plusieurs

1. … des garçons français jouent au foot.
2. … m'a dit que je suis tombé quand Michel m'a heurté.
3. … pouvait dire que je m'étais fait mal; c'était très évident.
4. De tous les autres garçons dans notre équipe,… avait de blessures.
5. Il y avait d'autres personnes dans la salle d'attente cet après-midi? Oui,….
6. Oh là là! Je me suis cassé les jambes—…!
7. Des deux médecins qui m'ont aidé, j'ai vu d'abord… qui m'a montré mes radiographies. Puis… m'a donné une ordonnance.
8. Après que le médecin m'a donné une ordonnance, l'infirmière m'a dit qu'elle allait m'en donner….
9. Marcher avec des béquilles, c'est… que je n'ai pas envie de faire.

11 En partenaires

 *Avec un(e) partenaire, faites des remarques sur les personnes et les choses suivantes en utilisant **quelqu'un** ou **quelque chose** et un adjectif convenable.*

Modèle:
ton professeur de français
A: **À mon avis, c'est quelqu'un de sympa.**
B: **Selon moi, c'est quelqu'un d'intelligent.**

1. ton/ta meilleur(e) ami(e)
2. avoir ta propre voiture
3. Lance Armstrong
4. le foot
5. passer trois heures dans une salle d'attente
6. ton/ta dentiste
7. être malade pendant les vacances
8. Leonardo DiCaprio
9. protéger l'environnement
10. voyager en France

C'est quelqu'un d'accueillant.

 quatre cent quarante-quatre
Unité 10

Communication

 Listening Activity 1

 Communicative Activities

Leçon A Quiz

12 ▶ À vous de jouer!

Avec un(e) partenaire, jouez les rôles de deux personnes qui passent la journée à visiter le château et les jardins de Fontainebleau. L'Élève A joue le rôle d'une personne qui vient d'avoir un accident et s'est fait mal. L'Élève B joue le rôle d'une personne qui vient à l'aide de l'Élève A. Pendant votre conversation:

1. L'Élève A demande à l'Élève B de venir l'aider.
2. L'Élève B offre son aide et demande ce qui s'est passé et ce que l'Élève A a fait.
3. L'Élève A décrit son accident.
4. L'Élève B demande à l'Élève A s'il ou elle a trop de mal à marcher, et l'Élève A lui répond.
5. L'Élève B offre d'aller téléphoner au SAMU.
6. Tous les deux parlent des blessures de l'Élève A en attendant l'arrivée du SAMU.
7. L'Élève A explique pourquoi c'était un accident embêtant.
8. Quand le SAMU arrive, l'Élève A remercie l'Élève B de son aide. L'Élève A dit à l'Élève B qu'il ou elle lui est très reconnaissant(e).
9. L'Élève B dit "Bonne chance!" à l'Élève A.

13 ▶ Une expérience personnelle

Écrivez un paragraphe dans lequel vous décrivez un accident que vous avez eu ou une fois où vous êtes tombé(e) malade. Donnez tous les détails sur:

1. l'accident ou la maladie
2. vos blessures ou vos symptômes, et comment vous vous sentiez
3. qui vous a aidé(e) ou s'est occupé de vous
4. si vous avez dû aller à la salle des urgences, ou si vous avez dû prendre rendez-vous avec le médecin
5. si on vous a fait une radiographie, ou si on vous a donné une ordonnance à faire préparer à la pharmacie
6. si vous vous êtes foulé ou cassé quelque chose
7. si vous aviez un bandage, des béquilles ou un plâtre
8. combien de temps vous avez dû rester au lit, et ce que vous avez fait pour vous amuser

Advanced Placement

Connections

Marketing Strategies

Invite a teacher or business person to speak to students about common advertising strategies used in the media, such as using a celebrity endorsement or personal testimonial to promote a product. Then show students a tape of French commercials and advertisements that you have collected from French magazines. Have students determine the strategy or strategies used for each one. Finally, have pairs of students create an advertisement for a real or imaginary American product that they want French consumers to buy. Point out that students should apply their knowledge of French culture to successfully publicize their product. Videotape the advertisements, and show them to the rest of the class, asking students to identify the publicity strategies used and to rate how successful the advertisements are in their power to persuade consumers to purchase the specific products.

Un peu de plus

Les affiches

Have students make a series of posters for **la Fondation Brigitte Bardot, Médecins Sans Frontières** or **l'Équipe Cousteau**. Tell students their goal is to persuade people to donate money to the organization they selected by writing both effective emotional slogans and giving pertinent facts that appeal to reason.

Critique d'un film

Another activity to develop writing proficiency related to persuading an audience is to have students write an article encouraging the reader to view a film of their choice. Students can discuss the quality of the acting and the plot.

 *Stratégie communicative*

Persuading

To persuade people, you need to convince them to agree with your opinion and possibly take action. There are five steps to remember when you persuade:

1. Introduce the issue, supplying any background information necessary to help your audience understand it.
2. Present your position in a clear, direct statement.
3. Give supporting ideas that appeal to both reason and emotion.
4. Gear your argument to your audience.
5. Conclude by summarizing your ideas and, if it is your goal, giving a call to action.

14 **À vous de persuader!**

 Avec un(e) partenaire, jouez les rôles d'un père et de sa fille qui a 17 ans. La fille veut que le père l'achète une voiture. Le père ne veut entendre que les faits (facts) et les statistiques.

 quatre cent quarante-six
Unité 10

la France

LEÇON B

Vocabulaire

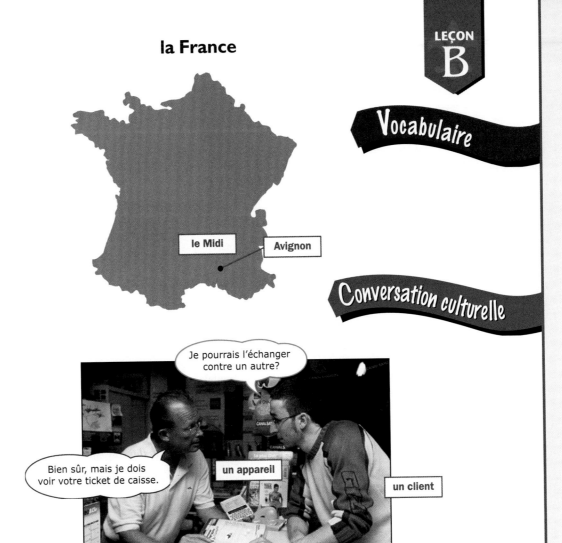

le Midi → **Avignon**

> Je pourrais l'échanger contre un autre?

> Bien sûr, mais je dois voir votre ticket de caisse.

un appareil

un client

une pile

Conversation culturelle

Brian Duffey est un lycéen américain qui passe une semaine à Avignon dans le Midi avec des amis. Brian veut améliorer son français. C'est justement° ce qu'il essayait de faire quand il a acheté un dictionnaire électronique français/anglais à la Fnac. Brian était content de son achat° parce qu'il était en solde. De plus, il avait trouvé un bon de réduction° de 10% dans le journal. Maintenant Brian est frustré parce que son dictionnaire électronique ne marche pas. Il est obligé de le rapporter° au rayon° des appareils électroniques. Brian s'approche du comptoir.

justement exactement; **un achat** ce qu'on achète; **un bon de réduction** *coupon*; **rapporter** rendre; **un rayon** *(store) department*

quatre cent quarante-sept **447**
Leçon B

Teaching Notes

1. **Le Midi** refers to the south of France.
2. The feminine form of **un client** is **une cliente**. Students learned **une clientèle** in **Unité 4** in the third level of *C'est à toi!*

3. Point out that **achat** belongs to the **acheter** word family.
4. A synonym for **un bon de réduction** is **un coupon**.

5. Communicative functions that are recycled in this lesson are "expressing satisfaction," "expressing obligation," "explaining something," "stating a preference" and "thanking someone."

Brian ne passe qu'une semaine à Avignon.

Le vendeur:	Oui, Monsieur?
Brian:	J'ai acheté ce dictionnaire électronique hier mais il ne marche pas. Est-ce que je pourrais l'échanger contre un autre?
Le vendeur:	Bien sûr, Monsieur, mais je dois voir votre ticket de caisse.°
Brian:	Oui, je comprends. Je l'ai gardé. Le voilà.
Le vendeur:	Ça vous gêne° si je jette un coup d'œil?°
Brian:	Non, pas du tout.
Le vendeur:	Vous avez bien lu le mode d'emploi?°
Brian:	Oui, mais je dois dire qu'il était un peu compliqué et je n'ai pas bien compris.
Le vendeur:	Laissez-moi° voir.... Vous avez raison.° Il ne marche pas, mais je ne sais pas pourquoi.
Brian:	Dans ce cas qu'est-ce que je peux faire?
Le vendeur:	Bon ben... vous pourriez toujours l'échanger ou le faire réparer, ou je pourrais vous rembourser le prix.
Brian:	Pour le faire réparer il faudrait combien de temps?
Le vendeur:	Environ° dix jours.
Brian:	Pas possible. Je ne suis ici que pour une semaine. J'aurais voulu l'utiliser tout de suite.
Le vendeur:	Alors, c'est à vous de voir.° Tiens! Si° on changeait la pile?
Brian:	Pourquoi pas? J'aurais dû y penser moi-même.°
Le vendeur:	Voyons si j'ai la pile dont vous avez besoin. Oui, voilà. Maintenant essayons de faire marcher cet appareil. Quelle phrase voulez-vous essayer?
Brian:	Cherchez quelque chose de simple, par exemple, "Thank you."
Le vendeur:	Voilà. Vous avez le choix entre plusieurs expressions. Ça marche maintenant. Ce n'était qu'une mauvaise pile.
Brian:	Sans blague!° Si j'avais essayé le dictionnaire électronique avant de quitter le magasin, j'aurais évité° tous ces ennuis. Alors, je vous dois° combien?
Le vendeur:	Rien, Monsieur. Je vous rends ce service gratuitement parce que le dictionnaire est neuf.° J'aurais pu vous éviter tout ce tracas° si c'était moi qui vous avais vendu le dico.° Les clients peuvent toujours essayer les appareils avant de partir.
Brian:	Moi qui étais déçu,° maintenant ça va mieux. Ça me rend° très heureux. Merci mille fois, Monsieur. Au revoir.

un ticket de caisse *receipt*; gêner *embêter*; jeter un coup d'œil *to take a quick look*; le mode d'emploi *instructions*; laissez-moi *permettez-moi de*; avoir raison *to be right*; environ *about*; C'est à vous de voir. *It's up to you.*; si *what if*; moi-même *myself*; Sans blague! *No kidding!*; éviter *to avoid*; devoir *to owe*; neuf, neuve *nouveau, nouvelle*; le tracas *trouble*; un dico *un dictionnaire*; déçu(e) *disappointed*; rendre *faire*

Teaching Notes

1. Here are the forms of the orthographically changing verb **jeter**: **jette, jettes, jette, jetons, jetez** and **jettent**.

2. Tell students that **avoir raison** is an idiomatic **avoir** expression.

3. Point out that to express a wish or to make a suggestion, you can use **si + imparfait**, for example, **Si tu me prêtais ta voiture?** (*What if you lent me your car?*)

4. **Devoir**, meaning "to have to," was introduced on page 371 in the first level of *C'est à toi!*

5. **Rien** can be used as a one-word answer to a question.

6. **Neuf** means "brand-new," whereas **nouveau** means "new to you." The irregular feminine form of **neuf** is **neuve**. You may want to introduce the expression **Quoi de neuf?** (*What's new?*) Students

1 Vrai ou faux?

Écrivez "V" si la phrase est vraie; écrivez "F" si la phrase est fausse.

2 En ordre chronologique

Mettez ces huit phrases en ordre chronologique d'après le dialogue. Écrivez "1" pour la première phrase, "2" pour la deuxième phrase, etc.

1. Le vendeur change la pile.
2. Brian a trouvé un bon de réduction dans le journal.
3. Brian remercie le vendeur.
4. Brian rapporte le dictionnaire électronique au rayon des appareils électroniques.
5. Brian a acheté un dictionnaire électronique à la Fnac.
6. Le vendeur cherche une phrase.
7. Brian est frustré parce que le dictionnaire ne marche pas.
8. Brian montre le ticket de caisse au vendeur.

Si on changeait la pile?

quatre cent quarante-neuf
Leçon B
449

Answers

1
1. F
2. V
3. F
4. F
5. F
6. V
7. V

2
1. 6
2. 1
3. 8
4. 4
5. 2
6. 7
7. 3
8. 5

Teaching Notes

may also be interested to learn the response **Rien de neuf.** (*Nothing's new.*)
7. **Dico** is slang for **dictionnaire**.
8. **Déçu(e)** comes from the verb **décevoir** (*to disappoint*), which is a false cognate.

9. **Rendre + adjectif** means "to make" + adjective, for example, **Les nouvelles me rendent heureux/heureuse.** (*The news makes me happy.*) **Rendre**, meaning "to hand in" or "to return," was introduced in **Unité 6** in the

third level of *C'est à toi!* Students have already learned the expressions **rendre visite (à)**, **rendre un service** and **se rendre compte.**

3 ▸ Complétez!

Choisissez l'expression convenable de la liste suivante pour compléter chaque phrase d'après le dialogue.

mode d'emploi	Midi	tracas	jette un coup d'œil
ticket de caisse	frustré	doit	justement

1. Le… est le sud de la France.
2. Améliorer son français, c'est… ce que Brian essayait de faire.
3. Brian n'est pas content de son achat; il est….
4. Pour rapporter quelque chose à la Fnac, il faut que Brian ait le….
5. Quand le vendeur… sur le dictionnaire électronique, il le regarde très vite.
6. Pour savoir faire marcher un appareil, Brian doit lire le….
7. Brian veut savoir s'il… de l'argent au vendeur.
8. Si Brian avait essayé le dictionnaire électronique avant de quitter le magasin, il aurait évité tout ce….

Après avoir payé à la caisse, on reçoit un ticket de caisse. (Créteil)

4 ▸ C'est à toi!

Questions personnelles.

1. Qu'est-ce que tu fais pour mieux parler français?
2. Est-ce que tu as acheté quelque chose qui t'aide quand tu étudies le français? Si oui, quoi?
3. Quand ta famille et toi, vous faites des achats au supermarché, est-ce que vous utilisez quelquefois des bons de réduction?
4. Après avoir acheté quelque chose, pour combien de temps est-ce que tu gardes le ticket de caisse?
5. Après avoir acheté un appareil électronique, est-ce que tu lis toujours le mode d'emploi avant d'utiliser l'appareil?
6. Qu'est-ce que tu fais quand tu ne sais pas faire marcher quelque chose?
7. Est-ce que tu as jamais acheté un appareil électronique qui n'a pas marché? Si oui, qu'est-ce que tu as fait?
8. Si tu rapportes au magasin un appareil qui ne marche pas, préfères-tu qu'on l'échange contre un autre appareil, qu'on le fasse réparer ou qu'on te rembourse?

Es-tu déçu(e) quand ton répondeur (*answering machine*) ne marche pas?

Le Midi

La région du sud de la France s'appelle fréquemment le Midi. Au sud-est du Midi se trouve une des provinces les plus pittoresques du pays, la Provence. Sa frontière à l'ouest, c'est le Rhône, et à l'est, c'est l'Italie.

le Rhône

le Midi

l'Italie

Avignon

la Provence

Les villages de Provence sont pittoresques. (Murs)

Avignon

Une des villes les plus intéressantes de Provence est Avignon. C'est une vieille ville située sur le Rhône. Elle est importante dans l'histoire religieuse du Moyen Âge pour son Palais des Papes, exemple de l'architecture gothique. Au quatorzième siècle sept papes (chefs de l'église catholique) ont quitté Rome pour habiter cet édifice, qui était aussi une forteresse. Les papes ont déménagé à Avignon pour être plus indépendants et pour avoir plus d'autorité. En ce temps-là, avec l'arrivée des papes, la ville d'Avignon était une des plus grandes d'Europe. Le Palais des Papes existe toujours à Avignon et sert de site pour un festival d'art dramatique pendant l'été, le Festival d'Avignon. On y présente des pièces de théâtre, des ballets et de la musique classique.

Les papes ont habité le Palais des Papes de 1309 à 1376. (Avignon)

Des affiches t'informent du lieu et de l'heure des pièces pendant le Festival. (Avignon)

quatre cent cinquante et un

451

Leçon B

FYI

1. The Rhône is a French and Swiss river. It is the most powerful of all French rivers. 2. Avignon, the capital of the department of Vaucluse, can be reached from Paris by TGV in less than three hours. A major French tourist center with a population of more than 89,900, it is also an important commercial center for grain, leather and wine. The vines that produce the local Côtes du Rhône wine have been cultivated in the area for over 2,000 years. 3. Avignon became a thriving city under the Romans, but it declined during the Germanic invasions of the 5th and 6th centuries. It belonged successively to the kingdoms of Burgundy and Arles and to the counties of Provence and Toulouse. In 1309 Pope Clement V decided to make Avignon his residence. This period, known as the Babylonian Captivity, made Avignon the center of Western Christendom. When Pope Gregory XI returned to Rome in 1377, Avignon became the residence of the two antipopes Clement VII and Benedict XIII during the Great Schism of the Catholic Church (1378-1417). The papacy held Avignon until 1791, when it was annexed to France.

Teaching Notes

1. Cognates in this reading include **région**, **fréquemment**, **pittoresques**, **Palais**, **architecture**, **gothique**, **papes**, **édifice**, **forteresse**, **autorité**, **existe**, **site**, **festival**, **dramatique**, **présente**, **classique**, **épidémie**, **peste**, **mortelle**, **attaquait**, **danse**, **joie**, **image**, **folklorique**, **mélodique** and **macabre**.

2. Students learned about **la Provence** in **Unité 3** in the second level of C'est à toi!

Le pont d'Avignon

C'est au Moyen Âge qu'une épidémie de peste, maladie mortelle, attaquait la région. Beaucoup d'Avignonnais sont morts de la peste, mais quelques Avignonnais ont réussi à sortir de la ville en prenant le pont Saint-Bénezet pour traverser le Rhône. Ceux qui ont pu partir d'Avignon et donc se protéger de la peste étaient tellement contents qu'ils ont fêté leur départ de la ville par une danse de joie sur le pont. C'est l'image de cette danse qui a donné la chanson "Sur le pont d'Avignon":

Sur le pont d'Avignon
L'on y danse, l'on y danse,
Sur le pont d'Avignon
L'on y danse tout en rond.

Quelle indication suivrais-tu pour trouver le pont Saint-Bénezet?

D'un côté cette chanson est une chanson folklorique avec son air simple et mélodique. De l'autre côté c'est une danse macabre qui nous rappelle les Français qui sont morts à l'époque de la peste. La chanson reste pourtant populaire même aujourd'hui parmi les Français et ceux qui apprennent la langue.

Le pont d'Avignon du douzième siècle n'a aujourd'hui que quatre de ses 22 arches originales.

5 La Provence et Avignon

Répondez aux questions suivantes.

1. Comment s'appelle la partie sud de la France?
2. Qu'est-ce que c'est que la Provence?
3. Quelles sont les frontières de la Provence?
4. Où la ville d'Avignon est-elle située?
5. Qui habitait à Avignon au quatorzième siècle?
6. Au quatorzième siècle, quelle ville française était une des plus grandes d'Europe?
7. Au quatorzième siècle, quelle maladie tuait les Avignonnais?
8. Pourquoi les Avignonnais dansaient-ils sur le pont Saint-Bénezet?
9. Qu'évoque la chanson "Sur le pont d'Avignon"?
10. De nos jours qu'est-ce qui se passe à Avignon chaque été?

Les pièces classiques sont populaires au Festival d'Avignon, qui a lieu chaque été.

6 ▸ Des attractions d'Avignon

Lisez des renseignements d'un dépliant qui décrit des attractions de la ville d'Avignon. Puis répondez aux questions qui suivent.

Avignon, site stratégique dans la vallée du Rhône, doit son origine au Rocher des Doms. Avec la venue des papes au XIVème, la ville devient une seconde Rome. L'art l'enrichira aux XVII et XVIIIèmes, et elle demeurera terre pontificale jusqu'à la révolution.

■ PALAIS DES PAPES

place du palais   tél.   04 90 27 50 74/71
                fax   04 90 86 61 21

- du 2/11 au 31/03: 9h – 12h45/14h – 18h
- du 1/04 au 1/11: 9h – 19h (festival 9h – 21h)
- du 5/08 au 30/09: 9h – 20h

Caisses fermées 45 mn avant. Visites guidées toute l'année. Fermé 1/01 et 25/12.

Forteresse gothique du XIVe siècle, où séjournèrent sept papes et deux antipapes. La cour d'honneur abrite le festival depuis 1947.

■ PONT ST BÉNEZET

rue Ferruce   tél.   04 90 85 60 16
tous les jours sauf 25/12, 1/01, 1/05 et 14/07

- du 1/11 au 29/02: 9h – 13h/14h – 17h sauf lundi
- octobre et mars: 9h – 13h/14h – 17h tous les jours
- du 1/04 au 30/09: 9h – 18h30 tous les jours

Le pont d'Avignon fut construit au XIIe siècle, détruit plusieurs fois par les crues du Rhône, il fut reconstruit à plusieurs reprises jusqu'au XVIIe. La chapelle St Nicolas est dédiée au patron des mariniers. Il abrite le musée du costume rhodanien.

■ MUSÉE LAPIDAIRE

27, rue de la République tél. 04 90 85 75 38

- 10h – 12h/14h – 18h, sauf mardi, 1/01, 1/05, 25/12

Archéologie antique dans une belle chapelle baroque du XVIIe.

■ MUSÉE THÉODORE AUBANEL

7 place St Pierre tél. 04 90 82 95 54

Musée privé ouvert au public sur rendez-vous. Visites gratuites et commentées.

Fermé J.F., samedi, dimanche et août.

Littérature provençale et histoire de l'imprimerie.

■ MUSÉE REQUIEN

67, rue Joseph Vernet tél. 04 90 82 43 51

- du mardi au samedi: 9h – 12h/14h – 18h
- gratuit

Histoire naturelle

Le Festival d'Avignon

Créé en 1947 par Jean Vilar, le Festival d'Avignon est devenu le rendez-vous mondial du spectacle vivant. Il se déroule généralement entre le 10 juillet et le 5 août. Festival de création, son programme annuel est établi autour de l'actualité du théâtre, de la danse et de la musique. Il accueille 120 000 spectateurs. Un avant-programme est disponible chaque année à partir du 15 mars, alors que le programme définitif est diffusé dès le 10 mai.

Le Festival off

Il s'est développé à partir de la fin des années 60. Près de 100 lieux, plus de 350 spectacles. Des "jeunes compagnies" venues de toutes les régions de France et du monde entier. La jeune création, très présente dans les rues de la ville, crée l'atmosphère festive unique qu'apprécie un large public de plus en plus nombreux autour de cette centaine de lieux ouverts à l'occasion de cette immense confrontation artistique où sont représentées toutes les disciplines du Spectacle Vivant. (Avant-programme vers le 15 mai)

---

1. Pourquoi est-ce que la ville d'Avignon s'appelle "une seconde Rome"?
2. Si vous visitez le Palais des Papes en juin, à quelle heure y a-t-il des visites guidées?
3. Où le Festival d'Avignon a-t-il lieu?
4. Quelles sont les dates du festival?
5. Combien de personnes assistent au festival chaque année?
6. Comment s'appelle le festival alternatif où jouent les jeunes compagnies théâtrales?
7. Comment s'appelle la petite chapelle qui se trouve sur le pont Saint-Bénezet?
8. Si vous vous intéressez à l'archéologie, quel musée faut-il visiter?
9. Quel musée est fermé pendant les vacances d'août?
10. Quel est le tarif d'entrée au musée d'histoire naturelle?

WB Workbook Activities 12-13

GV Grammar & Vocabulary Exercises 18-21

Game

Past Conditional Toss

On the board write the infinitive of a verb that you want to practice in the past conditional, such as **s'adapter**. Then toss a ball to a student as you call out a subject pronoun, such as **je**. This student says the appropriate past conditional form, for example, **je me serais adapté(e)**, then tosses the ball to another student while calling out a different subject pronoun. After four or five students have played with the first verb, write a new verb on the board. The student holding the ball begins the next round.

Journal personnel

The song "Sur le pont d'Avignon" recalls the terrible flight of the residents of Avignon from the plague that ravaged their city in the fourteenth century. Some contemporary songs also commemorate historical events. For example, upon the death of Diana, Princess of Wales, who was inspired to write a song about her? Why do you think it became so popular? Do you know to whom the singer's original version of "Candle in the Wind" pays tribute? Can you think of any American folk songs or popular songs, similar to "Sur le pont d'Avignon," that make us remember something or someone?

Past conditional tense

The past conditional (**le conditionnel passé**) is a tense used to tell what would have happened in the past if certain conditions had been met. Like the **passé composé** and the **plus-que-parfait**, the past conditional consists of a helping verb and a past participle. To form the past conditional, use the conditional tense of the helping verb **avoir** or **être** and the past participle of the main verb. Agreement of the past participle in the past conditional is the same as in the **passé composé** and the **plus-que-parfait**.

	réparer	*se lever*
je/j'	aurais réparé	me serais levé(e)
tu	aurais réparé	te serais levé(e)
il/elle/on	aurait réparé	se serait levé(e)
nous	aurions réparé	nous serions levé(e)s
vous	auriez réparé	vous seriez levé(e)(s)(es)
ils/elles	auraient réparé	se seraient levé(e)s

J'**aurais voulu** l'utiliser tout de suite.

I would have wanted to use it right away.

Le client ne **serait** pas **parti** du magasin sans avoir lu le mode d'emploi.

The customer would not have left the store without having read the instructions.

Aurais-tu acheté des pêches au marché sans avoir vérifié si elles étaient mûres?

Teaching Notes

1. Briefly review the conditional tense forms of **avoir** and **être**, which were reviewed on page 209 in the third level of C'*est à toi!*

2. Have students name the two compound tenses they have already learned (the **passé composé** and the **plus-que-parfait**).

3. You may want to point out the English equivalents of the past conditional of **devoir**, **pouvoir** and **vouloir** that appear in the **Conversation culturelle**: **J'aurais dû....** (*I should have....*), **J'aurais pu....** (*I could have....*) and **J'aurais voulu....** (*I would have liked....*)

7 **À Avignon**

Dites ce que ces personnes auraient fait si elles avaient voyagé à Avignon avec Brian et ses amis, selon les illustrations et les verbes indiqués.

Modèle:

Jean-Marc et son amie/flâner
Jean-Marc et son amie auraient flâné dans les rues.

1. tout le monde/danser

2. les jeunes/visiter

3. Serge et toi, vous/participer

4. Jeanne et Françoise/aller

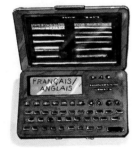

5. Jacqueline/s'intéresser

6. tu/faire du shopping

7. je/améliorer

8. nous/s'amuser

Teaching Note

4. In the past conditional, the agreement rules for the past participle are the same as in the **passé composé**, for example, **Tu aurais réparé la télé./Tu l'aurais réparée.**

 Audio CD Activity 7

Answers

7 Possible answers:
1. Tout le monde aurait dansé sur le pont d'Avignon.
2. Les jeunes auraient visité le Palais des Papes.
3. Serge et toi, vous auriez participé au Festival d'Avignon.
4. Jeanne et Françoise seraient allées au concert de rock.
5. Jacqueline se serait intéressée au ballet.
6. Tu aurais fait du shopping à la Fnac.
7. J'aurais amélioré mon français.
8. Nous nous serions beaucoup amusés.

Paired Practice

À ta place
Put students in pairs. Prepare a set of note cards for each pair expressing situations using infinitives, for example, **arriver à l'école en retard/se lever tard**. Student A forms a sentence in the **passé composé** with **parce que** to express his or her problem situation, for example, **Je suis arrivé(e) à l'école en retard parce que je me suis levé(e) tard**. Student B expresses what he or she would have done in Student A's place, for example, **À ta place, je me serais levé(e) tôt**. Then Student B takes a card and forms a sentence that Student A responds to. Students alternate in this fashion until all the cards have been used. Here are some other situations that you might use:
1. tomber/ne pas faire attention en faisant de la planche à neige
2. ne pas pouvoir acheter le manuel du cours/dépenser trop d'argent dans un restaurant cher
3. rater l'examen/ne pas étudier
4. avoir un accident de voiture/rouler trop vite
5. se fouler la cheville/se dépêcher

Answers

8 Je n'aurais pas quitté un restaurant sans avoir payé l'addition.
Je ne serais pas allé(e) au cinéma sans avoir su quel film on jouait.
Je ne serais pas entré(e) dans un théâtre sans avoir acheté de billet.
Je n'aurais pas choisi un appareil électronique sans l'avoir utilisé.
Je n'aurais pas envoyé une lettre sans y avoir mis des timbres.
Je n'aurais pas acheté une voiture sans l'avoir conduite.
Je ne serais pas parti(e) sans avoir dit "au revoir."

9 1. Aurais-tu vu le pont d'Avignon?
2. Serais-tu allé(e) sur la côte d'Azur?
3. Aurais-tu passé du temps au bord de la mer?
4. Aurais-tu pris des photos?
5. Aurais-tu envoyé des cartes postales à ta famille?
6. Serais-tu resté(e) dans une auberge de jeunesse?
7. Serais-tu sorti(e) tous les soirs?
8. Aurais-tu essayé d'améliorer ton français?
Students' responses to these questions will vary.

Cooperative Group Practice

À Paris

Put students in small groups of four or five. Prepare a set of note cards for each group, writing sentences that express what Chantal did during a recent stay in Paris. The first student reads the top card in the stack, for example, **Je me suis arrêtée au kiosque à journaux.** Then the rest of the members of the group take turns giving a sentence in the past conditional, expressing what they would have done instead, for example, **Je me serais arrêté(e) à la pâtisserie.** When everyone in the group has said a sentence, the second student plays the role of Chantal by reading the second card in the stack, and the process begins again.

456

---

8 ▶ Faites des phrases!

Dites ce que vous n'auriez pas fait sans avoir fait quelque chose d'autre. Formez huit phrases logiques en utilisant le conditionnel passé. Choisissez un élément des colonnes A et B pour chaque phrase. Suivez le modèle.

A	B
manger dans un restaurant	sans avoir dit "au revoir"
quitter un restaurant	sans l'avoir utilisé
aller au cinéma	sans avoir regardé le menu
entrer dans un théâtre	sans avoir su quel film on jouait
choisir un appareil électronique	sans l'avoir conduite
envoyer une lettre	sans y avoir mis des timbres
acheter une voiture	sans avoir payé l'addition
partir	sans avoir acheté de billet

Modèle:

Je n'aurais pas mangé dans un restaurant
sans avoir regardé le menu.

---

9 ▶ Dans le Midi

 Avec un(e) partenaire, parlez de ce que vous auriez fait ou pas si vous aviez eu l'occasion d'aller dans le Midi avec Brian et ses amis. Suivez le modèle.

Modèle:

louer un vélo
A: **Aurais-tu loué un vélo?**
B: **Bien sûr, j'en aurais loué un. Et toi, aurais-tu loué un vélo?**
A: **Non, je n'en aurais pas loué.**

1. voir le pont d'Avignon
2. aller sur la côte d'Azur
3. passer du temps au bord de la mer
4. prendre des photos
5. envoyer des cartes postales à ta famille
6. rester dans une auberge de jeunesse
7. sortir tous les soirs
8. essayer d'améliorer ton français

Nous nous serions arrêtés sur la place de l'Horloge pour regarder les acrobates.

Past conditional tense in sentences with *si*

Use the past conditional tense along with **si** and the **plus-que-parfait** to tell what would have happened *if* something else had already happened or *if* some condition contrary to reality had been met.

si	+	plus-que-parfait	past conditional

Si j'**avais essayé** le dictionnaire électronique avant de quitter le magasin, j'**aurais évité** tous ces ennuis.

J'**aurais pu** vous éviter tout ce tracas **si** c'était moi qui vous **avais vendu** le dico.

If I had tried the electronic dictionary before leaving the store, I would have avoided all these problems.

I would have been able to save you all this trouble if I had sold you the dictionary.

Note in the examples above that the phrase with **si** and the **plus-que-parfait** can either begin or end the sentence.

Aurais-tu acheté des souvenirs si tu étais allé(e) à Avignon?

Te serais-tu reposé(e) au jardin du Palais des Papes si tu avais eu du temps libre?

quatre cent cinquante-sept
Leçon B **457**

 Workbook Activities 14-15

 Grammar & Vocabulary Exercises 22-25

Un peu de plus

Reprise: L'histoire de Brian
Have students complete the following sentences with a logical verb in the past conditional to tell what would have happened to Brian at Fnac.
  A. Si Brian avait essayé le dico électronique avant de partir de la Fnac, il....
  B. Si Brian n'avait pas rapporté son ticket de caisse, le vendeur....
  C. Si Brian n'avait pas trouvé de bon de réduction, il....
  D. Si le vendeur n'avait pas jeté un coup d'œil sur le dico électronique, Brian....

Cooperative Group Practice

Sentence Completion
Put students in small groups of four or five. Give each group a worksheet that you have prepared with six incomplete sentences using **si** and the **plus-que-parfait**, for example, **Si je ne m'étais pas cassé la jambe, j'....** Each group writes as many logical completions as they can that use the past conditional, for example, **Si je ne m'étais pas cassé la jambe, j'(aurais joué au foot, aurais fait de la planche à neige, aurais couru, aurais skié).**

Teaching Notes

1. The same tense sequence applies to the expression **même si**, for example, **Même si vous aviez bien lu le mode d'emploi, le dico électronique n'aurait pas marché.**

2. The condition may be expressed by a phrase rather than a **si** clause, for example, **Avec plus d'argent, je serais resté(e) à Saint-Martin pendant un mois.**

457

Pratique

10 **Qu'est-ce qu'on aurait fait?**

Dites ce que les personnes suivantes auraient fait si elles avaient eu ce qui est illustré. Suivez le modèle.

Modèle:

Francine/payer moins
Si Francine avait eu un bon d'achat, elle aurait payé moins.

1. je/aller à la Fnac

2. tu/faire marcher l'appareil électronique

3. Édouard et moi, nous/vouloir l'utiliser tout de suite

4. Olivier et toi, vous/ régler l'affaire

5. les ados/téléphoner au SAMU

6. mon père/se dépêcher d'en prendre

7. Nadia/s'arrêter à la pharmacie

8. tu/pouvoir marcher

11 ▸ Des phrases logiques

Formez huit phrases logiques qui expliquent ce qui se serait passé s'il y avait eu certaines conditions. Choisissez un élément des colonnes A et B pour chaque phrase. Suivez le modèle.

A	B
Patrick/jouer au foot	tu/se fouler la cheville
Karine/arriver à Fontainebleau à 10h00	je/tomber en descendant du train
	il/avoir un ballon
je/se faire mal	les clients/ne pas être contents de leur achat
tu/avoir besoin de béquilles	
Brian/comprendre le problème	le train/partir à l'heure
nous/faire réparer le dictionnaire électronique	la vendeuse/leur rendre un service
	vous/garder le ticket de caisse
vous/échanger votre nouvel appareil	il/jeter un coup d'œil
le vendeur/leur rembourser le prix	il/ne pas marcher
les clients/être très heureux	

Modèle:

**Patrick aurait joué au foot
s'il avait eu un ballon.**

Serais-tu allé(e) à Avignon si tu avais eu un billet d'avion gratuit?

12 ▸ En partenaires

 Avec un(e) partenaire, posez des questions sur ce que vous auriez fait si les choses indiquées s'étaient passées. Puis répondez aux questions. Suivez le modèle.

Modèle:

tu/te casser le bras
A: **Qu'est-ce que tu aurais fait si tu
    t'étais cassé le bras?**
B: **Si je m'étais cassé le bras, je serais
    allé(e) à la salle des urgences. Et
    toi, qu'est-ce que tu aurais fait si
    tu t'étais cassé le bras?**
A: **Si je m'étais cassé le bras, j'aurais
    téléphoné au SAMU.**

1. tu/te réveiller très tard
2. tu/avoir mal à la gorge
3. ta voiture/tomber en panne
4. tu/perdre tes devoirs
5. quelqu'un/te voler ton argent
6. tes parents/ne pas te permettre de sortir
7. tu/gagner mille dollars
8. tu/passer une semaine dans le Midi

Answers

11 Possible answers:
Karine serait arrivée à
Fontainebleau à 10h00 si le train
était parti à l'heure.
Je me serais fait mal si j'étais
tombé(e) en descendant du train.
Tu aurais eu besoin de béquilles si
tu t'étais foulé la cheville.
Brian aurait compris le problème
s'il avait jeté un coup d'œil.
Nous aurions fait réparer le
dictionnaire électronique s'il
n'avait pas marché.
Vous auriez échangé votre nouvel
appareil si vous aviez gardé le
ticket de caisse.
Le vendeur leur aurait remboursé
le prix si les clients n'avaient pas
été contents de leur achat.
Les clients auraient été très
heureux si la vendeuse leur avait
rendu un service.

12 1. Qu'est-ce que tu aurais fait si tu
       t'étais réveillé(e) très tard?
   2. Qu'est-ce que tu aurais fait si tu
       avais eu mal à la gorge?
   3. Qu'est-ce que tu aurais fait si ta
       voiture était tombée en panne?
   4. Qu'est-ce que tu aurais fait si tu
       avais perdu tes devoirs?
   5. Qu'est-ce que tu aurais fait si
       quelqu'un t'avait volé ton
       argent?
   6. Qu'est-ce que tu aurais fait si
       tes parents ne t'avaient pas
       permis de sortir?
   7. Qu'est-ce que tu aurais fait si tu
       avais gagné mille dollars?
   8. Qu'est-ce que tu aurais fait si tu
       avais passé une semaine dans le
       Midi?
   Students' responses to these
   questions will vary.

Listening Activity 2

 Communicative Activities

 Leçon B Quiz

Communication

 13 **À vous de jouer!**

 Avec un(e) partenaire, jouez les rôles de deux personnes dans un grand magasin. La première personne joue le rôle d'un vendeur qui travaille au rayon des appareils électroniques. La deuxième personne joue le rôle d'un client qui y a acheté quelque chose qui ne marche pas. Pendant votre conversation:

1. Le vendeur demande s'il peut aider le client.
2. Le client lui montre ce qu'il a acheté et explique que l'appareil ne marche pas.
3. Le vendeur lui demande s'il a gardé le ticket de caisse.
4. Le vendeur lui demande s'il peut jeter un coup d'œil.
5. Le vendeur confirme qu'il y a un problème.
6. Le client dit pourquoi il est déçu et demande ce qu'il peut faire.
7. Le vendeur offre deux suggestions pour régler l'affaire.
8. Le client choisit la solution qu'il préfère.
9. Le client demande combien il lui doit.
10. Le vendeur lui dit que ce service est gratuit.
11. Le client remercie le vendeur.

Avez-vous gardé votre ticket de caisse?

 14 **Un(e) employé(e) désagréable**

On apprécie tous les vendeurs ou les vendeuses qui nous rendent un service, comme celui de l'Activité 13. Mais avez-vous jamais dû discuter un problème avec un vendeur ou une vendeuse qui était impoli(e) et ne vous a pas aidé(e)? Écrivez un paragraphe dans lequel vous décrivez ce problème, tout ce qui s'est passé pendant votre conversation avec la personne impolie et comment vous vous êtes senti(e) en quittant le magasin. Qu'est-ce que vous auriez fait si vous aviez su tout cela à l'avance? (Si vous n'avez jamais été dans une situation comme celle-ci, vous pouvez en créer une en vous servant de votre imagination.)

Reading Instructions

Here are some tips on how to read instructions in French.

- First, think about the kinds of new words you will need to understand, depending on the product and type of instructions. Besides looking for cognates, search for familiar stems in new words so that you can guess their meaning in context. But be prepared to use your French/English dictionary to look up key words that are repeated throughout the instructions if you can't figure them out on your own.
- Second, use any headings, illustrations or photos to help you understand each step in the process.
- Third, visualize each step to make the process clear in your mind.

Now apply these tips as you read the recipe for a French dessert.

 15 Pour commencer...

Avant de lire la recette, répondez aux questions suivantes.

1. Est-ce que tu aimes faire la cuisine?
2. Quels plats est-ce que tu sais préparer?
3. La bonne cuisine fait partie de toutes les cultures. Quelle cuisine préfères-tu? Pourquoi?

Gâteau renversé aux poires caramélisées

les ingrédients

2 ou 3 poires mûres

pour le caramel: 100 g de sucre
2 cuillerées à soupe d'eau

pour la pâte: 2 œufs
100 g de sucre en poudre
125 g de farine
60 g de beurre
½ sachet de levure chimique

quatre cent soixante et un
Leçon B

 Audio CD *Lecture*

AP Advanced Placement

Connections

Metric Conversions
Ask a math or home economics instructor to give a lesson to your students on how to make metric conversions. Then have students convert the metric measurements in the recipe to our system. Students should end up with these equivalents:

100 g = ⅔ c.
125 g = 1 c.
60 g = 5 Tbsp.
½ sachet = ¼ tsp.

Finally, have students make the **Gâteau renversé aux poires caramélisées** at home or in the home economics kitchen using these equivalents.

Teaching Note

This unit's **Lecture** focuses on how to read instructions in French.

Dans une petite casserole, préparez un caramel blond clair. Mélangez le sucre et l'eau à température élevée jusqu'à ce que le sucre soit fondu, brun clair et transparent.

A

Puis versez immédiatement le caramel dans un moule. Préparez la pâte. Puis mélangez les œufs avec le sucre en poudre.

B

Lorsque le mélange est mousseux,

C

ajoutez la farine et la levure,

D

puis le beurre fondu. Pelez les poires; coupez-les en fines tranches après avoir enlevé le cœur et les pépins.

E

Ensuite disposez les tranches en corolle sur le caramel.

F

Versez la pâte sur les poires sans les déplacer,

Teaching Note

Before students read the recipe, you may want to review the formation of the imperative, which was presented on page 324 in the first level of *C'est à toi!* and reviewed on page 91 in the second level.

G

et couvrez les fruits uniformément.

H

Faites cuire à 220°C jusqu'à ce que la pâte soit dorée. Piquez la pâte avec la pointe d'un couteau. Si le couteau est taché de pâte quand vous l'enlevez, cuisez le gâteau pendant quelques minutes de plus. Si le couteau est propre, sortez le gâteau du four.

I

Démoulez le gâteau quand il est encore chaud. Couvrez le moule avec une grande assiette. Mettez des gants, tenez le moule et l'assiette ensemble fermement et retournez-les de sorte que le gâteau tombe dans l'assiette.

Laissez refroidir quelques minutes et vous serez prêt à servir.

16 ▸ **Le gâteau renversé**

Répondez aux questions suivantes.

1. Qu'est-ce qu'on prépare?
2. Quels sont deux nouveaux mots que tu as compris tout de suite parce qu'ils ressemblent aux mots anglais?
3. Quel nouveau mot est facile à comprendre parce que tu reconnais sa racine (*root*)? Quelle est la définition de ce mot en anglais?
4. Quels sont cinq mots clés (*key*) dans la recette que tu devrais chercher dans ton dictionnaire?
5. De quel fruit a-t-on besoin pour faire ce dessert?
6. Quels sont les ingrédients pour le caramel?
7. Après avoir fait le caramel, qu'est-ce qu'on prépare ensuite?
8. Comment coupe-t-on les poires?
9. Comment couvre-t-on les fruits?
10. À quelle température est-ce qu'on fait cuire le gâteau?
11. Pourquoi faut-il piquer la pâte avec la pointe d'un couteau?
12. Comment démoule-t-on le gâteau?

quatre cent soixante-trois
Leçon B

463

Answers

16 Possible answers:
1. On prépare un gâteau renversé aux poires caramélisées.
2. Deux nouveaux mots qui ressemblent aux mots anglais sont "transparent" et "uniformément."
3. Un nouveau mot qui est facile à comprendre est "cuillerées à soupe." En anglais, c'est "tablespoons."
4. Cinq mots clés dans la recette sont "farine," "levure," "mélanger," "verser" et "moule."
5. On a besoin de poires pour faire ce dessert.
6. Les ingrédients pour le caramel sont 100 g de sucre et deux cuillerées à soupe d'eau.
7. Ensuite on prépare la pâte.
8. On les coupe en fines tranches.
9. On les couvre uniformément.
10. On fait cuire le gâteau à 220°C.
11. Il faut piquer la pâte avec la pointe d'un couteau pour voir si le gâteau est prêt.
12. On couvre le moule avec une assiette, puis on retourne l'assiette et le moule de sorte que le gâteau tombe dans l'assiette.

463

17 ▸ En ordre chronologique

Mettez les instructions suivantes en ordre chronologique d'après la recette. Écrivez "1" pour la première phrase, "2" pour la deuxième phrase, etc.

1. Disposez les tranches en corolle sur le caramel.
2. Laissez refroidir quelques minutes.
3. Ajoutez la farine et la levure.
4. Pelez les poires.
5. Faites cuire à 220°C.
6. Mélangez les œufs avec le sucre en poudre.
7. Enlevez le cœur et les pépins des poires.
8. Piquez la pâte avec la pointe d'un couteau.
9. Préparez le caramel.
10. Couvrez les poires avec la pâte.

18 ▸ Un masque de carnaval

Voici les instructions pour faire un masque de carnaval. Elles sont accompagnées d'illustrations à la page suivannte. Les instructions sont numérotées correctement, mais les illustrations ne sont pas en ordre. D'abord, lisez les instructions en vous servant des mots qui ressemblent aux mots anglais. Puis, cherchez les mots clés que vous ne comprenez pas dans votre dictionnaire. Enfin, mettez les illustrations en ordre chronologique.

Pour faire un masque simple
Le matériel:

du carton-pâte (46 cm de haut x 30,5 cm de large)
un crayon
une agrafeuse
des agrafes
des ciseaux
de la ficelle ou un élastique étroit

des marqueurs
du ruban adhésif
des boutons
des feuilles
des couleurs
des plumes

1. Pliez la feuille de carton-pâte en deux.
2. Pliez la feuille encore une fois pour qu'elle soit divisée en quatre.
3. Dépliez la feuille et tenez-la contre votre visage de sorte que la ligne la plus longue vous coupe le visage en deux verticalement, et la ligne la plus courte vous coupe les yeux horizontalement. Indiquez où sont les yeux avec un crayon. Coupez des trous de 2,54 cm de large, mais faites attention que les trous ne soient pas à plus de 1,9 cm du pli au centre de la feuille.

Teaching Note

Some new words used in the recipe and cognates not found in the end vocabulary of *C'est à toi!* are used in Activity 17.

4. Dépliez la feuille de sorte que vous puissiez voir à travers les trous. Indiquez où sont le nez et la bouche avec un crayon, et découpez des trous avec les ciseaux.

5. En pliant, dépliant et coupant en plusieurs sens, vous pouvez créer la silhouette désirée aux bords du masque. Pour sculpter le masque, vous pouvez couper les bords et les joindre avec des agrafes. Couvrez les agrafes avec du ruban adhésif pour que cela ne vous coupe pas.

6. Faites un trou de chaque côté du masque, à 1,9 cm du bord du masque à côté des yeux. Attachez de la ficelle ou des élastiques étroits pour que le masque tienne sur votre tête.

7. Décorez votre masque comme vous voudrez avec des marqueurs, des boutons, des feuilles, des rubans, des couleurs, des plumes, etc.

1.
2.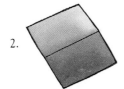
3.

4.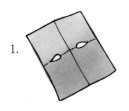
5.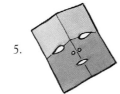
6.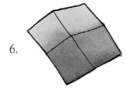

7.

Dossier fermé

Si tu étais en France et tu voyais un accident dans la rue et que quelqu'un avait besoin d'aide médicale, que ferais-tu?

    B. Je ferais le 15 sur un téléphone.

Le 15 est le numéro de téléphone du SAMU, le service d'assistance médicale d'urgence. Aux États-Unis, tu fais le 911 en cas d'urgences, mais en France c'est le 15 que tu fais.

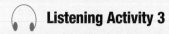

Answers

Évaluation culturelle
1. vraie
2. fausse
3. vraie
4. vraie
5. vraie
6. fausse
7. vraie
8. vraie
9. fausse
10. fausse

FYI

1. In the **Chambre de la Reine** at Fontainebleau is a bed made for Marie-Antoinette, who never used it. The **Salle du Trône,** formerly the **Chambre du Roi,** houses Napoléon's grandiose throne. In the **Chambre de Napoléon** visitors can see the emperor's bed. In the **Salon de l'Abdication** Napoléon wrote his act of abdication in 1814. The number of courtyards indicates the immense size of Fontainebleau. The **Cour du Cheval Blanc,** once a simple enclosed courtyard, was transformed by François Ier into the main approach to the château. The **Escalier du Fer à Cheval,** built by Jean Androuet du Cerceau in 1634, was designed to allow carriages to pass beneath the two arches. Outdoors the **Jardin de Diane** features a bronze fountain of Diana the huntress. The **Jardin Anglais,** redesigned in the 19th century, is planted with cypress and plantain trees. 2. The severe old part of the **Palais des Papes,** called the **Palais Vieux,** reflects the austere temperament of Pope Benedict XII, while the artistic new palace, or **Palais Neuf,** reflects the cultivated tastes of Pope Clement VI. The most striking feature of the palace is the great hall. In the banquet hall lined with Gobelin tapestries, the cardinals gathered to elect a new pope. Clement VI's study, called the Stag Room due to the hunting frescoes and ceramic tiles, is the palace's most lovely room. 3. Avignon's famous summer festival is France's largest. It was founded in 1947 by Gérard Philippe and Jean Vilar.

✓ Évaluation culturelle

*Pour voir si vous avez bien compris la culture française, décidez si chaque phrase est **vraie** ou **fausse**.*

1. Fontainebleau était la résidence des rois quand ils allaient à la chasse.
2. La chasse est le sport le plus populaire parmi les Français.
3. La Coupe du Monde est un grand événement sportif de football.
4. Les Français téléphonent au SAMU quand ils ont besoin d'aide médicale rapide.
5. Les Français sont obligés d'offrir de l'aide quand ils voient un accident.
6. Les Français vont au drugstore quand ils ont besoin de faire préparer une ordonnance.
7. On appelle la région du sud de la France le Midi.
8. La ville d'Avignon se trouve en Provence.
9. Les papes sont allés de Rome à Avignon pour se protéger de la peste.
10. Le Festival d'Avignon a lieu chaque année sur le pont Saint-Bénezet.

La ville d'Avignon, située en Provence, est aussi dans le Midi.

✓ Évaluation orale

 Avec un(e) partenaire, jouez les rôles de deux personnes dans une pharmacie. La première personne joue le rôle d'une personne qui ne se sent pas du tout bien parce qu'elle a mangé quelque chose de mauvais. La deuxième personne joue le rôle d'un pharmacien ou une pharmacienne. En parlant avec le pharmacien ou la pharmacienne, la personne malade doit:

1. demander si le pharmacien ou la pharmacienne peut faire quelque chose pour l'aider
2. expliquer pourquoi elle ne se sent pas bien
3. dire où elle a mal
4. demander si le pharmacien ou la pharmacienne peut suggérer quelque chose à prendre pour se sentir mieux
5. demander le mode d'emploi du médicament
6. demander le prix du médicament
7. dire qu'elle lui est très reconnaissante
8. lui dire "au revoir"

Pendant la conversation le pharmacien ou la pharmacienne doit répondre logiquement à ce que la personne malade dit.

✓ Évaluation écrite

Imaginez qu'un(e) de vos ami(e)s francophones vous a invité(e) à passer le weekend à la maison de campagne de sa famille. Malheureusement, vous venez d'avoir un accident, et vous avez des blessures. Écrivez une lettre aux parents de votre ami(e) pour refuser l'invitation. Dans votre lettre, dites:

1. que vous êtes très reconnaissant(e) de leur invitation
2. pourquoi vous devez la refuser
3. que si vous n'aviez pas eu cet accident, vous auriez bien voulu l'accepter
4. ce qui s'est passé
5. où vous avez mal
6. qui vous a aidé(e) et comment
7. que vous êtes très déçu(e) de ne pas accepter leur invitation
8. que vous leur souhaitez un bon weekend

✓ Évaluation visuelle

Hier Monique a acheté un lecteur de DVD, mais il ne marchait pas. Aujourd'hui elle a l'intention de le rendre au magasin. Mais quelque chose de grave s'est passé quand elle conduisait au magasin. Écrivez un paragraphe qui décrit la journée de Monique et ce qui lui est arrivé. Utilisez les illustrations et les nouvelles expressions de l'Unité 10. (Avant de commencer, regardez les sections Révision de fonctions aux pages 469-70 et Vocabulaire à la page 471.)

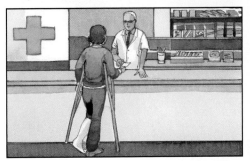

Dictée

To provide additional written practice, you might want to give this dictation. Read each sentence twice, once at a natural speed and once more slowly. Have students write what you say. As a group correction activity, either put the paragraph on a transparency in advance or have volunteers write the sentences on the board.

Joëlle a décidé de faire le tour de Fontainebleau. Mais quelque chose d'embêtant est arrivé. En descendant l'Escalier du Fer à Cheval après le tour, elle est tombée. Elle s'est fait mal à la cheville droite et ne pouvait pas se lever. Quelqu'un de gentil a téléphoné au SAMU. Dans la salle des urgences de l'hôpital, elle a parlé a quelques ados avec des blessures. Ils attendaient les résultats de la radiographie. La sienne avait montré une cheville cassée. Avec des béquilles, elle aurait pu marché, mais il n'y en avait plus. Donc, dans un fauteuil roulant, elle a cherché plusieurs canettes de coca pour les autres ados dans la salle d'attente. Quand son beau-père est venue la chercher, il a dit, "Tu aurais évité tous ces ennuis si tu avais fait attention." Mais Joëlle n'étais pas déçue. Elle avait une nouvelle copine, Martine. Elles se retrouveront à Paris le weekend prochain.

Révision de fonctions

Can you do all of the following tasks in French?

- I can ask about someone's health.
- I can give information about various topics, including health.
- I can talk about what happened in the past.
- I can describe someone's character traits.
- I can ask if someone can do something.
- I can admit to something.
- I can agree with someone.
- I can ask someone for help.
- I can ask for permission.
- I can confirm what someone has said.
- I can ask for the price of something.
- I can estimate something.
- I can compare things.
- I can make an assumption.
- I can express emotions.
- I can say what displeases me.
- I can say that I'm disappointed.
- I can suggest what people can do.
- I can accept an invitation.
- I can say that I'm grateful.
- I can end a conversation.

To inquire about health and welfare, use:
Qu'as-tu fait?

To give information, use:
Je me suis cassé la cheville.
Je me suis foulé le poignet.

To describe past events, use:
J'aurais voulu l'utiliser tout de suite.

To describe character, use:
J'ai pu demander à **quelqu'un de** gentil.

To inquire about capability, use:
Tu n'as pas trop de mal à marcher avec des béquilles?

To admit, use:
Je dois dire qu'il était un peu compliqué.

What did you do?

I broke my ankle.
I sprained my wrist.

I would have wanted to use it right away.

I was able to ask someone nice.

It doesn't hurt too much to walk on crutches?

I must say that it was a little complicated.

Je dois dire que ma partenaire est en retard.

To agree with someone, use:
Sans blague!

To ask for help, use:
J'ai pu demander à quelqu'un de gentil **de venir m'aider.**

To ask for permission, use:
Ça vous gêne si je jette un coup d'œil?
Laissez-moi voir.

To express confirmation, use:
Vous avez raison.

To ask for a price, use:
Je vous dois combien?

To estimate, use:
Environ dix jours.

No kidding!

I was able to ask someone nice to come and help me.

Does it bother you if I take a quick look?
Let me see.

You're right.

How much do I owe you?

About ten days.

469

To compare, use:

J'aurai **autant de** mal au début que la
dernière fois.

*It will hurt as much at the beginning
as last time.*

To hypothesize, use:

Si j'avais essayé le dictionnaire électronique avant de quitter le magasin,
j'aurais évité tous ces ennuis.

*If I had tried the electronic diction-
ary before leaving the store, I would
have avoided all these problems.*

To express emotions, use:

Brian est **frustré** parce que son dictionnaire
électronique ne marche pas.
Ça me rend très heureux.

*Brian is frustrated because his
electronic dictionary doesn't work.
That makes me very happy.*

Merci. Ça me rend heureuse.

To express displeasure, use:

**C'est vraiment quelque chose
d'embêtant.**

That's really something annoying.

To express disappointment, use:

Moi qui étais **déçu**, maintenant ça
va mieux.

*I was disappointed, now things
are better.*

To make suggestions, use:

Si on changeait la pile?

What if we changed the battery?

To accept an invitation, use:

Ça serait très gentil.

That would be very nice.

To express gratitude, use:

Je te serais très reconnaissante.

I'd be very grateful.

To terminate a conversation, use:

Je te reverrai.
À bientôt.

I'll see you again.
See you soon.

Vocabulaire

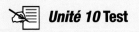
un **accident** accident *A*
un **achat** purchase *B*
s' **adapter** to adapt *A*
un **antibiotique** antibiotic *A*
un **appareil** appliance *B*
   arriver to happen *A*
une **aspirine** aspirin *A*
une **attente: une salle d'attente** waiting room *A*
   autant de as much, as many *A*
   avoir raison to be right *B*

un **ballon** (inflated) ball *A*
un **bandage** bandage *A*
une **béquille** crutch *A*
une **blague** joke *B*
   Sans blague! No kidding! *B*
une **blessure** wound *A*
une **boîte** box *A*
un **bon de réduction** coupon *B*

   c'est: C'est à vous de voir. It's up to you. *B*
une **canette** can *A*
   cassé(e) broken *A*
se **casser** to break *A*
une **cheville** ankle *A*
un(e) **client(e)** customer *B*
   compliqué(e) complicated *B*
un **coup: jeter un coup d'œil** to take a quick look *B*

   déçu(e) disappointed *B*
   devoir to owe *B*
un **dico** dictionary *B*
   droit(e) right *A*

   élevé(e) raised *A*
   embêtant(e) annoying *A*
   entouré(e) wrapped *A*
   environ about *B*
   éviter to avoid *B*
une **expression** expression *B*

se **faire mal** to hurt oneself *A*
   fauteuil: un fauteuil roulant wheelchair *A*
se **fouler** to sprain *A*
   frustré(e) frustrated *B*

   gauche left *A*
   gêner to bother *B*
   gratuitement free *B*

un **hôpital** hospital *A*

   jeter un coup d'œil to take a quick look *B*
   justement exactly *B*

   laisser: laissez-moi let me *B*

le **Midi** the south of France *B*
le **mode d'emploi** instructions *B*
   moi-même myself *B*

   n'importe quel, n'importe quelle just any *A*
   n'importe qui anyone *A*
   neuf, neuve new *B*

   œil: jeter un coup d'œil to take a quick look *B*
une **ordonnance** prescription *A*

une **pastille** lozenge *A*
une **pharmacie** pharmacy, drugstore *A*
une **phrase** phrase, sentence *B*
une **pile** battery *B*
un **plâtre** cast *A*
un **poignet** wrist *A*

une **radiographie** X ray *A*
   raison: avoir raison to be right *B*
   rapporter to bring back *B*
   rattraper to trap *A*
un **rayon** (store) department *B*
une **réduction** reduction *B*
   rembourser to reimburse *B*
   rendre (+ adjective) to make *B*
   réparer to repair *B*
un **résultat** result *A*
se **retrouver** to meet *A*
   revoir to see again *A*
   rien nothing *B*
   roulant(e): un fauteuil roulant wheelchair *A*

une **salle d'attente** waiting room *A*
une **salle des urgences** emergency room *A*
le **SAMU (service d'assistance médicale d'urgence)** emergency medical service *A*
   si what if *B*

un **tel, une telle** such a *A*
un **ticket de caisse** receipt *B*
le **tracas** trouble *B*

l' **un(e)... l'autre** (the) one . . . the other *A*
une **urgence: la salle des urgences** emergency room *A*

471

Grammar Summary

Possessive Adjectives

	Singular		Plural
Masculine	**Feminine before a Consonant Sound**	**Feminine before a Vowel Sound**	
mon	ma	mon	mes
ton	ta	ton	tes
son	sa	son	ses
notre	notre	notre	nos
votre	votre	votre	vos
leur	leur	leur	leurs

Demonstrative Adjectives

	Masculine before a Consonant Sound	Masculine before a Vowel Sound	Feminine
Singular	ce	cet	cette
Plural	ces	ces	ces

Indefinite Adjectives

aucun(e)... ne (n')	not one, no
autre	other
certain(e)	certain
chaque	each, every
même	same
la plupart de	most
plusieurs	several
quelques	some
tout(e)	all, every

Quel

	Masculine	Feminine
Singular	quel	quelle
Plural	quels	quelles

Tout

	Masculine	Feminine
Singular	tout	toute
Plural	tous	toutes

Agreement of Adjectives

	Masculine	Feminine
add **e**	Il est bavard.	Elle est bavarde.
no change	Il est suisse.	Elle est suisse.
change **-er** to **-ère**	Il est cher.	Elle est chère.
change **-eux** to **-euse**	Il est paresseux.	Elle est paresseuse.
double consonant + **e**	Il est gros.	Elle est grosse.

Irregular Feminine Adjectives

Masculine before a Consonant Sound	Masculine before a Vowel Sound	Feminine
blanc		blanche
frais		fraîche
long		longue
beau	bel	belle
nouveau	nouvel	nouvelle
vieux	vieil	vieille

Irregular Plural Adjectives

	Singular	Plural
no change	amoureux	amoureux
	bon marché	bon marché
	frais	frais
	heureux	heureux
	marron	marron
	orange	orange
	paresseux	paresseux
	super	super
	sympa	sympa
	vieux	vieux
-eau → -eaux	beau	beaux
	nouveau	nouveaux
-al → -aux	national	nationaux

Position of Adjectives

Most adjectives usually follow their nouns. But adjectives expressing beauty, age, goodness and size precede their nouns. Some of these preceding adjectives are:

autre	joli
beau	mauvais
bon	nouveau
grand	petit
gros	vieux
jeune	

quatre cent soixante-treize
Grammar Summary

Comparative of Adjectives

plus	+	adjective	+	**que**
moins	+	adjective	+	**que**
aussi	+	adjective	+	**que**

Superlative of Adjectives

le/la/les	+	**plus**	+	adjective

Irregular Plural Nouns

		Singular	Plural
no change		autobus	autobus
-al	→ **-aux**	animal	animaux
		journal	journaux
-eau	→ **-eaux**	bateau	bateaux
-eu	→ **-eux**	feu	feux
		jeu	jeux

Comparative of Adverbs

plus	+	adverb	+	**que**
moins	+	adverb	+	**que**
aussi	+	adverb	+	**que**

Some adverbs have an irregular comparative form:

Adverb	Comparative
bien (well)	**mieux** (better)
beaucoup (a lot, much)	**plus** (more)
peu (little)	**moins** (less)

Superlative of Adverbs

le	+	**plus**	+	adverb

To form the superlative of *bien*, *beaucoup* and *peu*, put *le* before these adverbs' irregular comparative forms.

Adverb	Comparative	Superlative
bien	**mieux**	**le mieux**
beaucoup	**plus**	**le plus**
peu	**moins**	**le moins**

Expressions of Quantity

assez de	enough
beaucoup de	a lot of, many
combien de	how much, how many
moins de	less
(un) peu de	(a) little, few
plus de	more
trop de	too much, too many

une boîte de	a can of, a box of
une bouteille de	a bottle of
une canette de	a can of
un kilo de	a kilogram of
un morceau de	a piece of
un pot de	a jar of
une tasse de	a cup of
une tranche de	a slice of

Direct Object Pronouns

	Masculine	Feminine	Before a Vowel Sound
Singular	me	me	m'
	te	te	t'
	le	la	l'
Plural	nous	nous	nous
	vous	vous	vous
	les	les	les

Indirect Object Pronouns

	Masculine or Feminine	Before a Vowel Sound
Singular	me	m'
	te	t'
	lui	lui
Plural	nous	nous
	vous	vous
	leur	leur

Order of Double Object Pronouns

subject	+	me te nous vous se	+	le la les	+	lui leur	+	y	+	en	+	verb

Stress Pronouns

Singular		Plural	
moi	*je*	**nous**	*nous*
toi	*tu*	**vous**	*vous*
lui	*il*	**eux**	*ils*
elle	*elle*	**elles**	*elles*

Interrogative Pronouns

	Subject	Direct Object	Object of Preposition
People	qui / qui est-ce qui	qui / qui est-ce que	qui
Things	qu'est-ce qui	que / qu'est-ce que	quoi

Lequel

	Masculine	Feminine
Singular	lequel	laquelle
Plural	lesquels	lesquelles

Dont

dont = **de** + noun

Demonstrative Pronouns

	Masculine	Feminine
Singular	celui	celle
Plural	ceux	celles

Possessive Pronouns

	Singular		Plural	
	Masculine	**Feminine**	**Masculine**	**Feminine**
mine	**le mien**	**la mienne**	**les miens**	**les miennes**
yours	**le tien**	**la tienne**	**les tiens**	**les tiennes**
his, hers, its, one's	**le sien**	**la sienne**	**les siens**	**les siennes**
ours	**le nôtre**	**la nôtre**	**les nôtres**	
your	**le vôtre**	**la vôtre**	**les vôtres**	
theirs	**le leur**	**la leur**	**les leurs**	

Indefinite Pronouns

aucun(e)... ne (n')	not one
un(e) autre	another
la plupart	most
plusieurs	several
quelqu'un	someone, somebody
quelque chose	something
tous les deux	both

Present Tense of Regular Verbs

-er parler			
je	parle	nous	parlons
tu	parles	vous	parlez
il/elle/on	parle	ils/elles	parlent

-ir finir			
je	finis	nous	finissons
tu	finis	vous	finissez
il/elle/on	finit	ils/elles	finissent

-re perdre			
je	perds	nous	perdons
tu	perds	vous	perdez
il/elle/on	perd	ils/elles	perdent

Regular Imperatives

-er parler	-ir finir	-re perdre
parle	finis	perds
parlez	finissez	perdez
parlons	finissons	perdons

Present Tense of Reflexive Verbs

se coucher					
je	me	couche	nous	nous	couchons
tu	te	couches	vous	vous	couchez
il/elle/on	se	couche	ils/elles	se	couchent

Imperative of Reflexive Verbs

-er se réveiller
Réveille-toi! Réveillez-vous! Réveillons-nous!

Present Tense of Irregular Verbs

accéder			
j'	accède	nous	accédons
tu	accèdes	vous	accédez
il/elle/on	accède	ils/elles	accèdent

acheter			
j'	achète	nous	achetons
tu	achètes	vous	achetez
il/elle/on	achète	ils/elles	achètent

aller			
je	vais	nous	allons
tu	vas	vous	allez
il/elle/on	va	ils/elles	vont

appeler			
j'	appelle	nous	appelons
tu	appelles	vous	appelez
il/elle/on	appelle	ils/elles	appellent

appuyer			
j'	appuie	nous	appuyons
tu	appuies	vous	appuyez
il/elle/on	appuie	ils/elles	appuient

s'asseoir					
je	m'	assieds	nous	nous	asseyons
tu	t'	assieds	vous	vous	asseyez
il/elle/on	s'	assied	ils/elles	s'	asseyent

avoir			
j'	ai	nous	avons
tu	as	vous	avez
il/elle/on	a	ils/elles	ont

Grammar Summary

boire

je	bois	nous	buvons
tu	bois	vous	buvez
il/elle/on	boit	ils/elles	boivent

conduire

je	conduis	nous	conduisons
tu	conduis	vous	conduisez
il/elle/on	conduit	ils/elles	conduisent

connaître

je	connais	nous	connaissons
tu	connais	vous	connaissez
il/elle/on	connaît	ils/elles	connaissent

construire

je	construis	nous	construisons
tu	construis	vous	construisez
il/elle/on	construit	ils/elles	construisent

courir

je	cours	nous	courons
tu	cours	vous	courez
il/elle/on	court	ils/elles	courent

croire

je	crois	nous	croyons
tu	crois	vous	croyez
il/elle/on	croit	ils/elles	croient

devoir

je	dois	nous	devons
tu	dois	vous	devez
il/elle/on	doit	ils/elles	doivent

dire

je	dis	nous	disons
tu	dis	vous	dites
il/elle/on	dit	ils/elles	disent

se distraire

je me	distrais		nous	nous	distrayons
tu te	distrais		vous	vous	distrayez
il/elle/on se	distrait		ils/elles	se	distraient

dormir

je	dors		nous	dormons
tu	dors		vous	dormez
il/elle/on	dort		ils/elles	dorment

écrire

j'	écris		nous	écrivons
tu	écris		vous	écrivez
il/elle/on	écrit		ils/elles	écrivent

s'ennuyer

je m'	ennuie		nous	nous	ennuyons
tu t'	ennuies		vous	vous	ennuyez
il/elle/on s'	ennuie		ils/elles	s'	ennuient

essayer

j'	essaie		nous	essayons
tu	essaies		vous	essayez
il/elle/on	essaie		ils/elles	essaient

être

je	suis		nous	sommes
tu	es		vous	êtes
il/elle/on	est		ils/elles	sont

faire

je	fais		nous	faisons
tu	fais		vous	faites
il/elle/on	fait		ils/elles	font

falloir

il	faut

s'intégrer

je m'	intègre		nous	nous	intégrons
tu t'	intègres		vous	vous	intégrez
il/elle/on s'	intègre		ils/elles	s'	intègrent

jeter

je	jette	nous	jetons
tu	jettes	vous	jetez
il/elle/on	jette	ils/elles	jettent

lire

je	lis	nous	lisons
tu	lis	vous	lisez
il/elle/on	lit	ils/elles	lisent

maintenir

je	maintiens	nous	maintenons
tu	maintiens	vous	maintenez
il/elle/on	maintient	ils/elles	maintiennent

mettre

je	mets	nous	mettons
tu	mets	vous	mettez
il/elle/on	met	ils/elles	mettent

mourir

je	meurs	nous	mourons
tu	meurs	vous	mourez
il/elle/on	meurt	ils/elles	meurent

naître

je	nais	nous	naissons
tu	nais	vous	naissez
il/elle/on	naît	ils/elles	naissent

offrir

j'	offre	nous	offrons
tu	offres	vous	offrez
il/elle/on	offre	ils/elles	offrent

ouvrir

j'	ouvre	nous	ouvrons
tu	ouvres	vous	ouvrez
il/elle/on	ouvre	ils/elles	ouvrent

partir			
je	pars	nous	partons
tu	pars	vous	partez
il/elle/on	part	ils/elles	partent

payer			
je	paie	nous	payons
tu	paies	vous	payez
il/elle/on	paie	ils/elles	paient

peindre			
je	peins	nous	peignons
tu	peins	vous	peignez
il/elle/on	peint	ils/elles	peignent

se plaindre					
je me	plains	nous	nous	plaignons	
tu te	plains	vous	vous	plaignez	
il/elle/on se	plaint	ils/elles	se	plaignent	

plaire			
je	plais	nous	plaisons
tu	plais	vous	plaisez
il/elle/on	plaît	ils/elles	plaisent

pleuvoir	
il	pleut

pouvoir			
je	peux	nous	pouvons
tu	peux	vous	pouvez
il/elle/on	peut	ils/elles	peuvent

préférer			
je	préfère	nous	préférons
tu	préfères	vous	préférez
il/elle/on	préfère	ils/elles	préfèrent

prendre			
je	prends	nous	prenons
tu	prends	vous	prenez
il/elle/on	prend	ils/elles	prennent

Grammar Summary

protéger

je	protège	nous	protégeons
tu	protèges	vous	protégez
il/elle/on	protège	ils/elles	protègent

recevoir

je	reçois	nous	recevons
tu	reçois	vous	recevez
il/elle/on	reçoit	ils/elles	reçoivent

répéter

je	répète	nous	répétons
tu	répètes	vous	répétez
il/elle/on	répète	ils/elles	répètent

savoir

je	sais	nous	savons
tu	sais	vous	savez
il/elle/on	sait	ils/elles	savent

sécher

je	sèche	nous	séchons
tu	sèches	vous	séchez
il/elle/on	sèche	ils/elles	sèchent

se sentir

je me	sens	nous nous	sentons
tu te	sens	vous vous	sentez
il/elle/on se	sent	ils/elles se	sentent

servir

je	sers	nous	servons
tu	sers	vous	servez
il/elle/on	sert	ils/elles	servent

sortir

je	sors	nous	sortons
tu	sors	vous	sortez
il/elle/on	sort	ils/elles	sortent

suivre

je	suis	nous	suivons
tu	suis	vous	suivez
il/elle/on	suit	ils/elles	suivent

se taire

je me	tais	nous	nous	taisons
tu te	tais	vous	vous	taisez
il/elle/on se	tait	ils/elles	se	taisent

vaincre

je	vaincs	nous	vainquons
tu	vaincs	vous	vainquez
il/elle/on	vainc	ils/elles	vainquent

valoir

je	vaux	nous	valons
tu	vaux	vous	valez
il/elle/on	vaut	ils/elles	valent

venir

je	viens	nous	venons
tu	viens	vous	venez
il/elle/on	vient	ils/elles	viennent

vivre

je	vis	nous	vivons
tu	vis	vous	vivez
il/elle/on	vit	ils/elles	vivent

voir

je	vois	nous	voyons
tu	vois	vous	voyez
il/elle/on	voit	ils/elles	voient

vouloir

je	veux	nous	voulons
tu	veux	vous	voulez
il/elle/on	veut	ils/elles	veulent

Verbs + *à* + Infinitives

aider	commencer	réussir
s'amuser	continuer	
apprendre	inviter	

Verbs + *de* + Infinitives

arrêter	demander	finir
choisir	se dépêcher	offrir
décider	dire	rêver

Verbs + Infinitives

adorer	espérer	savoir
aimer	falloir	sembler
aller	pouvoir	venir
désirer	préférer	vouloir
devoir	regarder	

Verbs + *de* + Nouns

avoir besoin de	to need
avoir envie de	to want, to feel like
avoir peur de	to be afraid of
être amoureux/amoureuse de	to be in love with
être content(e) de	to be happy about
faire la connaissance de	to meet
se méfier de	to distrust
s'occuper de	to take care of
parler de	to speak/talk about
se plaindre de	to complain about
rêver de	to dream about
se servir de	to use
se souvenir de	to remember
traiter de	to treat
se tromper de	to be mistaken/wrong about

Negation in Present Tense

ne... jamais	Je **ne** vois **jamais** Hélène.
ne... pas	Vous **ne** mangez **pas**.
ne... personne	Il **n'y** a **personne** ici.
ne... plus	Tu **ne** fais **plus** de footing?
ne... rien	Nous **ne** faisons **rien**.

Passé Composé with Regular Past Participles

jouer					
j'	ai	joué	nous	avons	joué
tu	as	joué	vous	avez	joué
il/elle/on	a	joué	ils/elles	ont	joué

finir					
j'	ai	fini	nous	avons	fini
tu	as	fini	vous	avez	fini
il/elle/on	a	fini	ils/elles	ont	fini

attendre					
j'	ai	attendu	nous	avons	attendu
tu	as	attendu	vous	avez	attendu
il/elle/on	a	attendu	ils/elles	ont	attendu

Passé Composé with Irregular Past Participles

Infinitive	Past Participle
avoir	eu
boire	bu
conduire	conduit
connaître	connu
courir	couru
croire	cru
devoir	dû
dire	dit
écrire	écrit
être	été
faire	fait
falloir	fallu
lire	lu
mettre	mis
offrir	offert
ouvrir	ouvert
pouvoir	pu
prendre	pris
recevoir	reçu
savoir	su
suivre	suivi
vivre	vécu
voir	vu
vouloir	voulu

Passé Composé with *Être*

aller			sortir		
je	suis	allé	je	suis	sorti
je	suis	allée	je	suis	sortie
tu	es	allé	tu	es	sorti
tu	es	allée	tu	es	sortie
il	est	allé	il	est	sorti
elle	est	allée	elle	est	sortie
on	est	allé	on	est	sorti
nous	sommes	allés	nous	sommes	sortis
nous	sommes	allées	nous	sommes	sorties
vous	êtes	allé	vous	êtes	sorti
vous	êtes	allée	vous	êtes	sortie
vous	êtes	allés	vous	êtes	sortis
vous	êtes	allées	vous	êtes	sorties
ils	sont	allés	ils	sont	sortis
elles	sont	allées	elles	sont	sorties

Some of the verbs that use être as the helping verb in the *passé composé* are:

Infinitive	Past Participle
aller	allé
arriver	arrivé
descendre	descendu
devenir	devenu
entrer	entré
monter	monté
mourir	mort
naître	né
partir	parti
rentrer	rentré
rester	resté
retourner	retourné
revenir	revenu
sortir	sorti
tomber	tombé
venir	venu

Passé Composé of Reflexive Verbs

		se réveiller	
je	me	suis	réveillé
je	me	suis	réveillée
tu	t'	es	réveillé
tu	t'	es	réveillée
il	s'	est	réveillé
elle	s'	est	réveillée
on	s'	est	réveillé
nous	nous	sommes	réveillés
nous	nous	sommes	réveillées
vous	vous	êtes	réveillé
vous	vous	êtes	réveillée
vous	vous	êtes	réveillés
vous	vous	êtes	réveillées
ils	se	sont	réveillés
elles	se	sont	réveillées

Present Participle

Verb	Present Participle
entrer	**entrant**
aller	**allant**
offrir	**offrant**
sortir	**sortant**
répondre	**répondant**
dire	**disant**

Past Infinitive

après	+	**avoir** **être**	+	past participle

Subjunctive of Regular Verbs

	chanter	choisir	vendre
que je	chante	choisisse	vende
que tu	chantes	choisisses	vendes
qu'il/elle/on	chante	choisisse	vende
que nous	chantions	choisissions	vendions
que vous	chantiez	choisissiez	vendiez
qu'ils/elles	chantent	choisissent	vendent

Subjunctive of Irregular Verbs

	aller	faire	pouvoir	savoir	vouloir
que je (j')	aille	fasse	puisse	sache	veuille
que tu	ailles	fasses	puisses	saches	veuilles
qu'il/elle/on	aille	fasse	puisse	sache	veuille
que nous	allions	fassions	puissions	sachions	voulions
que vous	alliez	fassiez	puissiez	sachiez	vouliez
qu'ils/elles	aillent	fassent	puissent	sachent	veuillent

	boire	croire	devoir	prendre	recevoir
que je	boive	croie	doive	prenne	reçoive
que tu	boives	croies	doives	prennes	reçoives
qu'il/elle/on	boive	croie	doive	prenne	reçoive
que nous	buvions	croyions	devions	prenions	recevions
que vous	buviez	croyiez	deviez	preniez	receviez
qu'ils/elles	boivent	croient	doivent	prennent	reçoivent

	venir	voir	avoir	être
que je (j')	vienne	voie	aie	sois
que tu	viennes	voies	aies	sois
qu'il/elle/on	vienne	voie	ait	soit
que nous	venions	voyions	ayons	soyons
que vous	veniez	voyiez	ayez	soyez
qu'ils/elles	viennent	voient	aient	soient

Subjunctive after Impersonal Expressions

il est nécessaire que	it is necessary that
il est important que	it is important that
il est indispensable que	it is indispensable that
il est essentiel que	it is essential that
il est possible que	it is possible that
il est impossible que	it is impossible that
il vaut mieux que	it is better that
il est bon que	it is good that
il est surprenant que	it is surprising that
il est utile que	it is useful that

Subjunctive after Expressions of Wish, Will or Desire

aimer	to like, to love	préférer	to prefer
désirer	to want	souhaiter	to wish, to hope
exiger	to require	vouloir	to want

Subjunctive after Expressions of Emotion

être content(e) que	to be happy that
être heureux/heureuse que	to be happy that
être triste que	to be sad that
être désolé(e) que	to be sorry that
être fâché(e) que	to be angry that
être étonné(e) que	to be surprised that
avoir peur que	to be afraid that
regretter que	to be sorry that
s'inquiéter que	to worry that
Ça me surprend que....	It surprises me that ....
Ça m'embête que....	It bothers me that ....
C'est dommage que....	It's too bad that ....

Use of the Subjunctive and the Indicative

Subjunctive	Indicative
Je doute que....	Je ne doute pas que....
Penses-tu que...?	Je pense que....
Je ne pense pas que....	Ne penses-tu pas que...?
Crois-tu que...?	Je crois que....
Je ne crois pas que....	Ne crois-tu pas que...?
Je ne suis pas sûr(e) que....	Je suis sûr(e) que....
Es-tu sûr(e) que...?	N'es-tu pas sûr(e) que...?
Je ne suis pas certain(e) que....	Je suis certain(e) que....
Es-tu certain(e) que...?	N'es-tu pas certain(e) que...?
Il n'est pas vrai que....	Il est vrai que....
Est-il vrai que...?	N'est-il pas vrai que...?
Il n'est pas évident que....	Il est évident que....
Est-il évident que...?	N'est-il pas évident que...?

Imperfect Tense

travailler			
je	travaillais	nous	travaillions
tu	travaillais	vous	travailliez
il/elle/on	travaillait	ils/elles	travaillaient

Imperfect Tense of *Être*

être			
j'	étais	nous	étions
tu	étais	vous	étiez
il/elle/on	était	ils/elles	étaient

Conditional Tense of Regular Verbs

jouer			
je	jouerais	nous	jouerions
tu	jouerais	vous	joueriez
il/elle/on	jouerait	ils/elles	joueraient

Conditional Tense of Irregular Verbs

Infinitive	Conditional Stem
aller	ir-
s'asseoir	assiér-
avoir	aur-
courir	courr-
devoir	devr-
envoyer	enverr-
être	ser-
faire	fer-
falloir	faudr-
mourir	mourr-
pleuvoir	pleuvr-
pouvoir	pourr-
recevoir	recevr-
savoir	saur-
valoir	vaudr-
venir	viendr-
voir	verr-
vouloir	voudr-

Conditional Tense with *Si*

si	+	imperfect	conditional

Future Tense of Regular Verbs

trouver			
je	**trouverai**	Je **trouverai** toutes les réponses.	I'll find all the answers.
tu	**trouveras**	Où **trouveras**-tu un appartement?	Where will you find an apartment?
il/elle/on	**trouvera**	On **trouvera** beaucoup d'outils de recherche.	You'll find many search engines.
nous	**trouverons**	Qu'est-ce que nous **trouverons**?	What will we find?
vous	**trouverez**	Vous **trouverez** une liste d'adresses.	You'll find a list of addresses.
ils/elles	**trouveront**	Elles ne **trouveront** rien.	They won't find anything.

Future Tense after *Quand*

quand	+	future	future

Future Tense with *Si*

si	+	present	future
si	+	present	present
si	+	present	imperative

Pluperfect Tense

	demander	aller
j'	avais demandé	étais allé(e)
tu	avais demandé	étais allé(e)
il/elle/on	avait demandé	était allé(e)
nous	avions demandé	étions allé(e)s
vous	aviez demandé	étiez allé(e)(s)(es)
ils/elles	avaient demandé	étaient allé(e)s

Past Conditional Tense

	réparer	se lever
j'	aurais réparé	me serais levé(e)
tu	aurais réparé	te serais levé(e)
il/elle/on	aurait réparé	se serait levé(e)
nous	aurions réparé	nous serions levé(e)s
vous	auriez réparé	vous seriez levé(e)(s)(es)
ils/elles	auraient réparé	se seraient levé(e)s

Past Conditional Tense with *Si*

si	+	**plus-que-parfait**	past conditional

Vocabulary
French/English

All words and expressions introduced as active vocabulary in the *C'est à toi!* textbook series appear in this end vocabulary. The number following the meaning of each word or expression indicates the unit in which it appears for the first time in this textbook. If there is more than one meaning for a word or expression and it has appeared in different units, the corresponding unit numbers are listed. Words and expressions that were introduced in the first two levels of *C'est à toi!* do not have a number after them.

A

à to; at; in; *À bientôt.* See you soon.; *à côté (de)* beside, next to; *À demain.* See you tomorrow.; *à droite* to (on) the right; *à gauche* to (on) the left; *à l'heure* on time; *à la fois* all at once; *à la télé* on TV; *à mon avis* in my opinion; *à part* aside from; *à pied* on foot; *à plein temps* full-time 4; *à ta place* if I were you 5; *À tes souhaits!* Bless you!

abondant(e) plentiful 9

une **abréviation** abbreviation 3

accéder to access 6

accélérer to accelerate

un **accent** accent 2

accepter to accept

un **accessoire** accessory

un **accident** accident 10

accompagner to accompany 5

accueillant(e) hospitable, friendly 2

un **achat** purchase 10

acheter to buy

un **acteur, une actrice** actor, actress

actif, active active

une **activité** activity 5

l' **actualité (f.)** current events

s' **adapter** to adapt 10

une **addition** bill, check (at a restaurant)

administratif, administrative administrative 4

une **administration** administration 8

admirer to admire

un(e) **ado** teenager

adorer to love

une **adresse** address

l' **aérobic (m.)** aerobics

un **aérogramme** aerogram (air letter)

un **aéroport** airport

des **affaires (f.)** business 8; *des affaires de toilette (f.)* toiletries

une **affiche** poster

l' **affranchissement (m.)** postage

africain(e) African

l' **Afrique (f.)** Africa

l' **âge (m.)** age; *Tu as quel âge?* How old are you?

âgé(e) old

un **agent** agent; *un agent de police* police officer

une **agrafeuse** stapler 1

agréer to accept 4; *Je vous prie d'agréer, Monsieur (ou Madame), mes salutations distinguées.* Yours truly, 4

agresser to attack 7

ah oh; *Ah bon?* Really 7

l' **aide (f.)** help

aider to help

aimable nice

aimer to like, to love

ainsi que as well as 9

l' **air (m.)** appearance 2

un **album** album 3

l' **alcoolisme (m.)** alcoholism

l' **algèbre (f.)** algebra 1

l' **Algérie (f.)** Algeria

algérien, algérienne Algerian

l' **Allemagne (f.)** Germany

l' **allemand (m.)** German (language)

allemand(e) German

aller to go; *allons-y* let's go (there)

allô hello (on telephone)

des **allocations (f.)** benefits, allowance 7

allumer to turn on

alors (well) then

une **ambassade** embassy 2

une **ambiance** atmosphere 7

ambitieux, ambitieuse ambitious 8

améliorer to improve 8

une **amende** fine

américain(e) American

l' **Amérique (f.)** America; *l'Amérique du Nord (f.)* North America; *l'Amérique du Sud (f.)* South America

un(e) **ami(e)** friend

l' **amour (m.)** love

amoureux, amoureuse in love

amusant(e) funny, amusing

s' **amuser** to have fun, to have a good time

un **an** year; *J'ai… ans.* I'm . . . years old.

l' **anglais (m.)** English (language)

anglais(e) English

l' **Angleterre (f.)** England

un **animal** animal

une **année** year

un **anniversaire** birthday; *Bon anniversaire!* Happy Birthday!

une **annonce** advertisement 4; *des petites annonces* want ads 4

annoncer to announce 4

un **anorak** ski jacket

un **antibiotique** antibiotic 10

une **antilope** antelope 9

août August

un **appareil** appliance 10; *un appareil-photo* camera 9

une **apparence** appearance 7

un **appartement** apartment

appeler to call 7; *s'appeler* to be named 4

apprécier to appreciate 4

apprendre to learn

s' **approcher (de)** to approach, to come up (to) 2

appuyer to press 6

après after

l' **après-midi (m.)** afternoon

un **arbre** tree

un **arc** arch

une **arcade** arcade 1

une **arche** arch

l' **argent (m.)** money, silver; *l'argent liquide (m.)* cash

une **armée** army

une **armoire** wardrobe

arrêter to stop; *s'arrêter* to stop

une **arrivée** arrival

arriver to arrive; to happen 10

un **arrondissement** district 3

arroser to water

l' **art (m.)** art

un **article** article 6

un **artisan** craftsperson 9

un(e) **artiste** artist

un **ascenseur** elevator

asiatique Asian

l' **Asie (f.)** Asia

un **aspirateur** vacuum cleaner

une **aspirine** aspirin 10

assassiner to assassinate 8

s' **asseoir** to sit down

assez rather, quite; enough 4; *assez de* enough

une **assiette** plate

assis(e) seated

un(e) **assistant(e)** assistant 3

assister à to attend

l' **assurance (f.)** insurance 4

un **atelier** studio 3; workshop 9

un(e) **athlète** athlete

attendre to wait (for); *s'attendre à* to expect 2

une **attente: une salle d'attente** waiting room 10

Attention! Watch out! Be careful!

atterrir to land

au to (the), at (the); in (the); on the; *au moins* at least; *au revoir* good-bye; *Au secours!* Help!; *au-dessus de* above

une **auberge de jeunesse** youth hostel

aucun(e)... ne (n') not one, no 2

aujourd'hui today

aussi also, too; as

aussitôt que as soon as

l' **Australie (f.)** Australia

australien, australienne Australian

autant de as much, as many 10

une **auto (automobile)** car; *une auto tamponneuse* bumper car 1

autobiographique autobiographical 3

un **autobus** (city) bus

une **auto-école** driving school

automatique automatic

l' **automne (m.)** autumn, fall

autre other; *un(e) autre* another

autrefois formerly 9

l' **Autriche (f.)** Austria 8

une **autruche** ostrich 9

aux to (the), at (the), in (the)

avance: en avance early

avancé(e) advanced 6

avant (de) before

avec with

l' **avenir (m.)** future 6

une **aventure** adventure

une **avenue** avenue

un **avion** airplane; *par avion* by air mail

un **avis: à mon avis** in my opinion

un(e) **avocat(e)** lawyer

avoir to have; *avoir beau* (to do something) in vain 8; *avoir besoin de* to need; *avoir bonne/mauvaise mine* to look well/sick; *avoir chaud* to be warm, hot; *avoir de la chance* to be lucky 1; *avoir envie de* to want, to feel like; *avoir faim* to be hungry; *avoir froid* to be cold; *avoir l'air* to look 2; *avoir lieu* to take place 8; *avoir mal (à...)* to hurt, to have a/an ... ache, to have a sore ...; *avoir mal au cœur* to feel nauseous; *avoir peur (de)* to be afraid (of); *avoir quel âge* to be how old; *avoir raison* to be right 10; *avoir soif* to be thirsty; *avoir... ans* to be ... (years old)

avril April

B

le **baby-sitting** baby-sitting

le **bac (baccalauréat)** diploma/exam at end of *lycée*

des **bagages (m.)** luggage, baggage

une **bague** ring

une **baguette** long, thin loaf of bread

une **baignoire** bathtub

un **bain: un peignoir de bain** bathrobe; *une salle de bains* bathroom

baisser to lower

un **bal** dance

un **balcon** balcony

un **ballet** ballet 3

un **ballon** (inflated) ball 10

une **banane** banana

le **banco** adobe 9

un **bandage** bandage 10

une **bande: une bande dessinée** comic strip; *une bande originale* sound track 3

une **banque** bank

un **banquier, une banquière** banker

un **baobab** baobab tree 9

une **barbe** beard

bas: en bas at the bottom 3

des **bas (m.)** (panty) hose

le **basket (basketball)** basketball

des **baskets (f.)** hightops

une **bataille** battle 8

un **bateau** boat

un **bâton** ski pole

une **batterie** drums

bavard(e) talkative

beau, bel, belle beautiful, handsome; *avoir beau* (to do something) in vain 8

beaucoup a lot, (very) much; *beaucoup de* a lot of, many

un **beau-frère** stepbrother, brother-in-law

un **beau-père** stepfather, father-in-law

la **beauté** beauty 5

un **bébé** baby 6

beige beige

belge Belgian

la **Belgique** Belgium

une **belle-mère** stepmother, mother-in-law

une **belle-sœur** stepsister, sister-in-law

ben well; *bon ben* well then

le **Bénin** Benin 3

une **béquille** crutch 10

un **besoin** need 4; *avoir besoin de* to need

bête stupid, dumb

Beurk! Yuk!

le **beurre** butter

une **bibliothèque** library

bien well; really; fine, good; *bien sûr* of course

bientôt soon

Bienvenue! Welcome!

un **bijou** jewel

bilingue bilingual 4

un **billet** ticket; bill (money)

la **biologie** biology

une **bise** kiss

un **bisou** kiss 5

une **blague** joke 10; *Sans blague!* No kidding! 10

blanc, blanche white

une **blessure** wound 10

bleu(e) blue

un **bloc-notes** notepad 1

blond(e) blond

un **blouson** jacket (outdoor)

le **bœuf** beef

Bof! What can I say? 9

boire to drink

une **boisson** drink, beverage

une **boîte** dance club; can; box 10; *une boîte aux lettres* mailbox

un **bol** bowl

bon, bonne good; *Ah bon?* Really? 7; *Bon anniversaire!* Happy Birthday!; *bon ben* well then; *bon marché* cheap; *Bonne journée!* Have a good day!

un **bon de réduction** coupon 10

bonjour hello

bonsoir good evening

le **bord** side, shore; *au bord de la mer* at the seashore

une **botte** boot

une **bouche** mouth

un **boucher, une bouchère** butcher

une **boucherie** butcher shop

une **boucle d'oreille** earring

une **bouillabaisse** fish soup

un **boulanger, une boulangère** baker

une **boulangerie** bakery

un **boulot** job, work

une **boum** party

une **bouteille** bottle

une **boutique** shop, boutique

un **bracelet** bracelet

se **brancher** to connect 6

un **bras** arm

Bravo! Well done! 6

une **brosse: une brosse à cheveux** hairbrush; *une brosse à dents* toothbrush

se **brosser** to brush

un **bruit** noise

brûler to burn

brun(e) dark (hair), brown

un **budget** budget 7

un **bulletin météo** weather report

un **bureau** desk; office 1; *un bureau de change* currency exchange; *un bureau de location* box office 3

burlesque burlesque, comical

un **bus** (city) bus

C

c'est this is, it's; he is, she is; that's; *C'est à vous de voir.* It's up to you. 10

ça that, it; *Ça fait….* That's/It's . . . .; *Ça fait combien?* How much is it/that?; *Ça va?* How are things going?; *Ça va bien.* Things are going well.

un **cabinet** (doctor or dentist's) office

un **cadeau** gift, present

le **cadre** sector 4

un **café** café; coffee; *un café au lait* coffee with milk

une **cage** cage 7; *une cage à lapins* rabbit hutch 7

un **cahier** notebook

une **caisse** cashier's (desk)

un **caissier, une caissière** cashier

le **calcul** calculus 1

un **calendrier** calendar

calme quiet; calm 2

une **camarade: une camarade de chambre** roommate; *une camarade de classe* classmate

le **camembert** Camembert cheese

le **Cameroun** Cameroon

camerounais(e) Cameroonian

un **camion** truck

la **campagne** country, countryside

le **camping** camping

un **camping** campground

le **Canada** Canada

canadien, canadienne Canadian

quatre cent quatre-vingt-quinze

French/English Vocabulary **495**

un **canapé** couch, sofa
un **canard** duck
une **canette** can 10
un **canoë** canoe
une **cantine** cafeteria
une **capitale** capital
un **capot** hood
car because 7
un **car** tour bus 2
un **carnet** notebook 1
une **carotte** carrot
une **carte** map; card; *une carte de crédit* credit card; *une carte postale* postcard
un **cas** case
une **cascade** waterfall
une **case** hut 9
une **casquette** cap
cassé(e) broken 10
se **casser** to break 10
une **cassette** cassette
un(e) **catholique** Catholic 8
un **CD** CD
ce, cet, cette; ces this, that; these, those; *ce que* what 4; *ce qui* what 4, that 6; *ce sont* they are, these are, those are
une **ceinture** belt; *une ceinture de sécurité* seat belt
cela that 5
célèbre famous
celui, celle; ceux, celles this one, that one, the one; these, those, the ones 7
un **censeur** assistant principal, dean 1
cent (one) hundred
un **centre** center; *un centre commercial* shopping center, mall
des **céréales (f.)** cereal
une **cerise** cherry
certain(e) certain 4
une **chaîne** channel 4
une **chaise** chair
une **chambre** bedroom; room; *une camarade de chambre* roommate
un **champ** field
un **champignon** mushroom

la **chance** luck
un **change: un bureau de change** currency exchange
un **changement** change
changer to change; *changer de vitesse* to shift gears
une **chanson** song
chanter to sing 3
un **chanteur, une chanteuse** singer
un **chapeau** hat
une **chapelle** chapel
chaque each, every
une **charcuterie** delicatessen
un **charcutier, une charcutière** delicatessen owner
chargé(e) full
la **chasse** hunting 8
chasser to hunt 9
un **chat** cat
un **château** castle
chaud(e) warm, hot; *avoir chaud* to be warm, hot
un **chauffeur** driver
une **chaussette** sock
une **chaussure** shoe
un **chef** chef; boss 2; head 4; chief 8; *un chef d'orchestre* conductor 3; *un chef-d'œuvre* masterpiece 3; *un chef de train* conductor 5
un **chemin** path, way
une **chemise** shirt
un **chèque de voyage** traveler's check
cher, chère expensive; dear
chercher to look for; *venir chercher* to pick up, to come and get
un **chercheur, une chercheuse** researcher
un(e) **chéri(e)** darling
un **cheval** horse
des **cheveux (m.)** hair
une **cheville** ankle 10
une **chèvre** goat
chez to the house/home of; at the house/home of; *chez moi* to my house
un **chien** dog
la **chimie** chemistry
la **Chine** China

chinois(e) Chinese
des **chips (m.)** snacks
le **chocolat** chocolate; *un chocolat chaud* hot chocolate
choisir to choose
un **choix** choice
le **chômage** unemployment
un **chômeur, une chômeuse** unemployed person 7
une **chose** thing; *quelque chose* something
le **christianisme** Christianity 8
Chut! Sh! 5
ciao bye
ci-joint enclosed 4
un **cimetière** cemetery
le **cinéma** movies
un **cinéma** movie theater 3
cinq five
cinquante fifty
cinquième fifth
circonspect(e) cautious, reserved 7
la **circulation** traffic
une **cité** housing development 7
un **citron** lemon
une **clarinette** clarinet
une **classe** class
un **clavier** keyboard 6
un(e) **client(e)** customer 10
une **clientèle** customers, clientele 4
un **climat** climate 7
la **climatisation (clim)** air conditioning
un **clip** video clip
cliquer to click 6
un **coca** Coke
un **cochon** pig
un **cœur** heart; *avoir mal au cœur* to feel nauseous
un **coiffeur, une coiffeuse** hairdresser
un **coin** corner 7
un **colis** package
une **collection** collection 3
collectionner to collect
un **collier** necklace
combien how much; *combien de* how much, how many

une **comédie** comedy

une **commande** order

comme like, for; how; as; *comme ci, comme ça* so-so; *comme d'habitude* as usual

commencer to begin

comment what; how; *Comment vas-tu?* How are you?

un(e) **commerçant(e)** shopkeeper

le **commerce** trade 6

commercial(e) commercial 6

un **commissariat** police station 2

une **compagnie** company 4

complet, complète complete, full

complexe complicated 8

compliqué(e) complicated 10

composer to compose 3

un **compositeur, une compositrice** composer 3

composter to stamp

un **composteur** ticket stamping machine

comprendre to understand 1

compris(e) included

un(e) **comptable** accountant

compter to intend 4; to count, to rely 7

un **comptoir** counter

un **concert** concert

une **concession** African housing area 9

un **conducteur, une conductrice** driver

conduire to drive

une **conférence** lecture 1

la **confiture** jam

congolais(e) Congolese

la **connaissance** knowledge 6

une **connaissance** acquaintance

connaître to know

un(e) **conquérant(e)** conqueror 8

un **conseil** (piece of) advice 8

considérer to consider 7

consommer to use

la **construction** building 8

construire to build 6

une **consultation** séance, session 1

contemporain(e) contemporary

content(e) happy

continuer to continue

un **contraste** contrast 9

un **contrat** contract 4

contre against 4; for 8; *par contre* on the other hand 9

un **contrôle de sécurité** security check

contrôler to control

un **contrôleur, une contrôleuse** inspector

controversé(e) controversial 3

une **conversation** conversation

un **copain, une copine** friend

copier to copy 8

un **coq** rooster; *le coq au vin* chicken cooked in wine

des **coquilles Saint-Jacques au curry (f.)** curried scallops

coranique of the Islamic religion 9

une **corbeille** wastebasket

un **corps** body

un(e) **correspondant(e)** host brother/sister

une **corvée** chore

un **costume** man's suit

une **côte** coast; *la côte d'Azur* Riviera

un **côté** side; *à côté (de)* beside, next to; *de l'autre côté* on the other side 9

la **Côte-d'Ivoire** Ivory Coast

un **cou** neck

se **coucher** to go to bed

une **couleur** color

un **couloir** hall; aisle

un **coup: Donne-moi un coup de main....** Give me a hand ....; *jeter un coup d'œil* to take a quick look 10

un **couple** couple

une **cour** court 8

courageux, courageuse courageous

courir to run

le **courrier** mail

un **cours** course, class; *au cours de* in the course of, during

une **course** race

les **courses: faire les courses** to go grocery shopping

court(e) short

le **couscous** couscous

un(e) **cousin(e)** cousin

un **couteau** knife

coûter to cost

un **couvert** table setting

un **crabe** crab

un **crayon** pencil

créer to create 4

une **crème caramel** caramel custard

une **crémerie** dairy store

une **crêpe** crêpe; pancake

une **crevette** shrimp

critiquer to criticize 8

croire to believe, to think; *Je crois que oui.* I think so. 5

une **croisade** crusade 8

un **croisement** intersection

un **croissant** croissant

des **crudités (f.)** raw vegetables

une **cuiller** spoon

le **cuir** leather

une **cuisine** kitchen; cooking

un **cuisinier, une cuisinière** cook

une **cuisinière** stove

la **culture** culture

culturel, culturelle cultural 7

un **CV** curriculum vitae 4

D

d'abord first

d'accord OK; *être d'accord* to agree 5

d'après according to

d'habitude usual 7

une **dame** lady

dans in; on

danser to dance

une **date** date

un **dauphin** dolphin

de (d') of, from; a, an, any; some; in, by; about; *de l'autre côté* on the other side 9; *de nos jours* these days 9; *de plus* furthermore, what's more, more; *de sorte que* so that 9

se **débrouiller** to manage 5

le **début** beginning 2

une **décapotable** convertible
décembre December
décider (de) to decide
une **déclaration** report 2
déclarer to declare
décoller to take off
décrire to describe
déçu(e) disappointed 10
défendre to defend 8
la **défense** defense 6
un **défilé** parade
se **déguiser** to dress up
dehors outside
déjà already
déjeuner to have lunch
le **déjeuner** lunch; *le petit déjeuner* breakfast
délivrer to free
demain tomorrow
demander to ask for; to ask
démarrer to start (up)
déménager to move
demi(e) half; *et demi(e)* thirty (minutes), half past
un **demi-frère** half-brother
une **demi-heure** half an hour
une **demi-sœur** half-sister
démolir to demolish 8
dénoncer to denouce, to expose 6
une **dent** tooth; *une brosse à dents* toothbrush
le **dentifrice** toothpaste
un(e) **dentiste** dentist
un **départ** departure
dépasser to pass, to exceed
se **dépêcher** to hurry
dépendre (de) to depend (on) 7
dépenser to spend 6
déprimant(e) depressing 7
déprimé(e) depressed 2
depuis for, since; *depuis combien de temps* how long; *depuis quand* since when
dernier, dernière last
derrière behind
des some; from (the), of (the); any
dès que as soon as 6

descendre to go down; to get off 3
une **description** description 3
se **déshabiller** to undress
désirer to want; *Vous désirez? What would you like?*
désolé(e) sorry
un **dessert** dessert
le **dessin** drawing; *un dessin animé* cartoon
dessus: au-dessus de above
une **destination** destination
deux two
deuxième second
devant in front of
développer to develop 6
devenir to become
devoir to have to; to owe 10
les **devoirs (m.)** homework
un **dico (dictionnaire)** dictionary
Dieu (m.) God 8
différent(e) different 7
difficile hard, difficult
diffuser to broadcast 7
diligent(e) hardworking
dimanche (m.) Sunday
un **dindon** turkey
le **dîner** dinner, supper
un **dinosaure** dinosaur 9
diplômé(e) possessing a diploma 4
dire to say, to tell
direct(e) direct; *en direct* live 4
un **directeur, une directrice** principal 1
dis say
une **discothèque** discotheque 7
disponible available 5
se **disputer** to argue 7
une **disquette** diskette
une **dissertation** research paper 1
distingué(e) distinguished 4; *Je vous prie d'agréer, Monsieur (ou Madame), mes salutations distinguées.* Yours truly, 4
une **distraction** entertainment 3
se **distraire** to enjoy oneself, to have a good time 7
une **diversité** diversity 7

diviser to divide 8
un **divorce** divorce 7
divorcer to get divorced 7
dix ten
dix-huit eighteen
dixième tenth
dix-neuf nineteen
dix-sept seventeen
un **docteur** doctor
un **document** document 2
un **documentaire** documentary
un **doigt** finger; *un doigt de pied* toe
un **dollar** dollar
un **domaine** field, area 6
Dommage! Too bad!
donc so, then
donner to give; *donner sur* to overlook; *Donnez-moi…. Give me ….*
dont of which/whom, about which/whom, whose 5; *la façon dont* the way in which 5
dormir to sleep
un **dortoir** dormitory room (for more than one person)
un **dos** back
la **douane** customs
un **douanier, une douanière** customs agent
doubler to pass (a vehicle)
doucement gradually
une **douche** shower
doué(e) gifted
douter to doubt 4
douze twelve
un **drame** drama
un **drap** sheet
la **drogue** drugs
droit(e) right 10; *à droite* to (on) the right
drôle funny
du from (the), of (the); some, any; in (the)
un **duc** duke 8
dur(e) hard
une **durée** length 3
durer to last 8
un **DVD** DVD
dynamique dynamic

 498

E

l' **eau (f.)** water; *l'eau minérale (f.)* mineral water
échanger to exchange
les **échecs (m.)** chess
une **école** school; *les grandes écoles* elite, specialized universities 4
écologique ecological 6
écoute listen
écouter to listen (to); *écouter de la musique* to listen to music
un **écran** screen 6
écrire to write
un **écrivain** writer
l' **éducation (f.)** education
un **effort** effort
effrayé(e) frightened 2
une **église** church
égoïste selfish
Eh! Hey!
électronique electronic 6
un **éléphant** elephant
un(e) **élève** student
élevé(e) high 4; raised 10
elle she, it; her
elles they (f.); them (f.)
l' **e-mail (m.)** e-mail 6
embaucher to hire 4
embêtant(e) annoying 10
embêter to bother 5
une **émission** program
emmener to take (someone) along
un **empereur** emperor 8
un **empire** empire 8
un **emploi** job 4; *un emploi du temps* schedule
un(e) **employé(e)** employee, clerk 2
emprunter (à) to borrow (from) 9
en to (the); on; in; by, as; made of; some, any, of (about, from) it/them; while, upon 2; *en avance* early; *en bas* at the bottom 3; *en direct* live 4; *en général* in general 3; *en ligne* online 6; *en plus* in addition 5; *en retard* late; *en solde* on sale
enchanté(e) delighted

encore still; *ne (n')… pas encore* not yet
un **endroit** place 2
l' **énergie (f.)** energy
un(e) **enfant** child
enfin finally
engagé(e) committed 6
enlever to remove; *enlever la poussière* to dust
des **ennuis (m.)** problems 5
s' **ennuyer** to get bored, to be bored 5
une **enquête** survey
enregistrer to record 3; *faire enregistrer ses bagages (m.)* to check one's baggage
l' **enseignement (m.)** education 1
ensemble together
un **ensemble** outfit
ensuite next 1
entendre to hear; *entendre parler de* to hear about 6; *s'entendre* to get along 2
enthousiaste enthusiastic 4
entier, entière whole 6
entouré(e) wrapped 10
s' **entraîner** to train, to work out 1
entre between, among
une **entrée** entrance; entrée (course before main dish)
entrer to enter, to come in
une **enveloppe** envelope
envers towards 8
l' **envie (f.): avoir envie de** to want, to feel like
environ about 10
l' **environnement (m.)** environment
envoyer to send
une **épaule** shoulder
épicé(e) spicy
une **époque** time 9
l' **épouvante (f.)** horror
épuisé(e) exhausted 2
une **équipe** team 6
l' **escalade (f.)** climbing
une **escale** stop, stopover
un **escalier** stairs, staircase
un **escargot** snail

l' **espace (m.)** space 6
l' **Espagne (f.)** Spain
l' **espagnol (m.)** Spanish (language)
espagnol(e) Spanish
espérer to hope
essayer to try 1
l' **essence (f.)** gasoline
essentiel, essentielle essential 3
est is
l' **est (m.)** east
est-ce que? (phrase introducing a question)
et and
établir to establish 6
un **étage** floor, story
un **étang** pond
les **États-Unis (m.)** United States
l' **été (m.)** summer
éteindre to turn off
étonné(e) surprised 5
un **étranger, une étrangère** foreigner 7
être to be; *être à* to belong to 9; *être d'accord* to agree 5; *être en train de* (+ **infinitive**) to be busy (doing something); *Nous sommes le* (+ **date**). It's the (+ date).
une **étude** study
un(e) **étudiant(e)** student
étudier to study; *Étudions….* Let's study . . . .
euh uhm
un **euro** euro
l' **Europe (f.)** Europe
européen, européenne European
eux them (m.)
un **événement** event 8
évident(e) evident, obvious 4
un **évier** sink
éviter to avoid 10
un **examen** test, exam 1
excellent(e) excellent 6
une **excursion** trip
excusez-moi excuse me
un **exemple: par exemple** for example

exigeant(e) demanding 2

exiger to require 4

exotique exotic

une expérience experience 4

expliquer to explain 2

un exposé report 1

une exposition exhibit, exhibition

une expression expression 10

extra fantastic, terrific, great

F

une fac (faculté) university

fâché(e) angry 2

se fâcher to get angry 2

facile easy

une façon way 5; *la façon dont* the way in which 5

un facteur, une factrice letter carrier

faible weak

la faim hunger; *J'ai faim.* I'm hungry.

faire to do, to make; *faire attention* to pay attention 2; *faire de l'aérobic (m.)* to do aerobics; *faire de l'escalade (f.)* to go climbing; *faire de la gym (gymnastique)* to do gymnastics; *faire de la luge* to go tobogganing 1; *faire de la musculation* to do body building; *faire de la planche à neige* to go snowboarding 1; *faire de la planche à roulettes* to go skateboarding 1; *faire de la planche à voile* to go windsurfing; *faire de la plongée sous-marine* to go scuba diving; *faire de la voile* to go sailing; *faire des études* to study 4; *faire du (+ number)* to wear size (+ number); *faire du baby-sitting* to baby-sit; *faire du camping* to go camping, to camp; *faire du canoë* to go canoeing; *faire du cheval* to go horseback riding; *faire du footing* to go running; *faire du karaté* to do karate; *faire du roller* to go in-line skating; *faire du shopping* to go shopping; *faire du ski de fond* to go

cross-country skiing 1; *faire du ski nautique* to go waterskiing, to water-ski; *faire du sport* to play sports; *faire du vélo* to go biking; *faire enregistrer ses bagages (m.)* to check one's baggage; *faire la connaissance (de)* to meet; *faire la queue* to stand in line; *faire le plein* to fill up the gas tank; *faire le tour* to take a tour; *faire les courses* to go grocery shopping; *faire les devoirs* to do homework; *faire les magasins* to go shopping; *faire les touristes* to act like tourists 5; *faire partie de* to be a part of 9; *faire prisonnier/prisonnière* to take prisoner 8; *faire sécher le linge* to dry clothes; *faire un somme* to take a nap 5; *faire un stage* to have on-the-job training; *faire un tour* to go for a ride; *faire un tour de grande roue* to go on the Ferris wheel 1; *faire un tour de manège* to go on the merry-go-round 1; *faire un tour de montagnes russes* to go on the roller coaster 1; *faire un voyage* to take a trip 5; *faire une promenade* to go for a ride, to go for a walk; *se faire mal* to hurt oneself 10

fait: Ça fait.... That's/It's . . .; *Quel temps fait-il?* What's the weather like? How's the weather?; *Il fait beau.* It's (The weather's) beautiful/ nice.; *Il fait chaud.* It's (The weather's) hot/warm.; *Il fait du soleil.* It's sunny.; *Il fait du vent.* It's windy.; *Il fait frais.* It's (The weather's) cool.; *Il fait froid.* It's (The weather's) cold.; *Il fait mauvais.* It's (The weather's) bad.

falloir to be necessary, to have to

familial(e) family 7

une famille family

une famine famine 6

un(e) fana fanatic, buff

fantastique fantastic 9

un fast-food fast-food restaurant

fatigant(e) tiring 2

fatigué(e) tired

la faune animal life 9

faut: il faut it is necessary, one has to/must, we/you have to/must; *il me faut* I need

un fauteuil armchair; *un fauteuil roulant* wheelchair 10

favorable favorable

favori, favorite favorite

un fax fax 5

faxer to fax

une femme wife; woman; *une femme au foyer* housewife; *une femme d'affaires* businesswoman; *une femme politique* politician

une fenêtre window

un fer à repasser iron

une ferme farm

fermer to close

un fermier, une fermière farmer

une fête holiday, festival

fêter to celebrate

un feu (traffic) light; *un feu d'artifice* fireworks

une feuille de papier sheet of paper

un feutre felt-tip pen 1

février February

une fiche: une fiche d'inscription registration form 1; *une fiche de commande* order form

fier, fière proud 8

la fièvre fever

une figure face

une fille girl; daughter

un film movie

un fils son

la fin end 1

fin(e) intricate 9

finalement eventually, in the end

finir to finish

flâner to stroll

une fleur flower

un(e) fleuriste florist

un fleuve river

flexible flexible 4

une flûte flute

une fois time; once 1; *à la fois* all at once

le fon Fon (African language) 3

le fond: au fond de at the end of

une fondation foundation 6

le foot (football) soccer

le footing running

une forme: être en bonne/ mauvaise forme to be in good/bad shape

formidable great, terrific

un formulaire form 4

fort(e) strong

un fou, une folle crazy person 1

fouiller to search, to go through 2

un foulard scarf

se fouler to sprain 10

un four oven

une fourchette fork

la fourrure fur 6

frais, fraîche cool, fresh

une fraise strawberry

un franc franc 9

le français French (language)

français(e) French

la France France

franchement frankly

francophone French-speaking

le franglais franglais (English words used in French) 7

un frère brother

un frigo refrigerator

des frissons (m.) chills

des frites (f.) French fries

froid(e) cold; *avoir froid* to be cold

le fromage cheese

une frontière border, boundary 6

un fruit fruit; *des fruits de mer (m.)* seafood

frustré(e) frustrated 10

une fusée rocket 6

G

gagner to win 1

une galère: Quelle galère! What a drag!

une galerie hall, gallery; *la galerie des miroirs déformants* fun house 1

un gant glove; *un gant de toilette* bath mitt

un garage garage

garanti(e) guaranteed 4

un garçon boy

un garde forestier park ranger 5

garder to keep

une gare train station

un gars guy 5

un gâteau cake

gâter to spoil

gauche left 10; *à gauche* to (on) the left

la Gaule Gaul 8

un(e) Gaulois(e) inhabitant of/from Gaul 8

une gazelle gazelle 9

gêner to bother 10

un général general 8

général(e) general 3

généreux, généreuse generous

génial(e) great, terrific, fantastic 7

un genou knee

un genre kind, type 3

des gens (m.) people

gentil, gentille nice

la géographie geography

la géométrie geometry 1

un(e) gérant(e) manager 5

le gibier game 9

une girafe giraffe

une glace ice cream; mirror; *une glace à la vanille* vanilla ice cream; *une glace au chocolat* chocolate ice cream

le golf golf

une gomme eraser 1

une gorge throat

un gorille gorilla

goûter to taste

le goûter afternoon snack

un gouvernement government 4

gouverner to govern 8

grâce thanks 6

des graffiti (m.) graffiti 7

grand(e) tall, big, large; *les grandes écoles* elite, specialized universities 4

une grand-mère grandmother

un grand-parent grandparent 2

un grand-père grandfather

une grange barn

un gratte-ciel skyscraper 9

gratuit(e) free

gratuitement free 10

grave serious

le grec Greek 1

un grenier attic

la grippe flu

gris(e) gray

gros, grosse big, fat, large

un groupe group 5

la Guadeloupe Guadeloupe

guadeloupéen, guadeloupéenne inhabitant of/from Guadeloupe

une guerre war

un guichet ticket window; *un guichet automatique* ATM machine

un guide guidebook 3

guillotiner to guillotine 8

une guitare guitar

guyanais(e) inhabitant of/from French Guiana

la Guyane française French Guiana

la gym (gymnastique) gymnastics

un gymnase gym 5

H

habillé(e) dressed 2

s' habiller to get dressed

habiter to live

une habitude habit 9

Haïti (f.) Haiti

haïtien, haïtienne Haitian

un hamburger hamburger

des haricots verts (m.) green beans

haut(e) tall, high

Hein? Huh? What? 1

cinq cent un

French/English Vocabulary

501

un **héros, une héroïne** hero, heroine

l' **heure (f.)** hour, time, o'clock; *à l'heure* on time; *Quelle heure est-il?* What time is it?

heureusement fortunately

heureux, heureuse happy

heurter to hit, to run into 1

hier yesterday

un **hippopotame** hippopotamus

l' **histoire (f.)** history; story

le **hit-parade** the charts

l' **hiver (m.)** winter

une **HLM (habitation à loyer modéré)** public housing 7

un **homme** man; *un homme au foyer* househusband; *un homme d'affaires* business-man; *un homme politique* politician

honnête honest

un **hôpital** hospital 10

un **horaire** schedule, timetable

un **hot-dog** hot dog

un **hôtel** hotel

une **hôtesse de l'air** flight attendant 5

l' **huile (f.)** oil

huit eight

huitième eighth

humain(e) human 2

humanitaire humanitarian 6

une **hyène** hyena 9

I

ici here

une **idée** idea

il he, it

il y a there is, there are; ago; *Il n'y a pas de quoi.* You're welcome.

une **île** island

illuminé(e) illuminated 8

ils they (m.)

imaginer to imagine

un(e) **imbécile** idiot 2

un **immeuble** apartment building

l' **immigration (f.)** immigration

un(e) **immigré(e)** immigrant 7

un **imperméable (imper)** raincoat

important(e) important 2

impossible impossible 3

un **impôt** tax 8

une **impression** impression, feeling 3

impressionniste Impressionist

une **imprimante** printer 6

incroyable unbelievable 2

l' **indépendance (f.)** independence 8

indépendant(e) independent 7

un **indice** rating 3

indiquer to indicate

indispensable indispensable 3

l' **Indochine (f.)** Indochina 3

inférieur(e) less, lower 4

un **infirmier, une infirmière** nurse

une **influence** influence 7

un **informaticien, une informaticienne** computer specialist

des **informations (f.)** news

l' **informatique (f.)** computer science

informer to inform 9

l' **inforoute (f.)** information superhighway 6

un **ingénieur** engineer

s' **inquiéter** to worry

s' **installer** to move 5

un **instrument** instrument 9

s' **intégrer** to become integrated 7

intelligent(e) intelligent

interdit(e) prohibited 3

intéressant(e) interesting

intéresser to interest; *s'intéresser à* to be interested in 9

un **intérêt** interest 6

une **interro (interrogation)** quiz, test

une **intrigue** plot 3

inutile useless 2

inviter to invite

l' **Irak (m.)** Iraq 6

l' **Italie (f.)** Italy

italien, italienne Italian

ivoirien, ivoirienne from the Ivory Coast

J

j' I

jamais ever 1; *ne (n')… jamais* never

une **jambe** leg

le **jambon** ham

janvier January

le **Japon** Japan

japonais(e) Japanese

un **jardin** garden, lawn; park

jaune yellow

le **jazz** jazz

je I

un **jean** (pair of) jeans

jeter un coup d'œil to take a quick look 10

un **jeu** game; *un jeu télévisé* game show; *des jeux d'adresse* games of skill 1; *des jeux vidéo (m.)* video games

jeudi (m.) Thursday

jeune young

un(e) **jeune** young person 3

joli(e) pretty

jouer to play; to act, to play (a part) 3; *jouer au basket* to play basketball; *jouer au foot* to play soccer; *jouer au golf* to play golf; *jouer au tennis* to play tennis; *jouer au volley* to play volleyball; *jouer aux cartes (f.)* to play cards; *jouer aux échecs (m.)* to play chess; *jouer aux jeux vidéo* to play video games

un **jour** day; *de nos jours* these days 9

un **journal** newspaper; journal 7

le **journalisme** journalism

un(e) **journaliste** journalist

une **journée** day; *Bonne journée!* Have a good day!

juillet July

juin June

jumeau, jumelle twin

une **jupe** skirt

le **jus: le jus d'orange** orange juice; *le jus de fruit* fruit juice; *le jus de pamplemousse* grapefruit juice; *le jus de pomme* apple juice; *le jus de raisin* grape juice; *le jus de tomate* tomato juice

jusqu'à up to, until
juste just, only
justement exactly 10
la justice justice 8

K

le karaté karate
le ketchup ketchup
un kilogramme (kilo) kilogram
un kilomètre kilometer
un kiosque à journaux newsstand 3

L

là there, here
là-bas over there
un labo (laboratoire) laboratory 1
un lac lake
laid(e) unattractive
laisser to leave; *laissez-moi* let me 10
le lait milk
une lampe lamp
lancer to launch 6
un lanceur de satellites satellite launcher 6
une langue language 3
un lapin rabbit
large wide 8
le latin Latin (language)
se laver to wash (oneself)
un lave-vaisselle dishwasher
le, la, l' the; him, her, it; *le (+ day of the week)* on (+ day of the week); *le (+ number)* on the (+ ordinal number)
une leçon lesson
un lecteur de DVD DVD player
la lecture reading 1
un légume vegetable
le lendemain the next day
lequel, laquelle; lesquels, lesquelles which one; which ones 7
les the; them
la lessive laundry
une lettre letter; *une boîte aux lettres* mailbox
leur their; to them
le leur, la leur theirs 9
se lever to get up

une lèvre lip; *le rouge à lèvres* lipstick
libéral(e) liberal 8
la liberté liberty
une librairie bookstore
libre free (not busy)
un lieu place 8; *avoir lieu* to take place 8
une ligne line 6; *en ligne* online 6
la limite de vitesse speed limit
une limonade lemon-lime soda
le linge: faire sécher le linge to dry clothes
un lion lion
liquide: l'argent liquide (m.) cash
lire to read
une liste list 1
un lit bed; *des lits jumeaux* twin beds; *un grand lit* double bed
la littérature literature 1
un livre book
une location: un bureau de location box office 3
le logement housing 7
une loi law 7
loin far
les loisirs (m.) leisure activities
long, longue long
longtemps (for) a long time 5
lorsque when 3
louer to rent
la loyauté loyalty 8
une luge toboggan 1
lui to him, to her; him
une lumière light
lundi (m.) Monday
des lunettes (f.) glasses; *des lunettes de soleil (f.)* sunglasses
une lutte fight 6
le Luxembourg Luxembourg
luxembourgeois(e) from Luxembourg
un lycée high school
un lycéen, une lycéenne high school student 1

M

m'appelle: je m'appelle my name is
une machine à laver washer
Madagascar (f.) Madagascar
Madame (Mme) Mrs., Ma'am; *Madame une telle* Mrs. So-and-so 5
Mademoiselle (Mlle) Miss
un magasin store; *un grand magasin* department store
un magazine magazine
maghrébin(e) inhabitant of/from the Maghreb 7
magnifique magnificent
mai May
un maillot de bain swimsuit
une main hand
maintenant now
maintenir to maintain 8
une mairie town hall
mais but
une maison house
mal bad, badly; *avoir mal (à…)* to hurt, to have a/an . . . ache, to have a sore . . .
malade sick
une maladie disease, illness
malgache inhabitant of/from Madagascar
malheureusement unfortunately 9
le Mali Mali 9
maltraité(e) mistreated 6
maman (f.) Mom
la Manche English Channel
un manège merry-go-round 1
manger to eat; *manger de la pizza* to eat pizza; *une salle à manger* dining room
un(e) manifestant(e) demonstrator 4
une manifestation demonstration 4
manifester to demonstrate 4
un manteau coat
un manuel textbook 1
le maquillage makeup
se maquiller to put on makeup
un(e) marchand(e) merchant
un marché market
marcher to walk; to work 5
mardi (m.) Tuesday

un **mari** husband

un **mariage** marriage

un(e) **marié(e)** groom, bride

se **marier** to get married 7

le **Maroc** Morocco

marocain(e) Moroccan

la **maroquinerie** leather goods 9

une **marque** brand 7

un(e) **marquis(e)** marquis, marchioness 8

marrant(e) funny

marre: J'en ai marre! I'm sick of it! I've had it!

marron brown

mars March

martiniquais(e) inhabitant of/from Martinique

la **Martinique** Martinique

le **mascara** mascara

un **massacre** massacre 8

un **match** game, match

les **maths (f.)** math

un **matin** morning; *le matin* in the morning

mauvais(e) bad

le **maximum** maximum 4; *Il faut profiter de la vie au maximum.* We have to live life to the fullest.

la **mayonnaise** mayonnaise

me (to) me; myself

un **mec** guy

méchant(e) mean

le **mécontentement** dissatisfaction 4

un **médecin** doctor

se **méfier de** to distrust 2

meilleur(e) better 6; *le meilleur, la meilleure* best 5

un **melon** melon

un **membre** member

même even; same 3

le **ménage** housework

un **menu** fixed-price meal

une **mer** sea; *au bord de la mer* at the seashore; *des fruits de mer* seafood; *la mer des Antilles* Caribbean Sea; *la mer du Nord* North Sea; *la mer Méditerranée* Mediterranean Sea

merci thanks

mercredi (m.) Wednesday

une **mère** mother

Mesdames ladies

un **message** message

Messieurs-Dames ladies and gentlemen

un **métier** trade, craft

un **mètre** meter 5

un **métro** subway

un **metteur en scène** director

mettre to put (on), to set; to turn on 5

mexicain(e) Mexican

le **Mexique** Mexico

un **micro-onde** microwave

midi noon

le **Midi** the south of France 10

le **mien, la mienne** mine 9

mieux better; *le mieux* the best

mignon, mignonne cute

le **mil** millet 9

mille (one) thousand

un **million** million

mince slender; *Mince!* Darn!

la **mine: avoir bonne/mauvaise mine** to look well/sick

minimum minimum 4

un **minivan** minivan

minuit midnight

une **minute** minute

un **miroir** mirror 1

une **mission** mission 6

moche ugly

le **mode d'emploi** instructions 10

modèle model 9

moderne modern

moi me, I

moi-même myself 10

un **moine** monk 8

moins minus; less; *au moins* at least; *moins le quart* quarter to

un **mois** month

un **moment** moment

mon, ma; mes my

Monaco (m.) Monaco

une **monarchie** monarchy 8

le **monde** world; people

mondial(e) world-wide 6

monégasque inhabitant of/from Monaco

monétaire monetary 8

un **moniteur, une monitrice** instructor; monitor 6

la **monnaie** change

monoparental(e) single-parent 7

Monsieur Mr., Sir; *Monsieur un tel* Mr. So-and-so 5

une **montagne** mountain; *des montagnes russes* roller coaster 1

monter to go up; to get on; to get in

une **montre** watch

montrer to show; *Montrez-moi....* Show me . . . .

un **monument** monument

un **morceau** piece

un **mot** word 7

un **mouchoir** handkerchief

une **moule** mussel

mourir to die

une **mousse** mousse; *une mousse au chocolat* chocolate mousse

la **moutarde** mustard

un **mouton** sheep

le **moyen** way 4; means 9

moyen, moyenne medium

un **mur** wall 7

mûr(e) ripe

la **musculation** body building

un **musée** museum

un **musicien, une musicienne** musician

la **musique** music

mystérieux, mystérieuse mysterious

N

n'est-ce pas? isn't that so?

n'importe quel, n'importe quelle just any 10

n'importe qui anyone 10

nager to swim

naître to be born

une **nappe** tablecloth

national(e) national

une **nationalité** nationality

 504 cinq cent quatre
French/English Vocabulary

la **nature** nature 3; *une nature morte* still life 3

naturellement naturally

ne (n')... aucun(e) no, not any 2

ne (n')... jamais never

ne (n')... ni... ni... neither . . . nor 2

ne (n')... pas not

ne (n')... pas encore not yet

ne (n')... personne no one, nobody, not anyone

ne (n')... plus no longer, not anymore

ne (n')... que only 2

ne (n')... rien nothing, not anything

nécessaire necessary 3

négocier to negotiate 8

la **neige** snow 1

neiger: Il neige. It's snowing.

nettoyer to clean

neuf nine

neuf, neuve new 10

neuvième ninth

un **nez** nose

ni... ni... ne (n') neither . . . nor 2

le **Niger** Niger 9

noir(e) black

un **nom** name; *un nom de jeune fille* maiden name 2

nombreux, nombreuse numerous 7

non no

non-traditionnel, non-traditionnelle nontraditional 7

le **nord** north

un(e) **Normand(e)** inhabitant of/from Normandy 8

une **note** note 1; grade 7

notre; nos our

le **nôtre, la nôtre** ours 9

nourrir to feed

la **nourriture** food

nous we; us; ourselves; to us

nouveau, nouvel, nouvelle new

des **nouvelles (f.)** news 9

novembre November

nucléaire nuclear

une **nuit** night 5

un **numéro** number; issue 4; *un numéro de téléphone* telephone number

O

un **objet d'art** objet d'art

obligé(e): être obligé(e) de to be obliged to, to have to

une **occasion** opportunity 9

l' **Occident (m.)** West 8

occupé(e) busy

s' **occuper de** to take care of 5; to deal with 8

un **océan** ocean; *l'océan Atlantique (m.)* Atlantic Ocean; *l'océan Indien (m.)* Indian Ocean; *l'océan Pacifique (m.)* Pacific Ocean

l' **océanographie (f.)** oceanography 6

octobre October

un **œil** eye; *jeter un coup d'œil* to take a quick look 10

un **œuf** egg; *des œufs brouillés (m.)* scrambled eggs; *des œufs sur le plat (m.)* fried eggs

offrir to offer, to give

oh oh; *Oh là là!* Wow! Oh no! Oh dear!

un **oignon** onion

un **oiseau** bird

OK OK

une **omelette** omelette

on they, we, one; *On y va?* Shall we go (there)?

un **oncle** uncle

onze eleven

une **opinion** opinion

optimiste optimistic 7

l' **or (m.)** gold

oral(e) oral 1

orange orange

une **orange** orange

un **orchestre** orchestra 3

ordinaire regular (gasoline)

un **ordinateur** computer

une **ordonnance** prescription 10

ordonner to order 8

une **oreille** ear

organisé(e) organized 4

une **origine** origin 7

ou or

où where

ouais yeah

oublier to forget 6

l' **ouest (m.)** west

oui yes

un **ours** bear

un **outil de recherche** search engine 6

ouvert(e) frank 7

un **ouvrier, une ouvrière** (factory) worker

ouvrir to open

P

un **pagne** African skirt 9

le **pain** bread; *le pain grillé* toast; *le pain perdu* French toast

une **paire** pair 9

la **paix** peace 8

un **pamplemousse** grapefruit

une **panne** breakdown; *tomber en panne* to have a (mechanical) breakdown

un **panneau** sign

panoramique panoramic 5

un **pantalon** (pair of) pants

une **pantoufle** slipper

papa (m.) Dad

par per; by; *par avion* by air mail; *par conséquent* consequently 8; *par contre* on the other hand 9; *par exemple* for example

le **paradis** paradise

un **parapluie** umbrella

un **parc** park; *un parc d'attractions* amusement park 1

parce que because

parcourir to travel through, to cover 5

pardon excuse me

un **pare-brise** windshield

un **parent** parent; relative

paresseux, paresseuse lazy

parfait(e) perfect

parier to bet

parler to speak, to talk; *Tu parles!* No way! You're kidding!, You're not kidding! 5

parmi among 6

cinq cent cinq
French/English Vocabulary

part: à part aside from

partager to share 9

un **parti** (political) party 4

participer à to take part in 4

partir to leave

partout everywhere 3

pas not; *pas du tout* not at all

un **passager, une passagère** passenger

un(e) **passant(e)** passerby 7

le **passé** past 8

un **passeport** passport

passer to show (a movie); to spend (time); to pass, to go (by); to take (a test) 1; to play (on the radio) 7; *passer à la douane* to go through customs; *passer l'aspirateur (m.)* to vacuum; *se passer* to happen 2, to go 5

un **passe-temps** pastime 1

passionnant(e) exciting, fascinating 6

une **pastèque** watermelon

une **pastille** lozenge 10

le **pâté** pâté

la **patience** patience 5

une **pâtisserie** pastry store

un **pâtissier, une pâtissière** pastry store owner

pauvre poor

la **pauvreté** poverty 6

un **pavillon** pavilion, hall 9

payer to pay 2

un **pays** country

un **paysage** landscape 3; scenery 5

un **paysan, une paysanne** peasant 9

une **peau** skin 9

une **pêche** peach

un **peigne** comb

se **peigner** to comb (one's hair)

un **peignoir de bain** bathrobe

peindre to paint 3

un **peintre** painter 3

une **pelouse** lawn

pendant during; *pendant que* while 2

une **pendule** clock

pénible unpleasant

penser (à) to think (of)

percé pierced 5

perdre to lose; *perdre son temps* to waste one's time 7

un **père** father

se **perfectionner** to improve

permettre to permit, to allow 6

un **permis de conduire** driver's license

une **personnalité** personality

une **personne** person; *ne (n')… personne* no one, nobody, not anyone; *personne ne (n')* nobody, no one 2

le **personnel** personnel, staff 4

peser to weigh

petit(e) short, little, small; *le petit déjeuner* breakfast; *mon petit* son

des **petits pois (m.)** peas

(un) **peu** (a) little; *(un) peu de* (a) little, few

le **peuple** people 8

la **peur: avoir peur (de)** to be afraid (of)

peut-être maybe

une **pharmacie** pharmacy, drugstore 10

un **pharmacien, une pharmacienne** pharmacist

la **philosophie** philosophy

un **phoque** seal 6

une **photo** photo, picture

une **phrase** phrase, sentence 10

la **physique** physics

un **piano** piano

une **pièce** room; coin; *une pièce (de théâtre)* play 3

un **pied** foot; *à pied* on foot; *un doigt de pied* toe

pieux, pieuse pious 8

une **pile** battery 10

un **pilote** pilot

piqueniquer to have a picnic

une **piscine** swimming pool

une **piste** trail, run, track 1

une **pizza** pizza

un **placard** cupboard

la **place** room, space; *une place (public)* square; place; seat 3; *à ta place* if I were you 5

placé(e) placed, situated

une **plage** beach

se **plaindre** to complain 5

plaire to please 3

un **plaisir** pleasure

plaît: … me plaît. I like ….

un **plan** map

une **planche: une planche à neige** snowboard 1; *une planche à roulettes* skateboard 1; *la planche à voile* windsurfing

une **plante** plant

un **plat** dish; *le plat principal* main course

un **plâtre** cast 10

plein(e) full; *à plein temps* full-time 4; *faire le plein* to fill up the gas tank

pleuvoir: Il pleut. It's raining.

le **plomb** lead

la **plongée sous-marine** scuba diving

plonger to dive

la **pluie** rain 9

la **plupart (de)** most 7

plus more; *de plus* furthermore, what's more, more; *en plus* in addition 5; *le plus* **(+ adverb)** the most (+ adverb); *le/la/les plus* **(+ adjective)** the most (+ adjective); *ne (n')… plus* no longer, not anymore; *plus tard* later

plusieurs several 3

plûtot rather 2

un **pneu** tire

po: les sciences po political science 1

un **poignet** wrist 10

une **poire** pear

les **pois (m.): des petits pois (m.)** peas

un **poisson** fish; *un poisson rouge* goldfish

le **poivre** pepper

poli(e) polite

la **police** police 2

un **policier, une policière** detective

politique political

la **pollution** pollution

une **pomme** apple; *une pomme de terre* potato

un **pompier** firefighter

un(e) **pompiste** gas station attendant

un **pont** bridge

populaire popular 3

le **porc** pork

une **porte** door; gate; *une porte d'embarquement* departure gate; *un porte-bagages* overhead compartment 5

un **portefeuille** billfold, wallet

porter to wear

poser to ask (a question) 2

une **possibilité** possibility

possible possible

un **poste** job, position 4

une **poste** post office

un **postier, une postière** postal worker

un **pot** jar

le **potage** soup

une **poubelle** garbage can

une **poule** hen

un **poulet** chicken

pour for; (in order) to

un **pourcentage** percentage 4

pourquoi why

pourri(e) spoiled 9

pourtant however 9

pousser to push 4; to grow 9

la **poussière** dust; *enlever la poussière* to dust

pouvoir to be able to

pratique practical

préférer to prefer

premier, première first

prendre to take, to have (food or drink); *prendre rendez-vous* to make an appointment

un **prénom** first name

préparatoire preparatory 4

préparer to prepare; *se préparer* to get ready

près (de) near

le **présent** present 8

présenter to introduce; *se présenter* to come, to appear 4

préserver to save, to protect

presque almost

pressé(e) in a hurry 7

prêt(e) ready

prêter to lend 9

prier to beg 4; *Je vous en prie.* You're welcome.; *Je vous prie d'agréer, Monsieur (ou Madame), mes salutations distinguées.* Yours truly, 4

principal(e) main

le **printemps** spring

un **prisonnier, une prisonnière** prisoner 8

un **prix** price 3

un **problème** problem

prochain(e) next

un(e) **prof** teacher

un **professeur** teacher

une **profession** occupation

profiter de to take advantage of; *Il faut profiter de la vie au maximum.* We have to live life to the fullest.

le **progrès** progress 6

un **projet** project 4; plan 9

une **promenade** ride; walk

proposer to propose 5

propre own 5; clean 7

la **protection** protection 6

protéger to protect 6

un(e) **protestant(e)** Protestant 8

une **province** province 5; *en province* in the provinces 8

puis then

puisque since 2

puissant(e) powerful

un **pull** sweater

un **pyjama** pyjamas

Q

qu'est-ce que what; *Qu'est-ce que c'est?* What is it/this?; *Qu'est-ce que c'est que...?* What is...? 9; *Qu'est-ce que tu as?* What's the matter with you?

qu'est-ce qui what

un **quai** platform

une **qualification** qualification 4

quand when

quant à as for 6

quarante forty

un **quart** quarter; *et quart* fifteen (minutes after), quarter after; *moins le quart* quarter to

un **quartier** quarter, neighborhood

quatorze fourteen

quatre four

quatre-vingt-dix ninety

quatre-vingts eighty

quatrième fourth

que how; than, as, that; which, whom; what; *Que je suis bête!* How dumb I am!; *Que vous êtes gentils!* How nice you are!

le **Québec** Quebec (Province) 4

un(e) **Québécois(e)** inhabitant of/from Quebec

quel, quelle what, which; *Quel, Quelle...!* What (a)...!

quelqu'un someone, somebody

quelque chose something

quelquefois sometimes

quelques some

une **question** question 2

la **queue: faire la queue** to stand in line

qui who, whom; which, that; *qui est-ce que* whom; *qui est-ce qui* who

une **quiche** quiche

quinze fifteen

quitter to leave (a person or place)

quoi what; *Il n'y a pas de quoi.* You're welcome.

quotidien, quotidienne daily

R

raconter to tell (about)

une **radio** radio 7

une **radiographie** X ray 10

un **raisin** grape

une **raison** reason 4; *avoir raison* to be right 10

ranger to pick up, to arrange

rapide fast

rapidement rapidly, fast

rappeler to remind 9; *se rappeler* to remember 2

rapporter to bring back 10

des **rapports** (m.) relations, relationship 2

une **raquette** racket

se **raser** to shave

un **rasoir** razor

rassurant(e) reassuring 2

rater to fail 1

rattraper to trap 10

un **rayon** (store) department 10

un **récépissé** receipt 2

la **réception** reception desk

un(e) **réceptionniste** receptionist

recevoir to receive, to get

la **recherche** research 1; *un outil de recherche* search engine 6

recommander to recommend

recommencer to begin again

reconnaissant(e) grateful 4

reconnaître to recognize 3

recycler recycle

la **rédaction** composition 1

une **réduction** reduction 10

réduit(e) reduced 3

un **refuge** shelter 6

regarder to watch; to look (at); *se regarder* to look at oneself

le **reggae** reggae

régler to pay

un **règne** reign 8

regretter to be sorry; to regret 2

une **reine** queen

se **rejoindre** to meet

une **relation** relation(ship) 7

religieux, religieuse religious 9

la **religion** religion 8

une **relique** relic 8

rembourser to reimburse 10

remercier to thank

remplir to fill (out)

rencontrer to meet 7; *se rencontrer* to meet 9

un **rendez-vous** appointment; *prendre rendez-vous* to make an appointment

rendre to hand in, to return 6; *rendre* (+ adjective) to make 10; *rendre un service* to help 5; *rendre visite (à)* to visit; *se rendre compte* to realize 5

des **renseignements** (m.) information 3

la **rentrée** first day of school 1

rentrer to come home, to return, to come back

réparer to repair 10

un **repas** meal

repasser to iron

répéter to repeat 2

répondre to answer 2

une **réponse** answer 2

un **reportage** report 4

un **reporter** reporter

se **reposer** to rest 2

la **République Démocratique du Congo** Democratic Republic of the Congo

le **R.E.R. (Réseau Express Régional)** express subway to suburbs

une **réservation** reservation

réserver to reserve

un(e) **résident(e)** resident 7

résoudre to solve

une **responsabilité** responsibility 1

ressembler à to look like, to resemble

un **restaurant** restaurant

rester to stay, to remain

un **résultat** result 10

retard: en retard late

retourner to return 5

se **retrouver** to meet 10

réunir to reunite, to bring together 8

réussir to pass (a test), to succeed

une **réussite** success 9

se **réveiller** to wake up

revenir to come back, to return; *Je n'en reviens pas.* I can't get over it. 1

rêver to dream

revoir to see again 10

une **révolution** revolution 8

le **rez-de-chaussée** ground floor

un **rhume** cold

riche rich

rien nothing 10; *ne (n')… rien* nothing, not anything; *rien ne (n')* nothing 2

rigoler to laugh 1; *rigoler comme des fous* to laugh like crazy 1

une **rivière** river

une **robe** dress

un **rocher** rock 5

rocheux, rocheuse rocky

le **rock** rock (music)

un **roi** king

un **rôle** role 3

le **roller** in-line skating

un(e) **Romain(e)** Roman 8

un **roman** novel

rose pink

une **roue** wheel 1; *une grande roue* Ferris wheel 1

rouge red; *le rouge à lèvres* lipstick

roulant(e): un fauteuil roulant wheelchair 10

rouler to drive

une **route** road

roux, rousse red (hair)

le **Ruanda** Rwanda 6

une **rue** street

rusé(e) crafty, sly 8

le **russe** Russian 1

S

s'appelle: elle s'appelle her name is; *il s'appelle* his name is

s'il te plaît please; *s'il vous plaît* please

le **sable** sand 5

un **sac: un sac à dos** backpack; *un sac à main* purse

le **Sahara** Sahara 9

un(e) **saint(e)** saint

une **saison** season

une **salade** salad

un **salaire** salary 4

une **salle: une salle à manger**
dining room; *une salle
d'attente* waiting room 10;
une salle de bains bathroom;
une salle de classe classroom;
une salle de conférences
lecture hall 1; *une salle des
urgences* emergency room 10

un **salon** living room

salut hi; good-bye

une **salutation** greeting 4; *Je vous
prie d'agréer, Monsieur (ou
Madame), mes salutations
distinguées.* Yours truly, 4

samedi (m.) Saturday

le **SAMU (service d'assistance
médicale d'urgence)**
emergency medical service 10

une **sandale** sandal

un **sandwich** sandwich; *un
sandwich au fromage* cheese
sandwich; *un sandwich au
jambon* ham sandwich

sans without

un(e) **sans-abri** homeless person

la **santé** health

un **satellite** satellite 5

satisfait(e) (de) satisfied
(with) 2

la **sauce hollandaise** hollandaise
sauce

une **saucisse** sausage

le **saucisson** salami

sauf except

un **saumon** salmon

sauvage wildlife 5

sauvegarder to save 6

savoir to know (how)

le **savon** soap

un **saxophone** saxophone

un **scénario** script 3

un(e) **scénariste** scriptwriter 3

la **science-fiction** science fiction

les **sciences (f.)** science; *les
sciences po* political science 1

scientifique scientific

scolaire school

un **sculpteur** sculptor 3

la **sculpture** sculpture

se himself, herself, oneself,
themselves

un **sèche-cheveux** hair dryer

un **sèche-linge** dryer

sécher to dry; to skip
(a class) 1

le **secours: Au secours!** Help!

un(e) **secrétaire** secretary

la **sécurité: une ceinture de
sécurité** seat belt

seize sixteen

un **séjour** family room; stay; *un
séjour en famille* family stay

le **sel** salt

selon according to

une **semaine** week

sembler to seem; *Il me
semble....* It seems to me . . . .

le **Sénégal** Senegal

sénégalais(e) Senegalese

un **sens unique** one-way (street)

sensible sensitive

se **sentir** to feel 2

sept seven

septembre September

septième seventh

sérieusement seriously

sérieux, sérieuse serious; *au
sérieux* seriously

un **serveur, une serveuse** server

un **service** service 4; *rendre un
service* to help 5

une **serviette** napkin; towel

servir to serve 5; *se servir de*
to use 5

seulement only

le **shampooing** shampoo

le **shopping** shopping

un **short** (pair of) shorts

si yes (on the contrary); so; if;
what if 10

le **SIDA** AIDS

un **siècle** century

un **siège** seat

le **sien, la sienne** his, hers, its,
one's 9

un **signe** sign 3

signer to sign

simple simple 7

un **singe** monkey

le **sirop d'érable** maple syrup

situé(e) situated 5

six six

sixième sixth

le **ski: le ski de fond** cross-
country skiing 1; *le ski
nautique* waterskiing

skier to ski

le **SMIC** minimum wage 4

un **snack-bar** snack bar 9

social(e) social 7

une **société** society 7

une **sœur** sister

la **soif: J'ai soif.** I'm thirsty.

un **soir** evening; *ce soir* tonight;
le soir in the evening

soixante sixty

soixante-dix seventy

des **soldes (f.)** sale(s)

le **soleil** sun

solide steady

un **somme** nap 5; *faire un somme*
to take a nap 5

son, sa; ses his, her, one's, its

sonner to ring 5

une **sorte: de sorte que** so that 9

sortir to go out; *sortir la poubelle*
to take out the garbage

un **souhait: À tes souhaits!**
Bless you!

souhaiter to wish, to hope 4

la **soupe** soup

souriant(e) smiling 2

une **souris** mouse 6

sous under

un **sous-sol** basement

des **sous-vêtements (m.)**
underwear

se **souvenir** to remember 5

souvent often

spatial(e) space 6

spécial(e) special

se **spécialiser** to specialize 4

une **spécialité** specialty

un **spectacle** show 3

un **sport** sport

sportif, sportive athletic

un **squelette** skeleton 9

un **stade** stadium

un **stage** on-the-job training

une **station** station; *une station-
service* gas station

une **statue** statue

un **steak** steak; *un steak-frites*
steak with French fries

cinq cent neuf

French/English Vocabulary **509**

une **stéréo** stereo

un **steward** flight attendant 5

une **stratégie** strategy 6

un **stylo** pen

le **succès** success 3

le **sucre** sugar

le **sud** south

suffisamment enough 4

suisse Swiss

la **Suisse** Switzerland

suivant(e) following, next

suivre to follow, to take (a class)

un **sujet** subject 6; *au sujet de* about 7

super super, terrific, great; premium (gasoline)

superbe superb

un **supermarché** supermarket

un **supplément** extra charge

sur on; in; about; to

sûr(e) sure 4; *bien sûr* of course

surprenant(e) surprising 2

surprendre to surprise 5

une **surprise** surprise

surtout especially

survivre to survive 8

un **sweat** sweatshirt

sympa (sympathique) nice

sympathiser to get along

un **syndicat d'initiative** tourist office

un **synthé (synthétiseur)** synthesizer

un **système** system 8

T

t'appelles: tu t'appelles your name is

un **tabac** tobacco shop

une **table** table

un **tableau** (chalk)board; painting; *le tableau des arrivées et des départs* arrival and departure information

Tahiti (f.) Tahiti

tahitien, tahitienne Tahitian

une **taille** size

un **taille-crayon** pencil sharpener

un **tailleur** woman's suit

se **taire** to be quiet 2

Tant mieux. That's great.

Tant pis. Too bad.

une **tante** aunt

un **tapis** rug

tard late; *plus tard* later

un **tarif** rate, price 3

une **tarte (aux fraises)** (strawberry) pie

une **tartine** slice of buttered bread

une **tasse** cup

un **taux** rate 4

un **taxi** taxi

te to you; yourself; you

la **technologie** technology 6

un **tee-shirt** T-shirt

un **tel, une telle** such a 10

la **télé (télévision)** TV, television; *à la télé* on TV

la **télématique** communication by computer 6

un **téléphone** telephone

téléphoner to phone (someone), to make a call

tellement so much 5

une **température** temperature

le **temps** weather; time; *Quel temps fait-il?* What's the weather like? How's the weather?; *à plein temps* full-time 4; *au bon vieux temps* in the good old days 9

tendu(e) strained 7

des **tennis (m.)** tennis shoes

le **tennis** tennis

la **terminale** last year of *lycée*

terminer to finish; *se terminer* to end 4

la **terre** earth 6; land 8; *une pomme de terre* potato

le **terrorisme** terrorism

une **tête** head

le **thé** tea; *le thé au citron* tea with lemon; *le thé au lait* tea with milk

un **théâtre** theater

un **ticket** ticket 1; *un ticket de caisse* receipt 10

le **tien, la tienne** yours 9

Tiens! Hey!

un **tigre** tiger

un **timbre** stamp

timide timid, shy

un **titre** title 6

le **Togo** Togo 7

toi you

les **toilettes (f.)** toilet

une **tomate** tomato

un **tombeau** tomb

tomber to fall 8; *tomber en panne* to have a (mechanical) breakdown

ton, ta; tes your

une **tondeuse** lawn mower

tondre to mow

tôt early

une **touche** key (on keyboard) 6

toucher to cash; to get 7

toujours always; still

un **tour** trip; *le tour* tour

une **tour** tower

un(e) **touriste** tourist 5

une **tournée** tour

tourner to turn; to shoot (a movie) 3

tous all

la **Toussaint** All Saints' Day

tout all, everything; *tout à coup* all of a sudden 2; *tout de suite* right away, right now; *tout droit* straight ahead

tout(e); tous, toutes all, every; *tous les deux* both; *tout le monde* everybody

le **tracas** trouble 10

traditionnel, traditionnelle traditional 9

un **train** train; *être en train de* (+ **infinitive**) to be busy (doing something)

un **traitement** treatment 6

traiter to treat 5

un **trajet** trip

une **tranche** slice

transformer to transform 8

le **travail** work

travailler to work

traverser to cross

treize thirteen

trente thirty

très very
une tribu tribe 8
un triomphe triumph
triste sad
trois three
troisième third
un trombone trombone; paper clip 1
se tromper (de) to be mistaken, to be wrong 5
une trompette trumpet
trop too; too much; *trop de* too much, too many
troublé(e) disrupted 8
une trousse pencil case
trouver to find; to think; *se trouver* to be (located) 3
un truc thing 5
tu you
tuer to kill 8
la Tunisie Tunisia
tunisien, tunisienne Tunisian

U

un, une one; a, an; *l'un(e)... l'autre* (the) one . . . the other 10
universitaire university 7
une université university
une urgence: la salle des urgences emergency room 10
utile useful 3
utiliser to use

V

les vacances (f.) vacation
une vache cow
vachement really, very
vaincre to defeat, to conquer 8
la vaisselle dishes
valable valid 3
une valise suitcase
valoir mieux to be better 3
se vanter to boast 9
une variété variety 3
un vase vase
vaut: il vaut mieux it is better 3
vécu(e) real-life 3
une vedette (movie) star 3

la veille night before
un vélo bicycle, bike
un vendeur, une vendeuse salesperson
vendre to sell
vendredi (m.) Friday
venir to come; *venir chercher* to pick up, to come and get; *venir de* (+ **infinitive**) to have just
le vent wind
la vente sales 4
un ventilateur fan 5
un ventre stomach
vérifier to check
un verre glass; *des verres de contact (m.)* contacts
une version version 3
vert(e) green
une veste (sport) jacket
des vêtements (m.) clothes
un vétérinaire veterinarian
la vie life
le Vietnam Vietnam
vietnamien, vietnamienne Vietnamese
vif, vive bright
un village village
une ville city; *en ville* downtown
le vin wine
vingt twenty
la violence violence 8
violet, violette purple
un violon violin
une visite visit; *rendre visite (à)* to visit
visiter to visit (a place)
vite fast, quickly
la vitesse speed; *changer de vitesse* to shift gears; *la limite de vitesse* speed limit
des vitraux (m.) stained glass windows 8
vivre to live
le vocabulaire vocabulary 7
voici here is/are
une voie (train) track
voilà here is/are, there is/are; that's it

la voile sailing
voir to see
une voiture car; (train) car; *une voiture de sport* sports car
une voix voice
un vol flight; theft 2
voler to steal (from), to rob 2
le volley (volleyball) volleyball
votre; vos your
le vôtre, la vôtre yours 9
voudrais would like
vouloir to want; *vouloir bien* to be willing
vous you; to you; yourself, yourselves
un voyage trip
voyager to travel
un voyageur, une voyageuse traveler
un(e) voyant(e) fortuneteller, clairvoyant 1
voyons let's see
vrai(e) true; real
vraiment really
une vue view

W

les W.-C. (m.) toilet
le web Web 6
un weekend weekend

Y

y there, (about) it
le yaourt yogurt
des yeux (m.) eyes

Z

un zèbre zebra
zéro zero
un zoo zoo
Zut! Darn!

cinq cent onze

French/English Vocabulary

Vocabulary
English/French

All words and expressions introduced as active vocabulary in the *C'est à toi!* textbook series appear in this end vocabulary. The number following the meaning of each word or expression indicates the unit in which it appears for the first time in this textbook. If there is more than one meaning for a word or expression and it has appeared in different units, the corresponding unit numbers are listed. Words and expressions that were introduced in the first two levels of *C'est à toi!* do not have a number after them.

A

a un, une; de (d'); *a lot* beaucoup; *a lot of* beaucoup de

abbreviation une abréviation 3

to be **able to** pouvoir

about de (d'); sur; en; au sujet de 7; environ 10; *about them* en; *about which/whom* dont 5; *(about) it* y

above au-dessus de

to **accelerate** accélérer

accent un accent 2

to **accept** accepter; agréer 4

to **access** accéder 6

accessory un accessoire

accident un accident 10

to **accompany** accompagner 5

according to d'après; selon

accountant un(e) comptable

ache: to have a/an . . . ache avoir mal (à...)

acquaintance une connaissance

to **act** jouer 3

active actif, active

activities: leisure activities les loisirs (m.)

activity une activité 5

actor un acteur

actress une actrice

to **adapt** s'adapter 10

addition: in addition en plus 5

address une adresse

administration une administration 8

administrative administratif, administrative 4

to **admire** admirer

adobe le banco 9

ads: want ads des petites annonces (f.) 4

advanced avancé(e) 6

advantage: to take advantage of profiter de

adventure une aventure

advertisement une annonce 4

advice (piece of) un conseil 8

aerobics l'aérobic (m.); *to do aerobics* faire de l'aérobic (m.)

aerogram (air letter) un aérogramme

to be **afraid (of)** avoir peur (de)

Africa l'Afrique (f.)

African africain(e); *African housing area* une concession 9; *African skirt* un pagne 9

after après

afternoon l'après-midi (m.)

again: to see again revoir 10

against contre 4

age l'âge (m.)

agent un agent; *customs agent* un douanier, une douanière

ago il y a

to **agree** être d'accord 5

ahead: straight ahead tout droit

AIDS le SIDA

air conditioning la climatisation

air mail: by air mail par avion

airplane un avion

airport un aéroport

aisle un couloir

album un album 3

alcoholism l'alcoolisme (m.)

algebra l'algèbre (f.) 1

Algeria l'Algérie (f.)

Algerian algérien, algérienne

all tout; tous; tout(e), tous, toutes; *all at once* à la fois; *all of a sudden* tout à coup 2; *All Saints' Day* la Toussaint; *not at all* pas du tout

to **allow** permettre 6

allowance des allocations (f.) 7

almost presque

already déjà

also aussi

always toujours

ambitious ambitieux, ambitieuse 8

America l'Amérique (f.); *North America* l'Amérique du Nord (f.); *South America* l'Amérique du Sud (f.)

American américain(e)

among entre; parmi 6

amusement park un parc d'attractions 1

amusing amusant(e)

an un; une; de (d')

and et

angry fâché(e) 2; *to get angry* se fâcher 2

animal un animal; *animal life* la faune 9

ankle une cheville 10

to **announce** annoncer 4

annoying embêtant(e) 10

another un(e) autre

answer une réponse 2

to **answer** répondre 2

antelope une antilope 9

antibiotic un antibiotique 10

any de (d'); des, du; en; *just any* n'importe quel, n'importe quelle 10; *not any* ne (n')... aucun(e) 2

anymore: not anymore ne (n')... plus

anyone n'importe qui 10; *not anyone* ne (n')... personne

anything: not anything ne (n')... rien

apartment un appartement; *apartment building* un immeuble

appearance l'air (m.) 2; une apparence 7

apple une pomme; *apple juice* le jus de pomme

appliance un appareil 10

appointment un rendez-vous; *to make an appointment* prendre rendez-vous

to **appreciate** apprécier 4

to **approach** s'approcher (de) 2

April avril

arcade une arcade 1

arch un arc, une arche

area un domaine 6

to **argue** se disputer 7

arm un bras

armchair un fauteuil

army une armée

to **arrange** ranger

arrival une arrivée; *arrival and departure information* le tableau des arrivées et des départs

to **arrive** arriver

art l'art (m.); *objet d'art* un objet d'art

article un article 6

artist un(e) artiste

as aussi, que; en; comme; *as for* quant à 6; *as many* autant de 10; *as much* autant de 10; *as soon as* aussitôt que; dès que 6; *as usual* comme d'habitude; *as well as* ainsi que 9

Asia l'Asie (f.)

Asian asiatique

aside from à part

to **ask** demander; *to ask (a question)* poser 2; *to ask for* demander

aspirin une aspirine 10

to **assassinate** assassiner 8

assistant un(e) assistant(e) 3; *assistant principal* un censeur 1

at à; *at (the)* au, aux; *at least* au moins; *at the bottom* en bas 3; *at the end of* au fond de; *at the seashore* au bord de la mer

athlete un(e) athlète

athletic sportif, sportive

Atlantic Ocean l'océan Atlantique (m.)

ATM machine un guichet automatique

atmosphere une ambiance 7

to **attack** agresser 7

to **attend** assister à

attendant: flight attendant une hôtesse de l'air 5; *gas station attendant* un(e) pompiste

attention: to pay attention faire attention 2

attic un grenier

August août

aunt une tante

Australia l'Australie (f.)

Australian australien, australienne

Austria l'Autriche (f.) 8

autobiographical autobiographique 3

automatic automatique

autumn l'automne (m.)

available disponible 5

avenue une avenue

to **avoid** éviter 10

B

baby un bébé 6

to **baby-sit** faire du baby-sitting

baby-sitting le baby-sitting

back un dos; *to come back* rentrer, revenir

backpack un sac à dos

bad mal; mauvais(e); *It's bad.* Il fait mauvais.; *Too bad!* Dommage!; Tant pis.

badly mal

baggage des bagages (m.); *to check one's baggage* faire enregistrer ses bagages (m.)

baker un boulanger, une boulangère

bakery une boulangerie

balcony un balcon

ball (inflated) un ballon 10

ballet un ballet 3

banana une banane

bandage un bandage 10

bank une banque

banker un banquier, une banquière

baobab tree un baobab 9

barn une grange

basement un sous-sol

basketball le basket (basket-ball); *to play basketball* jouer au basket

bath mitt un gant de toilette

bathrobe un peignoir de bain

bathroom une salle de bains

bathtub une baignoire

battery une pile 10

battle une bataille 8

to **be** être; *Be careful!* Attention!; *to be (located)* se trouver 3; *to be . . . (years old)* avoir... ans; *to be a part of* faire partie de 9; *to be able to* pouvoir; *to be afraid (of)* avoir peur (de); *to be better* valoir mieux 3; *to be bored* s'ennuyer 5; *to be born* naître; *to be busy (doing*

cinq cent treize

English/French Vocabulary

something) être en train de (+ *infinitive*); *to be cold* avoir froid; *to be how old* avoir quel âge; *to be hungry* avoir faim; *to be in good/bad shape* être en bonne/mauvaise forme; *to be interested in* s'intéresser à 9; *to be (located)* se trouver 3; *to be lucky* avoir de la chance 1; *to be mistaken* se tromper (de) 5; *to be named* s'appeler 4; *to be necessary* falloir; *to be obliged to* être obligé(e) de; *to be quiet* se taire 2; *to be right* avoir raison 10; *to be sorry* regretter; *to be thirsty* avoir soif; *to be warm/hot* avoir chaud; *to be willing* vouloir bien; *to be wrong* se tromper 5

beach une plage

beans: green beans des haricots verts (m.)

bear un ours

beard une barbe

beautiful beau, bel, belle; *It's beautiful.* Il fait beau.

beauty la beauté 5

because parce que; car 7

to **become** devenir; *to become integrated* s'intégrer 7

bed un lit; *double bed* un grand lit; *to go to bed* se coucher; *twin beds* des lits jumeaux

bedroom une chambre

beef le bœuf

before avant (de)

to **beg** prier 4

to **begin** commencer; *to begin again* recommencer

beginning le début 2

behind derrière

beige beige

Belgian belge

Belgium la Belgique

to **believe** croire

to **belong to** être à 9

belt une ceinture; *seat belt* une ceinture de sécurité

benefits des allocations (f.) 7

Benin le Bénin 3

beside à côté (de)

best le meilleur, la meilleure 5; *the best* le mieux

to **bet** parier

better mieux; meilleur(e) 6; *it is better* il vaut mieux 3; *to be better* valoir mieux 3

between entre

beverage une boisson

bicycle un vélo

big grand(e); gros, grosse

bike un vélo

biking: to go biking faire du vélo

bilingual bilingue 4

bill (at a restaurant) une addition; *bill (money)* un billet

billfold un portefeuille

biology la biologie

bird un oiseau

birthday un anniversaire; *Happy Birthday!* Bon anniversaire!

black noir(e)

Bless you! À tes souhaits!

blond blond(e)

blue bleu(e)

board un tableau

to **boast** se vanter 9

boat un bateau

body un corps; *body building* la musculation; *to do body building* faire de la musculation

book un livre

bookstore une librairie

boot une botte

border une frontière 6

to be **bored, to get bored** s'ennuyer 5

to be **born** naître

to **borrow (from)** emprunter (à) 9

boss un chef 2

both tous les deux

to **bother** embêter 5; gêner 10

bottle une bouteille

bottom: at the bottom en bas 3

boundary une frontière 6

boutique une boutique

bowl un bol

box une boîte 10; *box office* un bureau de location 3

boy un garçon

bracelet un bracelet

brand une marque 7

bread le pain; *long, thin loaf of bread* une baguette; *slice of buttered bread* une tartine

to **break** se casser 10

breakdown une panne; *to have a (mechanical) breakdown* tomber en panne

breakfast le petit déjeuner

bride une mariée

bridge un pont

bright vif, vive

to **bring: to bring back** rapporter 10; *to bring together* réunir 8

to **broadcast** diffuser 7

broken cassé(e) 10

brother un frère; *host brother* un correspondant

brother-in-law un beau-frère

brown brun(e); marron

to **brush** se brosser

buddy mon vieux

budget un budget 7

buff un(e) fana

to **build** construire 6

building la construction 8; *apartment building* un immeuble

bumper car une auto tamponneuse 1

burlesque burlesque

to **burn** brûler

bus: (city) bus un autobus, un bus; *tour bus* un car 2

business des affaires (f.) 8

businessman un homme d'affaires

businesswoman une femme d'affaires

busy occupé(e); *free (not busy)* libre; *to be busy (doing something)* être en train de (+ *infinitive*)

but mais

cinq cent quatorze

English/French Vocabulary

butcher un boucher, une bouchère; *butcher shop* une boucherie

butter le beurre

to **buy** acheter

by de (d'); en, par; *by air mail* par avion

bye ciao

C

café un café

cafeteria une cantine

cage une cage 7

cake un gâteau

calculus le calcul 1

calendar un calendrier

call: to make a call téléphoner

to **call** appeler 7

calm calme 2

Camembert cheese le camembert

camera un appareil-photo 9

Cameroon le Cameroun

Cameroonian camerounais(e)

to **camp** faire du camping

campground un camping

camping le camping; *to go camping* faire du camping

can une boîte; une canette 10; *garbage can* une poubelle

Canada le Canada

Canadian canadien, canadienne

canoe un canoë

canoeing: to go canoeing faire du canoë

cap une casquette

capital une capitale

car une voiture; une auto (automobile); *bumper car* une auto tamponneuse 1; *(train) car* une voiture; *sports car* une voiture de sport

caramel custard une crème caramel

card une carte; *credit card* une carte de crédit; *to play cards* jouer aux cartes (f.)

care: to take care of s'occuper de 5

careful: Be careful! Attention!

Caribbean Sea la mer des Antilles

carrot une carotte

cartoon un dessin animé

case un cas

cash l'argent liquide (m.)

to **cash** toucher

cashier un caissier, une caissière; *cashier's (desk)* une caisse

cassette une cassette

cast un plâtre 10

castle un château

cat un chat

Catholic un(e) catholique 8

cautious circonspect(e) 7

CD un CD

to **celebrate** fêter

cemetery un cimetière

center un centre; *shopping center* un centre commercial

century un siècle

cereal des céréales (f.)

certain certain(e) 4

chair une chaise

chalkboard un tableau

change la monnaie; un changement

to **change** changer

channel une chaîne 4; *English Channel* la Manche

chapel une chapelle

charge: extra charge un supplément

charts le hit-parade

cheap bon marché

check (at a restaurant) une addition; *security check* un contrôle de sécurité; *traveler's check* un chèque de voyage

to **check** vérifier; *to check one's baggage* faire enregistrer ses bagages (m.)

cheese le fromage; *Camembert cheese* le camembert; *cheese sandwich* un sandwich au fromage

chef un chef

chemistry la chimie

cherry une cerise

chess les échecs (m.); *to play chess* jouer aux échecs (m.)

chicken un poulet; *chicken cooked in wine* le coq au vin

chief un chef 8

child un(e) enfant

chills des frissons (m.)

China la Chine

Chinese chinois(e)

chocolate le chocolat; *chocolate ice cream* une glace au chocolat; *chocolate mousse* une mousse au chocolat; *hot chocolate* un chocolat chaud

choice un choix

to **choose** choisir

chore une corvée

Christianity le christianisme 8

church une église

city une ville

clairvoyant un(e) voyant(e) 1

clarinet une clarinette

class un cours; une classe; *to take (a class)* suivre

classmate une camarade de classe

classroom une salle de classe

clean propre 7

to **clean** nettoyer

cleaner: vacuum cleaner un aspirateur

clerk un(e) employé(e) 2

to **click** cliquer 6

clientele une clientèle 4

climate un climat 7

climbing l'escalade (f.); *to go climbing* faire de l'escalade (f.)

clip: video clip un clip; *paper clip* un trombone 1

clock une pendule

to **close** fermer

515

clothes des vêtements (m.); *to dry clothes* faire sécher le linge

club: dance club une boîte

coast une côte

coat un manteau

coffee un café; *coffee with milk* un café au lait

coin une pièce

Coke un coca

cold froid(e); *It's cold.* Il fait froid.; *to be cold* avoir froid

cold un rhume

to **collect** collectionner

collection une collection 3

color une couleur

comb un peigne

to **comb (one's hair)** se peigner

to **come** venir; se présenter 4; *to come and get* venir chercher; *to come back* rentrer, revenir; *to come home* rentrer; *to come in* entrer; *to come up (to)* s'approcher (de) 2

comedy une comédie

comic strip une bande dessinée

comical burlesque

commercial commercial(e) 6

committed engagé(e) 6

communication by computer la télématique 6

company une compagnie 4

compartment: overhead compartment un porte-bagages 5

to **complain** se plaindre 5

complete complet, complète

complicated complexe 8; compliqué(e) 10

to **compose** composer 3

composer un compositeur, une compositrice 3

composition la rédaction 1

computer un ordinateur; *communication by computer* la télématique 6; *computer science* l'informatique (f.); *computer specialist* un informaticien, une informaticienne

concert un concert

conductor un chef d'orchestre 3; un chef de train 5

Congo: Democratic Republic of the Congo la République Démocratique du Congo 6

Congolese congolais(e)

to **connect** se brancher 6

to **conquer** vaincre 8

conqueror un(e) conquérant(e) 8

consequently par conséquent 8

to **consider** considérer 7

contacts des verres de contact (m.)

contemporary contemporain(e)

to **continue** continuer

contract un contrat 4

contrast un contraste 9

to **control** contrôler

controversial controversé(e) 3

conversation une conversation

convertible une décapotable

cook un cuisinier, une cuisinière

cooking la cuisine

cool frais, fraîche; *It's cool.* Il fait frais.

to **copy** copier 8

corner un coin 7

to **cost** coûter

couch un canapé

to **count** compter 7

counter un comptoir

country la campagne; un pays

countryside la campagne

couple un couple

coupon un bon de réduction 10

courageous courageux, courageuse

course un cours; *entrée (course before main dish)* une entrée; *in the course of* au cours de; *main course* le plat principal

court une cour 8

couscous le couscous

cousin un(e) cousin(e)

to **cover** parcourir 5

cow une vache

crab un crabe

craft un métier

craftsperson un artisan 9

crafty rusé(e) 8

crazy: crazy person un fou, une folle 1; *to laugh like crazy* rigoler comme des fous 1

to **create** créer 4

credit card une carte de crédit

crêpe une crêpe

to **criticize** critiquer 8

croissant un croissant

to **cross** traverser

cross-country skiing le ski de fond 1; *to go cross-country skiing* faire du ski de fond 1

crusade une croisade 8

crutch une béquille 10

cultural culturel, culturelle 7

culture la culture

cup une tasse

cupboard un placard

currency exchange un bureau de change

current events l'actualité (f.)

curriculum vitae un CV 4

curried scallops des coquilles Saint-Jacques au curry

custard: caramel custard une crème caramel

customer un(e) client(e) 10

customers une clientèle 4

customs la douane; *customs agent* un douanier, une douanière; *to go through customs* passer à la douane

cute mignon, mignonne

D

Dad papa (m.)

daily quotidien, quotidienne

dairy store une crémerie

dance un bal; *dance club* une boîte

to **dance** danser
dark (hair) brun(e)
darling un(e) chéri(e)
Darn! Zut!; Mince!
date une date
daughter une fille
day un jour; une journée; *Have a good day!* Bonne journée!; *in the good old days* au bon vieux temps 9; *the next day* le lendemain; *these days* de nos jours 9
to **deal with** s'occuper de 8
dean un censeur 1
dear cher, chère
December décembre
to **decide** décider (de)
to **declare** déclarer
to **defeat** vaincre 8
to **defend** défendre 8
defense la défense 6
delicatessen une charcuterie; *delicatessen owner* un charcutier, une charcutière
delighted enchanté(e)
demanding exigeant(e) 2
Democratic Republic of the Congo la République Démocratique du Congo
to **demolish** démolir 8
to **demonstrate** manifester 4
demonstration une manifestation 4
demonstrator un(e) manifestant(e) 4
to **denounce** dénoncer 6
dentist un(e) dentiste
department un rayon 10; *department store* un grand magasin
departure un départ; *arrival and departure information* le tableau des arrivées et des départs; *departure gate* une porte d'embarquement
to **depend (on)** dépendre (de) 7
depressed déprimé(e) 2
depressing déprimant(e) 7
to **describe** décrire
description une description 3

desk un bureau; *cashier's (desk)* une caisse; *reception desk* la réception
dessert un dessert
destination une destination
detective un policier, une policière
to **develop** développer 6
dictionary un dictionnaire
to **die** mourir
different différent(e) 7
difficult difficile
dining room une salle à manger
dinner le dîner
dinosaur un dinosaure 9
diploma: diploma at end of lycée le bac (baccalauréat); *possessing a diploma* diplômé(e) 4
direct direct(e)
director un metteur en scène
disappointed déçu(e) 10
discotheque une discothèque 7
disease une maladie
dish un plat
dishes la vaisselle
dishwasher un lave-vaisselle
diskette une disquette
disrupted troublé(e) 8
dissatisfaction le mécontentement 4
distinguished distingué(e) 4
district un arrondissement 3
to **distrust** se méfier de 2
to **dive** plonger
diversity une diversité 7
to **divide** diviser 8
diving: scuba diving la plongée sous-marine; *to go scuba diving* faire de la plongée sous-marine
divorce un divorce 7
divorced: to get divorced divorcer 7
to **do** faire; *(to do something) in vain* avoir beau 8; *to do aerobics* faire de l'aérobic (m.); *to do body building* faire de la musculation; *to do gymnastics* faire de la gym

(gym-nastique); *to do homework* faire les devoirs; *to do karate* faire du karaté
doctor un médecin; un docteur
document un document 2
documentary un documentaire
dog un chien
dollar un dollar
dolphin un dauphin
done: Well done! Bravo! 6
door une porte
dormitory room (for more than one person) un dortoir
double bed un grand lit
to **doubt** douter 4
downtown en ville
drag: What a drag! Quelle galère!
drama un drame
drawing le dessin
to **dream** rêver
dress une robe; *to dress up* se déguiser
dressed habillé(e) 2; *to get dressed* s'habiller
drink une boisson
to **drink** boire
to **drive** conduire; rouler
driver un chauffeur; un conducteur, une conductrice; *driver's license* un permis de conduire
driving school une auto-école
drugs la drogue
drugstore une pharmacie 10
drums une batterie
to **dry** sécher; *to dry clothes* faire sécher le linge
dryer un sèche-linge; *hair dryer* un sèche-cheveux
duck un canard
duke un duc 8
dumb bête; *How dumb I am!* Que je suis bête!
during pendant; au cours de
dust la poussière
to **dust** enlever la poussière

DVD un DVD; *DVD player* un lecteur de DVD

dynamic dynamique

E

each chaque

ear une oreille

early en avance; tôt

earring une boucle d'oreille

earth la terre 6

east l'est (m.)

easy facile

to **eat** manger; *to eat pizza* manger de la pizza

ecological écologique 6

education l'éducation (f.); l'enseignement (m.) 1

effort un effort

egg un œuf; *fried eggs* des œufs sur le plat (m.); *scrambled eggs* des œufs brouillés (m.)

eight huit

eighteen dix-huit

eighth huitième

eighty quatre-vingts

electronic électronique 6

elephant un éléphant

elevator un ascenseur

eleven onze

e-mail l'e-mail (m.) 6

embassy une ambassade 2

emergency: emergency medical service le SAMU (service d'assistance médicale d'urgence) 10; *emergency room* la salle des urgences 10

emperor un empereur 8

empire un empire 8

employee un(e) employé(e) 2

enclosed ci-joint 4

end la fin 1; *at the end of* au fond de; *in the end* finalement

to **end** se terminer 4

energy l'énergie (f.); *nuclear energy* l'énergie nucléaire

engine: search engine un outil de recherche 6

engineer un ingénieur

England l'Angleterre (f.)

English anglais(e); *English (language)* l'anglais (m.); *English Channel* la Manche

to **enjoy (oneself)** se distraire 7

enough assez de; assez, suffisamment 4

to **enter** entrer

entertainment une distraction 3

enthusiastic enthousiaste 4

entrance une entrée

entrée (course before main dish) une entrée

envelope une enveloppe

environment l'environnement (m.)

eraser une gomme 1

especially surtout

essential essentiel, essentielle 3

to **establish** établir 6

euro un euro

Europe l'Europe (f.)

European européen, européenne

even même

evening un soir; *in the evening* le soir

event un événement 8; *current events* l'actualité (f.)

eventually finalement

ever jamais 1

every chaque; tout(e), tous, toutes

everybody tout le monde

everything tout

everywhere partout 3

evident évident(e) 4

exactly justement 10

exam un examen 1; *exam at end of lycée* le bac (baccalauréat)

example: for example par exemple

to **exceed** dépasser

excellent excellent(e) 6

except sauf

exchange: currency exchange un bureau de change

to **exchange** échanger

exciting passionnant(e) 6

excuse me pardon; excusez-moi

exhausted épuisé(e) 2

exhibit, exhibition une exposition

exotic exotique

to **expect** s'attendre à 2

expensive cher, chère

experience une expérience 4

to **explain** expliquer 2

to **expose** dénoncer 6

express subway to suburbs le R.E.R. (Réseau Express Régional)

expression une expression 10

extra charge un supplément

eye un œil; *eyes* des yeux (m.)

F

face une figure

factory worker un ouvrier, une ouvrière

to **fail** rater 1

fall l'automne (m.)

to **fall** tomber 8

family une famille; familial(e) 7; *family room* un séjour; *family stay* un séjour en famille

famine une famine 6

famous célèbre

fan un ventilateur 5

fanatic un(e) fana

fantastic extra; génial(e) 7; fantastique 9

far loin

farm une ferme

farmer un fermier, une fermière

fascinating passionnant(e) 6

fast vite; rapide; rapidement

fast-food restaurant un fast-food

fat gros, grosse

father un père

father-in-law un beau-père

favorable favorable

favorite favori, favorite

fax un fax 5

to **fax** faxer

February février

to **feed** nourrir

to **feel** se sentir 2; *to feel like* avoir envie de; *to feel nauseous* avoir mal au cœur

feeling une impression 3

felt-tip pen un feutre 1

Ferris wheel une grande roue 1; *to go on the Ferris wheel* faire un tour de grande roue 1

festival une fête

fever la fièvre

few (un) peu de

fiction: science fiction la science-fiction

field un champ; un domaine 6

fifteen quinze; *fifteen (minutes after)* et quart

fifth cinquième

fifty cinquante

fight une lutte 6

to **fill (out)** remplir; *to fill up the gas tank* faire le plein

finally enfin

to **find** trouver

fine une amende

fine bien

finger un doigt

to **finish** finir; terminer

firefighter un pompier

fireworks un feu d'artifice

first premier, première; d'abord; *first day of school* la rentrée 1; *first name* un prénom

fish un poisson; *fish soup* une bouillabaisse

five cinq

fixed-price meal un menu

flexible flexible 4

flight un vol; *flight attendant* une hôtesse de l'air, un steward 5

floor un étage; *ground floor* le rez-de-chaussée

florist un(e) fleuriste

flower une fleur

flu la grippe

flute une flûte

to **follow** suivre

following suivant(e)

Fon (African language) le fon 3

food la nourriture

foot un pied; *on foot* à pied

for pour; comme; depuis; contre 8; *(for) a long time* longtemps 5; *as for* quant à 6; *for example* par exemple

foreigner un étranger, une étrangère 7

to **forget** oublier 6

fork une fourchette

form un formulaire 4; *order form* une fiche de commande; *registration form* une fiche d'inscription 1

formerly autrefois 9

fortunately heureusement

fortuneteller un(e) voyant(e) 1

forty quarante

foundation une fondation 6

four quatre

fourteen quatorze

fourth quatrième

franc un franc 9

France la France; *the south of France* le Midi 10

franglais (English words used in French) le franglais 7

frank ouvert(e) 7

frankly franchement

free gratuit(e); gratuitement 10; *free (not busy)* libre

to **free** délivrer

French français(e); *French (language)* le français; *French fries* des frites (f.); *French toast* le pain perdu; *French-speaking* francophone

French Guiana la Guyane française; *inhabitant of/from French Guiana* guyanais(e)

fresh frais, fraîche

Friday vendredi (m.)

fried eggs des œufs sur le plat (m.)

friend un(e) ami(e); un copain, une copine

friendly accueillant(e) 2

fries: French fries des frites (f.); *steak with French fries* un steak-frites

frightened effrayé(e) 2

from de (d'); *from (the)* des, du; *from it/them* en

front: in front of devant

fruit un fruit; *fruit juice* le jus de fruit

frustrated frustré(e) 10

full chargé(e); plein(e); complet, complète

fullest: We have to live life to the fullest. Il faut profiter de la vie au maximum.

full-time à plein temps 4

fun: fun house la galerie des miroirs déformants 1; *to have fun* s'amuser

funny drôle; marrant(e); amusant(e)

fur la fourrure 6

furthermore de plus

future l'avenir (m.) 6

G

gallery une galerie

game un jeu, un match; le gibier 9; *game show* un jeu télévisé; *games of skill* des jeux d'adresse 1; *to play video games* jouer aux jeux vidéo; *video games* des jeux vidéo (m.)

garage un garage

garbage: garbage can une poubelle; *to take out the garbage* sortir la poubelle

garden un jardin

gas station une station-service; *gas station attendant* un(e) pompiste

gas tank: to fill up the gas tank faire le plein

gasoline l'essence (f.); *premium (gasoline)* super; *regular (gasoline)* ordinaire

gate une porte; *departure gate* une porte d'embarquement

Gaul la Gaule 8

gazelle une gazelle 9

gears: to shift gears changer de vitesse

general général(e) 3; un général 8; *in general* en général 3

generous généreux, généreuse

geography la géographie

geometry la géométrie 1

German allemand(e); *German (language)* l'allemand (m.)

Germany l'Allemagne (f.)

to **get** recevoir; toucher 7; *I can't get over it.* Je n'en reviens pas. 1; *to come and get* venir chercher; *to get along* sympathiser; s'entendre 2; *to get angry* se fâcher 2; *to get bored* s'ennuyer 5; *to get divorced* divorcer 7; *to get dressed* s'habiller; *to get in* monter; *to get married* se marier 7; *to get off* descendre 3; *to get on* monter; *to get ready* se préparer; *to get up* se lever

gift un cadeau

gifted doué(e)

giraffe une girafe

girl une fille

to **give** donner; offrir; *Give me . . . .* Donnez-moi....; *Give me a hand . . . .* Donne-moi un coup de main....

glass un verre

glasses des lunettes (f.)

glove un gant

to **go** aller; se passer 5; *let's go (there)* allons-y; *Shall we go (there)?* On y va?; *to go (by)* passer; *to go biking* faire du vélo; *to go camping* faire du camping; *to go canoeing* faire du canoë; *to go climbing* faire de l'escalade (f.); *to go cross-country skiing* faire du ski de fond 1; *to go down* descendre; *to go for a ride* faire un tour; faire une promenade; *to go for a walk* faire une promenade; *to go grocery shopping* faire les courses; *to go horseback riding* faire du cheval; *to go in-line*

skating faire du roller; *to go on the Ferris wheel* faire un tour de grande roue 1; *to go on the merry-go-round* faire un tour de manège 1; *to go on the roller coaster* faire un tour de montagnes russes 1; *to go out* sortir; *to go running* faire du footing; *to go sailing* faire de la voile; *to go scuba diving* faire de la plongée sous-marine; *to go shopping* faire du shopping, faire les magasins; *to go skateboarding* faire de la planche à roulettes 1; *to go snowboarding* faire de la planche à neige 1; *to go through* fouiller 2; *to go through customs* passer à la douane; *to go to bed* se coucher; *to go tobogganing* faire de la luge 1; *to go up* monter; *to go waterskiing* faire du ski nautique; *to go windsurfing* faire de la planche à voile

goat une chèvre

God Dieu (m.) 8

gold l'or (m.)

goldfish un poisson rouge

golf le golf; *to play golf* jouer au golf

good bon, bonne; bien; *good evening* bonsoir; *good-bye* au revoir, salut; *Have a good day!* Bonne journée!; *in the good old days* au bon vieux temps 9

gorilla un gorille

to **govern** gouverner 8

government un gouvernement 4

grade une note 7

gradually doucement

graffiti des graffiti (m.) 7

grandfather un grand-père

grandmother une grand-mère

grandparent un grand-parent 2

grape un raisin; *grape juice* le jus de raisin

grapefruit un pamplemousse; *grapefruit juice* le jus de pamplemousse

grateful reconnaissant(e) 4

gray gris(e)

great super; formidable; extra; génial(e) 7; *That's great.* Tant mieux.

Greek le grec 1

green vert(e); *green beans* des haricots verts (m.)

greeting une salutation 4

groom un marié

ground floor le rez-de-chaussée

group un groupe 5

to **grow** pousser 9

Guadeloupe la Guadeloupe; *inhabitant of/from Guadeloupe* guadeloupéen, guadeloupéenne

guaranteed garanti(e) 4

Guiana: French Guiana la Guyane française; *inhabitant of/from French Guiana* guyanais(e)

guidebook un guide 3

to **guillotine** guillotiner 8

guitar une guitare

guy un mec; un gars 5

gym un gymnase 5

gymnastics la gym, la gymnastique; *to do gymnastics* faire de la gym (gymnastique)

H

habit une habitude 9

hair des cheveux (m.); *hair dryer* un sèche-cheveux; *to comb (one's hair)* se peigner

hairbrush une brosse à cheveux

hairdresser un coiffeur, une coiffeuse

Haiti Haïti (f.)

Haitian haïtien, haïtienne

half demi(e); *half an hour* une demi-heure; *half past* et demi(e)

half-brother un demi-frère

half-sister une demi-sœur

hall un couloir; une galerie; un pavillon 9; *lecture hall* une salle de conférences 1

ham le jambon; *ham sandwich* un sandwich au jambon

hamburger un hamburger

hand une main; *Give me a hand . . . .* Donne-moi un coup de main....; *on the other hand* par contre 9

to **hand in** rendre 6

handkerchief un mouchoir

handsome beau, bel, belle

to **happen** se passer 2; arriver 10

happy content(e), heureux, heureuse; *Happy Birthday!* Bon anniversaire!

hard difficile; dur(e)

hardworking diligent(e)

hat un chapeau

to **have** avoir; *Have a good day!* Bonne journée!; *I've had it!* J'en ai marre!; *one has to, we/you have to* il faut; *to have (food or drink)* prendre; *to have a/an . . . ache, to have a sore . . .* avoir mal; *to have a (mechanical) breakdown* tomber en panne; *to have a good time* s'amuser; se distraire 7; *to have a picnic* piqueniquer; *to have fun* s'amuser; *to have just* venir de (+ *infinitive*); *to have lunch* déjeuner; *to have on-the-job training* faire un stage; *to have to* devoir, falloir; être obligé(e) de; *We have to live life to the fullest.* Il faut profiter de la vie au maximum.

he il; *he is* c'est

head une tête; un chef 4

health la santé

to **hear** entendre; *to hear about* entendre parler de 6

heart un cœur

hello bonjour; *hello (on telephone)* allô

help l'aide (f.); *Help!* Au secours!

to **help** aider; rendre un service 5

hen une poule

her son, sa; ses; le, la, l'; elle; *her name is* elle s'appelle; *to her* lui

here là; ici; *here is/are* voilà, voici

hero un héros

heroine une héroïne

hers le sien, la sienne 9

herself se

Hey! Eh!, Tiens!

hi salut

high haut(e); élevé(e) 4

high school un lycée; *high school student* un lycéen, une lycéenne 1

hightops des baskets (f.)

him le, la, l'; lui; *to him* lui

himself se

hippopotamus un hippopotame

to **hire** embaucher 4

his son, sa; ses; le sien, la sienne 9; *his name is* il s'appelle

history l'histoire (f.)

to **hit** heurter 1

holiday une fête

hollandaise sauce la sauce hollandaise

home: at/to the home of chez; *to come home* rentrer

homeless person un(e) sans-abri

homework les devoirs (m.); *to do homework* faire les devoirs

honest honnête

hood un capot

to **hope** espérer; souhaiter 4

horror l'épouvante (f.)

horse un cheval

horseback riding: to go horseback riding faire du cheval

hospitable accueillant(e) 2

hospital un hôpital 10

host brother un correspondant; *host sister* une correspondante

hostel: youth hostel une auberge de jeunesse

hot chaud(e); *hot chocolate* un chocolat chaud; *It's hot.* Il fait chaud.; *to be hot* avoir chaud

hot dog un hot-dog

hotel un hôtel

hour l'heure (f.); *half an hour* une demi-heure

house une maison; *at/to the house of* chez; *fun house* la galerie des miroirs déformants 1; *to my house* chez moi

househusband un homme au foyer

housewife une femme au foyer

housework le ménage

housing le logement 7; *African housing area* une concession 9; *housing development* une cité 7; *public housing* une HLM (habitation à loyer modéré) 7

how comment; que; comme; *How are things going?* Ça va?; *How are you?* Comment vas-tu?; *How dumb I am!* Que je suis bête!; *how long* depuis combien de temps; *how many* combien de; *how much* combien, combien de; *How much is it/that?* Ça fait combien?; *How nice you are!* Que vous êtes gentils!; *How old are you?* Tu as quel âge?; *How's the weather?* Quel temps fait-il?

however pourtant 9

Huh? Hein? 1

human humain(e) 2

humanitarian humanitaire 6

hundred: (one) hundred cent

hunger la faim

hungry: I'm hungry. J'ai faim.; *to be hungry* avoir faim

to **hunt** chasser 9

hunting la chasse 8

hurry: in a hurry pressé(e) 7

to **hurry** se dépêcher

to **hurt** avoir mal (à...); *to hurt oneself* se faire mal 10

husband un mari

hut une case 9

hutch: rabbit hutch une cage à lapins 7

hyena une hyène 9

I

I j', je; moi; *I can't get over it.*
Je n'en reviens pas. 1; *I need*
il me faut; *I think so.* Je
crois que oui. 5

ice cream une glace; *chocolate*
ice cream une glace au
chocolat; *vanilla ice cream*
une glace à la vanille

idea une idée

idiot un(e) imbécile 2

if si; *if I were you* à ta place
5; *what if* si 10

illness une maladie

illuminated illuminé(e) 8

to **imagine** imaginer

immigrant un(e) immigré(e) 7

immigration l'immigration (f.)

important important(e) 2

impossible impossible 3

impression une impression 3

Impressionist
impressionniste

to **improve** se perfectionner;
améliorer 8

in dans; à, en, sur; de (d'); *in*
(the) au, aux, du; *in a hurry*
pressé(e) 7; *in addition* en
plus 5; *in front of* devant; *in*
general en général 3; *in my*
opinion à mon avis; *in order*
to pour; *in the course of* au
cours de; *in the end* finalement; *in the evening* le soir;
in the good old days au bon
vieux temps 9; *in the*
morning le matin; *in the*
provinces en province 8; *(to*
do something) in vain avoir
beau 8

included compris(e)

independence l'indépendance
(f.) 8

independent indépendant(e) 7

Indian Ocean l'océan
Indien (m.)

to **indicate** indiquer

indispensable indispensable 3

Indochina l'Indochine (f.) 3

influence une influence 7

to **inform** informer 9

information des
renseignements (m.) 3;
arrival and departure
information le tableau des
arrivées et des départs;
information superhighway
l'inforoute (f.) 6

inhabitant: inhabitant
of/from French Guiana
guyanais(e); *inhabitant*
of/from Gaul un(e)
Gaulois(e) 8; *inhabitant*
of/from Guadeloupe
guadeloupéen,
guadeloupéenne; *inhabitant*
of/from Madagascar
malgache; *inhabitant of/from*
Martinique martiniquais(e);
inhabitant of/from Monaco
monégasque; *inhabitant*
of/from Normandy un(e)
Normand(e) 8; *inhabitant*
of/from Quebec un(e)
Québécois(e); *inhabitant*
of/from the Maghreb
maghrébin(e) 7

in-line skating le roller; *to go*
in-line skating faire du roller

inspector un contrôleur, une
contrôleuse

instructions le mode
d'emploi 10

instructor un moniteur, une
monitrice

instrument un instrument 9

insurance l'assurance (f.) 4

integrated: to become
integrated s'intégrer 7

intelligent intelligent(e)

to **intend** compter 4

interest un intérêt 6

to **interest** intéresser

interested: to be interested
in s'intéresser à 9

interesting intéressant(e)

intersection un croisement

intricate fin(e) 9

to **introduce** présenter

to **invite** inviter

Iraq l'Irak (m.) 6

iron un fer à repasser

to **iron** repasser

is est; *isn't that so?* n'est-ce
pas?

Islamic: of the Islamic
religion coranique 9

island une île

issue un numéro 4

it elle, il; ça; le, la, l'; y; en;
about it y; *from it* en; *it is*
better il vaut mieux 3; *it is*
necessary il faut; *It seems to*
me . . . . Il me semble....;
it's c'est; *It's . . . .* Ça
fait....; *It's bad.* Il fait
mauvais.; *It's beautiful.* Il
fait beau.; *It's cold.* Il fait
froid.; *It's cool.* Il fait frais.;
It's hot. Il fait chaud.; *It's*
nice. Il fait beau.; *It's*
raining. Il pleut.; *It's*
snowing. Il neige.; *It's*
sunny. Il fait du soleil.; *It's*
the (+ date). Nous sommes
le (+ *date*).; *It's up to you.*
C'est à vous de voir. 10; *It's*
warm. Il fait chaud.; *It's*
windy. Il fait du vent.; *of it*
en; *that's it* voilà

Italian italien, italienne

Italy l'Italie (f.)

its son, sa; ses; le sien, la
sienne 9

Ivory Coast la Côte-d'Ivoire;
from the Ivory Coast
ivoirien, ivoirienne

J

jacket (outdoor) un blouson;
ski jacket un anorak; *sport*
jacket une veste

jam la confiture

January janvier

Japan le Japon

Japanese japonais(e)

jar un pot

jazz le jazz

jeans: (pair of) jeans un
jean

jewel un bijou

job un boulot; un emploi, un
poste 4; *on-the-job training*
un stage

joke une blague 10

journal un journal 7

journalism le journalisme

journalist un(e) journaliste

juice: apple juice le jus de

pomme; *fruit juice* le jus de fruit; *grape juice* le jus de raisin; *grapefruit juice* le jus de pamplemousse; *orange juice* le jus d'orange; *tomato juice* le jus de tomate

July juillet

June juin

just juste; *just any* n'importe quel, n'importe quelle 10; *to have just* venir de (+ *infinitive*)

justice la justice 8

K

karate le karaté; *to do karate* faire du karaté

to **keep** garder

ketchup le ketchup

key (on keyboard) une touche 6

keyboard un clavier 6

kidding: No kidding! Sans blague 10; *You're kidding!* Tu parles!; *You're not kidding!* Tu parles! 5

to **kill** tuer 8

kilogram un kilogramme (kilo)

kilometer un kilomètre

kind un genre 3

king un roi

kiss une bise; un bisou 5

kitchen une cuisine

knee un genou

knife un couteau

to **know** connaître; *to know (how)* savoir

knowledge la connaissance 6

L

laboratory un labo (laboratoire) 1

ladies Mesdames; *ladies and gentlemen* Messieurs-Dames

lady une dame

lake un lac

lamp une lampe

land une terre 8

to **land** atterrir

landscape un paysage 3

language une langue 3

large grand(e); gros, grosse

last dernier, dernière; *last year of lycée* la terminale

to **last** durer 8

late en retard; tard

later plus tard

Latin (language) le latin

to **laugh** rigoler 1; *to laugh like crazy* rigoler comme des fous 1

to **launch** lancer 6

launcher: satellite launcher un lanceur de satellites 6

laundry la lessive

law une loi 7

lawn un jardin; une pelouse; *lawn mower* une tondeuse

lawyer un(e) avocat(e)

lazy paresseux, paresseuse

lead le plomb

to **learn** apprendre

least: at least au moins

leather le cuir; *leather goods* la maroquinerie 9

to **leave** partir; laisser; *to leave (a person or place)* quitter

lecture une conférence 1; *lecture hall* une salle de conférences 1

left gauche 10; *to (on) the left* à gauche

leg une jambe

leisure activities les loisirs (m.)

lemon un citron; *tea with lemon* le thé au citron

lemon-lime soda une limonade

to **lend** prêter 9

length une durée 3

less moins; inférieur(e) 4

lesson une leçon

let me laissez-moi 10

letter une lettre; *letter carrier* un facteur, une factrice

liberal libéral(e) 8

liberty la liberté

library une bibliothèque

license: driver's license un permis de conduire

life la vie; *We have to live life to the fullest.* Il faut profiter de la vie au maximum.

light une lumière; *traffic light* un feu

like comme

to **like** aimer; *I like . . .* . . . me plaît.; *What would you like?* Vous désirez?; *would like* voudrais

limit: speed limit la limite de vitesse

line une ligne 6; *to stand in line* faire la queue

lion un lion

lip une lèvre

lipstick le rouge à lèvres

list une liste 1

to **listen (to)** écouter; *listen* écoute; *to listen to music* écouter de la musique

literature la littérature 1

little petit(e); *a little* (un) peu, (un) peu de

live en direct 4

to **live** habiter; vivre; *We have to live life to the fullest.* Il faut profiter de la vie au maximum.

living room un salon

long long, longue; *(for) a long time* longtemps 5; *how long* depuis combien de temps

longer: no longer ne (n')... plus

look: to take a quick look jeter un coup d'œil 10

to **look** avoir l'air 2; *to look (at)* regarder; *to look at oneself* se regarder; *to look for* chercher; *to look like* ressembler à; *to look well/sick* avoir bonne/mauvaise mine

to **lose** perdre

lot: a lot beaucoup; *a lot of* beaucoup de

love l'amour (m.); *in love* amoureux, amoureuse

to **love** aimer; adorer

lower inférieur(e) 4

to **lower** baisser

loyalty la loyauté 8

lozenge une pastille 10

luck la chance

lucky: to be lucky avoir de la chance 1

M

luggage des bagages (m.)
lunch le déjeuner; *to have lunch* déjeuner
Luxembourg le Luxembourg; *from Luxembourg* luxembourgeois(e)

Ma'am Madame (Mme)
machine: ATM machine un guichet automatique; *ticket stamping machine* un composteur
Madagascar Madagascar (f.); *inhabitant of/from Madagascar* malgache
made of en
magazine un magazine
magnificent magnifique
maiden name un nom de jeune fille 2
mail le courrier
mailbox une boîte aux lettres
main principal(e); *main course* le plat principal
to **maintain** maintenir 8
to **make** faire; rendre (+ **adjective**) 10; *to make a call* téléphoner; *to make an appointment* prendre rendez-vous
makeup le maquillage; *to put on makeup* se maquiller
Mali le Mali 9
mall un centre commercial
man un homme
to **manage** se débrouiller 5
manager un(e) gérant(e) 5
many beaucoup; *as many* autant de 10; *how many* combien de; *too many* trop de
map une carte; un plan
maple syrup le sirop d'érable
March mars
marchioness une marquise 8
market un marché
marquis un marquis 8
marriage un mariage
married: to get married se marier 7

Martinique la Martinique; *inhabitant of/from Martinique* martiniquais(e)
mascara le mascara
massacre un massacre 8
masterpiece un chef-d'œuvre 3
match un match
math les maths (f.)
matter: What's the matter with you? Qu'est-ce que tu as?
maximum le maximum 4
May mai
maybe peut-être
mayonnaise la mayonnaise
me moi; me; *to me* me
meal un repas; *fixed-price meal* un menu
mean méchant(e)
means le moyen 9
medical: emergency medical service le SAMU (service d'assistance médicale d'urgence) 10
Mediterranean Sea la mer Méditerranée
medium moyen, moyenne
to **meet** faire la connaissance (de); se rejoindre; rencontrer 7; se rencontrer 9; se retrouver 10
melon un melon
member un membre
merchant un(e) marchand(e)
merry-go-round un manège 1; *to go on the merry-go-round* faire un tour de manège 1
message un message
meter un mètre 5
Mexican mexicain(e)
Mexico le Mexique
microwave un micro-onde
midnight minuit
milk le lait; *coffee with milk* un café au lait; *tea with milk* le thé au lait
millet le mil 9
million un million
mine le mien, la mienne 9
mineral water l'eau minérale (f.)

minimum minimum 4; *minimum wage* le SMIC 4
minivan un minivan
minus moins
minute une minute
mirror une glace; un miroir 1
Miss Mademoiselle (Mlle)
mission une mission 6
mistaken: to be mistaken se tromper (de) 5
mistreated maltraité(e) 6
mitt: bath mitt un gant de toilette
model modèle 9
modern moderne
Mom maman (f.)
moment un moment
Monaco Monaco (m.); *inhabitant of/from Monaco* monégasque
monarchy une monarchie 8
Monday lundi (m.)
monetary monétaire 8
money l'argent (m.)
monitor un moniteur 6
monk un moine 8
monkey un singe
month un mois
monument un monument
more plus; de plus; *what's more* de plus
morning un matin; *in the morning* le matin
Moroccan marocain(e)
Morocco le Maroc
most la plupart (de) 7; *the most* (+ adjective) le/la/les plus (+ *adjective*); *the most* (+ adverb) le plus (+ *adverb*)
mother une mère
mother-in-law une belle-mère
mountain une montagne
mouse une souris 6
mousse une mousse; *chocolate mousse* une mousse au chocolat
mouth une bouche
to **move** déménager; s'installer 5

movie un film; *movie theater* un cinéma 3; *movies* le cinéma; *(movie) star* une vedette 3

to **mow** tondre

mower: lawn mower une tondeuse

Mr. Monsieur; *Mr. So-and-so* Monsieur un tel 5

Mrs. Madame (Mme); *Mrs. So-and-so* Madame une telle 5

much: how much combien; combien de; *as much* autant de 10; *How much is it/that?* Ça fait combien?; *so much* tellement 5; *too much* trop de, trop; *very much* beaucoup

museum un musée

mushroom un champignon

music la musique

musician un musicien, une musicienne

mussel une moule

must: one/we/you must il faut

mustard la moutarde

my mon, ma; mes; *my name is* je m'appelle

myself me; moi-même 10

mysterious mystérieux, mystérieuse

N

name un nom; *first name* un prénom; *her name is* elle s'appelle; *his name is* il s'appelle; *maiden name* un nom de jeune fille 2; *my name is* je m'appelle; *your name is* tu t'appelles

named: to be named s'appeler 4

nap un somme 5; *to take a nap* faire un somme 5

napkin une serviette

national national(e)

nationality une nationalité

naturally naturellement

nature la nature 3

nauseous: to feel nauseous avoir mal au cœur

near près (de)

necessary nécessaire 3

to be **necessary** falloir; *it is necessary* il faut

neck un cou

necklace un collier

need un besoin 4

to **need** avoir besoin de; *I need* il me faut

to **negotiate** négocier 8

neighborhood un quartier

neither . . . nor ne (n')... ni... ni..., ni... ni... ne (n') 2

never ne (n')... jamais

new nouveau, nouvel, nouvelle; neuf, neuve 10

news des informations (f.); des nouvelles (f.) 9

newspaper un journal

newsstand un kiosque à journaux 3

next suivant(e); prochain(e); ensuite 1; *next to* à côté (de); *the next day* le lendemain

nice sympa (sympathique); gentil, gentille; aimable; *How nice you are!* Que vous êtes gentils!; *It's nice.* Il fait beau.

Niger le Niger 9

night une nuit 5; *night before* la veille

nine neuf

nineteen dix-neuf

ninety quatre-vingt-dix

ninth neuvième

no non; aucun(e)... ne (n'), ne (n')... aucun(e) 2; *No kidding!* Sans blague 10; *no longer* ne (n')... plus; *no one* ne (n')... personne; personne ne (n') 2; *No way!* Tu parles!

nobody ne (n')... personne; personne ne (n') 2

noise un bruit

nontraditional nontraditionnel, nontraditionnelle 7

noon midi

nor: neither . . . nor ne (n')... ni... ni..., ni... ni... ne (n') 2

Normandy: inhabitant of/from Normandy un(e) Normand(e) 8

north le nord; *North America* l'Amérique du Nord (f.); *North Sea* la mer du Nord

nose un nez

not pas; ne (n')... pas; *not any* ne (n')... aucun(e) 2; *not anymore* ne (n')... plus; *not anyone* ne (n')... personne; *not anything* ne (n')... rien; *not at all* pas du tout; *not one* aucun(e)... ne (n') 2; *not yet* ne (n')... pas encore

note une note 1

notebook un cahier; un carnet 1

notepad un bloc-notes 1

nothing ne (n')... rien; rien ne (n') 2; rien 10

novel un roman

November novembre

now maintenant

nuclear nucléaire; *nuclear energy* l'énergie nucléaire

number un numéro; *telephone number* un numéro de téléphone

numerous nombreux, nombreuse 7

nurse un infirmier, une infirmière

O

o'clock l'heure (f.)

objet d'art un objet d'art

to be **obliged to** être obligé(e) de

obvious évident(e) 4

occupation une profession

ocean un océan; *Atlantic Ocean* l'océan Atlantique (m.); *Indian Ocean* l'océan Indien (m.); *Pacific Ocean* l'océan Pacifique (m.)

oceanography l'océanographie (f.) 6

October octobre

of de (d'); *of (the)* des, du; *of course* bien sûr; *of it/them* en; *of which/whom* dont 5

off: to get off descendre 3

to **offer** offrir

office un bureau 1; *box office* un bureau de location 3; *office (doctor or dentist's)* un cabinet; *tourist office* un syndicat d'initiative

often souvent

oh ah; oh; *Oh no! Oh dear!* Oh là là!

oil l'huile (f.)

OK d'accord; OK

old vieux, vieil, vieille; âgé(e); *How old are you?* Tu as quel âge?; *I'm . . . years old.* J'ai... ans.; *to be . . . (years old)* avoir... ans; *to be how old* avoir quel âge

omelette une omelette

on sur; en; dans; *on (+ day of the week)* le (+ day of the week); *on foot* à pied; *on sale* en solde; *on the* au; *on the (+ ordinal number)* le (+ number); *on the other hand* par contre 9; *on the other side* de l'autre côté 9; *on time* à l'heure; *on TV* à la télé

once une fois 1; *all at once* à la fois

one un; on; une; *no one* ne (n')... personne; personne ne (n') 2; *(the) one . . . the other* l'un(e)... l'autre 10; *the ones* ceux, celles 7; *this one, that one, the one* celui, celle 7; *which one* lequel, laquelle 7; *which ones* lesquels, lesquelles 7

one's son, sa; ses; le sien, la sienne 9

oneself se; *to enjoy (oneself)* se distraire 7; *to look at oneself* se regarder; *to wash (oneself)* se laver

one-way (street) un sens unique

onion un oignon

online en ligne 6

only juste; seulement; ne (n')... que 2

on-the-job training un stage; *to have on-the-job training* faire un stage

to **open** ouvrir

opinion une opinion; *in my opinion* à mon avis

opportunity une occasion 9

optimistic optimiste 7

or ou

oral oral(e) 1

orange une orange; orange; *orange juice* le jus d'orange

orchestra un orchestre 3

order une commande; *order form* une fiche de commande

to **order** ordonner 8

organized organisé(e) 4

origin une origine 7

ostrich une autruche 9

other autre; *(the) one . . . the other* l'un(e)... l'autre 10

our notre; nos

ours le nôtre, la nôtre 9

ourselves nous

outfit un ensemble

outside dehors

oven un four

over there là-bas

overhead compartment un porte-bagages 5

to **overlook** donner sur

to **owe** devoir 10

own propre 5

owner: pastry store owner un pâtissier, une pâtissière

P

Pacific Ocean l'océan Pacifique (m.)

package un colis

to **paint** peindre 3

painter un peintre 3

painting un tableau

pair une paire 9

pancake une crêpe

panoramic panoramique 5

pants: (pair of) pants un pantalon

panty hose des bas (m.)

paper: paper clip un trombone 1; *research paper* une dissertation 1; *sheet of paper* une feuille de papier

parade un défilé

paradise le paradis

parent un parent

park un jardin; un parc; *amusement park* un parc d'attractions 1; *park ranger* un garde forestier 5

part: to be a part of faire partie de 9; *to take part in* participer à 4

party une boum; *(political) party* un parti 4

to **pass** passer; dépasser; *to pass (a test)* réussir; *to pass (a vehicle)* doubler

passenger un passager, une passagère

passerby un(e) passant(e) 7

passport un passeport

past le passé 8

pastime un passe-temps 1

pastry store une pâtisserie; *pastry store owner* un pâtissier, une pâtissière

pâté le pâté

path un chemin

patience la patience 5

pavilion un pavillon 9

to **pay** régler; payer 2; *to pay attention* faire attention 2

peace la paix 8

peach une pêche

pear une poire

peas des petits pois (m.)

peasant un paysan, une paysanne 9

pen un stylo; *felt-tip pen* un feutre 1

pencil un crayon; *pencil case* une trousse; *pencil sharpener* un taille-crayon

people le monde; des gens (m.); le peuple 8

pepper le poivre

per par

percentage un pourcentage 4

perfect parfait(e)

to **permit** permettre 6

person une personne; *crazy person* un fou, une folle 1; *homeless person* un(e) sans-abri; *unemployed person* un chômeur, une chômeuse 7; *young person* un(e) jeune 3

personality une personnalité

personnel le personnel 4

pharmacist un pharmacien, une pharmacienne

pharmacy une pharmacie 10

philosophy la philosophie

to **phone (someone)** téléphoner

photo une photo

phrase une phrase 10

physics la physique

piano un piano

to **pick up** ranger; venir chercher

picnic: to have a picnic piqueniquer

picture une photo

pie une tarte; *strawberry pie* une tarte aux fraises

piece un morceau; *(piece of) advice* un conseil 8

pierced percé 5

pig un cochon

pilot un pilote

pink rose

pious pieux, pieuse 8

pizza une pizza; *to eat pizza* manger de la pizza

place une place; un endroit 2; un lieu 8; *to take place* avoir lieu 8

placed placé(e)

plan un projet 9

plant une plante

plate une assiette

platform un quai

play une pièce (de théâtre) 3

to **play** jouer; *to play (a part)* jouer 3; *to play (on the radio)* passer 7; *to play basketball* jouer au basket; *to play cards* jouer aux cartes (f.); *to play chess* jouer aux échecs (m.); *to play golf* jouer au golf; *to play soccer* jouer au foot; *to play sports* faire du sport; *to play tennis* jouer au tennis;

to play video games jouer aux jeux vidéo; *to play volleyball* jouer au volley

please s'il vous plaît; s'il te plaît

to **please** plaire 3

pleasure un plaisir

plentiful abondant(e) 9

plot une intrigue 3

pole: ski pole un bâton

police la police 2; *police officer* un agent de police; *police station* un commissariat 2

polite poli(e)

political politique; *(political) party* un parti 4; *political science* les sciences po 1

politician un homme politique, une femme politique

pollution la pollution

pond un étang

pool: swimming pool une piscine

poor pauvre

popular populaire 3

pork le porc

position un poste 4

possibility une possibilité

possible possible

post office une poste

postage l'affranchissement (m.)

postal worker un postier, une postière

postcard une carte postale

poster une affiche

potato une pomme de terre

poverty la pauvreté 6

powerful puissant(e)

practical pratique

to **prefer** préférer

premium (gasoline) super

preparatory préparatoire 4

to **prepare** préparer

prescription une ordonnance 10

present un cadeau; le présent 8

to **press** appuyer 6

pretty joli(e)

price un prix, un tarif 3

principal un directeur, une directrice 1; *assistant principal* un censeur 1

printer une imprimante 6

prisoner un prisonnier, une prisonnière 8; *to take prisoner* faire prisonnier/prisonnière 8

problem un problème

problems des ennuis (m.) 5

program une émission

progress le progrès 6

prohibited interdit(e) 3

project un projet 4

to **propose** proposer 5

to **protect** préserver; protéger 6

protection la protection 6

Protestant un(e) protestant(e) 8

proud fier, fière 8

province une province 5; *in the provinces* en province 8

public housing une HLM (habitation à loyer modéré) 7

purchase un achat 10

purple violet, violette

purse un sac à main

to **push** pousser 4

to **put (on)** mettre; *to put on makeup* se maquiller

pyjamas un pyjama

Q

qualification une qualification 4

quarter un quart; un quartier; *quarter after* et quart; *quarter to* moins le quart

Quebec (Province) le Québec 4; *inhabitant of Quebec* un(e) Québécois(e)

queen une reine

question une question 2

quiche une quiche

quickly vite

quiet calme; *to be quiet* se taire 2

quite assez

quiz une interro (interrogation)

R

rabbit un lapin; *rabbit hutch* une cage à lapins 7

race une course

racket une raquette

radio une radio 7; *to play (on the radio)* passer 7

rain la pluie 9

to rain: **It's raining.** Il pleut.

raincoat un imperméable (imper)

raised élevé(e) 10

ranger: **park ranger** un garde forestier 5

rapidly rapidement

rate un tarif 3; un taux 4

rather assez; plutôt 2

rating un indice 3

raw vegetables des crudités (f.)

razor un rasoir

to read lire

reading la lecture 1

ready prêt(e); *to get ready* se préparer

real vrai(e)

to realize se rendre compte 5

real-life vécu(e) 3

really bien; vraiment; vachement; *Really? Ah bon?* 7

reason une raison 4

reassuring rassurant(e) 2

receipt un récépissé 2; un ticket de caisse 10

to receive recevoir

reception desk la réception

receptionist un(e) réceptionniste

to recognize reconnaître 3

to recommend recommander

to record enregistrer 3

recycle recycler

red rouge; *red (hair)* roux, rousse

reduced réduit(e) 3

reduction une réduction 10

refrigerator un frigo

reggae le reggae

registration form une fiche d'inscription 1

to regret regretter 2

regular (gasoline) ordinaire

reign un règne 8

to reimburse rembourser 10

relation(ship) une relation 7

relations des rapports (m.) 2

relationship des rapports (m.) 2

relative un parent

relic une relique 8

religion la religion 8

religious religieux, religieuse 9

to rely compter 7

to remain rester

to remember se rappeler 2; se souvenir 5

to remind rappeler 9

to remove enlever

to rent louer

to repair réparer 10

to repeat répéter 2

report un exposé 1; une déclaration 2; un reportage 4; *weather report* un bulletin météo

reporter un reporter

to require exiger 4

research la recherche 1; *research paper* une dissertation 1

researcher un chercheur, une chercheuse

to resemble ressembler à

reservation une réservation

to reserve réserver

reserved circonspect(e) 7

resident un(e) résident(e) 7

responsibility une responsabilité 1

to rest se reposer 2

restaurant un restaurant; *fast-food restaurant* un fast-food

result un résultat 10

to return rentrer, revenir; retourner 5; rendre 6

to reunite réunir 8

revolution une révolution 8

rich riche

ride une promenade; *to go for a ride* faire un tour; faire une promenade

riding: **to go horseback riding** faire du cheval

right droit(e) 10; *right away/now* tout de suite; *to be right* avoir raison 10; *to (on) the right* à droite

ring une bague

to ring sonner 5

ripe mûr(e)

river un fleuve, une rivière

Riviera la côte d'Azur

road une route

to rob voler 2

rock un rocher 5; *rock (music)* le rock

rocket une fusée 6

rocky rocheux, rocheuse

role un rôle 3

roller coaster des montagnes russes 1; *to go on the roller coaster* faire un tour de montagnes russes 1

Roman un(e) Romain(e) 8

room une pièce; la place; une chambre; *dining room* une salle à manger; *dormitory room (for more than one person)* un dortoir; *emergency room* la salle des urgences 10; *family room* un séjour; *living room* un salon; *waiting room* une salle d'attente 10

roommate une camarade de chambre

rooster un coq

rug un tapis

run une piste 1

to run courir; *to run into* heurter 1

running le footing; *to go running* faire du footing

Russian le russe 1

Rwanda le Ruanda 6

S

sad triste

Sahara le Sahara 9

sailing la voile; *to go sailing* faire de la voile

saint un(e) saint(e); *All Saints' Day* la Toussaint

salad une salade

salami le saucisson

salary un salaire 4

sale(s) des soldes (f.); *on sale* en solde

sales la vente 4

salesperson un vendeur, une vendeuse

salmon un saumon

salt le sel

same même 3

sand le sable 5

sandal une sandale

sandwich un sandwich; *cheese sandwich* un sandwich au fromage; *ham sandwich* un sandwich au jambon

satellite un satellite 5; *satellite launcher* un lanceur de satellites 6

satisfied (with) satisfait(e) de 2

Saturday samedi (m.)

sauce: hollandaise sauce la sauce hollandaise

sausage une saucisse

to save préserver; sauvegarder 6

saxophone un saxophone

to say dire; *say* dis; *What can I say?* Bof! 9

scallops: curried scallops des coquilles Saint-Jacques au curry

scarf un foulard

scenery un paysage 5

schedule un emploi du temps; un horaire

school scolaire

school une école; *driving school* une auto-école; *first day of school* la rentrée 1; *high school* un lycée

science les sciences (f.); *political science* les sciences po 1

science fiction la science-fiction

scientific scientifique

scrambled eggs des œufs brouillés (m.)

screen un écran 6

script un scénario 3

scriptwriter un(e) scénariste 3

scuba diving la plongée sous-marine; *to go scuba diving* faire de la plongée sous-marine

sculptor un sculpteur 3

sculpture la sculpture

sea une mer; *Caribbean Sea* la mer des Antilles; *Mediterranean Sea* la mer Méditerranée; *North Sea* la mer du Nord

seafood des fruits de mer (m.)

seal un phoque 6

séance une consultation 1

search engine un outil de recherche 6

to search fouiller 2

seashore: at the seashore au bord de la mer

season une saison

seat un siège; une place 3; *seat belt* une ceinture de sécurité

seated assis(e)

second deuxième

secretary un(e) secrétaire

sector le cadre 4

security check un contrôle de sécurité

to see voir; *let's see* voyons; *See you soon.* À bientôt.; *See you tomorrow.* À demain.; *to see again* revoir 10

to seem sembler; *It seems to me . . . .* Il me semble....

selfish égoïste

to sell vendre

to send envoyer

Senegal le Sénégal

Senegalese sénégalais(e)

sensitive sensible

sentence une phrase 10

September septembre

serious sérieux, sérieuse; grave

seriously au sérieux; sérieusement

to serve servir 5

server un serveur, une serveuse

service un service 4; *emergency medical service* le SAMU (service d'assistance médicale d'urgence) 10

session une consultation 1

to set mettre

setting: table setting un couvert

seven sept

seventeen dix-sept

seventh septième

seventy soixante-dix

several plusieurs 3

Sh! Chut! 5

shampoo le shampooing

shape: to be in good/bad shape être en bonne/mauvaise forme

to share partager 9

sharpener: pencil sharpener un taille-crayon

to shave se raser

she elle; *she is* c'est

sheep un mouton

sheet un drap

shelter un refuge 6

to shift gears changer de vitesse

shirt une chemise

shoe une chaussure; *tennis shoes* des tennis (m.)

to shoot (a movie) tourner 3

shop une boutique

shopkeeper un(e) commerçant(e)

shopping le shopping; *shopping center* un centre commercial; *to go grocery shopping* faire les courses; *to go shopping* faire du shopping, faire les magasins

shore le bord

short court(e), petit(e)

shorts: (pair of) shorts un short

shoulder une épaule

show un spectacle 3; *game show* un jeu télévisé

to show montrer; *Show me . . .* Montrez-moi....; *to show (a movie)* passer

shower une douche

shrimp une crevette

shy timide

sick malade; *I'm sick of it!*
J'en ai marre!

side un côté; le bord; *on the
other side* de l'autre côté 9

sign un panneau; un signe 3

to sign signer

silver l'argent (m.)

simple simple 7

since depuis; puisque 2; *since
when* depuis quand

to sing chanter 3

singer un chanteur, une
chanteuse

single-parent
monoparental(e) 7

sink un évier

Sir Monsieur

sister une sœur; *host sister*
une correspondante

sister-in-law une belle-sœur

to sit down s'asseoir

situated placé(e); situé(e) 5

six six

sixteen seize

sixth sixième

sixty soixante

size une taille

skateboard une planche à
roulettes 1

skateboarding: to go
skateboarding faire de la
planche à roulettes 1

skating: in-line skating le
roller; *to go in-line skating*
faire du roller

skeleton un squelette 9

ski: ski jacket un anorak; *ski
pole* un bâton

to ski skier

skill: games of skill des jeux
d'adresse 1

skin une peau 9

to skip (a class) sécher 1

skirt une jupe; *African skirt*
un pagne 9

skyscraper un gratte-ciel 9

to sleep dormir

slender mince

slice une tranche; *slice of
buttered bread* une tartine

slipper une pantoufle

sly rusé(e) 8

small petit(e)

smiling souriant(e) 2

snack: snack bar un snack-
bar 9; *afternoon snack* le
goûter

snacks des chips (m.)

snail un escargot

snow la neige 1; *It's snowing.*
Il neige.

snowboard une planche à
neige 1

snowboarding: to go
snowboarding faire de la
planche à neige 1

so si; donc; *so-so* comme ci,
comme ça; *so much* tellement
5; *so that* de sorte que 9

soap le savon

soccer le foot (football); *to
play soccer* jouer au foot

social social(e) 7

society une société 7

sock une chaussette

soda: lemon-lime soda une
limonade

sofa un canapé

to solve résoudre

some des; du; de (d'),
quelques; en

somebody, someone
quelqu'un

something quelque chose

sometimes quelquefois

son un fils; mon petit

song une chanson

soon bientôt; *as soon as*
aussitôt que; dès que 6

sore: to have a sore . . .
avoir mal (à...)

sorry désolé(e)

to be sorry regretter

sound track une bande
originale 3

soup la soupe; le potage; *fish
soup* une bouillabaisse

south le sud; *South America*
l'Amérique du Sud (f.); *the
south of France* le Midi 10

space la place; l'espace (m.),
spatial(e) 6

Spain l'Espagne (f.)

Spanish espagnol(e); *Spanish
(language)* l'espagnol (m.)

to speak parler

special spécial(e)

to specialize se spécialiser 4

specialty une spécialité

speed la vitesse; *speed limit* la
limite de vitesse

to spend dépenser 6; *to spend
(time)* passer

spicy épicé(e)

to spoil gâter

spoiled pourri(e) 9

spoon une cuiller

sport un sport; *sport jacket*
une veste; *sports car* une
voiture de sport; *to play
sports* faire du sport

to sprain se fouler 10

spring le printemps

square: public square une
place

stadium un stade

staff le personnel 4

stained glass windows des
vitraux (m.) 8

staircase, stairs un escalier

stamp un timbre

to stamp composter

to stand in line faire la queue

stapler une agrafeuse 1

star: (movie) star une
vedette 3

to start (up) démarrer

station une station; *gas station*
une station-service; *gas
station attendant* un(e)
pompiste; *police station* un
commissariat 2; *train station*
une gare

statue une statue

stay un séjour; *family stay* un
séjour en famille

to stay rester

steady solide

steak un steak; *steak with
French fries* un steak-frites

to steal (from) voler 2

stepbrother un beau-frère

stepfather un beau-père

stepmother une belle-mère

530

cinq cent trente

English/French Vocabulary

stepsister une belle-sœur

stereo une stéréo

still encore, toujours; *still life* une nature morte 3

stomach un ventre

stop une escale

to **stop** arrêter; s'arrêter

stopover une escale

store un magasin; *department store* un grand magasin

story un étage; une histoire

stove une cuisinière

straight ahead tout droit

strained tendu(e) 7

strategy une stratégie 6

strawberry une fraise; *strawberry pie* une tarte aux fraises

street une rue; *one-way (street)* un sens unique

to **stroll** flâner

strong fort(e)

student un(e) élève, un(e) étudiant(e); *high school student* un lycéen, une lycéenne 1

studio un atelier 3

study une étude

to **study** étudier; faire des études 4; *Let's study . . . .* Étudions....

stupid bête

subject un sujet 6

suburbs: express subway to suburbs le R.E.R. (Réseau Express Régional)

subway un métro; *express subway to suburbs* le R.E.R. (Réseau Express Régional)

to **succeed** réussir

success le succès 3; une réussite 9

such a un tel, une telle 10

sudden: all of a sudden tout à coup 2

sugar le sucre

suit: man's suit un costume; *woman's suit* un tailleur

suitcase une valise

summer l'été (m.)

sun le soleil

Sunday dimanche (m.)

sunglasses des lunettes de soleil (f.)

sunny: It's sunny. Il fait du soleil.

super super

superhighway: information superhighway l'inforoute (f.) 6

superb superbe

supermarket un supermarché

supper le dîner

sure sûr(e) 4

surprise une surprise

to **surprise** surprendre 5

surprised étonné(e) 5

surprising surprenant(e) 2

survey une enquête

to **survive** survivre 8

sweater un pull

sweatshirt un sweat

to **swim** nager

swimming pool une piscine

swimsuit un maillot de bain

Swiss suisse

Switzerland la Suisse

synthesizer un synthé, un synthétiseur

syrup: maple syrup le sirop d'érable

system un système 8

T

table une table; *table setting* un couvert

tablecloth une nappe

Tahiti Tahiti (f.) 10

Tahitian tahitien, tahitienne

to **take** prendre; *to take (a class)* suivre; *to take (a test)* passer 1; *to take a nap* faire un somme 5; *to take a quick look* jeter un coup d'œil 10; *to take a tour* faire le tour; *to take a trip* faire un voyage 5; *to take advantage of* profiter de; *to take (someone) along* emmener; *to take care of* s'occuper de 5; *to take off* décoller; *to take out the garbage* sortir la poubelle; *to take part in* participer à 4; *to take place* avoir lieu 8; *to take prisoner* faire prisonnier/ prisonnière 8

to **talk** parler

talkative bavard(e)

tall grand(e); haut(e)

tank: to fill up the gas tank faire le plein

to **taste** goûter

tax un impôt 8

taxi un taxi

tea le thé; *tea with lemon* le thé au citron; *tea with milk* le thé au lait

teacher un(e) prof, un professeur

team une équipe 6

technology la technologie 6

teenager un(e) ado

telephone un téléphone; *telephone number* un numéro de téléphone

television la télé (télévision)

to **tell** dire; *to tell (about)* raconter

temperature une température

ten dix

tennis le tennis; *tennis shoes* des tennis (m.); *to play tennis* jouer au tennis

tenth dixième

terrific super; formidable; extra; génial(e) 7

terrorism le terrorisme

test une interro (interrogation); un examen 1; *to pass (a test)* réussir; *to take (a test)* passer 1

textbook un manuel 1

than que

to **thank** remercier

thanks merci; grâce 6

that ça; ce, cet, cette, que; qui; cela 5; *ce qui* 6; *so that* de sorte que 9; *that one* celui, celle 7; *that's* c'est; *That's . . . .* Ça fait....; *That's great.* Tant mieux.; *that's it* voilà

the le, la, l', les; *the one* celui, celle 7; *the ones* ceux, celles 7

theater un théâtre; *movie theater* un cinéma 3

theft un vol 2

their leur

theirs le leur, la leur 9

them les; eux, elles; *about/from them* en; *of them* en; *to them* leur

themselves se

then puis; donc; *(well) then* alors

there là; y; *over there* là-bas; *there is/are* voilà, il y a

these ces; ceux, celles 7; *these are* ce sont; *these days* de nos jours 9

they on; *they (f.)* elles; *they (m.)* ils; *they are* ce sont

thing une chose; un truc 5; *How are things going?* Ça va?; *Things are going well.* Ça va bien.

to **think** croire, trouver; *I think so.* Je crois que oui. 5; *to think (of)* penser (à)

third troisième

thirsty: I'm thirsty. J'ai soif.; *to be thirsty* avoir soif

thirteen treize

thirty trente; *thirty (minutes)* et demi(e)

this ce, cet, cette; *this is* c'est; *this one* celui, celle 7

those ces; ceux, celles 7; *those are* ce sont

thousand: one thousand mille

three trois

throat une gorge

through: to go through fouiller 2

Thursday jeudi (m.)

ticket un billet; un ticket 1; *ticket stamping machine* un composteur; *ticket window* un guichet

tiger un tigre

time l'heure (f.); une fois; le temps; une époque 9; *(for) a long time* longtemps 5; *on time* à l'heure; *to have a good time* s'amuser; se distraire 7; *to waste one's time* perdre son temps 7; *What time is it?* Quelle heure est-il?

timetable un horaire

timid timide

tire un pneu

tired fatigué(e)

tiring fatigant(e) 2

title un titre 6

to **to** à; sur; *in order to* pour; *to (the)* au, aux, en; *to her/him* lui; *to them* leur; *to us* nous

toast le pain grillé; *French toast* le pain perdu

tobacco shop un tabac

toboggan une luge 1

tobogganing: to go tobogganing faire de la luge 1

today aujourd'hui

toe un doigt de pied

together ensemble

Togo le Togo 7

toilet les toilettes (f.), les W.-C. (m.)

toiletries des affaires de toilette (f.)

tomato une tomate; *tomato juice* le jus de tomate

tomb un tombeau

tomorrow demain

tonight ce soir

too aussi; trop; *Too bad!* Dommage!; Tant pis.; *too many* trop de; *too much* trop, trop de

tooth une dent

toothbrush une brosse à dents

toothpaste le dentifrice

tour le tour; une tournée; *to take a tour* faire le tour; *tour bus* un car 2

tourist un(e) touriste 5; *to act like tourists* faire les touristes 5; *tourist office* un syndicat d'initiative

towards envers 8

towel une serviette

tower une tour

town hall une mairie

track une voie; une piste 1; *sound track* une bande originale 3; *train track* une voie

trade un métier; le commerce 6

traditional traditionnel, traditionnelle 9

traffic la circulation; *traffic light* un feu

trail une piste 1

train un train; *(train) car* une voiture; *train station* une gare; *train track* une voie

to **train** s'entraîner 1

training: on-the-job training un stage; *to have on-the-job training* faire un stage

to **transform** transformer 8

to **trap** rattraper 10

to **travel** voyager; *to travel through* parcourir 5

traveler un voyageur, une voyageuse; *traveler's check* un chèque de voyage

to **treat** traiter 5

treatment un traitement 6

tree un arbre; *baobab tree* un baobab 9

tribe une tribu 8

trip un tour; un voyage; une excursion; un trajet; *to take a trip* faire un voyage 5

triumph un triomphe

trombone un trombone

trouble le tracas 10

truck un camion

true vrai(e)

truly: Yours truly, Je vous prie d'agréer, Monsieur (ou Madame), mes salutations distinguées. 4

trumpet une trompette

to **try** essayer 1

T-shirt un tee-shirt

Tuesday mardi (m.)

Tunisia la Tunisie

Tunisian tunisien, tunisienne

turkey un dindon

to **turn** tourner; *to turn off* éteindre; *to turn on* allumer, mettre 5

TV la télé (télévision); *on TV* à la télé

twelve douze

twenty vingt

twin jumeau, jumelle; *twin beds* des lits jumeaux

two deux

type un genre 3

U

ugly moche
uhm euh
umbrella un parapluie
unattractive laid(e)
unbelievable incroyable 2
uncle un oncle
under sous
to **understand** comprendre 1
underwear des sous-vêtements (m.)
to **undress** se déshabiller
unemployed person un chômeur, une chômeuse 7
unemployment le chômage
unfortunately malheureusement 9
United States les États-Unis (m.)
university une fac (faculté), une université; universitaire 7; *elite, specialized universities* les grandes écoles 4
unpleasant pénible
until, up to jusqu'à
up: It's up to you. C'est à vous de voir. 10
upon en 2
us nous; *to us* nous
to **use** utiliser; consommer; se servir de 5
useful utile 3
useless inutile 2
usual d'habitude 7; *as usual* comme d'habitude

V

vacation les vacances (f.)
to **vacuum** passer l'aspirateur (m.)
vacuum cleaner un aspirateur
vain: (to do something) in vain avoir beau 8
valid valable 3
vanilla ice cream une glace à la vanille
variety une variété 3
vase un vase
vegetable un légume; *raw vegetables* des crudités (f.)
version une version 3
very très; vachement; *very much* beaucoup

veterinarian un vétérinaire
video clip un clip
video games des jeux vidéo (m.); *to play video games* jouer aux jeux vidéo
Vietnam le Vietnam
Vietnamese vietnamien, vietnamienne
view une vue
village un village
violence la violence 8
violin un violon
visit une visite
to **visit** rendre visite (à); *to visit (a place)* visiter
vocabulary le vocabulaire 7
voice une voix
volleyball le volley (volley-ball); *to play volleyball* jouer au volley

W

wage: minimum wage le SMIC 4
to **wait (for)** attendre
waiting room une salle d'attente 10
to **wake up** se réveiller
walk une promenade; *to go for a walk* faire une promenade
to **walk** marcher
wall un mur 7
wallet un portefeuille
want ads des petites annonces (f.) 4
to **want** désirer; vouloir; avoir envie de
war une guerre
wardrobe une armoire
warm chaud(e); *It's warm.* Il fait chaud.; *to be warm* avoir chaud
to **wash (oneself)** se laver
washer une machine à laver
to **waste one's time** perdre son temps 7
wastebasket une corbeille
watch une montre
to **watch** regarder; *Watch out!* Attention!
water l'eau (f.); *mineral water* l'eau minérale (f.)

to **water** arroser
waterfall une cascade
watermelon une pastèque
to **water-ski** faire du ski nautique
waterskiing le ski nautique; *to go waterskiing* faire du ski nautique
way un chemin; le moyen 4; une façon 5; *No way!* Tu parles!; *the way in which* la façon dont 5
we nous, on; *We have to live life to the fullest.* Il faut profiter de la vie au maximum.
weak faible
to **wear** porter; *to wear size (+ number)* faire du (+ number)
weather le temps; *The weather's bad.* Il fait mauvais.; *The weather's beautiful/nice.* Il fait beau.; *The weather's cold.* Il fait froid.; *The weather's cool.* Il fait frais.; *The weather's hot/warm.* Il fait chaud.; *weather report* un bulletin météo; *What's the weather like? How's the weather?* Quel temps fait-il?
Web le web 6
Wednesday mercredi (m.)
week une semaine
weekend un weekend
to **weigh** peser
Welcome! Bienvenue!; *You're welcome.* Je vous en prie.; Il n'y a pas de quoi.
well bien; ben; *Well done!* Bravo! 6; *well then* alors, bon ben
were: if I were you à ta place 5
west l'ouest (m.); *West* l'Occident (m.) 8

what comment; qu'est-ce que; quel, quelle; quoi; qu'est-ce qui, que; ce que, ce qui 4; *What? Hein!* 1; *What (a) . . . !* Quel, Quelle...!; *What a drag!* Quelle galère!; *What can I say?* Bof! 9; *what if* si 10; *What is . . .?* Qu'est-ce que c'est que...? 9; *What is it/this?* Qu'est-ce que c'est?; *What time is it?* Quelle heure est-il?; *What would you like?* Vous désirez?; *what's more* de plus; *What's the matter with you?* Qu'est-ce que tu as?; *What's the weather like?* Quel temps fait-il?

wheel une roue 1; *Ferris wheel* une grande roue 1

wheelchair un fauteuil roulant 10

when quand; lorsque 3; *since when* depuis quand

where où

which quel, quelle; que, qui; *about which, of which* dont 5; *the way in which* la façon dont 5; *which one* lequel, laquelle 7; *which ones* lesquels, lesquelles 7

while en, pendant que 2

white blanc, blanche

who qui; qui est-ce qui

whole entier, entière 6

whom qui; que; qui est-ce que; *about whom, of whom* dont 5

whose dont 5

why pourquoi

wide large 8

wife une femme

wildlife sauvage 5

to be **willing** vouloir bien

to **win** gagner 1

wind le vent

window une fenêtre; *ticket window* un guichet

windshield un pare-brise

windsurfing la planche à voile; *to go windsurfing* faire de la planche à voile

windy: It's windy. Il fait du vent.

wine le vin; *chicken cooked in wine* le coq au vin

winter l'hiver (m.)

to **wish** souhaiter 4

with avec

without sans

woman une femme

word un mot 7

work le travail; un boulot

to **work** travailler; marcher 5; *to work out* s'entraîner 1

worker un ouvrier, une ouvrière; *factory worker* un ouvrier, une ouvrière; *postal worker* un postier, une postière

workshop un atelier 9

world le monde

world-wide mondial(e) 6

to **worry** s'inquiéter

would like voudrais

wound une blessure 10

Wow! Oh là là!

wrapped entouré(e) 10

wrist un poignet 10

to **write** écrire

writer un écrivain

wrong: to be wrong se tromper (de) 5

X

X ray une radiographie 10

Y

yeah ouais

year un an; une année; *I'm . . . years old.* J'ai... ans.; *last year of lycée* la terminale; *to be . . . (years old)* avoir... ans

yellow jaune

yes oui; *yes (on the contrary)* si

yesterday hier

yet: not yet ne (n')... pas encore

yogurt le yaourt

you tu, vous; toi; te; *if I were you* à ta place 5; *to you* te, vous; *You're kidding!* Tu parles!; *You're not kidding!* Tu parles! 5; *You're welcome.* Je vous en prie.; Il n'y a pas de quoi.

young jeune; *young person* un(e) jeune 3

your ton, ta, tes, votre, vos; *your name is* tu t'appelles

yours le tien, la tienne, le vôtre, la vôtre 9; *Yours truly,* Je vous prie d'agréer, Monsieur (ou Madame), mes salutations distinguées. 4

yourself te, vous

yourselves vous

youth hostel une auberge de jeunesse

Yuk! Beurk!

Z

zebra un zèbre

zero zéro

zoo un zoo

Grammar Index

adjectives
    agreement 256, 258
    comparative 256
    demonstrative 318
    indefinite 440
    possessive 411
    quel 300
    superlative 258
agreement
    of adjectives 256, 258, 300,
      318, 411, 440
    of past participles 19, 34, 37,
      84, 179, 367, 398, 454
aller
    before infinitive 261
    conditional 209
    past participle 37
    present 12
    subjunctive 136
après + past infinitive 367
arriver, past participle 37
s'asseoir
    conditional 209
    present 13
aucun(e)… ne (n') 90
avoir
    as helping verb in *passé*
      composé 34
    as helping verb in past
      conditional 454
    as helping verb in *plus-que-*
      parfait 398
    conditional 209
    expressions 365
    past participle 34
    present 13
    present participle 71
    subjunctive 136

boire
    past participle 34
    present 13
    subjunctive 136

c'est vs. *il/elle est* 132
ce que 180
ce qui 180
celui, demonstrative pronoun 320
commands: see imperative
comparative of adjectives 256
conditional tense
    aller 209
    s'asseoir 209
    avoir 209

courir 209
devoir 209
envoyer 209
-*er* verbs 209
être 209
faire 209
falloir 209
formation and uses 209
-*ir* verbs 209
irregular verbs 209
mourir 209
pleuvoir 209
pouvoir 209
-*re* verbs 209
recevoir 209
savoir 209
valoir 209
venir 209
voir 209
vouloir 209
with *si* clauses 299
conditionnel: see conditional tense
conditionnel passé: see past conditional
  tense
conduire
    past participle 34
    present 13
connaître
    past participle 34
    present 13
courir
    conditional 209
    past participle 34
    present 13
croire
    past participle 34
    present 13
    subjunctive 136
de
    after expressions of quantity
      437
    after verbs and before nouns
      229
demonstrative adjectives 318
demonstrative pronouns 320
depuis, after present tense 164
depuis combien de temps, before present
  tense 164
depuis quand, before present tense 164
descendre, past participle 37
descriptions, with the imperfect 68,
  115

devenir
    past participle 37
    present 13
devoir
    conditional 209
    past participle 34
    present 13
    subjunctive 136
dire
    past participle 34
    present 13
direct object pronouns
    agreement with past
      participles 19, 34
    me, te, le, la, nous, vous, les 18
dont 232
dormir, present 13
double object pronouns 43

écrire
    past participle 34
    present 13
en
    as pronoun 41
    with imperative 41
    with present participle 71
entrer, past participle 37
envoyer, conditional 209
-*er* verbs
    conditional 209
    future 261
    past participles 34
    present 10
    subjunctive 121
être
    as helping verb in *passé*
      composé 37
    as helping verb in past
      conditional 454
    as helping verb in *plus-que-*
      parfait 398
    c'est vs. *il/elle est* 132
    conditional 209
    expressions 395
    imperfect 68
    past participle 34
    present 13
    present participle 71
    subjunctive 136
expressions
    il faut que 120
    impersonal 138
    of doubt or uncertainty 183
    of emotion 212

of quantity 437
of wish, will or desire 166
with *avoir* 365
with *être* 395
with *faire* 348

faire
conditional 209
expressions 348
past participle 34
+ infinitive 350
present 13
subjunctive 136

falloir
conditional 209
past participle 34
present 13

future tense
after *quand* 276
-*er* verbs 261
formation and uses 261
-*ir* verbs 261
irregular verbs 261
-*re* verbs 261
with *si* clauses 273

gender (masculine or feminine)
of comparative of adjectives 256
of demonstrative adjectives 318
of demonstrative pronouns 320
of indefinite adjectives 440
of interrogative pronouns 302
of possessive adjectives 411
of possessive pronouns 413
of superlative of adjectives 258

helping verbs
avoir 34, 398, 454
être 37, 398, 454

il/elle est vs. *c'est* 132
il faut que with subjunctive 120
imparfait: see imperfect tense
imperative
reflexive verbs 84
with double object pronouns 43
with *en* 41
with *faire* + infinitive 350
with *si* clauses 273
with *y* 40

imperfect tense
être 68
formation and uses 68
vs. *passé composé* 115
with descriptions 68, 115
with *si* clauses 299
indefinite
adjectives 440
pronouns 443
indirect object pronouns, *me, te, lui, nous, vous, leur* 21
infinitives
after *aller* 261
after *faire* 350
past 367
interrogative adjective *quel* 300
interrogative pronouns
as objects 17
as subjects 16
lequel 302
-*ir* verbs
conditional 209
future 261
past participles 34
present 10
subjunctive 121
irregular verbs: see individual verbs

la, direct object pronoun 18
le, direct object pronoun 18
lequel, interrogative pronoun 302
les, direct object pronoun 18
leur, indirect object pronoun 21
lire
past participle 34
present 13
lui, indirect object pronoun 21

me
direct object pronoun 18
indirect object pronoun 21
reflexive pronoun 84
mettre
past participle 34
present 14
monter, past participle 37
mourir
conditional 209
past participle 37

naître, past participle 37
ne (n')... aucun(e) 90
ne (n')... jamais 87
ne (n')... ni... ni... 89
ne (n')... pas 87
ne (n')... personne 87
ne (n')... plus 87

ne (n')... que 89
ne (n')... rien 87
ni... ni... ne (n') 90
negation
aucun(e)... ne (n') 90
in *passé composé* 34, 37, 87, 89, 90
ne (n')... aucun(e) 90
ne (n')... jamais 87
ne (n')... ni... ni... 89
ne (n')... pas 87
ne (n')... personne 87
ne (n')... plus 87
ne (n')... que 89
ne (n')... rien 87
ni... ni... ne (n') 90
personne ne (n') 87
rien ne (n') 87

nouns
after verbs + *de* 229
of quantity 438

nous
direct object pronoun 18
indirect object pronoun 21
reflexive pronoun 84

offrir
past participle 34
present 14

ouvrir
past participle 34
present 14

partir
past participle 37
present 14

passé composé
aller 37
arriver 37
avoir 34
boire 34
conduire 34
connaître 34
courir 34
croire 34
descendre 37
devenir 37
devoir 34
dire 34
écrire 34
entrer 37
-*er* verbs 34
être 34
faire 34
falloir 34
-*ir* verbs 34
irregular verbs 34

lire 34
mettre 34
monter 37
mourir 37
naître 37
negation 34, 37, 87, 89, 90
offrir 34
ouvrir 34
partir 37
plaire 118
pouvoir 34
prendre 34
-*re* verbs 34
recevoir 34
reflexive verbs 84
rentrer 37
rester 37
revenir 37
savoir 34
sortir 37
suivre 34
venir 37
vs. imperfect 115
vivre 34
voir 34
vouloir 34
with completed actions 115
with helping verb *avoir* 34
with helping verb *être* 37
past conditional tense
    formation and uses 454
    with *si* clauses 457
past infinitive 367
past participles: see individual verbs
    agreement with preceding
        direct object pronoun 19,
        34, 179
    agreement with subject 37, 84
    in past conditional tense 454
    in past infinitive 367
    in *plus-que-parfait* 398
    of irregular verbs 34, 37
    of regular -*er* verbs 34
    of regular -*ir* verbs 34
    of regular -*re* verbs 34
personne ne (n') 87
plaire
    past participle 118
    present 118
pleuvoir, conditional 209
pluperfect tense: see *plus-que-parfait*
plural
        of comparative of
            adjectives 256

of demonstrative adjectives
    318
of demonstrative pronouns
    320
of indefinite adjectives 440
of interrogative pronouns 302
of possessive adjectives 411
of possessive pronouns 413
of superlative of adjectives
    258
plus-que-parfait
    formation and uses 398
    with *si* clauses 457
possessive adjectives 411
possessive pronouns 413
pouvoir
        conditional 209
        past participle 34
        present 14
        subjunctive 136
prendre
        past participle 34
        present 14
        subjunctive 136
present participle 71
present tense: see individual verbs
        -*er* verbs 10
        -*ir* verbs 10
        -*re* verbs 10
        with *si* clauses 273
pronouns
        ce qui, ce que 180
        celui 320
        demonstrative 320
        direct object 18
        dont 232
        double object pronouns 43
        en 41
        indefinite 443
        indirect object 21
        interrogative 17, 302
        lequel 302
        possessive 413
        qui, que 178
        reflexive 84
        relative 178, 180, 232
        y 39

qu'est-ce que, interrogative pronoun 16
qu'est-ce qui, interrogative pronoun 16
quand with future tense 276
quantity, expressions of 437
que
        interrogative pronoun 16
        relative pronoun 178
quel, interrogative adjective 300

qui
        interrogative pronoun 16
        relative pronoun 178
qui est-ce que, interrogative pronoun 16
qui est-ce qui, interrogative pronoun 16
quoi, interrogative pronoun 16

-*re* verbs
        conditional 209
        future 261
        past participles 34
        present 10
        subjunctive 121
recevoir
        conditional 209
        past participle 34
        present 14
        subjunctive 136
reflexive pronouns 84
reflexive verbs
        agreement of past participles
            84
        imperative 84
        passé composé 84
        present 84
relative pronouns
        ce que 180
        ce qui 180
        dont 232
        que 178
        qui 178
rentrer, past participle 37
rester, past participle 37
revenir
        past participle 37
        present 14
rien ne (n') 87

savoir
        conditional 209
        past participle 34
        present 14
        present participle 71
        subjunctive 136
se, reflexive pronoun 84
si clauses
        with conditional tense 299
        with future tense 273
        with past conditional tense
            457
sortir
        past participle 37
        present 14
stress pronouns after *c'est* 132

subjunctive
    after expressions of doubt or
      uncertainty 183
    after expressions of emotion
      212
    after expressions of wish, will
      or desire 166
    after *il faut que* 120
    after impersonal expressions
      138
    aller 136
    avoir 136
    boire 136
    croire 136
    devoir 136
    être 136
    faire 136
    of irregular verbs 136
    of regular *-er* verbs 121
    of regular *-ir* verbs 121
    of regular *-re* verbs 121
    pouvoir 136
    prendre 136
    recevoir 136
    savoir 136
    venir 136
    voir 136
    vouloir 136
suivre
    past participle 34
    present 14
superlative of adjectives 258

te
    direct object pronoun 18
    indirect object pronoun 21
    reflexive pronoun 84

valoir, conditional 209
venir
    conditional 209
    past participle 37
    present 14
    subjunctive 136
verbs
    aller, conditional 209
    aller, passé composé 37
    aller, present 12
    aller, subjunctive 136
    arriver, passé composé 37
    s'asseoir, conditional 209
    s'asseoir, present 13
    avoir, as helping verb 34,
      398, 454
    avoir, conditional 209
    avoir, expressions 365
    avoir, passé composé 34

avoir, present 13
avoir, present participle 71
avoir, subjunctive 136
boire, passé composé 34
boire, present 13
boire, subjunctive 136
conditional 209, 299
conduire, passé composé 34
conduire, present 13
connaître, passé composé 34
connaître, present 13
courir, conditional 209
courir, passé composé 34
courir, present 13
croire, passé composé 34
croire, present 13
croire, subjunctive 136
descendre, passé composé 37
devenir, passé composé 37
devenir, present 13
devoir, conditional 209
devoir, passé composé 34
devoir, present 13
devoir, subjunctive 136
dire, passé composé 34
dire, present 13
dormir, present 13
écrire, passé composé 34
écrire, present 13
entrer, passé composé 37
envoyer, conditional 209
-er, conditional 209
-er, future 261
-er, passé composé 34
-er, present 10
-er, subjunctive 121
être, as helping verb 37, 398,
    454
être, conditional 209
être, expressions 395
être, imperfect 68
être, passé composé 34
être, present 13
être, present participle 71
être, subjunctive 136
faire, conditional 209
faire, expressions 348
faire, passé composé 34
faire + infinitive 350
faire, present 13
faire, subjunctive 136
falloir, conditional 209
falloir, passé composé 34
falloir, present 13
future 261, 273, 276
imperative, reflexive verbs 84
imperfect 68, 299

imperfect vs. *passé composé*
    115
infinitive after *faire* 350
-ir, conditional 209
-ir, future 261
-ir, passé composé 34
-ir, present 10
-ir, subjunctive 121
lire, passé composé 34
lire, present 13
mettre, passé composé 34
mettre, present 14
monter, passé composé 37
mourir, conditional 209
mourir, passé composé 37
naître, passé composé 37
offrir, passé composé 34
offrir, present 14
ouvrir, passé composé 34
ouvrir, present 14
partir, passé composé 37
partir, present 14
passé composé vs. imperfect
    115
passé composé with *avoir* 34
passé composé with être 37
past conditional 454, 457
past infinitive 367
past participles 34, 37, 398,
    454
plaire, passé composé 118
plaire, present 118
pleuvoir, conditional 209
+ *de* + nouns 229
plus-que-parfait 398, 457
pouvoir, conditional 209
pouvoir, passé composé 34
pouvoir, present 14
pouvoir, subjunctive 136
prendre, passé composé 34
prendre, present 14
prendre, subjunctive 136
present participle, 71
-re, conditional 209
-re, future 261
-re, passé composé 34
-re, present 10
-re, subjunctive 121
recevoir, conditional 209
recevoir, passé composé 34
recevoir, present 14
recevoir, subjunctive 136
reflexive 84
rentrer, passé composé 37
rester, passé composé 37
revenir, passé composé 37
revenir, present 14

savoir, conditional 209
savoir, *passé composé* 34
savoir, present 14
savoir, present participle 71
savoir, subjunctive 136
sortir, *passé composé* 37
sortir, present 14
subjunctive, irregular verbs
   136
subjunctive, regular verbs 121
suivre, *passé composé* 34
suivre, present 14
valoir, conditional 209
venir, conditional 209
venir, *passé composé* 37
venir, present 14
venir, subjunctive 136
vivre, *passé composé* 34
vivre, present 14
voir, conditional 209
voir, *passé composé* 34
voir, present 14
voir, subjunctive 136
vouloir, conditional 209
vouloir, *passé composé* 34
vouloir, present 14
vouloir, subjunctive 136

vivre

   past participle 34
   present 14

voir

   conditional 209
   past participle 34
   present 14
   subjunctive 136

vouloir

   conditional 209
   past participle 34
   present 14
   subjunctive 136

vous

   direct object pronoun 18
   indirect object pronoun 21
   reflexive pronoun 84

y

   as pronoun 39
   with imperative 40

539

Photo Credits

Almasy, Paul/CORBIS: 432
Almasy, Paul/La Documentation française: 357
Antoniadis, Leonardo/La Documentation française: 83 (t), 175 (t)
Art Institute of Chicago, The, Gustave Caillebotte, French, 1848-94, Paris Street; Rainy Day, oil on canvas, 1876/77, 212.2 x 276.2 cm, Charles H. and Mary F. S. Worcester Collection, 1964.336: 110
Art Resource: 360
Balarot, Jean-François/La Documentation française: 255 (b)
Barrett, Peter/CORBIS : xx-1
Barthélémy, Jean/La Documentation française: 255 (b)
Barthélémy, Jean/Nivière/Aslan/SIPA Press: 165 (Modèle)
Barton, Paul/CORBIS: 202
Baumann, Arnaud/SIPA Press: 135 (t)
Beck, Peter/CORBIS: 165 (#5)
Brittany Ferries: 203, 215
Bucci, Bernardo/CORBIS: 434
Bulloz: 343
Cats, Jolanda and Hans Withoos/zefa/CORBIS: 404 (t)
CNES/La Documentation française: 249 (tr), 256
Commission Canadienne du Tourisme: 29 (b), 32 (b), 34
Conger, Dean/CORBIS: 377
Cuisset, Thibaut/La Documentation française: 288-89
Damm, F./zefa/CORBIS: 404 (b)
D'Angelo, J.J./Eurostar/SNCF/CAV/La Documentation française: 248(b), 254 (b)
Danson, Andrew/Commission Canadienne du Tourisme: 29 (E.)
de Wys, Leo/IFA/Leo deWys Inc.: 106, 137, 173 (b)
Dickman, Jay/CORBIS: v (b)
Documentation française, La: 255 (t)
Downie, G./Visual Contact: 110 (t)
Edgar/Megapress: 226 (b)
Englebert, Victor: xiii, 25, 92, 115, 290, 296 (t), 298, 301 (b), 329 (t), 332, 384-85, 386, 389 (t, b), 393 (t, c, b), 395 (t), 410 (t), 422, 425 (t)
Facell/Villard/SIPA Press: 364
Firefly Productions/CORBIS: 251 (tr)
Flipper, Florent/Unicorn Stock Photos: 124, 183 (t)
Fralin, Alfred: 347 (b)
Franken, Owen/CORBIS: x (t), 122, 134 (#8), 249 (bl)
French Government Tourist Office: vii (t), xi (t)
Fried, Robert: 10 (b), 16, 29 (b), 38 (b), 68, 71, 84 (t), 90 (t), 101 (t), 107, 118, 130 (t), 133 (t), 134 (#2, #6), 146, 162, 174 (b), 177 (b), 195, 223, 245, 297 (b), 314 (t), 323, 333, 336, 345 (t), 348, 352 (t), 365, 367 (t), 378, 414, 428-29, 442, 448, 451 (t), 452 (c), 454, 457 (t), 459, 466
Garnett, R./Visual Contact: 221 (t)
Giardino, Patrik/CORBIS: 221 (c)
Gibson, Keith: xi (b), 2, 5, 7 (t), 12 (t), 14, 18, 19 (Modèle: l'eau minérale, #1, #6, #7), 27 (b), 40 (t), 45 (b), 59 (tr), 63 (t), 81 (t), 88, 91 (#1: moules, #6 both), 120 (t), 125, 130 (b), 131 (b), 132, 134 (#3), 135 (b), 166, 177 (t), 182 (t), 186, 205, 216, 242 (l), 243, 258 (l, r), 266 (cr), 270 (t), 275 (t), 277, 279, 310 (b), 315 (t, b), 316 (b), 328, 329 (b), 433, 451 (c)
Ginies/SIPA Press: 108 (r)
Giraudon/Art Resource: xii (t), 337 (tr, bl, br), 347 (c), 355 (r)
Glumack, Ben: 4 (t, b), 19 (Modèle: crayon, #2, #3, #4, #5, #8), 59 (cl, cc, cr, bl, br), 91 (Modèle: bananes, #1: crevettes, #2 both, #3 both, #5 both, #7 both, #8 both), 155 (cl, cr), 165 (#2, #8), 175 (b), 251 (b), 308 (t, cl), 400
Gorbun, Richard/Leo de Wys Inc.: 176 (b)
Greenberg, Jeff /Leo deWys Inc.: 182 (b), 276 (b)
Greenberg, Jeff/Unicorn Stock Photos: 52, 182 (b)

Guignard, Philippe/EPAMARNE/La Documentation française: 173 (t)
Guyomard/La Documentation française: 359
Hadj/SIPA Press: 283
Hebberd, Lindsay/CORBIS: 409
Heitman, Tim: 451 (b)
Henri, Michel/SNCF/CAV/La Documentation française: 254 (t)
Holden, L./Visual Contact: 226 (t), 228
Inden, A./zefa/CORBIS: 388 (t)
Inter Nationes: 82 (b), 346
Jo, Everett C./Leo de Wys Inc.: 206 (t)
Joliot/La Documentation française: 356 (r)
José, Nicolas/SIPA Press: 267 (c), 270 (b)
Kotoh/Leo de Wys Inc.: 435 (t)
Krist, Bob/CORBIS: 198-99
Larson, June: iv (t), 59 (l)
Larvor, Gilles/Vu/La Documentation française: 269
Last, Victor: 296 (b)
Le Bacquer/La Documentation française: 102
Leo deWys Inc.: 137, 173 (b), 276 (t)
Lessing, Eric/Art Resource: 355 (l), 356 (l), 361 (t), 362 (t), 363
Lido/SIPA Press: 376
Lisle, Chris/CORBIS: 408 (b)
Long, Lew/CORBIS: 468
Lowry, W./Visual Contact: 163
Manning, Lawrence/CORBIS: 405
Mayer, Joel: 387, 388 (b), 392, 394 (b), 398
Minamikawa/SIPA Press: 83 (c)
Ministère de l'Intérieur/SIRP/La Documentation française: 82 (t), 83 (b), 98 (l)
Moctar/SIPA Press: 109 (c), 134 (#4), 308 (b)
Moen, Diana: 338
Nana Productions/SIPA Press: 111, 142
Nebinger/Nivière/SIPA Press: 134 (Modèle)
NECO/SIPA Press: 267 (r)
Nice Matin/SIPA Press: x (l), 267 (l)
Office de Tourisme de Saint-Martin: 204 (t, b), 206 (b), 207 (t, b), 209 (t), 212, 242 (r)
Office des congrès et du tourisme du grand Montréal: 29 (C.), 37, 39
Ollivain, P./SNCF/CAV/La Documentation française: 227 (b)
O'Neill/Megapress: 31 (t)
Peterson, Mark/CORIBS: 221 (b)
Petrocik, Joe/Clement-Petrocik Co.: 209 (b)
Philiptchenko/Megapress: 227 (t)
Premier Ministre—Service photographique/La Documentation française: 361 (b)
Preston, Neal/CORBIS: 109 (t), 116 (b), 134 (#1)
Prezant, Steve/CORBIS: 46
Prouser, Fred/SIPA Press: 109 (b)
Psihoyos, Louie/CORBIS: 390 (C.)
Quittemelle/Megapress: 33, 134 (#5)
Retro/SIPA Press: 248 (t)
Reuters/CORBIS: 105
Rudling/SIPA Press: 236
Saunders, Richard/Leo de Wys Inc.: 410 (b)
Savage, Chuck/CORBIS: 152-53
Scala/Art Resource: xii (b), 337 (tl), 362 (b)
Schaub, George/Leo de Wys Inc.: 457 (b)
Shurgot, Sylvie: 461, 462 (all), 463 (all)
Simson, David: vi (t), vii (b), xiv (b), 10 (t), 12 (b), 13 (b), 17 (t, b), 19 (t, b), 21, 36, 38 (t), 41, 45 (t), 54 (t), 56-57, 60, 61 (t, b), 63 (b), 64 (t, b), 66, 74 (b), 75, 77 (tl, tr, bl, br), 78 (t, b), 79, 80 (t, b), 81 (br), 85, 87 (b), 89, 93, 98 (r), 99, 101 (b), 104, 116 (t), 117 (bl), 127, 131 (t), 139 (t, b), 141, 147, 150, 155 (b), 156, 159, 160, 161 (t), 168, 172, 174 (t), 178, 179, 180 (t, b), 183 (b), 185, 190, 194 (t), 196, 200, 211 (t, b), 229, 232, 235, 246, 251 (tl), 252 (r), 260, 263 (b), 268, 273, 275 (b), 282, 285, 286, 292, 293 (b), 294, 295 (b), 297 (r), 299, 300, 301 (t), 302, 303, 305, 306 (tl, tr, cl, cr, b), 307, 308 (cr), 309, 311, 312, 313 (l), 314 (b), 316 (t), 318, 320, 321, 330, 334, 352 (b), 368, 382, 395 (b), 406 (b), 407 (t), 413, 415, 416, 424, 430, 435 (b), 436 (t, b), 437, 438, 440, 443, 444, 447, 449, 452 (t), 469, 470
SIPA Press: 108 (l), 134 (#7)
Skelley, Ariel/CORBIS: 29 (D.)
St. Jacques, Pierre/Commission Canadienne du

Tourisme: 31 (b), 32 (t), 40 (b), 54 (b)
Stephan, Claude/MAE/La Documentation française: 252 (l)
Sternberg, Will: 10 (c), 22, 43, 120 (b), 133 (b), 136, 181, 191 (l), 194 (b), 261, 295 (t), 439
Stoecklein, David/CORBIS: 30
Swiss Tourist Office: 28 (t), 29 (A.)
Tellus Vision AB: 381, 411
Tessier/Megapress: v (t)
Teubner, Christian: 91 (#4: crème caramel)
Thierry, Daniel/La Documentation française: 452 (b), 456
Torrecilla/EFE/SIPA Press: 271
Tremsal, J. M.: 394 (t), 406 (t)
Turnley, P./CORBIS: 272
Turnley, Peter/CRDP Paris/La Documentation française: 8 (b)
Vaillancourt, Sarah: 128, 157, 158, 293 (t), 450 (t)
Valentine, Denis Anthony/CORBIS: 201 (l)
Vignal, B./SNCF/CAV/La Documentation française: 233
Welsch, Ulrike: 7 (b), 8 (t), 13 (t), 50 (t), 53 (t), 421
Wheeler, Nik/CORBIS: 408 (t)
Zumstein, Mickaël/L'Œil Public/La Documentation française: 113 (b)

Additional Credits

Bromhead, Alison and Pat MacLagan, *In France*, EMC Publishing (photo): 347 (t)
European Commission (illustrations): 82, 97
Galeries Lafayette (diagram): 317
Greater Quebec Area Tourism and Convention Bureau (brochure): 33
Ionesco, Eugène, *La cantatrice chauve*, Éditions Gallimard, Paris (play): 237-40
L'Officiel des Spectacles, March 19-25, 1997 (film summary): 129
L'Officiel des Spectacles, September 17-23, 1997 (advertisement): 127
L'Officiel des Spectacles, September 17-23, 1997 (film summaries): 126-27
L'Officiel des Spectacles, September 17-23, 1997 (theater listings): 128-29
L'Officiel des Spectacles, September 17-23, 1997 (TV page): 114
LeForestier, Catherine and Maxime, "Comme un Arbre," Éditions Coïncidences, 1973 (song): 280-81
Malle, Louis, *Au revoir, les enfants*, Éditions Gallimard, Paris (screenplay): 143-44
Médecins Sans Frontières (article): 272
Médecins Sans Frontières (photos): 266 (tl, tr)
Miramax Zoë (movie postcard): 105
Office de tourisme d'Avignon (monument and museum guide): 453
Oyônô-Mbia, Guillaume, *Trois Prétendants, Un Mari*, Éditions CLE, Yaoundé, Cameroon: 418-20
Pariscope, July 28-August 3, 2004 (cover): 125
Prévert, Jacques, "Déjeuner du matin" in *Paroles*, Éditions Gallimard, Paris (poem): 94-95
Prévert, Jacques, "Le Cancre" in *Paroles*, Éditions Gallimard, Paris (poem): 96
RATP ("Carte Orange"): 66
RATP (R.E.R. map): 65
Rochefort, Christiane, *Les petits enfants du siècle* in *Easy Readers* series (a B-Level Book), EMC/Paradigm Publishing (novel): 324-25
Sempé, Jean-Jacques and René Goscinny, "La plage, c'est chouette" in *Les vacances du petit Nicolas*, Éditions Denoël, Paris (story): 47-48
VIA (timetable): 228